D1535475

WITHDRAWN

PROPYLÄEN VERLAG

GEORG KAISER   WERKE

GEORG KAISER   WERKE

ERSTER BAND

GEORG KAISER WERKE

HERAUSGEGEBEN
VON WALTHER HUDER

ERSTER BAND
STÜCKE 1895–1917

PROPYLÄEN VERLAG

© _1971 by Verlag Ullstein GmbH,_
Frankfurt/M. – Berlin – Wien,
Propyläen Verlag
Alle Rechte vorbehalten
Gesamtausstattung Oldřich Hlavsa, Prag
ISBN 3 549 05750 4 Leinen
ISBN 3 549 05760 1 Leder

Inhalt

SCHELLENKÖNIG

eine blutige groteske

Thrönchensaal.
Das Thrönchen ist in der Mitte der Grundwand etabliert.
Sessel die Seiten entlang. Der Teppich grünfarben.
Die Groteske
fällt bei Gelegenheit der Generalprobe zu einem späteren
feierlichen Schloßaktus vor.

BETEILIGTE

DER KÖNIG *in rot und gold und weiß*
DER LEIBARZT *in schwarz und weiß*
DER CEREMONIEN-MEISTER *in rosa und gold und himmelblau*
DIE SECHS MARSCHÄLLE *in schwarz und scharlach*
DIE BEIDEN BEDIENTEN *in grau und gelb*

Auf aller Häupter, die Bedientenschädel ausgenommen,
schultertiefe Allongeperücken.

Rechts und links dem Thrönchen die beiden Bedienten Scep-
ter und Reichsapfel haltend. Zu je dreien die sechs Mar-
schälle die Seiten hoch. In der Mitte der König dem Thrön-
chen zugekehrt – vom Ceremonienmeister im Exercitium der
Ceremonie unterwiesen.

DER CER.MEISTER.
 Hoheit: die Pas mehr kürzen – j'en vous prie!
 Répétition – Hoheit! Wir wiederholen.
 Und spitzig spitzig abwärts stets den Schuh,
 den Absatz ein und hoch – nur platt den Fuß nicht!
 Ich flehe Hoheit: spitz spitz spitz die Zehe
 und nicht platt! Commençons – bitte! und scharf
 das Knie gebeugt und den – Verzeihung! – Schenkel
 gemessen heben – pas de zèle! Die Etiquette
 verlangt commande erfordert nonchalance!
 nur nonchalance Hoheit – pas de zèle!
 Also: plus lentement – mehr Zeit! mehr Zeit!
DER KÖNIG *setzt sperrig schreitend den unterbrochenen Gang*
fort.
DER CER.MEISTER.
 E – eins, e – zwei – langsam – e drei, e – vier –
 Non non non non! pas ça! c'est impossible!
DER KÖNIG *hält inne und giebt seiner Ermüdung Ausdruck.*
DER CER.MEISTER.
 Hoheit: pardon! Jedoch die Etiquette –
 die Etiquette – eh! – ist ein Gesetz,
 ist das Gesetz der Könige. Ihr Dienst
 ist mühsam echauffiert – je sais très bien!
 Die Schritte zieren, dieses Tänzeln Hüpfen,
 nur widerstrebend paßt sich ihm der Fuß
 und strebt zu der Gewohnheit der nature
 zurück, der plumpen – fi! nature, c'est bête!
 Doch ohne Etiquette schwankt der Grund,
 darauf die Thrönchen stehn. Ja: alle Treu, das Blut

aus hunderttausend Untertanenherzen
freudig verspritzt im Drängen der bataille
verleiht dem Staate nicht an Glanz und Ruhm,
was seines Herrn untadelhafte Pas!
Sans étiquette on perd l'autorité.
Drum bitte – bitte Hoheit noch einmal!
Wir müssen exercer, daß kein Verstoß
gegen die höfische Sitte und den Brauch
morgen die Cour von Hoheit Königin
durchlauchtigstem Geburtstag peinlichst störe.
Ermüden Hoheit nicht! Bedenken wir,
was das Ereignis dem gemeinen Volk
so hoch bedeutungsvoll, wie sich das Land
erquickt und labt und mit Vertrauen neu
zu Hoheit Stuhl den Blick erheben wird,
wenn ihm gezeigt, wie unverbrüchlich eng
die Etikette wir bewahren. Da gilt
ein Schritt von Euch ceremoniell gesteift
an Werte zehnfach, wie die Handvoll Münzen
der Menge vom Balkon herabgeschleudert.
Zittert der Fuß, schreitet er eigenwillig,
ist's schlimm, als stießet Ihr mit heft'gem Tritt
den Tempel ihrer blinden Achtung ein
und würft die Trümmer unbarmherzig hart
den Ärmsten ins Gesicht! – Hoheit: pardon!
pour m'excuser et cette fatigue sans fin
comme ça paraït, j'ai donné leçon.
Nun bitte, wie ich zähle – so der Takt!
Langsam anheben: eins, e – zwei – va bien!
e – drei, c'est magnifique! e – vier, e – vier –
non non, nicht so, das widerstößt der Form!
Répétition! Ich werde untertänigst
die Stelle Ihrer Hoheit Königin
vertreten um Anschaulichkeit zu geben.
Hoheit – die Hand! Ich bitte: nur zwei Finger,
die andern aufgespreizt um die Manchette!
Nun bitte: compliment!
Gegen die Marschälle.

die Herrn Marschälle
ebenfalls compliment. E – eins, e – zwei –

Die Marschälle verneigen sich tief.
Das Paar tänzelt närrisch auf das Thrönchen zu.

DER CER.MEISTER.
  Je suis content – Hoheit! e – drei, e – vier –
  e – wunderbar! bravo! göttlich! mon dieu –
  ganz ausgezeichnet! diese Grazie –!
DER BEDIENTE *welcher rechts dem Thrönchen postiert,*
platzt von dem komischen Schauspiel überwältigt mit Ge-
pruste in Lachen aus. Der Reichsapfel kollert zu Boden. Ver-
steinert stehen der König, der Cer. Meister, die sechs Mar-
schälle. Der andere Bediente im Erschrecken ist in die Knie
geglitten. Der lachende Bediente windet sich und bringt
Laute höchster Wonne dazwischen an.

Nach der bangen Pause.

DER KÖNIG.
  Sind Gäste aus dem Tollhaus hier zu Dienst?!
  heilen Verstandes bar! Narren! Besess'ne!
  Blindwütige! Bursche – was grinst du, Tier?
  Trägst Wasser du statt Hirns im Vierkantschädel,
  klotziger Fleischtrumm?! Stach die Sonne dir
  als barhaupt du im Heu zu Mittag schliefst
  die geilen Lüste! Juckt das Fell dir – Schwein?!
DER CER. MEISTER.
  Die Worte – Hoheit! Excusez: cochon!
  c'est trop – trop! Man hat nichts gehört!
  Nicht wahr, Ihr Herren – man hat nichts vernommen!
  Durchaus nichts! nichts! nichts! pas du tout!
DER KÖNIG *gegen den wiehernden Bedienten.*
  Grimmt eine Schlingwurz dir die Eingeweide,
  fraßt wohl zu voll dich, weil es Möhren gab
  und dir die unverdauten Klötzer nun
  das Blut zu Geiste treiben? Schlugst den Wanst
  zum Bersten voll dir, wie man Fuder Strohs
  in einen Bettsack stopft?! Lang' in den Hals mal
  und zerr' den Pamms heraus, eh' du noch berstest
  und auf den Boden deinen Dreck versprengst!
DER CER. MEISTER *hin und her.*
  Man schließ' die Ohren! Klang nicht eine Glocke?

Sang nicht die Amsel? Pfiff das Schwälbchen nicht?
Die Amsel sang!! Das Schwälbchen pfiff – und pfeift!!
DER KÖNIG.

Tritt her – Geselle! widriges Geschmeiß!
Täppischer Bär! hier her! zerpreß dein Feixen!
Was gab's zu lachen? Drängt die Sucht dir an?
He – was geschah hier denn lachhaftes – wie?
Was hier geschieht – liegt da des Lachens Grund?
Oder was Possen stieß dem Krüppel auf!
Laß dein Gelächter, ekelhafter Wicht!
Heraus dein Wort! Was ist?
DER BEDIENTE *treuherzig.*

Weil Hoheit wurden
dressiert grad wie ein Aff'!

Eisigste Erkältung durch den Saal.
Der andere Bediente liegt langhin die Stirn am Teppich.

DER BEDIENTE *die eben stattgefundene Ceremonie trave-*
stierend mit eckigen Gebärden.

Wie auf den Märkten
man Affen zeigt. In buntem Wams. Nur fehlt
der Schwanz. So: eins, e – zwei, pardon! e – drei,
e – trippel trappel hopp und vier und hupp –
noch einmal! Bitte zarter – wie auf Eiern,
die spitzen Finger an die Königin –
O wundervoll! Hoheit – Sie sind ein Gott!
Nun ist das Land geruhig und der Bürger
voll Glückes, weil der König das Tanzen hat
gelernt grad wie ein Aff'! Nun gute Nacht
Haß Fehde Streit und Hader, dieses Reich
weiß nichts von Unruh mehr – tanzt doch der König
grad wie ein Aff'! Schmelz ein das starre Schwert
zu Pflugschar Sensen friedlichem Geräte,
die langen Morgen Ackers zu bestellen
ohn' Unterlaß in die sinkende Nacht
und fürchte nicht des Feindes Einfall – tanzt
der König wie ein Aff' doch! Eins, e – zwei,
e – drei, e – vier, *Zum Cer.Meister.* oder mach' falsch ich's?
DER CER. MEISTER *mit einem Rucken.*

Holt die Hartschiere! Rebellion! Empörung!
Frevler! Bête misérable! Die Hartschiere!

*Die sechs Marschälle zücken vom Leder und fuchteln mit
den Klingen durch die Luft.*

MARSCHALL I.
    Dein Blut soll diesen grünen Teppich färben!
MARSCHALL II.
    Von meiner Klinge sollst du furchtbar sterben!
MARSCHALL III.
    Pick' ich die Nieren dir mit einem Stich!
MARSCHALL IV.
    Ein grauser Tod erwartet Schurken dich!
MARSCHALL V.
    Verruchter dir zerspalte ich die Zunge!
MARSCHALL VI.
    Und ich durchbohr' wahrhaftig dir die Lunge!
DIE SECHS MARSCHÄLLE *auf den Bedienten eindringend –
vereint.*
    Von unsern Klingen sollst du furchtbar sterben!
    Dein Blut muß diesen grünen Teppich färben!
DER KÖNIG *der im innersten betroffen dagestanden, tritt nun
mit hoher Geste zwischen die Schnaufenden.*
    Versenkt die Spieße in die Scheiden wieder.
    Marschälle! diesen Blutdienst schenk' ich Euch!
    Weiß ich doch nun um Euer Heldentum,
    die gute Absicht gilt mir gleich der Tat.
DER CER.MEISTER *zeternd.*
    Ja – die Hartschiere! So ein rohes Tun
    ist Marschallamt nicht! Henkersamt ist das!
MARSCHALL I.
    So soll den Buben ins Verlies man sperren!
MARSCHALL II.
    Ihm die Gelenke aus den Höhlen zerren!
MARSCHALL III.
    Vierteilen hängen köpfen drangsalier'n!
MARSCHALL IV.
    Heißen Teer innen in die Stiefel schmier'n!
MARSCHALL V.
    Die Nasenlöcher ihm mit Lack verschließen!
MARSCHALL VI.
    Flüssiges Blei ins lose Maulwerk gießen!
DIE SECHS MARSCHÄLLE *von neuem anstürmend – vereint.*

Ja ins Verlies muß man den Buben sperren
und die Gelenke aus den Höhlen zerren!

DER KÖNIG *dem Angriff wehrend.*
Marschälle gleichfalls Dank für Euren Zorn,
der mir die Treue wieder reich versichert!
Laßt ab die Hände! Schont die Politur
der Nägelplatten. Stäubt den Puder nicht
durch heftige Bewegung aus den Locken:
noch ist es Zeit zum Henken Zerren nicht!

DER CER.MEISTER.
So hat man nichts gehört?! Genial! Genial!
Dank Hoheit! Die Fontäne klang im Park.
Im Laube fiel ein Ast und knackte klirrte.
Was ging hier vor denn? Nichts! Marschälle nichts!!
Die Fliegen singen mit metall'nen Schwingen
und Hitze bringt der Tag. Da kommen Träume
Einbildungen – in Wirklichkeit ist nichts!

Er kniet vorm König nieder und küßt ihm die Hand.
Befangen Hoheit, keines Ausdrucks fähig
für solcher Weisheit strahlendes Geleucht
küßt Euch die Welt die Hand durch meinen Mund!

DER KÖNIG *mit Ergriffenheit an den Bedienten.*
Mir ist im Ohr ein Ton von seltenem Wohllaut.
Er drang in diesen Saal und glitt vorüber,
doch schwingend hält die Luft den fremden noch.

DER CER.MEISTER *erhebt sich konsterniert.*

DER KÖNIG.
Aus eines feinen Glockenkelches Grund
löste der süße sich, wie ein Geruch
Blüten hängender Tulpen sacht entfällt.
Ein Schwengel schlug an, schlug das Herz mir an
und rief die tauben Wände auf zum tönen
und sie erzitterten in schwacher Wucht,
und kaum geklungen wieder zu erstarren.
Lach' wieder!

DER CER.MEISTER *vergehend.*
Ah –! Marschall: Euer Flacon!

DER KÖNIG.
Mich übersprang ein Quell. Des Lauterkeit
traf mich wie fließend Licht, doch kühl und milde
und wusch mit reinen Strömen meinen Leib.
Ich stieg wie aus Jungbrunnens Werdeflut

danach den neuen Tag voller Lust.
Lach' wieder!

DER CER.MEISTER.

Ah –! Marschall: Euer Flacon!

DER KÖNIG.

Aus engen Räumen und beklommener Luft
fand ich ins Freie, und ich taumelte
von Düften trunken, die das Tal mir trug,
darein das Menschtum und die Wahrheit münden.
Tand Flitter diesen Mantel diese Krone
hob auf ein Wind, der riß mir keck ins Haar,
entwirrte Gurt und Schnallen der Gewandung
bis nackt ich stand – – Und das berührte mich
zaub'rischen Strichs mit einer Kinderhand
grad auf die Haut vom Herzen sanft ein Druck,
der sich so gleich ins innerste mir pflanzte
und wie den Nußkern aus erstarrter Schale
das warme Herz in die Befreiung hob.
Lach' wieder!

DER CER.MEISTER.

Ah –! Marschall: Euer Flacon!

DER KÖNIG.

Und eine Sprache – herbe erst und rauh –
wie Felsenstücke von gesprengtem Block
zur Tiefe polternd kollern grollend – fand ich!
Ich hieß dich Lümmel – Labsal war mir das!
Du Affe mich – kein Wort war besser je!
Als reichtest du nach Bechern matten Weines
mir klaren Wassers frisch geschöpften Trunk.
Gieb deine Hand her und begreife mich!
Daß dieser Kleider prunkendes Gerät
dich nicht beirrt! Ein schlechter Kittel ist's
wie andre mehr. Er und dein Tressenrock
decken nichts unterschiedliches. Ich suche
ein Mensch den Menschen dich. Was hoch, was niedrig
trennt nicht ein Wams sei's blau sei's gelb sei's grün
und aufgetan mit Pfauenradesblust.
Ist deine Hand wie meine heiß durchpulst
von Blutes Schlag und wechselt frohen Druck
mit zweiter Hand, dir freundlich dargestreckt,
so gilt das, was vergeblich nur sich mühend
dir Karawanen meilenlangen Zugs

an Schätzen führten aus der ganzen Welt.
Und zögerst du, so muß ich betteln lernen.
Und steht dies schlecht zu Hermelin und Krone,
– nun so begeb' ich allen Zierats mich!
Meister der Ceremonien: löst den Mantel!
die Krone nehmt –

DER CER.MEISTER.

                Hoheit – pour dieu! tenez!
Marschälle, liebe Herren, helft mir doch!
Hoheit, hier knien wir – vraiment, wir knien.
Es ist ein Fieber, das befiel Euch plötzlich.
Durch dieses Burschen unerhörtes Kühnheit
seid Ihr erschüttert fassungslos verworren!
Hoheit sind krank! Man soll den Frechling henken
und Hoheit legen gütigst sich zu Bett.
Transpiration ist hier das einzigste,
was fördern kann. Euch glüht das Blut.
Hoheit – geht, geht zu Bett, denn Ihr seid krank.
Und Pflicht ist's um des treuen Volkes willen,
daß Ihr Euch pflegt. Der König ist des Staats
Augapfel. Darum müßt Ihr stracks zu Bett.
Hoheit! wir knien, flehen: Hoheit geht
zu Bett und schwitzt, denn Ihr seid äußerst krank!

DER KÖNIG.

Ich war gesünder nie als diese Stunde.
Und ist es Krankheit wie du ängstlich meinst,
so wünsch' ich eine Dauer dieser Krankheit
von Monden mir und besser ohne Ende.
Und solchen Siechtums Lager zubereitet
dünkt lockend mich und weicher hergerichtet
als meines reichsten Prunkbetts tiefstes Schwellen.

Mit glücklicher Empfindung.

Marschälle hört: denn diese Stunde schwimmt
auf Eures Daseins trübem schalen Spülicht
als weißer Schwan und Gast aus dunkler Ferne –
ist in dem Beutel Eures gilben Glücks
der gold'ne Pfennig, der die Armut krönt.
Und da Ihr arm seid, wie Ihr selbst nicht wißt,
nie je des Reichseins bangen Rausch genoßt,
wie ich's erfuhr durch dieses Menschen Gnade,
der mich bewarf mit Bällen reinen Goldes
gleichwie mit Kieseln, doppelt merkt drum auf,

die Ihr des Unterscheidens nicht gewöhnt:
Beschenkte – Bettler, zwischen arm und reich –
Euch nicht durch lässig umgeschloss'ne Finger
die Hälfte Segens, des Geschenks entfällt:
ein tief Geheimnis ist das Menschenwort,
buhlt's nicht um Gunst und Lob und Dank und Gaben
und bricht's hervor aus schwergezogener Wolke,
so ist's ein Lichtstrahl machtvoll wunderbar,
dem klirrend sinkt wie Glas Schranke und Bann
und Enge!

DER CER.MEISTER *der sich während diesem samt den Mar-*
schällen erhoben hat, tritt kopfschüttelnd zurück.

             Non – wie Glas! – wie Glas! – wie Glas! –

DER KÖNIG *Mantel und Krone und Perücke entfernend.*

Dies sind nur Dinge, die zerbrechlich sind,
leicht hingestellt und leicht genommen wieder.
Verwirrt das Glitzen dich?

DER BEDIENTE *schüttelt verneinend den Kopf.*

DER KÖNIG.

                  Doch glaub' ich mich.

DER CER.MEISTER.

Hoheit! noch einmal – einmal noch verstattet!
Ich bin des Volkes Mund, der zu Euch spricht.

DER KÖNIG *auf den Bedienten weisend.*

Des Volkes Mund scheint jener mir zu sein.

DER CER.MEISTER.

Ich bin des Volkes Mund, Hoheit, und jener
ist ein gefährlicher Betrüger!

DER KÖNIG.

                Na!

DER CER.MEISTER *ereifert.*

Ist ein Betrüger! Halb aus Torheit, halb
aus böser Absicht! Aber ein Betrüger
an Euch an uns am treugesinnten Volke!

DER KÖNIG.

Gurgle mit Sand du. Deine Stimme knarrt
mißtönig. Und die Zunge scharrt wie rostig
dir unterm Gaumen.

DER CER.MEISTER.

            Hoheit – Ihr verwundet
mich tief. Doch duld' ich's gern. Und wenn die Zunge
den leichten Schlag verlor bedenkt: es kam –

DER KÖNIG.

> Vom Zählen: eins e – zwei! Für heute Schluß.
> Vielleicht hab' morgen ich mehr Lust zum Tanzen.
> Heut laßt dem Affen sein natürlich Springen
> der Kette ledig und des Narrenseils.
> Es kann auch sein, wenn nicht die Zeichen trügen,
> daß weder heute noch in Zukunft je
> der Affe wieder tanzt und man das Zelt hier
> abbricht und wer nicht flugs zum bessern
> kann wandeln sich, wir wollen Mensch es nennen,
> einpackt und aufpackt und von dannen zeucht
> nach andrer Märkte dümmerer Hanswurstiade!
> Verstanden – Herren?

DER CER. MEISTER *unter den Marschällen.*

>   Ungeheuerlich!
> Ein Fieber, rasend! Man den Leibarzt hole.
> Ich eile selbst. Der Staat ist in Gefahr.
> Wär's nicht gegen die Etikette – wirklich
> ich drückte eine Träne, eine Träne –

Zittrigen Schrittes ab.

*Die Marschälle postieren sich zu je dreien wieder vor ihre
Wände, doch diesmal traurig abgewandt und mit den
Schnupftüchern die Augen tupfend.*

DER KÖNIG *zum Bedienten.*

> Der Rausch verrinnt. Der Blick gewöhnt sich nun
> ans Licht. Die Helle blendet nicht mehr stark
> wie zu Beginn. Doch schwingt die Freude noch
> im tiefsten nach. Nun halte sie. Das Haus
> ist frei für neue Bilder und Geräte.
> Schaff' sie herbei, daß nicht verödet liegt
> der weite Raum. Weil Einsamkeit gebiert
> die wirren Wünsche nach verlass'nem Tand.
> Jetzt zeigt die Kraft sich erst. Und zeige du,
> ob du betrogst und der Betrüger bist –
> denn möglich wär's wie ich jetzt angstvoll ahne –
> der Rausch verrinnt und sich verflüchtigend
> entflieht der hohe Mut – Doch dank' ich dir!

Reicht ihm die Hand.

> Woher hast du die Weisheit?

DER BEDIENTE.
                              Welche Weisheit?
DER KÖNIG.
  Nun jene Weisheit, daß du lachtest – Freund!
DER BEDIENTE.
  Ich lachte weil das Spiel so albern war.
DER KÖNIG.
  Doch später deinen Spott?
DER BEDIENTE.
                              Das gleiche Spiel.
DER KÖNIG.
  Und war doch Ernst! Lachte kein andrer doch!
DER BEDIENTE.
  Weisheit ist's nicht. Euch dünkt das weisheitsvoll
  und ist vielleicht die ärmste Wissenschaft.
  Dem Hohen schmeckt das graue Brot der Niedern
  einmal nach Stunden üppigen Mahls. Das ist's.
DER KÖNIG.
  Und mehr. Man lehrte Tanzen mich, doch du
  berietst zum Gradeschreiten mich. Man hing
  in starre Wämser ein mich, die mit Knistern
  und Bauschen überwallten und verbargen,
  daß auch ein Mensch darin. Und eine Puppe,
  aufführend Gaukelkünste, willenlos,
  war ich der König! und man jubelte.
  Sind wir verrückt! Man setzte Gott mich gleich
  und beugte sich und küßte meine Füße,
  und war doch alles, all mein Königtum
  und Gnadentum mühseliger Dressur
  aus enger Kammern dämmeriges Geheimnis.
DER BEDIENTE.
  So lacht' ich denn.
DER KÖNIG.   Warum nur alle nicht!
  Die andern standen ernst doch und gewichtig
  sah'n sie dem Popanz zu in Samt und Purpur!
  Dir sollte man die Krone bettelnd bieten,
  auf Knieen deinem Stuhle nahe rutschen
  und um ein Staubkorn deiner groben Sohlen
  zerfleischen sich und in die Augen fahren!
  Du mußt mir raten, der du alles weißt.
  Ein Mensch, der ohne Trug, besitzt den Stein
  der Weisen. Mensch! – das ist der Rausch, der mich

durchschüttelte und wie mit Ruten schlug.
So will ich meines Amtes ferner walten
und kennen mich als Fleisch und Blut und Bein:
sitz' auf dem Thron ich, will ich kneifen mich
hier in die Haut. Fährt mich der Galawagen
zu Vieren lang durch meine Stadt, so will ich
am Ohr mich zupfen – also fühl' ich stets,
daß ein lebendig Wesen und kein Pfahl
unter der Kleider Seidenlast sich regt.
Noch besser so: – daß es gleich sichtbar werde!
wie sich im Grunde geändert neu mein Sinn –
einfach im Rocke, den der Bürger trägt,
wenn er nach seines Werktags Unrast feiert,
will ich mich zeigen. Dann entscheide sich,
ob ich der König wahrhaft und der Erste,
und ruft mir so das Volk sein heil nicht zu –
so ward unwürdig ich und hab' geirrt!

Er nimmt auf dem Thrönchen Platz.

    Marschälle: Euer König!

DIE MARSCHÄLLE *ratlos durcheinander.*
Wo?

DER KÖNIG.
Verneigt

    vor Eurem König Euch!

DIE MARSCHÄLLE.
Wo nur?

DER KÖNIG.
Fallt auf

    die Knie vor Eurem König!

DIE MARSCHÄLLE.
König? König?!

DER KÖNIG.
    Kriecht auf dem Bauch heran!

DIE MARSCHÄLLE.
Seht Ihr den König?

DER LEIBARZT *kommt. Trippelt geradenwegs auf den König zu und faßt nach seinem Puls.*
DER CER.MEISTER *ist gleichfalls wieder eingetreten und hält sich an der Tür auf.*
DER KÖNIG *zum Leibarzt.*

Du kennst mich noch! Du sahst mich halt im Bett.
Doch sieh' die Not der Räte. Wie ein Schwarm
von Raben, denen man das Aas entriß,
fallen und taumeln sie blind durcheinander.

DER LEIBARZT.
          Pst –! Pst –!

DER KÖNIG.
                    Ich lass' den Puls dir gern.
Es muß den Arzt doch erfreuen, statt des Kranken,
zu dem man ihn berief, einen von Kräften
strotzenden Leib zu finden. Und ich gönn'
die Freude dir!

DER LEIBARZT.
               Pst –! Hoheit sind Patient.

DER KÖNIG.
Ein kranker Narr, drum der Genesung nah,
und leicht gesünder als der stärkste hier!

DER LEIBARZT.
Hoheit – zu Bett! zu Bett!

DER KÖNIG.
                    Kommt Schlafenszeit,
so soll die Glieder lösend Schlaf mir hoch
willkommen sein. Jetzt aber ist es Tag.
Mein Werktag steht noch voll in junger Blüte
und will genützt sein.

DER LEIBARZT.
              Hoheit sind sehr krank.

DER CER.MEISTER.
Hoheit die Königin durch mich berichtet
ersuchen Hoheit heute von Geschäften
zu lassen und den Vorschriften des Arztes
striktest zu folgen!

DER LEIBARZT.
              Hoheit werden folgen.

DER CER.MEISTER.
Hoheit die Königin harren bereit
im grünen Onyxsaale Eurer Hoheit
vor dem Zu-Bett-geh'n Besserung noch zu wünschen.

DER KÖNIG.
Sagt meiner lieben Frau, ich hätt' zu tun.
Sie soll sich nicht im Onyxsaal langweilen.
Ich stieg zu Bett um die gewohnte Zeit,

sei ganz gesund fidel wie nie zuvor.
Zu Abend äß' ich gern Kartoffelbrei
und saure Gurken, aber neuer Ernte.

DER LEIBARZT.
Die Zunge, Hoheit.

DER KÖNIG.
                    Schert zum Teufel Euch
und pfuscht mit Eurem Kram, wem nach verlangt!
Hier seid Ihr nicht begehrt.

DER LEIBARZT.
                    Hoheit – die Zunge.

DER KÖNIG *die Zunge lang und rasch herausstreckend und*
wieder zurückziehend.
Da hier –! Bedeckt nicht wahr und dick belegt.
Ich fühle selbst die Knötchen und die Hügel.
Doch seht Euch vor: nichts andres ist's als Zorn,
der giftig da sich sammelt schwillt und wächst
und wuchernd böse Pilze könnte treiben,
von denen ausgeweht ein Hauch Euch wirft
wie Halme Grases langhin übern Haufen.
Ihr seid gewarnt, wißt um die neue Fahrt,
ich bin des alten Narrtums gründlich satt.

DER LEIBARZT.
Marschälle hört und tut dem Volke kund!

DER CER.MEISTER.
Silence messieurs!

DER LEIBARZT.
                    Daß nach des Schicksals Schluß,
des Walten rätselhaft uns scheint beraten,
nach so viel Monden schattenlosen Glücks
die hohe Zierde, dieses Staates Haupt
in schlimmen Wahnwitz plötzlich ist gefallen.
Doch wie das Unheil raschen Flugs gekommen
besteht die Hoffnung, daß die Wolken wieder
verziehen sich, nachdem sie sich entladen.
Man soll geruhig harren, wie die Gnade
der Schickung bessere Änderung beschließt.
Alljeden Lärm vermeiden, leise treten,
mit singen nachts und schallend musizier'n,
auch nicht mit Tobaksqualm die Luft verstänkern –
kurzum was Unruh' schafft und stark Getös'
für der Erkrankung Dauer unterlassen.

DER KÖNIG *in Gelächter ausbrechend und sich die Lenden schlagend.*

Bravo! Bravo!

Einhaltend.

Ich bin ja sterbenskrank.
Hab' Fieber Pestilenz den ärgsten Typhus –
'ne Leiche bin ich oder seufzend auf
den Tod das letzte Rüchlein Lebens schnappend
mit Folterqualen ein verlorener Gast!
Arzt sei barmherzig! stoß' mir ein Klystier,
oder ein Gift, daß sich mein Leiden endet!

DER LEIBARZT.

Und weiterhin wird dies von uns besorgt:
die Brunnen auf dem Marktplatz soll man stöpseln,
dieweil ihr Rauschen monotonen Falls
den trüben Geist mit Traurigkeit beschwert.
Der Marktplatz selbst in seiner ganzen Runde
wird für die Rumpelei jeglichen Fuhrwerks
gesperrt. Das Pflaster holperig und spitz
mit Stroh belegt zwei Handhoch mindestens.

DER KÖNIG.

Und wenn der Wind sich gar erfrecht um Turm
und Giebel aufzupfeifen, zieh' man ihn
in einen Sack und tu' ihn ab ins Loch!

Das durch die Klammer ineins geschlossene wird zu gleicher Zeit gesprochen mit Steigerung dem Ende zu und so verteilt, daß alle Redenden miteins abbrechen.

DER LEIBARZT.

[Was ferner von Notwendigkeit die Zeit
und dieser Krankheit Gang werden empfehlen
als unerläßlich der Genesung soll
der Bürger mit Geduld und Ordnung tun.
Der Lohn für solche Sorge und Bemühung
wird ebenfalls nicht vorenthalten bleiben:
morgen zur Mittagsstunde falls das Wetter
nicht hinderlich mit Regen soll der Schelm,
der dieses Übels Grund und off'ne Ursach'
durch Strang in Angers Mitten vor den Toren
gerichtet werden nach des Urteils Spruch.
Man wird nicht sparen zu dem frohen Schauspiel

in Anbetracht der Wendung dieser Läufte
Braunbier und reichlich Süßbrot zu verteilen.
So ist Gelegenheit geschafft, die Sucht
und Lust draußen vorm Tore auszutoben,
daß innerhalb der Mauern nicht
das leiseste Geräusch die Stille bricht.

DER KÖNIG.

Beißt dich ein Floh in stiller Mitternacht,
so reib' dir nicht den Kitzel der Verletzung,
dieweil die Decke könnte rascheln und
den König beim Verrücktsein molestier'n.
Hat sich ein Schnupfen eingenistet dir
und treibt zween Strömlein aus der heißen Nasen
das Wasser, wehe! schneuzt du dich und weckst
den tiefen Donnerlaut! Lass' fließen fröhlich
die munt'ren Bächlein über Rock und Bucksen,
daß nur der König seine Ruhe hat!
Verrückte hintersinnige Brut!
Vernunftlos ränkevolles Pack!
Gewürm am Boden! Dunkle Maulwurfszucht!
Mir widerlich und bitterlich verhaßt
durch dieser Stunde tiefere Erkenntnis.
Heut spielt Ihr aus! Und steckt die Kappen ein!
Bewahrt die Schellen und verlaßt das Haus!!

Gegen den Leibarzt.

Schweig' Krähe, schnarr' dein gräßlich Lied zu End'!

DER CER.MEISTER.

La fin! La fin! Débâcle! Tout fini!
Le roi fou – insensé! Die Etiquette –!
Man spricht . . . on crie . . . – sans règle! Hoheit ohne
Perücke Krone Mantel auf dem Thrönchen!!

DIE MARSCHÄLLE *im Gewirre.*

Man schreit! Man lärmt! Gefahr ist in Verzug!
Rettet man sich? Man stößt wohl besser zu?
Fließt Blut?! Saht Ihr schon einmal Blut? Ich nicht!
Mord! Totschlag!! Raub!!! Verrat!!!! Tod!!!!!
                                    Autsch mich traf's.]

*Ein dumpfes Stimmengeräusch draußen aus der Tiefe wird
vernehmlich.*
Alle im Saal lauschen in Spannung danach hin.

26 *Georg Kaiser Werke*

Nach der Pause.

DER KÖNIG.

    Hallo ist da das Echo aufgestört,
    als es sich träge sonnte auf den Fliesen
    In Nachbars Hausgang und jetzt mit Gebrumm
    von gierigen Hummeln, die den blühenden Kirschbaum
    umkreisen lüstern, vor den Fenstern knurrt!
    Oder die Toten sind aus ihren Grüften
    und wallen wehenden Zugs die Zeilen hoch
    den jüngsten Lohntag hoffend, aber nichts
    als einen Haufen buntgetreßter Gecken
    schreiend wie eine Schar geneckter Affen
    antreffend, dumm und öd' und blöd' und fade.
    Ja, ja, Ihr Herren – hört man Euch so zu
    und siehet das ernste Schütteln der Perücken,
    der Nase Rümpfen und der Stirne Runzeln,
    das ganze Wesen in Bedächtigkeit,
    vermeint man: Himmel Erde Hölle und
    was noch unmöglich galt wird hier bewegt
    und tritt als wahr und groß in die Erscheinung –
    und seid doch leer wie ausgefaulte Eier
    und nur die Dummheit klappt so laut im Hohlkopf!

Zu Arzt und Cer.Meister, die vom Fenster in die Tiefe blicken
und sich gestikulierend aufgeregt unterhalten.

    Na, ist die Flut hereingebrochen, steigt
    und bringt das werte Leben in Gefahr!
    Klettert auf die Kamine, aber deckt
    die Schlote um der weißen Strümpfchen willen
    erst sorglich zu, ziehet schwarze Höschen an!
    Nun was ist los? Was fuchtelt Ihr umher
    wie Krähen scheuchend mit den Steckenärmchen
    und zerrt die Lippe so bedenklich tief.
    He Arzt! du hast doch Ruhe kaum verordnet,
    daß mir die müßigen Grillen niemand wehrt,
    und jetzt schwirrt Lärm und Wirrwar wie zuvor
    nie je um Schloß und Hof und Krankenzimmer!
    Wenn du nicht besser kannst Gefolgnis schaffen,
    Das Anbefohl'ne so mißachtet ist,
    so wird verziehen nicht – o schaudervoll! –
    daß eingesargt – ein ew'ger Schweiger bald –
    der König rollt auf letzter Fahrt zu Grabe.

Was brüllt da unten?

DER CER.MEISTER *demütig nähertretend.*
                                        Euer treues Volk.

DER KÖNIG.
    Was gibt's zu plärren, was geschah?

DER CER.MEISTER.
                                        Zu viel.

DER KÖNIG.
    Verschrobene Antwort. Und die Unruh wächst.
    Was denn zu viel? Berichte erst das viel.
    Schön! Seufz' dir Luft und nun verhehle nichts.

DER CER. MEISTER.
    Ich bin ein Diener und verschweige nichts.

DER KÖNIG.
    Schwätzer – Verschwiegenheit ist ein Talent.

DER CER.MEISTER.
    Es hat sich fliegend durch die Stadt verbreitet
    und ist dem guten Bürger eingefahren
    wie Blitzschlag das Gerücht von Euer Hoheit
    ganz sonderbarlicher Unpäßlichkeit
    aus heit'rem Himmel und zufried'ner Stunde.
    Von Werkstatt Ackerland und jeglichem
    Geschäft, dringlich oder gemacht, lief Mann
    an Mann, um mit dem Feiergruß zu Abend
    zum Herde kehrend ohne Kundschaft nicht
    von Euer Hoheit Zustand vor die Frau
    und eine bange Kinderschar zu treten.

DER KÖNIG *nach einigem Sinnen.*
    Sag' jenen Braven, ich sei ernstlich krank.
    Und so geschah's: ich fiel vom Seil herab.
    darauf ich übte mich als schlechter Tänzer
    und Harlekin im Schweiße meiner Lenden.
    Noch besser: daß man mich vom Seile stieß,
    und der den Stoß mir gab, als Heiliger
    soll im Kalender aufgenommen werden,
    denn also sei zu Dank ich ihm verpflichtet.
    Ich trüge Hoffnung, meine Sehnsucht wär's,
    nie je von diesem Stoße zu genesen,
    nie wieder aufzusteh'n von diesem Lager,
    denn es sei herrlich Siechtums drauf zu frönen
    und glücklich als der freiste Atemzug.
    Schick' heim die guten.

DER LEIBARZT.

Sie erregen sich,
und man begehrt den Herrscher selbst zu sehen,
da man nicht glaubt, weil will nicht, daß Hoheit
erkrankt.

DER KÖNIG *mit raschen Schritten ans Fenster gehend und den
Leibarzt beiseite schiebend.*

Da bin ich!

DER CER.MEISTER.

Dieu! nicht so –! nicht so –!
Hoheit: l'habit!

DER LEIBARZT.

Nicht ohne Kron' und Mantel.

DER CER.MEISTER.

Terrible! Hoheit sollen sich bekleiden!

DER LEIBARZT.

So wird das Volk des Unheils schnell gewahr.

DER CER.MEISTER *zum Leibarzt.*

Wo bleibt der Staat? L'état! Wo bleibt er – eh?

DER LEIBARZT.

Wir müssen der Erschütterung kräftig steuern.

DER CER.MEISTER.

Die Etiquette – eh! – wohin kommt die?

DER LEIBARZT.

Die Zeit – die Zeit, vertrau'n wir auf die Zeit.

Das Geschrei herauf bleibt gleich und drohend.

DER KÖNIG.

Ja – sieht man mich denn nicht! Führt doch das Fenster
grad auf den Marktplatz und Gerank verdeckt
es nicht! Und auch die Höhe ist gering!
Grüßte ich oft nicht schon von dieser Brüstung
zur Tiefe nieder und sie grüßen wieder
mit Jubelruf mir hoch! Hat sich ihr Blick
getrübt? Und ist nicht Dämmerns Zeit? Noch hellt
der Tag. Ich unterscheide deutlich ganz
am Hut die Feder – jedes Auges Farbe,
und seh' den Mund sich öffnen schließen spannen –
Das alles seh' ich – jenem fehlt ein Zahn,
diesem ist stoppelicht um Kinn und Backen,

dem Goliath hinten wird der Gurt gleich rutschen –
das alles seh' ich doch, und von den hunderten,
die grad herauf nach diesem Fenster stieren,
das tun sie – ja, sie recken sich auf Zehen
nach diesem Fenster – und doch murmeln sie
besorgt und drohend weiter, statt zu jauchzen
ihr hoch und heil wie die Gewohnheit sonst!
Rätselhaft! – – Rätselhaft und leicht gelöst.

DER CER.MEISTER.

Die Lösung, Hoheit, sind die fremden Kleider,
so kennt das Volk Euch nicht. Es sah nur stets
im Hermelin mit Scepter und mit Zierden
das gnädige verehrte hohe Haupt.

DER KÖNIG.

Ich weiß und denk' dem nach, daß es sich wandle.
Und ich gelobe: – dieser Eid drückt mehr
als alle die ich leistete bisher,
verpflichtend mich zu meiner Popanzrolle –
daß ich nicht weichen will von diesem Fenster,
von diesem Orte, wo ein Mensch ich stehe,
ein Mensch wie jene unten warm beseelt,
als bis sie dessen sich entsinnen werden,
daß ich so bin – dem ärmsten gleichend und
dem größten ähnlich, daß ich leiten will,
unmündig wie sie sind und Rufs bedürftig,
sie ins entfernte Land, ins Tal der Freude:
darein das Menschentum und die Wahrheit münden!

DER LEIBARZT.

Und dies Gelöbnis ist der Richterspruch,
danach Hoheit zum Tod sich selbst verdammen,
exekutiert von jener Menge unten.

Das Geschrei wächst.

DER KÖNIG.

Sind sie wahnsinnig! Was denn? Treibt sich nicht
der wüste Haufe aufgewühlt und frech
auf das Portal!

DER LEIBARZT.   Ganz recht: um nach Verlauf
von zehn Minuten diesen Saal zu füllen

und jenen *Menschen,* der den König ihnen
vom Stuhle nahm, zu würgen und zu zerreißen.
DER KÖNIG *durchs Fenster.*

Meute von Hunden! Und dem tanzt' ich vor,
besänftigend mit Hopsen und Grimassen
den heißen Geifer, der zur Lefze drängte!
Der Ekel stößt mir auf und widerlich
und ganz unwürdig dieser schreiende Troß
von Krämern Katzen Würmern Wanzen Mücken
und was ihn bildet mehr und wiegt und schiebt –
Trag' da die Krone, wer sie will und wünscht!
Achtung – Ihr Herren! Hier steht eine Krone
für ein paar gute Worte feil. Wer ist
bereit für drei vier echte Worte – oder
wer fängt auf, wenn ich diesen blanken Reif
so in die Höhe werfe –
DER CER.MEISTER.

               Haltet ein!
O haltet ein! Jede Minute bringt
uns dem Verderben näher!
DER KÖNIG.

Wahrhaftig: die Hartschiere flüchten und
die Wachen weichen! Und der Strom bricht ein!
Sie werden kommen –
Plötzlich in Seelenangst auf den Bedienten los, ihn am Arme
packend – mit verzweifelter Ironie.

            He – nun rate du!
Was wußtest du nicht alles kluges doch
und wohlberat'nes – he! berat' uns nun,
die wir verzagen! Los! heraus dein Lachen!
lach' ihren Ansturm nieder! lach' sie tot!
Lach' aus dem Haus sie, aus der Stadt, vor's Tor,
in's Land, zum Meer und in die Flut hinein!
ersäufe sie wie Ratten in den Wogen
mit deinem Lachen – *Winselnd.* – aber rette mich!
Sie kommen her mit Stangen Schwertern Nägeln,
die spitz wie Dolche sind – geschliffen – scharf –
denn ich weiß nichts! mein Kopf ist leer wie'n Faß –
zum Kleiderständer taug' ich – bess'rem nicht –
DER BEDIENTE *zieht sein Messer.*

Und kommen sie die Hunde toll und keck,
ich schütze Euch mit meiner Kraft und Liebe!

DER KÖNIG *außer sich.*

Ja! ja! mich schützen! Stich' die Mörder tot!!

Ans Fenster rennend.

Ihr . . . Ihr seid ja genug! Was wollt Ihr alle!

Ich bin nur einer! Macht mir doch nicht angst!!

Sprachlos, über den ganzen Leib schütternd, stiert er durch's Fenster.

DER CER.MEISTER *steht gebannt und wie im Krampf mit hängender Lippe, die Augen weit auf den König.*

DER LEIBARZT *lehnt kaltblütig neben dem Fenster.*

MARSCHALL I *erhebend, mit Blicken auf den Dolch in des Bedienten Hand.*

Ein Messer . . . blank . . . wie's blitzt . . .

der blasse Stahl . . .

MARSCHALL II *aufkreischend.*

Der Tod ist selbst – der Schlachterknecht – im Saal!

MARSCHALL III *stier.*

Ich gehe außer Landes – hier vom Fleck!

MARSCHALL IV *verblödet.*

Seit gestern ist mein Hündchen weg!

MARSCHALL V *fliegend.*

Ein Blutfest . . . furchtbar . . . sterben . . .

Mann für Mann . . .

MARSCHALL VI *ergeben.*

Herr: meine Seele nimmt in Gnaden an.

Der Leibarzt hat vom Thrönchen die Würdeinsignien geholt, dem Cer.Meister ein Zeichen gegeben, daß er ihm helfe, und sie bekleiden nun den König wieder mit der Perücke, setzen ihm die Krone auf und hängen den Mantel um. Darüber mit fortschreitender Investitur läßt der Lärm von unten herauf nach, hört ganz auf, und als der Leibarzt den willenlosen König zu einer Verbeugung umknickt, bricht ein ungeheures Jubelrufen aus der Tiefe los, das sich nach wiederholten gewaltigen Ausbrüchen legt und verstummt.

DER KÖNIG *in den das Leben allmählich wieder einkehrt, fährt tastend mit den gespreizten Fingern über die Kleider, tritt vom Fenster kurz zurück, doch immer hinaussehend. Dann mit Bitterkeit.*

Abschwillt der Strom zu Rinnsalen gelöst.
Gischt Schaum und Schlag von Güssen Oels geglättet –
kein Kamm steigt mehr – kein murrend dumpfer Stoß –
Oder wie Tiere, die ihr Mahl gehalten
satt in den Hals auf's Streu der Hürde traben,
gemächlich käuend überwegs – befriedigt –
Und Menschen das –!

DER LEIBARZT *zum Cer.Meister.*
                            Die Heilung schreitet fort.

DER CER.MEISTER.
Sagt: bin ich derangiert? Auch hinten nicht?

DER KÖNIG.
Tagwerk ist alles und zu niederm Fron
sind wir verdammt wer wir auch seien. Du
entrinnst ihm nie. Und wagst du – dich aufraffend –
anlaufend schon, das Sprungbrett tretend jetzt,
mit einmal zu entfliehen, schon die Kraft
sich einduckt, um dich mächtig abzuschnellen
– frei nun und ledig – sei gewiß: es hängt
zwischen Entschweben und dem letzten Tritt
grau sich und grinsend dir in deine Schöße
das plumpste Untier wie ein Riesenfrosch
herausgewachsen lang und vorwärtsschiebend
den schwappen Krötenleib aus dunklem Grund,
dir Knechtlein lachend Hohn und deiner Flucht
aus eckiger Augen grünlichem Gelichter!
Begieb des Wahns dich. Und vergeblich schüttelst
des Fluches Kette du. Und trachte nicht
das Kleid, das deines Nächsten Sehnsucht wirkte
für deine Schultern und zu seiner Lust,
da er schweißtriefend schreitet hin durch Qualm
und Werktag wie durch Schlamm, dir abzutun,
weil du dich klein und völlig unwert fühlst
solcher Verehrung und des Opferdiensts,
mit dem er Blut dir spritzt, sich flagelliert,
Schreie stößt, wallfahrt und vom liebsten läßt
um deinetwillen, reiss' aus dieser Wollust
der Geißelhiebe den beseligten,
zeig' deine Nacktheit hüllenlos und frank
dem andachtsvollen, der ihr Schleier wob
und Gloriolen gab und eine Wand'rung
nach seiner Träume Weisung gehn dich hieß –

kurz: offenbare wie du dürftig selbst
und in den Kern verwandelt dem schlecht'sten Bettler,
schlag' so die Hoffnung von des Lebens Spitze
wie Distelköpfe dem anbetenden –
und um dich ist's gescheh'n! Denn nicht von fern
gleichmütig stehend sieht er zu dem Werk
und gräbt die Hände in die Taschen müßig,
er kommt dich an, reißend und hochgehetzt,
krallt sich dir ein mit harter Tigerklaue,
fällt dich und mantscht zu Brei dein zuckend Fleisch.

Er kehrt sich den im Saal Versammelten zu.
Handwerk ist alles, niedere Hantierung.
Frondienst für jeden, keiner geht frei aus:
so Meister Pech wie Meister Zwirn der Schneider,
der Wechsler wie der Dieb, der säende Landmann
und Stromer. Jede Last verlangt nach Händen
sie aufzustützen. Alles will getan sein:
die Brücke will gebaut sein und das Haus,
der Kahn gesteuert und das Gold gemünzt,
Straßen gezogen, jedes Pferd beschlagen,
der Zoll gesammelt und der Biene Honig –
nicht alles seines Schweißes wert und plagt
außer Gebühr – doch greifen Arme braun
und rüstig tapfer zu und also wird's
getan. Warum soll ich nicht König sein?
Und trag' ich schwerer auch an meiner Krone,
wie nicht der letzte Müllerbursche schleppt,
so halt' ich hin und steife Kreuz und Nacken
und klirrend mit den Gliedern meiner Kette,
Sklave in Pupur – so mit Singen rudernd
die schleppende Galeere durch die Wüsten
der heißen Meere kenn' ich meinen Dienst!
Zu dem Bedienten hintretend.
Doch eh'der Morgen nüchtern tagt und falb
nach dieser Stunde hohem Rausch, dein Lachen
die letzte Schwinge duckt und Stille wieder
den Saal einschläfert – hier die Hand zum Dank.
*Er reicht ihm die Hand und entwindet ihm dabei wie neben-
bei das Messer.*
DER BEDIENTE *kniet nieder und küßt die Hand des Königs.*

DER CER.MEISTER *applaudiert sacht.*
DER KÖNIG *hebt die geküßte Hand an die Augen und betrachtet sie.*

    Versengend . . . wie ein Feuerreif . . .
Barsch.

                            Steh' auf!
Der einzelne hat immer unrecht. Und
das Recht ist ein Geschrei. Doch kann es sein,
daß einer so begabt und überladen
mit Schätzen neuer Weisheit zu uns tritt,
und falls wir uns nicht trotzig dem verschließen,
sondern mit gutem Willen prüfen, um
das bess're zu gewinnen, er die Tücher
von seinen Ständen zieht und ohne Zögern
uns unerhörtes weist – beglückendes!
Doch ein Betrüger ist –
DER CER.MEISTER *den Bedienten bezeichnend.*

                       Ist ein Betrüger!
DER KÖNIG.

    Doch ein Betrüger ist, wer ungestüm
den Tempel schändet in entfachter Wut,
den Altar umstößt und die Bilder stürmt,
die Kerzen löscht und lüftet frei die Wolken
wirrenden Weihrauchs und die Hallen leert
von Kranz und Kelch und brünstigem Gebete –
und läßt sie leer! Richter nicht auf an des
Verworfenen Stelle einen andern Trug!
Bist du der Reiche, der um Schenkens willen
dem Armen aus der hingestreckten Hand
den Pfennig nimmt erst, um dem Staunenden
mit Gold die Faust zu füllen – oder
der Tolle, der nur rast, in Raserei
zerstört vernichtet blind in Trümmer schlägt
was galt und Hoffnung war und Ruhekissen!
DER CER.MEISTER.

    Betrüger Hoheit! der das Volk betrügt!
DER KÖNIG.

    Es soll sich zeigen, und am Ausgang liegt's.
Weißt du die Antwort, die mir gut erscheint
auf eine Frage, die im Grund entscheidet,
so trete ich zurück, dein ist die Krone,
so bist du der berufene und nicht ich

und kannst zur Höhe die Regentschaft führen.
Stille im Saal!

An den Bedienten.

                  Ich bin ein törichter Mann
und leicht beschränkter als der träge Durchschnitt
des Volks, das unter mir. Und doch wie ist's,
daß sie mir jubeln? Woran liegt's?

DER CER.MEISTER *gedämpft zum Leibarzt.*

                             L'habit –!

DER KÖNIG *da der Bediente schweigt.*

    Kann sein, daß ungeschickt gefragt! Sieh' her:
der Wert des Rocks? Was ist – verfang' dich nicht! –
der feine Reif edlen Gesteines voll
um eines Königs Stirne, was der Mantel,
den Spangen, die von Diamanten blitzen, schürzen,
die goldene Kugel in des Königs Rechten,
das starre Scepter in des Königs Linken,
der Schleifenschuh, die Borden von Brokat,
der ganze Pomp des königlichen Aufzugs
mit Pagen Räten feierlichen Tritts –
ist alles dies von Wert oder verwerflich?
Was ist's?!

DER CER.MEISTER *flüsternd – emphatisch.*

        Das Heiligste!

DER BEDIENTE.

                   Ist nichts!

DER KÖNIG *zustoßend und das Messer in der Brust des Dieners begrabend.*

                   Ist alles!

    Narr – du verlorst! rietst falsch! fahr' hin – Betrüger!

DER BEDIENTE *macht wie fliehend ein paar Schritte, vollführt eine kurze Wendung und bricht auf der Stelle zusammen.*

Der Cer.Meister und die Marschälle fahren entsetzt zurück, im Schreck raunend und flüsternd.

DER KÖNIG *richtet hoch sich auf.*

    Wer murmelt hier?! Wer spricht? Hier spricht und redet
nur wem der Kopf zur Last! Hier spricht nur Einer:
Ich bin der König! Den Cadaver schafft

zur Seit'. Er stört die Übung. Also: Meister
der Ceremonien – wie war's – die Hand
an Euch, zwei Finger – so – und eins, e – zwei . . .

Die unterbrochene Ceremonie nimmt ihren Fortgang.
Der Leibarzt verneigt sich und geht.

[1895/96; 1902/03]

DER FALL DES SCHÜLERS VEHGESACK

Szenen einer kleinen deutschen Komödie

Sollen wir uns lustig machen? – So lustig wie Heimchen, mein Junge. – Ich bin jetzt zu allen Humoren aufgelegt, die sich seit den Tagen des Biedermanns Adam bis zu dem unmündigen Alter der gegenwärtigen Mitternacht als Humor gezeigt haben.

Shakespeare, HEINRICH IV

PERSONEN

DER FÜRST
DER PRINZ
DER ADJUTANT
DER KAMMERHERR
REKTOR SCHARFENORT
FRAU ENGEL, *eine Verwandte*
LOTTE, *beider Nichte*
DÜSTERWALD, *geistlicher Rat*
HORNEMANN
ZWEITER PROFESSOR
DESSEN FRAU
DRITTER PROFESSOR
DESSEN FRAU
EXTER, *Oberlehrer*
MIA, *dessen Frau*
ZWEITER OBERLEHRER
DESSEN FRAU
DRITTER OBERLEHRER
SEIFE, *Hilfslehrer*
DIE FRAU DES TURNLEHRERS
DIE FRAU DES ZEICHENLEHRERS
DIE FRAU DES MUSIKLEHRERS
DIE FRAU DES HAUSVERWALTERS
SOCHACZEWER
VEHGESACK
VIER BÄNKE SCHÜLER
DIEHL, *Schuldiener*

EIN DEUTSCHES INTERNAT DER GEGENWART

Das Konferenzzimmer. Mit vielen Bildern, Büsten usw. an den Wänden. In der Ecke links auf einem Postament der halblebensgroße Apollo vom Belvedere in lackiertem Gips; in der Ecke rechts ein gleich hoher Gegenstand unter grauleinenem Bezug. Hinten links und rechts Türen. Eiserner Ofen. Links auf dem gestreiften Markisendrell zweier hoher Fenster die grelle Sommersonne.
Um den runden Tisch gedrängt die Versammlung des Lehrerkollegiums: die Konferenz.

SCHARFENORT *Rektor, bartlos, dünn, übergroß – ein felsiger Adamsapfel wogt in weiter Kragenluft – erhebt sich kurz.* Herr Kollege Hornemann – *Es wird links angeklopft.* Ach, Herr Kollege Seife!
SEIFE *dürftiger Hilfslehrer, der in der Nähe der Tür sitzt, springt wieselartig auf.*

DIEHL *der Schuldiener tritt jedoch schon ein. Starker ehemaliger Soldat mit viereckigem Kaiser Friedrich-Bart und in einer Art Hausuniform. Die Mütze an die Hose niederhaltend, in militärischer Haltung.* Der Schüler Vehgesack ist zur Stelle!
SCHARFENORT. Danke, mein lieber Diehl. Wir werden Sie noch ein wenig warten lassen. Leisten Sie dem jungen Vehgesack draußen Gesellschaft.
DIEHL. Jawohl, Herr Rektor! *Mit kurzer Wendung ab.*

DER ZWEITE PROFESSOR *bedeutender Haarmensch, ohne aufzustehen.* Tarf ich fraken, warum mein Klassenschüler Vehgesack –
SCHARFENORT. Einen Augenblick, Herr Kollege. Wir wollen erst einmal dem Kollegen Hornemann das Wort lassen.
DÜSTERWALD *der geistliche Rat mit der unverwaschbaren Heiligkeit, wie sich das berufsmäßig zu gebende Vorbild festsaugt, legt dem neben ihm sitzenden zweiten Professor begütigend die Hand auf den Unterarm und hat schwankende Brillengläser.* Geduld, Herr Kollege!

HORNEMANN *der energische Nur-Pädagoge, Mitte der vierzig, Klemmer, Vollbart – steht auf.* Ich habe der Konferenz betrübende Mitteilungen zu machen.

DER ZWEITE PROFESSOR. Wenn sich tiese auf den Schüler Vehkesack peziehen – so werfe ich ein –

DER DRITTE PROFESSOR *geärgerte Glatze.* Handelt es sich um den Schüler Vehgesack?

HORNEMANN *zu Scharfenort.* Herr Rektor?

DER ZWEITE PROFESSOR. So werfe ich ein, taß ich ten Schüler Vehkesack in meiner Klasse hape und eine Meltunk zuerst an mich erstattet werden muß! Tas ist Konferenzpeschluß vom –

SCHARFENORT. Beruhigen Sie sich, Herr Kollege –

DER ZWEITE PROFESSOR. Ich pin nicht aufkeregt!

SCHARFENORT. Ich will sagen, daß die Vorfälle, die Herr Kollege Hornemann berühren wird, nicht in der Klasse, sondern – *Zu Hornemann.* Bitte, Herr Kollege!

HORNEMANN. – Seiten meines Familienlebens berühren! Ich habe Ihnen von einer traurigen Entdeckung zu berichten. – *Dabei beginnt er in einem ziemlich starken blauen Hefte, das er vor sich liegen hatte, zerstreut zu blättern.* Es ist mir seit einiger Zeit aufgefallen, daß meine Frau – *Pause.* – sich wieder jenen Umständen nähert, die das Ergebnis einer Kindesgeburt in der Gefolgschaft haben.

EXTER *jüngerer Oberlehrer von besonderer Häßlichkeit – mit einem Hinausschleudern des Kopfes.* Da gratuliere ich aus ganzem Herzen!

HORNEMANN. Es ist kein Grund vorhanden. Danke. – Dieses an sich nicht ungewöhnliche Ereignis hätte auch mir nicht Verwunderung – ja Erstaunen abgelockt! – wenn ich nicht bei mir selber am genauesten wissen müßte, daß ich in der vorlaufenden Zeit eine Ursache nicht gegeben hatte – zu solchen Aussichten.

DÜSTERWALD *mit gewaltsamem Rucken des Gesichtes zur Seite.* Es ist ein Jammer!

HORNEMANN. Das gab mir zu denken – und zu prüfen. – *Pause.* – Ich erhielt ein Geständnis aus dem Munde meiner Frau – ja, daß ich nicht der Urheber sei.

DER ZWEITE PROFESSOR *schon vorher unruhig.* Tas verstehe ich nicht, was die Frau eines Kollegen – was die Frau Kollegin – *Brüsk.* – was Frau Hornemann uns ankeht!

SCHARFENORT *nachsichtig.* Sie meinen: im Rahmen unserer

Konferenz. Aber das werden Sie ja nun hören. *Zu Horne-mann.* Wo Sie stehen geblieben waren!

HORNEMANN *vollbrüstig.* Ich hegte keine Absicht, nach meinem Gegner zu fahnden. Die Rücksicht auf die Anstalt, der ich meine Arbeit und mein Leben widme –

SCHARFENORT. Mit so schönem Erfolge!

HORNEMANN. – verbot mir die Fahndung! *Visionär.* Meine Frau, die zuvor das Radfahren eifrig geübt hatte, mußte die Übung aufgeben. Ich untersagte sie ihr mit Rücksicht auf ihren Zustand. Und rief auch den Schüler Vehgesack zu mir – *Er vertieft sich in das Heft.*

EXTER. Haben Sie sich's selbst zu Protokoll gebracht?

HORNEMANN. – den Schüler Vehgesack zu mir und enthob ihn seines Amtes als Beschützer – ich huldige einem Sport aus Prinzip nicht! – meiner Frau auf ihren Radtouren. Auf meine einfache, ruhig gehaltene Eröffnung hin habe ich den jungen Menschen vor mir auf meinem Schreibtischvorleger liegen und mit zu mir erhobenen Händen – wie ich die Knaben über die Art des griechischen Gebets belehrt hatte! – bettelt er mit einem Gestammel ohne Sinn und deutliches Satzgefüge: dies ihm nicht anzutun – ihn eher von der Schule zu verjagen, als ihm die Nähe Theresens – meiner Frau – zu verwehren! *Er beißt die Lippen zusammen, so daß die Bartgruppen verschmelzen.* Meiner Frau habe ich meine genaue Kenntnis des Beteiligten vorenthalten – der Schüler Vehgesack ist hier, um der Konferenz vorgestellt zu werden! *Er winkt mit langem Arm gegen die Tür.*

SCHARFENORT *schnell.* Noch nicht! *Zu Seife.* Herr Kollege! Ach so, es kommt noch niemand. Danke, lieber Kollege. *Zu Hornemann.* Noch nicht, Herr Kollege. *Zum zweiten Professor, der sich halb erhebt.* Was ist denn, lieber Herr Kollege?

DER ZWEITE PROFESSOR *fährt sich durch Bart und Haare.* Ich möchte pemerken, taß ich nur für den Klassenschüler Vehkesack die Verantwortunk trake. Über sein Kebaren außerhalb ter Klasse –

SCHARFENORT. – schalten und walten Sie nicht, Herr Kollege – Was, Herr Kollege?

DER DRITTE PROFESSOR. Der Kollege Hornemann ist uns den Beweis dafür noch schuldig geblieben, ob der Schüler Vehgesack in der Tat eines Vergehens – mit diesem Erfolge bezichtigt werden kann.

DÜSTERWALD *verweisend.* Herr Kollege!

DER DRITTE PROFESSOR. Die Geständnisse der beiden Beteiligten allein bieten doch noch nicht genügende Sicherheit. Ich kenne Fälle – und ein Fall ist mir besonders im Auge – *Er spießt mit zwei waagerechten Fingern unter ein Brillenglas, holt Atem, will noch weiter reden.*

SCHARFENORT *springt auf.* Nun, Herr Kollege, schaffen Sie Ihre Beweise herbei!

HORNEMANN. So muß ich Sie denn mit näheren Daten vertraut machen.

DER DRITTE PROFESSOR *setzt sich fast neben den Stuhl. Seine Umgebung fängt ihn auf.*

HORNEMANN. Als mir von meiner Frau das erste Kind – unser einziges – beschert wurde, erfuhr ich, daß der Eintritt dieses dritten Kostgängers im Haushalt manche Veränderung hervorruft – Veränderungen, die ich stark an meiner Hausstandskasse wahrnahm. Ich rechnete mir aus, daß ein zweites Vorkommnis dieser Art mich erheblicher belasten würde, als ich ohne Einschränkung meiner Liebhabereien, die Reisen an Stätten klassischer Geschichte gelten –

SCHARFENORT. Wir danken unserem Kollegen noch die lichtvolle Abhandlung über den Stamm der Säue bei Homer im letzten Programmheft!

HORNEMANN. Ich verschob – *Einhaltend.* Herr Rektor spielte auf meine Beiträge zur Homerforschung an. In anerkennender Weise. Ich möchte nun heute schon mitteilen, daß ich zu ganz neuen Resultaten gekommen bin – *Dabei verneigt er sich gegen alle.* – die die hier in Frage stehenden Säue in eigentümlicher Weise beleuchten. Ich möchte damit meinen Beitrag für das nächste Programm angekündigt haben – eine Arbeit, die selbstverständlich während meines gelegentlichen Abstreifens auf das Gebiet der Dichtkunst nicht geruht hat! *Er schwenkt das Manuskript.*

SCHARFENORT. Ich weiß, daß von meinem Kollegium auch rein wissenschaftliche Arbeit geleistet wird!

HORNEMANN *bescheiden.* Es ist mein Steckenpferd!

EXTER. Ein Pferd, das ein Schwein ist!

Nur die jüngeren Lehrer lachen.

SCHARFENORT. Nun fahren Sie fort, Herr Kollege!

HORNEMANN *atemschöpfend.* Ich verschob daher – *Er zögert.*

DÜSTERWALD *umblickend*. Wir sind doch unter uns Pädagogen!

HORNEMANN. – die Zeugung eines zweiten Sprößlings bis nach der Gehaltsaufbesserung!

DER ZWEITE PROFESSOR *schon erregt vom Stuhle auf, gegen Scharfenort*. Tja – tie Kehaltsaufpesserung – die ist ankekündigt – tie ist versprochen. Auf tie Einlösung tes verpfänteten Wortes warten wir noch!

DER ZWEITE OBERLEHRER *stangenlang*. Ich beantrage, diesen Punkt: Gehaltsaufbesserung! – auf die Tagesordnung zu setzen!

DER DRITTE PROFESSOR. Der ist mir wichtiger als alle Frau Hornemanns!

DER DRITTE OBERLEHRER *pustelnarbig, begeistert*. Meine Braut wartet – wartet. – –

ALLE *durcheinander*. Die Verhandlungen rücken nicht vom Fleck – wir werden hingehalten – unsere Forderungen werden gar nicht vertreten – vierzig Mark im Monat – *Je nach Dienstalter*. –sechsunddreißig – dreiundvierzig – fünfundvierzig – –

EXTER *schmetternd*. Streiken wir – legen wir kurzerhand den Bakel nieder!

SCHARFENORT *in der Stille nach dem Sturm*. Die Gehaltsaufbesserung wird auf der Tagesordnung erscheinen – im Anschluß an Eröffnungen, die ich für die Konferenz habe. Aber jedes zu seiner Zeit. Alpha – beta – nach der Periphrase – das contrarium – exemplum – conclusio – testimonium – zuletzt amplificatio. Das ist die Disposition, die uns geläufig ist. Wir verleugnen sie in der Klasse, wie im Konferenzzimmer nicht! *Zum zweiten Professor, der sich erhebt.* Oder ist Ihnen etwas unklar?

DER DRITTE PROFESSOR. Als Vater von neun Kindern –

EXTER. Na, wer weiß?

DER DRITTE PROFESSOR *wütend*. Jawohl neun!

EXTER. Quousque tandem – wie lange noch: nur neun!

DER DRITTE PROFESSOR *die Brillengläser gegen Hornemann drehend*. – interessiert es mich zu wissen, auf welche Weise es dem Kollegen Hornemann gelungen ist –

HORNEMANN. Mein ganzes Rezept ist meine Mäßigung!

DÜSTERWALD *reicht Hornemann zwei Hände*. Das war eine schöne Offenheit!

HORNEMANN *laut*. Ich versichere hier noch einmal, daß ich mir treu geblieben bin!

SCHARFENORT *steht auf.* Wir schenken den Ausführungen unseres Kollegen Hornemann unumwundenen Glauben – und unsere Bewunderung. Im Bedauern über den haarsträubenden Vorfall innerhalb der Wände seines friedlichen Hauses sind wir uns wohl einig! – Ich hob also hervor, daß das Mißgeschick – das Drama, wie ich es im echt sophokleischen Sinne nennen möchte – und wohl auch kann! – im Hornemannschen Hause bei uns Furcht und Mitleid erweckt hat. So fordert es der Dichter – vor dem Dichter neigen auch wir uns hier. Und das leitet über zum zweiten eigentlichen Punkt der Konferenz. Ich will mit dieser Betonung *eigentlich* nicht die Ausführungen des Kollegen Hornemann herabsetzen – ich sage nur, sie waren ein nicht vorgesehener Punkt! – ich werde daher besser mit Ia und Ib klassifizieren, um Herrn Kollegen Hornemann jeden Zweifel an meiner Auffassung von der Bedeutung seiner Darlegungen zu nehmen. Also Punkt Ib – früher I – jetzt b: – *Er strafft seine Gestalt.* – wir stehen am Vorabend großer Ereignisse, welcher Art sind diese? – *Zu Seife.* Ach, Herr Kollege, erinnern Sie mich später, ich habe Diehl aufmerksam zu machen. *Da Seife aufspringt.* Nicht jetzt. Später, Herr Kollege. Danke, Herr Kollege! – – Das deutsche Volk in allen Gauen rüstet sich den hundertjährigen Todestag seines geistigen Heros zu begehen –

DÜSTERWALD *hingegeben kopfnickend.* Friedrich von Schiller!

SCHARFENORT. Auch unsere Anstalt will eine würdige Feier vorbereiten. *Mehr geschäftlich.* Sie kennen ja die Pläne – sie sind ja hinreichend in gemeinsamen Besprechungen festgelegt und mit für und wider erörtert. Es sollte also ein Festspiel im Mittelpunkt stehen, zu dessen Abfassung sich Herr Kollege Hornemann bereit erklärt hat. Er meistert ja besonders den hohen Stil, wie sich das ja aus der fortwährenden Beschäftigung mit den griechischen Klassikern in den oberen Klassen versteht. Ich sehe, Herr Kollege, Sie haben Ihr dichterisches Werk vollendet und werden es uns vorlesen –

Ein panikartiger Schrecken verbreitet sich um den Tisch: die nächsten rücken von Hornemann ab.

EXTER *klatscht rauschenden Beifall nach Hornemann, während er nach der anderen Seite gequälte Augen macht.*

SCHARFENORT *zu Hornemann.* Sie sehen, wie Sie sich der allgemeinen Anerkennung im voraus erfreuen!

HORNEMANN *steht mit geöffnetem Manuskript auf.*

EXTER *entseelt.* Um Gotteswillen – doch nicht gleich!

SCHARFENORT. Wir müssen uns leider den hohen Genuß noch aufsparen – es soll das natürlich keine Kritik Ihres Werkes sein! *Allgemeines Bedauern.* Denn ich muß Sie, meine Herren, vorerst noch von einer Nachricht in Kenntnis setzen, die die freudigste Überraschung bei Ihnen auslösen wird. Ich habe heute Morgen aus dem Kabinett seiner Durchlaucht unseres allergnädigsten Fürsten und mächtigsten Schützers unserer Anstalt die Ankündigung –

DER ZWEITE PROFESSOR. Was tenn? Ist tie Aufpesserung endlich kenehmigt?

SCHARFENORT *darüberhin.* – der Teilnahme seiner höchsten Person an unserer Feier erhalten. Daß ich die Gelegenheit nicht unbenutzt vorübergehen lassen werde, ohne – im Laufe des Gesprächs oder auch in direkter Anrede – mir schwebt da allerhand vor! – das brennende Thema der Gehaltsaufbesserung zur Sprache zu bringen, bedarf keiner Versicherung an diesem Tisch, meine Herren. *Mit betonter Stimme.* Ich hoffe bestimmt, nicht mit leeren Händen von unserem gnädigsten Fürsten zu scheiden, wenn ich ihn nach der Feier aus dem Tore geleite!

DER ZWEITE PROFESSOR *skeptisch.* Herr Rektor wird vom Tore als ter Keheimrat zurückkommen!

DER DRITTE PROFESSOR. Das ist die ideale Leier! Titel sind billiger!

DER ZWEITE PROFESSOR. Auf unsere Kosten wird man tas hohe Tier!

DÜSTERWALD. Es ist eine unerhörte Verdächtigung!

SCHARFENORT *milde.* Ich suche für meine Person keine Vorteile auf Kosten meines Kollegiums. Ich weiß mich frei von jeder Eitelkeit. *Zu Hornemann.* Was blieb Ihnen dunkel, Herr Kollege?

HORNEMANN. Ich bemerke, daß alle diese Dinge nicht im Zusammenhang mit dem Schüler Vehgesack stehen!

SCHARFENORT. Überlassen Sie es mir, den Zusammenhang, den Sie vermissen –

DÜSTERWALD *beschwichtigt ihn.*

SCHARFENORT. Was denn, Herr Kollege?

DÜSTERWALD *weist auf die Tür rechts, tuschelt.* Die Damen könnten –!

HORNEMANN. Ich stelle den Antrag, daß jetzt der Schüler Vehgesack hereingerufen wird!

SCHARFENORT *rasch*. Diesem Antrag – oder selbstverständlich der Erfüllung des Antrags möchte ich nichts voreinwenden – als das: wir haben eben von der Auszeichnung gehört, die von hoher – höchster Stelle uns zugedacht ist. Innerhalb der Mauern unserer Anstalt – als Mensch unter Menschen – der Fürst! Ich möchte diese Auszeichnung nicht missen – abgesehen von dem praktischen Gewinn, den dieser Besuch ja für Sie, meine Herren, nach sich ziehen kann. Es reiht sich hier Glied an Glied – wahrlich einer goldenen Kette! *Aufatmend*. Am gleichen Tage nun gestern erhalte ich die Kunde aus dem Munde unseres Kollegen Hornemann: von dieser moralischen Katastrophe, die sich zugetragen. Es ist ein bitterer nichtswürdiger Streich, der uns gespielt ist. Vom Schüler Vehgesack.

DER ZWEITE PROFESSOR. Von Schiller ist die Rede!

HORNEMANN *eifernd*. Der Schüler Vehgesack –

SCHARFENORT *unbeirrt*. Doppelt herbe durch den Zeitpunkt, den er sich für seine Mißtat gewählt hat.

DER ZWEITE PROFESSOR *zähe*. Ter huntertjährige Totestack –

HORNEMANN *wie vorher*. Nunmehr trete ich dafür ein, daß die Strafe verschärft ausfällt und nicht allein die Entfernung von der Anstalt –

SCHARFENORT *unaufhaltsam*. Ihm muß natürlich die härteste Strafe erwachsen, auf die er ja nicht vorbereitet zu sein scheint. Möglicherweise rechnet er mit ihr. Wir werden es aus seinem Munde hören, wenn wir jetzt die Untersuchung führen. Es ist nicht mehr als recht, daß Herr Kollege Hornemann auf Untersuchung – auf Entfernung dringt.

DER DRITTE OBERLEHRER. Auch ich dringe auf Entfernung!

SCHARFENORT. Also eine doppelte Forderung!

DER ZWEITE PROFESSOR. Und treifach: tas Kollekium wird tie Ausstoßung tes Missetäters verlanken!

SCHARFENORT. Es kann sie verlangen!

DER ZWEITE OBERLEHRER *aufschnellend schrill*. Hinaus mit dem Lüstling!

SEIFE *einstimmend*. Hinaus!

EXTER *schon zur Tür laufend*. Herein!

DÜSTERWALD *packt ihn*. Noch nicht! *Er führt ihn an seinen Platz zurück.*

DIEHL *von links.* Herr Rektor – die Damen wollen nu' 'rein!

SEIFE *geht zu Scharfenort.*

SCHARFENORT. Was denn, Herr Kollege?

SEIFE. Ich sollte erinnern, wenn Diehl –

SCHARFENORT. Später, Herr Kollege! Danke, Diehl. Ich weiß, – beruhigen Sie die Damen, wir sind noch nicht fertig. *Schroff.* Vertrösten Sie die Damen!

DIEHL *in der Tür rechts.* Sch-t, noch nich' fertig. *Ab.*

HORNEMANN *ist allein stehen geblieben.*

SCHARFENORT. Wollen Sie sich nie setzen, Herr Kollege?

HORNEMANN *verbissen.* Der Schüler Vehgesack –

SCHARFENORT. – das verlorene Schaf – in unserer Herde der Bock –

EXTER. Sehr richtig!

SCHARFENORT. – wird die Anstalt verlassen! – Ich glaube, ich habe das deutlich und klar gesagt. Sie werden also mein Kollegium gegen mich als Zeugen aufführen. Genügt Ihnen diese Zusicherung nicht?

HORNEMANN *hartnäckig.* Warum –

SCHARFENORT. Nein? So bedenken Sie! Was soll aus dem Feste werden, zu dem wir uns rüsten – für das Sie in Ihren Mußestunden mit dem schönen Feuer Ihrer reinen Begeisterung eine flammende Dichtung schaffen, die uns – hoch und gering – hinreißt – läutert und heiligt? Wem glauben Sie, daß wir Sie noch vorführen dürfen? Sollen wir an diesem Tage unseren erlauchtesten Gast über die Schwelle führen in einen Bezirk – in diese Gemarken – *Die Stimme dämpfend.* – wo ein Vergehen stattgefunden hat, wie das des Schülers Vehgesack? – *Stärker.* Ja, hoffen Sie noch mit einer Faser Ihres Herzens, daß die Ankündigung des höchsten Besuchs überhaupt aufrecht erhalten wird, nachdem es mit unverhüllter Sprache laut geworden ist, wie sich ein Schüler mit der Frau eines Lehrers, die ihm in den Wolken thronen sollte, vergangen hat? – Und noch dringender gebe ich Ihnen zu betrachten: wie sollten Hoffnungen anderer – materiellen Charakters in Erfüllung gehend, wenn mir die Gelegenheit zu einer Unterhaltung von Mund zu Mund genommen wird? Eins bringt das andere, – denken wir nicht nur an das Nächste – richten wir unser Augenmerk auch scharf auf das Fernere. Das Nächste ist hier: einen Schüler abzustrafen –

das ist ein glatter Vorgang – einfach in seiner Konstruktion! – Aber die Folgen – Folgen sich klar zu machen, das gebe ich Ihnen zur Betrachtung auf!

Es herrscht tiefe Stille.
Dann vereinzeltes Räuspern.
Dann Hustensalven.

HORNEMANN. Ja – – soll denn der Schüler Vehgesack im Internat bleiben?

SCHARFENORT *Fanfare*. Dafür haben Sie mein Rektorwort!

DER ZWEITE PROFESSOR. Tja – wenn Interessen auf dem Spiele stehen –

DER DRITTE PROFESSOR. Wir werden sein Vergehen mit Verachtung strafen.

DER ZWEITE PROFESSOR *mutiger*. Ich stimme tafür, taß wir tie Untersuchunk niederschlaken!

DER DRITTE PROFESSOR. Die Konferenz ist sich zu gut dazu!

HORNEMANN. Ich soll verzichten –

DER ZWEITE PROFESSOR *hitzig*. Wir pefassen uns nicht mit tiesen Schmutzereien!

DER DRITTE PROFESSOR. Sollen wir nicht auch Ihre schöne Frau untersuchen?

HORNEMANN *bleich*. Keine Untersuchung vor der Konferenz?

DER ZWEITE PROFESSOR. Machen Sie sich nicht lächerlich!

HORNEMANN. Ich verlange –

DER DIRTTE PROFESSOR. Sie haben nichts zu verlangen!

HORNEMANN. Ich fordere –

EXTER *jubelnd*. Auf Pistolen!

DER DRITTE OBERLEHRER *aufspringend*. Ich bitte um Befreiung von dieser Konferenz!

DER ZWEITE OBERLEHRER. Ich auch!

SEIFE. Ich auch!

Gegen die Tür wird laut geklopft.

DÜSTERWALD. Meine Herren, denken Sie an unsere Damen!

Stille.

SCHARFENORT *ganz Hornemann zugewendet*. Wird nicht Ihnen, Herr Kollege Hornemann, vielleicht daran liegen, im eigenen Ansehen vor der Schuljugend, wenn ein dichterer Schleier über einen Vorgang fällt, der in seinem Wesen rein häuslicher Natur ist und am besten dort bewahrt wird. Oder ist Ihnen damit gedient, wenn – –?

HORNEMANN. Der Schüler Vehgesack –

SCHARFENORT. Fort soll er! Aber nicht auf dieser Basis! Folgendes wird er zu tun haben.

EXTER. Ohren spitzen!

SCHARFENORT. Er soll sich einen Fall schaffen, von anderer gemäßigter Art, der auch in unseren Statuten vorgesehen ist – auf den hin wir uns seiner ohne Aufsehen entledigen können. Obwohl ich keinen Anlaß sehe, mich milde mit ihm zu zeigen, so tut mir – als vom Staat und den Eltern bestelltem Erzieher – jedes junge Leben – ich stehe damit auf dem Boden christlicher Anschauung – das in die Dornen geriet, leid.

DÜSTERWALD *betet.*

SCHARFENORT. Ich hoffe in nicht länger als drei Tagen ihn aus dem Tor schicken zu können. Am Schillertag ist die Anstalt rein! – Sind sonst Einwände gegen die Erledigung der Tagesordnung da? Sie, Herr Kollege Hornemann?

HORNEMANN. Im Prinzip –

SCHARFENORT *abschneidend.* Das ist mir lieb. Ich werde dem Schüler Vehgesack den Konferenzbeschluß eröffnen. Oder haben Sie – Sie, Herr Kollege, Bedenken – diesmal gegen meine Person? – *Stark ablehnende Gesten. Zum dritten Professor, der sich erheben will.* Einen Augenblick, Herr Kollege! – Ich möchte eng daran noch ein paar Worte anschließen. Unser Internat steht im Zeichen hoher Erwartung –

DER ZWEITE PROFESSOR. Was wird der Schüler Vehgesack tun?

SCHARFENORT. Es besteht begründete Hoffnung, daß uns Seine Hoheit Prinz Thassilo Rüdiger –

EXTER. Nur der? Das ist der siebente!

SCHARFENORT. – zur Erziehung in unserem Internate anvertraut wird.

DER ZWEITE PROFESSOR. Welch eine peteutsame Konferenz!

DER DRITTE PROFESSOR. Die Ereignisse schlagen sich!

SCHARFENORT. Ihre freudige Erschütterung überrascht mich nicht! – Zu diesem Punkte noch einige Anmerkungen.

EXTER. Der Prinz ein Punkt!

SCHARFENORT *wirft einen Blick nach dem Hutbrett.* Die Hüte einiger Herren nähern sich dem Zustande der Grenze der

Gebrauchsfähigkeit. Ich kann die Bitte klar und kurz formulieren: um keine Unkosten der Neuanschaffung entstehen zu lassen, bitte ich während des Aufenthalts unseres hohen Schülers ohne Kopfbedeckung zu gehen. Natürlich nur innerhalb der Mauern, außen ist jede Mütze zulässig! – Doch greife ich weiter und halte mich an den Satz: Wer hohe Aufgaben bewältigen will –

EXTER. – der muß sich einen hohen Hut dazu aufsetzen!

SCHARFENORT. Ich knüpfe hier in direkter Folge an unseren Kollegen Hornemann an. Bemerken Sie bitte das Moment der inneren Verzahnung. Es werden also auch Ansprüche an die äußere Erscheinung gestellt. Wie denen begegnen, das lehrt uns eben Kollege Hornemann. Also: Beschränkung der Familie. Mäßigung – dies schließt sich ja unmittelbar an das erste an! Die Schwierigkeit wird ja meines Bedünkens keine besonders große sein, da Sie ja alle an einer hübschen Ziffer – Schar frischer und munterer Kinder Ihre helle Freude haben. Damit würde auch die heiß begehrte Gehaltsaufbesserung ihre Wirkung besser tun! – Ja, sollte ich jemand unter uns nahe getreten sein, so bitte ich um Korrektur, der ich mich füge.

DÜSTERWALD *flüsternd*. Mein Weib ruht ja!

SCHARFENORT. Und nun Herr Kollege, rufen Sie den Schuldiener Diehl herein!

SEIFE *erhebt sich dienstfertig, spricht links hinaus*. Diehl – Diehl – Herr Diehl!

DIEHL *kommt*.

SCHARFENORT. Entlassen Sie den Schüler Vehgesack. Seine Anwesenheit ist nicht mehr nötig. Sagen Sie ihm das, Diehl. Danke, Diehl. Schön, Diehl.

SEIFE *tritt dicht hinter Scharfenort*.

SCHARFENORT *erschrocken herum*. Was denn, Herr Kollege?

SEIFE. Ich sollte erinnern, wenn Diehl –

SCHARFENORT. Ach so – ja – Diehl: Haben Sie die Fahnen revidiert? Die Fahnen müssen aufgezogen werden. *Leutselig*. Wir feiern doch Schillers hundertjährigen Todestag.

DIEHL. Auf Halbmast?

SCHARFENORT *stutzt*. Was denn? Wieso denn – Warum Halbmast?

DIEHL. Nu' – wo doch Todestag is'!

SCHARFENORT. Es ist doch ein Freudenfest!

DIEHL. Weil er tot is'?

EXTER *jubelt.*

SCHARFENORT *abbrechend.* Also, Diehl, halten Sie die Fahnen bereit! – Was denn noch, Diehl?

DIEHL. Kommen nu' die Damen dran?

SCHARFENORT Die Festkomiteesitzung der Damen ist allerdings von nicht geringerer Wichtigkeit. *Zu Hornemann, der mit dem offenen Manuskript dasteht.* Da ist es leider zu spät geworden, um diesen Punkt der Tagesordnung noch zu erledigen. Das lesen Sie uns ein andermal, Herr Kollege Hornemann!

DÜSTERWALD. Bevor wir auseinandergehen – von dieser Konferenz, in der uns so viele beseligende Mitteilungen geschahen – deren Verdienst ich doch wohl nur auf das persönliche Hinwirken unseres einzigen, bemühten Rektor setzen darf, fordere ich Sie auf, meine – *Alle stehen bereits.* – Herren Kollegen, daß wir zu Ehren und zum Ausdruck unserer Dankbarkeit für unser – für unser Wohl wie ein guter Vater besorgtes Oberhaupt – –

DIEHL *steht – mit beiden Armen zur linken Tür winkend, vor der Tür rechts, gegen die laute Schläge schallen.*

DIE LEHRER *schon zur Tür links strebend.* Hoch – hoch – hoch –

Hornemann wird fortgeschwemmt.
Alle, bis auf Diehl, rasch links ab.

Diehl macht hinter dem letzten die Tür zu. Dann geht er in die Ecke rechts, nimmt einen Stuhl mit, steigt hinauf und streift den Bezug von dem Gegenstand auf dem Postament: die Venus von Milo zeigt sich frei. Mit Stuhl und Bezug kehrt er nach links zurück und verhüllt Apollo. Nun prüft er schnuppernd die Luft – öffnet die Fenster. Endlich schließt er rechts auf.
Die Lehrerfrauen dringen in einem Rudel ein, das sich noch kurz im Türrahmen staut.

DIE DRITTE PROFESSORFRAU *auf Diehl eindringend.* Das ging ja hoch her hier?

DIE ZWEITE PROFESSORFRAU. Haben sich unsere Männer gestritten?

DIEHL. Konferenzbeschlüsse sind Jeheimnis!

FRAU EXTER *Reformhänger, Schneckenfrisur, kugelrund, die pure Gans – ganz in dem prononziert mokanten Tone Exters.* Was erfährt denn der Schuldiener Diehl von Konferenzbeschlüssen!

DIEHL *im Innersten verletzt.* Ich und der Herr Rektor haben beantragt –

DIE ZWEITE PROFESSORFRAU *auf Scharfenorts Platz, mit einer Sparkasse aus Ton in Form eines Schweinchens, rasselnd.* Meine Damen – die Stühle werden kalt; wer noch prahlt – zahlt!

Man schart sich rasch um den Tisch; ein Stuhl – der Hornemanns – bleibt frei.

DIEHL *zur zweiten Professorfrau, militärisch.* Haben Frau Professor noch Wünsche?

DIE ZWEITE PROFESSORFRAU. Entfernen Sie sich an die frische Luft!

DIEHL *kurz um, links ab.*

DIE ZWEITE PROFESSORFRAU *wieder rasselnd.* Das Konferenzkränzchen ist eröffnet. Einziger Gegenstand der Sitzung: Unsere Aufführung bei der Schillerfeier! – Jedes andere Wort kostet einen Fünfer!

DIE ZWEITE OBERLEHRERFRAU *zur Frau des Turnlehrers.* Kommen Sie denn mit dem Brocken Wirtschaftsgeld noch aus?

DIE FRAU DES ZEICHENLEHRERS *dürr wie der Zeichenstift ihres Mannes.* – Die Butter ist doch um drei Pfennig wieder aufgeschlagen!

DIE FRAU DES MUSIKLEHRERS *Lyra als Haarpfeil.* Die Eier, Frau Zeichenlehrer!

DIE FRAU DES TURNLEHRERS. Die Kernseife, Frau Musiklehrer!

DIE DRITTE PROFESSORFRAU. Sie müssen doch als Frau des Hausverwalters –

DIE ZWEITE PROFESSORFRAU *die Kasse über den Tisch stoßend.* Eier – Butter – Kernseife – einen Fünfer!

FRAU EXTER *auftrumpfend.* Frau Hornemann ist ja noch nicht erschienen!

DIE DRITTE PROFESSORFRAU. Frau Hornemann bringt ja das Festspiel von Herrn Hornemann!

DIE FRAU DES MUSIKLEHRERS. Wir sollen doch hier die Rollen verteilen!

DIE ZWEITE OBERLEHRERFRAU *das Schweinchen zurückrollend*. Strafen sind noch ungültig!

DIE FRAU DES ZEICHENLEHRERS. Frau Hornemann sucht sich zuhause die beste Rolle aus!

FRAU EXTER *zur Frau des Zeichenlehrers*. Haben Sie Beschlag gelegt auf die Jungfrau von Orleans?

Lautes Lachen.

DIE FRAU DES ZEICHENLEHRERS. Im Kostüm und aufgeschminkt kann man alles sein!

FRAU EXTER. Aber ohne Kostüm?

DIE FRAU DES ZEICHENLEHRERS. Haben Sie Frau Hornemann schon näher betrachtet?

FRAU EXTER. Sehr scharf – im Bad.

DIE ZWEITE OBERLEHRERFRAU *zustimmend*. Frau Hornemann hat die richtige Figur zur Jungfrau!

DIE DRITTE PROFESSORFRAU. Sie muß doch in kurzen Hosen auftreten!

DIE FRAU DES MUSIKLEHRERS *sich ihre gewaltigen Schenkel schlagend*. Säulen hat sie schon!

DIE FRAU DES TURNLEHRERS *sich auf das Busengebirge klopfend*. Und hier –

FRAU EXTER. Dann reservieren wir für Frau Zeichenlehrer die Braut von Messina: die muß bräutlich verhüllt auftreten – mit dichtem Schleier im Gesicht!

EXTER *ohne Hut, mit dem blauen Heft Hornemanns unterm Arm, rasch und laut von links.*

Die Lehrerfrauen schreien schwach auf.

EXTER. Guten Tag, die Damen! *Er setzt sich geräuschvoll auf den freien Stuhl.* Ich habe das Manuskript zu bringen – im Auftrag des Kollegen Hornemann, der sich verhindert fühlt!

DIE ZWEITE PROFESSORFRAU. Wir erwarten es von Frau Hornemann!

DIE ZWEITE OBERLEHRERFRAU. Sie sehen ja ganz hitzig am Kopf aus, Herr Doktor!

EXTER. So! Ja, wir haben eben die lustigste Konferenz – einfach gottvoll – *Er setzt den Klemmer auf seinen Sattelplatz zurück.*

DIE DRITTE PROFESSORFRAU. Erzählen Sie doch –

EXTER. Also – Frau Hornemann wird die Jungfrau nicht mehr spielen können. Das hat sich verschoben – *Er korrigiert im Manuskript.*

DIE DRITTE PROFESSORFRAU. Nein, Frau Hornemann ist unsere Jungfrau, Herr Doktor!

FRAU EXTER *mit Beziehung auf die Frau des Zeichenlehrers.* Die Braut von Messina ist in festen Händen!

EXTER *ostentativ achselzuckend.* Vielleicht scheidet sie ganz aus dem Spielplan aus – *Sich gegen alle Einwände im voraus verwahrend.* Fragen Sie mich nicht – ich weiß nichts! Kollege Hornemann wünscht es nicht – Kollege Hornemann will es nicht – und Herr Kollege Hornemann muß seine Gründe haben.

DIE DRITTE PROFESSORFRAU. Was heißt denn das?

EXTER. Jedenfalls soll das heißen, daß Kollege Hornemann selbst seine Frau aus der Liste derjenigen gestrichen hat, die würdig sind, eine Lichtgestalt Schillerscher Art zu verkörpern! *Er streicht im Buche aus.*

DIE FRAU DES MUSIKLEHRERS. Das klingt ja wie –

EXTER *mit dem Buch gegen die Tischkante klopfend.* Das klingt – es klingt – es geht ein Klingen und Rauschen – – *Er rafft die Schultern bergehoch.*

DIE ZWEITE OBERLEHRERFRAU *ihm das Buch fortnehmend.* Mit wem hat sie denn gesündigt?

EXTER *die Arme verschränkend und mit überlegenem Lächeln herumblickend.* Habe ich von Sünden geredet?

DIE DRITTE PROFESSORFRAU. Sind Sie ihr Verführer?

FRAU EXTER. Das ist ausgeschlossen.

DIE FRAU DES TURNLEHRERS. Unter Kollegen ist doch das unmöglich!

DIE FRAU DES MUSIKLEHRERS. Herr Doktor ist keck –

EXTER *schmetternd.* Ich wäre Frau Hornemann wohl nicht jung genug!

DIE FRAU DES TURNLEHRERS. Sie sind doch der jüngste im Kollegium, Herr Doktor!

DIE DRITTE PROFESSORFRAU. Kandidat Seife –

EXTER *den Kopf gewaltig schüttelnd, himmelnd*. Falsch – falsch – kein Exter – kein Seife – die Jugend tobt noch frischer in den Mauern!

DIE ZWEITE und DRITTE PROFESSORFRAU *ganz baff*. Ein Schüler??

EXTER *meckert wie die Ziegen*.

FRAU EXTER *harmlos*. Warum kein Schüler?

EXTER *summend*. Das Radeln ist des Knaben Lust – das Radeln –

ALLE FRAUEN *mit Ausnahme Frau Exters – jede strahlend über ihre gelungene Lösung des Scherzrebus*. Vehgesack.

DIE DRITTE PROFESSORFRAU. Frau Hornemanns unentbehrlicher Begleiter auf ihren Touren!

DIE FRAU DES MUSIKLEHRERS *unter technischen Gesten*. Ihr Strampelprotegé!

DIE FRAU DES TURNLEHRERS. Ihr treuer Velozipedpage!

DIE FRAU DES ZEICHENLEHRERS. Der schlanke Knabe!

DIE ZWEITE OBERLEHRERFRAU. Unser hübschester Junge!

DIE DRITTE PROFESSORFRAU *zu Exter*. Wo ist es passiert?

DIE FRAU DES TURNLEHRERS. Hat der Mann sie –?

EXTER *wirft überlegen den Kopf in den Nacken*. Im Wald und auf der Haide, da such' ich meine Freude!

DIE FRAU DES TURNLEHRERS. Doch nicht ganz im Freien?

FRAU EXTER *verwundert tuend*. Das ist das einzige dabei, was mir Hochachtung abnötigt!

DIE ZWEITE OBERLEHRERFRAU *empört und interessiert zugleich*. Aber Frau Doktor!

EXTER *laut*. Dann in der Badhütte!

Verdutzte Stille.

FRAU EXTER *vor sich hin*. Im Bad – ist nett!

DIE FRAU DES MUSIKLEHRERS *versonnen*. Das ist ja noch nicht dagewesen, so lange die Mauern stehen!

DIE FRAU DES TURNLEHRERS *mit sich beschäftigt*. Mit keinem Gedanken habe ich –!

DIE FRAU DES HAUSVERWALTERS *in fernen Weiten weilend*. Das liegt doch hier in der Luft –

FRAU EXTER *vor sich nickend*. Das Ei des Kolumbus!

DIE ZWEITE PROFESSORFRAU *schroff zu Exter*. Waren die Herren in der Konferenz nicht entsetzt?

DIE DRITTE PROFESSORFRAU. Mein Mann wird doch hoffentlich die Moral gerettet haben?

EXTER. Moral – Unmoral: das sind Begriffe – sie drehen sich mit dem Winde. Das Recht der Jugend bricht sich seine Schleusen.

DIE FRAU DES MUSIKLEHRERS *wogend*. Die Bengels sollen das Recht haben –

DIE DRITTE PROFESSORFRAU. Wir Lehrerfrauen Schleusen –

DIE ZWEITE PROFESSORFRAU. Ich glaube nicht, daß Herr Hornemann es an irgend etwas fehlen ließ. Ein so liebenswürdiger zuvorkommender Mensch!

FRAU EXTER. Mein Mann ist ein großer Theoretiker!

EXTER. Herr Kollege Hornemann hielt es für seine Pflicht, um seine kostspieligen Forschungen – die ich persönlich ablehne! – in vollstem Umfange betreiben zu können, bis nach der Gehaltsaufbesserung seine Familie nicht zu vergrößern. Das ist ein Opfer, das er sich bringt, vor dem ich Hut ziehe!

DIE DRITTE PROFESSORFRAU. Aber wo bleibt die Moral?

EXTER. Er ordnete sich seinen wissenschaftlichen Zwecken unter – so ist es seine Moral. Unmoral wird es, wenn wir eine Maßregel getroffen haben –

DIE FRAU DES HAUSVERWALTERS. Wird der Abort endlich –?

EXTER. – die die Entschließung des Einzelnen zu allgemeiner Gültigkeit erhebt. *Sarkastisch*. Wir mußten uns in dem sehr männlichen Gelöbnis zusammenfinden – der Anblick war wunderhübsch, die Konferenz – vielleicht das erste Mal seit ihrem Bestehen – einträchtig zu sehen, Herr Rektor sagte: wer hohes will – das höchste – das ist für ihn immer noch die Ankündigung eines Prinzchens –

DIE FRAU DES ZEICHENLEHRERS. Kommt Thassilo Günther?

DIE ZWEITE PROFESSORFRAU. Silentium für Herrn Doktor!

EXTER. Darum muß man auch entbehren können – um vor seiner jugendlichen Hoheit täglich mit frischer Wäsche an Hand und Hals aufzutreten. Das kostet natürlich Geld – und die Gehaltsaufbesserung ist noch nicht durch! Also – übt die Beschränkung. *Sardonisch*. Der gute Hornemann hat Schule gemacht!

DIE ZWEITE OBERLEHRERFRAU. – – – – Wie lange wird der junge Herr bei uns bleiben?

EXTER. Nun, wohl ein Jahr. Mehr nimmt der geistige Bildungsgang ja nicht in Anspruch?

Es herrscht bemerkenswerte Stille.

DIE ZWEITE PROFESSORFRAU *ausbrechend*. Ja – wollen Sie uns denn alle zu einer Frau Hornemann machen?
EXTER *seinen Klemmer sattelnd und das Manuskript aufschlagend*. Ich gebe den Damen ihre Rolle in diesem Stück!

Ein Klassenzimmer. Der verliesartige Raum hat links zwei hochgelegene kleine Fenster – unerreichbar vom Fußboden. Vor der rechten Wand das Katheder, steil wie ein Zwingturm, der fast unter die Decke stößt. Dahinter das schwarze Grauen der Wandtafel; an einem Nagel ein Schlüssel mit einigen Kilo Eisenschiene. Rechts hinten die niedrige Tür. In vier enge Bänke gepfercht die Klassenschüler.

Über die Kathederplatte verbreitet sich wie ein Fabelurtier der zweite Professor: die wirre Mähne verdeckt Gesicht, Brille, Buch – alles.

Eine öde Stille herrscht, in die die Stimme des vortragenden Lehrers gleichförmig wie die trübe Flut aus einem Rinnstein tropft.

Nur ein Schüler am vorderen Ende der zweiten Bank ist in unruhiger Vertiefung beschäftigt; er schreibt mit fliegender Hast und das Tintenfaß oft klirrend verfehlendem Federhalter, indem er das Papier mit geringer Vorsicht hinter der Klassenlektion schützt: Vehgesack – rötlichhaarig, sommersprossig, intelligent.

DER ZWEITE PROFESSOR *liest.* Ipse eorum opinioni accedo, qui Germaniae populos nullis aliarium nationum conubiis infectos propiam et sinceram et tantum sui similem gentem extisisse arbitrantur, unde habitus quoque corporum, quamquam in tanto hominum numero, idem omnibus: truces et caerulei oculi, rutilae comae, magna corpora et tantum ad impetum valida: Laboris atque operum non eadem patientia, minimeque sitim aestumque tolerare frigora atque inediam caelo so solove adsueverunt. *Ohne aufzublicken.* An dieser Stelle hat sich Tacitus leiter zu einer Konstruktion hinreißen lassen keken tie Krammatik, die ihm wohl im Feuer seiner Pegeisterunk unterlaufen ist. Üpersetzen Sie zuerst tie Stelle, wo Tacitus tie Germanen schildert. *Er blättert seinen Katalog auf.*

Sogleich ist Bewegung in die Bänke gekommen.

EIN SCHÜLER *zischelnd.* Die Eule blättert rückwärts –

DIE SCHÜLER *bei jedem Umschlagen eines Blattes aufatmend und ihr für die weiteren Vorgänge nun vollständig erloschenes Interesse unverhohlen kundgebend.* M – O – P – Q – R – S – T – U – V – W – X – Y –

DER ZWEITE PROFESSOR *aufrufend.* Moses Zachariassohn.

DER SCHÜLER *erschöpfender semitischer Abstammung, dem über die Bänke ohne besondere Scheu das Schwartenheft zugereicht ist, steht auf; fließend.* Ich für meine Person schließe mich der Meinung derer an, welche die Bevölkerung Germaniens als eine nicht durch Eheverbindungen mit fremden Nationen vermischte betrachten, vielmehr als einen eigenen, reinen, nur sich selbst gleichen Volksstamm. Daher auch ein und derselbe Körperbau bei dieser ganzen, doch so zahlreichen Menschenmasse: das trotzige, blaue Auge, das rötlichblonde Haar, der mächtige Wuchs.

DER ZWEITE PROFESSOR. Vorläufig pis tahin. Sie hapen den Sinn im kanzen gut fieter kekeben. Ich kebe Ihnen tafür tie 2 mit Haken nach unten. *Er notiert.*

DER SCHÜLER *dem zweiten Professor nachäffend.* Ich pitte um die 2 mit Haken nach open, Herr Professor, ich habe wortgetreu übersetzt.

DER ZWEITE PROFESSOR. Ich kann Ihnen keine 2 mit Haken noch open keben, ta hier ein Fehler im Papier ist, ter wie ein Haken nach unten aussieht!

DER SCHÜLER. Tann möchte ich nicht weiter wietersprechen! *Er schleudert die Schwarte in die Klasse und läßt sich krachend nieder.*

VEHGESACK *dem das Heft auf den Tisch fiel, auffahrend.* Lass' den Blödsinn –

EIN SCHÜLER *der neben Vehgesack sitzt und ihn schon vorher beobachtet hatte, reißt ihm blitzschnell das Papier weg und hält es triumphierend hoch.* Vehgesack macht Verse!

Das Papier wird ihm von hinten Sitzenden entrissen und wandert durch die Bänke.

VEHGESACK *ist blaß geworden, wendet sich um.* Gieb mir so fort – gebt mir her –

DER ZWEITE PROFESSOR. Wer kann mir im Tacitus tie Parallelstelle nennen, wo sich tiese Verpintunk mit quamquam wieter fintet?

EIN SCHÜLER *in der letzten Bank steht auf.*

DER ZWEITE PROFESSOR *überrascht.* Sie wollen mir tas saken, Sie haben tas bemerkt? Sie sind ja üper Nacht ein Sokrates keworden! Tas freut mich. Tas ist mir eine aufrichtige Kenugtuung. Ich sehe, taß mein Unterricht an keinem auf tie

Tauer apprallt. Ich werde tas ganz besonders vermerken. Sie können Ihre Zensur verpessern, tas kann Ihre Zensur vertraken. Verraten Sie uns also Ihre kanze Weisheit!

DER SCHÜLER. Ich bitte um den Freischlüssel!

DER ZWEITE PROFESSOR *greift ohne zu stutzen hinter sich und nimmt den Schlüssel von der Wand. Dabei zieht er ein Heft unter dem Katheder hervor und will darin notieren.* Ich sehe, Sie machen sehr häufik von dem Freischlüssel Kebrauch. Sie hapen heute schon dreimal Notauskank bekehrt. Sind Sie krank?

DER SCHÜLER. Ich vertrage die täglichen Pflaumen schlecht!

DER ZWEITE PROFESSOR. Tann stellen Sie sich in ter Küche vor mit Ihren Beschwerten und prinken Sie sie nicht mit in tie Klasse!

DER SCHÜLER *rasch hinaus.*

DER ZWEITE PROFESSOR *plötzlich aufheulend.* In ter tritten Pank – alles stille sitzen! Ich werde den Allotria festnakeln. Warten Sie, ich hape Ihre Peschäftikunk entteckt. Tie kanze tritte Pank soll mir püßen. Jetzt werde ich Sie – *Er beginnt den Abstieg vom Katheder.*

Die Schulglocke läutet – im Ton eines Sterbeglöckchens.

DER ZWEITE PROFESSOR *bricht ab, rafft seine Bücher an sich, steigt ganz herunter, eilig ab.*

Mit dem ersten Klang der Glocke hat sich sofort Lärm in der Klasse erhoben.
Die Schüler schließen krachend ihre Bücher; springen auf, rufen sich an, pfeifen.
Zwei Schüler sind hinten auf die Bänke gestiegen und geben Zeichen zum Fenster hinaus.

VEHGESACK *aufrecht, hochrot.* Wer den Zettel hat –

EIN SCHÜLER *in tragischer Pose deklamierend.* Ich stehe hier und rede Blak – denn Verse sind's von Vehgesack!

EIN SCHÜLER *zu einem anderen, ihm ein Buch unter die Nase haltend.* Lies doch, die gelbe Martinique kostet dreißig Mark!

VEHGESACK. Ihr sollt mich kennen lernen –

EIN SCHÜLER *lachend.* Vehgesack mit F!

DER EINE SCHÜLER *am Fenster den anderen zur Seite stoßend.* Mir wirft sie Kußhände!

DER ANDERE SCHÜLER *Kußhände hinauswerfend.* Bilde dir doch keine Schwachheiten ein!

EIN SCHÜLER *unten hinzutretend.* Rektors rosenfingrige Rosa – und ihre eifersüchtigen Liebhaber! *Er klopft sie.*

VEHGESACK *ist auf das Katheder gesprungen.* Wer mir mein Eigentum nicht zurückgibt, ist Dieb!

DER SCHÜLER *mit dem Schlüssel kommt wieder. Er reicht Vehgesack den Schlüssel hinauf.*

Gelächter.

EIN SCHÜLER. Er hat sein geistiges Eigentum!

VEHGESACK *den Schlüssel schwingend, immer von schallendem Lachen unterbrochen.* Darüber könnt ihr lachen – das sieht euch ähnlich. Davor kriecht ihr ja auf dem Bauch – der Schlüssel kennzeichnet euch. Ihr laßt euch ja kontrollieren bis auf den – das tut euch wohl. Damit könnt ihr leben – atmen – essen und verdauen. Das stinkt zum Himmel!

EIN SCHÜLER *reicht ihm das Blatt hinauf.* Bediene dich selbst!

Schon öffnet sich die Tür: der dritte Professor tritt ein, ersteigt den Turm des Katheders, verbreitet sich.
Die Klasse sitzt wohl geordnet.

DER DRITTE PROFESSOR *liest.* In einer quadratischen Gleichung von der Form $x^2 + kx + 1 = 0$ muß der Koeffizient des zweiten Gliedes mit entgegengesetztem Zeichen gleich der Summe der Wurzeln, das dritte Glied gleich dem Produkt der Wurzeln sein, das heißt: $1 = -(x^1 + k^2)$, also $x^1 + 2 = -k, 1 = x^1 . x^2$. – – –

Von neuem sinkt die Öde – grau, fast sichtbar – in den Raum, darin die ungeheure Glatze des dritten Professors wie ein trostloser Mond glimmt.

An der Mauer. Darin links ein Pförtchen, dabei eine ver-
witterte Holztafel mit der Aufschrift: »Damenbad, Eintritt
verboten.« *Rechts auf einer geringen Anhöhe ein alter Lin-*
denbaum mit Bank um seinen Stamm.

VEHGESACK *steht auf der Bank gegen den Stamm gelehnt.*
Er beschreibt die letzte Seite in einem Heft mit schwarzem
Wachstuchdeckel. Dabei knirscht er mit den Zähnen, stampft
auf die morschen Stangen des Banksitzes. Plötzlich hält er
inne, atmet tief auf, schlägt sich vor den Kopf, blättert mit
zitternden Händen im Heft zurück – und liest zuletzt fast
willenlos laut. Dahin – dahin – lebwohl! – – So ist es gesagt
– und ich lebe – ich atme noch? Meine Hände tasten noch
– meine Brust wogt noch – mein Auge glüht? Blüht nicht
der Wald? Rauscht nicht das Wasser? Schwankt nicht der
Kahn – und lädt mich ein? Zur Fahrt? Frei bin ich – frei –
ich bin's – ich bin entlassen, um zu sein – neu – schön – größer? Hinaus das Ruder – die Bahn ist glatt – zum neuen
Ufer – zu meiner neuen Tat! *Er ist wie in der Flucht bis an*
den Rand des Banksitzes vorgetreten.

Von rechts ist auf dem Mauerfirst tänzelnd Lotte – ein hüb-
sches Mädchen von sechszehn Jahren in hellem Sommerkleid
– gekommen. Aus einer Tonscherbe nascht sie Kirschen –
auch hat sie sich Ohrgehänge von Kirschen gemacht. Belu-
stigt hört sie der Deklamation zu und schleudert Kirsch-
kerne nach Vehgesacks Manuskript. Jetzt schüttet sie den
übrigen Inhalt der Scherbe gegen Vehgesack aus, klatscht in
die Hände und ruft laut.

LOTTE. Bravo, bravo – das war ja riesig. Wie ein richtiger
Schauspieler im Theater. Ich habe Ihnen sogar mein ganzes
Obst geschleudert, mehr kann man doch nicht!
VEHGESACK *ist herumgefahren, starrt sie an.* Woher – sind
Sie denn gekommen? Sind Sie von außen auf die Mauer ge-
klettert? Wer sind Sie denn?
LOTTE. Ihr begeistertes Publikum!
VEHGESACK *noch in seiner Überraschung.* Sie sind aus einer
mächtigen Baumkrone herabgestiegen – auf diese Erde, wo
ich am Fuße dieser Linde auf Sie warte!
LOTTE *einfach.* Ich komme aus dem Rektorgarten!
VEHGESACK. Sie sind bei Herrn Rektor zu Besuch?

LOTTE. Seit gestern abend bei Onkel und Tante! Warum kichern Sie denn immer?

VEHGESACK. Onkel – das klingt so menschlich. Man kann sich gar nicht denken, daß Herr Rektor noch etwas anderes sein kann – als Herr Rektor!

LOTTE. Ich bin auch nicht zu meinem Vergnügen zitiert: ich soll bei der Aufführung mitwirken – Blumen streuen – Männchen machen, Affengesichter schneiden!

VEHGESACK *lacht.* So gräßlich wird es doch nicht werden!

LOTTE *läßt sich auf der Mauer nieder.* Spielen Sie auch mit?

VEHGESACK. Ich weiß nicht mehr – *Sich rasch verbessernd.* Ich weiß noch nicht!

LOTTE. Paukten Sie vorhin Ihre Rolle? Ist das dicke Buch die Komödie?

VEHGESACK *das Heft auf seine Brust drückend.* Nein, das ist eine Tragödie!

LOTTE. Auch noch für die Feier?

VEHGESACK. Ich dichte nicht für Gelegenheiten!

LOTTE *interessiert.* Hatten Sie das selbst geschrieben?

VEHGESACK. Ja!

LOTTE. Darum sitzen Sie hier in der Einsamkeit!

VEHGESACK. Ich muß allein sein – um ich zu sein!

LOTTE. Sie wollen ein Dichter werden, der in den Zeitungen steht. *Schnell.* Dann will ich immer nachlesen, wo Sie sind – in welcher Stadt Sie wohnen – Ihre Abenteuer – *Schwärmerisch.* Ich will immer an Sie denken. Glauben Sie nicht, daß Ihnen das etwas nützen kann?

VEHGESACK *ist von der Bank gesprungen.* Das müssen Sie mir versprechen, daß Sie immer an mich fest – fest! denken wollen. Ich brauche Ihre Hilfe – oder mir fehlt der Mut zu einem neuen Werk!

LOTTE *reicht ihm die Hand hinunter.* Mein heiliges Wort!

VEHGESACK *ist dicht unter sie getreten und hält ihre Hand fest.* Jetzt fühle ich mich fähig – zum größten. Ich danke Ihnen. Wie heißen Sie?

LOTTE. Lotte! Mit wem habe ich die Ehre?

VEHGESACK. Vehgesack!

LOTTE *reißt ihre Hand zurück, erhebt sich.* Sie sind –?

VEHGESACK *geschmeichelt.* Haben Sie schon von mir gehört?

LOTTE. Aber natürlich. Das war ja Tantes und Onkels erstes Wort. Paragraph 1. Ich war kaum ins Haus getreten, da erhielt ich schon Verhaltungsmaßregeln. Mit allen Schülern darfst du sprechen, sprach Tante, aber mit dem Schüler Vehgesack sollst du nicht sprechen. Und nun sind Sie der erste, dem ich hier begegne!

VEHGESACK. Das tut mir sehr leid!

LOTTE *eifrig*. Nein, nein – das wollte der liebe Gott so. Ich ahne es. Ich weiß es ganz bestimmt. Ich habe es immer gewußt, daß mein Dasein einen höheren Zweck haben soll!

VEHGESACK *umklammert ihren Schuh*. Bleib!

LOTTE *sieht scheu nach allen Seiten um, erschrickt*. Jetzt nicht – ich komme wieder. Ich muß wieder kommen, wir setzen uns hinter die Mauer – das ist eine Pforte. *Emphatisch*. Ich schreibe dir! *Sie entläuft wieder auf der Mauer nach rechts*.

VEHGESACK *rafft seine Schülermütze von der Bank, schiebt das Heft unter einen Arm und will langsam nach rechts gehen*.

Frau Exter kommt links mit Badeanzug – räuspert.

VEHGESACK *dreht sich sogleich um, grüßt*.

FRAU EXTER *blickt sich schnell um*. Weshalb wollen Sie denn vor mir ausreißen? Bin ich schrecklich? Sie machen mich ja zum Kinderschreck, Sie grober Mensch – hu hu hu! *Sie reicht ihm burschikos die Hand*. Da, Sie Geisterseher. Man muß Ihnen schon noch mal verzeihen.

VEHGESACK *schülerhafte Verbeugung, Handkuß*.

FRAU EXTER. Was treiben Sie hier im hintersten Winkel des Schulgartens? Schrullen, was? Kramen Sie mal aus. Oder ist diese Bank privates Heiligtum?

VEHGESACK *zuckt die Achseln*.

FRAU EXTER. Na, dann nehmen Sie mich in Ihren Tempel auf und entschleiern Sie Ihren Götzen. Wie heißt er denn? *Sie sitzt*. Sie brauchen nicht vor mir zu stehen wie der betende Jüngling. Oder beten Sie mich an?

VEHGESACK. Nein.

FRAU EXTER. Ehrlich sind Sie wenigstens. Damit erwerben Sie sich meine Zuneigung. Setzen Sie sich wieder hin.

VEHGESACK. Ich wollte etwas spazieren –

FRAU EXTER. Und ich gehe nicht eher aus dem Pförtchen, bis Sie gehorcht haben!

VEHGESACK *mit merkwürdiger Schnelle sich auf die Bank niedersetzend und Frau Exter zulachend*. Ich sitze!

FRAU EXTER *der dies eigentlich über ihr Programm hinausgeht.* Also – lieber marschieren Sie?

VEHGESACK. Wir haben ja keine große Auswahl innerhalb der Mauern.

FRAU EXTER *wieder munter.* Nein, Ihr Käfig hat enge Wände.

VEHGESACK *sieht sie verblüfft an.* Käfig?

FRAU EXTER. Was ist es denn sonst? Sie werden abgerichtet – Sie apportieren die Kenntnisse, die man Ihnen brockenweise zuwirft – wie die Hündchen, wie die Papageien. Das ist eine Vergeudung Ihrer Kräfte, die Sie lange danach schädigt. Ich rede frei – ich bin als originell verschrien. Können Sie irgend etwas brauchen, das Sie hir mitbekommen? Das Latein: das hält kleine Geister über Wasser; mein Großvater hatte ein lateinisches Zitat in der Erinnerung, das machte seine ganze überlegene gesellschaftliche Befähigung aus. Euch Jungen kann das nicht genügen. Was wollt ihr denn von uns mit ins Leben hinausnehmen, was Fleisch von eurem Fleisch – und Blut von eurem Blut? *Sich schroff ihm zuwendend.* Wo bleibt da das Recht der Jugend, das sich seine Schleusen sucht?

VEHGESACK. Das durfte aber keiner außer mir hören!

FRAU EXTER. Was denn nicht?

VEHGESACK. Wie Sie die Schule 'runter machen!

FRAU EXTER. Sie ist schlimm!

VEHGESACK *ernst.* Sie hat auch ihr gutes!

FRAU EXTER. Der Käfig?

VEHGESACK *nickt.* Ja, mein Käfig.

FRAU EXTER. Das versuchen Sie mir mal zu schildern. Sie behalten Ihren Platz – und ich richte mich auf dem Grasboden ein – zu Ihren Füßen. *Sie setzt sich eilig auf den Rand der Böschung.* Das Badezeug legen Sie auf die Bank, daß es nicht voll Sand kommt. *Sie reicht es ihm.* Jetzt bin ich Ihre Schülerin – *Sie wirft mutig das Gesicht zu ihm auf.* – und nun belehren Sie mich!

VEHGESACK *sieht verwirrt auf sie herab, hält das Badezeug.* Wollen gnädige Frau nicht auf der Bank –

FRAU EXTER. Warum denn? Ich bin doch ihr dummes Mädel, an dem Sie herumbessern sollen!

VEHGESACK. Wenn jemand kommt –

FRAU EXTER. Der sieht uns beide! Außerdem kommt um diese Stunde keiner. Da puschelt alles im Haushalt herum – mit treuem Pflichtgefühl und wischt den Staub von Großpapas Photographiegesicht. Sehen Sie, so bilde ich das Gegenstück mit meinem Spott über die Beschränktheit zu Ihnen! Wir passen vorzüglich zusammen. Oder nicht?

VEHGESACK. Ich bin Schüler.

FRAU EXTER. Wenn ich Ihnen sage, daß ich nicht nach Schülern – nur nach dem Menschen ausschaue. Der Mensch ist mir wertvoller. Sie sind Mensch. Alles andere sind Begriffe – die schwanken! – *Sie stützt die Wange auf die flache Hand und liegt mehr zu seinen Füßen; ihn anblickend.* Predigen Sie Ihrer Zuhörerin.

VEHGESACK *zieht das Badezeugbündel dicht an sich.*

FRAU EXTER *sich aufrichtend.* Oder wenn es Sie geniert, daß ich Sie dabei anblicke, so drehe ich Ihnen den Rücken zu. Sie müssen mir dann aber erlauben, daß ich anfange, mich für mein Bad fertig zu machen. Die Schuhe werde ich mir heruntertun. *Sie tut es.*

VEHGESACK. Wenn ich soll – kann ich nie sprechen!

FRAU EXTER *sich lang überlegend, die Augen schließend, Arme über Kopf.* Gott, so warte ich bis Sie können.

VEHGESACK *sich zusammenreißend.* Ich behaupte – nur der Vogel, der im Bauer eingeschlossen ist und von Stange zu Stange hüpft, singt. Jede Gefangenschaft – die ist doch im Grunde nur die Ablenkung von äußeren Zerstreuungen – führt uns zur Beschäftigung mit uns selbst – mit dem, was wir können. Wir entdecken unsere Gaben – wir heben den Schatz in Ruhe und Abgeschiedenheit – nichts stört – und ich bin mit einem Male, der ich bin!

FRAU EXTER *träumerisch nickend.* Und welche Gaben haben Sie an sich entdeckt?

VEHGESACK. Ich bin – zum Dichter geworden!

FRAU EXTER *schlägt langsam die Augen auf, spöttisch.* Hier?

VEHGESACK. Das rührt natürlich nicht allein von dem bloßen Aufenthalt hier – das Erlebnis muß hinzukommen!

FRAU EXTER. Und es ist auch rechtzeitig hinzugekommen.

VEHGESACK *einigermaßen verdutzt.* Ich meine: – irgend ein Erlebnis. Ein Vogel, der lockt – ein schwermütiger Sonnenuntergang – –

FRAU EXTER. Ja – unsere schwermütigen Sommerabende – – – – Und suchen Sie wieder ein Erlebnis?

VEHGESACK *betroffen.* Doch – doch – doch – das heißt: ich muß mich nun von meinem ersten größeren Werk ausruhen. Aber dann ist ein neues Erlebnis wieder dringend notwendig.

FRAU EXTER *hat sich aufgesetzt.* Sie sind mit dieser Geschichte fertig?

VEHGESACK. Ja – jetzt bin ich frei!

FRAU EXTER *sieht ihn aufmerksamer an.*

VEHGESACK *verwirrt, steckt das Heft unter das Badezeug.* Ich habe es in diesem Augenblick abgeschlossen!

FRAU EXTER. Soll es in dem Versteck bleiben?

VEHGESACK *verlegen.* Es ist ja nichts!

FRAU EXTER. Nun, nach dem Erlebnis zu urteilen, das Sie dazu brauchten, muß es etwas gelungenes sein!

VEHGESACK. Nein, nein – im Gegenteil: eine Stümperei – krasse Dilettanterei!

FRAU EXTER *richtet sich hoch auf.* Geben Sie es mir. Ich lese es nicht! Ich will es für Sie herausschaffen. Ich schicke es ein, ich kenne die Adressen – mein Männchen schickt oft was fort und kriegt es immer zurück. Ich fange die Briefe ab. An solchen Tagen ist er klein wie ein Floh. Für Sie muß ich es tun, weil ich an Sie glaube. Ganz fest – fest! Fühlen Sie das?

VEHGESACK. Die Herren werden mich auslachen –

FRAU EXTER. Und wenn –! Dann sind Sie wenigstens frei – von Ihrem Werk innerlich. Die Pflicht haben Sie gegen sich. Dabei zu helfen, habe ich auch die Pflicht. Sie sind sich vielleicht Ihrer Schätze noch gar nicht bewußt. Da muß ich erst an diesem brühheißen Sommermorgen kommen und Sie ermuntern. Träumen Sie nicht – strecken Sie ihre Hände aus – die Muse sitzt vor Ihnen – im grünen Gras und Klee. Sie Gott – bei seiner Nymphe!

VEHGESACK *sieht sie beklommen lachend an.*

FRAU EXTER *sich in ihre frühere Lage bringend.* Jetzt lesen Sie mir was schönes vor. *Sich dehnend.* Ich sehne mich nach Ihren Worten – aus Dichters Munde. Sie brauchen ja für mich keine neuen erfinden, Sie haben ja Ihr Manuskript. Ich will Ihnen keine Mühe machen. *Sie schließt die Augen. Plötzlich hat sie sich zum Sitzen erhoben, hantiert an sich herum.* Jetzt ziehe ich mir die Strümpfe aus – so mache ich mir was zu schaffen und irritiere Sie nicht. Sie dürfen aber nicht schielen!

VEHGESACK *blickt verstummend auf den gebogenen Rücken.*

FRAU EXTER. Nun richte ich mich ganz häuslich ein. *Sie zieht die Knie dicht herauf und hockt.*

VEHGESACK. Wollen gnädige Frau nicht die Bank –
FRAU EXTER. Was soll ich da oben? Daß Sie meine nackten
Füße sehen? Nein – *Sie knäult das Schuhwerk mit den
Strümpfen zusammen.* Jetzt will ich baden! *Sie entfernt sich
rasch unter die Pforte, die ins Schloß knackt.*

VEHGESACK *atmet erleichtert auf. Er schiebt rasch das Heft
in seine Brusttasche – da fällt sein Blick auf das Badezeug
auf seinen Knien, aus dem der Badeanzug heraussieht. Er
schlägt die Hände lautlos über dem Kopf zusammen und
starrt entsetzt auf das verlassene Bündel.*

Das Pförtchen kreischt kurz.

VEHGESACK *sitzt gelähmt.*
FRAU EXTER *unsichtbar.* Wenn mein Badezeug auf der Bank –
VEHGESACK *läuft mit fliegender Hast an das Pförtchen. Er
balanciert das Bündel auf Handflächen zum Spalt, indem er
krampfhaft zur anderen Seite starrt. –*

*Ein nackter Arm langt heraus, zieht sich mit dem Badetuch
ein – kommt wieder, schlägt Vehgesack die Kappe vom Kopf
und ist weg.*
Die Tür schnappt ein.

VEHGESACK *lacht schwach. Dann geht er von der Mauer
weg, bis hinter den Lindenstamm – und wirft sich längelang
ins Gras und vergräbt das Gesicht.*

HORNEMANN *taucht links auf. Er ist ersichtlich auf dem
Kriegspfad: vorsichtig setzt er die Füße – durchdringend
bohrt sein Blick in jeden Schatten – seine gespreizten Hände
sind griffbereit. Er stutzt vor Vehgesacks Kappe im Grase
beim Pförtchen. Er stelzt hin, hebt sie auf, besichtigt den
Fund. Er beult das Innere nach außen – liest im Futter –
seine Augen quellen über des Kneifers Gläser – ein Zisch,
ein Speichel:* Vehgesack! – – *Nun entlädt sich sein blinder
Zorn über das unschuldige Gebilde von Tuch und Lack: er
wirbelt es durch die Fäuste, knüllt es, quetscht es, verhöhnt
es – stampft darauf, rafft es von neuem auf, reißt den Schirm
ein – speit in die Kopfhöhle. Nun verschnauft er – dann rast*

ein triumphierender Zug über sein arbeitendes Gesicht, seine Zunge faucht: Bürschchen – habe ich dich! – *Er verknöpft die Kappe hinter seinen Rock – macht sich zu turnerischen Leistungen bereit: kurzer Anlauf, Sprung gegen die Mauer: kläglicher Abfall. Er ermüdet nicht – er wiederholt – er gibt auf, die Mauer im Sturm zu nehmen. Nun geht er mit veränderter Taktik ans Werk: er klettert. Die Finger klemmt er in die Fugen des Mauerfirstes – die Knie stemmt er gegen das Steingefüge – sein ungeübter Leib bewältigt die Olympiade nicht. Mit zerschundenen Kniebeulen rastet er. – Sein Blick fällt auf das Pförtchen: mit einem Satze ist er dort – bückt sich und späht ins Schlüsselloch; seine erregten Stiefelabsätze schlagen knatternd aneinander. Er richtet sich auf – kopfschüttelnd. Seine Handflächen suchen über die morsche Tür – mit einem flinken Griff hat er das Taschenmesser heraus, klappt den Korkzieher auf – und bohrt das Holz an. Er zieht das Werkzeug zurück, prüft die Öffnung, bohrt von neuem.*

Vehgesack hat mit wachsendem Erstaunen Hornemann beobachtet, auf allen Vieren ist er an die Linde gekrochen und lugt um den Stamm.
Von links kommt die dritte Professorfrau – mit einer dünnen Handtuchrolle. – Sie ist die immerhin noch jugendliche Frau mit glattem Scheitel. Hochgewachsen und stämmig. – Sie gewahrt zugleich Vehgesack und Hornemann, macht große Augen – winkt Vehgesack zu und nähert sich Hornemann.

DIE DRITTE PFROFESSORFRAU *Hornemann auf den krummen Rücken klopfend.* Viel Vergnügen, Herr Hornemann!
HORNEMANN *fährt auf, wirft den Kopf hoch, erst nach rechts – nun starrt er in das Gesicht der dritten Professorfrau.*
DIE DRITTE PROFESSORFRAU. Sie amüsieren sich wohl köstlich. Im stillen Schulgarten – hinten an der Mauer – und bei unserm Bad. Sie suchen sich ja merkwürdige Unterhaltung – Herr Hornemann!
HORNEMANN *in seinem Eifer stammelnd.* Da drin –
DIE DRITTE PROFESSORFRAU. – scheint es, haben Sie angenehme Dinge entdeckt, Sie sind ja ganz vertieft und hören und sehen nicht, was hinter Ihnen vorgeht. Sie müssen vor-

sichtiger zu Werke gehen. Man könnte Sie sonst überraschen. *Sie fixiert ihn scharf.*

HORNEMANN *hinter seinem Rock tastend.* Da – *Er schwingt die Mütze.*

DIE DRITTE PROFESSORFRAU *dreht den Korkzieher aus dem Holz.* Sind Sie durch?

HORNEMANN. Noch nicht!

DIE DRITTE PROFESSORFRAU. Das soll Ihr Glück sein. Ich hätte Sie sonst nicht so leichten Kaufs ziehen lassen!

HORNEMANN. Jetzt fasse ich –

DIE DRITTE PROFESSORFRAU. Ich rate Ihnen: Machen Sie sich aus dem Staube!

HORNEMANN. Ich habe mich herangeschlichen –

DIE DRITTE PROFESSORFRAU. Und sich vor Ihrem Astloch ertappen lassen!

HORNEMANN. Ich habe meine Knie zerschunden –

DIE DRITTE PROFESSORFRAU. Das glaube ich: da läßt man kein Mittel unversucht!

HORNEMANN. Ich habe mir die Finger zerkratzt –

DIE DRITTE PROFESSORFRAU. Alles geschieht Ihnen mit vollem Recht. Oder soll ich Sie bemitleiden? Schämen Sie sich nicht, hier herum zu turnen und wie ein Bengel sich zu belustigen? *Ihn nicht zu Wort kommen lassend.* Sind Sie nicht ein Mann, der Kinder – ein Kind hat, das Papa schreit? Ihre Frau sitzt zu Hause – und wartet auf Sie, während Sie auf Mauern und Bäume klettern. Dann ist es allerdings keine Heldentat, was Sie sich leisten. *Ernstlich böse.* Ich sollte Sie nicht schonen, ich sollte Lärm schlagen und Sie in Ihrer wahren Gestalt vor dem ganzen Kollegium an den Pranger keilen. Sie sind der, der uns alles eingebrockt hat – jetzt können wir uns rächen, daß Ihnen die Augen übergehen. Ihnen wird die Enthaltsamkeit leicht, Sie finden ja Ihren Spaß anderwärts! – Trollen Sie sich – dahinaus gehen Sie – und grüßen Sie Ihre Frau von mir. Ich werde mich selbst bei ihr erkundigen!

HORNEMANN *sich wehrend.* Vehgesack ist –

DIE DRITTE PROFESSORFRAU. Verstecken Sie sich hinter einen wehrlosen Schüler? Das ist fein, Herr Hornemann. *Schnell.* Es ist lächerlich: der Schüler Vehgesack ist nicht drin. So wahr ich hier draußen bin!

HORNEMANN. Seine von mir aufgefundene Mütze verrät den Wicht –

DIE DRITTE PROFESSORFRAU. Schwindeln Sie nicht, Sie laster-hafter Mensch. *Sie reißt ihm die Mütze weg.* Das ist gar keine Mütze, das ist ein Lumpen, der weggeschmissen ist und hier modert. Ist das eine erlaubte Schülermütze? *Sie hält sie ihm unter die Nase.* Packen Sie Ihr Werkzeug zusammen – *Sie steckt ihm sein Taschenmesser zu.* – ich will baden. Oder wollen Sie mich belauschen?

HORNEMANN *geschoben, gedrängt, links ab.*

DIE DRITTE PROFESSORFRAU *sieht ihm noch nach, dann geht sie resolut zu Vehgesack.*

VEHGESACK *ist halb um den Baum herumgekommen.*

DIE DRITTE PROFESSORFRAU. So! – Und nun will ich Ihnen Ihren mit Wunden bedeckten Helm wiedergeben. Bleiben Sie oben. Setzen Sie den Schlappen mal auf!

VEHGESACK *tut es.*

DIE DRITTE PROFESSORFRAU *komisch begeistert.* Anbetungs-würdig –!

VEHGESACK. Er hat sie zerstampft –

DIE DRITTE PROFESSORFRAU *bricht plötzlich in lautes Lachen aus und setzt sich auf die Bank.*

VEHGESACK *schleudert die Mütze hinter sich.* Ich bedanke mich auch für den Kopfschmuck.

DIE DRITTE PROFESSORFRAU *abbrechend.* Übrigens, junger Freund, das dürfen Sie eben gar nicht gesehen haben. Das ist nichts für Sie. Nun wollen wir uns beide mal zusammen schämen. *Sie steckt das Gesicht hinter die Hände.*

VEHGESACK *steht hinter ihr, sieht auf ihren gebogenen Rük-ken. Unsicher betonend.* Wenn Sie es wünschen!

DIE DRITTE PROFESSORFRAU. Wieso: wenn ich es wünsche?

VEHGESACK *setzt sich neben sie, sie gerade ansehend.* Ihnen gehorche ich!

DIE DRITTE PROFESSORFRAU. Das ist ja ulkig –

VEHGESACK *zieht das Wachstuchheft heraus.* Wollen Sie Ihre Hände auf dies Buch legen?

DIE DRITTE PROFESSORFRAU. Warum denn darauf?

VEHGESACK. Weil ich von Ihnen mein neues Werk empfan-gen will!

DIE DRITTE PROFESSORFRAU. Von mir –?

VEHGESACK. Jede simple Kreatur hat die Pflicht dem Dich-ter zu helfen!

DIE DRITTE PROFESSORFRAU *belustigt.* Sie sind ein Dichter?

VEHGESACK *nachdrücklich*. Ein Dichter seit heute!

DIE DRITTE PROFESSORFRAU. Kommt das so plötzlich?

VEHGESACK *mutig seine Hand um das Gelenk ihrer Hand legend*. Das kommt – weil ich Sie liebe!

DIE DRITTE PROFESSORFRAU *sieht ihn lachend an*. Mich? Eine alte Frau?

VEHGESACK. Ja!

DIE DRITTE PROFESSORFRAU *nimmt ihre Hand an sich*. Sie wissen ja gar nicht, was lieben ist!

VEHGESACK *gemacht verstärkt*. Ich – kenne die Liebe!

DIE DRITTE PROFESSORFRAU *besinnt sich, schlägt sich mit der Hand auf den Mund*. – – Sie können ja eine verheiratete Frau wie einen Backfisch erröten machen! *Sie geht schnell durch die Badpforte ab*.

VEHGESACK *ist aufgesprungen, steht in hoher Erregung*.

FRAU EXTER *aus dem Pförtchen. Das Haar klebt in nassen Zöpfen am Kopf*. Heute sind Sie einfach ein unmöglicher Kavalier gewesen. So wirft man einer Nixe das Zeug nicht ins Gesicht!

VEHGESACK. Ich – wußte – nicht – ob –

FRAU EXTER. Was?

VEHGESACK. Die Tür ist verschlossen –

FRAU EXTER. Die –?? – die hat ja gar keinen Schlüssel im Loch!

VEHGESACK. Wir – haben nie die Klinke probiert!

FRAU EXTER. Das nennt man Zucht. Zehn Buchstaben an der Wand und Pförtchen zu. Musterhaft. Ihre Lehrer können stolz auf ihre Erfolge sein. *Sie läßt sich auf der Bank nieder*. Hm – ich ziehe den Aufenthalt hier außen vor – Frau Professor badet, auf das Zuschauen verzichte ich – sie begnügt sich ohne Anzug – Jetzt setzen Sie sich unten auf den Rasen – wir unterhalten uns weiter. Wo hatten wir unser Gespräch abgebrochen?

VEHGESACK *steht in merkwürdiger Unruhe. Dann fällt ihm das Heft ein. Er streckt es Frau Exter hin*. Sie rieten mir – Sie hatten die Liebenswürdigkeit – Sie machten mich darauf aufmerksam – ich will das Heft einschicken! Vielleicht ist es sicher ein großes Werk. Die Menschheit hat ein Anrecht auf das Buch – verpacken Sie es – und schicken Sie es heute noch hin. Sie kennen die Adressen!

FRAU EXTER. Nicht so stürmisch, Herr Dichter!

VEHGESACK. Nein – gleich – ich habe Angst, es kann mir abhanden kommen – es wird sicher kassiert, wenn es gefunden wird – Sie müssen es retten – Sie haben Gelegenheit dazu – Sie haben sich erboten – ich bestehe auf Ihr Versprechen! *Er drängt es ihr auf.* Jetzt haben Sie es – jetzt sind Sie verantwortlich für alles! *Er läuft weit hinter den Lindenstamm.*

FRAU EXTER. Sie haben sich ja mächtig rasch entwickelt. *Sie packt das Heft unter ihr Badetuch.* Eben noch Puppe – jetzt flattert der Schmetterling. Das nehme ich aber für mein Verdienst. *Sie hat sich erhoben.* Ich bade morgen früher, daß mir mein Nachfolger nicht wieder auf den Hals zieht. Morgen probieren Sie – die Klinke! *Sie deutet auf das Pförtchen – und verschwindet links.*

VEHGESACK *verfolgt sie mit aufgerissenen Augen. Dann ist er mit Sprüngen an der Tür – klinkt mit Vorsicht auf, tritt hinaus.*

Das Bibliothekzimmer bei Rektor Scharfenort. Die Biblio-
thek überschwemmt sämtliche Wände bis hoch unter die
Decke. Sofa und Sessel mit grünem Plüsch. Links hinten
eine Tür und in der Linkswand Doppeltür. Unter den Bü-
chergestellen rechts eine Tapetentür.

DIEHL *führt Vehgesack links hinten herein, sieht sich im Zim-*
mer um – herrscht Vehgesack an. Warten!
VEHGESACK *mustert ihn.* Wieso schreien Sie mich an?
DIEHL *verändert kriecherisch.* Herr Vehgesack möchte hier
auf'n Rektor warten.
VEHGESACK. Für Sie ist er: Herr Rektor!
DIEHL *verbeugt sich tief, links ab.*

Von links hinten laute streitende Stimmen.

FRAU ENGEL *reißt die Tür auf und stößt Lotte herein.* Hier
bist du eingesperrt – hier soll dich dein Onkel treffen – *Frau*
Engel ist eine sich den 50 nähernde, geschminkte, ziemlich
vulgäre Person mit schwarzen Stirnlöckchen und in einem
prallen braunen Kleide. – Sie erblickt Vehgesack, hält so-
gleich inne und haucht aus rundem Munde. Ah –!
LOTTE *ist in der größten Erregung. Ihr helles Kleid ist zer-*
fetzt, mit Flecken bedeckt, ein Strumpf weist klaffende Risse
auf. Sich heftig sträubend. Ich kann laufen und klettern, wo
ich will – wie ich will – *Beim Anblick Vehgesacks hell.* Ah –!
FRAU ENGEL *sich sammelnd und Lotte am Arm nach rechts*
führend. In meinem Zimmer wartest du und wehe dir, Mädel – ich kann von Stein sein, wenn ich auch deine Tante
bin! *Sie öffnet die Tapetentür.*
LOTTE *wirft Vehgesack noch einen bedeutsamen Blick zu, ab.*

FRAU ENGEL *holt den Schlüssel von außen noch herein und*
steckt ihn in das Schloß ohne umzuschließen. Dann gleitet
sie nach der Tür links und links hinten und tut dasselbe.
So – das soll das erste sein, Gucklöcher zu, die Öffentlichkeit
ist ausgeschlossen. Das gibt es nicht. *Danach faßt Sie Vehge-*
sack bei beiden Händen und zieht ihn mit sich um den Tisch
in das Sofa. Jetzt plaudern wir ein Viertelstündchen. Das
hat mein guter Vetter prächtig eingerichtet. *Da er seine*
Hände befreien will. Jawohl, die Hände behalte ich. Das
soll Sie beruhigen, wenn unsere Hände so zusammenliegen –

beieinander. Durch die Hände geht es nach dem Menschen. Sehen Sie, ich bin, was das Herz anbelangt, auch jung – und wo das Herz bei uns Frauen jung ist, da ist alles frisch und lebhaft erhalten. Nun erzählen Sie mir mal von Ihrem Herzen. Wie blaß sehen Sie aus. So elend – so verlassen fühlen Sie sich: ja, Frau Hornemann ist weit weg. Gestern ist sie zu Verwandten abgerutscht.

VEHGESACK *entschieden ablehnend*. Das ist mir –

FRAU ENGEL. Bewahre, mit Frau Hornemann ist es nichts. Aber die Freundin, der man sein Herz anvertrauen durfte, ist verschwunden!

VEHGESACK *kopfschüttelnd*. Mir fehlt nichts –

FRAU ENGEL. S-s-t! Ich sehe das doch ein. Alles und mehr. Ich wohne nicht umsonst seit Jahren unter Ihnen. Ja, mein lieber Freund, ich kenn' das doch. Sie auch. Ich schaue mir die Jünglinge von hier oben an, wenn sie im Schulgarten flanieren. So männlich alle – so schön – und so eingeschlossen. Was mit Ihnen ist, das weiß ich. Das wird hier als sündhaft betrachtet und aufgemuckt – Gott, ein Jahr früher oder später – draußen wird's doch das erste! *Sie rückt dichter zu ihm.* Das schöne Haar und so ein krauser Sinn darunter!

VEHGESACK *fast zornig*. Ich bin – nicht verlassen!

FRAU ENGEL. Das sind Sie ja gar nicht. Sie haben eine Freundin in mir – die ist keine mütterliche Freundin – für eine Mutter sind Sie alle zu männlich! Freundinnen wollen Sie, die Sie trösten und lieb haben, wie die liebe Frau Hornemann es verstanden hat! *Sich fest an ihn schmiegend.* Mein Mann war nur Margarineagent – aber ich habe ihn am verlorenen Rückenmark dran gegeben. Das ist der Streich, den mir das Leben gespielt hat. So was stimmt einen oft traurig. *Ihre Wange an seine bettend.* Verdiene ich nicht eine Vergütung für allen Mißmut?

VEHGESACK *springt vom Sofa hoch*. Herr Rektor kommt!

FRAU ENGEL *läuft fluchend nach rechts*. Der Laff' – der! *Durch die Tapetentür ab.*

VEHGESACK *steht atmend da; er wirft den Kopf hin und her.*

Von links hastig Scharfenort.

SCHARFENORT. Da sind Sie ja. Ich hoffe, Sie haben den Auf-

enthalt in diesem Raum, von dessen Wänden die Geistes-
heroen aller Zeiten auf Sie herabsehen, zu ernsten Selbstbe-
trachtungen benutzt! *Er rückt den verschobenen Tisch zurecht.* Ich habe Sie zu mir bestellt. Sie werden es von Diehl
gehört haben. Diehl hat Sie ja hierher geführt. *Sich umwendend und an den Tisch anlehnend.* Wir wollen uns einmal
über Sie unterhalten. *Er kreuzt die Ärmel und schaukelt eine
Stiefelbreite.* Erinnern Sie sich eines Vergehens, das Sie – –
und was war das? Rekapitulieren Sie. Da haben Sie Ihr
Thema und das bearbeiten Sie jetzt mündlich vor mir. Die
Zensur im deutschen Aufsatz kann sich danach richten. Sie
haben die Beeinflussung der Note in Ihrer Hand.

VEHGESACK *sieht ihn an.*

SCHARFENORT *blickt zur Seite.* Hartnäckiger Widerstand gegen die Aufforderung Ihres höchsten Vorgesetzten?

VEHGESACK. Wenn –

SCHARFENORT. Jetzt schweigen Sie. Jetzt werde ich reden.
Beobachten Sie Stillschweigen! Ich habe die Aufgabe, Sie
von dem Beschluß in Kenntnis zu setzen, den die Konferenz
in absentia gefaßt hat. Wir haben darauf verzichtet, mit
den Mitteln, die uns reichlich zu Gebote stehen, vorzugehen
– und die hier am Platze sind. Doch ich bin Ihr Rektor –
und ich fasse meine Berufung tiefer auf: ich fühle mich zugleich Ihr Vater. Der Vater eines jeden Jungen, der in meinen Klassen sitzt. Oder würdigen Sie meine Güte gar nicht?
Bei Ihnen würde ich mich weiter nicht verwundern. Mit fre-
velndem Griff haben Sie Ihre Hand nach dem heiligsten,
das für Sie existieren soll, ausgestreckt – nach der Gattin
eines Lehrers. Das läßt das schlimmste für Ihr ferneres Leben
befürchten. Ich will nicht mit dem Zaun drohen, hinter dem
Sie verkommen werden. Am Ende prallt auch das an Ihnen
ab – es soll aber die Sorge, mit der wir ein Schaf, das in die
Dornen geriet, umfassen, nicht ermüden. Wir sind auf Ihr
Fortkommen bedacht – *Sich besinnend.* – Also, mein lieber
Vehgesack, ich meine es gut mit Ihnen. In der Anstalt können Sie nicht bleiben, das sehen Sie doch ein?

VEHGESACK *schweigt.*

SCHARFENORT. Also – ich wußte es ja. Wenn man nun die
Wahrheit erführe, es wäre doch nur das schlimmste für Sie.
An welcher Schule wären Sie noch möglich? Wie wollten Sie
Ihren Bildungsgang beendigen? Wie sollte ein Mensch aus
Ihnen werden, ohne Abiturium? Überlegen Sie sich doch die

Katastrophe! – Das wollen wir Ihnen nicht antun – das dürfen wir Ihnen nicht antun!

VEHGESACK *ruhig.* Ich fürchte mich nicht – vor diesem Zeugnis!

SCHARFENORT *sieht ihn schief an. Mit gemachter Ironie.* Ja – bilden Sie sich ein, wir fürchten uns? Unsere Anstalt ist kräftig genug jedes Vergehen eines Zöglings zu tragen!

VEHGESACK. Ich bitte um meinen Abgang!

SCHARFENORT *mit beiden Händen gegen ihn.* Er ist beschlossen. Sie kommen fort. Das ist der Zweck Ihrer Anwesenheit hier. Sie sollen verschwinden – nur auf etwas spurlosere Art! *Geschäftig.* Es wird Ihnen aufgegeben, sich ein Vergehen zu schaffen, das auf dem Boden der Schulordnung steht. Damit schicken wir Sie noch heute aus dem Tor. Sie sind frei – frei wie der Vogel in der Luft – und haben Ihren Willen. So werden wir beiden Teilen gerecht. Und das ist billig. Es wird Ihnen ja nicht schwer fallen – also was geben Sie uns in die Hand?

VEHGESACK *bleibt stumm.*

SCHARFENORT *beweglich.* So will ich Ihnen zu Hilfe kommen. Ich werde mich der Mühe unterziehen und Ihnen den Fall konstruieren. Wir können die Paragraphen anhand der Ordnung durchgehen – ich habe ein Exemplar hier – *Er geht an das rechte Regal und sucht in den untersten Reihen.*

Frau Engel drückt geräuschlos die Tapetentür auf und gibt über Scharfenorts Rücken Vehgesack beschwichtigende Zeichen. Dann ab.

SCHARFENORT *in seiner gebückten Lage keuchend, an Bücherrücken tastend.* – P. – Plautus, Q. – Quittenmus, R. – Respublica romana, S. – Schulordnung – *Er arbeitet ein in der hinteren Reihe festgeklemmtes Heft herauszuziehen.* Nehmen Sie mir mal ab –

VEHGESACK *tritt hinzu.*

SCHARFENORT *reicht ihm Buch nach Buch; nach und nach belädt er Vehgesack mit einem Bücherstapel, der diesem von tiefen Händen bis unter das Kinn stößt.*

SCHARFENORT *richtet sich auf, klopft das Heft von Staub frei, geht in das Heft vertieft vom Regal weg.* Da ist – Paragraph – allgemeines – fünf: vorsätzliche Ruhestörung – nun, Sie bevorzugen ja die Stille! – Paragraph neun: Ver-

wässern der Schultinte – dazu rate ich Ihnen selbst nicht!
– Paragraph zehn: Störung des Unterrichts – Sie werden ja
den Unterricht als Störung Ihrer Nebenbeschäftigung auf-
gefaßt haben! Paragraph elf: Alkoholgenuß – das müßte
ja ärztlich festgestellt werden! – Zwölf – dreizehn – vierzehn – sechzehn – eigenmächtige schriftstellerische Tätigkeit –

VEHGESACK *die Bücher auf den Boden poltern lassend.* Das
ist besorgt!

SCHARFENORT *blickt ihn strahlend an, klappt das Heft zu.*
Paragraph sechzehn – unbefugtes Dichten! Das ist ja
prachtvoll – damit sind wir ja aller Verlegenheit überhoben
– da bin ich Ihnen ja in innerster Seele dankbar. Das ist ja
ganz reizend von Ihnen? *Er stürmt an den Tisch, kramt in
der Schublade.* Ich fülle Ihnen Ihr Abgangszeugnis gleich
aus – *Er rüstet sich zum Schreiben.* Vor- und Zunamen? Das
kann ich schon allein ausfüllen. *Mit einer Hand lockend.* Wo
ist Ihr Opus? Holen Sie es – ich muß es konfiszieren – es ist
kassiert! Rufen Sie noch Diehl, er soll die Bücher aufsam-
meln.

*Von links stürzt Diehl herein: er schwenkt eine Visitenkarte,
prustet und stottert.*

DIEHL. Herr Veh – Herr Vehge – Herr Vehgesack – Sie
wern gewünscht – gleich mal runter – bloß rasch – rennen
Se was Se können!

SCHARFENORT. Was ist denn, Diehl? Lärmen Sie hier nicht.
Vergessen Sie nicht, wo Sie sind!

DIEHL. Et is' doch –

SCHARFENORT *scharf.* Darüber habe ich zu entscheiden, wann
ein Schüler das Zimmer zu verlassen hat!

DIEHL *ausbrechend.* Na jut denn – er is' doch mit Automobil
unten! Ich kann es nich' lesen! *Er gibt Scharfenort die Karte.*
Vorne zwee mit Jold – überall Jold an de Mütze – in die
Liffre – und Jesichter glatt wie tot – totenernst jradeaus je-
keilt! – Halü – halü! – Haben Se denn det hier oben nich'
schall'n hör'n?

SCHARFENORT *hatte mit wachsender Aufmerksamkeit gelesen.* Schweigen Sie! – Vehgesack, was heißt das? *Ablesend.*
Sochaczewer – Ritter des Stanislausordens – des Doppel-
kreuzes vom geschorenen Widder – Inhaber aller Medaillen

für Gut und Blut – der Großinsignien zum goldenen Leuen des ehemaligen Königsreichs Portugal – – Ritter des Kronenordens IV. Klasse! *Unsicher.* Kennt der Herr Sie?

DIEHL *begeistert.* Det muß er doch, sonst –

VEHGESACK. Ich – kenne den Herrn nicht!

SCHARFENORT *lebendig zu Diehl.* Führen Sie den Ritter – den Herrn zu mir!

VEHGESACK *will nach links.* Mich will er –

SCHARFENORT *hält ihn an der Schulter zurück.* So lange Sie Ihr Zeugnis nicht in Händen haben, entscheide ich über Ihren Verkehr innerhalb der Mauern! – Vorwärts, Diehl, hinunter!

DIEHL *ab.*

SCHARFENORT *führt Vehgesack nach rechts.* Wir werden nach Ihnen rufen, wenn wir Sie brauchen. Vorläufig – *Er öffnet die Tapetentür, will laut rufen.* Kusin – *Er bricht einigermaßen überrascht ab.* Liebe Kusine, hier übergebe ich dir einen Knaben in Gewahrsam, den du mir beaufsichtigen sollst. Er ist ein leichter Kopf, darum schicke Lotte weg und bleibe allein mit ihm. Ich gedenke dich bald von dem dir aufgedrungenen Amt als sein Büttel zu befreien!

Zwei freudig ausgestreckte Arme ziehen Vehgesack hinein und die Tapete schließt sich.

SCHARFENORT *kehrt an den Tisch zurück, nimmt von neuem die Karte auf und liest erschüttert.* Kronenorden IV. Klasse!

Die Doppeltür links wird von Diehl aufgerissen. Hindurch läuft Sochaczewer: kleiner, beweglicher Semit in Gummigelenken, enthaart, in übermäßig knappem strohgelben Bastseideanzug, veilchenvioletten Glacés; mit der einen Hand schwingt er die Korkmütze mit der Schutzbrille, in der anderen das schwarze Wachstuchheft Vehgesacks.

SOCHACZEWER *bei Scharfenort, ihn von unten herauf umarmend.* Das ist der größte Augenblick in meinem ganzen Leben – ausgerechnet vom Lehrling angefangen bis zu Firma Sochaczewer. Lassen Sie sich umarmen – fertig! Warten Sie, die Zeit werd' ich nehmen, der Augenblick ist historisch. *Er stoppt seine Uhr.* Stopp – das macht sich fein in den Berichten. *Einen Schritt zurücktretend.* So sehen Sie aus – so habe ich Sie mir vorgestellt – Ihr Bild hab' ich mir ausgemalt aus der Lektüre – ich habe gelesen und wieder gelesen – und die Augen geschlossen und versucht: wie wird es ausschaun – das größte Genie des Jahrhunderts?

SCHARFENORT *bescheiden ablehnend.* Mein Kommentar zu Plautus –

SOCHACZEWER. Lassen Sie Ihre Kommentare ruhen – man wird Kommentare über Sie schreiben, Bücher – Bände – ich lass' 'ne Literatur aus Ihnen machen. Sie soll'n untersinken in 'ner Sintflut von Papier. Sie soll'n lanciert werden, halten Se mich bei meinem Wort. Ich mach' 'ne Zeitschrift – zweimal wöchentlich – ganz allein aus Ihnen – lass' ich machen! Sie soll'n sich kennen lernen. Keine Zeitung soll'n Se ansehn, wo Sie nicht fett – kursiv – Antiqua – in der Politik – bei den Unglücksfällen – zwischen den Reklamen von Odol und Abführmitteln prangen. Schwindlig soll Ihnen sein, vor Ihrem eigenen Namen: Vehgesack! *Das Heft schwingend.* 'Ne halbe Million garantiere ich Ihnen – fünfzig Prozent soll'n Se kriegen. Sind Se zufrieden?

SCHARFENORT *zieht hohe Brauen.* Ich – bin nicht Vehgesack. *Zu Diehl.* Schließen Sie die Türen, Diehl!

Diehl ab.

SOCHACZEWER *sofort abbrechend.* Ja, was red' ich mit Ihnen?

SCHARFENORT *sich aufrichtend.* Sie sprechen zum Rektor der Anstalt: Scharfenort!

SOCHACZEWER. Sollen Sie bleiben – rufen Sie mir Herrn Vehgesack! *Er bringt seine Uhr wieder in Gang.*

SCHARFENORT *mit Betonung.* Einen Herrn Vehgesack kann ich Ihnen nicht vorführen – wir haben einen Schüler Vehgesack –

SOCHACZEWER *erstaunt.* Schüler Vehgesack – Schüler: dann ist es eine ganze Million! – Schicken Sie den Schüler herein – er ist vom Unterricht dispensiert – ich komme für alles auf! *Er wirft sich in einen Sessel und trocknet sich die Stirn.*

SCHARFENORT. Sie gestatten mir vorerst die Frage, mit wem der Schüler Vehgesack – *Sochaczewer das Wort abschneidend.* Ich habe allein die Befugnis Unterredungen mit Zöglingen zu verhindern und zuzulassen!

SOCHACZEWER *verblüfft*. Mich fragen Sie, wer – ja, leben Sie denn hier auf dem Mond oder in den brasilianischen Urwäldern?

SCHARFENORT. Beides nicht. Dies ist eine Stätte, wo die deutsche Jugend für das Leben herangebildet wird!

SOCHACZEWER. Dann orientieren Sie sich erst genau, was im Leben vorgeht! – Das ist ja fabelhaft – übrigens ausgezeichnet für die Reportage! – Sochaczewer Verlag ist Ihnen nicht mehr bekannt wie der Papst? – Sochaczewer?! – und da liegt meine Karte?

SCHARFENORT. Ich – habe sie nicht angesehen!

SOCHACZEWER. Hier sitzt Sochaczewer – auf diesem harten Plüschfauteuil – in ganzer Person – ich bin mir selbst ein Märchen! – und will Ihren Schüler verlegen. Verlegen, was heißt verlegen – auf den Markt schmeißen! – Hier ist das Werk – ich hab' es sogar gelesen. Imponiert hat mir das Heftchen – hingesudelt mit 'nem Bleistift – nicht mal Schreibmaschine – unfrankiert! Buchstabieren müssen hab' ich die Schrift erst – Gott, wer kann noch schreiben in dieser Welt! – versucht hab' ich mal – Kinderei! – ob ich so was überhaupt noch entziffern kann – und hingerissen war ich! Erst war ich sprachlos – dann hab' ich gered't – so hab' ich gered't! *Er schwingt die Arme.* Kalkuliert hab' ich – ich hab's kalkuliert – genügt Ihnen das?

SCHARFENORT *mit gemachter Gleichgültigkeit hinzutretend und nach dem Heft greifend*. Aha – da ist ja das vielbegehrte Opus!

SOCHACZEWER *wehrt seine Hand zur Seite und sieht ihn lächelnd an*. Späßchen! – Schlagen Sie mich tot und lassen Sie mich einäschern – dann haben Sie's Heft!

SCHARFENORT *beherrscht sich und zuckt die Achseln*. Ich bin angenehm überrascht, daß einer meiner Schüler die Aufmerksamkeit auch in anderer Weise auf sich lenken konnte!

SOCHACZEWER. Ihr Schüler? Sind mer bescheiden: vor dem Meister – können wir unsere Kapitalien bald nach Pfennigen rechnen!

SCHARFENORT. Ich meine: daß er neben seinen Schulaufgaben – die hoffentlich dadurch keine Beeinträchtigung erlitten haben – ich werde seinen Klassenlehrer zu Rate ziehen! – Hat er die Lektüre der klassischen Schriftsteller selbständig verwertet? Ein Römerdrama ist ja wohl immer das erste jugendliche Verbrechen!

SOCHACZEWER. Sie kennen mich nicht, jetzt seh' ich's – Römer schenk' ich der Konkurrenz!

SCHARFENORT. Nun, ich selbst –

SOCHACZEWER. Also, Sie mit!

SCHARFENORT *abbrechend*. Ein Drama ist es also nicht!

SOCHACZEWER. Was hab' ich gesagt? Es ist mehr wie eins! Jawohl: die Form ist darin gesprengt – alles ist gesprengt – das ist Geist über den Wassern – das ist neu wie die Schöpfungsgeschichte – und mächtig wie die Illusion. Da schießt alles aus der Phantasie auf – das sprudelt aus Quellen, die man nicht sieht – das ist aus den Fingern gesogen – und sehen Sie, das ist Kunst – das ist Dichtung – das ist eine Dichtung!

SCHARFENORT. Jetzt machen Sie mich selbst neugierig – auf diese Dichtung!

SOCHACZEWER. Sie soll'n se hören – Sie werden sich freuen, was an Ihrer Schule geleistet wird.

SCHARFENORT. Ich danke für das Kompliment!

SOCHACZEWER. Fall'n Se mir nicht mehr ins Wort, sonst laß ich Sie sitzen!

SCHARFENORT *setzt sich überlegen behaglich in den anderen Sessel*.

SOCHACZEWER. Also – womit soll ich Sie hinterm Rock packen? Ich will Sie packen. Sie soll'n schreien – seh'n Se, ich bin schon wieder in der Bewegung. Schrein Se noch nicht! – Den Stoff kann ich Ihnen mit trockenen Worten erzählen. Das ist der dürre Baum, an dem die Blüten sitzen. Zwischen den Szenen sind die Visionen aufgebaut – von einer Kühnheit: orientalische Prinzen, die mit Odalisken kosen – Töchter des Fürsten, die mit Schwänen entfliehen – ein Erdbeben, das eine neue Welt ausspeit –

SCHARFENORT. Parturiunt montes, nascetur ridiculus mus!

SOCHACZEWER. Reden Se nich' hebräisch, ich bin Katholik! – Das ist zwischen den eigentlichen Vorgängen. Die sind ganz simpler Natur. – leiten aber schon mit ihrer Unwahrscheinlichkeit einzig gut in die Phantastereien hinein: ein Jüngling – ein Knabe – ein Kind fast – und die erfahrene Frau! – Wir sind ja unter uns Männern. – Also aus dem einfachen Verhältnis mit einer Lehrerfrau, die ihn verführt – reift er – entwickelt er sich – wird zum Gott. Richtig 'n Gott wird er, der alles umkrempelt und neu arrangiert! –Das wird von dem Jungen mit einer Echtheit geschildert – man glaubt's ihm – man nimmt's hin – ohne Zucken! – Und das ist sein größtes Kunststück: denn wo gibt es so was hinter Mauern? – – Was hab' ich gesagt! Jetzt möchten Sie schreien – nu' schreien Se laut – schreien Se sich draußen aus – und lassen Sie den Schüler Vehgesack rein! *Er ist aufgesprungen.*

SCHARFENORT *hat sich verwandelt. Sein Gesicht ist zu einem meterlangen Streifen Pergament geknifft, die kahle Nase stößt als Lesezeichen heraus: sie vermerkt die inneren Vorgänge mit farblosem Entsetzen. Allmählich ergreifen die Augen die Flucht, sie wollen nach tausend Auswegen – der Mund wird zur Röhre, nichts fließt aus. Stumm und steif starrt Scharfenort Sochaczewer an.*

SOCHACZEWER *steht dicht vor ihm.* Jetzt sollte ich den Eindruck bei Ihnen typen lassen: bah –! Das wäre für die Reklame! *Er klopft ihm mit dem Heft auf die Schulter.*

SCHARFENORT *begierig danach greifend, Fistel.* Geben Sie – das Heft!

SOCHACZEWER. Woll'n Sie das Geschäftchen machen?

SCHARFENORT *eifert sich vom Sessel hoch.* Ich vernichte –

SOCHACZEWER. Vernichtet ist de Konkurrenz!

SCHARFENORT. Ich kassiere –

SOCHACZEWER. Kasse macht das!

SCHARFENORT *schäumend.* Ich verbiete –

SOCHACZEWER *lacht unbändig.* Cäsarenwahn –

SCHARFENORT *außer sich.* Jawohl – hier bin ich Cäsar!

SOCHACZEWER. Aut nihil – aut Caesar –: bleiben Sie Cäsar und das hier nichts für Sie! *Er will das Heft in seine Tasche stopfen.* Das hat ja keine Taschen! *Er hält es in seinem Rükken und sieht Scharfenort vergnügt an.*

SCHARFENORT *besinnt sich, zischend.* Wissen Sie, Herr – was Sie in Händen haben?

SOCHACZEWER. Wissen Sie, Herr – was ich in Händen habe?

SCHARFENORT. Ein Pamphlet –

SOCHACZEWER. Eine veritable Goldgrube!

SCHARFENORT *delirierend.* Sie ahnen nicht, was das Buch für mich bedeutet –

SOCHACZEWER. Sie ahnen nicht, was das Buch für mich bedeutet!

SCHARFENORT. Wenn es in die Öffentlichkeit dringt –

SOCHACZEWER. Ich plakatiere bis nach den Fidschiinseln!

SCHARFENORT. Erfährt davon jemand, bin ich ruiniert –

SOCHACZEWER. Jemand erfahren? Sie sind gut! Ich bringe es auf 273 Theatern zugleich 'raus!

SCHARFENORT. Der Fürst –

SOCHACZEWER. Ich stopf' das Parkett mit Kaisern voll!

SCHARFENORT. Der Prinz –

SOCHACZEWER. Die Premiere wird das Ereignis der Saison!

SCHARFENORT. Die Gehaltsaufbesserung – vierzig Mark im Monat –

SOCHACZEWER. Vierzigtausend Mark zahl' ich der Steinmeyer, die wird Ihnen im vierten Akt bei dem Erdbeben einen Wahnsinn hinlegen, daß Ihnen die Haare zu Berge stehen!

SCHARFENORT *kreischend*. Mir bebt die Erde – mir sträuben sich die Haare!

SOCHACZEWER *das Heft schwingend*. Und das wollen Sie kassieren?

SCHARFENORT. Ich werde Sie zwingen – das Buch kommt nicht aus diesem Zimmer – ich habe Mittel – *Er läuft nach links, schreit heraus.* Diehl!!

SOCHACZEWER *ebenso laut*. Herr, sind Sie des Teufels?!

Aus der Tapetentür stürzt Vehgesack: sein Haar ist verwirrt, der Schlips flattert lose.

VEHGESACK. Mein Eigentum – ist das Buch! *Er steht keuchend da.*

SOCHACZEWER *ohne von Scharfenort noch Notiz zu nehmen.* So sehen Sie aus – so müssen Sie aussehen – so hab' ich Sie mir vorgestellt: Schiller! – Herr von Schiller! – Ich werd' die Zeit nehmen – der junge neue Schiller und Sochaczewer Verlag – das ist ein historischer Moment für die europäische Literatur!

VEHGESACK *noch bebend*. Ich hab alles gehört –

SOCHACZEWER. Kann ich mir die Wiederholung schenken: dreißig Prozent soll'n Sie haben. Einverstanden – abgemacht. Ich hab' die glatten Geschäfte gern. Nehmen Sie Platz. Ihre Sache ist fein – ich mach' sie. Damit haben Sie nichts mehr zu tun. Sie ruhen auf Ihren Lorbeeren. Sochaczewer Verlag arbeitet. Wir müssen rauskommen ersten Tag der Saison und durchspielen bis letzten Abend. Sommergastspiele arrangier' ich mit kompletten Truppen – ich hab' die Steinmeyer, den Großberg, den Knopf fest – Knopf macht Wien – die Steinmeyer soll nach München – der Großberg ist Star in Budapest. Wir pachten den Zirkus in Dresden, Königsberg, Wien und Czernowitz. Die Übersetzungen lass' ich anfertigen italienisch – Sonzogno übernimmt die Tournee durch Italien – in Frankreich französisch – London englisch – Rußland russisch – für Agram kroatisch. Ich nehm' Patente auf die Inszenierung – Kostüme, na, für die paar Schleier kauf' ich Reste auf! Zuletzt schmeißen wir die ganze Geschichte auf den Film – dreitausend Meter mehr als die letzte Sekunde des Mörders – Nathanson und Co. hängen sich auf – letztes Bild: die Konkurrenz am Bettpfosten! – Riechen Sie den Erfolg?

VEHGESACK *starrt ihn mit offenem Munde an.*

SOCHACZEWER. Nun' müssen Sie mir aber noch n' paar Veränderungen machen. Haben Sie keine Angst, das Stück soll nicht nochmal geschrieben werden. Ich mach' aus Ihren 5 Akten keinen Gedankensplitter. Umgekehrt: es fehlt was. Überwinden Sie Ihre Schüchternheit und legen Sie sich in die Szenen – zum Beispiel: hier die Flucht. Das muß auf der Bühne ganz anders wimmeln. Wozu hab' ich meine englische Girls engagiert? Die wollen was sehen lassen! – Also die will ich 'rein haben – und hier der Zug des Prinzen. Ja, fehlt Ihnen da nicht selbst was? Denken Sie doch mal nach, junger Mann. Was muß hier dem Dichter vor allen Dingen einfallen? Was ist hier so notwendig wie Schminke und Coulissen? – – Kamele! – Das ist großartig – das wird der letzte Schrei der Bretter. Da kann das Stück scheußlich sein – die Kamele sind da. So: krummbuckelig – der Hängehals – das blöde Stieren und – die baumelnde Unterlippe! – *Er imitiert täuschend das Höckertier.* Hagenbeck hat mir zwanzig Exemplare offeriert – freibleibend bis – *Schnell zu Scharfenort.* Haben Sie Telephon? Telephon haben Sie nicht. Richt' ich Ihnen ein, nehmen Sie Pauschal und lassen Sie sich die Gespräche einzeln zahlen – da haben Sie noch 'n Überschuß! *Zu Vehgesack.* Oder ist Ihnen mies mit Kopf in Wien? Wollen Sie 'n Großberg nach Wien – 'n Knopf nach Budapest – oder die Steinmeyer nach Wien? Oder der Großberg nach Budapest – und der Knopf nach München und die Steinmeyer nach Budapest? Was sagen Sie zu Berlin: ist Ihnen der Bernauer lieber oder der Meinhardt?

VEHGESACK. Ich – war noch nie im Theater!

SOCHACZEWER. Recht haben Sie! Gehen Sie nicht hin! Also: sind wir konform. Haben Sie meine Anregungen fest? Na, Sie sind ja der Dichter. Ich bin selbst gekommen – die Sache stachelt mich – sie sitzt mir in de Schuh'. Machen wir die

Arbeit prompt. *Zu Scharfenort*. Sie lassen uns jetzt allein – und schicken noch 'n flinken Schreiber. Sie haben doch 'n Sekretär? Tippfräulein? Stellen Sie 'se uns zur Verfügung – se honoriert der Verlag. Zahltag jeden Ultimo. *Zu Vehgesack*. Ich mach' Ihnen schon Stimmung – in zwei Stunden ist das Manuskript fix und fertig! *Er legt die auf dem Tisch befindlichen Gegenstände ins Sofa. Mit dem Tintenfaß*. So sieht Tinte aus, sogar rote – die reine Steinzeit!

SCHARFENORT *der die beiden belauernd an den Bücherwänden entlang gestrichen ist, hinzutretend, laut*. Halt!

SOCHACZEWER *geärgert*. Sind Se nich' aufdringlich. Haben Se Achtung vor der Werkstatt des Dichters!

SCHARFENORT. Hier befehle ich!

SOCHACZEWER.Immer, wenn ich mit dem Buch aus 'n Tor bin!

SCHARFENORT. Die Aufgaben, die die Schüler zu erledigen haben, bestimme ich!

SOCHACZEWER. Was wollen Sie: es ist doch Kopfarbeit?

SCHARFENORT *zu Vehgesack*. Entfernen Sie sich – gehen Sie auf Ihre Stube!

SOCHACZEWER *nimmt sogleich seine Mütze*. Wenn wir da mehr Ruhe haben!

SCHARFENORT. Allein! – Ich bin hier die höchste Stelle!

SOCHACZEWER *zuckt die Achseln*. Sie werden im Recht sein – gut – muß ich an die noch höhere Stelle gehen!

SCHARFENORT *betroffen*. Was heißt das?

SOCHACZEWER. Ich besuch' den Fürsten!

SCHARFENORT *stammelnd*. Den – Fürsten?

SOCHACZEWER. Was wird mir passieren – ein Orden mehr!

DIEHL *stürmt von links herein*. Hier bin ich – Herr Rektor!

SCHARFENORT. Was ist denn? Was laufen Sie denn? Was wollen Sie denn?

DIEHL. Herr Rektor hatte jerufen – ich war unten beim Auto –

SOCHACZEWER *das Buch unter den Arm klemmend*. Laufen Sie wieder hinunter, mein Chauffeur soll ankurbeln – Geschwindigkeit acht! – Wir sausen zum Fürsten!

SCHARFENORT *packt Diehl und flüstert mit ihm: die Augen fliegen nach Sochaczewer*.

SOCHACZEWER *zu Vehgesack*. Wappnen Sie sich mit Watte: Sie sind nicht der letzte deutsche Dichter, der unterdrückt wird. Ich als Mann vom Theater kenne das!

SCHARFENORT *tritt rasch zu Vehgesack.* Ich werde Sie selbst führen!

VEHGESACK *blitzend.* Fassen Sie mich nicht an!

SCHARFENORT *scharf.* Man faßt Sie an!

VEHGESACK. Ich verbitte mir Ihre Berührungen!

SCHARFENORT *milde.* Kommen Sie! *Beide links ab.*

SOCHACZEWER *setzt sich gemächlich die Mütze auf, klappt die Schutzbrille herunter. Zu Diehl.* Na, was sind Sie nicht gelaufen?

DIEHL *zieht geheimnisvoll die Schultern und hält sich in der Nähe der linken Tür auf.*

SOCHACZEWER *will dahin.*

DIEHL *breitet sogleich beide Arme vor der Tür aus.*

SOCHACZEWER *stutzt – wendet sich zur Tür nach links hinten.*

DIEHL *ist vor ihm da – und verwehrt ebenso den Ausgang.*

SOCHACZEWER *sieht ihn an, lächelt, lacht. Dann zieht er das Buch unterm Arm hervor, nickt.* Ach so! *Zu Diehl tretend.* Sind Sie Millionär? – Dann haben Sie vielleicht noch Verwendung dafür. *Er holt aus der Weste einen Schein, entfaltet ihn und streicht ihn auf dem Buchdeckel glatt.* Knöpfen Sie mal Ihre Uniform auf. So – der Schein für Sie! – das Buch für Vehgesack. – Aber Schweigen bis über das Grab im vierten und fünften Glied hinaus. Oder sind Sie nicht verheiratet? Na, das verhinderte ja nicht. Zuknöpfen!

DIEHL. Und wie! *Er knöpft mit breitem Grinsen den Rock über Schein und Buch zu.* Es wird besorgt – Herr Ritter!

SOCHACZEWER. Machen Se mir nicht flau – lassen Sie mich weg!

DIEHL *wieder unerbittlich.* Nein – ich habe Befehl!

SOCHACZEWER *böse.* Das ist doch – *Er ballt die veilchenvioletten Handschuhe.*

SCHARFENORT *von links. Sein Blick bleibt an Sochaczewers Handschuhen haften. Er betrachtet Sochaczewer mit steigendem Vergnügen – dann geht er um ihn herum und mustert ihn auch im Rücken.*

SOCHACZEWER *folgt seinen Blicken. Er zeigt seine leeren Hände – streicht an seinem Anzug herunter, lüftet die Mütze, weist nach der offenen Tür – verabschiedet sich mit leichtem Kopfneigen – und spaziert hinaus.*

SCHARFENORT *sieht ihm noch nach. Dann aufleuchtend zu Diehl.* Haben Sie etwas in seinen Händen gesehen? – Taschen hat er nicht – Diehl, es ist hier – er hat das Buch im Zimmer versteckt. Wir müssen suchen! *Er stürmt zuerst zum Sofa.*

DIEHL *an seinem Rock knöpfend.* Wir werden es schon finden, Herr Rektor, wir werden es schon finden!

Stube im Internat. Ein langgestreckter Raum, der seine be-
schränkten Fenster hinten hat. Ein massiger Schrank bei je-
dem Fensterzwischenstück. Durch sie wird das Zimmer fast
zellenförmig eingeteilt. Drei Arbeitstische mit mehreren
Stühlen. Hinten mitten die Tür.

SCHARFENORT *öffnet rasch.*

DIEHL *nimmt ihm beflissen die Klinke aus der Hand.* Bitte
gehorsamst, Herr Rektor!

SCHARFENORT *sich rasch nach ihm umwendend.* Sagen Sie
was, Diehl?

DIEHL *dessen Wesen ängstliche Scheu ausdrückt, sieht ihn
starr an.* Ich – nicht, Herr Rektor!

SCHARFENORT. Sie flüsterten doch in meinem Rücken!

DIEHL. Was soll ich denn flistern?

SCHARFENORT. So halten Sie uns nicht mit Nebendingen auf.
Mir fehlt die Geduld dafür. Schließen Sie die Tür! – Es ist
ja Unsinn – unlogisch, daß ich hier suche. Aber hier ist die
Logik am Ende. Das Buch ist nicht aus dem Bibliothekzimmer herausgekommen – es kann nicht über die Schwelle getragen sein – dabei ist es nicht aufzufinden. Sie haben doch
den Herrn selbst in meinem Zimmer festgehalten?

DIEHL. Wie de Ratte in der Falle!

SCHARFENORT. Das Buch hatte er doch tatsächlich nicht mehr,
als er vor meinen Augen hinausging!

DIEHL *sich beteuernd auf die Brust schlagend.* Der Mann
hatte nischt mehr!

SCHARFENORT. Also – es ist Hexerei. Das Mittelalter spukt
wieder in diesem alten Gemäuer.

DIEHL *die Hände über den Kopf zusammenschlagend.* Um
Jotteswillen – Herr Rektor!

SCHARFENORT. Das Buch ist in der Anstalt – ich muß es haben und wenn ich die Grundvesten von unten nach oben
kehre! – Bleiben Sie an der Tür und kontrollieren Sie den
Gang. Wo sitzt Vehgesack?

DIEHL *nach dem Mitteltisch weisend.* Vehgesack – hier!

SCHARFENORT. Sind Sie auf Ihrem Posten? Dann vorwärts!
*Er stürzt sich auf den Mitteltisch und klappt die Platte hoch.
Bücher, Hefte usw. herausschleudernd auf Stuhl und Fuß-
boden.* Hier kann es nicht sein – das ist die letzte Möglich-
keit – *Überlegend die Hände in den leeren Kasten stützend.*
Ich wußte es ja. Was habe ich Ihnen gesagt, Diehl? – Kra-

men Sie die Bücher wieder ein. *Sich umblickend.* Öffnen Sie
Vehgesacks Schrank!

DIEHL *schielte nach Scharfenort: immer wenn Scharfenort
aufblickte, steckte er den Kopf rasch durch die Türspalte.
Jetzt läuft er zum Mittelschrank und reißt einen Flügel auf.*

SCHARFENORT *weicht zurück.* Puh – hm!

DIEHL. Es sind so die Kleider von die Schüler –!

SCHARFENORT. Ich – sehe. Doch hilft es nichts – Zur Tür,
Diehl! – *Er wüstet in den Kleidern des Schranks; nichts ist
ihm heilig, er tastet alles ab. Schließlich steigt er hinein.*

DIEHL *wieder an der Tür, sie rasch zuwerfend.* Herr Rektor
– de Frau Engel raschelt den Gang rauf!

SCHARFENORT *innen.* Was denn? Wer denn? Sie sehen wohl
Gespenster – weiße Frauen? Die Atmosphäre scheint geladen
mit Phantasmagorien!

DIEHL. Nee – richtig de Engeln – wie se so huschelt!

SCHARFENORT *noch ein König in Unterhosen.* Vergessen Sie
nicht, Diehl, daß Sie von der Kusine Ihres Rektors sprechen!

DIEHL. Se kommt doch aber – jrade auf de Stube zu! Und wo
det hier so aussieht! *Nach Rettung für Scharfenort suchend,
schleudert er die beiden Schranktüren zu.*

SCHARFENORT. Was denn?

DIEHL. Na – wie Herr Rektor hier jehaust hat – in der Stube
von seinem Schüler: die Bücher uff'm Boden – die Kleider
aus 'n Schrank jerissen –!

SCHARFENORT. Sind Sie des Teufels? Diehl – öffnen Sie sofort. Ich ersticke!

DIEHL *ohne sich um den Schrank zu kümmern.* Ich kann
nich' – das is! von innen einjeschnappt!

SCHARFENORT. Befreien Sie mich – ich befehle Ihnen!

DIEHL. So fort. *Steht hochaufatmend da: dann – kein Auge
von dem Schrank lassend – stelzt er auf Zehenspitzen nach
dem Mitteltisch, zieht aus seiner Brusttasche das Wachstuchheft. Zuerst faltet er noch den Schein und steckt ihn hinter
den Uniformkragen – dann legt er schnell das Heft – als
brenne es an seinen Fingern, in das Pult, klappt den Deckel
zu. – Geräuschlos schließt er hinten auf, späht – und huscht
hinaus.*

*Frau Engel – ein Tuch um – sieht herein.
Im Schrank furchtbares Toben.*

FRAU ENGEL *stutzt, lächelt, tritt ein – geht um den Schrank herum und pocht an die Rückseite.* Ich hab' Sie ja draußen gehört, Vehgesack! Die Liebe hat feine Ohren! *Es wird totenstill im Schrank.* Das soll mich wohl abschrecken – die Gegend unwirtlich gemacht und mit Büchern und Hosen die stille Stube vollgekramt? Da müßten Sie andere Hindernisse erfinden – über die Scharteken springt die alte junge Engel noch wie ein Füllen! *Sie ist vor dem Schrank angelangt und versucht mit eingeklemmten Fingerspitzen zu öffnen. Als sie so keine Ergebnisse erzielt, holt sie vom Tisch einen Federhalter, bohrt ihn schrägt in das Schlüsselloch und zieht. Auch das führt zu keinem nennenswerten Erfolg.* Halten Sie stramm von innen an: der Lauscher an der Wand hört seine eigene Schand'. Lauschen Sie? Sie sollen aber Ihre Schand' zu hören kriegen! Wer wollte gleich zurückkommen und mir ein nettes Stündchen vertreiben? Wer hat mich warten lassen? Sie großer, kleiner Heuchler? Schlägt Ihnen das Gewissen? Dann schlagen Sie wenigstens mal gegen die Wand, daß Sie bereuen! *Sie lauscht.* So, Sie rühren sich nicht. Wer einmal sein Wort gegeben hat, wie Sie heute im Zimmer neben der Rektorstube, der muß auch erfüllen. Warum sind Sie nicht zurückgekommen? Das war doch nur Ihr bestes. Was kann ich Ihnen alles erzählen von meinem Vetter! Er pratscht doch alles heraus mit seinem Geschwefel, wie ihm das vom Mund fließt. Was hat er nicht alles geredet und geflucht nebenan. Die Tapete hat an meinem Ohr gezittert. Ich werde mal einen anonymen Brief an seine Behörde schreiben. – *Sie hat sich einen Stuhl vor den Schrank geholt. Ganz im Eifer dicht an den Schrank heranrückend.* Er hat sich eine Geschichte mit einem Buch in den Kopf gesetzt, wenn er das nicht findet – Hölle und Himmel hat er auf Ihr krauses Haar herabgeschworen. Er ist ja getanzt wie ein Frettchen – die Möbel haben bei mir von seinen Sprüngen gewackelt. *Ihn nachahmend.* Ich raste nicht, bis das Buch in meinem Besitz ist – ich schließe alle Tore in der Mauer – ich lasse den Teich auslaufen – alles um ein Heft mit schwarzem Wachstuchdeckel! – Nun schließen wir aber einen Bund gegen ihn – einen Herzensbund. Ich habe ja meinen Vetter täglich unter Aufsicht. Ich trage Ihnen alles zu, das heißt, Sie müssen sich's bei mir holen. Ich kann doch nicht zu den vielen Buben kommen! – Dann wollen wir uns mal verabreden. Heute nehmen Sie die ersten Nachrichten aus dem feindlichen Lager in Empfang. Die Herren haben Kegelabend. Kennen Sie den Hinteraufgang durch den Garten zur Wohnung? Den benutzen Sie. Wir eröffnen den Kampf. Ich frage im Laufe des Tages meinen Vetter nach dem Buch aus. Oder haben Sie Angst? Halb neun pünktlich. Nicht klingeln, ich höre Sie. *Sie ist aufgestanden, sieht sich in der Stube um.* Sie haben ja Recht nicht zu öffnen. Da draußen sind Leute, man könnte uns beide hier zusammen ertappen! Hier in's Tischchen leg' ich ein Briefchen für Sie! Ich habe gleich alles aufgeschrieben, falls ich Sie hier nicht treffe! Vielleicht haben Sie mich im ekligen Schrank nicht richtig verstanden! *Sie klappt den Tisch hoch. Mit einem kleinen Schrei.* Da liegt ja das verfluchte Buch sperroffen! *Sie nimmt das Heft heraus und schiebt den Brief ein.* Schwarz – Wachstuch! Das kann mein Vetter lange in seinem Zimmer suchen! Er sollte es in Ihrem Tisch entdecken. Er würde Sie in seiner sinnlosen Jagd prügeln! *Mit einem Entschluß.* Jetzt lege ich es hier mitten auf Ihren Tisch und tue mein Briefchen hinein – und dann werde ich mal meinen Vetter hereinschicken. Eine Strafe müssen Sie doch haben, weil Sie sich Ihrer Engel auch nicht einen Augenblick zeigen! Das soll Sie für die Zukunft belehren, wie man mit lieben Freundinnen umzugehen hat. So, nun liegt es hier – offen und frei – mit Händen zu greifen. Ein Blinder tappt es mit dem Krückstock! *Aber sie hat das Heft wieder unter die Platte geschoben und leise zugeklappt.* Und ich petze beim Rektor! *Sie tut Schritte, klinkt die Tür auf – kehrt um und steht vor dem Schrank mit ausgebreiteten Armen.*

FRAU EXTER *tritt durch die angelehnte Tür. Sie beobachtet Frau Engel.* Turnen Sie? Arme spreizt – Knie beugt?

FRAU ENGEL *fährt herum.* – Was suchen Sie denn hier – im Bereich der Knaben?

FRAU EXTER *schnippisch.* Was suchen Sie – im Knabenreich?

FRAU ENGEL *liebenswürdig.* Haben Sie sich verirrt, liebste Frau Exter?

FRAU EXTER *fixiert sie.* Solch bissel mit Absicht – geradedarauflos!

FRAU ENGEL *besorgte Blicke auf den Schrank werfend.* Dann können wir ja unseren Rückweg gemeinsam antreten! *Sie hält die Tür offen.*

FRAU EXTER *komplimentierend.* Nach Ihnen!

FRAU ENGEL *ebenso.* Aber nein –

FRAU EXTER. Aber nie –

FRAU ENGEL. Meine Beste!

FRAU EXTER. Meine Verehrteste!

FRAU ENGEL. Ich lade Sie ein, meine Teuerste!

FRAU EXTER. Sie beschämen mich, meine Gnädigste!

FRAU ENGEL. Ich werde doch nicht vor Ihnen –

FRAU EXTER. Sie waren doch auch vor mir da! *Dabei ist sie mehr und mehr in die Stube zurückgewichen und stößt gegen den Schrank.*

FRAU ENGEL *schließt resolut die Tür.* Ich habe auch nichts in der Wirtschaft zu versäumen! *Sie nähert sich von der anderen Seite dem Schrank und verdrängt so Frau Exter von dem fatalen Möbel. Sie hält nun gleichsam davor Wache.*

FRAU EXTER *gegen den Mitteltisch gelehnt, mit dem Federhalter spielend.* Ja, es ist etwas eigenes um die Jugend!

FRAU ENGEL. Die hat noch keiner gepachtet!

FRAU EXTER. Gottseidank!

FRAU ENGEL. Warum danken Sie Gott?

FRAU EXTER. Manche Leute würden sich wohl niemals von ihr trennen und ihre Rechte an einen Nachfolger abtreten!

FRAU ENGEL. Ich glaube, ob man jung ist – darüber entscheidet das Gefühl!

FRAU EXTER. Ich glaube – die Figur!

FRAU ENGEL. Weil eine mehr gepolstert als die andere, soll sie verzichten?

FRAU EXTER. Wenn sie gescheut ist!

FRAU ENGEL. Und wenn sie blöd ist?

FRAU EXTER. Muß sie durch robustere Erfahrungen klug gemacht werden!

FRAU ENGEL *dampft.* Das ist ja gottvoll: jetzt wird einem von einer Schnecke, die knapp am Klee gerochen hat, der Stuhl vor die Tür gesetzt. Da kommt sie hergekrochen und spitzt die Hörnchen und kugelt die Äugelchen – jawohl: der Kohl hat schon Maden – Mädchen. Besetzt – ausgerutscht. Das tut weh. Und nun wird unverfroren geschimpft: ihr seid schon fett, was wollt ihr noch knabbern? Laßt mich naschen. Sonstwas! Der Kohl schmeckt uns noch – wir sind noch lange nicht satt – und wenn tausend Schnecken possierlich tun – wir sitzen drin – wir wärmen uns am Nest – wir sind wohlgelitten – wir füllen es aus – rund und voll bis zum letzten Luftzug!

LOTTE *tritt schnell ein.*

FRAU EXTER *baff*. Hast du dich verlaufen?

LOTTE *rot, schwankt – blickt sie dann fest an*. Nein!

FRAU ENGEL *majestätisch*. Lotte –! Wie wagst du es eine Schülerstube zu betreten! Du leugnest nicht einmal?

LOTTE *schüttelt heftig den Kopf und kommt weiter herein.*

FRAU ENGEL. Bist du gar nicht genant? So fort kehrst du um und gehst zu deinem Onkel und entschuldigst dich bei ihm!

LOTTE. Gut, dann gehe ich zu Onkel und sage, daß ich dich und Frau Exter hier auch angetroffen habe!

FRAU ENGEL. Mädel – dein Onkel klopft dich aus über deine Lügen!

FRAU EXTER. Kein Wort wird dir geglaubt!

LOTTE. Weshalb soll mir denn das nicht geglaubt werden? Weil er nicht wissen darf, daß ihr hier seid? *Sie lacht kurz.* Ich passe besser hierher, als andere!

FRAU EXTER *entrüstet*. Du paßt besser – was willst du damit andeuten?

LOTTE. Weil ich jung bin, und junge Mädel zu jungen Herren gehören. Die machen sich doch bloß aus mir was. *Kokett tänzelnd*. Ich weiß doch, was ich weiß!

FRAU ENGEL *entsetzt*. Du weißt, Lotte –?

LOTTE. Ach Gott – wie man das macht!

FRAU ENGEL. Kind, wie wir –?!

LOTTE. Na ja – man drückt sich die Hand – man starrt sich in die Augen – und manchmal küßt man sich!

FRAU ENGEL *aufatmend*. Das kennst du also – schon!

LOTTE. Das merkt man doch rasch, wie man von den Herren angestaunt wird – wenn man hübsch ist!

FRAU EXTER. Weil du hübsch bist, machen dir sie Augen?

LOTTE. Die notwendige Bedingung ist es!

FRAU EXTER. Das ist ja reizend: jetzt wird einem von einem Kücken, dem der Flaum noch nicht gewachsen ist, das Wasser verschüttet. Kurz und bündig: weil sie die feinere Larve hat. Als ob ein junger Mensch so dumm ist, sich in ein Affengesicht zu vergucken. Hundert Fratzen wie deine laufen rum – und keiner dreht den Kopf hinterher. Was winkt ihm denn da – mit Gänsen poussieren? Das lohnt doch keinen Pfifferling! – Verstand muß dahinter stecken. *Sich an die Stirn klopfend*. Hier muß es helle sein – dann hat erst das andere Reiz.

Vehgesack stürmt herein, schlägt krachend die Tür hinter sich zu – steif, starr steht er angesichts der Versammlung.

FRAU ENGEL *entgeistert, Arme hoch – den Schrank verlassend.* Veh – ge – sack –!

FRAU EXTER *begeistert.* Eben haben wir von Ihnen gesprochen!

LOTTE *triumphierend.* Da ist Herr Vehgesack!

VEHGESACK *stammelnd.* Von mir –?

FRAU ENGEL *schwankend sich gegen ihn bewegend.* Jetzt sagen Sie mir das eine –

FRAU EXTER. Herr Vehgesack soll entscheiden –

LOTTE. Sie sind Schiedsrichter!

VEHGESACK. Ich vermutete Sie hier nicht –

FRAU ENGEL. Und ich Sie – *Sie zeigt mit beiden Daumen nach dem Schrank.*

FRAU EXTER. Jetzt sprechen Sie –

LOTTE *in die Hände klatschend.* Offen und ehrlich –

VEHGESACK *weicht vor dem Ansturm ins Zimmer – um die Tische, immer verfolgt – und strandet am Schrank, gegen den er sich mit offenen Armen drückt.*

FRAU EXTER. Wir streiten uns nämlich –

LOTTE. Wir sind ganz wild –

FRAU ENGEL. Jetzt erklären Sie –

VEHGESACK. Was denn? Ich bin mir nicht bewußt –

FRAU EXTER. Ihr Urteil soll ganz unparteiisch sein –

LOTTE. Ich dreh' mich um –

FRAU ENGEL. Ich starre sie an --

VEHGESACK *verzweifelt.* Ich bin gern bereit –

FRAU EXTER. Sie stehen hier als erkorener Vertreter der Jugend. Der Zankapfel ist die Frage: wer von uns dreien hat das meiste Recht auf Sie?

VEHGESACK. Auf –

FRAU EXTER. Auf die Jugend! Hier ist Frau Engel – die hat die Macht im Hause, als Rektorskusine – ihren Vetter trägt sie ja in der Tasche! – Ich halte mich für klug und witzig: ich repräsentiere die Weisheit – Sie sind auch kein Dummkopf! – Und als Dritte Lotte: Puttputtgänschen – blink und blank, frisch aus dem Backofen der Natur: die simple menschliche Hübschheit! *Feierlich.* Paris – und die drei Grazien. Wem neigst du dich?

LOTTE *hat den Federhalter vom Mitteltisch geholt.* Der reichen Sie Ihren Stab?

VEHGESACK *bricht ihn schnell in drei Teile und wirft jeder ein Stück zu*. Eins – zwei – drei – und ich bin frei! *Mit raschen Sprüngen ist er bei der Tür, hinaus.*

FRAU EXTER *ihr Hölzchen aufraffend*. Mein Stück ist das längste!
FRAU ENGEL *ebenso*. Meins ist das längste!
LOTTE *ebenso*. Meins ist das längste! *Die Drei hinausgeweht, ab.*

Die Tür fliegt ins Schloß.
Scharfenort beginnt einen rasenden Tanz im Schrankinnern. Er schreit, haut und trampelt gegen die Schrankwände, heult: »Diehl!! Diehl!!« – *Er wird unermüdlich in der Erfindung neuer Alarmgeräusche und in der Wiederholung der früheren. Er läßt auch keine Pause in seinem Sturm eintreten.*

DÜSTERWALD *reißt die Tür auf, springt auf die Schwelle, Triumph im Auge.*
SCHARFENORT *wütet.*
DÜSTERWALD *kreischend*. Nur weiter!
SCHARFENORT *tobt.*
DÜSTERWALD *legt die Tür hinter sich an, geht an den Schrank, baut sich vor ihm auf und läßt sich eine Weile antoben. Dann fängt er überschreiend an.* Jetzt habe ich genug gehört. Was jetzt noch folgen soll, verbiete ich Ihnen. Das Maß Ihrer vorsätzlichen Ruhestörung ist voll – um uns zu dienen. Schweigen Sie!! – *Plötzlich Meeresstille im Schrank.* – Verlassen Sie den Schrank. Ihrem Unfug, den Sie darin verüben, werden wir ein schnelles Ende bereiten. Sie sind ertappt. Nun tragen Sie die Folgen. Der widersinnige Lärm ist Ihr Fall, nach dem wir suchen. Paragraph 1b der Schulordnung. Hinaus mit Ihnen!
SCHARFENORT *ein zweiter Ugolino*. Nehmen Sie das Buch vom Tisch an sich!
DÜSTERWALD *beugt sich lauschend vor, knickt in die Knie.*
SCHARFENORT. Beseitigen Sie das Buch auf dem Tisch!
DÜSTERWALD. Herr Rektor –??????
SCHARFENORT *schrill*. Das Buch auf dem Tisch soll verschwinden!!
DÜSTERWALD *sich umsehend*. Jawohl, Herr Rektor –

SCHARFENORT. Auf dem Mitteltisch muß das Buch liegen!!

DÜSTERWALD *wankt dahin.*

SCHARFENORT. Stecken Sie es zu sich!!

DÜSTERWALD *sucht.* Nein!

SCHARFENORT. Warum nicht? Ein Buch muß da sein?

DÜSTERWALD *wieder den Schrank besänftigend.* Wollen Sie nicht zuvor aus dem Schrank befreit sein?

SCHARFENORT. Was?

DÜSTERWALD *rüttelt den Schrank.*

SCHARFENORT. Lassen Sie mich sitzen. Forschen Sie nach dem Buch auf dem Mitteltisch!!

DÜSTERWALD. Ja! *Dahin zurück.*

SCHARFENORT. Finden Sie es? Verbergen Sie es bei sich!

DÜSTERWALD. Wenn ich es nur fände!

SCHARFENORT. Was?

DÜSTERWALD. Ein Buch sehe ich nicht!

SCHARFENORT *bittend.* Herr Kollege – Sie haben doch Augen und gesunde Sinne: das Buch ist vorhanden. Ich kann hier nicht heraus, ich bin eingeschlossen, sonst würde ich es mir sichern – vom Mitteltisch!!!!

DÜSTERWALD. Ja, bitte, kommen Sie heraus. Ein Schüler könnte erscheinen –

SCHARFENORT. Darum fahnden Sie nach dem Buch weiter – auf dem Mitteltisch!!

DÜSTERWALD *verzweifelt.* Immer das Buch!

SCHARFENORT. Schwarz – mit Wachstuch!

DÜSTERWALD *plötzlich besorgt.* Herr Rektor – ist Ihnen schlecht darin geworden?

SCHARFENORT. Gut – so sagen Sie mir, wie komme ich hier heraus. Diehl besitzt den Schlüssel. Indem Sie ihn holen –

DÜSTERWALD. Ich hole Diehl!

SCHARFENORT. Nein! – stürzen Schüler herein und kapern – das Buch!!

DÜSTERWALD *im Gebet.* Mein Gott, lass' das Schlimmste nicht geschehen, du habest ihm den Verstand genommen.

SCHARFENORT. Ich bin hier eingeschlossen und muß wieder heraus!! *Von seinen wuchtigen Stößen getrieben setzt sich der Schrank gegen Düsterwald in Bewegung.*

DÜSTERWALD *das Kreuz schlagend.* Apage Satanas!

SCHARFENORT. Ich muß mich des Buches versichern, bevor es wieder – in nichts zergeht!

DÜSTERWALD *erleuchtet.* Ich habe – das Buch!!!

SCHARFENORT. Vom Mitteltisch?!!

DÜSTERWALD. Vom Mitteltisch!!

SCHARFENORT. Nun will ich aus dem Schrank!

DÜSTERWALD. Zum Diehl?

SCHARFENORT. Nein, bleiben Sie, Herr Kollege, von Ihnen muß ich das Buch gleich erhalten. Helfen Sie mir irgendwie. Ziehen Sie mal am Schloß! Vielleicht sprengen wir es mit vereinten Kräften. Viribus unitis!

DÜSTERWALD *am Werk*. Drücken Sie?

SCHARFENORT. Ziehen Sie?

DÜSTERWALD. Meine Finger sind nicht flach genug und rutschen ab. Au!

SCHARFENORT. Wir haben jetzt keine Zeit, Herr Kollege. Ertragen Sie Ihren Schmerz. Denken Sie an spartanische Vorbilder. So unternehmen Sie doch etwas zu meiner Befreiung, Herr Kollege!

DÜSTERWALD *grob*. Ich habe Sie doch nicht eingeschlossen!

SCHARFENORT. Also, Herr Kollege, besinnen Sie sich doch einmal in Ruhe – mit praktischem Geist erfüllt. Wie gelange ich an die Öffentlichkeit zurück?

DÜSTERWALD. Hat denn die Tür Riegel drinnen – die zugestoßen sind?

SCHARFENORT. Warten Sie mal, ich fühle. Oben ja. Hier. Da!

DÜSTERWALD. Drücken Sie ihn herab. *Es kracht*. Nun wird's wohl gehen!

SCHARFENORT. Ziehen Sie?

DÜSTERWALD. Drücken Sie?

SCHARFENORT. Ja.

DÜSTERWALD. So hält noch ein zweiter fest!

SCHARFENORT. Ja!

DÜSTERWALD. Drücken Sie ihn hinauf!

SCHARFENORT. Ich kann mich nicht bücken!

DÜSTERWALD. Mit dem Fuß!

SCHARFENORT. Dann trete ich ihn nur fester!

DÜSTERWALD. Nein: ihn anheben mit der Stiefelspitze!

SCHARFENORT. Ich muß mich dahin tasten!

DÜSTERWALD. Geht es vonstatten, Herr Rektor?

SCHARFENORT. Das ist nicht so leicht – auf einem Fuß – und mit dem anderen Fuß – *Zweiter Krach*.

DÜSTERWALD. Gottlob – und nun einigermaßen schieben!

Beide Flügel öffnen sich sanft zugleich.

SCHARFENORT *tritt heraus, geblendet.* Thalatta! – Bitte das Buch!

DÜSTERWALD – Ich habe keins.

SCHARFENORT *unter Lawinen.* Sie haben das Buch nicht?!

DÜSTERWALD *schüttelt ernst den Kopf.* Nein!

SCHARFENORT. Sie sagten doch – Sie hätten –??

DÜSTERWALD *seine Hand nehmend.* Ist Ihnen etwas zugestoßen, daß Sie verwirrt sein könnten? Ein Buch existiert nicht!

SCHARFENORT *stürzt auf den Mitteltisch zu, wühlt darauf herum, findet nichts. Er eilt zum Tisch links, kramt darauf. Dann ebenso rechts.*

DÜSTERWALD *ist ruhig an den Mitteltisch getreten, klappt hoch und nimmt gelassen das Buch heraus.* Hier liegt ein Buch: schwarz – mit Wachstuch.

SCHARFENORT *ein langer Satz – er hat es. Er rollt es in seinen Händen – sein Kopf geht auf und ab in rasenden Stößen.* Mein – mein – mein!!

DÜSTERWALD. Soll es sich bestätigen mit Ihren Bekundungen aus dem Schrank?

SCHARFENORT *abwehrend, keuchend.* Bekundungen – es hat sich bestätigt – es hat sich über alle Erwartungen bestätigt! Nicht einfach – nicht zweifach – nicht dreifach – – es ist geschehen – er hat es fertig gebracht! *Worte gerinnen zu Schaum.* Frau Horne – – meine Ku – Kusine – Frau Ext – – meine Nich – – alle – – alle – – *Mit wirbelnder Geste.* Er hat sie alle! *Das Heft quälend.* Der Bengel – – der Bursche – – der Lump – – ich zerknittere ihn – – ich schürfe ihn – – ich zermahle ihn zwischen meinen Fäusten – – Jetzt bleibt er!! – *Mit hinauflangenden Armen und gierig steilen Fingerspitzen.* Rache – Rache – Rache – –

Der Theatervorhang fällt ihm in seinen offenen Mund.
Später auch der eiserne.

*Der Festsaal. Ein kahler, in die Tiefe gestreckter Raum. Aus-
getretener, gebirgiger Fußboden. Rechts Fenster mit ver-
staubten Glanzstoffdraperien. Außen schwankt eine Fahne
im Sonnenwind. Hinten das Theater: der enge Bühnenraum
ist offen. Davor in einigem Abstand ein Holzstuhl. Links
vorne Saaltür.*
*Auf einem zweiten Holzstuhl in der Mitte steht Exter: in
Hemdärmeln, sonst schwarz gekleidet. Er trieft von Schweiß,
schwingt links einen Zettel, rechts Bleistift.*
*Am ersten Fenster rechts Diehl – in voller Uniform, Medail-
lenreihen: er blickt gelegentlich hinaus und kaut scheu an
einem Apfel.*

EXTER *mit singendem Tonfall.* Wal – len – stein! – Wal —
len – stein! – *Sich nach Diehl drehend.* Sehen Sie was? Staub
– der aufwirbelt?
DIEHL *schluckend.* Allens – klar, Herr Doktor!
EXTER. Um so besser, da bleibt mir Zeit zur Kostümparade.
Lassen Sie Ihre Augen nicht von der Landstraße, Diehl!
DIEHL *ißt.*

*Von links erscheint auf der Bühne Wallenstein: mit über-
triebenem Dilettantismus kostümiert. Der furchtbare
Schlapphut schleudert auf den spitzen Schultern des darstel-
lenden Schülers.*

EXTER. Wallenstein – wo haben Sie Ihr Gesicht? Nacht muß
es sein, wo Friedlands Sterne strahlen: meinen Sie, der große
Friedländer hat das hinter seinem Hut gesagt? – Füllen Sie
sich den Hut aus – mit einem Handtuch, mit Ihrer Unter-
hose. Sie haben ihn ja nicht bei Ihrem Auftritt herunterzu-
ziehen. So – jetzt sprechen Sie mal etwas – ich will mich über
die Akustik orientieren. Fangen Sie an mit Ihrer Rolle!
WALLENSTEIN. Ich habe alles vergessen!
EXTER *lacht trompetend.* Lampenfieber – prachtvoll! Was
soll ich erst machen, der für alle die Verantwortung trägt.
Aber gut – gut, das muß sein. Generalproben dürfen nie
klappen – sonst schmeißen wir in der Aufführung um. Das
ist ein alter Erfahrungssatz aller großen Bühnen! – Rechts
um kehrt, Wallenstein – schicken Sie Tell heraus!
WALLENSTEIN *vom Degen behindert hinaus.*

EXTER *nach Diehl.* Diehl – zeigt sich noch nichts am Horizont?

DIEHL *rasch ausspähend.* Nee, Herr Doktor – noch gar keen Horizont!

EXTER. Diehl – der Horizont ist immer da. Er wandert mit Ihnen bis an das Ende der Welt!

DIEHL. Da werd' ich 'n man nich' weiter suchen!

EXTER. Geben Sie mir so fort Signal bei der ersten verdächtigen Erscheinung!

DIEHL *aufgebracht.* Herr Doktor – Herr Doktor – da auf der Chaussee!

EXTER *von seinem Stuhl hinausschauend.* Wo – wo – Diehl? Ich erkenne nichts!

DIEHL. Da unten doch – dicht janz vorne!

EXTER. Was machen Sie mich auf den Landstreicher aufmerksam?

DIEHL. Das is' doch –

EXTER. Ach was – Sie sollen mir den Fürsten ankündigen!

DIEHL *ganz entrüstet.* Der is' doch keine verdächtige Erscheinung!

Auf der Bühne von rechts: Maria Stuart – irrsinnig aufgedonnert, drei van Dycks in einem; furchtbar geschminkt.

EXTER *andauernd klatschend.* Bravo – bravo – bravo – Maria Stuart! Täuschend echt – historisch wahr – historisch treu. Meininger Schule, der greise Herzog würde seine helle Freude haben. Maria – Sie sind hinreißend. Das Schafott leuchtet auf Ihren Wangen. Schade, daß Sie nicht im Mittelpunkt stehen können. Drehen Sie sich – wenden Sie sich: ich muß den Genuß von allen Seiten haben. *Maria Stuart dreht sich.* Jetzt begreife ich den Meininger – jetzt leuchtet mir seine Hingabe an das Theater ein. *Marias Kleid schließt hinten durchaus nicht vollkommen.* Das war eine Offenbarung!

MARIA STUART *an die Rampe vortretend.* Noch eine Frage, Herr Doktor!

EXTER. Bitte, bitte, Frau Musikdirektor!

MARIA STUART. Kann ich als Maria Stuart Handschuhe tragen?

EXTER. Ja, ich besinne mich nicht – die alten englischen Originalkostümbilder, die mir vorgelegen haben – aus der Kostümverleihanstalt von Witwe Huschke –

MARIA STUART. Ich habe nämlich so schwarze Pocken vom Zwetschenaussteinen – *Sie zeigt zehn dunkelkuppige Finger.*
DIEHL *ließ den Apfel fallen, bückt sich.*
EXTER. Ist er da, Diehl?
DIEHL. Nee, Herr Doktor – ich bückte mir bloß!

Von links der Schüler Wilhelm Tell; bebrillt, mit Armbrust.

EXTER. Da kommt Wilhelm Tell! – Ja, Frau Musikdirektor, ballen Sie doch Ihre Hände, dann sind die Flecken innen. Maria Stuart hat doch wohl auch wütend das Blutgerüst bestiegen! – Ist Berta von Bruneck zu haben?
MARIA STUART. Ihre Frau sitzt noch halbnackig.
EXTER. Nun, zu ihr kann ich ja hinter die Bühne kommen!

Maria Stuart rechts ab.

EXTER. Tell – Arme hoch! *Tell steht ganz frei von Hodler.* Kopf vor – Gesäß hochziehen. Blick scharf – nach den Firnen ewigen Eises. Alpenwelt. Hochgebirge – Gletscher und Lawinenstürze. Das muß alles in Ihrem Auge glühen –: den Adler schieß ich aus der Luft, der Sonne nah. Vergessen Sie aber nicht die Brille abzusetzen. Tell trifft so. Der Weg nach Küßnacht war ja auch schmal. In die andere Hand nun der Apfel! – Diehl, geben Sie Tell den Apfel!
DIEHL *glotzt Exter an.*
EXTER. Ich hatte ihn auf das Fensterbrett, wo Sie stehen, niedergelegt. Frau Engel hat ihn gestiftet!
DIEHL *die Fruchtreste vorzeigend.* Da habe ich mit keener Ahnung druff jeraten, daß der Appel mit aufführen soll!
EXTER. Mensch – Ungetüm, verschlingen Sie unsere Requisiten? Geben Sie mal her! – Das muß gehen, Tell, Sie nehmen den angekauten Teil in die Hand und drehen die erhaltene Seite nach außen. Vielleicht faßt es sich auch besser. *Er wirft Tell den Halbapfel zu.*
DIEHL *zu Tell.* Det wird Ihnen ooch schmecken!

Links sind indessen Herren vom Kollegium eingetreten: sie stecken in Fräcken, laborieren mit weißen Handschuhen.

SEIFE *diensteifrig zum dritten Professor.* Soll ich mal knöpfen?

DER DRITTE PROFESSOR. Wir bemerken hier das physikalische Gesetz von der Ausdehnungsfähigkeit der Wärme: die Hände schwellen dick und rund an und die sonst gebrauchte Handschuhnummer wird zu klein!

EXTER *sich zur Gruppe wendend.* Ruhe, meine Herren, Ruhe. Ich muß dringend ersuchen, ich stehe hier in meinem Schweiße. Das ist kein Schartekenpauken, ich leiste künstlerische Arbeit.

DER ZWEITE PROFESSOR. Nicht so hoffärtig, Herr Kollege: auch die Kunst ist eine Tienerin ter Erziehunk!

EXTER. Mich schnüren Sie nicht in Ihr Schema ein. Ich bin meiner Aufgabe voll gewachsen! – Tell wegtreten! *Tell links ab. Exter springt vom Stuhl* Diehl, Sie haben die Bedienung des Vorhangs!

DIEHL *macht entsprechende zugkräftige Gesten.*

EXTER. Holla, Sie stellen sich das so einfach vor. Der Vorhang ist kein lebloses Ding. Ein Vorhang kann den Erfolg entscheiden: der Vorhang rechtzeitig – hat schon oft das beste Stück gerettet!

DIEHL. Und nich' zu spät auf!

EXTER. Das ist fast noch wichtiger! Ich bin hier im Saal – und gebe von hier aus das Zeichen. *Er klatscht zweimal in die Hände.*

DIEHL *ablehnend.* Nee, Herr Doktor, es muß jeschellt werden!

EXTER. Das ist Praxis in Ihrem Kriegerverein – Hoftheater machen es noch so. Ich will aber alles anders. – Neu – verblüffend. Kunst ist in vieler Beziehung Sensation. Wer die nicht in Betracht zieht, will stromauf schwimmen. Eine Aufführung muß schon vor dem Öffnen der Gardine begonnen haben. *Zu Diehl.* Zweimal scharfes Klatschen – wie aus zwei Pistolen – und Sie reißen an der Schnur. Führen Sie mir das mal vor. Senken Sie zuerst den Vorhang!

DIEHL *hat das Podium erklettert, verschwindet nach rechts.*

DER DRITTE OBERLEHRER *nach den Fenstern zeigend.* Sehen Sie dort – das sind die glitzernden Automobile des Fürsten!

Alle sehen von der Tür aus stumm hin.

EXTER *schreiend.* Diehl – er kommt, wo haben Sie Ihre Augen?

Der Vorhang – Wartburg in Spargelwald – schließt sich in allen Ringen knirschend vor seinen Augen.
Scharfenort und Düsterwald von links.

SCHARFENORT *zu Düsterwald.* Sie billigen also meine strengen Maßnahmen?
DÜSTERWALD. Ganz – durchaus – völlig!
SCHARFENORT. Dann –
EXTER *knallt zweimal in die Hände.*
SCHARFENORT *schreckhaft.* Was denn, Herr Kollege? Warum denn, Herr Kollege?
EXTER *eifrig.* Damit gebe ich das zweimalige Zeichen zum Beginn; Diehl ist hinter dem Vorhang. Ich verspreche mir eine immense Wirkung von diesem originellen Einfall!
SCHARFENORT. Können Sie das nicht gelinder vollführen? Das hallt ja im Saal wie Schießen. Seine Durchlaucht könnten erschrecken!
EXTER. Die Durchlaucht wird schon mehr Schüsse gehört haben! *Der Vorhang saust kreischend zur Decke.* Gut – gut – gut – Diehl, jetzt will ich hinter der Bühne inspizieren. *Auf der Bühne, nach rechts sprechend.* Ablassen, Diehl – und nicht mehr heben vor der Aufführung! *Zu den Herren.* Bei Philippi sehen wir uns wieder!

Der Vorhang rast hinter ihm herunter.

DER DRITTE OBERLEHRER *zu Scharfenort.* Wir erkannten bereits von hier oben die sich im Fluge nähernden Automobile!
SCHARFENORT. Auch ich habe sie gesehen. Sind wir beisammen?
DER ZWEITE OBERLEHRER. Es fehlt noch Kollege Hornemann!
SCHARFENORT *stutzt.* Herr Hornemann?
DER DRITTE PROFESSOR. Allerdings – er ist säumig.
SCHARFENORT. Es ist keine Zeit zu verlieren. Vielleicht begegnen Sie dem Kollegen Hornemann auf Ihrem Wege. Es wird ja nichts von Bedeutung sein. Er soll sich einreihen! – Also, meine Herren, der Fürst geruht gnädigst höchstselbst zu kommen. Sie kennen, was auf dem Spiele steht. Wir müssen das Spiel gewinnen! Beachten Sie Haltung! Keine Aufdringlichkeiten – niemand antworten ohne auf direkt gestellte Frage. Überhaupt schweigen – schweigen – schweigen!

Ich weiß, ich bin in meinem Kollegium nicht verlassen. *Raunende Zustimmung.* Und nun gehen Sie mit Gott! *Zu Seife.* Herr Kollege, Sie bitten Herrn Borchert in meinem Namen nochmals, daß die Schüler geradlinig stehen und im Takt rufen. Herr Borchert wird ja seine Pflicht tun. Auf Wiedersehen am Tore, meine Herren! *Er winkt ihnen.*

Düsterwald hat sich an die Spitze gesetzt: in gleichen Dienstabständen hintereinander passiert der Zug die Tür: der letzte legt die Tür an.

SCHARFENORT *geht aufgeregt auf und ab. Seine Lippen murmeln, seine Glacés gestikulieren.* – – Durchlaucht an der Pforte dieser altehrwürdigen Anstalt – die hundertjährigen Linden rauschen den Willkommen ihrem huldvollen Beschützer – Natur und Menschen vereinen sich zur Entbietung ihres loyalen Grußes – mit dem Gelöbnis unwandelbarer – – von Herz zu Herzen – von Hand zu Händen – – *Er ist seiner Sache sicher, überblickt noch den Raum, stellt eigenhändig Exters Stuhl aus der Mitte zur Wand, nickt befriedigt und klinkt die Tür auf.*

HORNEMANN *stellt sich ihm entgegen, Arme auseinander.* – *Er trägt seinen gewöhnlichen Schulanzug. Sein Gesicht ist von Erregung zerrissen, ergraut.*

SCHARFENORT *weicht unwillkürlich einige Schritte zurück.*

HORNEMANN *benutzt es, um die Tür hinter sich zuzumachen.*

SCHARFENORT *stammelnd.* Ich vermisse – den Frack!

HORNEMANN *sich sichtlich beherrschend.* Ich vermisse – mehr, Herr Rektor!

SCHARFENORT. Die weiße Binden an Ihrem Halse!

HORNEMANN. Mehr, Herr Rektor!

SCHARFENORT *scheu.* Was denn? Damit wäre doch Ihr Anzug vollständig!

HORNEMANN *fast Geist.* Die Genugtuung, die mir versprochen ist – und die man mir schuldig bleibt!

SCHARFENORT *wie sich besinnend, abbrechend.* Aber, Herr Kollege, Sie wollen doch nicht einen Augenblick wählen, in dem ich –

HORNEMANN *bedauernd, doch steinhart.* Ich habe kein anderes Mittel – Sie lassen mir keine andere Möglichkeit!

SCHARFENORT. Sie stellen mich also – mehr oder minder?

HORNEMANN. Sie weichen mir aus –

SCHARFENORT. Wann wiche ich einem meiner nachgeordneten Kollegen aus?

HORNEMANN *noch immer gemäßigt*. So geben Sie mir die Erklärung: was wird von Ihrer Seite getan? Was ist unternommen – welche Schritte sind getan –

SCHARFENORT *ausweichend, mit der Uhr*. Haben Sie, Herr Kollege, um die Abendstunde Zeit zu einer Unterhaltung in meiner Wohnung. Ich lade Sie ein –

HORNEMANN *aufbrausend*. Hier fordere ich die Einlösung Ihres vor Zeugen – vor der gesamten Konferenz gegebenen Wortes!

SCHARFENORT *zürnend*. Vergessen Sie, wer in jedem Augenblick –

HORNEMANN *mehr und mehr in Glut geratend*. Ich vergesse nichts, was mir zugesichert ist – mit Ihrem Eid und Hand!

SCHARFENORT *empört*. Geben Sie so fort die Tür frei! Sie behindern mich mit Vorsatz!

HORNEMANN *unnachgiebig und ihn scharf im Auge behaltend*. Ich muß mich bis heute hinhalten lassen –! Ich habe auf diese letzte Gelegenheit gewartet!

SCHARFENORT. Aber der Fürst kann doch jede Minute kommen. Ich muß ihn unten empfangen!

HORNEMANN. Nur, wenn Vehgesack fort ist!

SCHARFENORT. Sie sind –

HORNEMANN *ganz kalt*. Jetzt bin ich es nicht mehr, jetzt bin ich nicht mehr wahnsinnig. Jetzt bin ich nüchtern, eiskalt. *Mit wuchernden Worten*. Vorher war ich irre – als ich mir selbst zu helfen suchte. Da stellte ich dem Schüler Vehgesack nach – ich beobachtete den Jungen bei Tag und Nacht in der Dämmerung. Ich habe meine Arbeiten beiseite geschoben – meine Forschungen über die Herde des göttlichen Sauhirten Eumaios vernachlässigt. Ich bin dem Wichte nachgeschlichen in alle Winkel, unter jedes Dickicht bin ich gekrochen. Ich habe an Mauern meine Fingernägel verwüstet und meine Knie gebläut. Ich habe in Baumwipfeln gelauert, die Sonne hat mir fast das Hirn zerstochen! In Gräben bin ich gelegen, von Ameisen zu Krämpfen gereizt. Ich habe die Zähne zusammengebissen und ausgehalten. Ich wollte ihn fassen, ich mußte ihn fassen – ich habe nicht gerastet – nicht mehr geschlafen – –

SCHARFENORT *auf Kohlen.* Herr Kollege – gestatten Sie mir nun ein paar Worte!

HORNEMANN. Drei – dreizehn!

SCHARFENORT. Dazu fehlt die Zeit!

HORNEMANN. Die Zeit steht still! *Eine Hand wühlt in der Tasche.*

SCHARFENORT. So begreifen Sie doch! Um Himmelswillen, das sind schon die Fanfaren. Meine Rede!

HORNEMANN. Reden Sie nur!

SCHARFENORT. Dementia. Hören Sie denn: Vehgesack hat ein Drama – eine Komödie – Tragikomödie verfertigt – es der Öffentlichkeit übergeben wollen – ich habe es verhindert unter Martern! – Das Stück schildert Sie – mich – alle – – alles! Wir sind verloren, wenn es bekannt würde – wir dürfen ihn nicht freilassen. Keinen Tag – keine Stunde! Sonst wird der ganze Fall zum öffentlichen Skandal. Ihr Festspiel –

HORNEMANN. Ich kenne es nicht mehr!

SCHARFENORT. Aber was wird Ihre liebe Frau sagen, die zur Aufführung aus der Hut sorgender Verwandter zurückgekehrt ist und an hervorragender Stelle mitwirkt. Hat sie sich nicht aufopfernd den Strapazen der Proben unterworfen und soll jetzt um den wohlverdienten Lohn gebracht werden?

HORNEMANN. Meine Frau soll es nicht erst von mir fordern, daß ich ihren Galan zur Rechenschaft ziehe!

SCHARFENORT. So sagen Sie mir morgen – *Er will an ihm vorbei zur Tür.*

HORNEMANN *laut.* Halt!

SCHARFENORT. Nein!

HORNEMANN. Zurück!

SCHARFENORT. Nein!

HORNEMANN. – oder ich – *Er hat einen Revolver zwischen der Faust.*

SCHARFENORT *schwankt, starrt ihn leichengrün an.*

HORNEMANN. Ich stelle eine Forderung – die Forderung des Kollegiums – Ihre persönliche Forderung: hinaus mit dem Wicht!

SCHARFENORT *sieht sich hilfesuchend um. Dann strebt er zuerst nach den Fenstern.*

HORNEMANN *zielend.* Halt!

SCHARFENORT *will nach der Bühne.*

HORNEMANN. Halt!

SCHARFENORT *reißt den Mund auf.*

HORNEMANN. Beim ersten Schrei, schie – –

SCHARFENORT *heiser, erstickt*. Ich – schreie!

HORNEMANN. Was wird mit dem Schüler Vehgesack?

SCHARFENORT. Er – – bleibt!

HORNEMANN *wankt kurz*. Er – bleibt – –

SCHARFENORT *fast hysterisch*. Er bleibt in meiner Anstalt – unter meiner Aufsicht – bis an sein – Abiturium. Dann ist er klein – und hat den Kopf voll anderen Zeugs!

HORNEMANN *ganz verbleichend*. Er soll nicht entlassen werden – nicht ausgestoßen werden – –

SCHARFENORT. Die Konferenz wird jede weitere Diskussion ablehnen!!

HORNEMANN *schwächer und schwächer*. Die Konferenz – –

SCHARFENORT. Sie ist sich zu gut, um über einen Schüler, der sich hinreißen ließ – *Stärker und stärker*. – über einen verführten Schüler weiter zu beschließen!

HORNEMANN *mit rollenden, wehenden Händen*. Der Schüler Vehgesack soll – in meinem Hause verführt sein? –

SCHARFENORT *sein Vorteil ausnutzend, kalt*. Darüber steht es nun bei Ihnen, Ihre näheren Ermittelungen für sich zu betreiben!

HORNEMANN. – In dem die Zucht und Sittlichkeit förmlich Triumphe feierte? – Wo ich mir versagte –

SCHARFENORT *ganz obenauf*. Ja, sagen Sie mir: ist das eigentlich nicht die gröbste Unzucht, die Sie getrieben haben?

HORNEMANN. Wenn ich mich von meiner Frau –

SCHARFENORT. Auf welcher Basis wird die Ehe begründet, christlich und menschlich? Auf der ehelichen Gemeinschaft. Wenn Sie nur diese unterbinden, so brechen Sie den Schwur des Altars und der Natur!

HORNEMANN. Sie empfahlen doch selbst –??

SCHARFENORT. Ja, das tat ich – bis zu den Erfahrungen aus Ihrem Fall!

HORNEMANN *dämmernd*. Mein!!! – – Fall??? – Ich habe den Schüler Vehgesack – *Sich mit letzter Sammlung hinstellend*. Ich muß fragen, welche Konsequenzen ich daraus zu ziehen habe?

SCHARFENORT *liebenswürdig*. Konsequenzen?

HORNEMANN. Ein Jugenderzieher, an dessen Herd die Unzucht waltet –!

SCHARFENORT *ein Wort leichthin.* Überdies leiden Sie an einem überfeinen Ehrgefühl!

HORNEMANN. Wenn mein Beruf in Frage tritt?

SCHARFENORT *schnell.* Eine weitere Ausführung desselben an meiner Anstalt werde ich ja nicht befürworten.

HORNEMANN *zuckt zusammen.* Werden Sie nicht –

SCHARFENORT. Aber es gibt ja noch viele Anstalten, wo die Ansprüche niedriger gestellt sind!

HORNEMANN. In dieser Beziehung sind sie wohl alle gleich!

SCHARFENORT. Das täte mir dann ja aufrichtig leid!

HORNEMANN *läuft wie vor sich fliehend in die Saalmitte, dreht die Faust gegen sich – viel zu hoch über sich und schießt mit zwei knallenden Schüssen ein Fenster in Scherben.* Eins – zwei – –

Von unten herauf: die klingenden Automobilfanfaren – gleich danach die festlichen Geräusche des Empfangs: Hochrufe und die Glocke läutet.
Bei dem Doppelknall ist der Vorhang in die Höhe gerast: buntestes Durcheinander füllt die Bühne; fast alle Darsteller, schillerisch kostümiert und frisiert – drängen sich im dichten Knäuel. Ein allgemeiner Aufschrei des Überraschtseins – ein neuer Schreckensschrei beim hinsinkenden Fall Hornemanns.

SCHARFENORT *Zorn, Sorge – Unentschlossenheit im Entlaufen und Bleiben.* Herr Kollege – Herr Kollege – stehen Sie auf –!

Vom Bühnenpodium springen die Kostümierten und laufen zur Mitte: wie um diese Niederlage des tragischen Helden schart sich der Kreis von Gestalten aller Zeiten und Konfessionen. Aus dem Munde Maria Stuarts, der Bruneck, Tells, der Messinabraut, Wallensteins, Gebrüder Moors usw. usw.: »Hat es ihn getroffen? Unter der Nase? In den Leib? Hinter den Rücken? Durch die Hand? Prallschuß am Schädel? Wo ist er denn entseelt – wo ist er entseelt?«

SCHARFENORT. Es ist ein Fensterschuß – sehen Sie denn nicht die geborstenen Scheiben? *Auf Hornemann herab.* Erheben Sie sich sofort – Herr Kollege!

Von neuem wird der regungslose Hornemann umdrängt: »Er ist betäubt! Er ist auf den Kopf gefallen! Nachbarin, euer Fläschchen! Kognak! Unter die Achsel zwicken!«
Oben erscheint Exter, Diehl aus der Kulisse schleppend.

EXTER *kochend*. Wie kommen Sie dazu, den Vorhang hochzulassen! Mann, reitet Sie der Teufel?
DIEHL. Es hat doch zweimal geknallt!
EXTER. Habe ich geknallt?
DIEHL. Im Saal is' jeknallt!
EXTER *wird aufmerksam*. Was gibt es denn?
SCHARFENORT. Herr Kollege, fragen Sie nicht – helfen Sie uns lieber!
TELL. Herr Hornemann hat sich beschossen!
EXTER. Diehl – laufen Sie: halten Sie Frau Hornemann zurück – unsere Jungfrau darf sich auf keinen Fall plötzlich aufregen!

Diehl rechts ab.

WALLENSTEIN *die Waffe emporhaltend*. Hier ist sein Revolver!
EXTER. Endlich einmal ein Lehrerselbstmord, das wird beschwichtigend wirken! – Meine Damen – Jungens: es ist die allerhöchste Glocke – der Großmogul – –

Beflissene Lehrerhände reißen die Tür links auf: der Fürst – Uniform, Helmbusch – tritt ein. An seiner Seite der Prinz im Matrosenanzug. Adjutant und Kammerherr; Sochaczewer im Frack mit einem funkelnagelneuen Ordensstern. Das Rudel Lehrer.

DER FÜRST *stutzt*.

Adjutant und Kammerherr stutzen dienstlich.

SOCHACZEWER. Gott, sind wir auf 'nem Schützenfest?

In gehetzter Flucht erreichen die Darsteller das Theater – der Vorhang saust herunter – die schwerfällige Maria Stuart ausschließend, bis sie rechts einen Abgang findet.

Hornemann erhebt sich zitternd wie eine Spirale, betastet sich.

DER FÜRST *ein ordenklirrendes Achselzucken.*

SCHARFENORT *unter raschen Entschließungen auf Hornemann weisend.* Dies ist einer unserer tüchtigsten Lehrer, dem seine Erzieherehre über alles geht. Er nahm an, einen Makel – rein familiärer Natur – erlitten zu haben, der ihn unfähig mache – *Gegen den Prinzen.* – einem so erlauchten Schüler im Unterricht gegenüber zu treten!

DER FÜRST *schüttelt Scharfenort die Hand.* Es freut mich, diesen Geist bei Ihnen zu finden. *Streng zu Hornemann.* Sollten Sie einen Wunsch inbetreff der dringenden Kräftigung Ihrer Nerven äußern wollen – *Abbrechend.* Ich komme nicht allein, mein lieber Rektor – ich führe den jüngsten Zögling Ihrer Anstalt zu. Hoheit – Sohn, reichen Sie Ihrem Herrn Rektor die Hand und geloben Sie Gehorsam! *Der Prinz tut es.* Und nun von anderen Dingen. Unser lieber Socha – *Er sieht verzweifelt den Adjutanten an.*

ADJUTANT. Socha – *Er sieht hilfesuchend den Kammerherrn an.*

KAMMERHERR *mit glänzender Aussprache.* Sochaczewer!

SOCHACZEWER *schüttelt ihm die Hand.* Ich danke Ihnen herzlich!

DER FÜRST. – hat uns hocherfreuliche Dinge von dem neuen Genius, der in diesen Mauern seine Schwingen entfaltet, berichtet. Wir haben uns von unserem Hofrezitator vortragen lassen –

SOCHACZEWER *hat ein schmales Büchlein herausgezogen und überreicht es lächelnd Scharfenort, der Feuer anfaßt.* Ich hatte doch selbstverständlich das Buch schon in tausend Exemplaren kopieren lassen – Köpfchen! *Er holt nun aus allen Taschen Exemplare und verteilt sie großmütig unter das Kollegium.*

Allgemeines Lesen und Lispeln: »Vehgesack – Vehgesack!«

DER FÜRST. Unser Intendant ist entzückt – die Proben sind in vollem Gang – *An den Kammerherrn.* Nicht wahr, mein Lieber? – Dann veranstalten wir für Sie eine besondere Schülervorstellung! – Nun führen Sie uns den jugendlichen Helden vor. Wer war es unter den Knaben, die mir so herz-

lich froh und frisch am Eingang zur Pforte entgegenjubelten?
SCHARFENORT *schwankt – stürzt zur Tür, ab.*

DER FÜRST *erstaunt*. Warum Herr Rektor selbst –?

Das Kollegium macht hohe Schultern, versagende Mienen.
Peinliches Schweigen, dann stürmen alle Lehrer auf einmal
zur Tür.
Sie fliegt auf: Scharfenort mit Vehgesack auf der Schwelle. –
Vehgesack ist im gewöhnlichen Schlafanzug; blaß.

SOCHACZEWER *ihm entgegen*. Sind Sie fertig mit den Veränderungen? Waren Sie in Stimmung? Ist sie Ihnen nicht gekommen? Schadet nichts: ich hab' sie machen lassen. Fünf
Prozent soll der Bearbeiter kriegen, die Hälfte zu Ihren La-
sten. Lappalie bei Ihrer Million. Ich kann abschließen mit
Amerika. Der Shubert-Trust will das Monopol. Sind Sie zu-
frieden mit vierzigtausend Dollar – fünfzigtausend? Oder
was fordern Sie?
VEHGESACK. Ich – habe Hunger.
SOCHACZEWER *glückstrahlend*. Jetzt ist mir der letzte Zweifel genommen: Sie sind ein deutscher Dichter!
DER FÜRST *verwundert zu Scharfenort*. Was heißt das alles?
SCHARFENORT *sich Vehgesacks bemächtigend und ihn vor den*
Fürsten führend. Wie Herr Sochaczewer sagt: wir sehen hier
den deutschen Dichter. Heute ist er noch mein lieber Schüler
Vehgesack. Sein enger Verkehr mit den Musen war mir wohl
bekannt. Ich befreite ihn von den störenden Einflüssen der
Außenwelt – vom Trubel dieses Festes, um ihn mit den
reinen Gebilden seiner Phantasie allein zu lassen. Phantasie
ist das Palladium, unter dem er lebt und webt. Aus diesem
klaren Quell schöpft er und zaubert aus dem Nichts den
Schein der Wirklichkeit. So ist es auch mit diesem Werk. Es
befand sich in meinen Händen – ich konnte es prüfen – und
anstandslos in die Öffentlichkeit entlassen, aus der ich es nun
in so schöner Form zurückempfange!
DER FÜRST. Unser lieber Socha – *Verzweifelter Blick zum*
Adjutanten.
ADJUTANT. Socha – *Blickt zum Kammerherrn.*
KAMMERHERR *glatt*. Sochaczewer!
SOCHACZEWER *schüttelt seine Hand*. Aufrichtigen Dank!
DER FÜRST. – hat uns Mitteilung gemacht. *Er reicht Vehge-*

sack die Hand. Ich beglückwünsche – mich zu dem Kameraden, den mein Sohn in Ihnen findet. Halten Sie gute Freundschaft und wirken Sie auf sein Gemüt mit Ihren besonderen
Gaben ein! *Feierlich.* An diesem Tage, wo wir den Genius
Friedrich von Schiller feiern, der wie Sie unterm Schutz seines Fürsten in einem Institut wie dieses zu stolzer Größe
heranwuchs, gelobe ich – Ihnen ein zweiter Karl August zu
sein!

Alles verharrt in ehrfürchtigem Schweigen.

HORNEMANN *sich dem Fürsten nähernd.* Das war bei
Goethe, Durchlaucht. Schillers Schützer ist Carl Eugen!

Sprachlosigkeit des Adjutanten und Kammerherrn.

DER FÜRST *erhaben.* Ich beurlaube Sie während der Anwesenheit meines Sohnes in der Anstalt!
HORNEMANN *will sich – ganz Frage – dem Adjutanten nähern; dieser dreht sich ab. Derselbe Vorgang beim Kammerherrn. Derselbe Vorgang bei Scharfenort – Düsterwald – jedem der Lehrer. So erreicht er die Tür – so tritt er vom
Schauplatz ab.*

KAMMERHERR *tritt zu Scharfenort, zeigt nach dem Stuhl,
steckt bedeutend zwei Finger auf.*
DER FÜRST *aufmerksam.* Ich will meinen Schützling an meiner Seite haben. Sie genießen ja diesen Vorzug täglich. Gewähren Sie mir die Bitte? Ich danke Ihnen – Herr Geheimrat!
SCHARFENORT *bescheiden.* Bitte, Durchlaucht, nur Rektor!
DER FÜRST. Und von jetzt an: Geheimrat! *Er legt den einen
Arm um des Prinzen Schulter – den andern um Vehgesack.
Es soll der König mit dem Sänger gehen! So schreiten die
drei vor die Bühne.*

*Die Lehrer sind zwei raufende Rudel um zwei Stühle.
Schließlich trägt Scharfenort siegreich den Stuhl für Veh-
gesack durch den Festsaal.
Die drei lassen sich nieder.
Die anderen stehen seitlich, schnell geordnet durch den Kam-
merherrn.*

Exter springt – in schwarzem Rock – hinter dem Vorhang hervor vom Podium, verbeugt sich tief gegen den Fürsten – und knallt zweimal auf die Hände.

Der Vorhang rast auf: die Kolossalgruppe der Gestalten ist um die Jungfrau von Orleans geordnet. Sie ist Frau Hornemann: in offenem Haar, Panzer, kurzem Röckchen. In einer Hand das bloße Schwert – mit der andern stützt sie die weiße Fahne, die in gekräuselten Lettern die Aufschrift trägt: »Jeanne d'Arc.« Nun tritt sie an die Rampe vor – blickt aus runden Augen über alle hinaus in den Saal und will sprechen.

Auch Diehl steht seitlich oben und bewahrt soldatische Haltung.

[1901/02; 1912/13; 1914/15]

DIE JÜDISCHE WITWE

Bühnenspiel in fünf Akten

O, meine Brüder, zerbrecht, zerbrecht mir die alten Tafeln!
FRIEDRICH NIETZSCHE

PERSONEN

DAVID, DER SOHN BENAJAS
GADDI, DER SOHN SETHURS
JEPHUNNES, DER SOHN GADDIELS
SAMMNA, DER SOHN PALTIS
RECHAB, DER SOHN JOJADAS
JIZHAR, DER SOHN NATHANS
JUDAS, DER SOHN JOSAPHATS
} *Kaufleute in einer Stadt am Gebirge*

MEHRERE KAUFLEUTE

NEBUKADNEZAR, *König von Assyrien*

ASPENAS, *sein Kämmerer*

EIN CHALDÄER

HOLOFERNES, *sein Feldhauptmann*

BAGOAS, *dessen Kämmerer*

ARZT

JOJAKIM, *Hohepriester zu Jerusalem*

VIER PRIESTER *ebendaher*

OSIAS, *Stadtoberster*

STADTOBERSTER, *erster, zweiter, dritter usw.*

CHABRI
CHARMI
} *Stadtoberste*

STADTPRIESTER, *erster, zweiter, dritter usw.*

DIE FRAU MERARIS

REBEKKA
JUDITH
} *Töchter*

UZ, DER SOHN JOSEPHS, *Großvater*

JOSEPH, *Urgroßvater*

MANASSE
AARON
JOCHANAAN
ISASCHAR
} *Schriftgelehrte*

ACHIOR, *der Fürst von Ammon*

ERSTER, ZWEITER ASSYRISCHER HAUPTMANN

ÄGYPTISCHER DIENER

JÜDISCHE FRAU, *erste, zweite, dritte, vierte, fünfte usw.*

EIN JÜDISCHER KNABE

EIN TEMPELDIENER

SIMSON, *ein Neger*

ERSTER AKT

Der Aufgang im Tempel. Ein Absatz, nach dem aus der Tiefe, links von dem riesigen Mittelpfeiler, die breite Treppe kommt. Der rechte Teil des Hintergrundes wird von den Quadern einer Mauer geschlossen, die oben lukenförmige Durchbrüche aufweisen. In der Rechtswand ein Pförtchen mit einem grünen Samtvorhang. Zu dem, durch die Luken bezeichneten, höher gelegenen Geschoß klimmt mit kurzer Windung über dem von der Treppe geschaffenen Abgrund eine schmale und mit Brustwehr geschützte, auch steinerne Stiege hinan. Durch das Treppenhaus Blick auf Säulenordnungen und Hallengewölbe.

Eine Gruppe von nahezu zwanzig Juden hält am Ausgang der Treppe links sich auf. Die Tracht ist die wohlhabender Kaufleute: vielfach Pelzmützen, die Farben der Röcke sind ruhig, mehr dunkel und echt. Auch Knaben der Kaufleute sind in der Versammlung.

Von Zeit zu Zeit kommt irgendwelche unscheinbare männliche Persönlichkeit die Haupttreppe herauf, geht eilig und ohne aufzusehen ergeben grüßend an den Anwesenden vorüber und verschwindet über die Wendelstiege obenhinein.

GADDI, DER SOHN SETHURS *vierzigjährig.* Wirst du die Gerste dieser Ernte mit dem neuen Schwager teilen?

DAVID, DER SOHN BENAJAS *dreißigjährig, freudig gestimmt.* Die Geschäfte haben ihre Ruhe!

GADDI, DER SOHN SETHURS *lachend.* Unser Gott Abrahams sucht seine Freude in der Eintracht bei Schwiegersöhnen!

DAVID, DER SOHN BENAJAS *ernst, erregt.* Friede mit meinem Bruder Manasse.

JEPHUNNES, DER SOHN GADDIELS *fünfzigjährig.* Friede mit deiner neuen Verwandtschaft.

Die Aufmerksamkeit aller ist der Treppe zugekehrt.

DAVID, DER SOHN BENAJAS *tritt an den Rand der Treppe.*

JOCHANAAN *ein Schriftgelehrter, taucht auf. Er ist prächtig bunt und mit auserlesenem Geschmack gekleidet, trägt eine hohe Haube. Etwa fünfzigjährig. Er sieht sich, oben angekommen, suchend um.*
DAVID, DER SOHN BENAJAS *auf ihn zugehend.* Friede mit Jochanaan, dem Schriftgelehrten.
JOCHANAAN *mit überstürzender Freundlichkeit entgegnend.* Und er ist mit dir, mein Bruder, im Namen Abrahams, Isaaks und Jakobs!
DAVID, DER SOHN BENAJAS. Du kommst zur Verwandtschaft des Sohns des Uz, des Sohns Josephs.
JOCHANAAN. Friede mit meinen Brüdern.

Die Anwesenden erwidern murmelnd.

DAVID, DER SOHN BENAJAS *um Jochanaan beschäftigt.* Wir sehen auch noch Aaron, den Schriftgelehrten.
JOCHANAAN *eifrig.* Den Freund Manasses!
DAVID, DER SOHN BENAJAS. Die Freunde des Bräutigams werden das Fest schmücken!
EIN KNABE *dreizehnjährig, scheu, wird von einem älteren Juden vorgeschickt.*
JOCHANAAN *der nun abseits sich hinstellt, nimmt den Gruß an.* Welchen Namen unserer Väter trägst du?
DER KNABE. Malchia.
JOCHANAAN. So reinige dich vor Malchia, der den Mistturm aufführte, da Nehemia den Bau Jerusalems erfüllte, und auch vor Malchia, dem Sohn Harims, der fügte aber den Ofenturm.
DER KNABE *wird rot, zieht sich zurück.*

EIN TEMPELDIENER *in einem schwarzen Anzug, geht vorüber. Er grüßt die Kaufleute kaum, zieht hingegen, den Schriftgelehrten bemerkend, tief seine Mütze.*

JOCHANAAN *von den Kaufleuten bewundert, nickt.*
JEPHUNNES, DER SOHN GADDIELS. Die Kunst der Gewänder üben die Schriftgelehrten wie die Kunst der Rede! Seht hin.
SAMMNA, DER SOHN PALTIS *vierzigjährig, zu David.* Dein neuer Schwager Manasse hat uns wohlgetan, uns am Tische mit seinen Freunden sitzen zu lassen!

JEPHUNNES, DER SOHN GADDIELS. Seht die hohe Haube! Seht hin.

RECHAB, DER SOHN JOJADAS *vierzigjährig, zu jenem Knaben.* Hast du gemerkt, was er dir gesagt hat?

JIZHAR, DER SOHN NATHANS *fast fünfzigjährig.* Es steht sich hier angenehmer, denn heute in der Sonne in den Gerstenfeldern zu gehen! Das sage ich.

GADDI, DER SOHN SETHURS. Die Gerstenfelder haben Ruhe, wie David, der Sohn Benajas und Schwager des Bräutigams, ausruft!

DAVID, DER SOHN BENAJAS *lachend.* So ruft David, der Schwager des Bräutigams, heute aus!

SAMMNA, DER SOHN PALTIS. Deiner Verwandtschaft ist durch euch Ehre geschehen.

DAVID, DER SOHN BENAJAS. Ich sage: Friede mit dem Bräutigam Manasse in unserm ganzen Hause!

Es entsteht ein allseitiges Kopfnicken und Sprechen: »Friede!«
Jemand geht vorbei, grüßt die Kaufleute ehrerbietig, huscht hinauf.

DAVID, DER SOHN BENAJAS *tritt an den Treppenrand.* Es ist Judas, der Sohn Josaphats! Friede mit dir!

JUDAS, DER SOHN JOSAPHATS *ein bewegliches Männchen, fünfzigjährig, erscheint.* Friede!

DAVID, DER SOHN BENAJAS *ihm den Schriftgelehrten zeigend.* Dort ist ein Freund Manasses.

JUDAS, DER SOHN JOSAPHATS *wird leicht verlegen, verschwindet unter die Seinen.*

DER TEMPELDIENER *kehrt von oben zurück.*

JOCHANAAN *ihn anredend.* Sind Redner der alten Gemeinschaft in den Lesestuben versammelt?

DER TEMPELDIENER. Nein, heute ist der Tempel leer.

JOCHANAAN *nickt.*

DER TEMPELDIENER *geht die Haupttreppe hinunter.*

Zwei Personen huschen herauf und nach oben.
Es herrschte Schweigen. Die Blicke sind in den Tempel gelenkt.

DAVID, DER SOHN BENAJAS *begibt sich wieder zur Treppe nach den Stimmen, die heraufhallend geschwätzig sind.*
JOCHANAAN *tritt ebenfalls an den Rand der Treppe, steigt sogar einige Stufen hinab.*

Manasse und Aaron kommen. Manasse ist, wie er erscheint, von unbestimmbarem Alter. Sein langer, dünner Bart ist eigelb, offenbar gefärbt – die kastanienbraunen, sehr langen Schläfenlocken unecht. Doch hat die Erregung in sein Gesicht Farbe ausgegossen und die Äuglein blank gemacht. Seine Kleidung ist in die farbenschöne Harmonie gestimmt. – Aaron ist ebenso alt, ebenso künstlich verjüngt, ebenso erlesen gekleidet.

MANASSE. David, meinem Schwager und älteren Schwiegersohn des Hauses Uz, gebe ich meinen schuldigen Gruß! *Er umarmt ihn und küßt ihn auf Stirn und Wangen.* Mein Kuß habe seinen Frieden auf deinem Stirnfeld – wie auf deinem rechten Wangenberg – wie auf dem linken Wangenberg.
DAVID, DER SOHN BENAJAS *erschüttert.* Ich bin nur dein jüngerer Sohn –
MANASSE. Die Bescheidung ist aller wahren Herrscher Haarbusch! *Zu Jochanaan und Aaron.* Laßt uns zu unseren Freunden herantreten. Doch ich sehe auf den ersten Blick – oder ich sehe sie nicht bei uns –?
DAVID, DER SOHN BENAJAS. Bruder, die Väter sind noch nicht gekommen –
MANASSE. So kann ich sie besser ehren, wie ich sie erwarte!
DAVID, DER SOHN BENAJAS. Wir haben den Wagen zurückgeschickt. Er soll sie holen. Es waren keine Pferde zu bekommen, die Gerstenernte hat in der Stadt begonnen.
MANASSE. So segne Gott das Getreide und wir wollen verstummen.
GADDI, DER SOHN SETHURS. Wir haben ja keine Felder mit Korn unter dem Himmel stehen, sonst konnte auch uns deine Hochzeit mehr denn ungelegen sein. Ihr habt selbst die reife Gerste draußen!
MANASSE *zu David.* Ist die Zeit da, daß auch du schneiden mußt?
DAVID, DER SOHN BENAJAS. Es ist ein Tag nicht länger als ein Tag!

GADDI, DER SOHN SETHURS *blinzelnd.* So mag nach der Hochzeit das Gold goldener fallen!

MANASSE. – Ich habe in letzter Stunde einen Aufenthalt bekommen. Ein Freund aus Jerusalem –

DAVID, DER SOHN BENAJAS. Soll ich ihn holen, daß er an deinem Feste teilnimmt?

MANASSE. Er ist zu Tisch bei dem Stadtobersten Osias gerufen!

JOCHANAAN *nach dem Schweigen.* Ist es Bezaleel?

MANASSE. Nein, Noha. Er brachte mir Kalmus aus Jerusalem von dem Vorrate der Priester – –

AARON *nach der Wirkung.* Und nun ist er zum Hause des Obersten Osias gegangen?

DAVID, DER SOHN BENAJAS. Bruder, du wirst ihn aber ungern missen?

AARON *zu Jochanaan.* Der Kalmus aus Jerusalem – ist Kalmus!

MANASSE *zu David.* Ich danke dir, mein junger Bruder. Er hat mir die Geschichten aus Jerusalem erzählt. Er wird sie jetzt zum Tische des Stadtobersten tragen. Mir hat er sie vorher erzählt.

JOCHANAAN. Das ist Jerusalem!

MANASSE. Es sind neuerdings Boten in Jerusalem gewesen – Boten in Jerusalem! – der König – der assyrische Herrscher hat sie geschickt. Sie sind vor die Stadtobersten getreten und haben gesprochen – und die Stadtobersten in Jerusalem haben mit Lachen gehört und mit Lachen geantwortet – und sie gehen heißen, woher sie sich die Mühe machten. Es soll noch nie derartig in einem Rate in Jerusalem gelacht worden sein. Während ich mir den frischen Kalmus aufstrich, hat er mir den ganzen Vorgang berichtet.

AARON. Sie lachen immer in Jerusalem.

MANASSE. Ja, sie sollen die Stadt, die Mauern hat – den Tempel, das Land – an den Assyrer abgeben! Von Angesicht zu Angesicht kennt ihn noch niemand – er soll mächtig in Kriegen geworden sein und droht mit seiner Gewalt, wo ihm nicht auf sein Wort hin überantwortet wird! – Haus – Weib – Kleider!

DAVID, DER SOHN BENAJAS. Will dein Freund nicht in meinem Hause nächtigen, wenn du ihn darum bittest?

MANASSE. Es soll meine große Freundschaft nicht in meiner neuen Verwandtschaft eine Last geben!

Die jüdische Witwe 123

DER TEMPELDIENER *geht nach oben vorüber, grüßt.*

SAMMNA, DER SOHN PALTIS *schüchtern.* Wer ist dieser große König?

MANASSE. Der König hat einen gewaltigen Feldherrn, der wurde denen in Jerusalem versprochen. Der heißt Holofernes. Sie sollten auch den Namen nicht laut rufen! Und die Obersten im Rat zu Jerusalem klatschten wie die Kinder in die Hände und jubelten: Holofernes!

AARON. Holofernes – das ist ein Hundenamen!

MANASSE. Was ist?

DAVID, DER SOHN BENAJAS. Bruder, die beiden Väter sind gekommen.

MANASSE. So. *Er und die beiden Schriftgelehrten treten zur Seite.*

DAVID, DER SOHN BENAJAS *steht allein, leicht verlegen, an der Treppe.*

Aus der Tiefe taucht ein uralter Greis herauf; rechts stützt er sich auf einen Stab, links führt ihn ein Bursche. Es ist Uz, der Großvater. Oben angekommen, blickt er mit trüben Augen suchend herum.

DAVID, DER SOHN BENAJAS *tritt erwartend zu ihm.*

UZ, DER SOHN JOSEPHS. Wo ist Merari?

DAVID, DER SOHN BENAJAS *blickt errötend zu Boden.*

UZ, DER SOHN JOSEPHS. Wo ist Merari?

MANASSE *mit Aufwand nun die Verlegenheit unterbrechend, hinzugehend.* Dein Sohn Merari ist bereits in den Tempel hinaufgegangen. – Auch du wirst dort sitzen können.

UZ, DER SOHN JOSEPHS *starrt ihn an, murmelt.* Friede mit dem Bruder Meraris.

MANASSE. Willst du nicht auch in den Tempel weitergehen?

UZ, DER SOHN JOSEPHS. Friede mit den Brüdern Meraris.

DAVID, DER SOHN BENAJAS *zu dem Burschen.* Führe hoch!

Der Greis wird nun über die Stiege mühevoll hinaufgeleitet. Kaum ist er unter Schweigen und Besorgnissen oben verschwunden, so ist die Gestalt eines noch älteren, bis zur Unwahrscheinlichkeit greisenhaften Mannes gekommen: der hundertjährige Urgroßvater Joseph. Er wird ebenso geführt.

JOSEPH *wie Uz.* Wo ist Merari?

MANASSE *zu ihm gehend.* Der Enkel Merari wartet auf dich im Tempel. Gehe zu ihm hinauf.

JOSEPH. Friede mit dem Bruder Meraris.

DAVID, DER SOHN BENAJAS. So ist es. *Zum Burschen.* Führe hoch.

Der Aufstieg geschieht wie vorher.

MANASSE *zu Jochanaan und Aaron.* Merari ist gestorben, das begreifen sie nicht.

JOCHANAAN. Du hast keinen Schwiegervater.

DAVID, DER SOHN BENAJAS *in einer Art von Beklemmung.* Bruder Manasse, auf ein Wort!

MANASSE *folgt ihm. Er hört David, der lebhaft übertrieben spricht, zu.*

Jemand geht vorüber, verschwindet oben.

DER KNABE *löst sich plötzlich aus der Gruppe, geht zu Manasse und ordnet etwas an dessen Gewand.*

MANASSE *ihn bemerkend, streicht über sein Haar.*

DER KNABE *dunkelrot, kehrt hastig zurück.*

JOCHANAAN *hinüber.* Er ist ein aufgeweckter Knabe.

RECHAB, DER SOHN JOJADAS. Was war das mit Malchia?

DER KNABE. Malchia baute den Mistturm, als Nehemia Jerusalem aufrichtete – aber Malchia, der Sohn Harims, fügte den Ofenturm.

AARON. Wovon hat der Knabe diese Kenntnisse?

JOCHANAAN *dem Knaben zublinzelnd.* Es wird auch im Hause des Kaufmanns von einem Sohne die Schrift geöffnet!

MANASSE *zurückkehrend, laut.* Staunt ihr über ein Kind? Ich bin in dies Haus der Kaufleute eingetreten und habe wahrhaft belesene Männer gefunden!

GADDI, DER SOHN SETHURS *nach oben sehend.* Jetzt müssen wir wohl hinaufgehen.

Durch eine der Luken sind zwei Hände gestreckt und werden ineinandergeklappt.

MANASSE *vernahm es, sah die Hände und unbekümmert um*

jeden – *seine Gewänder vorn raffend* – *entläuft er mit Behendigkeit über die Stiege hinauf. Ohne Umsehen obenhinein ab.*

DAVID, DER SOHN BENAJAS *leicht verdutzt, zu den Schriftgelehrten.* Ich ersuche auch meine Brüder.
AARON *wie um Manasses eiligen Abgang zu bemänteln.* Ich will das Heiligtum des Herrn schweigsam betreten und danach alle seine Namen singen. *Langsam mit Jochanaan hinauf.*

DAVID, DER SOHN BENAJAS *läßt die andern an sich vorüber hinaufgehen, indem er jeden mit feierlichem Kopfnicken einlädt. Er folgt als letzter. Ab.*

Ein Tempeldiener kommt herunter. Er trägt eine Klingel, mit der er – auf dem Absatz angelangt – schellt. Den Klöppel in der Klingel festnehmend, wendet er sich zur Haupttreppe. Einer Person, die auftaucht, wehrt er den Weg: »Es ist zu spät!« – Diese weicht zurück, der Tempeldiener geht gemessenen Schrittes nach unten.
Aus dem rechten Seitenpförtchen drängen die Frauen hervor: ein Rudel von fünfzehn grell bunten Figuren, die aus den kurzen, ebenfalls kupfer- und silberfransigen Gesichtsschleiern in einer abgerissenen Weise eine Unterhaltung schreien, wobei zur Sprechenden jedesmal eine eilige Scharung geschieht.

DIE ERSTE FRAU. Ich habe gesehen, wie das Kind der Pua, des Weibes des Isaschar, geboren ist mit voller Schwere!
DIE ZWEITE FRAU. Meine Schwester hatte geboren neunmal und immer bei ihrem achten Monat!
DIE DRITTE FRAU. Die Kinder werden jetzt alle leichter geboren!
DIE VIERTE FRAU. Die Kinder kommen auch größer zur Welt!
DIE FÜNFTE FRAU. Es ist eine Freude geworden, viele Kinder zu haben!
DIE SECHSTE FRAU. Ich habe meine Kinder – viermal zwei – lachend hergegeben!
DIE SIEBENTE FRAU. Ich kann noch vielen Kindern Leben schenken! O – ich!

DIE ACHTE FRAU. Das Weib des Eleasar, des Sohnes Nathans, ist in letzter Woche das zweitemal mit Drillingen vorgekommen!

DIE NEUNTE FRAU. Er ist unter den Gästen!

Man ist dabei an die Stiege gelangt, einige sind bereits auf die Stufen gedrängt. Nun hält man inne und blickt nach dem Pförtchen, vor das der Vorhang gesunken ist.

REBEKKA, DIE ÄLTERE TOCHTER MERARIS *kommt heraus. Vierzehnjährig, Frauengestalt. Sie spricht in verhaltener Erregung.* Ihr müßt hinaufgehen, wie meine Mutter euch sagen will. Die Männer sitzen im Tempel!

DIE ERSTE FRAU. Bringt ihr deine Schwester allein in den Tempel?

REBEKKA. Ja – allein!

DIE ZWEITE FRAU. Hat es der Bräutigam gesagt?

REBEKKA. Manasse –

DIE DRITTE FRAU. Manasse hat es gesagt!

Man wendet sich zum Gehen.

DIE ERSTE FRAU *im Hinaufsteigen.* Wer will es nun wissen, daß er nicht Bläser in den Tempel gestellt hat?

DIE ZWEITE FRAU. Für die Tochter Meraris werden Bläser da sein!

DIE DRITTE FRAU. Es wird wie die größte Feier im Tempel!

DIE VIERTE FRAU. Wir können von unseren Stühlen uns erheben bei ihrem Eintritt!

DIE FÜNFTE FRAU. Der Bräutigam wird alles für uns auch bestimmt haben!

DIE SECHSTE FRAU. Aber erheben tun wir uns auf jeden Fall!

Alle oben ab.

REBEKKA *hat unten gewartet, nun läuft sie hinter den Vorhang zurück.*

Gleich darauf kommen die folgenden aus dem Pförtchen zum Vorschein: Die Mutter, Rebekka, die zwischen sich Judith stützen. – Judith, die zwölfjährige, ein Reh an Bieg-

samkeit, ist einzig in Weiß gehüllt, ihr Gesicht bedeckt ein weißes leinenes, undurchsichtiges Schleiertuch.

DIE MUTTER. Nun ist keiner da, komm und geh.

JUDITH *schreckt plötzlich zurück, daß sie die, die sie geleiten, noch mit sich reißt.*

DIE MUTTER. Rebekka, so sage du es ihr! *Zu Judith.* Sie warten und wir wollen nicht gleich kommen!

JUDITH *widerstrebt noch heftiger.*

REBEKKA. Du bist ja bis hierher gegangen!

DIE MUTTER. Wir können hier nicht stehen, weil es ein Durchgang ist!

JUDITH *mit den Gesten einer Blinden strebt in das Pförtchen hinein.*

DIE MUTTER *fängt sie ab.* Nein, nicht da hinein! Da sind wir gewesen. Rebekka, geleite sie mit mir.

JUDITH *leistet den früheren Widerstand.*

REBEKKA. Wir sind die einzigen, die noch unten sind.

DIE MUTTER. Und es ist ein öffentlicher Durchgang.

REBEKKA. Es kann jemand kommen, der dich sieht!

DIE MUTTER. Was sagst du?

JUDITH *haucht.* Nein!

DIE MUTTER. Nein, es soll dich niemand sehen. Nur dein Bräutigam soll dich ansehen. Er tritt vor dich und er hebt deinen Schleier hoch. Du wirst dann alles ansehen können!

REBEKKA. Mutter, komm – ich fürchte, sie kommen.

DIE MUTTER. Ja, es kommt auch jemand, wir müssen die Braut vor den fremden Augen schützen!

JUDITH *läßt sich einige Schritte breit weiterschleppen, steht.*

REBEKKA. Judith – du bist im Tempel des Herrn!!

Pause.

JUDITH *von neuem leise.* Nein!

DIE MUTTER. Was bedeutet dein Nein? Wozu entfährt dir das Nein? Was ist noch nein zu sagen? Kind, du sagst nein und weißt nicht wozu, das ist alles. Nun geh in unsrer Mitte. Von deiner Schwester Rebekka und deiner Mutter.

REBEKKA. Geh!

JUDITH *schüttelt mit äußerster Abwehr den Kopf.*

DIE MUTTER. Willst du den Schleier hier verschieben? Wozu hätten wir dir den Schleier vorgetan?

REBEKKA. Willst du ein altes Mädchen sein?

DIE MUTTER. Ist es das? Ein Mädchen sein? Judith und ein Mädchen sein, das kann nicht hinter einem weißen Schleier sitzen! *Eifrig.* Oben sitzen die Verwandten, wir wollen uns nicht schämen und sie sitzen lassen. Das sind wir ihren Geschenken schuldig!

JUDITH *starrköpfig flüsternd.* Nein!

DIE MUTTER *entschieden.* Nun faß an, Rebekka. Die Hochzeit wartet.

JUDITH *läßt sich wieder nur wenige Schritte vorwärts bringen.*

DIE MUTTER *gänzlich ablassend.* Rebekka, Gott hat mich mit dem Tode eures Vaters gestraft, heute will er mich mit dem Kinde prüfen!

REBEKKA. Nein, Mutter!

DIE MUTTER. Aber ich danke meinem Gott, daß der Mann das nicht zu erleben braucht!

REBEKKA. Mutter, rege dich über Judith nicht auf. Es schadet dem Reisstaub auf deinem Gesicht, wenn du weinst.

DIE MUTTER *weinend.* Sie hat ihren Mann noch nicht gesehen und sie scheut sich schon vor ihm!

REBEKKA. Mutter, ich habe neuen Staub für dich!

DIE MUTTER. Ich sinke in den Staub vor Scham!

REBEKKA *zu Judith, atemlos und eindringlich.* Du fürchtest jetzt deinen Mann, den wir dir ausgesucht haben? Ich bin deine Schwester und ich sage dir, dazu liegt kein Grund vor. Es ist kein Grund! Denn höre auf mich: – ich ertrage jetzt den zweiten Mann. Mein erster Mann starb, als ich dreizehn Jahre alt war, ich habe mich in diesem vierzehnten neu verheiratet. Und, Schwester, wenn ich die Wahrheit – ungeschminkt – gestehen soll: – ich bitte Gott um Verzeihung für diese Sünde! – aber ich habe meinen Zweck damit: ich könnte mich fünfmal wieder verheiraten! – Das würde ich tun, und daraus entnimm: das ist der Mann! – – Mutter, wir haben keine Zeit, es ist das! *Zu Judith.* Du bist zwölf Jahre alt und willst ihn nicht kennen lernen?

DIE MUTTER. Was muß nur eine Sünde auf unserer Familie lasten! Dies Kind zeigt sie mir und dir, Rebekka. Du bist die arme Schwester. Ja, auch du! Unsere Tochter will sich nicht verheiraten – die Schande liegt auf uns – Eltern und Geschwister: seht hin – kein Mann nahm sie an. Ja, so heißt es: kein Mann nahm sie hin – die hat keinen Mann erhalten

– da ist eine Tür, an der man vorüberbiegen soll – darin sitzt eine Tocher – Tochter bei einer alten Mutter – die zwei sind gleich elend!

REBEKKA. Ja, Judith, du mußt deinen Widerstand brechen!

JUDITH *mit verschlungenen Händen, leise.* Nein!

REBEKKA. Sie hat ja gesagt: sie will um ihrer Mutter willen nicht länger stille stehen!

JUDITH *schüttelt den Kopf, starr, unbeirrbar ablehnend.*

REBEKKA *mit schnellem Entschluß zur Mutter.* Bleibe du hier, ich komme wieder! *Sie geht hurtig die Stiege hinan, ab oben.*

DIE MUTTER *ruhig.* Judith, es wird schon gut gehen. Rebekka wird alles oben machen. – Wenn wir das Rebekkchen nicht hätten. Das arme Kind hat auch viel hinter sich. Ja, Judith – an Rebekka gemessen – – *Sie beginnt unter dem Schleier zu wischen.*

DAVID, DER SOHN BENAJAS *kommt oben, nach ihm Rebekka.*

DIE MUTTER. Sie kommt mit ihrem Mann.

DAVID, DER SOHN BENAJAS *hält auf der Stiege inne und blickt fragend lächelnd auf Judith.*

DIE MUTTER *seufzend.* Ja, das muß angestellt sein!

DAVID, DER SOHN BENAJAS *unten, lächelnd mit freundlicher Zuredung.* Aber was ist denn? – Wir sind doch immerhin Gäste?

DIE MUTTER. Sage du es ihr.

DAVID, DER SOHN BENAJAS. Wir freuen uns auf die Hochzeit und wir sitzen – schon ungeduldig geworden – ja, wir wollen doch nun auch die Braut sehen, daß sie eintritt zu uns? *Er blickt die andern an.* Oder hast du deine Gäste ganz vergessen? *Lachend.* Ja, wir wollen nun erst die Hochzeit haben!

REBEKKA *Judith anfassend.* Jetzt hat sich auch Judith darauf besonnen!

JUDITH *setzt sofort mit gewaltiger Gegenwehr ein.*

REBEKKA *leise.* Liebe Judith –!

DIE MUTTER *machtlos.* Was bringt dich von der Stelle?

REBEKKA *entschlossen.* So rede du als Mann!

JUDITH *sich schüttelnd.* Nein!

DIE MUTTER. Ich habe ihr die Schmach vorgehalten –

DAVID, DER SOHN BENAJAS *begütigend.* Die geschieht dir nicht mit Judiths Schuld. *Gedämpft, heiter zu Judith.* Du willst ein Bild von uns Männern entworfen haben? Ist das dein Widerstand? Der ist – der ist eine lustige Sache! Ja, der bringt mich – und der bringt deinen Mann – wenn wir ihm das später erzählen – zum Lachen. *Mit einigem Nachdruck.* Denn abgesehen davon, daß du deinen Mann heiraten mußt – *Milde.* – laß dir aus der Erfahrung sagen, die ich mit deiner Schwester gemacht habe – und die sie mir bestätigen wird –: die, die mit Sträuben anfangs diesen Tag feiern – die – *Er bricht ab.* Ich will das letztere nicht von deiner Schwester gesagt haben – aber dahin zielt das, was du jetzt äußerst. Ich möchte dir auch fast raten, diese Regungen etwas zu unterdrücken, denn du wirst zugeben, daß dein Bräutigam hierin vielleicht etwas finden würde – *Leise humoristisch.* – was für dich die Sache allerdings gefährlich und – wilder gestalten könnte. Mit diesen einfachen Überlegungen – und es ist auch gut, daß sie gemacht wurden – wollen wir von diesem Orte scheiden. *Er streckt den Arm nach ihr aus.*

Die Mutter und Rebekka greifen an.

JUDITH *regungslos, hauchend.* Nein!

REBEKKA. Judith – ich flehe zu dir – aus sehr traurigem Herzen!

DAVID, DER SOHN BENAJAS. Sie sagte nicht nein.

JUDITH *leise.* Nein!

DAVID, DER SOHN BENAJAS *ablassend.* Was bedeutet nun das?

DIE MUTTER. Mir strebt der Tod zu Herzen!

REBEKKA. Der Tod nicht, Mutter – es wird noch alles gut, wenn Judith sich überwunden hat.

JUDITH *schüttelt auf jede Rede den Kopf.*

REBEKKA. Judith, dich kann ein Mann mit Freuden ansehen, du bist jung und so schön – du darfst dein Haupt aufheben! Dich hat Gott geschmückt mit der Herrlichkeit. Wie scharlachrote Wolle blühen die Spitzen deiner Wangen – und deine Füße laufen ebenso spitz wie Mandelkerne aus.

DAVID, DER SOHN BENAJAS. Ja, es hilft dann nur eins – und sie soll mit Augen schauen, wen ihre Einbildung schwärzt –! *Er geht nach kurzer Unentschlossenheit schnell hinauf. Nach einem Blick noch hinab verschwindet er.*

DIE MUTTER. Er muß ja von unserer Judith glauben –

REBEKKA. Nein, Mutter, er glaubt nichts. Unsere Judith ist ein Reh. *Sie stellt sich neben sie und legt einen Arm schützend um sie.*

DIE MUTTER. Ich habe rote Ränder –

REBEKKA. Die beseitigen wir nachher mit meiner Salbe.

DIE MUTTER. Ihr strahlt in eurer Jugend –

REBEKKA. Ja, Mutter, du wirst sie gleich wieder erhalten.

DIE MUTTER. Ich bin auf die bloße Haut zerstört –

REBEKKA. Du kriegst die neue Unterlage.

Oben erscheinen Manasse und David.

MANASSE *blickt mit entzündeten, blanken Augen auf die Frauen.*

DAVID, DER SOHN BENAJAS *auf der Stiege.* Ich weiß nicht, was das Gesetz darüber denkt?

MANASSE *überhört.*

DAVID, DER SOHN BENAJAS. Wenn es nicht mehr als eine Umgehung des Gesetzes ist –?

MANASSE *flink, unbeteiligt.* Doch beruhige dich!

DAVID, DER SOHN BENAJAS. Und keine Durchbrechung. – *Er verstummt.*

MANASSE *ist unten: starrt auf die verhüllte, zarte Gestalt, wortlos, mit gewölbten Lippen.*

DAVID, DER SOHN BENAJAS. Es ist die Braut, Bruder Manasse – und die Braut soll ihren Bräutigam anschauen, weil sie es wünschte – und wir gehen dann zusammen bis an die Tempeltür – und wir treten ein – und Judith folgt mit den Frauen darauf.

DIE MUTTER. Wir haben sie vergebens überredet!

REBEKKA. Laß sein, Mutter!

DIE MUTTER. Wir haben das!

DAVID, DER SOHN BENAJAS. Nun hat Judith den für sie gewählten Mann gesehen und ist zufrieden.

Judith hob den Kopf gar nicht.
Er greift Manasse leicht unter dem Arm und will ihn mit sich umwenden.
Manasse verharrt jedoch stumm, schauend.

REBEKKA *Judith anrührend.* Wir müssen gehen.

JUDITH *versteift sich.*

DAVID, DER SOHN BENAJAS. So richte, Bruder Manasse, noch das Wort an sie.

MANASSE *belebt.* Mein Bräutchen steht hier. Es steht gewaltig da. Es umgibt's der Tempel – der Tempel mit den Säulen des Herrn – des Gottes Abrahams, Isaaks und Jakobs. Davor steht mein Bräutchen. Zittert mein Bräutchen? Regt sich mein Bräutchen? Die Tücher und der Schleier verbergen's vor mir. Aber von meinem Bruder wurde mir mitgeteilt: mein Bräutchen bebt vor mir.

DAVID, DER SOHN BENAJAS. Sie hat sich gefürchtet und du wirst entschuldigen – uns allen – daß sie es getan!

MANASSE. Wovor bebt denn mein Bräutchen? Vor den Säulen des Tempels, die aus der Tiefe sprießen? Alle Säulen des Tempels haben wohl ein Ende, aber die Zuneigung zu meinem Bräutchen ist bei mir ohne Ende.

DAVID, DER SOHN BENAJAS. Sie hat sich wohl davor gebangt. Nun hörst du es, Judith!

REBEKKA. Schwester, komme!

JUDITH *gibt einen Ausbruch höchsten Widerstandes. Sie will entfliehen. Sie wird von David und der Schwester aufgehalten. Sie windet sich und weigert sich, so daß eine Art von Handgemenge entsteht.*

REBEKKA *atemlos.* Hüte doch deinen Schleier!

MANASSE *verfolgt die Phasen des Kampfes mit augenscheinlichem Vergnügen an Judiths wild bewegtem Körper.*

DAVID, DER SOHN BENAJAS *beklommen.* Sieh nicht her!

Eine Ruhe tritt ein, Judith steht steif, ungebrochen da.

DAVID, DER SOHN BENAJAS *zu Manasse tretend.* Ich weiß nicht, welche Belehrung man ihr zuteil werden lassen soll!

MANASSE. Kennt sie nicht den Willen des Herrn?

DIE MUTTER. Das Kind hat seinen eigenen Willen!

DAVID, DER SOHN BENAJAS *ernst.* Judith, wir stehen hier mit dir im Tempel!

JUDITH *kopfschüttelnd, schwach.* Nein!

MANASSE. Was werde ich meinem Bräutchen sagen von dem Willen? Ich bin in der Schrift belesen und lebe danach. Weil ich die Schrift lese, darum verschloß ich mich. In den jungen Töchtern des Volkes soll ein Mann Kinder erwecken – wer verkündet sonst den Namen des Herrn? Das ist meine Werbung – und ob ich Gefallen an dir gefunden habe oder nicht:

ich diene dem Worte der Schrift: daß wir Kinder erwecken im Schoße der jungen Töchter – *Leiser.* – die Gottes Namen sagen.

REBEKKA. Judith, komm!

JUDITH *hauchend.* Nein.

MANASSE *lacht wie mit einiger Verlegenheit.* Willst du dich entziehen? Willst du ein Weib sein, das nicht – – gebiert? Man muß sich nicht gegen den Willen Gottes sträuben. Das sieht Gott nicht gern – und das Mädchen, das sich nicht mit Freuden – – hingibt – *Er räuspert.* Welches sich nicht hingibt – dem Manne – um das Volk Israels zu vermehren – die ist keine Tochter, die auf Gottes Glück rechnen darf! Ich bin in der Schrift belesen: das liegt auf uns – und – ob ich Gefallen an dir finde oder nicht – – du erwartest mich – – um das Gesetz zu erfüllen – – das wir zusammen heute erfüllen wollen! *Er hat schon die Stiege betreten.*

JUDITH *wird von den dreien hart angepackt. Sie kämpft wie um ihr Leben mit ihren schwachen Kräften. Doch wird sie gegen die Stiege geschoben.*

MANASSE *rückwärts die Stufen nehmend und die Hände wie lockend ineinanderschlagend.* Mein Bräutchen muß mit mir gehen – – und ich erwarte es. Mein Bräutchen, das geht zu mir – aber es geht zu mir – und es kennt mich auch – *So steigt er tänzelnd, wie ein Pfau sich spreizend, an seinem Gewande zupfend, die Stiege hoch.*

JUDITH *wird ihm stufenweise unter schwerem Ringen nachgeschleppt.*

MANASSE. Mein Bräutchen kommt – – mein Bräutchen naht – – mein Bräutchen kommt zu mir – – mein Bräutchen kommt und naht – –

JUDITH *wird von den anderen oben fortgeschoben.*

Alle ab.

DER TEMPELDIENER *steigt die Haupttreppe empor, geht an das Pförtchen, nimmt den grünen Samtvorhang herunter, faltet ihn zusammen, legt ihn über den Arm und geht wieder nach unten.*

Vor der Starrheit und Größe der Säulenordnungen und vor der Leere der Hallengewölbe sind alle diese Vorgänge schnell zur Bedeutungslosigkeit hingesunken.

ZWEITER AKT

Ein kleiner, schmutziger Hof: der Badehof. Er ist ringsherum von Mauern umstanden. In der Mitte im gelben Backsteinfußboden eine längliche Bassinvertiefung. Diese ist überspannt von einer mit Tuchstücken geflickten Rohrmatte, deren Seile links an Haken hängen und um die Pfosten eines Vorbaues vor der Rechtswand geschlungen sind. Dieser Vorbau dient zur Herberge eines Durcheinanders von aufgestapelten Tonflaschen, verschüttetem Stroh usw. Die Hinterwand trägt einen engen Balkon mit Eisengitter, auf den eine defekte Tür führt, die jedoch durch Leisten und Bretter gleichsam für immer vernagelt zu sein scheint. Unten rechts davon der Durchgang nach dem Haupthof, in dem Palmen in Kübeln wachsen, ein Brunnen einen schnörkeligen Aufzug hat, die Fliesen von Marmor weiß sind. Ganz hinten wieder eine Wand mit geschlossenen Türen und oben Galerie. Im Durchgang selbst Eingang ins innere Haus.

Ein Vorhang ist vom Durchgang zurückgeschlagen, also kann man von draußen, wo die grelle Sonne malt, in den Badehof hineinsehen. In diesem sitzt neben dem Bassin und gerade vor dem Türdurchblick auf einem niedrigen Stuhl mit Binsengeflecht Manasse: dem Bad entstiegen, in ein Laken geschlagen, läßt er sich von Judith und Simson trockenreiben.

Manasse, wie ihm die Färbung aus dem Barte gewaschen ist, die künstlichen Schläfenlocken fehlen: ist nichts als ein kahler Greis, dem einige Beweglichkeit anhaftet, die ihn erst voll in den Widerspruch mit seiner Natur setzt.

Judith trägt Halbrock, unter dem die Hosen bis auf die Strohschuhe heraushängen. Der Oberkörper ist weit und reicher verhüllt. Das flachshelle Haar ist turmartig emporgebunden und wird von schwarzer durchlaufender Schnur gefesselt.

Simson besitzt gewaltigen Turban um seinen Schädel, die Füße stehen in Strohschuhen, ein lederner schmaler Schurz umspannt die Hüften. Im Schurz Löcher zum Unterbringen unentbehrlicher Gegenstände: Löffel, Messer usw. baumeln. Sein Negerkörper glänzt vor Schwärze.

MANASSE *in quasselndem Redefluß zur Beschäftigung der zwei um ihn.* – Wenn du im Bad sitzt, bist du ebensogut ein

Mensch, als in deinen Röcken und Hosen und Hemden. Du bist in deinen Röcken – du bist in ihnen, wie du nicht in ihnen stecken kannst. Wir werden Kleider anhaben, die uns beladen – und wenn sie uns bis an die Kehle erdrosseln: wir stecken immer ohne Kleider drin. – Die Kleider machen uns nicht anders. In jedem Mantel und Kleid – steckt keiner anders, wie er ist. – Ob du dich in deinen Gewändern ansehen läßt oder du läßt dich ansehen, wie du bist – du bist immer derselbe. – – – – Weil mir das mein Nachdenken über diese Dinge sagt, kann mir jeder zusehen. Ich bin im Bade – ich lasse darum nicht die Türe verhängen. Ich bin im Bad nicht anders als im Tempel. Es trete in den Hof ein, wer will, ich ziehe keine Tür zu, wenn ich bade. Wenn ich bade, schließe ich mich dazu nicht ein. Ich bade hier vor jedem und wer kommt, dem mache ich nicht vor der Nase das Bad zu. Laßt ruhig alles auf!

SIMSON. – – Die Tür nach der Straße steht auch offen.

MANASSE. – Wer vorübergeht und hat Lust mich zu sehen, der soll mich sehen, wie ich im Bad sitze. Ich habe Kleider, das weiß man, ich kann die Kleider einmal beiseite gelegt haben.

SIMSON. Sie ist angelehnt, soll ich sie ganz aufsperren?

MANASSE. Ich will nicht dazu einladen, aber wer sich einfindet, der soll mich hier treffen, wie ich bade – und nach dem Bad im Mantel sitze. Ihr trocknet mich ab. – Ist keiner gekommen, um es anzuschauen?

SIMSON. Wir sind allein.

MANASSE. Ich wollte keinem das Schauspiel verwehren! Ich weigere mich nicht das zu zeigen, wie ihr mich nach dem Bade abtrocknet. Ich würde ihm die Geschichte von Anfang bis zu dieser Szene berichten – die Geschichte von dem Bad, wie ihr mir's getan habt. Er sollte sich da unter den Schuppen niedersetzen – und ihr schafft an mir und ich erzähle, wie wir gebadet haben. Ich war im Wasser und ihr habt's mir gemacht. *Indem er Judith wie Simson streicht.* Ihr habt's mir gut gemacht – ihr beiden! So bade ich gerne und viel, wenn ihr mir's so gut macht. Oder bade ich euch zu oft? He, Judith?

JUDITH. Du mußt dich oft baden.

MANASSE *besinnt sich kurz.* – Ja, das Gesetz der Reinigung! *Zu Simson.* Reibe, reibe an meinem Bein. Wenn du heraufschiebst – rieselt das Blut nach oben – und das Herz nimmt's auf und treibt es durch den Hals weiter – in den Kopf – und da sagt mir der Verstand: – wie der Simson ein ganz geriebener Bursche ist!

SIMSON *steht auf und reibt den Nacken.*

MANASSE. Der bearbeitet die Lenden. Was hat er nur mit den Lenden vor? So fragt mich das Blut vom Bein oben im Verstand. Was hat er immer mit den Lenden vor? *Er klatscht ihm auf die nackten Beinsäulen.* Weil er selbst die wie zwei junge Akazienstämme hat, die aus der Wurzel der Hüfte schießen –! *Er hält eins seiner schwarzen Beine umfaßt und spricht dabei zu Judith.* Du gibst mehr acht auf die Sohlen, die unter den Füßen sind.

JUDITH *sieht zu ihm auf, hält inne.*

MANASSE *leicht verwirrt, nach einem Schweigen.* Was ist denn?

JUDITH *lacht.*

MANASSE *das Bein Simsons loslassend.* Jeder hat doch seine Beine: der eine dick – und der andere fein?

JUDITH *kichert.* Merkst du nichts?

MANASSE *rot.* Ich – ich – –

JUDITH. Ich kitzele doch deine Fußsohle!

MANASSE *so tuend und den Fuß zurückziehend, kreischend.* Ins Haus willst du mich haben!! Du kannst mich quer über die Dächer springen machen – – jetzt berichtet das Blut meinem Verstand deine Untat!!

JUDITH. Das mach' ich doch schon immer!

MANASSE. Mir kannst du schwindelig so machen! Ja, ja – ich fühle wohl alles, was du treibst mit mir! Hast du deinen Spaß gehabt? *Er greift wieder um Simsons Säulenbein und blickt auf Judith herunter.* Wie werde ich dir den vertreiben, da tue ich doch lieber so, als merke ich nichts. Dazu bin ich für dich doch da, um dir eine Freude zu sein. Bin ich deine Freude gewesen? *Er tätschelt Simsons Bein.* Ja, springen und hüpfen: die Lust soll sein! Wir brauchen unsere Lenden, nicht? Was, du geriebener Bursche? – wie ich dich doch nenne? Du reibst noch anderen die Beine! – Wir brauchen auch unsere Lenden – was? Wozu: –? – frage ich dich danach, Bursche? He, wozu wir Lenden reiben?

SIMSON. Ich springe und tanze!

MANASSE *lächelnd.* Du wirst sie dir zum Tanzen hernehmen! *Zu Judith, indem er aufschreit.* Hast du mir wieder den Streich gespielt?

JUDITH *rasch, aufschauend*. Nein, ich habe die Sohle nicht gestrichen!

MANASSE. Ja weh, ja weh! – wenn bloß der Hauch deiner Hand so nebenhinfährt – ich bin ein gereizter Körper an jeder Fläche! Schone mich, schone mich, wenn es dir möglich ist – ihr müßt mich nicht reizen, sonst bin ich – sonst ist es mit meiner Ruhe auch dahin. Ich bin nicht an meine Ruhe mit einer Kette gelegt – oder die Ruhe ist nicht mit einer Kette an mich gelegt: ich bin ein gänzlich auf den plötzlichen Durchbruch gestelltes Wesen. Es tritt ein oder es tritt nicht ein, ich weiß nicht, was ich wünschen soll, ob es eintritt oder daß es nicht eintritt. Wenn es eintritt, kann ich nicht für mich eintreten – und wenn ich für mich nicht eintrete, dann kann es eintreten – was du nicht weißt, junger Krauskopf. *Er klopft an Simsons Brust. Zu Judith.* Und das weißt du nicht! *Er hat die Laken fester um sich gesammelt und macht Anstalt zu gehen.* Du badest jetzt, Judith – nimm dir von dem Wasser, was du liebst, und bereite dir dein Bad nach deinem Gefallen. Du badest hier im Hofe. Ich lasse dich nun hier, ich kleide mich hurtig rasch an. Ich gehe auf die Gerstenernte. Die Gerstenernte ist im Schwunge und ich will den Ausfall ansehen, was fällt und was steht. Das Korn unter der Sichel läßt sich am besten schätzen. Ich will mich nicht übervorteilen lassen, mein Schwager ist ein eifriger Kaufmann. Ich will aber seinem Eifer nicht das Opfer werden. Die Sonne brennt, aber die Sonne darf mich nicht verhindern, daß ich meinen Anteil wahrnehme. Die Hälfte ist nicht weniger als die Hälfte – und wenn ich an den Tempel verkaufe, lege ich auf die Hälfte ein Dritteil.

JUDITH. Das Brot für den Tempel ist von Weizenmehl.

MANASSE *böse*. Gerste ist Weizen – und Weizen ist Gerste: hast du Weizen im Acker mir eingebracht?

JUDITH. Weizen nicht.

MANASSE. So bete, daß sich die Gerste zu Weizen verbäckt! *Abweichend*. Hast du für dein Bad alles? Hast du ein Laken? Hast du die Schuhe? Die trägst du an den Füßen. Aber du hast kein Laken, in das du dich einhüllen kannst!

JUDITH. Ich hole mir's.

MANASSE. Laß das dir von Simson bringen. Wozu steht der Schuft hier? Hol's nachher. *Zu Judith*. Ich gehe aus dem Hause und bin fort. Ich habe meine Furcht mit der Gerstenernte. Nicht weil es heiß ist, ich gehe noch barhäuptig durch jede Hitze, die flimmert. Nimmst du frisches Wasser hinzu?

JUDITH *sieht hinein.*

MANASSE. Es genügt noch. Du kannst gleich anfangen. Ich gehe fort. Ich kann mich nicht von dir verabschieden, weil du da badest. So sage ich es dir hier, daß ich aus dem Hause bin, während du badest. Ich muß auf die Ernte. Nicht weil du badest, ich traue dem Schwager nicht. *Zu Simson.* Du läufst nach dem Tuch behende und ohne Lärm! *Zu Judith.* Den Vorhang machst du wohl zu? Ich schließe dann selbst die Außentür, die bei meinem Bade offen war. Die schließe ich – du badest – und ich gehe! *Er ist aufgestanden, tritt in die Schuhe, die hinter dem Stuhle standen. Zu Simson.* Du wirst das Segel auf dem Dach ausspannen und auf dem Dach ins Feld nach deinem Herrn sehen! *Zu Judith.* Bade schön! *Zu Simson.* Du bist auf dem Dache. Ich bin aus dem Hause. – Du hast ein stilles Bad. Und mische es dir, da liegen Flaschen. Ja, mische es dir – schicke Simson noch nach einem Laken – und dann auf das Dach mit dem da! Ich muß aus dem Hause laufen, weil mein Schwager unsicher ist. *Er rafft den Mantel dicht heran und schlarrt in den Durchgang, dort hält er vor dem Eintreten links noch inne.* Hatte ich gesagt, daß ich den Ausgang verschließe?

JUDITH. Wenn du durchkommst.

MANASSE. Gut, es bleibt so, wenn ich durchkomme. Judith, bade schön – es ist heiß, du verträgst ein Bad. Zögere nicht und stell dir den Simson an. Er kann das Bad noch mischen. Ich hätte es dir gern getan, aber ich gehe ja – ich gehe ja aufs Feld. *Links hinein ab.*

JUDITH. Du brauchst mir kein Bad einrühren.

SIMSON. Kommt für dich kein neues Wasser hinzu?

JUDITH. Lege mir das Laken vor den Hof, ich nehme es herein.

SIMSON *löst von seinem Schurz einen Holzstengel, legt ihn bei den Flaschen unterm Dach nieder.* Ja. *Geht in den Haupthof, dort rechts ab.*

JUDITH *begibt sich an den Durchgang, zieht den Vorhang zu. Dann tritt sie unter den Vorbau, hebt den Holzstengel auf, wählt eine Tonflasche und durchsticht den ledernen Verschluß mit dem Kolben des Stabes. In das Bassin gießt sie den Inhalt. Sie hört nach einem Geräusch draußen, stellt die Flasche ab und nimmt aus dem Durchgang das Laken herein. Sie kehrt zurück, hängt das Tuch über die Stuhllehne und schüttet den Rest der Flasche zum Wasser. Damit fertig, dreht sie den Binsenstuhl – einige Scheu beweisend – mit dem Sitze nach dem Vorhang, wie um diesen im Auge behalten zu können; versichert sich noch einmal des dichten Schließens und setzt sich auf den Stuhl. Sie hebt das Laken breit auseinander, legt es übers Haar, so daß sie ganz dahinter wie in eine Zelle zu sitzen kommt und nur die Ellenbogenstöße gegen den Mantel die Tätigkeit des Entkleidens beweisen. Die Kleidungsstücke, deren sie sich im Verlauf entledig, häuft sie rechts nebenbei auf den Boden.*

Die Tür des kleinen Balkons wird langsam und mit einer für ihre Beschädigung merkwürdigen Lautlosigkeit geöffnet. Eine Bambusstange verlängert sich zugleich heraus – Manasse, wie zuvor im Laken, trägt ein Binsensesselchen heraus, setzt sich nieder. Weiter mit der ungeheuersten Vorsicht beginnt er das Folgende: die Bambusstange dient ihm dazu, von der Matte, die das Dach des Bades bildet und seinen Blicken es entzieht, eine Breite von Flicken zurückzuschieben und sich genügenden Einblick in die Vorgänge darunter zu verschaffen.

JUDITH *hat die Veränderung des hängenden Schutzes über sich nicht wahrgenommen.*

MANASSE *richtet die Bambusstange auf und verhält sich zu gemächlichem Lugen still.*

JUDITH *ein nackter Arm stellt die Rohrschuhe beiseite. Wie sie sich aufrichtet, richtet sie einen Blick nach oben. Das Aufhören jeder Bewegtheit hinter dem Mantel verrät, wie die Zurückgebogenheit des Kopfteils, daß sie Manasse anschaut.*

MANASSE *erhält ein breites, verlegenes Lächeln über das Gesicht.*

JUDITH *regt sich nicht bis auf die schwache Handlung eines noch engeren Herbeiraffens des Tuches um sich und die Stuhllehne.*

MANASSE *grinsend, scheu, dann frech.* Ja! – *Pause.* – Ich bin nicht auf der Gerstenernte. – Hier sitze ich! – *Pause.* – Ich schaue zu – – deinem Bad! – – Ich sitze hier so! – – Ja! *Neue Pause, in der seine Züge immer mehr gierigen Aus-*

druck empfangen. Seine Worte gleiten in einem Speichelfluß
aus dem Munde, den er nicht zu schließen vermag. Dein
Mann wartet hier – bei deinem Bade! – Nun bade! – – – –
Weil du badest – darum habe ich mich niedergelassen – –
und schaue zu. Ja! – – ich schaue zu, ja!
JUDITH *schweigt, rührt sich nicht.*
MANASSE *verändert, nachgiebiger.* Oder soll ich wegblicken?
– – Ist es dein Wunsch, wenn ich von dir fort zur Seite sehe?
So sprich: – was wünschst du?
JUDITH. – – – –
MANASSE. – – – Ich will hier sitzen – und in den Himmel
starren – – und du sollst baden für dich – sollst du! – so lange
du willst und plätschern magst! Sieh: ich richte meinen Blick
hoch – – nun kann ich nichts mehr sehen wie Himmel und
Himmel!
JUDITH. – – – –
MANASSE. Ich soll ganz hineingehen wieder in die Kammer?
– Ja, ich bin unerlaubt herausgetreten aus der Kammer und
du sagst, daß ich zurückkehre? – Sagst du das? – So gehorche
ich, so breche ich auf von der Stelle und du hast es mir zu
verstehen gegeben, daß ich weiß für allemal! Es ist gut, ich
kenne deine Wünsche und ich sträube mich nie gegen ihre
Ausführung – die Befolgung nehme ich wahr – nach deinem
Rat. Ja, das tue ich! *Er ist auf seinem Hocker eifrig herum-*
gerutscht, ohne jedoch irgendwelche Anstalten eines Auf-
bruchs zu treffen. Alles muß der Mensch doch erfahren
– und ist es nicht auf diese Weise, so wird es auf jene Weise
– und diese Weise ist so gut wie die eine, wenn es nur eine
Weise erhält. Ja, ich bin nun weise – weise durch dich geworden – auf die Weise muß es ja geschehen, um zu wissen,
was man nicht wußte, damit man es weiß – – weiß und
schwarz, das hat seine Unterschiede, wenn sie einmal verschieden sind, so sollen sie bleiben, was weiß ist – muß weiß
sein und bleibt weiß – – – *Plötzlich legt er beide haarigen*
Arme auf die Eisenbrüstung und, indem er die Bambusstange
an sich preßt, fleht er hinunter. Bade!!
JUDITH *drängt mit einem Ruck das Laken um ihren Körper.*
MANASSE *mit wachsendem Betteln.* Du kannst doch ins
Wasser steigen – – warum kannst du dich nicht in das Wasser legen? – – Nicht legen, setze dich hinein – auf den Rand
und bloß mit den Füßen fahre im Wasser! – Du kannst dich
doch waschen und reinigen – du brauchst dich doch vor mir

nicht zu fürchten? – Zeige dich einmal im Wasser – und ich will mich nicht rühren. Ich sitze doch hier oben – ich kann doch nicht hinunterspringen, ich bin doch hier untergebracht und hinter dem Gitter, was mich abhält – ich schwöre dir mit allem, was mir heilig ist und werden soll – *Kichernd.* Husche aus dem Tüchelchen – – ich erkenne dich doch von außen am Tuch – wie du eingespannt bist – –!

JUDITH *läßt sogleich das Laken weiter.*

MANASSE. Ja, nun habe ich dich gesehen und nun tritt hervor – ich habe genug mit dem Laken, jetzt kommst du selbst, das ist doch viel besser als ein Laken?

JUDITH *beugt sich tief vor, biegt sich empor.*

MANASSE. Nein?! Ja?! Was?! Schüttelst du mich ab – und nicht das Tuch?! *Mit behendem, bettelndem Ton.* Ju – Judith – Judith –! *Er muß abbrechen.* – – Also, ich sage dir, ich bin dein Mann. Das magst du bedenken. Es handelt sich nicht um einen Mann, ich bin dein Mann, der dich geheiratet hat! Betrachte mich daher! – Das ist die Betrachtung – die nicht betrachten soll – und mit der ich dich betrachte – darum betrachtest du mich – und ich stelle meine Betrachtungen bei dir an – – *Er ist neuerdings auf einen Höhepunkt des Delirierens angelangt.* Ju – Judith – Judith! – Ju – Ju – – ja!! *Er ist scheinbar am Ende seiner Kräfte.*

JUDITH *holt gemach den Mantel fester um sich.*

MANASSE. Ich sitze doch hier oben fest! *Am Gitter rüttelnd.* Eisen ist kein Rohr – das hält mich! – Dies Eisen – und ich kann keine Sätze ausführen – in die Tiefe!

JUDITH *strafft mehr und mehr das Laken, der Stuhl zeichnet sich ab.*

MANASSE. Ja – du deutest dich an: wie du bist – so bist du – Ju – ja! – das soll so sein!

JUDTIH *mit allem Nachdruck sich einwickelnd.*

MANASSE *das Kinn auf das Eisen darniedergebeugt.* Ja – prall ist das Laken: nun du heraus –! mein Fisch! – mein Nacktfrosch –! – meine kleine Ju –! – Ju – so klein bist du: – wo sind deine kleinen Ellenbogen! – – die Knie –! Knie –! – Ju – Knie – Ju!!

JUDITH *zaghaft, doch deutlich.* Komm herab!

MANASSE. Was?

Eine Pause herrscht, in der Manasse den Sinn zu begreifen sucht.

JUDITH. Komm herunter – jetzt!

MANASSE *lächelt breit, schiebt den Kopf auf dem Kinn verweigernd hin und her.*

JUDITH. Du – komm!

MANASSE *lehnt ab wie zuvor.*

JUDITH *in rascher Frage.* Ich will hinaufkommen?

MANASSE *eine Welle der ernsthaften Verlegenheit überflutet ihn.*

JUDITH. Ich komme hoch!

MANASSE *schüttelt lächelnd den Kopf.* Nein, nein – Judith!

JUDITH. Ja, ich komme! Laß mich kommen – nun komme ich!

MANASSE *verwirrt.* Was faselst du? Du badest.

JUDITH. Mit dir möchte ich oben zusammen sein?

MANASSE. Judith, wenn du badest – so kannst du nicht mit mir beisammen sein!

JUDITH. Ich – bade – danach!

MANASSE. Wonach?

JUDITH *nach der langen Pause.* Ich warte – hier.

MANASSE. – Wo?

JUDITH *stockend.* Es – ist hier auch schön!

MANASSE – Ich werde nicht heruntersteigen, ich habe es dir gesagt. Ich habe gesagt, daß ich hier sitze – hier sitze ich!

JUDITH. – – – – Warum bist du dann herausgetreten?

MANASSE *in die Enge getrieben.* – – Ja, jetzt stehe ich wieder auf. Ich gehe hinein. Nach dem Bad ist es nur gut, an der Luft zu sein.

JUDITH *blühend.* Ich erwarte dich – komm! Ich warte auf dich hier! Und wir sind allein! O – Manasse!

MANASSE *der in der Tat oben aufbrach.* Ich habe hier genug gesessen. Du willst nicht baden – gut, so ist das deine Sache. Bade oder bade nicht – scheue das Wasser –

JUDITH *beständig.* Ich erwarte dich hier –!

MANASSE. Ich bin dem verfluchten Betrüger von Schwager auf der Spur, daß er mir nicht die Gerstenernte verhaut! Das muß ich dem gierigen Aas aus den Zähnen reißen – seinen Betrug, den er an mir übt!

JUDITH. Wenn du gehst –!

MANASSE *wendet sich betroffen, lauschend um.* – – Was ist, wenn ich gehen – muß?

JUDITH. Dein Weib verläßt du –!

MANASSE *kehrt mit Stab und Sessel zurück.* Ja – –

JUDITH. Du verläßt mich doch –!

MANASSE. Verlasse ich dich nicht, um unseren berechtigten Anteil wahrzunehmen? Wovon wollen wir leben? Meinst du, mit der Schrift könnte ich das Geld einnehmen? – He, da hätte ich dich nicht heiraten sollen!

JUDITH. – Gehst du – aufs Feld?

MANASSE *horcht, dann*. – Ich fürchte keine Sonne – und wenn mich der Schlag draußen trifft, ich bin euch hinterher – euch Buben und Schelmen und Schacherrotte! *Er hantiert mit dem langen Bambus, um ihn ins Haus zu bringen*. Kann man doch nicht einmal bei seinem Weibe weilen, daß sie nicht die Gelegenheit zu einer fetten Weide für sich nutzen! Aber Gott's Strafen in eure Glieder – Gott's heil'ge Strafe kriegt euch; nun hab' ich ein Weib und hab' ich kein Weib, denn ihr nehmt's mir ja aus den Stunden, in die ihr euer Handwerk gelegt habt – mit Plündern – und Stehlen – und Rauben! – Aber einmal euch niedergeschlagen – ja, dann hab' ich mein Weib – weiß ich nur noch mein Weib – und dasselbe Weib soll mit Staunen – mit Staunen dann weise werden – was sie nicht weiß – – *Er zieht die Tür an, ab*.

JUDITH *ist behende, bevor noch Manasse fort ist – so daß dieser das letzte in den leeren Hof sprach – an den Vorhang gehuscht, hält mit einer Hand den Vorhang auf und biegt sich weit nach dem Haupthof. Mit zischender Stimme ruft sie*. Simson! – *Sie lauscht, tritt zurück, bleibt dicht – den Vorhang mit sich zur Seite nehmend – dort rechts vom Durchgang stehen, das Gesicht zur Wand gewendet*.

SIMSON *wird draußen von rechts einschwenkend im Durchgang sichtbar. Er zögert, sieht in den Badehof. Darauf will er hereinkommen*.

MANASSE *immer noch im Badelaken, tritt – von links im Durchgang erscheinend – ihm entgegen. Ein Hohnlächeln umschwebt seine Lippen, wie er Simson mustert – schweigend*.

SIMSON *erwidert verständnislos lächelnd*.

MANASSE *nestelt ein hageres Armglied heraus und vollführt eine herrische Geste, mit der er Simson wegweist*.

SIMSON *wieder ab nach rechts*.

MANASSE *mit einem hüpfenden Vorwärtsgleiten herein*.

JUDITH *auf das Geräusch hin, läßt den Vorhang zurück-*
schlagen, streckt den Arm auf den Ankömmling zu und sagt.
Komm. *Sie will sich unter den Vorbau begeben, wo hinten*
das Stroh lagert.

MANASSE *heiser, lachend.* Sollte das wohl ein Ehebruch
werden?

JUDITH *zögert keinen Augenblick, geht jedoch zu den Fla-*
schen im Vordergrunde und sucht unter diesen.

MANASSE. Und das Lager, das Stroh, aus denen die Flaschen
gepackt sind? *Immer am Eingang stehend.* Du bist nicht
wählerisch – *Er schlägt eine Lache auf.* – in der Gelegenheit,
aber in dem Burschen – da hat deine Wahl eine Lücke!

JUDITH *verläßt den Vorbau nicht.*

MANASSE. He – du armes Weibchen – ja ja: der Wunsch –
der geht seine Wege – aber zum Ziel – zum Ziel – *Er wiegt*
sich in den Hüften, Gelächter. –! Ja ja: Ich lese nicht allein
in der Schrift – ich lese hinter jeder Stirn die Gedanken ab –
meine Gelehrsamkeit hat keine beschränkten Gebiete! Die
schweift und fahndet – – und zuletzt hat sie das Vögelchen
in der Schleife gefangen! – Das Vögelchen – o das Vögelchen: baumle, baumle – und singe schön. – – Wer da bittet,
dem wird erfüllt: ich bin ja heruntergekommen – oder war
es mein Namen nicht, was da gezischt wurde, daß die Gebäude hallten?! – – – – Wer in der Schrift liest, der liest die
Menschen! Was sagst du, was redest du, was träumst du, was
schläft in dir, was ist wach geworden in dir: – ich bin ein
alter Mann?! – – – Willst du mich schimpfen, willst du dich
beklagen? – *Er zuckt die Schultern.* Führe deine Klage, aber
ehe du deine Klage führst, habe ich eine von mir angetrie-
ben! Versuch' – versuch'! Wer auf Ehebruch betroffen wird –
der wirft auf keinen mehr den Stein! – – – – Lauf', gehe,
klage mich dem Gerichte an, stelle mich vor die Richter und
sprich deinen Spruch: dieser mein Mann Manasse hat mich
geheiratet und ich bin noch heutigen Tages Jungfrau Judith
aus dem Hause Merari, vom Stamme Uz, vom Stamme Joseph! – – Sammle deine Genossenschaft um dich und stelle
mich allein wider sie: Du kannst dich dennoch nicht reinigen!
Das ist vorbei! Die Hoffnung blase dir aus wie das Licht in
unserer Kammer! *Er schiebt den ganzen Körper im Gefühl*
seiner Vollmacht höher heraus. – – Warum habe ich dich –
erst unangefaßt – neben mir liegen lassen? Da verweist dich
ein Mann wie ich auf die Schrift: die Prüfung ist alles! Weil

Die jüdische Witwe 145

ich dich prüfen wollte, ob nicht nur um meiner Gelehrsamkeit willen ich von euch geheiratet – sondern um meiner anderen Eigenschaften willen von dir –! Darum habe ich Enthaltung mir aufgelegt und dir aufgelegt. – – Ja, ich habe sie mir mit Mühen und Quälereien aufgelegt – ich bin nicht gefallen!!! *Er hört seinen Worten nach. Sein Mut und Hohn wachsen wieder an.* – Aber dich habe ich betroffen – oder leugnest du? – He, ich soll kein junger Mann sein? *Gelächter.* Ich sage dir, ich bin so jung – *Er atmet auf.* So jung bin ich! – – Schreie, geh, stiebe aus der Tür: er hat mich geschändet – mein Mann hat meinen Stamm und mich geärgert: er hat mich nicht zum Weibe gemacht – – *Mit wüster Drohung.* Wage es, bringe mich an: Du sollst sehen, als was Ehebruch auf den Tafeln steht!! *Schimpfend.* Deine Verwandtschaft wird dich züchtigen – wie ich es tun sollte – durchpeitschen! – wie den jungen Hund, der unreinlich auf dem Bette sich geführt hat – – *Er erhebt den knöchernen Arm.* Ja, das sollte mit dir geschehen! Von deinem Manne, den du gelästert – geschändet – – du Dirne – du verfälschte Kreatur – aus der Gaunerhöhle eures Wucherschweinestalles!! *Er sammelt sich, blickt unruhig, ermattet im Hof herum. Seine Mienen verängstigen sich kurz. Er füllt sich mit neuer Zuversicht.* Ich dich nicht zu dem machen können –!! *Gelächter.* Ich muß mich hüten, daß ich nicht weg von dir zu den Gassen am Tor laufe – *Mit plötzlichem Einfall.* Und eher will ich das tun, so wahr ich – ich –! – Du sollst deine Strafe verbüßen: – jetzt sollst du auf mich warten! Warten, wie noch keine – vor dir und nach dir gewartet hat – – auf ihr Schicksal! Du sollst mich kennen lernen – wie ich noch nicht gewesen bin! Wie ich bei mir selber während meines langen Lebens dann noch nicht gewesen bin! Ich hole dir keine Richter herzu – denn die würden nicht mich – dich würden sie klatschen –: das entwickelt sich hier alles zwischen unsern Wänden: die Geschichte von deiner Schande – deiner Schande: ich werde es mir sehr überlegen, ob du nicht überhaupt unfruchtbar bleiben sollst! *Er wendet sich, um zu gehen, hält den Vorhang schon. Mit einem breitspurigen Lachen kehrt er sich nochmals um.* Ich schlafe mich jetzt aus – ich schlafe, weil es ohne Sorge hier geschehen kann: denn – du wirst doch nicht den lächerlichen Gedanken gefaßt haben – ich lasse hier einen Mann im Hause herumlaufen? Hier bewegt sich kein Mann in beiden Höfen: – der Neger Simson hat mit dem

Manne, den er wohl darstellen mag, nicht das zu schaffen! *Glucksend, ab.*

Der Vorhang sinkt zusammen.

JUDITH *richtet sich sofort auf, sieht ihm nach. Dann mit den Schritten einer Katze schlüpft sie an den Wänden entlang zum Durchgang, horcht, tritt hinaus. Ab.*

JUDITH *tritt oben aus der Tür des kleinen Balkons. Sie trägt ein kleines, rundes Bettkissen. Sie blickt – horcht in den Hof. Sie atmet tief auf, schaut zurück in die Tür, glättet das Kissen von Eindrücken, die es scharf geprägt aufweist, indem sie es mit der freien Hand reibt.* Ich wußte nicht, daß er darunter schlief, als ich mich darauf setzte – –

Im Haupthof entsteht der Lärm einer unaufhaltsam redenden Stimme.

JUDITH *über die Gitterbrüstung sich beugend.* – Jetzt will ich mir einen jungen Bräutigam suchen –!

Der Vorhang wird beiseite geschlagen.
Ein Greis, wie Manasse, tritt beweglich ein, redend. Es ist der Schriftgelehrte Isaschar.

ISASCHAR. Weh allen, die Weiber haben – denen, die in jungen Ehen leben! *Er entdeckt Judith nicht und läßt dennoch seinem Redeschwall unhemmbaren Lauf.* Was haben wir nicht gesprochen, daß man sollte nachgeben und nicht widerreden?! Es werden kommen die Tage des Fastens – was rede ich: es brechen die Monate des Fastens an! Wir werden daniederliegen – und von unsern Knochen fallen mit all unsern Kräften! Was ist geschehen! Was hat der Gott Israels seinen Zorn vor seinen Wagen gespannt und fährt mit den Rossen von Assyrern in die Täler hinein? Wo wir darin hausen? Fastet – das wird euer Atmen von Tag bis Nacht werden – bis euer Wind so schwach sein wird, daß ihr keine Lampe mehr auslöscht in eurer Kammer! – Wehe denen, die in jungen Ehen leben – oder die eine Ehe eingehen wollen: es wird keine Männer und keine Jünglinge mehr geben – sie werden mit Fasten sich vor dem Herrn schwach machen, daß er ihre Hoffart verzeihe, mit der sie ihn antrotzten! Höre – höre: das große Fasten kommt! Eine Wolke am Himmel ist aufgestoben: die heißt Holofernes, das ist die Geißel, der ist die Rute! Wehe: keine Jünglinge mehr! – keine Männer mehr in den Mauern! – Fastet – fastet – daß den Schwachen mit der Erbarmung geholfen ist! *Er verschwindet redend durch den Vorhang, ab.*

JUDITH *läßt – erstarrend und mit großen Augen vor sich schauend – das Kissen in den Badehof plumpsen.*

DRITTER AKT

Flaches Dach. Es ist eingelassen zwischen weiß getünchte Mauern. Zum Hintergrunde ist der Blick frei. In der Rechtswand der Zugang mit Lattentür aus einfachem, weißem Holz. Das Sonnensegel ist an diese Wand zurückgezogen. Eine kurze Bank mit Binsensitzen steht ebenfalls hier. Blaues Abendland.
Judith sitzt auf einem niedrigen Stuhl, der offenen Seite des Daches zugekehrt. Sie beschäftigt sich nirgendwie, es ist auch nichts in ihrer Nähe zu entdecken, das auf eine Beschäftigung hinwiese.

ISASCHAR *kommt, noch hinter den Gattern.* Ich habe nach dir gesucht im Vorhof – im Badhof – ich habe nach dir gesucht im Hause – ich habe gesucht Simson, den Burschen – *Er betritt das Dach. Seine Erscheinung ist im Gegensatz zu seinem früheren Auftreten besorgniserregend: die Kraft zu gehen und Gesten zu vollführen, ist am Erlöschen. Die Augen flackern groß geworden in Schatten. Er steckt in einem gelben, einem Sack ähnlichen Gewande, auf dem der Kopf – das Haar ist unrein – wie abgeschnitten schaukelt.*
JUDITH *verharrt regungslos.*
ISASCHAR *annähernd.* Ju – Judith, was machst du?
JUDITH *still.* Ich warte.
ISASCHAR *wirft in Erstaunen die Arme halbhoch.* Du wartest – worauf wartest du?
JUDITH *wie vorher.* Ich warte: auf das Ende der Belagerung.
ISASCHAR. Auf das Ende –! Was wirst du dann tun?
JUDITH *ruhig.* Heiraten.
ISASCHAR *taumelt seitwärts.* Bist du in den Straßen gewesen – oder bist du nicht in den Straßen gewesen?
JUDITH *schüttelt den Kopf.* Ich sitze hier.
ISASCHAR. So weißt du nicht, worauf du mit Sitzen wartest?
JUDITH. Ich weiß es doch!
ISASCHAR *seinen Ohren nicht trauend.* Wann wirst du heiraten?
JUDITH. Wenn die jungen Männer in der Stadt wieder stark geworden sind nach ihrem Hunger und Durst.
ISASCHAR. Judith – ich bin nicht gekommen, dir was zu sagen – aber ich will dir was sagen, weil ich gekommen bin!
JUDITH. Erzähle mir nicht von den Straßen – ich weiß, daß

meine Freunde schwach und matt in den Straßen liegen. *Geschüttelt.* Ich weiß es.

ISASCHAR *besorgt.* Judith – hast du Fleisch im Hause behalten, als es uns abgefordert wurde, daß du an deine Hochzeit denkst?

JUDITH. Ich habe noch nichts als Feigenkuchen gegessen, – um mich nicht für meine Hochzeit schwer zu machen.

ISASCHAR. Ich will dir nichts erzählen von den Straßen und was unten liegt – von den Menschen der Stadt! – ich will auch zu dir nicht mehr sprechen von der Belagerung: denn sie hat ein Ende!

JUDITH *langsam, entschlossen feierlich.* Jetzt will ich von meinen Freunden ihn wählen –!

ISASCHAR. In fünf Tagen wird die Belagerung aus sein!

JUDITH. So will ich einem von ihnen am sechsten in den Tempel folgen. *Nachsinnend.* Einem von ihnen – –? *Sie steht auf, will zum Dachausgang.*

ISASCHAR. Wohin gehst du?

JUDITH *zuckt zusammen, errötet, faßt sich schnell.* Als Witwe kann ich mir den Mann ins Haus rufen. *Mit einem Glück.* Weil ich die Witwe Manasses bin!

ISASCHAR. Ja! es soll die Belagerung das Ende haben – und der Schrecken in der Stadt und der Schrecken in den Menschen! Noch diese fünf Tage und die Stadt wird aufrauchen in Flammen vor seinen Feinden – und sein Schwert wird nur noch schlagen in Asche – und die Asche ist von unsern Leibern der wirbelnde Staub!

JUDITH *erstarrend.* Es – ist nicht wahr!

ISASCHAR. Die Wahrheit ist am fünften Tage! Heute hat es die große Beratung im Stadthaus gewollt – und ich komme aus der Beratung zu dir aufs Dach. Die Obersten der Stadt haben das Brot vorgewiesen – und das Wasser in den Fässern gemessen: fünfmal werden sie noch aus dem Vorrat spenden – hinterher hat der Vorrat und alles mit uns ein Ende, Judith!

JUDITH *schwankt auf den Stuhl zurück.*

ISASCHAR. Der Gott von Israel und der Gott der Väter ist von der Stadt gegangen – der Gott Abrahams, Jakobs, Isaaks will uns nicht mehr kennen! Wer hat so groß gesündigt in der Stadt, daß er uns verlassen hat? Tut den Mund auf, Menschen, – Männer! Kinder! Weiber! – ihr Ungeborenen!

JUDITH *wirft das Gesicht auf ihre Hände.*

ISASCHAR. Wer ohne Schuld ist, muß brennen mit euch! Redet – redet: reißt das Schloß von euerm Munde – Gott von Israel wird euch richten – fürchtet euch vor seinem Zorn! *Mit verlassener Stimme zu Judith.* Er ist aus der Stadt gegangen und wir führen ihn nicht mehr herein. Wir haben ihn nicht mit Fasten hereingeführt – und nicht im Gebet der Gebete – und mit keinem Opfer von Wasser und Fleisch! *Besessen.* Was ist das für ein Gott, den uns die Väter vererbt haben! O großer Tunichtgut, er ist aus der Stadt, er ist aus dem Feld, jetzt will ich klagen: er hört mich ja nicht. *Zornig.* Warum hat man denn gefastet? Hätten wir kräftig weiter gegessen und getrunken, wie der Reichtum da war: hätte man nicht gegen diesen ekelhaften – gegen den Feind ausziehen können und ihn von den Toren der Stadt scheuchen wie Säue abends, die in die Furchen unsrer Äcker gegeifert haben? – Warum hat man vieles Fleisch verbrannt? Wasser vergossen in die Sonne? Will man die Sonne trunken machen, daß sie mit Feuerstrahlen unsere Feinde hinterrücks durchschießt? – Wahrlich, wahrlich: eher erschießt sie die Sonne – als daß der Gott von Israel – aus der Stadt ist er! – uns ein Pfund unserer verlorenen Stärke zurückgäbe! – Er ist aus der Stadt, er hat mich nicht gehört. *Erloschen.* Es ist aus, Judith. Ich bin zu dir gekommen, Judith! Du hast von deinem Manne her – er war mein großer Freund! – viele Bücher in deinem Hause, die keiner in der Stadt besitzt – er konnte ja aus deinem Feld sich jede Weisheit kaufen! – es wird sicher in diesen Büchern stehen, wie man sich besser reinigt als die andern, um vom Zorne des Gerichts auszugehen. Sage mir, wo er seine Bücher hat? – *Eindringlicher, beteuernd.* Ich will sie in deinem Hause lesen – ich werde sie dir nicht über die Schwelle verschleppen! Das gelobe ich dir vorher!

JUDITH. Geh!

ISASCHAR. Judith, was wirst du mich hinabschicken? Bin ich nicht gekommen, um dich vorzubereiten?

JUDITH *heftig auffahrend.* Bleib!

ISASCHAR *an seiner verloschenen Gestalt unter ihren Blicken heruntersehend.* Judith – mich hätte mein Freund Manasse nicht aus dem Hause geschickt, wenn ich nach seinen Büchern gekommen wäre!

JUDITH *setzt sich neuerdings.*

ISASCHAR *vorsichtig.* Judith, es ist keiner unter uns ohne

Sünde – – auch du kannst dich versehen haben. – Wer kann das nicht?

JUDITH *heftig*. Ich habe keine Sünden!

ISASCHAR. Aber es wird doch gut sein, in den Büchern Manasses zu suchen. Wie wäre es, wenn du mir jetzt die Bücher gäbest? – Sage mir eine Sünde und ich werde eine Vorschrift für dich finden. Manasses Bücher.

JUDITH *hart*. So suche Vorschriften für Sünden, die an mir geschehen sind.

ISASCHAR. Die an dir – *Bedächtig*. Gut, auch gut! Die müssen auch gesühnt werden. Und du mußt mir sagen –

JUDITH *verächtlich*. Ich soll sie – dir sagen?

ISASCHAR. Gott ist ein Geheimnis und im Geheimnis ruht Gott mit seinem Wandeln! Sage mir, was du weißt – und bringe mich zu den Büchern, Ju – Judith! *Er lauscht gespannt*.

JUDITH *mit einem Entschlusse*. Ich werde mich den Obersten der Stadt bekennen.

ISASCHAR *freudig ausbrechend*. Den Obersten der Stadt?

JUDITH. Nicht allen –! Isaschar: die Bücher von Manasse sind dein.

ISASCHAR *hingerissen*. So sind Bücher da?

JUDITH *nickt kurz. Mit trockener Stimme in Überwindung*. Du mußt gehen. Es soll einer von den Obersten der Stadt kommen – der soll mich anhören!

ISASCHAR. Das werde ich tun, Ju – Judith. Ja, du hast die Bücher von deinem Manne Manasse, meinem großen Freund! – er war ein scharfer Leser der Vorschriften: – Gott von Israel, ich habe gelästert und du schiebst mir die wichtigen Vorschriften in die Hände. Daran erkenne ich meinen Gott der Väter! Nun zerbrenne mein hungriger Leib und meine geläuterte Seele stäube auf seinem Rauch zum satten Frieden! – Jetzt werde ich die Vorschriften der besonderen Reinigung lesen und schimmern vor allen meinen Brüdern! *Hastend ab*.

JUDITH *das Alleinsein auf dem Dache nach Isaschars Weggang überfällt sie; sie fährt vom Stuhle auf, läuft zur Tür, schiebt den Riegel ein und schleudert sich noch mit dem Körper gegen die Latten – um keinen Eintritt zu gewähren. Dann weicht sie von der Tür zurück, sitzt auf dem Stuhl. – Zum zweitenmal bestürzt sie diese Angst: sie will fliehen.*

Sie macht hastig arbeitend wieder die Tür frei, reißt sie zurück, will hinunter: da sind Stimmen in der Tiefe. Sie erstarrt. Langsam kommt Bewegung in sie: leise legt sie die Tür an, legt den Riegel lose und geht zu ihrem Stuhl, auf den sie sich müde niederläßt.

Chabri und Charmi – zwei Juden in guten Jahren, Stadtoberste – in eigenartig plumpe, unfarbige Mäntel gesteckt, kommen.

CHABRI *noch draußen.* Die Fliegen halten sich in der Tat mehr auf der Erde auf.

CHARMI *auftauchend.* Ich habe sie früher gut in einen Winkel gebannt, wo ich Speisereste niederlegte. Auch Hundeställe – als ich noch einen Hund hatte – bilden immer vorzüglichen Abzug.

CHABRI. Dienen sie nicht eigentlich zur Bildung von Fliegen?

CHARMI. Ja, aber die bleiben auf ihren Ort beschränkt. Ist es hier?

CHABRI. Steige herauf, ich bin bekannt hier. *Er greift nach dem Holzriegel herein und drückt ihn nieder.* Judith, du hast uns rufen lassen?

JUDITH *sieht unsicher auf.*

CHABRI. Dies ist Charmi, ein andrer Oberster der Stadt.

CHARMI. Unserer traurigen Stadt!

CHABRI. Isaschar, der Schriftgelehrte, redete uns auf der Straße gerade bei deinem Hause an, da wir aus der Beratung zurückgingen.

CHARMI. Eine Beratung über Jammer – und Jammer!

CHABRI. So sind wir gleich heraufgekommen. Er sagte uns, du säßest auf dem Dach.

CHARMI *eifrig.* Wer hat je etwas von uns Vätern der Stadt versäumt?

CHABRI. Und, Judith – was wirst du uns mitzuteilen haben? Isaschar redete, redete.

CHARMI. Er redete! Jetzt habe ich ihm gesagt, er soll bis morgen schweigen. *Beide nehmen dicht nebeneinander auf der langen Bank Platz. Vorher jedoch haben sie mit geschickter Bewegung den Sacküberwurf abgestreift, ein bunter Anzug ist zum Vorschein gekommen.*

JUDITH *mit schwankenden Entschlüssen.* Setzt euch.

CHABRI. Wir sitzen, Judith.

CHARMI. Es wird jetzt immer viel geoffenbart in den Versammlungen – in den Straßen ist man davor seines geraden Schritts nicht mehr gewiß. Jeder will wissen – jeder will sprechen. Aber alle sprechen und keiner weiß was. Was will man wissen? Der Hunger und die Furcht hat die Kinder sogar erfinderisch gemacht! Drei Tage tun sie stumm, am vierten wollen sie die Sprache erhalten haben! Es ist noch nie so viel geweissagt worden wie in diesen Tagen! – Aber wir hören auch dich an. Sprich. Es ist gut, einmal zu sitzen, und die Beratung hat uns wieder einmal mürbe gemacht. *Er lehnt den Kopf – wie abwesend – gegen die Wand.*

CHABRI. Sprich, Judith. Wir hören. *Er tut wie Charmi, lauscht halb hin.*

JUDITH *tastend, vorsichtig.* Ihr – wollt unsere Stadt ausliefern – in fünf Tagen –

CHARMI *lächelnd vor sich hin.* Immer dieselbe große Angst!

JUDITH. Ich – habe keine Angst.

CHARMI. Ich hatte es nicht für deine Ohren lauter ausgesprochen.

JUDITH. Ich fürchte mich nicht. *Kopfschüttelnd.* Nein.

CHABRI *klatscht schwach in die Hände.*

CHARMI. Was klatschest du wie im Tempel?

CHABRI. Wo ein Mensch noch ohne Furcht ist, da ist der Tempel.

CHARMI. Ich sehe ein Dach, sonst nichts.

JUDITH *vorwärts dringend.* Der Gott von Israel hat keinen Tempel mehr: denn der Gott von Israel ist aus der Stadt gegangen!

CHARMI *winkt lässig seitlich.* Dahinaus ist er! – der Gott von Israel.

JUDITH *fester, heftiger.* Aus einer unsauberen Stadt ist er fortgegangen – er will keinen Tempel länger darin haben!

CHARMI. Ja, der Gott von Israel will zwischen reinen Hütten wohnen. Also wären unsere Häuser unrein?

JUDITH *krampfhaft.* Schmutzig sind sie –

CHABRI *mit einer Handfläche abwehrend.* Witwe Manasses – du bist kein Kind mehr: ehe du mit neuer Anklage über die Stadt lästern willst –

JUDITH *ausbrechend.* Lästere ich, wenn ich sage: daß eine Ehe im Tempel geschlossen ist – im Tempel! – und die der

Bräutigam nahm, machte er nicht zur Frau? *Sie hat sich weit vorgebeugt und starrt die beiden auf der Bank an.*

CHARMI *nach einer Stille, hinter der vorgehaltenen Hand zu Chabri.* Daran leiden jetzt alle unsere Frauen.

CHABRI *dennoch ernsthafter zu Judith.* Und wer ist diese Frau? Man müßte doch auch die Wahrheit prüfen. *Zweifelnd.* Es ist dies ein Verstoß –!

CHARMI *unverhohlen belustigt zu ihr.* Wer ist die Frau, deren du dich so selbstlos annimmst?

JUDITH *mit zorniger, behender Eindringlichkeit, fast weinend.* Die bin ich –!

CHABRI *verdutzt.* Dein Mann, der alte Manasse –! *Erklärend zu Charmi.* Wir waren Nachbarn – *Er räuspert, mustert Judith.* Manasse machte nicht den Eindruck –

JUDITH. Und er war Schriftgelehrter. Er kannte die Vorschriften und trotzdem –! Er ist es, der die Stadt beschmutzt hat – der mich im Tempel gefangen und betrogen hat!

CHARMI *schüttelt den Kopf, zu Chabri.* Du sagst, ihr Mann sei tot?

JUDITH *springt auf.* Nun denn, ich bin bereit –

CHARMI. Wenn dein Mann tot ist, kann er ja seinen Verstoß gar nicht mehr gutmachen!

CHABRI. Das ist es, Judith, woran wir scheitern.

CHARMI *aufklärend.* Denn nur die Sünden, die wir sühnen können, werden unsere Sünden sein – das heißt, wenn wir sie nicht sühnen. Das ist Sünde!

JUDITH *stützt sich auf den Stuhl, schleudert den Kopf.* Nein –!! – der nicht –

CHARMI *mißverstehend.* So bleiben wir auch hier wieder ohne Rat – und Klugheit!

JUDITH *der die Erregung die Stimme noch nicht wieder gewährt, setzt sich.*

Erste Schauer der Dämmerung.
Chabri und Charmi schauen zur offenen Dachseite.

CHARMI *beginnend.* Das ist ja auch ein schöner Ausblick über die Stadt. Über Land.

CHABRI *seufzend anschließend.* Über Land! – Ja weh –! Der Abend auf dem Dach ist so blau, so schön! – – Das Sonnensegel eingezogen – wieder ausgespannt – eingezogen – *Er vollführt die schwingende Geste*. Da, die Wand ist weiß – weiß steht eine Wand – und das Heer der Abende sinkt, steigt: es ändert sich nichts – und alles ist verändert – denn wir bemerken nichts mehr davon!

CHARMI *ereifert*. Wo wir dem Tod hier so nahe sitzen? Fällt das uns ein? Wo ist der Tod? – Du? – Wenn im Gewühl davon geredet wird, so ist seine gewaltsame Angst da. Unten ist er – da! – in dem Warten! – in Straßen! *Er streckt den Arm zur offenen Dachseite. Dann sich mit beiden Händen zufächelnd*. Hier oben säuselt kühler Abend – und das Leben!

CHABRI *nickt*. Kein Volk wie wir hat allerlei über den Tod gehört.

CHARMI. Kein Volk wie unseres hat so am Leben gehangen. Es hat noch diesen Schatten wegwischen wollen.

CHABRI. Und wieder hat seine ganze Freudigkeit darunter gelitten.

CHARMI. Ich will meinem Feinde den Gott unserer Väter verkünden und ihm sein Dasein trübe machen.

CHABRI. Lästere nicht.

CHARMI *nach einem Verstummen*. Wir haben uns auch zu leicht den Stimmen der andern in der Beratung gefügt.

CHABRI. Sie haben jetzt den Wahnwitz zu sterben. Einen müssen sie ja immer haben.

CHARMI. Sie sterben nicht mehr – sie sind tot. Wer stirbt? –: ich bin's – und du bist's. Wir beide. Es ist unsere festere Natur, die sich schwerer erschöpft hat. Darum wird uns allein das Eisen des Todes streifen.

CHABRI *erschauernd*. Mich friert. Und du hast recht.

CHARMI *ächzend*. Wir sind es, die erschlagen werden!

CHABRI *erregt*. Ist es ein Verdienst, über das Sterben zu beraten, wenn man nicht mehr am Leben ist?

CHARMI. Die Leichen haben in der Beratung über die Lebendigen gestimmt – soll es gelten? Was ist das mit den fünf Tagen? Wer richtet uns hier am Leibe unter dem eigenen Volke?! Wer sterben will – soll allein sterben: wollen sie uns zur Gesellschaft haben?

CHABRI *mit einer Eingebung*. Bruder, wie lange hält deine Kraft noch stand?

CHARMI. Über fünf Tage!

CHABRI. So sage ich von mir: über fünf Wochen!

CHARMI *staunend, begreifend, eifrig*. Ich fühle fünf – fünf neue Jahre in mir! Es kommt mir die Standhaftigkeit vom Herrn!

CHABRI. Bruder, vom Herrn rinnt große Stärke in mich: ich sage – sechs Jahre!

CHARMI. Ich gehe durch alle Gassen und ermahne zum Fasten: harrt aus, mir hat der Herr acht Jahre verliehen! An euch kann er das gleiche tun.

CHABRI. Bruder, ich empfinde mehr: wie zum hohlen Brunnen tropfen Jahr um Jahr, des Herren Wolke regnet auf mich – neun!

CHARMI. Steh' auf mit mir: wir wollen alle zusammen entflammen mit unserem doppelten Zeugnis, daß niemand die Stadt überantwortet: zehn Jahre!

CHABRI. Verkünden wir: zehn Jahre! Wir wollen ohne Zittern und Zagen von der Mauer nach dem Feind ausschauen. Wir haben ja die Kraft vom Herrn!

CHARMI. Wir wollen nach ihnen von den Dächern in die Luft speien. Die Stärke arbeitet in uns!

CHABRI *im Aufbruch.* Komm, ziehe deinen Sack über. Wir müssen predigen. *Mit dem Sackgewand schon hantierend.* Judith, auf deinem Dache hat sich unser Vertrauen wieder entzündet. Du hast uns mit Recht gerufen, wir werden dein Dach in unserer Rede nicht verschweigen.

CHARMI. Du sollst uns noch von der Gasse mit Zungen rufen hören.

CHABRI *an seinem Mantel kramend.* Und Zeit gewonnen, alles gewonnen!

JUDITH *ist aufgesprungen, packt Chabri an.* Der Herr von Israel – der Gott Abrahams, Jakobs und Isaaks kann euch berufen haben – dich, Chabri! dich, Charmi! – und er kann euch nicht berufen haben: es soll sich zeigen!

CHABRI. Meine Stimme ist mächtig!

JUDITH. Ja, ihr fühlt das Wunder in euch – aber es wird ja so viel geweissagt in den Straßen von jedem Munde – und Kinder reden mit Zungen! –: wer will euch da Glauben schenken?

CHARMI *wegwerfend.* Wir sind keine von der Straße!

CHABRI. Stadtoberste!

JUDITH *mehr und mehr ereifert.* Seht ihr denn nicht, daß es der Gott von Israel –! Abrahams –! Jakobs –! euch – euch gegeben hat: euer Wunder zu bekräftigen. Dreht sich kein Kreis in euch, der alles streift und verbindet? Warum schickte er euch her auf mein Dach? Warum ist dies Dach über meinem Hause? *Stark.* Die ich sitze durch Wochen und Wachen in Sehnsucht nach dem Geliebten? Der kommt und mich nimmt – und mir meine Ehre vor meinem Volke wieder schenkt? Seht ihr denn nicht? Oder ja: der Gott von Israel macht seine Diener blind, damit sie besser seinen Willen tun! Der Gott von Israel schob euch Jugend in eure Glieder, um die Schmach, die an seinem Gesetze begangen ward, zu tilgen! Danach sollt ihr hingehen und von eurer Stärke reden vor allem Volke – und ich werde euch bekräftigen: und auf mein Zeugnis hin werden alle euch glauben! Ihr könnt leben – alle werden mit euch leben wollen: um euer Leben zu schützen! *Sie reißt sich los, läuft gegen die Lattentür, wirft sich nochmals herum.* Kommt, kommt hinein –! – beide!! *Verändert in einem Ausbruch.* Oder ich muß hinauslaufen und euch zu Lästerern ausrufen, die an unserem Gott gelogen haben –! *Wartend, gesteigert.* Gelogen und geprahlt! – und mein Mund – mein Mund wird das: steinigt! steinigt! – schreien!!

CHARMI *langsam begreifend; wie er Judith mustert, tut er einen Schritt zurück, stolpert über seinen Mantel, rafft ihn an sich, wie um sich mit ihm zu decken – streift mit schnellen Augen Chabri.* – – Ich – bin ein Unwürdiger – ich bin ein schmutziger Jude –!

CHABRI *desgleichen.* – Ein Hund ist nicht räudiger als ich – unter meinem Kleide stinke ich –!

CHARMI. – Ich bin nicht mehr als die Fliege, die von Aas gezehrt hat –!

CHABRI. – Mein unsauberer Fuß klebt in seinem nassen Schuh –! Sieh her!

CHARMI. Bruder, nicht du – ich bin aller guten Sitten bar!

CHABRI. Führe deinen Hauch nicht neben meinen – ich bringe dich von Sinnen!

CHARMI. Wie werde ich mich mit dir vergleichen: bin ich nicht eine Gans neben einem Reh?

CHABRI. Ein ungeheuerliches Kalb bin ich, du bist wie die weiße Ziege von Haaren am Leibe. Bleibe du hier, ich will mich waschen und baden!

CHARMI. Wo werde ich bleiben? Gehe ich doch vor dir hinaus!

CHABRI. Ich werde dir vorauslaufen, um mich schneller vor dir zu verbergen.

CHARMI. So wirst du von mir hervorgeholt sein –

CHABRI. Und dennoch bist du hundertmal langsamer –

CHARMI. So scheide ich jetzt von euch zweien!

CHABRI. Die ich in euch beiden zurücklasse! *Er will in seinen Mantel steigen.*

CHARMI *hat es ihm gleichgetan. Nun stoßen sie – behindernd humpelnd – an der Tür, die Judith noch beschützt, aufeinander.*

Im Spiel der Mienen, das ein Bekennen, Verzichten, Bedauern ist, geschieht die Auflösung. –
Hinterher besetzen die Stadtobersten die enge Bank von neuem, Judith den niedrigen Stuhl.

CHARMI *im Ausbruch mit breiten geschüttelten Händen hinaus.* Ist das eine Art von Kriegführung?!! Wie hungrige Wölfe aus dem Gebirge fallen? Hat das je einer verstanden? Wer will mit Waffen wider eine – wider eine Erdgewalt schlagen?!! Oder ist es keine Erdgewalt?!! Mit den tapfersten Waffen?! – – – – Der lange, breite Heerzug – – bewegt er ein einziges Weib darin?! – Ohne Weiber ziehen sie – das ist ihre Macht – die Gewalt machen sie sich daher! – – Sie liegen vor den Mauern und hungern nach den Frauen und Mädchen – hier drin!! – Ihr Mut – ihr Heldentum: das ist ihre Gier – ihre Wolfsgier –! Sie fechten mit der menschlichen Brunst – die verfluchten Sünder – sie versündigen sich am menschlichen Treiben – und schneiden daraus ihre langen Klingen – und die Säbelschneiden! Ist das eine Kriegführung unter Völkern? Ist das Streit – ist das noch erlaubt?!

CHABRI. Wenn sie aufbrechen – aus ihren Ländern – dann ist der Befehl gerufen, daß von den Kriegern nur ein Weib umarmt werden soll, das in einer gestürmten Stadt gewonnen ist. Und es darf nicht mitgenommen werden – auf den Marsch nicht – und ins Lager nicht. Das ganze Lager liegt immer leer von Weibern – angerechnet vom Feldhauptmann bis zum Zeltsteller! Hunderttausend Männer – denke dir! – warten da zusammen – denk dir! – auf Weiber!

CHARMI. Ihr Marsch von einer Stadt zur nächsten ist kein Marsch: es ist ein Rasen – ein Fliegen – ein Wettrennen ist das nach –! Das macht ihre Schnelligkeit aus, mit der sie auftauchen heute hier – morgen in einer Entfernung – was keiner träumte!

CHABRI. Es kann sich niemand so vor ihnen halten!

CHARMI. Sie fallen einfach über uns hin – die Wucht verleiht das.

CHABRI. Damit stoßen sie Mauern um.

CHARMI. Mit dieser Gier tun sie den Schaden – mit diesem Hunger richten sie es an, wenn sie aberwitzig vor Reiz sind!

CHABRI *hinausdrohend*. Die Hunde – am Prellstein –!!

CHARMI. Wenn hundert ein Blitz enthauptet – so schießen tausend auf!

CHABRI. Das sind die Spuren ihrer heißen Kraft!

CHARMI. Zu einer Stunde stürmen jetzt blindlings sie an – wenn – –

CHABRI. Das ist ihr Schlachtbefehl, der kommt – aus dem Kopfe kommt er nicht!

CHARMI. Das Weiße in ihren Augen ist manchmal von hier aus zu sehn, groß wie der Mond – die kirschroten Lippen – das heisere Gebrüll: Stiere die! – keine Krieger!

CHABRI. Wartet: wie Simson ergeht euch's noch! Dann werden euch die Haare abgeschnitten – und am Busch hängt noch allerlei!

CHARMI. Von solchen Tieren werden wir gehörnt. *Er hängt sich sein Sackgewand um, ist zum Gehen fertig.*

CHABRI. Ein Weiberfeldzug –! – nach Weibern! – kennt der Ruhm und Ehre? *Er tut wie Charmi.*

CHARMI *zu Judith hinüber*. Was nun eintritt: – wer sich früh gefügt hat, duldet spät geringe. *Zur Tür.*

CHABRI. Ja, Charmi, ich gehe mit dir. Viel Friede weiter mit dir, Judith.

CHARMI *ebenfalls noch dahin*. Friede bleibt mit dir! *Ab, ebenfalls Chabri.*

JUDITH *hat kaum abgewartet, daß sie hinausgehen, als sie aufspringt und durch die Lattentür hinabhorcht. Darauf öffnet sie, tritt mit einem Fuß hinaus*. Simson! *Sie wartet bei der Tür*. Simson.

SIMSON *kommt. In dem Turban und einer grünblauen blumigen Hose, von deren Stoff er Holzreste abliest.*

JUDITH. Simson – suche mir einen Mann! Lauf fort – bei den Toren sitzen ja immer Männer. Andere Männer! Einer von denen – einer von andern, die an der Mauer stehen. Sage ihm: du weißt ein schönes Mädchen – und führst ihn zu ihr. Was dir einfällt und was ihm einfällt, versprich ihm alles! Simson, kannst du es?

SIMSON *lacht breitmäulig.*

JUDITH. Bringe wen zu deinem schönen Mädchen. Nenne mich so. Laufe nicht um, gehe gerade wieder auf mein Haus zurück mit dem – suche immer den kürzesten Weg. Sprich nur Leute an, die das niedrige Ansehen tragen – nicht die andern, die waren unartig zu mir! Lüge, daß ich nur neun Jahre bin – und nicht schon viel mehr!

SIMSON. Meine Schwester wartet!

JUDITH. Nein, du bist dunkel, ich bin weiß wie Fett! Ich stehe hier auf dem Dach. Der Abend ist nahe. In keiner Kammer ist es erfrischend. Die Sterne steigen auf, du bist zum Dunkeln wieder zurück. Am Tor gibt es immer Männer!

SIMSON. An den Toren –

JUDITH. Erst sorge für mich mit roten Kleidern – und mit einer Haube, die keinen Vorhang haben soll. Lange Röcke –! *Sie schiebt ihn am Arm hinaus.*

SIMSON *ab.*

JUDITH *steht hinter der ins Dach geschlagenen Lattentür. Sie führt beide Hände wechselnd mit schwachem Klatschen von Latte zu Latte.*

SIMSON *stürzt her ein, wirft einen Haufen Gewänder, Schuhe usw. auf die Bank nieder.* Alles was lag in der Duftkiste!

JUDITH *schon darin wühlend.* Ja, ich finde alles! – laß! – geh!

SIMSON. Auch die Goldschuhe! *Ab.*

JUDITH *immer hinter dem Stabwerk der offenen Tür – wird durch ein Gitter sichtbar, schmückt sich. Sie tut es mit langsamer Freude: trägt die hohe Haube und umgürtet sich mit Tüchern.*

SIMSON *mit Hast herein, verändert; den zerzausten Turban hält er am Kopfe – atmet keuchend.*

JUDITH *saß gerade auf der Bank und streifte gebückt die Schuhe an. In dieser Stellung verharrend, blickt sie zu ihm auf, unbewegt.* Ja, Simson?

SIMSON. – – – – Ich ging um die Ecke – in die enge Gasse, die Gase geht ans Tor – – und die Gasse hat auch Männer – – in der engen Gasse. – – Zuerst keiner – dann treffe ich gleich einen – – einen Stadtwächter – – mit der Mütze – und – – Ich trete an den an – – und alles: neun Jahre – – sehr schön – – viel Haar – – Wein – – schönstes Mädchen – – Mädchen! – – Da wird dieser bohnenweiß – – wie die Wand – – muß er an die Wand treten – lehnt sich vornüber – – und fällt um – – und ist tot!

JUDITH *gleichgültig.* Der Mann?

SIMSON. Der Tote. Das war er. Ich stehe dabei. Gleich ist ein Auflauf umher – auf mich schimpfen sie ein – und schreien mich an – und schlagen auf mich los – – Meine langen Beine tragen mich aber schnell wieder in mein Haus!

JUDITH. Simson –

SIMSON. Mich haben sie für den Totschläger gegriffen!

JUDITH. Das laß. Was machst du? – – Unten?

SIMSON. –? – Ich schrote Sägespäne zum Brot, die verteilt sind.

JUDITH. Ja. Mach es wieder. *Sie hat die Schuhe vollständig angezogen.*

SIMSON *steht noch, geht, legt die Tür an, ab.*

JUDITH *steht auf, holt den Stuhl an die Linksseite des Daches, setzt sich.*

Nach einer Weile geschieht übergangslos der Hereinbruch der Nacht. Es ist ganz dunkel. Fern werden Feuerhaufen – die Lagerbrände – sichtbar: ein Schauer von springenden Flammenkugeln, die eindringlich aufglühen und abschwächen, scheint eine entfernte Bergwand hochzutanzen. Es bleibt ein ununterbrochenes, erregendes Feuerspiel.

JUDITHS STIMME *rechts draußen.* Simson!

SIMSON *erscheint mit einer Laterne.* Ich schaffe schon die Laterne!

JUDITH. Du leuchtest mir ans Stadtmauertor voraus, ich will über Feld gehen.

SIMSON. Wo – hin?

JUDITH. Du sollst es ja nur mit der Laterne bis zum Tor tun! *Sie verschwinden.*

Leer das Dach.

ISASCHAR *tastet an der Lattentür.* Der Vorhof ist leer – der Badhof ist leer – im Hause ist's leer! *Er ruft.* Ist das Dach leer?

ISASCHAR *betritt das Dach.* Ho? – – Hoho? *Vordringend, am Stuhl schaukelnd.* Da ist der Stuhl auch leer! Haben sie das Dach verlassen? Und habe ich nicht zwei Oberste der Stadt geschickt für einen? Haben sie nun das Haus verlassen? *Dabei wendet er sich gegen die Dachöffnung. Sogleich schreit er.* Da – da laufen die Feuerkatzen über den Berg! Die Lagerbrände! Das sind ihre Augen, aus denen sie nach uns schielen! Der Herr von Israel kann uns nicht erretten von so viel Feinden! Darum ist er aus der Stadt gegangen! Sie werden uns ermorden mit Fäusten und – *Der Atem schwindet ihm.* Der letzte Tag naht von fünfen – *Seine hageren Arme sind schwarze stürzende Säulen vor dem Schein der Weite.* Und ich habe die Bücher nicht, um mich besser vor den andern zu reinigen!! *Er hastet zur Lattentür.*

VIERTER AKT

Ein Doppelzelt aus Leinwand. Die beiden hohen Räume gehen nahezu ineinander über. Der Fußboden aus Holzdielen. Im Vorderzelt eine Holztür in einem festen Pfostenrahmen links. Drei Elefantenhäupter darüber, deren Rüssel durch Stäbe, die im Maule haften, waagrecht gestellt sind. Ein Holztisch auf Böcken – mehr links vor der Mitte aufgebaut. Der hintere Raum enthält inmitten ein breites Schlaflager, das mit Ziegenfellen bedeckt ist, von denen die Köpfe mit blöde blickenden Bernsteinaugen um die Kanten hängen.

Hinter dem Tisch auf einer Bank sitzt Holofernes: ein schwerer Mann mit aus der Stirn – samt Brauen – geflochtenem Haupthaar. Er hat die nackten Arme auf den Tisch gebogen und das Kinn auf den hohen Muskelteilen, die der Bartschopf überflutet. Der Oberkörper ist mit einem Riemengeflecht umwunden, an dem das bunteste Gemisch von Amuletten hängt. Die Beine stehen in einer Hose von Elefantenleder, Schuhe daran sind in eins gearbeitet. Um die Hüfte trägt er ein breites, überaus gewaltiges, zum Halbkreis gebogenes Schwert, das mit einer Lederbinde umwickelt ist.

Vor ihm steht Achior: der Ammoniterfürst ist von königlicher Gestalt, Mitte der dreißig. Sein bartloses Gesicht ist weiß, eindringlich. Prächtiges, großes Gewand bekleidet ihn.

Im Hinterraum hockt lässig auf einer Spitze des Ziegenfell-lagers der König Nebukadnezar von Assyrien. Ein schmächtiger Körper in schmucklosem Anzug. Neunundzwanzig Jahre alt. Vor ihm steht ein Chaldäer, den er forschend ansieht – mit dem aufmerksamen und zugleich zweifelnden Ausdruck des Spätlings – das farblose Kinn mit Fingern umspielend.

Der Chaldäer in überladener Tracht des Sterndieners, hohe Mütze. Eine Unterhaltung ist dort im Gange, die hauptsächlich der Chaldäer in langen Erläuterungen führt, von denen der König sichtlich unbefriedigt bleibt. Sein häufiges Zurseiteblicken und Kopfschütteln beweisen das.

HOLOFERNES. – – Die Ägypter habe ich besiegt.

ACHIOR *nach kurzem Stocken.* Ja, sie hast du geschlagen –

HOLOFERNES. Den Stier der Gebete abgestochen.

ACHIOR *mit unverhohlenem Hasse.* Ein Tier – ja –

HOLOFERNES. Das waren gegen mich die Ägypter!

ACHIOR. Wo ein Stier dastand, den konntest du schlachten – der Gott in der Stadt ist aber unsichtbar!

HOLOFERNES *steht sogleich auf, geht an die Tür, öffnet spaltweit und wendet mehrmals ein bestimmtes Amulett hin und her.*

ACHIOR *lächelt hinterdrein.*

HOLOFERNES *kehrt zurück.*

ACHIOR. Sie haben sich einmal ein Kalb gemacht –

HOLOFERNES. Wie: machen ein Kalb –?

ACHIOR. Ein Kalb? –? –?

HOLOFERNES. Eine Kuh macht ein Kalb!

ACHIOR *heiter.* Aus Gold – eine Figur, die wie ein Kalb ausschaut!

HOLOFERNES *nickt befriedigt.* Aus Gold.

ACHIOR *lebhafter.* Und vor dem Kalb standen sie wie vor einem Gott –

HOLOFERNES *spreizt die Hand über die Amulettenbrust.* Vor dem – – unsichtbaren Gott?

ACHIOR. Ein Kalb ist ein Kalb!

HOLOFERNES. Es hatte sicher nichts mit dem unsichtbaren – zu tun?

ACHIOR. Nein: darum verfolgte sie ihr unsichtbarer Gott und –

HOLOFERNES *nickt befriedigt.*

ACHIOR. Als sie sich wieder bekehrt – besonnen hatten, da ließ er Wasser aus einem Felsen in der Wüste sprießen – und vom Himmel das Brot regnen!

HOLOFERNES *blickt ihn von unten herauf an.*

DER KÖNIG *ist hinten aufgestanden, kommt bis an die Schwelle, sieht herein, tritt unschlüssig zum Chaldäer zurück, der angeredet weiter spricht.*

ACHIOR *triumphierend fortfahrend.* Es ist nicht gesagt –: denn das Volk lebt rein hinter den Mauern – wenn du das Wasser auf den Bergen abgeleitet hast, in einer Straße unten eine Quelle geweckt ist!

HOLOFERNES. Der unsichtbare –?

ACHIOR. Der Unsichtbare!

HOLOFERNES *geht zur Tür, läßt das Amulett glänzen.*

DER KÖNIG *kommt von neuem auf das Geräusch.* Was macht er denn?

ACHIOR. Das Amulett gegen unsichtbare Mächte läßt er in der Sonne blinken!

DER KÖNIG *schüttelt den Kopf, geht zurück.*

HOLOFERNES *sitzend.* Wie machen sie das: rein leben?

ACHIOR. –? Mit Waschen äußerlich – mit vielen Bädern am Tage!

DER KÖNIG *hereinrufend.* Die Weiber auch?

ACHIOR. Mann, Kind, Weib und alles, was in einem Hause ist, reinigt sich!

DER KÖNIG. Dann sage meinem schüchternen Hauptmann, er soll um die Badstunde die Stadt geräuschlos stürmen! *Er wendet sich seinem Chaldäer zu.*

HOLOFERNES. Und nach dem Bade?

DER KÖNIG *ruft.* – soll er das Bad mit den Männern und Kindern ausschütten und den Rest aufs Zeug legen!

HOLOFERNES *unbeirrt.* Und nach dem Bade?

ACHIOR. – Geschähe dies als das mächtigste Vergehen, wenn sich eine von euch aufs Zeug legen ließe!

HOLOFERNES. Kinder von Assyrern sollen sie nicht haben?

ACHIOR. Von keinem – als von einem echten Juden! *Heißer.* Und da sie die Aussonderung einhalten – und sich rein von euch – von uns gehalten –: darum ficht ihr gewaltiger König für sie, die er aus Ägypten -- aus der Wüste in dies Land gebracht hat!

HOLOFERNES *begibt sich wieder zur Tür.*

ACHIOR *ihm nachredend.* Sie rollen reines Blut unter der Haut – darum sind sie jetzt fähig: die große Herrschaft ihres wehenden Königs zu führen – einzig mit der reinen Stärke – mit der starken Reinheit!

DER KÖNIG *ruft Achior zu.* Auf diese Weise sollte man mit einem Weibe schlafen – und der Bastard sorgte für das übrige.

ACHIOR *höhnend dahin.* Mach dir doch die erste kirr!

DER KÖNIG. Teile meinem Hauptmann meinen Feldzugsplan mit. *Er wendet sich zum Chaldäer.*

HOLOFERNES *wurde von draußen angesprochen. Er hört eine Weile zu, sagt mit Unterbrechungen.* So? – – Und? – – Ja. – – So? – – So?

DER KÖNIG *kommt mit scheuer Miene herein.* Was macht er?

HOLOFERNES *hinaussprechend.* Tritt herein.

DER KÖNIG *zieht sich beruhigt zurück. Die Hand vor die Stirn schlagend.* Und dann diese Vorstellung: ich könnte Gras essen!

EIN HAUPTMANN *noch jung, im Wesen verlegen, in Krokodil gewappnet. Er verfärbt sich vor dem Anblick Achiors und des Königs im hinteren Zelt.*

HOLOFERNES *setzt sich wie vorher.* Der Knabe ist kein Knabe? Wie?

DER HAUPTMANN. – Ich habe die Entdeckung gemacht – ich melde sie dir, nachdem ich sie gemacht habe.

HOLOFERNES. Der Knabe hat bei dir schlafen wollen?

DER HAUPTMANN *schnell.* Doch ist die Liebe verboten!

DER KÖNIG *hereinrufend.* Siehe mit deiner Sternenseele den Mond an, wenn der blasse ins blaue Tuch der Nacht gezeichnet steht – also spricht Zarathustra. *Nach einem Schweigen.* Ach ja, die Schlußfolgerung: – du besäßest die Welt ohne Leid der Erde. Wende dich den Welten zu – so hast du Erdengrund.

HOLOFERNES *zum Hauptmann.* Und was mit dir?

DER KÖNIG *rufend.* Was wendest du gegen Zarathustra an?

HOLOFERNES. Der Akazienstachel ist längst gerieben! *Zum Hauptmann.* Dieser Knabe riet sich dir an?

DER HAUPTMANN. Ja, heute wurde es der fünfte Tag, wo ich abwehre – den Zudringlichen!

HOLOFERNES. Woher erkanntest du – den Knaben?

DER HAUPTMANN *errötet.*

HOLOFERNES. Hast du ihn auch anders gesehen?

DER HAUPTMANN *ruckt die Schultern.* – Die Luft im Zelt ist dann anders!

DER KÖNIG *ruft.* Recht hast du! Aber diese Geister merken das Weib nur, wenn es ihnen vor das Maul gebunden wird, so daß die Knie hinten an ihrem Halse einen Knoten geben!

HOLOFERNES. Warum läßt er sich nicht fortschicken?

DER HAUPTMANN. Warum er sich nicht wegschicken läßt –

HOLOFERNES. Kaue meine eigenen Worte nicht nach!

DER HAUPTMANN *diensteifrig.* Er kam an einem Abend über das Feld gelaufen. Ein geringer Bursche war es, der an den Brunnen ging, wo wir wachen. Ich wollte ihn einmal trinken lassen und denke, danach geht er wieder heim. Aber er bleibt und sitzt – und auf was harrt er. Ich gehe gelegentlich nach ihm hin und rede ihn an – er ist ja mundfertig auf assyrisch!

HOLOFERNES. Versteht er unsere Sprache?

DER HAUPTMANN *nickt.* Er findet auf alles Antworten, was ich gar nicht gefragt habe. Und als ich ihn sitzen lassen will – geht er hinter mir drein – und in mein Zelt und gibt sich als Knabe aus, der mich lieben wollte.

HOLOFERNES. Ja – und also: der Knabe?

DER HAUPTMANN. Er liegt bei mir – und liegt immer bei mir – *Er vollführt ein Schulterrucken.* Ein Knabe ist das nicht!!

HOLOFERNES. Er weiß von nichts?

DER HAUPTMANN. Daß ich ihn entdeckt habe?

HOLOFERNES. Stellst du Fragen an mich, Affenschwanz?

DER HAUPTMANN *fährt zusammen.* – Er hat es wohl so abwarten wollen, daß ich ihn annehme, und mich – – dabei belisten wollen. *In Schweiß und Angst geraten.* Es ist auf mich abgesehen! *Der Koloß stürzt wie ein Sack zusammen.*

DER KÖNIG *kommt, zu Holofernes.* Wenn es bei dir zu einem Überblick der eingetretenen Umstände langt, wird sich dir leicht das Folgende als erregend hinstellen: wir haben ein Weib von der Stadt in den Zelten – wir werden sie benutzen lassen und der unsichtbare Gott –

HOLOFERNES *geht zur Tür.*

DER KÖNIG *zu Achior fortfahrend.* – der herrschende Gott ist aus dem Streit?

ACHIOR *blickt blaß.*

DER KÖNIG *nahe an ihm, demonstrierend.* Das reine Blut ist lahm.

ACHIOR *aufblitzend.* Ja –!

DER KÖNIG *kehrt unbeteiligt zum Chaldäer zurück.*

ACHIOR *sprüht.* – haltet das Weib! –!!

HOLOFERNES *blickt denkend auf den Hauptmann.*

ACHIOR *hitziger.* Fall über dies Weib her! Macht das Lager mächtig über sie! – Seht des unbekannten Gottes Finger darin!

HOLOFERNES *an der Tür.*

ACHIOR. Gebt dem Feldlager das Weib frei – hetzt das Lager über sie: ein Weib ist unter euch – wir senden sie durch die Zeltreihen von Reihe durch Reihe! Wir haben ein Weib gedungen – nehmt sie! – nehmt sie! Es ist hier nichts ohne Sinn und Ziel, was von diesem Volk geschieht.

HOLOFERNES. Wenngleich ich an die Dinge nicht glaube, die du über das Stadtvolk erzählst – – woher hast du es eigentlich?

ACHIOR. Wir haben in Ammon diese Arme gefühlt, die der Gott im Volk führt. Die Siege über uns sind ohne Zahl!

HOLOFERNES. Ja, das hast du mir oft gesagt. Darum habe ich dich gerufen.

ACHIOR. Ich kann dir alles melden! – nehmt dieses Weib – verteilt sie ans Lager –

HOLOFERNES. Darauf wird bald der Widerstand in der Stadt matt?

ACHIOR *hoch heraus.* Nein! Denn ihr werdet vorher die Matten mit diesem Weibe sein. Darum haltet sie unter euch!

HOLOFERNES. Doch aber – auf keine andere Weise kommen wir weiter –

ACHIOR. Es müßte denn ein Weib im Triumph genommen sein!

HOLOFERNES. Das sehe ich vollständig ein. Ich meine, jedes Volk hat seinen Aberwitz, der es stärkt. Auch scheinbar – für eine Weile – unbesieglich macht. Es muß also das Weib – statt daß wir es wie jede andere niederhauen! – – in dem Weibe der Aberwitz – mit dem Aberwitz der – der Feind gebrochen werden. – Das Weib bleibt hier am Leben!

ACHIOR *jauchzend.* Das Weib bleibt!!

HOLOFERNES. Aber wenn es fürs Lager zu haben wäre – entsteht Streit um das ein Weib – –

ACHIOR. Schick sie hinein!!!

HOLOFERNES. Das werde ich verhindern –

ACHIOR *höhnend.* Streit?!!

HOLOFERNES *spricht auf den Hauptmann herab.* Du stehe auf von deinen Ohren – bringe deinen Knaben hierher! *Der Hauptmann ist rasch aufgestanden. Holofernes mit furchtbarem Drohen, sich vor die Brust klatschend.* Mein Weib wird dieser Knabe – – vor ihrem unsichtbaren Gotte soll ihre Hochzeit mit mir sein!!!!

DER HAUPTMANN *stürzt hinaus.*

ACHIOR *verbleicht.*

HOLOFERNES *setzt sich an den Tisch.*

DER KÖNIG *spricht herein.* Übrigens hatte ich dir den Gedanken ursprünglich eingegeben!

HOLOFERNES *zu Achior.* Wie die Sachen jetzt liegen – zweifelst du an einem schnellen Siege? – Nein! – Du kannst mein klügster Zeuge werden, wenn auch du in der Stadt steckst. Wenn du getötet wirst – mit allen – wird es an der Überzeugung dir nicht mehr fehlen? Ohne Umblicken gehe in die Stadt weg. Morgen um diese Stunde wird alles glatt sein wie Erdboden.

ACHIOR *blickt ihn haßvoll an, geht ab.*

DER KÖNIG *hinten, horcht, tritt vor.* Was machst du?

HOLOFERNES *antwortet ihm nichts.*

DER KÖNIG *zum Chaldäer gehend.* Und dann: manchmal sehe ich Schriftzüge in Flammen an den Wänden? *Er setzt sich wie immer auf das Ziegenlager.*

HOLOFERNES *steht auf, geht in das zweite Zelt. Sogleich erscheint von links dort Bagoas, der Ägypter – in der strengen, bunten Tracht der Nilvölker.* Zu meiner Hochzeit mit meiner jüdischen Frau werde ich dich am Tisch haben – außerdem Aspenas –

DER KÖNIG. Aspenas schickt immer noch einer, der ich bin.

HOLOFERNES. Wo du bist, ist dein Kämmerer.

DER KÖNIG. Dann bitte ich, mich zuerst zu nennen. *Nach rechts hinwinkend.* Lies weiter, Aspenas!

HOLOFERNES. Du, König, Aspenas –

DER KÖNIG. Und ebenfalls weißt du, daß ich nicht aus den Schüsseln speise, die für dich vergiftet werden von deinem Ägypter.

HOLOFERNES *zu Bagoas.* Du brichst die Kapsel von den Töpfen ab, Ägypter!

DER KÖNIG. Gut – so ist es deine Sache! *Nach rechts.* Lies, Aspenas.

BAGOAS *erzittert. Das Weiße seiner Augen wird sichtbar, dann sinken die bemalten Lider tief darüber. Hauchend.* Du lebst ewig!

HOLOFERNES. Wenn ich mit dem jüdischen Weib am Tische sitze –

DER KÖNIG *höhnend.* Untersucht der Arzt auch heute nicht die Schüsseln? Trinkt er nicht vor?

HOLOFERNES. – soll das Heer an der offenen Zelttür vorbeiziehen – und sich das Weib ansehen. Wenn der Tag wächst nach der Nacht, blasen wir gegen die Stadt. Morgen haben alle, was ich habe!

BAGOAS *nickt eifrig, verschwindet links.*

DER KÖNIG. Wenn du deine Anordnungen getroffen hast, kann ich mir wohl meinen wichtigeren Traum von meinem Haar wie Adlerfedern und meinen Nägeln wie Vogelklauen deuten lassen? *Er wendet sich zum Chaldäer.*

HOLOFERNES *steht in der Mitte auf der Schwelle des Doppelzeltes.*

Die Zelttür wird zurückgerissen, zwei Menschen verschwinden sogleich, wie weggerissen, erscheinen wieder: der Hauptmann mit Judith in der blumigen Hose und dem hochgewickelten Turban. Der Oberkörper steckt in einem Lederbeutel, aus dem die nackten, schmalen schimmernden Arme brechen. Eine Ledertasche ist umgehängt.

DER HAUPTMANN *die sich verzweifelt wehrende Judith hereinbringend.*

JUDITH *keuchend.* Ich – bin – kein –!!

DER HAUPTMANN *fesselt sie in seine Arme, indem er ihren Rücken an seine Brust preßt, ein Bein um ihre Füße stellt, einen Arm um den Hals ringt, den andern über den Schoß legt.*

JUDITH *beißt blitzschnell in des Hauptmanns Arm auf Krokodilleder.*

HOLOFERNES. Du bist weiblich – sträube dich nicht weiter. Alle Weiber beißen uns. Wer beißt, ist Weib.

JUDITH *stockend.* Ein Zahn – ist locker gegangen. Laß doch! *Da der Hauptmann sie daraufhin freigibt, führt sie zwei Finger in den Mund und holt tatsächlich einen Zahn heraus. Sie weist Holofernes die Zahnreihen, wo unten eine Ecklücke ist.* Welches ist er?

HOLOFERNES *lacht. Zum Hauptmann.* Schäle den Turban herunter.

DER HAUPTMANN *greift sofort an.*

JUDITH *faßt zum Kopf, widerstrebt.* Wo ich kein Haar habe!

HOLOFERNES. – – Wie heißt du?

JUDITH. Judith!

HOLOFERNES. So bist du wieder mit einem weiblichen Namen ein Knabe!

DER HAUPTMANN *beendet.*

Der schöne Turm von stumpfem Flachs herrscht frei, von einfarbigen, geschnitztem Horn gestützt.

JUDITH. Laßt mich wieder!

HOLOFERNES. Kann man dir begreiflich machen –? *Er wird durch das Auftreten des Ägypters unterbrochen, dem Diener, die auch bunte Ägypter sind, mit Töpfen, Tellern, Krügen folgen.* – Ich habe entschieden, dich zu einem meiner Weiber zu machen. Wer bin ich, Weib?

JUDITH *sieht ihn froh an.*

HOLOFERNES. Nenne mich Holofernes. Später schicke ich dich zu meinen Weibern. Hier sind Weiber verboten.

DER ARZT *weißhaarig, erscheint mit einem Zangengerät.* Herr, was lügt der Ägypter?

HOLOFERNES. Er soll hinter meinem Rücken die Speisen öffnen.

BAGOAS *die Zange erhaltend.* Tritt mich nicht. *Fällt wie eine Katze vor seine Füße.*

JUDITH *ist dem Vorgang mit Erstaunen gefolgt, sieht Holofernes an, legt eine Hand auf seinen Arm.*

HOLOFERNES *zum Hauptmann, voll.* Sperr die Tür auf, du kannst mein Türsteher in der Zukunft sein.

DER HAUPTMANN *schwankt, ergreift seine Hand. Inbrünstig.* Ich liebe – dich mehr als ein Weib!

HOLOFERNES. Dadurch wurdest du im marschierenden Heer untauglich – häng dich am Schluß hinterm Türpfosten hoch.

DER HAUPTMANN *fällt, steht auf.* Lebe ewig! *Er geht, hält draußen die Tür offen.*

HOLOFERNES. Können wir uns jetzt setzen? Ich habe zwar kaum erst gegessen – Sind deine Sitten so? *Er hat das Amulett in Händen.*

BAGOAS *vom Arzt verlangend.* Gib die Zange. *Er besorgt das beginnende Mahl.*

JUDITH. Ich habe einen Mann gehabt – *Ihr und Holofernes werden die Hände abgewaschen.*

HOLOFERNES. Um so besser und du weißt Bescheid mit den Sitten. *Sie sitzen, er links, sie rechts.* Ich versuche nämlich – mich jedem Gott unterzuordnen – dem auch, falls er mit dieser Hochzeit seine Macht beweisen kann. Was müssen wir tun?

DER ARZT. So viel ich weiß: ihr müßt euch küssen.

HOLOFERNES. – Wann?

DER ARZT *gerät in Zweifel.* Ja – –

HOLOFERNES. Ich werde zu jeder Sicherheit – *Er schaukelt das Amulett.* Du ißt, was ich esse.

JUDITH *vertraulich.* Als ich meinen ersten Mann hatte –

HOLOFERNES. Ja, sage nur, wenn ich einen Fehler mache!

JUDITH *lustig.* Du darfst nur einen Fehler nicht machen, den er machte.

HOLOFERNES. Sprich eilig!

JUDITH *seinen Arm unter der Schulter umgreifend.* Den machst du nicht!

HOLOFERNES *zu Bagoas.* Trage viel auf. Dein Schweiß ist mir Nilschlamm wert!

DER ARZT *hinzutretend.* Aber ich mißtraue dem Ägypter, wenn er eilig schafft!

JUDITH. Wer isset das alles?

HOLOFERNES. Darf ich nicht alles essen? Rührst du nichts von allem an?

JUDITH. Aus meiner Tasche – Feigenkuchen!

HOLOFERNES. Muß ich auch –?

JUDITH. Feigenkuchen ist nicht für dich!

HOLOFERNES. Soll der Mann Fleisch verzehren?

JUDITH *lacht.* Ja!

DER ARZT *die Achseln zuckend.* Es sind Sitten –!

HOLOFERNES. Wein?

JUDITH *schüttelt den Kopf, kaut Kuchen.*

HOLOFERNES. Muß ich bei dieser Hochzeit wenig Becher leeren?

JUDITH. Ja – weil deine Hochzeit ist!

HOLOFERNES. Bagoas, höre es und achte danach!

JUDITH. Wo wohnst du hier?

HOLOFERNES *verwirrt.* Wie fragst du –: hier wohne ich!

JUDITH. – Wo – du unser Lager hast?

HOLOFERNES. Sieh dich um: ich liege mit dem König auf diesem Lager, das du siehst.

JUDITH. Weiche Ziegenfelle sind es.

HOLOFERNES. Es sind die Ziegenfelle Zarathustras!

DER KÖNIG *zum erstenmal von dem Vorgang Notiz nehmend.* Gebt dem Menschen zu essen! – Es ist geradeso, daß ein Ochse frische Zwiebel kaut, als du diesen Namen lästerst.

JUDITH *mit wachsendem Interesse an Holofernes.* Du kannst gewaltig essen.

DER ARZT *dazwischentretend.* Die Speisen auf dem Tische ergänzen einander: ohne die folgende wird die erste nicht wirksam und diese nicht ohne die erste. Wieder nicht die erste ohne die dritte – und die dritte nicht ohne die erste – die vierte nicht ohne die erste – und die vierte nicht ohne die zweite, dritte –

HOLOFERNES. Wann bin ich am Ende?

DER KÖNIG *tritt herein.* Laßt den Feldhauptmann fressen: sein Reden ist übleres Geräusch als sein Schmatzen.

HOLOFERNES. Und wann bin ich am Ende?

DER KÖNIG *setzt sich auf einen Schemel, stützt die Wange auf die Hand vor Judith, so daß diese weder ihn, noch er Judith anblicken kann.* Letzte Nacht brauste dein Atem wie der geöffnete Bauch eines verwesten Elefanten, was die Art und Nachdruck anbetrifft. Ich hatte träumend mich deinem Ofenrohr von Schlund zugedreht. Heute nacht mag es freier um mich wehen, wenn ein Dritter zwischen uns seinen Platz hat.

BAGOAS. Es ist die fünfzehnte von vierzig Tafeln.

HOLOFERNES. Es gefällt mir.

DER KÖNIG *immer hartnäckig Holofernes anredend.* Wenn mir Träume – wie gesagt – nicht wichtiger wären, als die Erstickungsgefahren, unter denen ich sie bestehe, so hätte ich sie damit unterbrochen, daß ich ein gespanntes Tuch dir vorgehalten hätte. Ich wollte dich aber nicht zu grausam behandeln, indem dein Atem auf dich selbst zurückschlug. Erkenne die Gnade deines Königs.

HOLOFERNES *nach der Tür blickend.* Sind es meine Scharen, die nahen?

DER ARZT *hinsehend.* Das sind sie.

Im folgenden bleibt dies Geräusch beständig: der Taktschritt langsam vorüberziehender Heere. Von ferne kommt er, naht, geht dahin – neue Abteilungen, die kommen, sich entfernen.

HOLOFERNES. So lange muß ich noch mit dir hier das Mahl halten, Judith!

DER KÖNIG *Holofernes nicht aus den Augen lassend.* Das Mahl und das Weib halten: ist die Kunst der Kamelwäscher. Wobei ihnen ja auch ein nennenswerter Unterschied nicht wetterleuchtet!

JUDITH *lachend.* Und was soll er mit beiden für einen Unterschied treffen?

DER KÖNIG *nicht zu ihr.* Mann, ich sage ja: er soll es nicht, denn sie würde ihn entmannen – die winzigste Weisheit nämlich.

JUDITH *faßt Holofernes an.* Er ist der stärkste!

DER KÖNIG. Stark mit der Stirnwand, wie der Ochse den Pflug zerrt. Wer führt aber den Pflug in den Mutterschoß?

JUDITH *lacht auf.*

HOLOFERNES *seinerseits bemüht.* Was unterscheidest du zwischen – *Er stockt.*

DER KÖNIG. Zwischen?

HOLOFERNES *zornig.* – einem König und seinem Feldhauptmann?

DER KÖNIG. Ich nicht! Mein Fußwascher kann es.

HOLOFERNES *mit Großartigkeit.* Ich bin der Pflug –!

DER KÖNIG. Mehr! mehr! mehr!

HOLOFERNES. Ich reiße die Länder um –!

DER KÖNIG *winkt ab.* Iß und hör' zu. *Lässig an die anderen.* Gebt dem Menschen zu essen! – Hör' zu: einmal hatte ich keinen Traum. Ich schlief. Ich kehrte dir den Rücken zu. Schlief ich deshalb? Ich schlief. Da geschah folgendes: mir fiel eine Hand herunter – vom Bett. Vom Arm ab – auf den Boden, wo sie aufschlug – und – nicht liegen blieb.

HOLOFERNES. Arzt – die Hand?

DER KÖNIG. Da begann die Hand zu wandern. Auf den fünf Füßen ihrer fünf Finger.

DER ARZT. Die Hand?

DER KÖNIG. Sie wanderte dreimal durch das Gemach – dort! Dreimal ringsum – einmal! zweimal! dreimal! Weil ich nicht träumte, konnte ich mich nicht täuschen.

DER ARZT. Doch schliefst du?

DER KÖNIG. Da ich schlief.

DER ARZT. Sieht man im Schlaf?

HOLOFERNES. – Und die Hand?

DER KÖNIG. Die wandernde Hand? Ja, die wanderte. Und als sie nun wanderte – da fand sie mit einem Tasten – Suchen die Zelttür – und als sie hinausgehen wollte –

HOLOFERNES *herausplatzend.* Wo waren meine Zeltwächter!!? *Er sprüht.*

JUDITH *lacht auf.*

DER KÖNIG *als Ruhe eingetreten.* – da geschah das folgende: deine Hand, Hauptmann, fiel herab! – fiel herab.

HOLOFERNES *lacht verdutzt.*

DER KÖNIG. Sie lag da – und nicht lange, da wanderte auch sie – auf und davon – und da gerade meine Hand einen Schlitz der Zelttür offen machte, ging sie dem Schein nach – und verschwand ebenfalls.

DER ARZT. Du schliefst doch?

DER KÖNIG. Denn hätte ich gewacht, hätte ich geschrien. Denke beim Schmerz des Verlustes einer Hand!

DER ARZT. Ist es nicht ein Traum gewesen?

DER KÖNIG. Ich habe auch so gedacht – aber es ist unmöglich. Beweis am andern Morgen: als unsere Hände heute morgen zurückkamen – hatten wir unterdem die Plätze auf dem Ziegenfell gewechselt – und meine Hand – war deine Hand – und deine Hand war meine Hand!

JUDITH *lacht.*

HOLOFERNES *ist sehr ungewiß. Er scheut sich sichtlich, seine Hände zu betrachten.*

EIN HAUPTMANN *in Roßschweifen, tritt ein.* Feldhauptmann, die ersten Abteilungen, die vorbeizogen, wünschen noch am Nachmittag an die Stadt zu stürzen. Sie haben das Weib gesehen!

HOLOFERNES. Es muß eine Nacht dazwischen liegen.

DER HAUPTMANN *fällt lang vor auf Knie und Hände.* Lebe ewig!

DER ARZT *hinzutretend.* Ein abschlägiger Bescheid verhängt Sterben. Ich will dich schmerzlos sterben lassen, da ich frisches Blut zu einer Arzneiprobe brauche. Bist du mir willig?

DER HAUPTMANN *steht auf.* Ich melde und komme.

DER ARZT. In mein Zelt. Lege unterdessen die Kleider ab und wasche dir die Stellen am Hals rechts und links.

DER HAUPTMANN *im Ausgang mit neuem Niedersturz.* Lebe ewig. *Ab.*

HOLOFERNES *mächtig.* Und mir hast du dies frische Blut zu danken! *Auf seine eigene Brust Faustschläge trommelnd.* Immer frisches Blut!

DER ARZT. Dir! ja, Holofernes.

JUDITH *mit hingleitendem Interesse an Nebukadnezar.* Die Hand?

DER KÖNIG *statt ihrer Holofernes weiter ansehend.* Ja, du wirst es sein, die sie diese Nacht auseinanderkennen kann: es ist meine Hand, die du fühlen wirst!

JUDITH *sich rötend.* Deine Hand –!

HOLOFERNES. Ist sie die rechte oder die linke?

JUDITH *rasch.* Sag' es!!

DER KÖNIG. Warum soll ich es sagen? *Schweigen tritt ein.* – – – – Warum soll ich es sagen? *Mit lässiger Hand zu Holofernes.* Ich könnte es dir ja sagen, damit du deinen Vorteil daraus ziehst – – am Abend!

HOLOFERNES *geärgert*. Welchen Vorteil?

DER KÖNIG. Bei deinem Weibe!

HOLOFERNES *zu Judith*. Iß! *Zu Bagoas*. Wieviel Tafeln?

BAGOAS. Neunzehn!

HOLOFERNES. Es gefällt mir. *Hinaussehend*. Ha – meine Heere!

DER KÖNIG *schnell*. Hauptmann – gib mir dein Weib!

JUDITH *fährt auf*.

HOLOFERNES *wird dunkelrot, augenweiß – lacht gellend, ein Schrei, der sich draußen fortpflanzt*. Ein – Schattenhans, wie du!

DER KÖNIG *wartet ab*. – Deine Liebesbereitschaft, die du in die Sonne stellst, ist ein Katzengetriebe!

HOLOFERNES *breit*. Die ist bereit.

DER KÖNIG. Wie der Hase auf dem Felde immer bereit ist – zum Kohlfressen!

HOLOFERNES. Heute bin ich der große Hase!

DER KÖNIG. Darum hältst du ein Mahl wie ein Weib – und ein Weib nichts anders denn ein Mahl!

HOLOFERNES. Das sagtest du schon einmal! *Runzelt die Stirn*.

DER KÖNIG. Der Mann ist der Mann – das Weib ist das Weib –

HOLOFERNES. Ja!

DER KÖNIG. So ist es schade um Mann und Weib dabei!

HOLOFERNES. Das sage ich – dir! Es wäre schade mit dem Weibe bei dir –

DER KÖNIG. Im Schatten? – – *Stille*. – – Hauptmann, das Weib gib mir!

JUDITH *zuckt freudig auf*.

HOLOFERNES *lacht, biegt sich zurück*.

JUDITH. Ach weh – du stießest mich!

HOLOFERNES. Es ist mein Rundsäbel unter dem Tisch.

DER KÖNIG. Gib sie mir!

HOLOFERNES. Liebst du sie?

DER KÖNIG. Ich bin kein Hase. Nein!

HOLOFERNES. Und willst sie mir abschwatzen?

DER KÖNIG. Ja – dir!

JUDITH *ist blaß geworden. Jetzt betrachtet sie Nebukadnezar mit glühenden Blicken*.

HOLOFERNES. Warum mir?

DER KÖNIG. Weil du es bist!

HOLOFERNES *lacht laut auf.* Wein! Wein! Wein! *Zu Judith.*
Stört dich der Rundsäbel?

DER KÖNIG. Sie gehört dir ja schon nicht ganz: meine Hand
ist bei dir. Meine Hand hält dein Weib wie du halten
wirst!

HOLOFERNES *wird bleich.* Bedenke, König: wenn du das
Weib von mir erhieltest, so würdest du es vor dem Heere
nicht schützen können. Darum muß ich – der Stärkste im Lager – das Weib nehmen. Und das Weib muß genommen sein.
Denke an unsern Sieg! Das weißt du. So steht sie mir zu!

DER KÖNIG *unnachgiebig.* Du bist ja nicht der Stärkste:
mein schwache Hand hast du ja!

HOLOFERNES *zuckt tief zusammen, erschrickt lange, stößt
hervor.* So hack' sie ab! *Er lacht auf.*

DER KÖNIG *angeregt.* Wir wollen unsere Hände wieder austauschen!

HOLOFERNES *listig.* Aber du fängst an!

DER KÖNIG. Judith tut es: nimm das Schwert. Ich zuerst,
es ist klar: ich trage deine mutige Hand. Der Arzt ist da!
Meine schwache bei dir danach. Steig auf die Bank, Weib –
und ein Streich von oben nach unten!

HOLOFERNES *heiter.* Wenn du es wagst – wage ich's gerne!

DER KÖNIG. Ich wag's zuerst!

HOLOFERNES. Ho ho!

DER KÖNIG *rollt den Ärmel zurück.* Da – scharf unterm
Knöchel weg. Arzt, tritt heran! Die falsche Hand weg.
Weib – zieh von ihm das Schwert!

HOLOFERNES *selbstgefällig.* Was du zuerst wagst – wag' ich
danach! *Er koppelt den Säbel frei.*

DER KÖNIG. Fertig! – Gib es dem Weibe!

HOLOFERNES. Ohne Leder? Doch mit Leder? *Er höhnt Nebukadnezar.*

DER KÖNIG *zu Judith, die das Schwert hält.* Reich' – ich
roll' das Wickelband ab! *Sie vollführen es, indem Nebukadnezar das Leder an sich zieht.*

HOLOFERNES *lacht unbändig, hat sich weit zurückgelegt,
lacht aus voller Kehle, die frei, gespannt so zu liegen kommt.*

DER KÖNIG. Unweigerlich: erst ich – dann seine. Tritt hoch:
zögere nicht, ein nächtlicherweis geschehener Irrtum will
wieder hergestellt sein.

JUDITH *hat sich erhoben, steht auf der Bank.*

DER KÖNIG. Arzt – steh zu mir – *Er hält seine Hand fest.*

Mit einem Hieb – ab! – durch! – los! – nun schlag drauf! *Er schließt die Augen.*

DER ARZT *besorgt hinzutretend.* Der König ist ohne Sinne! Wir müssen seine Beine mit den Katzenfellen schlagen. *Er reißt sie sich vom Gurt, Ägypter fallen nieder und bearbeiten die Waden Nebukadnezars.*

EIN HAUPTMANN *jung, nackt bis auf den Schurz von Haarsträhnen, stürzt herein, mit bloßem Dolch.*

BAGOAS *springt ihn an, streckt ihn mit einem Stich nieder.* Holofernes bleibt mein – zu einer Stunde!

DER HAUPTMANN. Feldhauptmann: die Heere an der Spitze müssen noch heute die Stadt gewinnen oder du verlierst deine stärksten Männer – denn alle wollen tun – was ich an mir selbst vollbringen wollte. – Nur der Ägypter war zu eilig. *Er stirbt.*

HOLOFERNES *blickt an Judith hinauf, streift mit unruhigem Lächeln den König – steht auf.* Hebt ein Fell vom Bett ab und bildet eine Wand vor uns: – meine Heere sollen mich nicht dabei erblicken, denn sie würden über mich herfallen! Ich will den Tag zur Nacht machen! *Höhnend gegen den König, stark an Judith.* Komm! – Weib!

Hinten haben zwei Ägypter nach dem Befehl getan: sie verbergen mit dem hochgehaltenen Ziegenfell das Lager.

HOLOFERNES *ohne sich umzusehen, geht dahinter.*

JUDITH *hängt mit rieselndem Lächeln an Nebukadnezar – wirft Holofernes Blicke nach – sie umspannt den Schwertgriff härter. Kurz wirft sie den Kopf zurück, huscht nach hinten: sie packt den Ägypter, der dort zunächst am Ziegenfell tragend steht, mit dem rechten Arm um den Leib und führt so gestützt linkshändig einen waagerecht gewaltigen Streich hinter das Fell.*

DER ÄGYPTER *stößt einen dumpfen Schrei aus.*

DER KÖNIG *erwachend.* Arzt –!

DER ARZT. Du bist nicht getroffen!

Die beiden Ägypter hinten haben das Fell über Holofernes zusammengeworfen, fliehen nach vorn.

DER KÖNIG *reißt die Augen auf.* Was machst du?

JUDITH *steht lächelnd da, wie ein Kind, das sich eine Be-*
lohnung verdiente.

DER KÖNIG. Was machst du – denn? *Wimmernd wie ver-*
lassen. Was hast du denn gemacht?

Alle andern stehen unbeweglich und schauen nur auf den
König.

JUDITH *bückt sich nieder, wühlt unterm Ziegenfell: sie bringt*
den noch Blut verlierenden Kopf hervor.

BAGOAS *ersticht sich.*

DER KÖNIG *stammelnd, bleich.* Holofernes – – ist gestorben!
Holofernes ist – –!! *Der Schrecken faßt ihn, stößt ihn in*
die Flucht. Mit Schreien erreicht er den Zeltausgang. Holofernes – ist gestorben!!

ASPENAS. Der König – rennt!!

Es ist das Zeichen zur Flucht für alle aus dem Zelt. Die
Töpfe und Kannen der Ägypter rasseln ineinander. Drau-
ßen setzt sich der Wirrwarr fort, steigert sich zu tosendem
Lärm aus Rufen, Heulen, Pfeifen. Dann reißt die große
Flucht den Lärm der entsetzten Heere weiter, er schweigt.

JUDITH *allein in der Leere, Stille, steht verdutzt. Sie streckt*
die Hand mit dem Kopfe des Holofernes hinter sich, streicht
die andere säubernd an der blumigen Hose auf und nieder
und sagt, die nichts begreift. Er ist doch tot – er kann dir
doch nichts mehr tun – *Weinerlich.* Er soll doch nun nicht
fortrennen!

FÜNFTER AKT

Ein Vorraum des innersten Tempels. Die Wand zieht im Halbrund – die Mitte hat eine breite, weit geschwungene Öffnung, die ein hoher Teppich füllt. Im Teppich ein niedriger, viereckiger Durchgang – mit einem Vorhang geschlossen. Über der Öffnung ein Einbruch in die grauen Massen des Steins – mit einem Eisengitter. Breitere Einbrüche dieser Art links und rechts. Unter demjenigen links eine kleine Tür.

Im mittleren Einbruch sitzen allein die Greise Uz, der Sohn Josephs, und Joseph.

JOSEPH *regungslos.* Wer ist –? *Er besinnt sich nicht auf den Namen.*

UZ, DER SOHN JOSEPHS *auf ihn einredend.* Das ist Judith, die die letzte Tochter Meraris!

JOSEPH *nach Schweigen.* Wo ist Merari?

UZ, DER SOHN JOSEPHS. Merari bleibt noch im vorderen Tempel, aber uns hat er schon in den inneren Tempel gesetzt!

JOSEPH. – Warum ist Merari nicht bei uns?

UZ, DER SOHN JOSEPHS. Er ist im vorderen Tempel bei Judith!

JOSEPH. – Warum kommt Merari noch nicht?

UZ, DER SOHN JOSEPHS. Sie hängen jetzt die Ledertasche und das Schwert und das Haupt im vorderen Tempel auf!

JOSEPH. – Warum bleibt Merari so lange bei seiner letzten Tochter?

UZ, DER SOHN JOSEPHS. Das ist Judith, die heute im Tempel gezeigt wird!

JOSEPH. – Wer ist es von den jungen Männern, dem sie gegeben wird?

UZ, DER SOHN JOSEPHS. Judith hat keine Hochzeit, sie wird keinem Manne wieder gegeben!

JOSEPH. – Warum bringt uns Merari sie in den Tempel?

UZ, DER SOHN JOSEPHS. Wir sollen die Ehre seiner Tochter sehen, denn der Hohepriester ist von Jerusalem gekommen und will sie in das Allerheiligste führen!

JOSEPH. – Kommt Merari jetzt?

UZ, DER SOHN JOSEPHS. Er wird auch kommen mit dem Hohepriester und bei uns oben sitzen, wenn der Hohapriester unten mit seiner letzten Tochter in das Allerheiligste geht!

JOSEPH. – – Warum geht der Hohepriester von Jerusalem mit seiner letzten Tochter in das Allerheiligste?

UZ, DER SOHN JOSEPHS. Das ist Judith, die den feindlichen Feldhauptmann Holofernes vor der Stadt getötet hat!

JOSEPH. – Vor der Stadt?

UZ, DER SOHN JOSEPHS *eifrig, nickend.* Ist ein Lager voll von Feinden gewesen. Und an einem Tage sind die Schwärme geflohen, aber es war kein Schwert von uns dazu gezogen worden. Judith, das ist die letzte Tochter Meraris, hatte das Schwert des Feldhauptmanns gezogen und ihn mit seinem Schwerte erschlagen. Judith hat die Feinde in ihrem eigenen vollen Lager erschreckt und die Stadt gerettet!

JOSEPH. – Sagt es Merari?

UZ, DER SOHN JOSEPHS *sich dichter zu Joseph biegend.* Die jungen Männer – und alle Männer, die Judith aus dem Lager in die Stadt zurückgeführt haben – haben sie ausgerufen! *Geheimnisvoll.* Aber da sind die Oberrichter noch zusammengetreten und haben Judith vor das Gericht genommen. Denn sie hat die Stadt gerettet, aber konnte sie nicht den Gott unserer Väter beleidigt haben? Darum sagten sie, als sie von ihren Feinden befreit waren: besser wäre es zu verbrennen, als ein Vergehen gegen den Gott von Israel ungestraft zu lassen! – Und das war die erste Anklage: sie ist in der Kleidung von Männern gegangen. Der Gott von Israel hat Weiber und Männer geschieden – man darf sich nicht unter das andere Geschlecht mischen. Und Judith nahm den Vorwurf an, denn sie schwieg dazu. – Da nannten sie die zweite Anklage: sie hat von dem unreinen Fleisch auf den Tischen der Feinde gegessen. Aber davor war Judith geschützt, denn man hatte noch Feigenkuchen in derselben Ledertasche gefunden, wo der Kopf des Feldhauptmanns steckte. – Und die dritte Anklage: weil sie den mächtigen Feldhauptmann nicht anders als in seinem Schlafe überwältigt haben konnte, muß sie vorher mit ihm geschlafen haben. Sie hat das reine Blut ihres Volkes beschmutzt! Aber das wies Judith den Oberrichtern ab. *Geheimnisvoll.* Und obwohl sie schon einem Manne früher zur Ehe gegeben war, wollte sie eine Untersuchung an ihrem Körper haben. Das erlaubten im Anfang die Oberrichter nicht – aber da forderte Judith ihr Recht nach allem Recht. *Noch geheimnis-*

voller. Und da nahm der Arzt sie vor. Und da haben sie das Wunder entdeckt! Judith – *Er atmet.*

JOSEPH. Wer ist –?

UZ, DER SOHN JOSEPHS. Das ist Judith, die die letzte Tochter Meraris – die nach ihrer Ehe und nachdem sie noch mit dem feindlichen Feldhauptmann geschlafen – ein Kind ist! – – Und der Hohepriester von Jerusalem, als sie ihn befragten, legte ihnen das Wunder aus: weil die Stadt nicht umgekommen ist, hat der Gott von Israel seinen Frieden mit euch gemacht – und das Zeichen, das er euch gab, um seine Absicht zu erkennen – ist das Kind! – Und darum hängen sie heute die Ledertasche im Tempel auf!

Zwei Tempeldiener – in Schwarz – treten unten rechts ein.

JOSEPH. Kommt Merari?

UZ, DER SOHN JOSEPHS *durch die Gitterstäbe hinabsehend.* Es sind Diener im Tempel.

Jetzt treten Juden in die Einbrüche links und rechts: sie sind feiertäglich gekleidet – stürzen sofort an die Gitterbrüstung vor, hängen die Arme heraus und biegen sich weit vorn über. Das Gespräch wird von links nach rechts laut geführt.

EINER LINKS. Ich sage, wir sollen sechs Tage den Tempel nicht besuchen, so scharf wird der Kopf stinken!

Gelächter.

EINER RECHTS. Und ich sage: der Kopf wird zu stinken nicht nachgeben, als der Rumpf nicht beschnitten ist!

Gelächter.

EINER LINKS. Er ist beschnitten genug!

Gelächter.

EINER RECHTS. Nur hat man sich mit dem Schnitte vergriffen!

Gelächter.

EINER LINKS. Es ist auch eine Frau gewesen, die den Juden aus dem Heiden machen wollte!

Gelächter.

EINER RECHTS *nach unten zu den Tempeldienern*. Hast du es gehört: wie hier einer von einer Frau, die Judith ist, geredet hat?

EINER LINKS *ebenfalls hinabrufend*. Habt ihr auch selbst gesehen, daß sie keine Frau ist?

Gelächter.

DER TEMPELDIENER *blickt hinauf, schüttelt den Kopf*.

DERSELBE LINKS *hinunter*. Schüttelst du den Kopf, weil du an ihm getauft sein willst?

EINER RECHTS. Er ist hochmütig geworden und will auch von der Wand auf alle, die die Treppe heraufsteigen, hinabsehen?

EINER LINKS *wieder nach rechts hinüber*. Es muß auch einer dem Großmaul Holofernes Gesellschaft leisten, wie es seine Gewohnheit bei Tag und Nacht war!

EINER RECHTS. Er kann sich mit seinem Schwerte unterhalten, das ihm schon einmal sehr nahe gekommen ist!

EINER LINKS. Er wird sich schützen! – denn das Schwert hat ihm schon eine Freundschaft zerschnitten – nämlich die mit seinem eigenen Rumpf!

EINER RECHTS. Ja, sein Schwert ist ihm zu stürmisch um den Hals gefallen!

EINER LINKS. Darum hat man es auch an die Wand über seinem Kopf festgemacht, damit es ihm nicht wieder unter die Nase greifen kann!

Bei den Alten erscheint David, der Sohn Benajas. Freude verklärt sein Gesicht. Er bleibt hinter den Sitzen der Alten stehen und blickt nach rechts und links.
Sogleich setzt ein allgemeines Händeklatschen ein.

EINER RECHTS. Da ist David, der Sohn Benajas, zu seiner Verwandtschaft getreten: jetzt wird Judith unten hereingeführt werden!

EINER LINKS. Das ist ein großer Tag für David, den Sohn Benajas, und seine Verwandtschaft!

EINER RECHTS. Es hat noch keiner außer dem ersten Stadtobersten dort gesessen, wo David, der Sohn Benajas, mit
seiner Verwandtschaft heute sitzt – und die Stadtobersten
gehen unten vorüber!

Neuer Ausbruch des Beifalls.

EINER LINKS. Der Gott von Israel hat seine große Macht
über David, den Sohn Benajas, ausschütten wollen: hat ihm
nicht die Stadt sein leeres Haus hinter den Gerstenfeldern
abgekauft?
EINER RECHTS. Weil sein Haus hinter den Gerstenfeldern
liegt, darum hat die Stadt es teuer gekauft – nicht weil es
das leere Haus Davids, des Sohns Benajas, ist!

Beifall.

EINER LINKS *hineinschreiend.* Man hätte den Kopf des
Holofernes hineinnageln sollen, dann hätte Judith männlichen Schutz ohne einen Mann zu haben erlangt!
EINER RECHTS *verächtlich.* Der Hohepriester von Jerusalem
hat uns das Wunder ausgelegt: es darf nichts von einem
Manne in Judiths Nähe sein!
EINER LINKS. So stelle dich hier nicht im inneren Tempel auf
und bohre mit deinen nassen Augen nach Judith, wenn sie
unter dir der Hohepriester und der Oberste Osias vorüber-
führen!
EIN ANDERER LINKS. Weißt du auch sicher, daß dein Bruder
drüben ein Mann ist?
DER FRÜHERE LINKS. So nenne ihn nicht meinen Bruder, sondern sage: deine Schwester!

Brüllendes Gelächter.

EINER LINKS. Es ist nicht das erste Weib, das Judith aus
einem Manne gemacht hat!
EINER RECHTS. Was willst du uns von dir erzählen?

Gelächter.

EINER LINKS. Ich rede vom Fürsten Achior, der in die Stadt
geschickt wurde und uns unser Ende verkünden sollte!

EINER RECHTS. Ich habe nichts vom Fürsten Achior gehört!

EINER LINKS. Hört doch zu!

EINER *pfeift*.

DER ERSTE TEMPELDIENER. Das Pfeifen ist im Tempel durch die Priester verboten!

EINER RECHTS. Und das Spucken vergiß nicht, wenn du die Kenntnis deiner Vorschriften vor uns beteuern willst!

EINER RECHTS. Das mit dem Fürsten Achior soll erzählen, wer es weiß!

EINER LINKS. Schweigt!

EINER RECHTS. Der Gott von Israel hat mir meinen Mund nicht zum Schweigen hineingeschnitten!

EINER LINKS. So red' einmal nur mit den Armen!

Gelächter.

EINER RECHTS. Was ist mit dem Fürsten Achior?

EINER LINKS. Ich rede!

EINER RECHTS. Ruhe!

DER FRÜHERE LINKS. Ich erzähle vom Fürsten Achior: der Fürst Achior war als Zeuge im Gericht, weil er im Zelt war, wie Judith zuerst zum Holofernes kam. Er wollte ihr mit seinem Zeugnis schaden.

EINER RECHTS. Warum wollte er ihr mit seinem Zeugnis schaden, hat sie doch seinen Feind Holofernes unschädlich gemacht?

DER FÜHRER LINKS. Er liebte schon den Gott von Israel, der unserm kleinen Volk den großen Sieg gemacht! Darum wollte er Judith aus dem reinen Volke treiben. Aber da kam das Wunder an den Tag, das an Judith geschaffen war. Und nun ließ er sich taufen!

EINER RECHTS. Gott, so ist er getauft! Wer hat sich nicht in dieser Zeit zu unserm Gott bekannt?

Teilweiser Beifall.

DER FRÜHERE LINKS. Ich bin nicht fertig mit dem Fürsten Achior, von dem ich rede! Wie er nämlich den Spruch des Hohepriesters von Jerusalem gehört hat, daß kein Mann wieder in die Nähe Judiths gehen soll –!

Kurze Stille.

EINER RECHTS. So red' weiter!

DER FRÜHERE LINKS. – da ist er zu einem Arzte gelaufen und hat sich – – auf die Weise die Erlaubnis schaffen wollen, doch bei Judith in ihrem Hause hinter den Gerstenfeldern zu dienen! Und der Oberste der Stadt, Osias, hat es heute dem Hohepriester von Jerusalem vorgetragen, aber der hat wieder gerufen: was der Gott von Israel zum zweiten Male Judith verliehen hat, das verbietet alle Männer in ihrer Umgebung – wie das Allerheiligste!

EINER LINKS. So soll der Fürst Achior sich zu dem Kopf an der Mauer stellen: sie haben beide genug durch Judith verloren!

Beifall.

EINER RECHTS *hineinschreiend.* Der Gott von Israel spricht durch Zeichen zu seinem Volke und wir verstehen seine Zeichen!

EINER LINKS. Was ist denn unten?

Osias, der erste Stadtoberste – ein prächtig gekleideter Jude in mittleren Jahren – ist rechts gekommen und bedeutet – mit der Absicht, oben unbemerkt zu bleiben – seit längerem die Tempeldiener durch Winken mit den ganzen Armen zu sich heran.
Die Tempeldiener sind erst durch den Zuruf von oben aufmerksam geworden, eilen zu Osias.

EINER RECHTS *da man von rechts Osias nicht erblickt.* Wer ist gekommen? Sprecht doch was!

EINER LINKS *antwortend.* Osias, der erste Stadtoberste, ist unten – und spricht mit den Tempeldienern!

Osias spricht zu ihnen, die Augen mehrmals nach oben hebend.

EINER RECHTS. Ist Osias noch unten?

EINER LINKS. Jetzt geht er wieder.

Osias ab.

EINER RECHTS. Es werden Anordnungen zu geben sein – an einem solchen Tag im Tempel!

EINER LINKS. Wir haben unsere guten Plätze!

Die Tempeldiener sind zur Mitte zurückgekehrt, winken hinauf, wollen reden.

EINER RECHTS *ruft hinab.* Habt ihr zu uns zu reden?

EINER LINKS. Was hat euch der Osias gesagt?

DER ERSTE TEMPELDIENER. Judith wird nicht hierher geführt werden, der Zug geht durch den äußeren Vorraum!

EINER RECHTS. Warum geht der Zug nicht durch den inneren Vorraum?

DER ERSTE TEMPELDIENER. Das weiß ich nicht!

EINER LINKS. Der Zug geht nicht durch diesen Vorraum!

EINER RECHTS. Dieser Vorraum war für den Zug zuerst bestimmt!

EINER LINKS. Warum führt der Hohepriester Judith nicht herein?

EINER RECHTS. Jetzt haben sie den äußeren Vorraum schon besetzt!

EINER LINKS *hinab.* Haben wir die Umänderungen zuerst erfahren?

EINER RECHTS. Wir müssen uns beeilen, daß wir auch da zuerst ankommen!

EINER LINKS. Wenn wir schnell sind, finden wir die ersten Plätze noch frei!

Ein eiliger Aufbruch entsteht, drängend und stoßend: schnell wird es oben leer.

DAVID, DER SOHN BENAJAS *tritt oben vor, spricht herab.* Wißt ihr, was vorgefallen ist?

DER ZWEITE TEMPELDIENER. Bist du David, der Sohn Benajas?

DAVID, DER SOHN BENAJAS. Der bin ich!

DER TEMPELDIENER. Dich sucht Osias, der Stadtoberste – wir sollen dich zu ihm schicken!

DAVID, DER SOHN BENAJAS. Wo ist Osias im Tempel?

DER TEMPELDIENER. Alle warten noch bei der äußeren Treppe!

DAVID, DER SOHN BENAJAS *sich über die Alten oben beugend.* Ich muß euch noch einmal hier oben allein lassen, denn der Stadtoberste ruft mich zu sich.

JOSEPH. Wo ist Merari?

DAVID, DER SOHN BENAJAS. Auch Merari muß noch bei Judith bleiben. Wir kommen beide zu euch. Wartet! *Er verschwindet.*

Die Tempeldiener sind nach rechts fortgegangen.

JOSEPH. – – Wer ist –?

UZ, DER SOHN JOSEPHS. Das ist Judith, die die letzte Tochter Meraris.

Von links kommen Mädchen, bunt und mit Schleiern: schlanke und biegsame Gestalten – Töchter vornehmer Juden der Stadt. Die Gesten geben die Bestürzung der Verhüllten wieder. Sie bleiben – zu einem Rudel zusammengeworfen – kurz nach ihrem Eintritt stehen und wenden sich zurück.
Schließlich wird Judith – Judith im Bausch steifer Gewänder und mit dichten Perlengeschnüren vor dem Gesicht – von der Mutter und Rebekka hereingeführt, auch sie verhüllt.

DIE MUTTER *stöhnend.* Das Kind ist störrisch wie ein Eselfüllen!

REBEKKA. Mutter, das darfst du nicht mehr sagen!

DIE MUTTER. Ach, ich bin seine Mutter!

REBEKKA *zu Judith.* Judith, deine Mutter fleht dich an: der Hohepriester wird jetzt kommen. Komm!

JUDITH *aufs äußerste widerstrebend.* Nein!

REBEKKA *verzweifelt zu den Mädchen.* Das Fest ist so groß – das ist so verwirrend!

DIE MUTTER *zu Judith, heftig.* Willst du dich dem Hohepriester widersetzen?

REBEKKA. Mutter, das tut sie ja nicht. Es sind die Menschen im Tempel und der Anblick des toten Kopfes, die erschrecken!

DIE MUTTER. Jetzt ist das vorbei und wir sehen ihn nicht: jetzt sind wir schon im innersten Tempel!

REBEKKA *zu den Mädchen.* Nun tretet heran – und leget Hand an!

JUDITH *mit verstärktem Widerstande.* Nein!

DIE MUTTER *beschwichtigend.* Nein, es sollen auch nur die Mädchen, die sind deinesgleichen, tun. Kommt!

JUDITH. Nein – ich will nicht!

REBEKKA. Sie will jetzt, jetzt kommt!

JUDITH. Ich will – nicht! *Sie bäumt sich wider die Mutter und Rebekka.*

REBEKKA *heftig.* Und willst du so dich vom Hohepriester überraschen lassen?

Die Mädchen fahren erschreckt herum.

DIE MUTTER. Was willst du nicht? Sprich es aus! Weißt du auch, was du nicht willst? Ah, jetzt weiß ich es. Und laß dich aufklären. Rebekka, jetzt kann ich ihren Widerstand brechen. *Zu Judith.* Ich denke an deine Hochzeit zurück, wie wir auf der Haupttreppe mit dir unsere Not hatten. Damals wehrtest du dich – und das kann jeder begreifen von einem jungen Mädchen – gegen dies: du wolltest deinem Manne nicht gegeben werden. Da brachten wir dich nur mit Anwendung von Gewalt – Rebekka und ich trugen dich zuletzt hinauf und dein Bräutigam zog lockend voran! – zum Tempel. Damals hattest du wohl das Recht, dich zu sträuben. Ein Mann tut oft wild in deiner ersten Nacht. – Aber wo findest du das jetzt? Erwartet dich dein Mann? Oder sollst du noch im Tempel einem Mann gegeben werden? Was ist denn nun noch, was dich reizt? – Nur weil der Tempel der Tempel ist?

REBEKKA *eindringlich.* Schwester – du mußt dich nun fügen, wie der Hohepriester will!

DIE MUTTER. Und du wirst mir gehorchen, weil du meine liebe Tochter bist!

REBEKKA. Jetzt bereiten wir dich zu deiner hohen Ehre! *Sie sucht ihr den Schleier abzunehmen.*

JUDITH. Laß!!! – ich will nicht!! – nein!! – laßt mich!!

DIE MUTTER. Was willst du nicht? So sprich!

JUDITH. Ich – will nicht!

REBEKKA. Judith!

DIE MUTTER. So gehe ich fort. So will ich nicht die Schande erleben, die jetzt geschehen wird. Es wird mehr geschehen: man wird meine Tochter aus dem Tempel stoßen. Denn etwas muß in ihr sein, was den Tempel zu fliehen hat.

REBEKKA. Mutter – schweig!

DIE MUTTER. Das steigt in meinem Geiste mit Entsetzen auf. Judith, ich ziehe meine Hände von dir! Judith, wer bist du?

Mehr und mehr betroffen. Wer ist das, die aus meinen Gliedern entsprossen ist? Ich habe keinen Menschen geboren, der
das getan hat! Wo ist die Schnur deiner Taten verknüpft,
Judith? *Von ihr weichend.* Deiner Brüder, deiner Schwestern, die solches tun?!

REBEKKA *Judith allein umschlingend.* Mutter, jetzt versün-
digst du dich!

DIE MUTTER *bebend.* Ich sündige, ich habe dies Kind geboren! Ich habe nicht gewußt, daß Mütter so gebären können.
Oder ich hätte mir einen Mühlstein auf den Leib gelegt und
das Kind erdrückt! Jetzt gehe ich in mein Haus zurück – ich
schließe mich ein – und ich will darüber nachsinnen!

DAVID, DER SOHN BENAJAS *kommt eilig erregt links, zur
Mutter, die er aufhält.* Ihr steht noch hier? Osias, der Stadtoberste, hat es mir schon erzählt. Judith weigert sich. Es ist
fürchterlich. Es hat draußen einen Auftritt schon gegeben,
den Osias noch vertuschen konnte. Der Hohepriester wird
gleich eintreten, er will mit ihr in das Allerheiligste gehen.
Ist Judith bereit?

REBEKKA *schnell.* Es ist gut, daß du kommst. Du wirst besser Bescheid wissen! Sage ihr, denn uns glaubt sie nicht, daß
sie keinem Mann im Tempel heute gegeben wird, daß es
nichts damit zu tun hat! Sie zittert wieder, wie damals bei
ihrer Hochzeit.

DAVID, DER SOHN BENAJAS *zu Judith tretend.* Ich kann dich
aufklären – und ich verstehe, daß du zweifelst! Denn es ist
so viel geschehen mit dir, Judith, daß wir Menschen nichts
mehr begreifen. So laß allein den Spruch des Hohepriesters
für dich gelten, wie wir in ihm leben. Was ist dir, Judith?

DIE MUTTER. Gut, Sohn, entreiße du ihr die Geheimnisse!

DAVID, DER SOHN BENAJAS. Wo sind Geheimnisse, Mutter?
Ein Geheimnis ist da: dies Wunder! *Zu Judith.* Du bist verwirrt von der großen Ehre, die dieser Tag dir bringt. Das
letzte wartet auf dich. Darum laß dich von uns leiten, die
wir kühleren Kopfes geblieben sind – obgleich auch wir zittern – wir Männer! Gib keinen Aufenthalt dem Hohepriе-
ster von Jerusalem. Und heute noch wirst du – umgeben von
– ja, da stehen deine Freundinnen! – in einem kleinen weißen Hause hinter den Gerstenfeldern still für dich wohnen
– und unser Anblick wird dich nicht mehr quälen. Nur die
Freundinnen, die dir dienen und helfen wollen, sind um

dich. Das ist deine Zukunft, wenn diese Feierlichkeiten erfüllt sind! *Zu den Mädchen.* Kommt!

JUDITH. Nein!

REBEKKA. Judith!

DIE MUTTER. Das ist ihr Wort! Ich nannte sie ein Eselfüllen,
aber das verbot mir ihre Schwester.

DAVID, DER SOHN BENAJAS *gutmütig.* Das Wort wird Judith ja nicht verdienen wollen. Denn jetzt geht Judith!

JUDITH. Ich – will nicht!

DAVID, DER SOHN BENAJAS *befehlerisch an die Mädchen.*
Tretet heran und bereitet sie vor!

*Im selben Augenblick beginnt Judith gegen die, die sie hal-
ten, zu ringen. Ein stummer Kampf ist es, der sich zwischen
der Mutter, Rebekka, David, dem Sohn Benajas, und ihr
abwickelt. – Die Mädchen stehen verschüchtert abseits. –
Dann sind die Kräfte beider Parteien erschöpft: man läßt
voneinander ab und steht erhitzt, ächzend.*

OSIAS *kommt rechts, überblickt.* Ist –?

DAVID, DER SOHN BENAJAS *lächelt verlegen.*

OSIAS. Denn der Hohepriester von Jerusalem kommt! *Ab*

DAVID, DER SOHN BENAJAS *öffnet kurz gefaßt die kleine
Tür.* Da hinein! – bereitet sie! – ich rufe!

Die Frauen und Mädchen mit Judith dort ab.

DAVID, DER SOHN BENAJAS *schließt die Pforte.*

*Die Tempeldiener kommen wieder von rechts, warten.
Es folgen: Jojakim, der Hohepriester von Jerusalem – unter
breitrandigem Hut ein braunbärtiges Männergesicht. Um
seine Füße ist ein beständiges Klingeln, das von den Schellen
an seinem Mantelsaum rührt. Osias, der sich bemühte, eine
heitere Sorglosigkeit zur Schau zu tragen und doch mit for-
schenden Augen zu David, dem Sohne Benajas, abirrt, der
bescheiden lächelt und in der Nähe des Pförtchens geblieben
ist. Vier Priester von Jerusalem, hohe alte und junge Gestalten, deren Trachten prunken. Die elf Priester des Tempels.
Alle Stadtoberste. Zuletzt Chabri und Charmi, die sich zueinander halten.*

JOJAKIM. Wo ist die Tochter eurer Stadt?

OSIAS. Sie – rüstet sich, mit dir in das Allerheiligste zu gehen!

JOJAKIM *umblickend*. Das Volk steht außen –

OSIAS *rasch*. Ich hoffte nach deinem Wunsche zu handeln!

JOJAKIM *nickt*. Stille soll sein.

OSIAS *beruhigt*. So dachte ich es mir!

JOJAKIM. Nun halte du in dieser Vorkammer mit deinen Brüdern mir den Hut. Ich will beginnen, mich für die allerheiligste Kammer zu rüsten.

OSIAS. Mit allen Stadtobersten bewache ich dir hier den Hut.

JOJAKIM *ihn herunternehmend, Priester sind bei der Hand*. Ich ging mit dem Hut bekleidet bis zu diesem Vorhang. Nun lege ich ihn ab vor der Nähe des Allerheiligsten.

EIN PRIESTER VON JERUSALEM *Tenorsolo*. Das Heiligtum wohnt unter den Teppichen zu Jerusalem!

EIN PRIESTER DER STADT *respondierend*. Heute wohnt es auch in unserem Tempel!

Die beiden Tempeldiener sind zu dem Vorhang in dem hohen Teppich getreten und schlagen ihn auf. Dahinter in einiger Entfernung und schräg verlaufend wird ein neuer, andersfarbiger Teppich sichtbar – mit einem gleichen Türausschnitt, der verhängt ist.

JOJAKIM. So entbehrt mich auf die Frist eines Fußfalles, den ich mit der Tochter eurer Stadt tun muß vor dem Allerheiligsten. Lebt wohl!

OSIAS *seinen Mantel küssend*. So empfehle uns mit unserem Danke aller Gnade. Leb' wohl!

Die Stadtobersten tun geschart desgleichen und murmeln den Abschied.

JOJAKIM *nur von allen Priestern geleitet, geht in den zweiten Vorraum.*

OSIAS *zu David, dem Sohn Benajas, mit Hast gehend*. Wo ist Judith!

DAVID, DER SOHN BENAJAS *auf die Tür weisend*. Jetzt wird sie gerüstet.

Die Stadtobersten drängen neugierig nach.
Chabri und Charmi stehen allein fern.

EIN STADTOBERSTER. Wo ist Judith?

OSIAS *abwehrend.* Wartet!

JOJAKIM *läßt sich drinnen den tiefhängenden, läutenden Überwurf abnehmen.* Ich schritt angetan mit einem Mantel, der nach seinem Gebot aus einem Stück gefertigt, bis an diesen anderen Vorhang – nun lege ich ihn ab vor der Nähe des Allerheiligsten.

EIN PRIESTER VON JERUSALEM *Tenorsolo.* Sein Heiligtum wohnt unter Teppichen zu Jerusalem!

EIN PRIESTER DER STADT *respondierend.* Heute wohnt es auch unter unseren Teppichen!

JOJAKIM *steht in blaupurpurnem Oberkleid – umgürtet, Litanei.* Aber der Gott unserer Väter hat im Geiste seinem Hohepriester die Macht gegeben, darum darf er das Kleid vor seinem Allerheiligsten nicht tragen, das vor dem Volke ihn verkündet!

EIN PRIESTER VON JERUSALEM. O Wunder, das Heiligtum wanderte!

EIN ZWEITER PRIESTER VON JERUSALEM. Es wohnt nicht mehr unter den Teppichen zu Jerusalem!

JOJAKIM. Eine Wolke hob es auf – nun findet es sich hinter diesen Tüchern!

Die Tempeldiener, nachdem ihnen auf den Wink Osias' zwei Stadtoberste den Vorhang zu tragen abgenommen, gehen nach dem zweiten Teppich, in dem sie den Vorhang aufheben: ein neuer Raum mit hohem Teppich.

JOJAKIM *während die elf Priester der Stadt seinen Mantel halten – nur mit der Begleitung der vier Priester von Jerusalem hineinziehend.* Auf die kurze Frist eines Fußfalles bin ich nun von euch!

EIN PRIESTER DER STADT *seinen Rocksaum hinten küssend.* Leb' wohl!

Alle Priester der Stadt tun es, grüßen.

OSIAS *zu den Stadtobersten.* Ich habe die Zuschauer oben herausgerufen! Judith hat eine Schwäche erlitten. Doch ist sie hier! *Er eilt zu David, dem Sohn Benajas.* Wir müssen nach ihr sehen. Oder warte. *Er geht zurück.*

JOJAKIM *im dritten Raum.* Ich schritt mit dem blaupurpurnen Oberrocke nach der Vorschrift und eng gegürtet bis an diesen Vorhang. Nun löst mir den Gürtel auf. *Es geschieht.* Hebt das Obergewand! *Es geschieht.*

EIN WEISSBÄRTIGER PRIESTER *Tenorsolo.* Das Allerheiligste rückt nahe, wo sein Hohepriester sich vor ihm entblößt!

JOJAKIM. So hütet Gürtel und Gewand – wenn ich auf die kleine Frist eines Fußfalles fern bin!

Die Tempeldiener, nachdem zwei Priester der Stadt den Vorhang ihres Vorraums trugen, gehen zum anderen Teppich, schlagen seinen Vorhang auf: sie eröffnen einen neuen Vorraum mit Teppich und Vorhang in ihm.
Jojakim, gefolgt von den noch übrigen zwei Priestern, geht dahinein. Die beiden anderen Priester – der weißbärtige und ein junger – nehmen zuvor den Teppich.

OSIAS *zu den Stadtobersten.* Es wird gewiß keine Verzögerung entstehen! *Bei David, dem Sohn Benajas.* Jemand muß anklopfen und zur dringenden Eile mahnen! Oder warte! *Er geht zurück.*

JOJAKIM *tiefinnen.* Löst die Schnüren an den Schuhen und die Schuhe haltet auf die kleine Frist eines Fußfalles. Meine Sohlen haben im Scharlach der Wolle rein geruht, so sollen sie nun zur allerheiligsten Kammer und auf ihren dichten Teppichen gehen.

Der jüngere Priester stürzt nieder, reicht dem älteren Schuh nach Schuh hinauf. –
In der verminderten Kleidung, die nur noch in einem rosafarbenen Hemd besteht, kommt eine Nacktheit dieses schön gewachsenen Mannes zu starkem Ausdruck.
Die Tempeldiener stützen den letzten Vorhang: dahinter dämmert es schwarz. Die beiden Priester mit den Schuhen halten den Vorhang ihres Vorraums.
Die kleine Tür vorn links wird heftig aufgestoßen. Judith – von der Mutter und Rebekka gewaltsam hervorgezogen – kommt. Judith sträubt sich, doch ist ihre Stärke am Erlahmen. Ihr Gesicht ist jetzt frei – der Bausch der Gewänder entfernt, Füße und Arme nackt. Das Haar strömt auf sie.

DIE MUTTER *ächzend*. Jetzt bringen wir –
OSIAS *zu den Stadtobersten, aufatmend.* Judith ist auch bereit!

Die Stadtobersten nähern sich vorsichtig.
Chabri und Charmi bleiben fern.

DIE MUTTER *Judiths Kopf zur Tiefe drehend.* Dahin ist dein
Weg – kein Weg, als der!
JUDITH *sieht. – – Sie dreht den Kopf nicht zurück. – Im folgenden entstehen diese Steigerungen: Schimmer schöner Jugend fluten auf und nieder. Leise tasten ihre Finger, denen die Hände mit größeren Flächen langsam nachgehen, an den eigenen Gliedern herab. Ihr Leib spannt sich – und aus aller Verfolgung, Vorwurf und Bestimmung baut er sich neu und voller auf. Ihre Finger zittern um den Saum ihres kurzen Kleides, als höben sie daran. – Die Säule ihres zur Erde stehenden Haares trägt die Stirn ihrer schönen Mädchenkraft, wie die Krone heiligsten Gebietens.*
OSIAS *zu Judith.* Judith – – Tochter unserer Stadt – und ich
darf es sagen: Mutter der Stadt –: keines Mannes Hand will
dich mehr führen, wenn du jetzt zurückkehrtst. Darum verstatte dies: Leb wohl! *Er drückt die Lippen unten an ihr Kleid.*
EIN STADTOBERSTER. Du bist dreizehnjährig, aber dein Namen läuft schon wie der Rauch über unsere Dächer!
EIN ANDERER STADTOBERSTER. Wie Rauch entrinnt, kann
dich keine Hand mehr fassen!
EIN DRITTER STADTOBERSTER. Wenn du die Frauen deiner
Wartung das erstemal wechselst, so unterschätze meine
Tochter nicht!
EIN VIERTER STADTOBERSTER. Meine Tochter darf dir, die
Hochgeehrte, heute dienen – vergiß sie nicht, wenn du wieder wählst!
EIN FÜNFTER STADTOBERSTER. Meine neun Töchter wollen
dich bitten: nimm alle dauernd zur letzten Dienerin, die das
Wasser auslassen, in dem du dein Bad hast: sie wollen des
Mannes um deinetwillen entraten!
JOJAKIM *aus der Tiefe freundlich lächelnd rufend und winkend.* Auf die Frist eines Fußfalles entbehrt sie doch!
OSIAS. Scheide auf die Frist eines Fußfalles, Judith, von
uns!

EIN STADTOBERSTER. Auf die Frist des Fußfalls, indem wir hier stehen!

DIE STADTOBERSTEN *drängen noch einmal an Judith heran, küssen ihr Kleid am Saum, treffen auch ihre Finger.* Auf die Frist des Fußfalls!

OSIAS. Tretet zurück!

Chabri und Charmi standen dabei rechts allein und scheinen in ein Gespräch vertieft.

JUDITH *geht, wartet – schauend – im zweiten Vorraum.*

EIN PRIESTER DER STADT *tritt mit allen an sie heran.* Du hast die Kammer, Judith, unserers Tempels über unsere Würde heilig gemacht. Darum müssen wir hier stehen und dürfen nur am ungenähten Mantel des Hohepriesters tragen. Du aber sollst unseren Tempel sehen, wie wir ihn nicht sehen dürfen. Gehe von uns mit Frieden – kehre zurück zum Frieden!

EIN ZWEITER PRIESTER DER STADT. Du bist würdiger als wir Verwalter des Tempels!

EIN DRITTER PRIESTER DER STADT. Um deinetwillen wurde unsere heilige Kammer erhöht, nun wirst du auf weichere Teppiche niederfallen!

JOJAKIM *rufend, winkend.* Auf die Frist eines Fußfalles gilt es auch nun für euch!

DER ERSTE PRIESTER DER STADT. Es währt dennoch lange, wo es drängt, dich danach zu schauen!

EIN ZWEITER PRIESTER DER STADT. Verziehet nicht beide!

EIN DRITTER PRIESTER DER STADT. Auf die Frist des Fußfalls!

EIN VIERTER PRIESTER DER STADT. Fallt nieder und kommt wieder!

JUDITH *geht weiter – an dem Grüßen der Priester von Jerusalem vorüber – zu Jojakim.*

JOJAKIM *nimmt ihre Hand auf, führte sie – reckt sich: – hinter beiden lassen die Tempeldiener den Vorhang zusammenfallen.*

DIE MUTTER *ausbrechend, erschöpft.* Ich verschließe mich in meine Kammer – und weine zehn Tage ohne Ruhen!

DAVID, DER SOHN BENAJAS *zu Rebekka.* Führe sie. Nun will ich zu den Vätern hinaufgehen.

REBEKKA. Mutter – komm aus dem Tempel. *Die drei links ab.*

*Die Stadtobersten – in einem feierlichen Warten – stehen
wieder rechts, mit dem Hut.*

*Oben kommen die Juden zurück; sie drängen, stoßen sich
vorwärts zum Gitter, sind laut. Die Vorderen erblicken den
Vorgang unten, winken und zischeln die Nachkommenden
zur Ruhe – fallen nieder, schlagen die flachen Hände auf
das Gesicht – – und warten.*

*Die Mädchen treten links aus dem Pförtchen; mit den Ge-
wändern Judiths, die sie festlich tragen. Dort stellen sie sich
auf.*

Lange, tiefe Stille.

*Dann ereignet sich folgendes: im hintersten Raume sind die
beiden Priester am Vorhang ermüdet. Sie winken den dort
unbeschäftigt stehenden Tempeldienern, diese lösen sie ab.*

*Die zwei Priester sind zu den anderen beiden Priestern von
Jerusalem eingetreten; auch diese müssen erlahmen. Sie rufen die Tempeldiener – die nun jenen Vorhang fallen lassen
müssen – heran und übergeben an sie ihr Amt. Sie selbst
treten bei den Priestern der Stadt ein.*

*Die zwei Priester der Stadt, die hier offen halten, rufen
nach einigem Zögern die Tempeldiener. Wieder fällt ein
Vorhang zusammen.*

*Alle Priester treten in den Raum zu den Stadtobersten ein.
Die beiden Stadtobersten geben hier den Vorhang an die
Tempeldiener, die nun auch bald wie mit Einverständnis
aller diesen letzten Vorhang schließen.*

*Jene Priester von Jerusalem, Priester der Stadt und Stadt-
oberste, die die Röcke, Schuhe und Hut Jojakims tragen,
treten unter sich zusammen, blicken auf sie.*

*Oben bei den Alten ist David, der Sohn Benajas, eingetre-
ten.*

Die Juden in den Einbrüchen fangen an laut zu werden.

OSIAS *allen fragenden Blicken mit einem Achselzucken begegnend, zu dem alten Priester von Jerusalem tretend.* Jedenfalls ist die Art eines Fußfalls bei euch in Jerusalem eine
andere!

[1904]; 1909; [1909; 1909/10; 1920; 1921]

DAVID UND GOLIATH

Komödie in drei Akten

PERSONEN

SOPHUS MÖLLER, *Beamter der Sparkasse*
HELENE, *seine Frau*
DAGMAR, *die Tochter*
PETER MÖLLER, *Druckereibesitzer*
ASMUS EXNER, *Kaufmann*
OTTILIE, *seine Frau*
FRÄULEIN JUEL
JOCHUM MAGNUSSEN, *Brauer*
AXEL, *sein Sohn*
LUNDBERG, *Buchhalter*
BRANDSTRUP, *Hauswirt*
FRAU MACKESSPRANG
LAKAI BEI MAGNUSSEN
DIENSTMÄDCHEN BEI SOPHUS MÖLLER
GÄSTE BEI MAGNUSSEN

Ort des Geschehens: Eine kleine dänische Stadt

ERSTER AKT

In der Dachgeschoßwohnung Sophus Möllers: der gedrückte Raum zugleich Wohn- und Eßzimmer. In schräger Rechtswand Fenster. Hinten Glastür. In der Mitte steht der Tisch für das Abendbrot gedeckt.
Axel Magnussen stützt sich auf eine Stuhllehne und trommelt heftig gegen das Rohrgeflecht.
Dagmar am Klavier – spielt und singt.

DAGMAR.

> Stolzer Vogel hoch in Lüften zieht
>   – du bist reich und ich bin arm –
> von der Sonne hast du alles Gold
>   – du bist reich und ich bin arm –
> alles Silber schüttet dir der Mond
>   – du bist reich und ich bin arm –
> unter dir dein dunkler Schatten zieht:
> unten müssen Gold und Silber bleichen
>   – ich bin arm – weil du so reich!

AXEL *stellt geräuschvoll den Stuhl fest und kommt ans Klavier.*
DAGMAR. Haben Sie keine Geduld mehr für das Nachspiel? Ist es nicht schön, wie hier die Melodie noch einmal wiederholt wird: »du bist reich – ich bin arm?«
AXEL *nimmt das Notenheft weg.* Damit vergeuden Sie Ihre Zeit und Stimme!
DAGMAR. Das Stück gefällt mir.
AXEL. Wie können Sie Geschmack finden an Unsinn, der –
DAGMAR *lachend.* – dem Komponisten Weltruhm eingebracht hat!
AXEL. Die Musik verantworte wer will – aber den Text kritisiere ich. »Stolzer Vogel hoch in Lüften zieht – unter dir dein dunkler Schatten zieht« – das ist doch ein wohltuender

Schatten, den der Vogel wirft in der sengenden Gluthölle, die das Leben ist. Warum also das Klagelied? Einer muß sich doch opfern – und die Last des Reichtums tragen für andre. Oder glauben Sie, daß das ein Vergnügen ist?

DAGMAR. Lieder lassen sich nicht mit Worten erzählen, Herr Magnussen.

AXEL. Lieder sind doch Worte!

DAGMAR. Soll ich nur do re mi fa sol singen?

AXEL. Müssen Sie immer singen und Klavier spielen, Fräulein Dagmar?

Von links kommt Frau Helene Möller mit der Lampe, die sie auf den Tisch stellt.

HELENE. Dagmar, du mußt jetzt aufhören. Es ist höchste Zeit, dich für das Konzert anzuziehen.

DAGMAR. Ich habe schon Schluß gemacht, Mutter – Herr Magnussen protestierte gegen Fortsetzung.

AXEL. Allerdings lehnte ich –

DAGMAR. Klavier – Gesang in Bausch und Bogen ab!

AXEL. Nur ein Gedicht –!

DAGMAR *schon links ab.*

HELENE *an der Lampe schraubend.* Warum gefiel es Ihnen nicht?

AXEL. Weil – Fräulein Dagmar mir mit diesem klotzigen Refrain von »du bist reich – ich bin arm« zu verstehen geben will – – *Er schleudert das Notenheft ins Sofa.*

HELENE. Sprechen Sie einmal zu Ende, Herr Magnussen.

AXEL *vor ihr.* Frau Möller – mit einer Deutlichkeit, die Blinde tasten – die Sie und Dagmar – – Spüren Sie nicht die Luft voll von ungesagten Erklärungen?!

HELENE. – Weiß Ihr Vater, daß Sie unter diesem Dache ein- und ausgehen?

AXEL. Ich habe ihm nichts zu beichten.

HELENE. Und wenn Sie sprächen?

AXEL. Kommt eine mehr oder minder überflüssige Antwort!

HELENE. Nein – Ihr Vater behielte recht.

AXEL. Frau Möller –!

HELENE. Lassen Sie mir das Wort. Es stimmt schon: *so* reich paßt nicht zu *so* arm. Der Sohn des königlichen Brauers Magnussen nicht zur Tochter des kleinen städtischen Beamten Möller. Lassen Sie uns keine Märchen in diese Alltagswelt hineindichten. Wir erwachen mit Kopfschmerzen.

An die Glastür wird geklopft.
Helene öffnet – vor der Scheuerfrau Frau Mackessprang.

FRAU MACKESSPRANG *Axel bemerkend – knicksend.* Herr Magnussen junior selbst persönlich – das verschlägt mir den Odem. Mich kennen Herr Magnussen wohl nicht – ich bin die Scheuerfrau, die Mackessprang. Aber wer kennt Herrn Magnussen junior nicht im Hause? Es ist eine große Ehre für meine Treppe, die ich scheuere, – und wenn Herr Brandstrup, der Hauswirt, über den Verbrauch von Scheuerseife schimpft, dann pflege ich ihm zu entgegnen: die Treppe, die ein Herr Magnussen junior hinaufsteigt, die muß glänzen wie Papier!

HELENE. Haben Sie noch eine Bestellung an mich, Frau Mackessprang?

FRAU MACKESSPRANG. Mehr ein Anliegen, Frau Möller. Es wird Sie nicht genieren, wenn ich in Gegenwart –

HELENE. Was ist denn?

FRAU MACKESSPRANG. Mit dem Kleingeld bin ich knapp – bis zum Ersten. Der Scheuerlohn für Ihren Treppenabsatz ist natürlich erst in drei Tagen fällig, aber es hapert mir. – Wenn ich heute abend schon um das Treppengeld fragen könnte! *Mit einem Blick nach Axel.* Es wird sich doch einrichten lassen.

HELENE *rasch.* Das ist mir heute nicht möglich, Frau Mackessprang. Ich bezahle pünktlich – doch keinen Tag vorher oder nachher. Am Ersten bekommen Sie, was Sie zu fordern haben. Es ist ganz vergeblich, mich zu bitten. Sie haben sich diesen Weg umsonst gemacht. *Sie drückt mit der Tür Frau Mackessprang hinaus. Zu Axel.* Das habe ich Ihnen zu verdanken, Herr Magnussen!

AXEL. Den Besuch der Scheuerfrau?

HELENE. Und mehr. Herr Brandstrup steigert die Miete. Man hält uns für reich – seit der junge Herr Magnussen bei uns verkehrt. Jetzt müssen wir uns noch mehr einschränken – und vielleicht diesen Dachboden mit dem Kellergeschoß vertauschen. So spricht die harte Wirklichkeit, der wir uns alle beugen müssen!

AXEL. Das – ist doch alles mit einem Wort zu ändern!!

HELENE. In einer Märchenwelt, wo Geld vom Himmel fällt und reiche Väter Engel sind!

AXEL. Geben Sie mir Ihre Hand – ich schwöre in Ihre Hand: ich heirate nur das ärmste Mädchen, weil ich jetzt will! Der Schwur ist bindend – oder ich werde selbst Brauknecht bei meinem Vater auf Taglohn!

HELENE. Das ist Ihr Schicksal, Herr Axel – Dagmars Weg führt durchs Konservatorium zur Klavierlehrerin. Ich danke Gott, wenn Möller das bezahlen kann!

AXEL. Ja – das doppelte Studium von Gesang und Klavier muß ihm viel kosten.

HELENE. Ist es teuer?

AXEL. Wissen Sie das nicht?

HELENE. Möller spricht nie davon. Es ist ja seine einzige Tochter.

AXEL. Mit dem Gehalt eines städtischen Beamten bleibt die Leistung bewundernswert.

HELENE *aufmerksam.* Wieviel denken Sie, daß die Stunden verschlingen?

AXEL. Ich rechne auf mindestens vierhundert Kronen jährlich.

HELENE. Vier – – hundert Kronen?? Das – ist doch unmöglich!

AXEL. Herr Möller macht es möglich.

HELENE. Herr Magnussen – unterstützen Sie meinen Mann mit Geld????

AXEL. Nein, Frau Möller.

HELENE. Dann begreife ich nicht – – – –

AXEL. Sie sind ja ganz erregt!

HELENE. Nein – davon wollten wir uns nicht unterhalten. Möller ist ja in Geldsachen erfahren – als Beamter der Sparkasse. Er wird schon wissen, woher er das Geld nimmt – wie er sein Geld einteilt!

AXEL. Er hat in der Sparkasse das Rechnen gelernt!

HELENE *vor Axel.* Herr Axel – Sie müssen heute, an diesem Abend noch von Dagmar Abschied nehmen. Sie soll – sie kann jetzt abschließen – mit den Kenntnissen sich auf eigene Füße stellen. In Kopenhagen kann sie Anfängern Unterricht erteilen.

AXEL. Und was wird mit mir?

HELENE. Sie suchen sich in Ihren Kreisen ein Mädchen.

AXEL. Machen Sie mich eidbrüchig?

HELENE. Lassen Sie von Dagmar – ich bitte Sie!

AXEL. In demselben Augenblick, wo Dagmar reich wäre – reich wie ich – bin ich von ihr geschieden himmelerdenweit, Frau Möller!

HELENE. In die Verlegenheit, das wahr zu machen, wird Sie unsre Tochter nicht bringen. Also –

Dagmar von links – sich noch die Handschuhe überstreifend.

DAGMAR. Begleiten Sie mich vom Konzert nach Hause?

AXEL. Hin und her – her und hin!

DAGMAR. Los!

HELENE. Du wirst doch noch vorher essen?

DAGMAR *am Tisch.* Die Wurst – den Käse – das Bier?

HELENE. Erwartest du mehr zu finden, wenn du vom Konzert kommst

DAGMAR. Mit Hilfe Brahms' und Beethovens vollständige Verzauberung dieses Abendmahls. So erlebe *ich* Musik, Herr Axel Magnussen. Da wird die Wurst Fasan – der Käse Ananas – und Bier Champagner. So schwelgen wir im Luxus, wenn wir wollen!

AXEL. Traurig, nicht zu Gaste geladen zu sein.

DAGMAR. Also, Mutter, ich will heute noch köstlich speisen. Nur bei einem Souper sehn wir uns wieder! *Sie küßt sie flüchtig auf die Wange. Mit Axel, der Helene die Hand küßt, ab.*

HELENE *am Tisch – die Hände an die Schläfen pressend – stammelnd.* Vier – – hundert – – – das ist – – doch nicht – – möglich – – – jährlich vierhundert – – –

Die Glastür wird behutsam geöffnet – Brandstrups fetter Kopf unter einer Schirmmütze sieht ins Zimmer.

BRANDSTRUP. Darf man?

HELENE *herumfahrend.* Herr Brandstrup!

BRANDSTRUP. Der ist es – keiner mehr oder weniger. *Er setzt sich an den Tisch.* Die Treppen – die gottverdammten Treppen!

HELENE *sich ebenfalls setzend – Brandstrup anstarrend.* Was – ist – – Ist etwas passiert??

BRANDSTRUP *sieht sie kopfnickend feixend an – schiebt*

seine Hand über den Tisch und faßt Helenes Hand. – –
Dem Fräulein habe ich auf der Treppe gratuliert.

HELENE *aufatmend – abweisend.* Meine Tochter ist mit dem Herrn nicht verlobt!

BRANDSTRUP. Das war doch der junge Magnussen vom Brauer Magnussen?

HELENE. Sie wird sich auch nicht mit Herrn Magnussen verloben, Herr Brandstrup.

BRANDSTRUP. Warum denn nicht? Der reiche Magnussen kann doch jetzt nicht mehr nein sagen!

HELENE *aufstehend.* Womit kann ich Ihnen dienen, Herr Brandstrup!?

BRANDSTRUP. Ja, sehen Sie, Frau Möller, ich hätte Ihnen ja die Wohnung kündigen müssen –

HELENE. Sie wollten mehr Miete haben.

BRANDSTRUP. Das ist doch der Punkt, wo jeder empfindlich ist. Mir hat kein Teufel mein Lebtag was geschenkt – es ist alles sauer Zins auf Zins zusammengeschleppt. Sie waren ja auch nicht auf Rosen gebettet –

HELENE. Wir sind auch entschlossen, Sie nicht zu schädigen, Herr Brandstrup. Wir verlassen die Wohnung zum anderen Ersten!

BRANDSTRUP. Das ist ja ganz selbstverständlich jetzt, daß Sie sich nach einem andren Quartier umsehen. Ich bin nicht der Mann, der viele Worte macht – ich freue mich mit meinen Mitmenschen – ich bin neidlos. Meine zweite Etage steht leer und kann so fort bezogen werden. Wollen Sie in die feinste Wohnung meines Hauses hinunter?

HELENE *sieht ihn befremdet an.*

BRANDSTRUP. Vier Zimmer nach vorne, die hinteren Räume sämtlich frisch tapeziert. Kohlenaufzug – Wasserklosett. Jeder spezielle Wunsch wird von mir befriedigt.

HELENE *mühsam.* Wie denken Sie sich, daß Möller das bezahlen soll?

BRANDSTRUP. Vierteljährlich – und nachträglich. Nachträglich! Herr Möller ist mir so sicher wie der König von Dänemark!

HELENE. Wenn – Sie vermuten, daß wir von dem jungen Herrn Magnussen, dem Sie auf der Treppe mit meiner Tochter begegnet sind, Vorteile genießen, so irren Sie, Herr Brandstrup! Lassen Sie sich genügen, daß Möller und ich die Besuche des jungen Magnussen nie gewünscht und in Zukunft abgewiesen haben. Ob Herr Magnussen reich ist, will ich nicht wissen. Wir sind es nicht, das weiß ich bestimmt!

BRANDSTRUP *lacht unbändig.* Sie sind es nicht – nein, Sie sind es nicht!! – – Der alte Magnussen hat sich sein Leben lang gequält, gebraut, Flaschen gefüllt und Etiketten gepappt – Herr Möller sitzt in seinem Büro und quittiert Sparöre –

HELENE *zitternd.* Ist etwas – mit Möller?

BRANDSTRUP. Er hat die ganze Sparkasse – den schwitzenden Herrn Magnussen und die unermüdlich sparenden Bürger geäfft. Er hat achtmalhunderttausend Kronen in unserer königlich dänischen Landeslotterie gewonnen. Das ist der Haupttreffer – es wird ein Gaudium in der Stadt geben!!

HELENE. – – Möller spielt das Los nicht allein. Er spielt es mit vier Verwandten: Buchdruckereibesitzer Peter Möller – Kaufmann Exner und Frau – und Fräulein Juel. Das ist unsere Tante!

BRANDSTRUP. Fünf reiche Leute mehr!

HELENE. Ich weiß noch nichts –

BRANDSTRUP. Ja, das dauert länger bis hier herauf unters Dach!

HELENE. Möller ist noch nicht vom Büro zurück – –

BRANDSTRUP. Dann muß ich ihm entgegen! Legen Sie ein gutes Wort für meine Wohnung bei ihm ein. Ich habe Ihnen doch zuerst die Freudenbotschaft gebracht. Ein Vergnügen ist des andern wert. Vierteljährlich und nachträglich – nachträglich, Frau Möller. Morgen sehen Sie sich die Räume an, Sie werden Ihnen gefallen – ich kenne doch die Ansprüche von reichen Leuten!

HELENE. Ich kann ohne Möller nichts versprechen.

BRANDSTRUP. Ich mache den Kontrakt mit Möller – *In der Tür rennt er gegen Ottilie Exner; ihre Hand schüttelnd.* Ich gratuliere – *Ab.*

OTTILIE *Hut schief, Jackett falsch geknöpft – stürmt an den Tisch und knallt eine Faust voll Geld auf die Platte nieder.* Hier ist mein Geld – abgezählt auf den Öre!! Da liegt es klipp und klar beisammen, wie ich es nachgerechnet habe!!

HELENE. Was ist denn das für Geld?

OTTILIE *erschrocken.* Oder nehmt ihr es nicht mehr?!

HELENE. Ich weiß nicht, wozu du Geld bringst.

OTTILIE. Das sind meine Beiträge zum Los. Ich hatte sie zuletzt nicht mehr pünktlich geschickt. Ich hatte es vergessen –

so wahr ich hier stehe, nur verschwitzt. Beim allmächtigen Gott, Helene – ich bin nur vergeßlich gewesen. Ich habe nie daran gedacht, an unserm Familienlos nicht mehr teilzunehmen!

HELENE. Aber, Ottilie, du traust doch deinem Bruder nicht zu, daß er dich vom Gewinn ausschließt?

OTTILIE *aufatmend*. Rechne es nach, ob es stimmt. Ich habe meine Taschen geplündert – es reichte gerade dazu!

HELENE. Wie lange hattest du denn nicht bezahlt?

OTTILIE. Zehn Jahre, Helene. Ich hatte ja auf einen Gewinn nicht mehr gehofft. Sechzehn Jahre hatten wir gespielt, ohne einen Öre wiederzusehen!

HELENE. Und Möller hat dich nie gemahnt in den zehn Jahren?

OTTILIE. Nein. Nie, Helene!

HELENE. Möller ist eine gutmütige Natur.

OTTILIE. Darum läßt er mich auch jetzt nicht sitzen! – Ich habe es mir ja gewünscht – es ist der Traum meines Lebens gewesen – meine unendliche Sehnsucht. Nun ist es in Erfüllung gegangen. Jetzt hört das auf. Jetzt ist der Kirchenmaus der Schwanz abgehackt!

HELENE. Bist du die Kirchenmaus?

OTTILIE. So tituliert mich Asmus. Damit hielt er mich in Schach. Damit trumpfte er mich ab. Was hast du in die Ehe gebracht? Einen einzigen Ballen dänisch Tuch? Ich habe dich in einen Laden voll Ballen geführt! Hast du einen Wickel Wolle aufzuweisen gehabt? Ich habe dir ein Magazin voll Wolle aufgeschlossen! – Ich bin gekuscht – er hat sich gespreizt!

HELENE. Davon hast du nie gesprochen, daß Asmus dir etwas vorwirft.

OTTILIE. Die Kirchenmäuse wagen sich am Tag nicht hervor!

HELENE. Hast du deinen Mann nicht lieb?

OTTILIE. Habe ich so was gesagt? Ich bete ihn an! Aber es wird einem sauer, immer auf den Knien zu rutschen. Einmal muß man sich aufrichten und seinem Gott Aug' in Auge gegenüber stehn! Das braucht man zum Glück! – Jetzt faß ich meinen Asmus vor die Brust – jetzt bin ich groß wie er – jetzt habe ich so viel unter mir wie er! – Jetzt ändern wir die Firma: Asmus *und* Ottilie Exner, Tuch- und Wollwaren. Hollah – was sagst du dazu?!

HELENE. Dein Hut sitzt schief.

OTILIE. Egal – wie reiche Leute sich tragen, ist immer fein. Schief oder kerzensteil: unser Geld regiert die Mode! *Sie wirbelt hinaus.*

HELENE *steckt kopfschüttelnd das Geld ein. An die Glastür wird mehrmals mit einem Stockknauf geklopft.* Peter!

Peter Möller tritt ein – winkt Helene bedeutungsvoll zu – legt Hut und Stock beiseite – tritt an den Tisch – zieht eine Zeitung unterm Rock hervor – breitet sie aus.

PETER. Da – da steht es. Kolumne 3 – Blatt 3: einhundertvierzigtausendzweihundertzweiundvierzig!

HELENE *mitlesend.* Das ist unsere Nummer!

PETER. Eins – vier – null – zwei – vier – zwei! Täusche ich mich?

HELENE. Ist es denn wirklich so?

PETER *achselzuckend.* Zahlen beweisen! Du mußt dich damit abfinden. Es läßt sich nicht mehr ändern. Wir haben gewonnen.

HELENE. Das ist doch – viel zu viel!

PETER. Wir haben gespielt – nun müssen wir die Folgen tragen.

HELENE. Sophus – ein reicher Mann.

PETER. Ist Sophus noch nicht hier gewesen?

HELENE. Es wird ihm doch nichts zugestoßen sein – in der ersten Freude?

PETER *sich hinsetzend.* Auch mir ist es eigentümlich in die Beine gefahren. Hol's der Teufel, was haben eigentlich die Beine damit zu schaffen?

HELENE *sich ebenfalls setzend.* Ich bin müde wie nach einer langen Wanderung!

PETER. Mit einem Male tritt man ins helle Licht: da liegen die Schätze! Ich sitze vor meinem Pult, der Junge bringt mir die Zeitung aus der Druckerei. Das Blatt ist noch naß. Ich lese die Politik: der Kaiser von Japan ist gestorben –

HELENE. Steht es wirklich so schlimm mit ihm?

PETER. Mir tut der Mann noch im Tode leid! Ich komme zum lokalen Teil: es ist wirklich Zeit, daß der Uhr der Johanniskirche der dreizehnte Schlag abgeschnitten wird. Ich überfliege die letzten Telegramme: der heilige Vater leidet an bösartigem Schnupfen –

HELENE. Ist er so böse?

PETER. Aus Schnupfen kann alles entstehn! – Der Hauptge-
winn der Landeslotterie wurde heute vormittag gezogen auf
die Nummer – ich merke noch nichts, – mir schimmert wohl
was, wie einem manchmal was auf der Zunge liegt und man
bringt es nicht heraus. Ich bin schon weiter: der Kartoffel-
käfer scheint in diesem Jahr –

Die Glastür wird hastig aufgerissen: Fräulein Juel weht herein.

FRÄULEIN JUEL. Kinder, wir haben den Glückstopf geplün-
dert!! Ist Sophus da? Jetzt muß ich das Glückslos noch an-
fassen – streicheln und einen Kuß darauf drücken! Wo steckt
Sophus – unser treuer Losbesorger?
HELENE. Sophus hält noch Kassenstunde.
FRÄULEIN JUEL *kramt aus ihrem Pompadour Pastillen.* Trok-
ken bin ich im Mund –! *Sie lutscht.* Kinder, eßt Pastillen.
Immer Pastillen essen. Der heilige Vater hat auch den
Schnupfen. Hast du die letzten Telegramme gelesen, Peter?
HELENE. Tante – uns interessiert doch nur ein anderes Tele-
gramm!
FRÄULEIN JUEL. Ist denn noch etwas in der Welt passiert?
HELENE. Unser Los, Tante!
FRÄULEIN JUEL. Lenchen, das weiß ich doch!
HELENE. Für mich könnte jetzt die Welt stille stehen!
FRÄULEIN JUEL. Lenchen, meine Pastille muß zu dir gerollt
sein!
PETER. Ja, Tante, du hast recht. Wir wollen nicht die Welt
um uns vergessen. Das wäre undankbar, nachdem wir so
lange in ihr ohne besondere Umstände gelebt haben.
FRÄULEIN JUEL. Warum sind denn Exners noch nicht da?
HELENE. Ottilie war schon hier.
FRÄULEIN JUEL. Und was hat sie gesagt? – Peter, die Pastille
muß bei dir liegen.
HELENE. Ottilie lachte und weinte!
FRÄULEIN JUEL. Lenchen, es kommt wer. Dein Sophus bringt
uns das Los!

Asmus und Ottilie Exner kommen.

OTTILIE. Asmus und Ottilie Exner, Tuch- und Wollwaren –
die neue Firma!!
ASMUS *löst sich von Ottilie – umarmt stumm Fräulein Juel,*

Peter, Helene. Dann unvermittelt geschäftlich. Welcher Betrag kommt nun auf jeden von uns? Es sind achtmalhunderttausend Kronen – und wir fünf Teilnehmer. Die Beiträge sind doch laufend an Sophus gezahlt?

OTTILIE. Ja, pünktlich an –

HELENE. Sophus!

ASMUS. Somit achtmalhunderttausend Kronen in fünf Posten aufzuteilen. Von der Gesamtsumme gehen fünfzehn Prozent ab.

FRÄULEIN JUEL. Warum denn?

OTTILIE. Für was denn?

ASMUS. Der Staat zieht sie statutengemäß ein.

OTTILIE. Das lassen wir uns nicht gefallen!

ASMUS. Ottilie, schweig'!

OTTILIE. Asmus, schweig'!

FRÄULEIN JUEL. Nachdem man sechzehn Jahre lang gespielt hat, denke ich, hat man ein Recht, sich Abzüge zu verbitten!

PETER. Ja, Asmus, ich muß auch sagen, ich finde das eine etwas reichliche Zumutung!

OTTILIE. Das ist doch Betrug. Erst werden wir angelockt, unser kostbares Geld einzusetzen – *Sie stockt.*

FRÄULEIN JUEL. Sechzehn Jahre lebt man in fortwährender Aufregung –

PETER. Ich will nichts sagen, wenn von den kleinen Gewinnen Abzüge gemacht werden – aber uns Großgewinner mit solchen Schikanen belästigen!

ASMUS. Ich denke, wir geben uns zufrieden und strengen keinen Prozeß gegen den Staat an. Der König hat ja bekanntlich mehr Leute hinter sich –

OTTILIE. Wir können uns auch die dicksten Advokaten leisten!

FRÄULEIN JUEL *wankend.* Asmus, Peter – versprecht mir: keinen Prozeß. Nicht um alles Geld. Lieber laßt mich leer ausgehen!

PETER. Beruhige dich, Tante, der Klügste gibt nach!

Sophus Möller in der Glastür; angesichts der Versammlung schwingt er seinen Strohhut.

SOPHUS. Es lebe der König von Dänemark!

PETER. Seine Majestät der König von Dänemark soll leben hoch!

Alle stimmen ein.

SOPHUS *an den Tisch kommend – sich über die Zeitung beugend*. Wo steht es denn zu lesen?

PETER. Da: Nummer einhundertvierzigtausendzweihundertzweiundvierzig!

SOPHUS *aufblickend*. Habt ihr keine Depeschen erhalten?

ASMUS. Von dir, Sophus?

SOPHUS. Von der Lotterieverwaltung in Kopenhagen! Das ist ja auch nicht möglich – das Los wird unter meinem Namen Sophus Möller gebucht!

FRÄULEIN JUEL. Eine Depesche aus Kopenhagen – das ist entzückend aufmerksam von der Verwaltung!

SOPHUS. Es ist selbstverständlich – wir sind keine Schmalhänsel, die man nachlässig behandelt.

PETER. Du hast eine Depesche bekommen, Sophus?

SOPHUS. Nachmittags vier Uhr dreizehn!

FRÄULEIN JUEL. Dreizehn, das ist die Unglückszahl!

SOPHUS. Vier Uhr dreizehn – ich kassierte gerade von der Witwe Gillerup drei Kronen achtzig Öre –

OTTILIE *verächtlich*. Drei Kronen achtzig Öre!

SOPHUS. Jeder nach seinen Verhältnissen, Schwester!

ASMUS. Schweig', Ottilie!

OTTILIE. Schweig', Asmus!

SOPHUS. Da kommt der Depeschenbote. Für Herrn Sophus Möller, Sparkassenbeamter! Ich schließe den Schalter, ich trenne mich von der Außenwelt. Ich lese – ich kann mich einem gewissen Eindruck nicht entziehen, das gebe ich unverblümt zu! – Dann lege ich es zu den andern Papieren – klappe den Schalter wieder auf. Ich will demjenigen einen Preis von tausend Kronen zahlen, der mir etwas im Gesicht oder sonstwie angesehen hat!

FRÄULEIN JUEL. Sophus – ich brenne auf deine Depesche aus Kopenhagen!

SOPHUS. Wenn ich geahnt hätte, daß ich euch hier – aber wer denkt im ersten Moment der Überraschung so weit! – ich hätte sie mir eingesteckt.

PETER. Die Depesche ist ja nicht so wichtig.

OTTILIE. Oho, Peter!

PETER. Uns juckt es in den Fingerspitzen nach dem –

OTTILIE. Das Los soll rundum gehn!

FRÄULEIN JUEL *ihre Steckbrille aus dem Pompadour wühlend.* Es gehört jedem so gut!

SOPHUS *sich zu Asmus wendend und ihm die Hand auf die Schulter legend.* Asmus, du bist ein nüchterner Geschäftsmann – trägst du achtmalhunderttausend Kronen in der Tasche? Oder stopfst du dir Wertpapiere in deinen alltäglichen Rock? Ihr habt mir unser gemeinschaftliches Los anvertraut – ich hatte also eine besondere Pflicht, es vorsichtig zu behandeln. Es liegt mit der Depesche im eisernen Kassenschrank der Sparkasse.

ASMUS *ihm die Hand reichend.* Du bist der Einzige von uns, der seine kalte Überlegung gewahrt hat. Jetzt freue ich mich, daß wir dich zum Spielverwalter eingesetzt haben!

SOPHUS. Was suchst du denn, Tante?

FRÄULEIN JUEL. Meine Pastille ist unter deinen Schuhabsatz gerollt!

SOPHUS. Und wie seid ihr denn zu der großen Neuigkeit gekommen?

PETER. Ich lese.

SOPHUS. Deine Zeitung natürlich.

PETER. Hättest du mich gleich benachrichtigt, hätte ich noch eine Notiz eingerückt, daß der Gewinn in die Stadt gefallen ist und wir die glücklichen Gewinner sind!

SOPHUS. Soll die ganze Stadt davon hören?

FRÄULEIN JUEL. Mein Laufmädchen kommt von der Straße heraufgerannt, eben hat ihr Herr Brandstrup –

OTTILIE. Brandstrup reißt die Ladentür auf, ich messe fünf Ellen dänisch Tuch von der Rolle –

HELENE. Brandstrup war oben bei mir –

SOPHUS. Woher weiß denn Brandstrup?

PETER. Er war in der Redaktion und wollte ein Inserat wegen seiner herrschaftlichen Wohnung aufgeben. Da platzte ich heraus. Brandstrup ist ein guter Kunde. Er annonciert ja fortwährend mit seinem Hause. Aber er zog die Annonce mit einemmal zurück –

HELENE. Dir will er die zweite Etage vermieten!

SOPHUS. Dann ist es allerdings kein Geheimnis mehr, wenn Brandstrup unterwegs ist!

PETER. Sollen wir unseren Reichtum verschweigen? *Zu Asmus.* Hast du schon Pläne gemacht?

ASMUS. Ich denke, es wird an der Zeit sein, daß ich ein Haus in der Ostergade kaufe.

SOPHUS. Sehr richtig. In der Ostergade. Das ist die einzige Geschäftsgegend.

OTTILIE. Ich heirate nachträglich bei meinem Mann ein: Asmus *und* Ottilie Exner, Tuch- und Wollwaren!

SOPHUS. Ihr seid zwei Prachtmenschen. Und eure fünf Kinder. Ihr versteht das Kompagniegeschäft! – Ja, Peter, du wächst dir nun wohl selbst über den Kopf?

PETER. Ich baue.

SOPHUS. Die Handwerker kriegen zu tun!

PETER. Ich habe es satt, das Lokalblatt zu drucken. Weißt du, Sophus, man muß mit der Kunst arbeiten. Dabei lernt man etwas. Wenn ich die Bücher unsrer großen Klassiker setze, da habe ich Verdienst und Genuß zusammen. Ich lese sie in der Korrektur. Dabei muß ich doppelt aufmerksam sein – und da bildet man sich ein Urteil. Ein Urteil muß der Mensch haben – sonst ist er nicht wert, daß er an achtmalhunderttausend Kronen teilhat!

SOPHUS. Groß gedacht, Peter – du willst verdienen, um zu lernen! – Tante, du bist an der Reihe!

OTTILIE. Tante Juel heiratet!

SOPHUS. Tantchen soll heiraten!

FRÄULEIN JUEL. Ich – und einen Mann bezaubern!

PETER. Das müßte doch mit dem Teufel zugehn, wenn sie nicht wie die Stichlinge anbeißen!

ASMUS. Tante Juel muß in vier Wochen unter die Haube!

SOPHUS. Abgemacht, Tante heiratet!

FRÄULEIN JUEL. Erst fragt noch Sophus, was er mit seinem Schatz anfängt!

PETER. Du fehlst noch, Bruder!

ASMUS. Du bist uns deine Antwort schuldig, Schwager!

SOPHUS. Ich – vermache alles Dagmar, meiner einzigen Tochter!

FRÄULEIN JUEL *nach einer kleinen Stille – aufbrechend.* Nun, wir andern halten was wir haben. Lenchen, wenn du morgen auf dem Fußboden Pastillen findest –

HELENE. Aber Tante, du kannst dir doch jetzt so viel kaufen wie du willst!

OTTILIE. Wir machen den Umweg durch die Ostergade, Asmus!

PETER. Ich studiere den Stadtplan!

ASMUS *an der Tür – bedeutungsvoll gedämpft.* Laßt uns zusammenbleiben! *Die vier ab.*

HELENE. Ich habe von Ottilie Geld für dich angenommen – ihre Beiträge von zehn Jahren. Ich habe es nicht gezählt. Es müssen ein paar hundert Kronen sein. *Sie legt das Geld auf den Tisch.*

SOPHUS *hat sich ins Sofa gesetzt – zieht eine abgewetzte Brieftasche hervor, in der er umständlich sucht.*

HELENE. Es war schön von dir, mit keiner Silbe zu erwähnen, daß sie eigentlich gar kein Recht an unserm Los mehr hat. Sie stand wie auf Kohlen!

SOPHUS *fand ein mehrfach geknifftes Papier – entfaltet und glättet es.* Rücke die Lampe heran.

HELENE *tut es.* Was suchst du?

SOPHUS *Zettel und Zeitung vergleichend.* Einhundertvierzigtausendzweihundertzweiundvierzig.

HELENE. Hast – – du das Los??

SOPHUS *nickend.* Eins – vier – null – zwei – vier – zwei!

HELENE. Du sagtest doch vorhin den andern – – *Plötzlich sich hinsetzend – stockend.* Hat es nicht gewonnen????

SOPHUS. Die Nummer ist es.

HELENE *verwirrt.* Und ist das Los –??

SOPHUS. Ich – spiele es seit zehn Jahren nicht mehr!

HELENE *sieht ihn sprachlos an.* Sophus – du machst dich über mich lustig – es ist dir in den Kopf gestiegen – du bist jetzt reich – –! – Du hast doch eine Depesche bekommen?

SOPHUS. Nein, Lenchen, ich habe keine Depesche bekommen.

HELENE. Du hast doch alles haarklein erzählt: die Witwe Gillerup – der Depeschenbote – –??

SOPHUS. Ja – es war doch so wunderhübsch, sich das vorzustellen: wie ich den Schalter schließe – wie ich das versiegelte Papier aufmache – wie der silberne Strahl in die graue Kassenstube fällt! – Ich kann mir nicht denken, daß es in Wirklichkeit schöner ist! – Und dann konnte ich es auch nicht über mich bringen, wie sich alle hier freuten, als schwarzer Rabe zwischen sie zu fahren. Lenchen, hättest du es denn übers Herz gebracht?

HELENE. Sophus – das ist ja – – fürchterlich!!

SOPHUS. Siehst du, ich wußte, du würdest davor zurückgeschreckt sein!

HELENE. – Wie bist du denn darauf verfallen, nicht mehr zu spielen?

SOPHUS. Ja, das ist mir ziemlich leicht geworden. Erst bezahlte Ottilie nicht mehr – ich konnte doch die eigene Schwester, die auch nicht in der Wolle sitzt, nicht mahnen. Und zehn Kronen in jedem Monat auszulegen, dazu reichte es bei mir nicht! – Und dann tat es mir um das schöne Geld leid, das wir immer wegschickten und von dem kein Öre zurückkehrte!

HELENE. Dann mußtest du es doch Peter, Asmus und Tante Juel sagen und ihnen abraten!

SOPHUS. Nein, Helene, das durfte ich nicht. Die Hoffnung durfte ich ihnen nicht rauben. Und außerdem hätten sie ja unter sich gespielt und das Geld weiter vergeudet! – Nein, es war schon richtig, daß ich sie vor dem Spielteufel rettete!

HELENE. Aber du hast doch ihr Geld regelmäßig von ihnen genommen?

SOPHUS. Das mußte ich doch, sonst hätten sie es doch geraten, daß sie nicht mehr spielen!

HELENE. Wieviel Geld war es denn immer?

SOPHUS. Mit meinem Beitrag, den ich pünktlich bezahlt habe, rund vierhundert Kronen jährlich!

HELENE. Und die hast du für dich verbraucht?!

SOPHUS. Du hörst doch, daß ich immer noch hinzugelegt habe.

HELENE. Zu welchem Zweck denn?

SOPHUS. Ja, Helene, das ist eigentlich immer meine Sache gewesen: – ich habe die Kosten für Dagmars Ausbildung damit bestritten! *Rasch.* Du versprichst mir doch, daß Dagmar nie ein Wort davon erfährt. Meine Tochter ist stolz. Sie würde sich am Ende ihres Vaters schämen. Du wirst nie Vater und Tochter entzweien?

HELENE. Sophus – das verstehe ich nicht: – du bist bei deinem Eintritt der Lustigste gewesen!

SOPHUS. Ich habe den König von Dänemark hochleben lassen.

HELENE. Das mußte doch den Eindruck erwecken, als ob wirklich alles wahr wäre!

SOPHUS. Nein, das verpflichtet zu nichts! Ich sage dir, es ist immer nützlich, den König hochleben zu lassen. Meist ist ja auch Grund vorhanden. Ein Prinz ist geboren – der König ist gestorben – es lebe der neue –

HELENE. Sophus, das ist ja alles gleichgültig! Was soll denn nun werden? Die Verwandten glauben doch, sie haben gewonnen!

SOPHUS. Das Geld werden sie schwerlich auf diesen Schein bekommen. *Er fängt an, mit einem Radiergummi das Papier zu säubern.*

HELENE. Jetzt spaziert Asmus durch die Ostergade und Peter studiert den Stadtplan! – Sophus, du mußt so fort zu Peter und Asmus gehn und ihnen die Wahrheit gestehen. Sage, wie es ist – das Los ist verfallen –

SOPHUS. Seit zehn Jahren!

HELENE. Du mußt ihnen das Geld zurückerstatten –

SOPHUS. Von zehn Jahren?

HELENE. Sie werden es verschmerzen – es war nur Spiel. Spiel und kein ehrlicher Verdienst. Es muß doch Spiel bleiben!

SOPHUS. Nein, Helene, jetzt ist's kein Spiel mehr. Das Glück ist immer von tiefstem Ernst. Trage deinen liebsten Menschen zu Grabe, du verwindest es. Glück, das dir aus den Fingern gleitet, reißt dich mit in die Grube!

HELENE. Willst du sie in dem Trug erhalten?

SOPHUS. Ich habe die Pflicht! Habe ich das eine versäumt, so muß ich das zweite Mal auf der Hut sein!

HELENE. Das geht doch nicht – ohne das Geld, das du nicht hast?

SOPHUS. Kriegten sie es jetzt von der Lotterieverwaltung? Nein. Die Ziehung läuft noch vierzehn Tage.

HELENE. Vierzehn Tage willst du – –??

SOPHUS. Nach weiteren vierzehn Tagen erscheint die amtliche Gewinnliste. Dann erfolgt erst die Zahlung. Vier Wochen haben wir Zeit. Vier Wochen sich in dem Traum von Herrlichkeit wiegen – ist das nichts?

HELENE. Sophus – du spottest noch.

SOPHUS *im Radieren einhaltend.* Hoppla, da habe ich ein Loch geputzt! Gerade in das Jahrzehnt hat es getroffen. Da habe ich zehn Jahre wegradiert! – Wer will jetzt lesen, ob da eine Null oder die Eins stand?

HELENE. Du willst doch nicht –

SOPHUS. Sieh' mal an: Das präsentiert sich ganz manierlich. Kann sich das nicht sehen lassen? Wie frisch gedruckt?

HELENE. Du wirst doch nicht das alte Los für neu ausgeben?

SOPHUS. Es ist wenigstens sauber. Das ist die Hauptsache – in allem, was man in der Tasche und im Kopf trägt. Auf diesem Fundament läßt sich bauen! *Er steckt das Los sorgfältig ein.* Erzähl' mir doch, was mit Brandstrup war? Er will mir also seine zweite Etage vermieten? Wie denkt er sich das?

HELENE. Vierteljährliche Miete – und nachträglich.

SOPHUS. Darüber läßt sich reden! *Er steht auf.*

HELENE. Wohin willst du, Sophus?

SOPHUS. Ich werde mir die Wohnung ansehn, ob sie den veränderten Verhältnissen entspricht.

HELENE. Du mietest die zweite Etage??

SOPHUS. Ist das nicht das mindeste, wenn Asmus sich in der Ostergade ankauft und Peter den Stadtplan studiert? – Gib mir den Rock aus dem Schrank.

HELENE. Sophus – ich weiß selbst schon nicht mehr –

SOPHUS. Was ist daran dunkel? Brandstrup bietet mir seine herrschaftliche Wohnung an – habe ich ihm mein Geld gezeigt?

HELENE. Du hast doch keins!

SOPHUS. Um so mehr muß der Mann sich überlegt haben, was er mit mir vorhat. Ich will ihn nicht warten lassen! *Links ab.*

HELENE *folgt ihm.*

Durch die Glastür späht Brandstrup; dann tritt er lautlos ein – hinter ihm Frau Mackessprang. Brandstrup trägt unter jedem Arm eine Champagnerflasche, zwischen den Fingern Champagnergläser. Frau Mackessprang schleppt einen gewichtigen Korb. Beide stelzen auf Zehenspitzen an den Tisch – räumen die darauf befindlichen Speisen weg und decken den überreichen Inhalt des Korbes auf. Dann entfernen sie sich schnell.

Peter, Fräulein Juel, Asmus und Ottilie kommen zurück.

OTTILIE *sich umblickend.* Das Nest ist leer!

ASMUS. Sophus ist nicht zu sehen.

PETER. Du willst doch nicht behaupten – Sophus könnte das Los nehmen und nach Kopenhagen fahren – oder nach Amerika?

ASMUS *achselzuckend.* Es sind achtmalhunderttausend Kronen, die auf dem Papier stehn!

PETER. Mein Bruder ist doch kein Dieb!

ASMUS. Das denke ich weder von ihm, noch wünsche ich es. Jedenfalls wäre er nicht der erste, der sich durch eine gewisse Fülle Geldes verwirren ließe. Menschliche Schwächen sind von Gott gegeben wie Haare und Fingernägel. Erinnert euch des Ministers, der Amt – die Achtung seines Königs instich ließ und fremde Millionen einsteckte – und hier handelt es sich nicht einmal um Millionen, sondern um achthunderttausend Kronen. Du siehst also, daß ich deinem Bruder kein Unrecht tue – ich stelle ihn dem Minister gleich!

PETER. Sophus hat kaltes Blut!

ASMUS. Davon habe ich nun einen andern Eindruck.

PETER. Er ist doch ein ganz trockener Beamter!

ASMUS. Nein, es steckt etwas Phantastisches in ihm. Welchen Kult treibt er mit Dagmar!

FRÄULEIN JUEL *am Tisch*. Hier Fasan – Champagner – Ananas!! –

PETER. Was bedeutet das?

OTTILIE. Ein märchenhaftes Souper!!

ASMUS *zu Peter*. Du siehst – auch Hang zur Völlerei. Es bestärkt meine Überzeugung, daß wir handeln müssen – bevor es für Sophus und uns zu spät ist! *Sophus – im schwarzen Rock – von links; überrascht die Anwesenden und den gedeckten Tisch musternd.* Wir haben uns selbst zu dir eingeladen, Schwager, und wollen die Nacht bei dir verbringen.

SOPHUS *am Tisch*. Das reicht allerdings für alle!

PETER. Du hast gehörig auftragen lassen – ich bewundere deinen guten Appetit!

SOPHUS *begreifend – lebhaft*. Ich war auf dem Sprunge nach euch zu schicken. Die kleine Feier hatte ich vorbereitet – ich wollte euch Zeit lassen, euch zu Hause festlich umzukleiden. Ihr seht mich im Bratenrock!

FRÄULEIN JUEL. Ich bin in zehn Minuten zurück!

ASMUS. Bleib', Tante. Außerdem würde es vierzig Minuten dauern. Bevor wir uns zu Tische setzen, Schwager, hat Peter dir eine Eröffnung zu machen.

PETER. Ich – kriege es nicht über die Lippen!

ASMUS. Dann werde ich als drittes männliches Mitglied unsrer Losgemeinschaft –

PETER *ausbrechend*. Sophus – wir wollen dir das Los abnehmen!

ASMUS. Richtiger: wir halten es für unsre Pflicht, dich von der Verantwortung für das Los, das heute einen nicht unbeträchtlichen Wert darstellt, zu entlasten. Wir bleiben bis zum Morgen bei dir und begleiten dich in die Sparkasse. Dann übernimmt Peter, als der älteste von uns, das Los und verwahrt es unter seiner schwersten Setzmaschine. Willst du unsern Vorschlag billigen?

PETER. Ich schäme mich in Grund und Boden vor dir, Bruder!

ASMUS. Sophus kann sich weigern – er besitzt ja das Los.

SOPHUS *faßt in die Tasche – legt das Los auf den Tisch*. Ich sträube mich schon heute abend nicht, und ihr könnt die Nacht in euren Betten schlafen: hier ist unser Los!

FRÄULEIN JUEL *sich darauf stürzend*. Mein Goldlos – laß dich küssen!

OTTILIE. Du spuckst deine Pille aus!

PETER. Da ist es schon naß und zerknittert!

ASMUS. Warum sagtest du uns, daß du es im Kassenschrank der Sparkasse gelassen hättest?

SOPHUS. Um dies Dokument vor der Zerstörung zu schützen, von der uns Tante Juel eben ein Beispiel geliefert hat. Hättet ihr euch alle im ersten Tumult der Freude nicht auf das bißchen Papier gestürzt und es in Fetzen nur wieder hergegeben, die wertlos unter den Tisch fallen? Jetzt seid ihr schon kühler – jetzt überlegt ihr bereits, wie ihr am sichersten den Schatz bergen könnt. Bei Peter unter der Setzmaschine – da hat es seinen Platz bis zur Auferstehung!!

PETER. Bruder – du bist ein ganzer Kerl!

ASMUS *drückt ihm die Hand*. Du verstehst – achtmalhunderttausenden Kronen!

OTTILIE *das Los gegen das Licht haltend*. Hier ist ein Loch drin – *Durchblickend – lachend*. Siehst du mich, Asmus?

ASMUS *es betrachtend*. Ein Glück, daß es in der Jahreszahl und nicht in der Nummer klafft. Das hätte uns um unsre Hoffnung zuletzt noch betrogen!

PETER. Daß wir in diesem Jahr leben, das wird man uns wohl nicht abstreiten!

FRÄULEIN JUEL. Das Papier ist überhaupt rissig und rauh!

PETER. Davon verstehst du nichts, Tante Juel. Papier gehört zur Druckerei. Das ist mein Geschäft. Das ist das feinste Papier. Meine Zeitung ist glatt – aber der Staat druckt auf rauh, das paßt mehr zu ihm!

ASMUS. Wir übergeben Peter in einem versiegelten Kuvert das Los. In vier Wochen reisen wir Männer nach Kopenhagen und holen den Gewinn ab.

OTTILIE. Nach Kopenhagen, ohne mich –

ASMUS. Schweig', Ottilie!

OTTILIE. Schweig', Asmus!

ASMUS. Ich schlage vor, daß wir jetzt die Versiegelung vornehmen. *Zu Sophus.* Gib ein Kuvert – Licht – Siegellack – Siegelstock.

SOPHUS *bringt alles auf den Tisch.*

ASMUS. Das Los ist zur Stelle! So, Ottilie, zünde an! Tante Juel – nimm das Kuvert! – Seht ihr das Los; – Nun schiebe ich es in den festen Umschlag! – Fünf Siegel – jeder drückt eins auf!

Unter feierlicher Stille siegeln Peter, Fräulein Juel, Ottilie.

ASMUS *zählend.* Eins – zwei – drei. *Selbst siegelnd.* Vier. –
SOPHUS *siegelnd.* Ruhe sanft!
ASMUS. Fünf!
FRÄULEIN JUEL *unter Tränen.* Ja, so feierlich ist einem zumute – wie bei einem Begräbnis!
ASMUS *gibt Peter das Kuvert.* Verwahre es treu wie dein Bruder bisher!
OTTILIE. Amen! – – –
SOPHUS *in die Hände klatschend.* Nach dem Ernst der Spaß. Setzt euch und laßt die Pfropfen knallen!

Tumultuarisches Setzen – die beiden Korken fliegen aus den Flaschen.
Dagmar in der Glastür.

DAGMAR *staunend.* Was soll denn , wer hat denn – *Am Tisch* – *zu Sophus.* Hast du mir das aufgetischt?
FRÄULEIN JUEL. Fasan!!
OTTILIE. Ananas!!
ASMUS. Champagner!!
PETER. Du bist ein reiches Mädchen geworden!
DAGMAR. Ich – bin reich – –??
SOPHUS. Freust du dich nicht?
DAGMAR. Ich weiß nicht – – – –
SOPHUS *sie fest an sich drückend.* Dich trägt der blitzende Schwindel nicht davon. Das ist mein Einsatz für alle. Jetzt spüre ich Lust, Spiel um Spiel zu riskieren!!!

Helene ist links eingetreten und sieht zaghaft zu.

ZWEITER AKT

Rundes Gartenzimmer auf Magnussens Besitzung in erlese-
nem Barockstil. Die breite Glastür hinten öffnet die Aus-
sicht in den Park: eine geschorene Rasenfläche streckt sich zu
großer Tiefe – dicke Boskets begrenzen, an deren Rändern
weiße Statuen Eingang zu hellen Kieswegen sind. Im Zim-
mer rechts und links: Sofas, kleine Sessel, niedrige Tisch-
chen. Die Wandquadrate mit Facettenspiegeln gefüllt. Eine
große Photographie des Königs hängt über einem Schaukel-
stuhl. Kleine Türen rechts und links vorn.
Der Brauer Magnussen steht inmitten: die Kolossalfigur
steckt in weißen Hosen und weißem Seidenhemd; auf die-
ser Hemdbrust ein Orden.
An einem Tischchen sitzt der verkümmerte Buchhalter
Lundberg und schreibt das Diktat Magnussens nieder.

MAGNUSSEN *beim Diktieren die rechte Faust in die linke*
Handfläche hämmernd. Ich, Jochum Magnussen – Brauer
des Königs – schenke –
LUNDBERG *auffahrend.* – schenke?!
MAGNUSSEN. – schenke!! *Ein livrierter Diener kommt hin-*
ten und bringt eine Zeitung, die er auf ein Tischchen rechts
vorn niederlegt. Magnussen ihn bemerkend. Ruf' meinen
Sohn Axel!
DIENER *hinten ab.*

MAGNUSSEN. Wie weit bin ich?
LUNDBERG *vorlesend.* Ich, Jochum Magnussen – Brauer des
Königs – schenke –
MAGNUSSEN. – dem Peter Möller – Druckereibesitzer – das
an die Brauerei stoßende Grundstück. Der Peter Möller ver-
pflichtet sich dagegen –
LUNDBERG. – verpflichtet sich dagegen –
MAGNUSSEN. – unverzüglich mit der Errichtung eines Ge-
bäudes zu beginnen! – Neues Blatt, Lundberg! *Diktierend.*
Ich, Jochum Magnussen – Brauer des Königs – schenke –
LUNDBERG *wieder hoch.* – schenke?!
MAGNUSSEN. – schenke der Firma Asmus und Ottilie Exner
mein Haus im Zentrum der Ostergade. Die Firma Asmus
und Ottilie Exner verpflichtet sich dagegen –
LUNDBERG. – verpflichtet sich dagegen –

MAGNUSSEN. – unverzüglich mit dem Ausbau von Läden durch zwei Stockwerke zu beginnen! – Jetzt tippen Sie das auf zwei Foliobogen und warten nebenan – mit Tinte und Feder, naß zur Unterschrift.
LUNDBERG *links ab.*

Axel kommt hinten.

AXEL. Du wolltest mich sprechen, Papa?
MAGNUSSEN. Setz' dich, Junge! Mir erlaubst du, daß ich in Bewegung bleibe. Sonst platze ich wie ein Siedekessel ohne Ventil!
AXEL. Entweder stehen wir beide oder sitzen zusammen, anders kann ich mir eine ernsthafte Unterhaltung nicht vorstellen. Oder ist es nicht von Bedeutung? Dann – *Er will wieder weg.*
MAGNUSSEN. Ich setze mich. Ich berste. Alles dir zuliebe, mein Sohn! – Es ist ernsthaft. Sonst – weiß der Himmel – bedanke ich mich für solche albernen Veranstaltungen!
AXEL. Du gibst ein solennes Gartenfest mit Bowle und Grammophonmusik.
MAGNUSSEN. Ich – – will mich verloben!
AXEL. Dir ist reichlich warm, Papa.
MAGNUSSEN. Nicht, um dir eine zweite Mutter zu geben – oder mir ein Vergnügen zu machen: – es ist Geschäft!
AXEL. Du weißt, wie wenig ich mich interessiere –
MAGNUSSEN. Diesmal doch! Diesmal ist dir ein wichtiger Posten vorbehalten. Ich habe dir etwas besorgt!
AXEL. Ich bin nicht einmal neugierig.
MAGNUSSEN. In unsere Stadt ist ein Batzen Geld gefallen. Geld, das vom Staat kommt. Also bombensicher!
AXEL. Vor dir auch?
MAGNUSSEN *grinsend.* Witterst du Lunte?
AXEL *zuckt die Achseln.*
MAGNUSSEN. Ich gehe auf den Lotteriegewinn der Möllers und Konsorten los!
AXEL *sieht auf.*
MAGNUSSEN. Scharf! Wie ein Schießhund halte ich die Fährte und raste nicht, bis ich das Wild zur Strecke gebracht habe!
AXEL *beherrscht.* Entwickle mir deinen Plan.
MAGNUSSEN. Ich habe die fünf Gewinner zu diesem Fest eingeladen.
AXEL. Willst du sie hinter einer Hecke des Gartens ausplündern?

MAGNUSSEN *kopfschüttelnd.* Sie haben ihr Geld noch nicht – es wird ihnen erst in vier Wochen ausgezahlt!

AXEL. Warum ladest du sie dann heute schon ein?

MAGNUSSEN. Heute schließen wir die Verträge. Aber davon verstehst du nichts. Jedenfalls sind mir drei der fünf Anteile auf diese Weise gesichert. Der Rest sind zwei. Davon verschafft mir meine Braut –

AXEL. Du tust, als seist du schon verlobt.

MAGNUSSEN. Du kannst mit dieser Tatsache rechnen! – Nun fehlt das letzte Fünftel.

AXEL. Wie kassierst du das?

MAGNUSSEN. Dafür sollst du dich ins Zeug legen! – Da ist ein kleiner Beamter – ich glaube bei der Sparkasse – der Mann muß ein komischer Kauz sein. Er hat sein Glücksgut seiner Tochter verschenkt!

AXEL *verbissen.* Sehr – komisch.

MAGNUSSEN. Und das Mädchen mit den Goldkronen angelst du dir, Axel. Dann haben wir alles schön beisammen. Dann ist ein Schatz gehoben, wo nicht an jedem Öre der helle Schweiß klebt. Da habe ich mir einmal einen Zug gegönnt, der aus dem Vollen kommt!

AXEL. – Ich werde mich nicht verloben.

MAGNUSSEN *verblüfft.* Warum denn nicht?

AXEL. Weil das Mädchen reich ist, wie ich reich bin.

MAGNUSSEN *faßt sich an den Kopf.* Weil – ?? Weil – ?? Wie –??

AXEL. Ich habe ein Gelübde abgelegt –: nur ein armes Mädchen zu heiraten.

MAGNUSSEN. – – –??? Hast du im Keller dem Starkbier zu sehr zugesprochen??

AXEL. In dieser Angelegenheit lass' es das letzte Wort sein. In deine Angelegenheiten mische ich mich auch nicht.

MAGNUSSEN *böse.* Junge, es sind meine Angelegenheiten!

AXEL. Du übernimmst dich.

MAGNUSSEN. Bis sechs Uhr bist du mit dem Mädchen verlobt!

AXEL. Nicht bis zwölf.

MAGNUSSEN. Gut. Dann brauchst du meine Hilfe!

AXEL *erregt.* Eine voreilige Silbe von dir, Papa –

MAGNUSSEN. Vor sechs nichts mehr. Aber dann blamiere bitte deinen Vater und die junge Dame nicht! *Rechts vorne ab.*

AXEL *stürmt in den Park; ab.*

Durch die Mitteltür kommen: Sophus, Helene, Dagmar, Peter, Fräulein Juel, Asmus und Ottilie – sonntäglich geputzt. Staunend blicken sie herum.

OTTILIE *vortretend – aufblickend.* Der Lüster!
PETER *zur Wand gehend – betastend.* Die Spiegel!
ASMUS *auf den Fußboden gleitend.* Der Marmor!
FRÄULEIN JUEL *unter der Photographie.* Der König!

Neue andächtige Stille.

PETER. Sagst du nichts, Sophus?
SOPHUS. Wo bleibt Herr Jochum Magnussen? *Alle sehen ihn erschreckt an.* Fürchtet ihr euch vor seinem Anblick? Er wird uns nicht fressen. Ich könnte mir das kaum als den Zweck seiner Einladung denken.
ASMUS. Ich gestehe, daß mich die Pracht dieser Umgebung einigermaßen bedrückt.
OTTILIE. Deine erste schwache Stunde, Asmus!
PETER. Auch ich kann mich von einer gewissen Beklemmung nicht befreien.
FRÄULEIN JUEL. Mich schwindelt förmlich. Ich möchte mich am liebsten setzen.
SOPHUS. Deine Empfindungen, Helene?
HELENE. Mich frage nach nichts!
SOPHUS. Dann halte ich mich an Dagmar, der dieser bunte Zauber keinen Stachel ins Fleisch stößt. Oder zitterst du?
DAGMAR. Nicht weil alles schön und fremd ist.
SOPHUS. So störe ich euch nicht in eurer Demut. Kniet nieder, wo ihr anbeten müßt. Aber aus dem Staube helfe ich euch, wenn ihr das Aufstehen vergeßt. Man kann mit dem kleinen Finger besiegen, wenn sich der Gegner eine Blöße gibt. Wer angreift, hat schon halb verloren – ihr sollt es erleben, daß man ein gefährliches Spiel treibt, wenn sich der Riese an Zwergen belustigen will!

Magnussen kommt rechts heraus.

MAGNUSSEN *stutzend.* Wer seid ihr?

SOPHUS. Geladene und Erschienene – Möllers!

MAGNUSSEN. Wer ist Fräulein Juel?

FRÄULEIN JUEL *sich hinter Sophus versteckend*. Nicht! – Meine Pille!

SOPHUS *führt sie vor Magnussen*. Sie haben die Ehre, die Bekanntschaft unserer Tante Juel zu machen. Ich bin Sophus Möller.

MAGNUSSEN. Später!

SOPHUS. Hier präsentiert sich Peter Möller, mein Bruder und Druckereibesitzer.

MAGNUSSEN. Später!

SOPHUS. Hier Asmus und Ottilie Exner, Schwager und Schwester in Tuch- und Wollwaren.

MAGNUSSEN. Später!

SOPHUS. Hier meine Frau und meine einzige Tochter Dagmar.

MAGNUSSEN. Später! *Sich besinnend*. Wer ist Ihre Tochter? *Vor Dagmar*. Sie sind die Tochter. Warten Sie. *Er tritt in die Tür hinten – klatscht in die Hände und ruft*. Axel!!

DAGMAR *zu Sophus*. Vater – ich gehe so fort in den Park – hier im Pavillon ist es schwül!

MAGNUSSEN. Wohin?

DAGMAR. Ich will Ihren herrlichen Park besichtigen, Herr Magnussen.

MAGNUSSEN. Ja, lauft – lauft alle in den Garten. Es ist Bowle und das Grammophon aufgestellt. *Zu Fräulein Juel*. Nein – Sie bitte ich, hierzubleiben, Fräulein Juel!

FRÄULEIN JUEL. Mir versagen auch die Knie!

SOPHUS. Tante Juel muß sich ausruhn. Komm, Tantchen, ich placiere dich in den Schaukelstuhl – da wiegst du dich wie im Himmel! – *Zu den andern*. Wir verschwinden.

Bis auf Fräulein Juel und Magnussen alle ab in den Park. Magnussen schließt die Glastür – fächelt sich Luft.

MAGNUSSEN. Nun will ich mich erst ein wenig verschnaufen!

FRÄULEIN JUEL. Sie haben das Haus voller Gäste.

MAGNUSSEN. Ja – es hat sich angesammelt!

FRÄULEIN JUEL. Es wimmelt im Park. Stören wir da nicht?

MAGNUSSEN *lacht laut los*. – Das haben Sie prächtig gesagt. Das dreht der Katze das Fell um. Sie stören nicht – das könnten nur die andern in diesem Augenblick besorgen. Aber ich wollte es keinem raten, sich jetzt hier einzuschleichen!

FRÄULEIN JUEL. Sind Sie gern allein hier? *Sie will aus dem Schaukelstuhl.*

MAGNUSSEN *drückt sie zurück – lacht wieder.* Ihnen fallen die Worte wie Perlen aus dem Munde. Man braucht sie nur aufzulesen – da hält man die Kette am Faden. Ja, ich bin gern allein hier – mit Ihnen!

FRÄULEIN JUEL. Das ist sehr schmeichelhaft für mich, Herr Magnussen.

MAGNUSSEN *verlegen.* Jetzt – müssen Sie wieder etwas sagen!

FRÄULEIN JUEL. Ich – habe Sie schon manchmal von weitem gesehen, Herr Magnussen.

MAGNUSSEN. Daran ist der verfluchte Kutscher schuld. Der Kerl fährt immer ein Tempo – ich habe es ihm millionenmal verboten. Aber das Maß ist voll, der Bursche fliegt aus dem Dienst, es soll nicht Abend darüber werden!!

FRÄULEIN JUEL. Weil Sie mich aus Ihrer flinken Kalesche nicht bemerkt haben? Das kleine Fräulein Juel?

MAGNUSSEN. Wollen wir – – unsern Kutscher nicht entlassen? *Schon bricht das Ungetüm in die Knie.* Soll er uns im Galopp zum Standesamt kutschieren?!! *Die Hände auf den Schaukelstuhl stützend, kippt er Fräulein Juel nach vorn – die an seiner Brust landet.*

Sophus – mit einem Weinglas – stößt die Glastür auf. Das Grammophon schallt herein.

SOPHUS. Tantchen – das mußt du kosten – es ist Rheinwein mit Pfirsich – *Er verstummt.*

FRÄULEIN JUEL. Sophus – ich falle – schaff' mir festen Grund unter den Füßen!!

MAGNUSSEN. Hier braucht es kein dickeres Fundament!

SOPHUS *hinter Magnussen.* Das erste Glas dem jüngsten Glück mit Grammophonmusik! *Er trinkt aus.*

FRÄULEIN JUEL. Was macht ihr beide mit mir?

MAGNUSSEN *Fräulein Juel schon nach hinten führend.* Den Bräutigam –

SOPHUS *folgend.* – und den unbestechlichen Zeugen! *Die drei ab.*

Dagmar tritt schnell ein . –
Axel kommt langsam.

DAGMAR *atemlos.* Was – heißt das?

AXEL. Mein Papa liefert Ihnen den schlagenden Beweis, daß meine Auffassung die richtige ist.

DAGMAR. Wovon?

AXEL. Es kommt zu peinlichen Situationen, wenn das Geld in der Liebe eine Rolle spielt. Oder können Sie sich etwas Lächerlicheres vorstellen als die zwei da draußen?

DAGMAR. Ihr Vater kennt vor einer halben Stunde Tante Juel noch nicht –

AXEL. Aber mit dem Geld lebt er schon immer auf du und du!

DAGMAR *stammelnd.* Weil Tante Juel – jetzt Geld gewonnen hat, heiratet Ihr Vater gleich Tante Juel??

AXEL. Soll ihm ein andrer den fetten Bissen wegschnappen?

DAGMAR. Herr Axel – Sie müssen mir – uns einen Dienst tun!

AXEL. Seit Sie selbst eine reiche junge Dame sind, bin ich nicht mehr als Ihr Kavalier. Verfügen Sie, gnädiges Fräulein.

DAGMAR. Reden Sie nicht so. Nicht jetzt. Jetzt bin ich mit Angst gefüllt bis in den Hals – – um Peter – um Asmus und Ottilie – –!!

AXEL. Warum begeben Sie sich freiwillig in des Teufels Küche? Sie hätten die Einladung ablehnen können.

DAGMAR. Meine Verwandten wollten nicht kommen – aber mein Vater drängte.

AXEL. Ihn benebelt sein plötzlicher Reichtum.

DAGMAR. Mir hat er alles geschenkt. Arm ist er wie zuvor.

AXEL. Dann verfolgt er besondere Pläne.

DAGMAR. Dringen Sie in ihn. Machen Sie ihm die Gefahr klar, die uns hier droht. Wir müssen fort. Es wird Schreckliches geschehen, wenn wir nicht umkehren. Tante Juel ist schon –

Magnussen tritt in die Mitteltür – mit Peter Möller an der Hand, den er beim Anblick Dagmars und Axels beiseite schiebt.
Peter verschwindet wieder.

Dagmar geht an Magnussen vorbei rasch in den Park.

MAGNUSSEN *zu Axel.* Wie weit bist du?

AXEL. Schließe bitte die Tür, wenn du Vertraulichkeiten von mir verlangst.

MAGNUSSEN *knallt die Tür zu.* Narrenpossen – ich bin dein Vater. Ich habe dir vorgemacht, wie man dergleichen einfädelt – habe ich mich verlobt oder habe ich mich nicht verlobt?

AXEL. Das mußt du am besten wissen. Im Augenblick interessiert micht ausschließlich die geschäftliche Seite.

MAGNUSSEN *glotzt ihn an.* Was – interessiert dich???

AXEL. Ich brauche Garantien, daß die Konten auch am Ende ohne Saldo balancieren.

MAGNUSSEN. Bist – du mein Buchhalter?

AXEL. Dein Kompagnon in Sachen Möller und Konsorten. Du willst mich zur Beteiligung zwingen – bitte, überzeuge mich, daß du deiner Aufgabe gewachsen bist. Halbe Sachen mache ich nicht mit.

MAGNUSSEN. Genügt dir die Probe nicht, wie ich die Juel kaperte?

AXEL. Peter Möller und Asmus und Ottilie Exner wirst du nicht heiraten können.

MAGNUSSEN. Das Gott sei Dank nicht. Das wäre eine Zumutung, wenn man es sich bei jedem Fünftel so schwer machen müßte!

AXEL. Dem Peter Möller wirfst du eine feinere Schlinge um den Hals?

MAGNUSSEN. Schlingel – was sind das für Ausdrücke! Peter Möller baut – er braucht ein Grundstück für den Bau – und das schenke ich ihm!

AXEL. Du verschenkst?!

MAGNUSSEN. Ich habe hinter der Brauerei den Lagerplatz für zerschlagene Flaschen.

AXEL. Auf dem Müllplatz soll er bauen??

MAGNUSSEN. Er muß und will! Auf geschenktem Grund schießen die Luftschlösser pfeilschnell in die Höhe. Er baut sein Geld hinein – er übernimmt sich – er wird sich übernehmen! – er kann nicht weiter – er schnappt nach Luft – da springe ich zu und baue fertig: an meine Brauerei die neue Brauerei, daß das Bier reichlicher in Dänemark fließe!

AXEL *nach einer Pause.* Wie schneidest du Asmus und Ottilie Exner den Geldsack ab?

MAGNUSSEN. An Asmus und Ottilie Exner verschenke ich mein Haus in der Ostergade!

AXEL. Es ist kein Haus – es ist ein baufälliger Stall.

MAGNUSSEN. Darum muß es umgebaut werden. Große, helle Räume durch zwei Stockwerke. Zu Restaurationszwecken. Mein Bier wird vom Faß gezapft!

AXEL. Die Exners sind doch keine Gastwirte?

MAGNUSSEN. Sie kommen auch nie hinein. Sie bauen das Etablissement halb fertig – die Kalkulation lass' mich besorgen! – der Rest ist mein. Sie werden sich mit Peter Möller trösten, der auch nicht in den Himmel baute!

AXEL. Du – – bist ein Genie –

MAGNUSSEN. Man rührt sich!

AXEL. – auf deine Weise.

MAGNUSSEN. Schlimm, wären alle Menschen gleich!

AXEL. Wer sich vor dir behaupten will – der müßte ein Auserwählter Gottes sein. Anders könnte ich mir den Zweikampf nicht vorstellen!

MAGNUSSEN. Ich auch nicht, Axel! Er müßte von riesigen Maßen sein, der sich meinem Schritt entgegenwerfen wollte. Und noch den Riesen würde ich zerstampfen, tauchte er vor mir auf. Gnade jedem, der nicht ausweicht – wo ich vorwärtsschreite!!

AXEL *an der Tür hinten*. Dein Peter Möller drückt sich um die Tür.

MAGNUSSEN *weiter brüllend*. Schick' ihn herein!!!

Axel ab. –
Peter Möller kommt.
Magnussen trocknet sich den Schweiß vom Schädel.

PETER *sich endlich bemerkbar machend – die Zeitung vom Tischchen aufhebend – nach einem Räuspern*. Das Tageblatt aus Kopenhagen! Ja – das ist eine Zeitung, die sich sehen lassen kann. Das Format – die Annoncen, damit kann unsereins nicht konkurrieren!

MAGNUSSEN. Was nicht ist, kann noch werden!

PETER. Mir aus der Seele gesprochen! Was nicht ist – das kann noch werden. Es muß werden, Herr Magnussen! *Vor ihm – den Orden auf seiner Hemdbrust betastend*. Verstehen Sie mich? Wir müssen eine große Zeitung in der Stadt haben. Mit Politik. Die Chronik des ganzen Landes müssen wir lesen. Wo steckt der König in diesem Augenblick? Wo tanzt die Prinzessin heute abend? Wissen wir eine Silbe davon? Nichts! Aus Kopenhagen müssen Sie Ihre Nachrichten beziehen – ich kann Sie nicht bedienen. Eine große Zeitung gehört in die Stadt wie Kanalisation und Feuerwehr!

MAGNUSSEN. Und dazu brauchen Sie eine komfortable Druckerei!

PETER. Eine große Druckerei! Das ist mit kleinen Abmessungen nicht zu bewerkstelligen. Ein Zeitungsgebäude muß repräsentieren. Es muß gewissermaßen das Wahrzeichen der Stadt sein und das Sammelbecken der vorhandenen Intelligenz!

MAGNUSSEN. Haben Sie sich schon umgetan nach einem Baugrund?

PETER. Ich habe den Stadtplan studiert. An allen Ecken und Enden bietet sich Gelegenheit. Man hat ausgiebig die Wahl. *Lachend.* Schließlich ist die ganze Welt ein Baugrund!

MAGNUSSEN *einstimmend.* Das ist es – die ganze Welt ist einer!

PETER. Wohin man tippt –

MAGNUSSEN. – tappt man auf Grund und Boden! Eine Druckerei kann überall stehn – man liest ja die Zeitung nicht an Ort und Stelle!

PETER. Da haben Sie wieder recht!

MAGNUSSEN. Sichern Sie sich den Platz hinter meiner Brauerei!

PETER. Das wäre ein zu großes Objekt!

MAGNUSSEN. Gratis – und kostenlos! Mache ich mit meinen Verwandten Geschäfte?

PETER *starrt ihn an.*

MAGNUSSEN. Ich schenke Ihnen den Platz. Sie räumen den Unrat weg, der sich gehäuft hat – Sie planieren das Terrain – und dann bauen Sie – aufwärts, aufwärts, bis Sie der Schwindel vor Ihrem eigenen Gebäude ankommt!

PETER *stammelnd.* Ich – kann – bauen – – –

MAGNUSSEN. Sie müssen bauen – morgen fliegt die erste Schaufel Erde!

PETER *flüsternd.* Ich – muß sogar – – –

MAGNUSSEN. Mit Schrift und Siegel bestätigt!

PETER. Ich kann ein Morgen- und Abendblatt drucken –

MAGNUSSEN. Mittags ein Extrablatt dazwischen!

PETER. Ich – drucke die Klassiker – – –

MAGNUSSEN. Und Kochbücher und Schulbücher und Kontobücher. Ihre Maschinen drucken Tag und Nacht!

PETER *sich an die Backe schlagend*. Bin ich Peter Möller? He – bin ich es? *Gegen einen Spiegel die Zunge herausstreckend*. Siehst du mich, Peter? Erkennst du mich? Der Druckereibesitzer Peter Möller – der der Nachbar von Jochum Magnussen ist? *Zu Magnussen*. Guten Morgen, Nachbar Magnussen, wie haben wir geschlafen?

MAGNUSSEN *ihn an sich ziehend*. Sag' du zu mir, Bruderherz, – es erleichtert die Formalitäten. Komm mit – Lundberg wartet! *Er trägt ihn fast nach links hinein. Beide ab*.

Sophus und Helene kommen hinten.

HELENE. Axel spricht immer mit dir. Er macht ein schrecklich ernstes Gesicht. Du entfernst dich eilig in den Pavillon!

SOPHUS. Ich will Peter gratulieren.

HELENE. Wozu?

SOPHUS. Jochum schenkt ihm einen Bauplatz hinter seiner Brauerei.

HELENE. Nimmt Peter an?

SOPHUS. Er wird sich wenig sträuben.

HELENE. Dann wird Peter auch bauen?

SOPHUS. Turmhoch!

HELENE. Wovon?

SOPHUS. Hat sich nicht die reiche Welt der Stadt hier ein Stelldichein gegeben?

HELENE. Soll er bei den Gästen betteln?

SOPHUS. Kommt er mit leeren Taschen?

HELENE. Ja, Sophus, er hat nichts – keinen Öre für solche mächtigen Sachen!

SOPHUS. Und das Grundstück? Rechnest du das nicht?

HELENE. Weil er es nie bebauen kann, ist es nichtig. Er muß das Geschenk ablehnen. Du mußt ihn dazu veranlassen. Oder wir müssen uns alle in Scham verkriechen.

SOPHUS. Ich trage den Kopf aufrecht auf meinen Schultern, wie er mir gewachsen ist. Trifft einen von uns ein Vorwurf? Wir haben uns hier nicht eingedrängt. Jochum Magnussen schickte uns Karten mit Goldrand, das ist eine nicht zu leugnende Tatsache!

HELENE. Die andern wehrten sich.

SOPHUS. Mit Unrecht. Es wäre Feigheit gewesen, die uns kein Ruhmesblatt gepflückt hätte!

HELENE. Herr Magnussen hält uns für reich – wir sind es nicht.

SOPHUS. Ist das sein Aberglauben, so soll er sich mit ihm schlafen legen. Jeder bettet sich, wie er mag. Ich habe den Mut, den Glauben andrer an mich zu ertragen. Ist es Götzendienst, so soll er sich strafen. Ich habe keine Hand im Spiel – aber hundert andre strecken sich nach uns aus. Die will ich schütteln. Laßt uns sehen, was herausfällt!! *Peter kommt links heraus.* Perfekt?

PETER. Weißt du?

SOPHUS. Das Grundstück hinter der Brauerei!

PETER. Wie geschaffen für meine Druckerei!

SOPHUS. Lenchen lacht das Herz.

PETER. Mit Jochum auf du!

SOPHUS. Wird Asmus nicht neidisch?

PETER. Er soll zu Jochum kommen.

SOPHUS. Das Haus in der Ostergade?

PETER. Weißt du alles?

SOPHUS. Von Axel, der mich einweihte!

HELENE. Peter –

SOPHUS. Es muß sich herumsprechen. Wir dürfen Jochums unendliche Güte keine Minute verschweigen. Es muß mit Posaunen schallen. Kommt in den Park: wir wollen verkünden, daß du, Peter, Besitzer des Grundstücks hinter der Brauerei bist und bauen willst. Dann wollen wir hören, was zurückschallt! *Die drei ab. –*

Asmus und Ottilie Exner kommen.

ASMUS. Peter muß mißverstanden haben. Es kann sich nicht um ein Geschenk und um das Haus in der Ostergade handeln.

OTTILIE. Peter hat den Platz hinter der Brauerei bekommen und sein Geschenk schriftlich quittiert!

ASMUS. Dann ist Peter ein Glückspilz.

OTTILIE. Und keinen Deut mehr als du und ich und Tante Juel, die schon das große Los gewonnen haben.

ASMUS. Mir würde ängstlich, wenn ich jetzt ein Schriftstück unterschreiben sollte. Die Buchstaben würden vor meinen Augen tanzen.

OTTILIE. Deshalb gehen wir beide hinein und setzen unsre

Firma Asmus und Ottilie Exner, Tuch- und Wollwaren, dahin, wohin Jochum Magnussen sie kommandiert.

Magnussen tritt links heraus.

MAGNUSSEN. Wo bleibt – ?!
OTTILIE. Hörst du, Asmus, wie wir gesucht werden?
MAGNUSSEN. Nur einer – der Mann! Ich kann mit Frauen-
zimmern nicht verhandeln!
ASMUS. Ottilie, schweig'!
OTTILIE. Asmus, geh'!

Magnussen und Asmus links ab. –
Fräulein Juel kommt hinten.

FRÄULEIN JUEL. Wo steckt Jochum immer?
OTTILIE. Er muß sich allen Gästen widmen, Tantchen.
FRÄULEIN JUEL *fast weinend.* Ist das ein Verlobungsfest?
Sehen so die Träume aus, wenn sie in Erfüllung gehn?
OTTILIE. Großartig sehen sie aus – für Peter – für Asmus!
FRÄULEIN JUEL. Was haben die Leute mit Peter jetzt im Gar-
ten? Sie umdrängen ihn und rufen ihm Zahlen zu. Bieten sie
ihm denn Geld an?

Sophus kommt.

SOPHUS *zu Ottilie.* Ist Asmus bei ihm?
OTTILIE. Hinter dichten Türen!
SOPHUS. Stört sie nicht!
FRÄULEIN JUEL. Erkläre mir, Sophus, was vor sich geht. Ich
stehe allein und gottverlassen auf dem Rasen – und Peter
ist die Hauptperson im Park!
SOPHUS. So soll ihm Ottilie jetzt Konkurrenz machen! Du
bist von der Firma, Ottilie, für die Asmus das Haus in der
Ostergade in Empfang nimmt – lauf' du in den Garten und
beschaff' das Baugeld für den Ausbau von Läden durch zwei
Etagen. Man wird es dir zuschütten – denn wo ein Jochum
Magnussen schenkt, da muß mehr zu holen sein als aus den
Schatzkammern des Kaisers von China!

Ottilie ab.

FRÄULEIN JUEL. Nicht einmal ein Sträußchen bietet mir Jochum.

SOPHUS. Mit Kleinigkeiten gibt er sich nicht ab. Der ganze Park ist dein. Such' Helene und pflückt Blumen. Euch vergeht die Zeit und für das Ende stehst du prächtig geschmückt da.

Fräulein Juel ab. –
Asmus kommt taumelnd links heraus.

SOPHUS. Ist dir schlecht, Schwager?

ASMUS *entgeistert.* Das Haus in der Ostergade. Zentrale Lage. Läden durch zwei Stockwerke. Zwanzig Bogenlampen!

SOPHUS. Dreißig, Asmus!

ASMUS. Ich schrecke nicht vor fünfzig zurück!

SOPHUS. Sechzig, Asmus!

ASMUS. Die ganze Ostergade ist illuminiert. Das Firmenschild Asmus und Ottilie Exner, Tuch- und Wollwaren, leuchtet wie die Sonne!

SOPHUS. Das ist nicht zu überbieten, Asmus! Die Sonne sollen sie uns kaufen. Sie scheint zu wenig – man muß sie vieler Kreatur näherbringen!!

Asmus ab.

Sophus schließt jetzt die Gartentür – stellt sich neben dem Schaukelstuhl auf. –
Magnussen tritt links heraus – im Siegerübermut schwenkt er die Arme seitwärts, aufwärts.

SOPHUS. – – Das hält jung, wenn man sie Bewegung schafft.

MAGNUSSEN *einhaltend – Sophus musternd.* Sie – haben die Tochter!

SOPHUS. Das haben Sie nicht vergessen?

MAGNUSSEN. Nichts vergesse ich. In meinem Kopf hat alles Platz. Ich registriere wie ein schnurrender Automat – was verwendbar ist. Die Abfälle sausen unter den Tisch!

SOPHUS. Wie die alten Flaschen auf dem Platz hinter der Brauerei.

MAGNUSSEN. Die kramt ein andrer weg!

SOPHUS. Da bildet sich schon das Konsortium, das die Aufräumung besorgt und die Druckerei finanziert.

MAGNUSSEN. Was – fabeln Sie??

SOPHUS. Man stellt dem Peter Möller Kapital zur Verfügung, so viel er will.

MAGNUSSEN. Wer?!

SOPHUS. Ihre Gäste.

MAGNUSSEN. Wo?!

SOPHUS. Im Park.

MAGNUSSEN. Dem – Peter Möller?!

SOPHUS. Und der Firma Asmus und Ottilie Exner für die Läden in der Ostergade.

MAGNUSSEN. Der – Firma Asmus und Ottilie Exner?!

SOPHUS. Tuch- und Wollwaren.

MAGNUSSEN. Auf meinem Grundstück – in meinem Haus in der Ostergade??!

SOPHUS. Auf Ihrem Grundstück, das Sie Peter Möller – und Ihrem Haus in der Ostergade, das Sie Asmus und Ottilie Exner geschenkt haben!

MAGNUSSEN *torkelnd*. Blitz vom Himmel und dreifach Sintflut über die Rotte!!!

SOPHUS. Mäßigung, Herr Magnussen, Sie schädigen sich.

MAGNUSSEN. Gibt man euch schon Kredit auf meine Geschenke?! Mache ich euch flott für die Fahrt an die Goldküste?! Ich, Jochum Magnussen – Brauer des Königs – falle geprellt aus der Rechnung und ziehe die Niete aus dem Goldtopf?!! *Er sieht sich fast hilflos um.*

SOPHUS *führt ihn an den Schaukelstuhl*. Schöpfen Sie Luft, Herr Magnussen, – unterdrücken Sie Ihre Aufregung.

MAGNUSSEN. Ersticken möchte ich –

SOPHUS. Dazu ist es zu früh.

MAGNUSSEN. Holen *Sie* mir mein Grundstück und mein Haus zurück?!

SOPHUS. Das müssen Sie selbst überlegen.

MAGNUSSEN. Draußen tobt die Börse – und ich sitze hier machtlos!!

SOPHUS. Sie müssen sich Ruhe gönnen. Es sind nicht unüberwindliche Schwierigkeiten.

MAGNUSSEN. Die türmen sich scheußlich!!

SOPHUS. Wenn Sie sich auf einen Punkt konzentrieren, beherrschen Sie wieder die Situation. Es geht kein Spiel verloren, das man mit ungebundenen Händen anfaßt.

MAGNUSSEN. Wo habe ich gebundene Hände?!

SOPHUS *ihn sanft im Schaukelstuhl wiegend.* In zu vielen Geschäften. Sie stecken in zu vielen Geschäften, Herr Magnussen.

MAGNUSSEN. Ich habe die größte Brauerei von Dänemark!!

SOPHUS. Sehen Sie, wo der Haken steckt?

MAGNUSSEN. Ich will noch vergrößern!

SOPHUS. Das müssen Sie – das sollen Sie, Herr Magnussen!

MAGNUSSEN. Will mich wer hindern?

SOPHUS. Hier schaukelt, wer sich selbst bekämpft!

MAGNUSSEN. Stellen Sie den Stuhl still!

SOPHUS *weiter schaukelnd.* Sie sind Ihr eigner Feind, Herr Magnussen. Es hat sich mir klar gezeigt. Auch Ihre Kräfte haben Grenzen. Wer gewinnt jetzt das Spiel im Garten? Die andern – wenn Sie nicht beizeiten aufhören, sich zu verstreuen. Die Brauerei – und diese neuen Geschäfte – das wird selbst der Riese Jochum Magnussen nicht bewältigen!

Aus dem Park näherdringend froher Tumult.

MAGNUSSEN. Verdammte Lustigkeit!

SOPHUS. Man scheint sich einig zu sein. Man kommt!

MAGNUSSEN *aus dem Schaukelstuhl turnend.* Nicht diese Niederlage! Ich schreie alles nieder! Wir fangen erst an! Hier ist mein Haus, in dem *ich* verbiete und befehle! Nichts gilt, was ausgemacht ist! Ich mache mir die Hände frei! Wer will die Brauerei?!!

SOPHUS *hält ihm die Hand hin.*

MAGNUSSEN. Was wollen Sie?!

SOPHUS. Was Sie anbieten.

MAGNUSSEN. Was verstehen Sie vom Bier?!

SOPHUS. Was ein Direktor Ihrer Brauerei verstehen muß!

MAGNUSSEN *sieht ihn an.* Sie sind Direktor – unter einer Bedingung!

SOPHUS. Kaution?

MAGNUSSEN. Die Tochter, die mein Sohn Axel heiratet!

SOPHUS *schlägt ein.* Mit Gottes Segen!

MAGNUSSEN *triumphierend.* Das letzte Fünftel!! Geschafft! Wo fehlts?! Wo klafft die Lücke zwischen eins und fünf? Jetzt kommt und schüttet aus, was ihr habt – ich will es gnädig an mich nehmen!! *Er lacht dröhnend.*

*Die Glastür wird weit geöffnet vor folgendem Zug: voran
der livrierte Diener, der das lärmende Grammophon trägt –
hinter ihm Fräulein Juel, Peter, Asmus und Ottilie mit
Kränzen und Blumengirlanden geschmückt. In einigem Abstand auf der rechten Seite Axel – auf der linken Helene
und Dagmar. Den Schluß bildet die Schar der Gäste.
Das Grammophon schweigt und der Lärm der Kommenden.*

MAGNUSSEN *mit großer Geste.* Sucht ihr mich?! Hier stehe
ich – Jochum Magnussen, Brauer des Königs!! Seht mich alle
an! Hört alle zu!! Axel tritt her! *Er rührt sich nicht.* Da
steht mein Sohn Axel!! Seht ihn euch an!! Jetzt steht er noch
allein – *nach Dagmar suchend – ihr winkend.* – aber im
nächsten Augenblick – – –
AXEL *hatte in höchster Verlegenheit sein Gesicht hinter die
Zeitung gesteckt – jetzt blickt er auf – ruft.* Halt – hört!!
Das muß ich hier vorlesen! *Er steigt auf einen Stuhl – liest.*
Wie wir hören, ist der Haupttreffer von achtmalhunderttausend Kronen der diesjährigen Landeslotterie in der
Hauptstadt geblieben und an einen hiesigen Großschlächter
gefallen. Wir gratulieren dem glücklichen Gewinner – hoffen aber, daß die Fleischpreise nun endlich sinken werden!!

Es herrscht verdutzte Stille.

PETER *sieht Asmus an.* Asmus – –
ASMUS *zu Fräulein Juel.* Tante Juel – –
FRÄULEIN JUEL *zu Ottilie.* Ottilie – –
OTTILIE . Unser Los – –
AXEL *die Zeitung schwingend – lachend.* An einen Großschlächter!
DIE GÄSTE. In Kopenhagen!!!
MAGNUSSEN *zu Sophus – blaurot.* Ich fordere Aufklärung!!
SOPHUS *gelassen.* Gebt mir die Zeitung aus Kopenhagen! *Er
glättet sie.* Es stimmt. Wort für Wort – habe ich es hinein-
setzen lassen. Es ist meine Notiz. Ich schickte sie hin – – um
grobe Verdächtigungen im Keim zu ersticken. Mußten sie
nicht auftauchen? Könnten sie nicht schon jetzt ausschwir-
ren – und unsern geliebten Jochum Magnussen heimtückisch
verleumden? Diesen Jochum Magnussen, der sich so hurtig
mit unsrer Tante Juel verlobt hat – der meinem Bruder Peter
Möller den Bauplatz hinter der Brauerei geschenkt hat –

der meinem Schwager und meiner Schwester Asmus und Ottilie Exner das Haus in der Ostergade geschenkt hat – der seinen Sohn Axel bevormunden will – der mich zum Direktor seiner Brauerei eingesetzt hat – –!! – – Dieser Jochum Magnussen soll dies und das und das ausgeheckt haben, um den Gewinn achtmalhunderttausend Kronen an sich zu bringen?!! – Ich halte schützend diese Zeitung vor Jochum Magnussen und wer den ersten Stein nach ihm schleudert, der trifft an diese eherne Wand von Papier!!

MAGNUSSEN *die Fäuste ballend – zähneknirschend.* Und wenn sie keinen Öre gewonnen haben – dagegen läßt sich nichts sagen!!

DRITTER AKT

Das große Wohnzimmer bei Sophus Möller. Neue wuchtige Möbel – Konzertflügel. Hohe Fenster hinten – Türen rechts und links. Die Lüsterkrone brennt tausendkerzig.
Ein adrettes Dienstmädchen kommt links heraus, geht durchs Zimmer und öffnet rechts.

DIENSTMÄDCHEN. Herr Direktor lassen bitten.

Lundberg kommt – mit einer Aktenmappe. –
Dienstmädchen links ab.
Lundberg öffnet die Mappe und kramt Papiere heraus.
Sophus kommt von links.

SOPHUS. Noch so spät, Lundberg?
LUNDBERG *nimmt zaghaft Sophus' Hand und verbeugt sich tief vor ihm.*
SOPHUS. Bringen Sie mir Schriftstücke?
LUNDBERG. Von Herrn Magnussen.
SOPHUS. Warum in meine Wohnung?
LUNDBERG. Weil Herr Direktor heute nacht nach Kopenhagen reisen.
SOPHUS. Hat sich Herr Magnussen den Termin so genau gemerkt?
LUNDBERG. Es hängt eine Papptafel über seinem Schreibtisch mit dem Datum in roter Schrift!
SOPHUS *nach kurzer Pause.* Ich reise nicht nach Kopenhagen.
LUNDBERG. Herr Direktor fahren nicht nach Kopenhagen?!
SOPHUS. Nein, Lundberg. Ich habe meine Dispositionen geändert. Packen Sie Ihre Papiere ein. Ich kann nichts nach Kopenhagen transportieren. Ich bin als morgen früh wie immer in der Brauerei. Gute Nacht, Lundberg.
LUNDBERG *schiebt kopfschüttelnd alles wieder in die Mappe.* Gute Nacht, Herr Direktor. *Rechts ab.*

Dagmar kommt von links.

DAGMAR *an seinem Halse.* Bist du ein guter Vater?
SOPHUS. Du stellst Fragen –
DAGMAR. Bist du es?
SOPHUS. Urteile selbst –

DAGMAR. Bist du es nicht?

SOPHUS. Wann kamen dir Zweifel?

DAGMAR. Nimmst du mich heute nacht mit nach Kopenhagen?

SOPHUS. Das soll den Stab über mich brechen?

DAGMAR. Dein Nein!

SOPHUS. Nein.

DAGMAR. Warum erfüllst du mir den Wunsch nicht?

SOPHUS. Weil – ich selbst nicht reise!

DAGMAR. Du bleibst hier??

SOPHUS. Die Geschäfte in der Brauerei halten mich fest. Lundberg war eben noch hier. Magnussen hält meine Anwesenheit für unentbehrlich.

DAGMAR. Dann gib mich Peter und Asmus mit!

SOPHUS. Wenn Peter und Asmus reisen, sollst du dabei sein. Das will ich dir versprechen!

DAGMAR *schüttelt dreimal seine Hand*. Eins – zwei – drei – gilt!

SOPHUS. Mit Peter und Asmus nach Kopenhagen – sonst – –

DAGMAR *nach links laufend*. Ich packe schon für Kopenhagen! *Ab.*

Helene kommt links.

HELENE *besorgt*. Das Kind macht sich für Kopenhagen fertig.

SOPHUS. Ich habe es ihr erlauben müssen.

HELENE. Wie soll sie nach Kopenhagen kommen?

SOPHUS. Sie bat so dringlich.

HELENE. Mit wem macht sie die Reise?

SOPHUS. Ja – wer reist?

HELENE. Nachts?

SOPHUS. Ich reise nicht.

HELENE. Und Peter und Asmus nicht!

SOPHUS. Niemand. – – –

HELENE. Sophus – mich schüttelt der Gedanke, daß du es ihnen in dieser Stunde gestehen mußt!

SOPHUS *sofort lebhaft*. Die Wertlosigkeit des Loses und den entgangenen Gewinn?

HELENE. Morgen findet die Auszahlung statt.

SOPHUS. Du irrst, Helene – sie findet nicht statt.

HELENE. An uns nicht – das weiß ich. Aber Peter und Asmus und Tante Juel und Ottilie brennen auf das Ereignis. Sie schlafen seit vierzehn Tagen nicht.

SOPHUS. Ja – es wird höchste Zeit, daß sie ihre Nachtruhe wiederfinden. Eine gesundheitliche Schädigung könnte ich nicht verantworten.

HELENE. Kannst du glauben, daß es ohne Erschütterung abläuft?

SOPHUS. Was soll sie erschüttern? Daß ihnen die Glückssumme nicht zufällt? Sind es Geizhälse, die das Geld verstauen? Mit diesem Überfluß wüßten sie wahrlich nicht mehr anzufangen – wozu soll er also dienen?

HELENE. Ich höre dir gläubig zu, Sophus – aber bei den andern wirst du einen schweren Stand haben. *Sie lauscht nach der Tür.*

SOPHUS. Kommt wer?

HELENE. Peters Schritt!

SOPHUS. Ich öffne ihm.

HELENE *will rasch nach links.*

SOPHUS. Bleibst du nicht?

HELENE. Das – kann ich nicht, Sophus! *Ab.*

Sophus rechts hinaus – mit Peter zurück.
Peter ist wunderlich kostümiert: er steckt in einem alten, verschabten Kragenmantel; eine Schirmmütze ist tief ins Gesicht gezogen; langer verwickelter Wollschal; buntgestickter Reisesack.

PETER. Da sind wir, Bruder!

SOPHUS *starrt ihn an.* Bist du närrisch?

PETER *gewichtig.* Reisevermummung, Sophus. Es hat mir genug Kopfschmerzen gemacht!

SOPHUS. Bist du Nachtwächter geworden?

PETER. Wie der Wächter, der nachts die Stadt bewacht. Und ich bewache mehr. Unser Los, Sophus! *Er kramt im Mantel und holt endlich eine umfangreiche lederne Zigarrentasche heraus.* Greif' zu, Sophus.

SOPHUS. Ich rauche nicht.

PETER. Nein, nein – fass' nur hinein!

SOPHUS *zieht das versiegelte Kuvert heraus.* Was soll in –?

PETER *kichernd.* Da vermutet keiner den Schatz. In der Zigarrentasche eines Mannes von meinem Aussehen wird keine feine Sorte zu holen sein. Da schonen sich die Langfinger. Ist es nicht raffiniert versteckt?

SOPHUS. Du bist ein Mordskerl, Peter!

PETER *Sophus betrachtend.* Hast du keine Vorbereitungen getroffen?

SOPHUS. Nein, Peter.

PETER. Du verschiebst wichtige Dinge auf die letzte Minute.

SOPHUS. Damit wirst du recht behalten!

PETER *die Uhr ziehend.* Sollte Asmus –?

SOPHUS. Ottilie schnattert – das signalisiert die Firma! *Rechts ab – mit Asmus und Ottilie zurück. –*

Asmus in enggeknöpftem schwarzen Rock, schwarzen Glacés, Zylinder; kleiner Handkoffer.

ASMUS *geschäftig.* Habt ihr euch Legitimationen besorgt? Hast du das versiegelte Kuvert? Sind die Siegel unverletzt? Nun – dann zur Station. Acht Uhr dreißig. Es bleibt keine Zeit!

SOPHUS. Asmus – stell' dich neben Peter!

ASMUS. Was bezweckt das?

SOPHUS. Fürchtet ihr nicht vom ersten Schutzmann in Kopenhagen angehalten zu werden?

ASMUS. Wieso?

SOPHUS. In eurem Aufzug Arm in Arm?

ASMUS. Das Gegenteil wird sich ereignen. Wir werden getrennt reisen. Ich denke: ich erster – du zweiter – und Peter vierter Klasse. Ich habe mit Absicht diesen Anzug gewählt, um unsre Zusammengehörigkeit zu verdunkeln. Der einzelne fällt stets weniger auf als die Mehrzahl. Eine Verständigung zwischen uns geschieht durch Zeichen – vielleicht ein unauffälliges Schwenken des linken Unterarms! *Er macht es vor – Peter übt.*

SOPHUS. An euch sind zwei Detektive verloren!

OTTILIE. Sag' selbst, Sophus – wie steht Asmus da. Ein Bild. Was werden die schönen Damen aus Kopenhagen aus ihm machen?

SOPHUS. *Die* Unruhe kannst du begraben, Schwester!

ASMUS *streng.* Ottilie, das Kursbuch!

OTTILIE *gibt es ihm.* Der schwere Abschied!

ASMUS. Bürste meinen Hut!

OTTILIE *tut es.* Unter Tränen!

Das Dienstmädchen kommt von links.

SOPHUS. Hat es geklingelt?
DIENSTMÄDCHEN. Jawohl, Herr Direktor. *Rechts ab.*

PETER. Versäumen wir nicht den Zug?
ASMUS. Empfängst du jetzt Besuch?

DIENSTMÄDCHEN *in der Tür*. Frau Magnussen!
PETER. Was soll –
ASMUS. – Tante in diesem Augenblick??

Tante Juel tritt ein – sehr elegant kostümiert.

TANTE JUEL *erstaunt durch Lorgnon die andern musternd.*
Sitzt ihr nicht im Nachtschnellzug nach Kopenhagen?? Es
ist höchste Zeit! – Du hast mich bitten lassen, Sophus – ich
glaubte, um während eurer Abwesenheit Helene Gesell-
schaft zu leisten.
ASMUS. Acht Uhr fünfzehn!
PETER. Acht Uhr dreißig ist Abfahrt!
ASMUS. Wir springen gerade noch in den Zug!
SOPHUS. Es ist acht Uhr fünfundzwanzig, Schwager. Du
stellst deine Uhr noch nach der Johanniskirche – und Kir-
chen sind immer etwas zurück.
ASMUS. Dann erreichen wir den Zug überhaupt nicht mehr!!
SOPHUS. Errege dich nicht – es hätte auch keinen Zweck! –
Setzt euch alle – macht es euch so gemütlich wie ihr könnt.
Willst du ein Kissen, Tantchen?

Alle sitzen – alle starren nach Sophus.

PETER *stammelnd*. Das Los ist morgen fällig!
SOPHUS. Du hast recht, Peter, die vier Wochen zwischen Zie-
hung und Zahlung sind morgen um.
ASMUS. Der Gewinn kann morgen abgehoben werden!
SOPHUS. Er wird morgen pünktlich eingelöst werden, As-
mus.
PETER. Ohne uns –
ASMUS. – Peter – mich – und dich??!!
SOPHUS. Ich nehme an – daß der Großschlächter in Kopen-
hagen seinen Gewinn nicht instich läßt!

ASMUS *entgeistert.* Der Großschlächter – – –

PETER. Der Großschlächter – – –

OTTILIE. Der Großschlächter – – –

SOPHUS *lächelnd.* Schon im Interesse der Senkung der hohen Fleischpreise bleibt es dringend wünschenswert.

TANTE JUEL *die Hände zusammenschlagend.* Kinder, es stand alles in der Zeitung!!

SOPHUS. Und die Zeitungen schwindeln nie. Frag' Peter!

ASMUS *erwachend – schroff zu Peter.* Hast du das Los verloren?

PETER *kramt die Zigarrentasche hervor.*

ASMUS. Zigarren behalte!

PETER *legt das Kuvert auf den Tisch.* Prüft die Siegel!

ASMUS. Es waren fünf – von fünf Beteiligten!

SOPHUS. Erbrich!

ASMUS. Eure Zustimmen? *Alle nicken mechanisch.* Ich öffne! – – Das Los ist vorhanden – – unversehrt!

SOPHUS. Unversehrt?

ASMUS. Wie am Tage, als wir es mit einer gewissen Feierlichkeit verschlossen. Es ist ein und dasselbe Loch!

OTTILIE. Es hatte ein Loch!

ASMUS. Auch das Loch ist unverletzt!

PETER. Es befand sich in der Jahreszahl!

SOPHUS. Rund wie eine Null, wo eine eins stehen soll – um unser Jahrzehnt zu zählen, in dem wir leben!

ASMUS. Ein Loch datiert nicht um zehn Jahre zurück!

SOPHUS. Wenn das Loch eine Null ist und immer war – – und der Großschlächter die richtige zehn auf seinem Kupon hat??

PETER. Dann – – fehlen uns zehn Jahre am Haupttreffer?

SOPHUS *nimmt das Los und zerreißt es.* Das Los ist zehn Jahre alt. Es ist Makulatur! – Ich habe es seit zehn Jahren nicht mehr gespielt!

TANTE JUEL *zergehend.* Jetzt ein Kissen – Ottilie!

SOPHUS. Stütze die Tante! – Schwebt dir etwas auf der Zunge, Peter?

PETER. Wir – – haben nichts gewonnen???

SOPHUS. Gar nichts!

ASMUS *stopft das Kursbuch in den Zylinder.* Verspielt!

SOPHUS. Gründlich!

OTTILIE *die Losschnitzel in die Luft blasend.* Seifenblase, fliege!

SOPHUS. Geplatzt!

TANTE JUEL. Und – – ich bin Frau Jochum Magnussen!!

SOPHUS. Du bist es!

PETER. Ich habe die Druckerei hinter der Brauerei!!

SOPHUS. Du hast sie!

ASMUS. Ottilie – wir besitzen das Haus in der Ostergade!!

SOPHUS. Ihr besitzt es!

TANTE JUEL. Ohne einen Öre!!

PETER. Ohne einen runden Öre!!

ASMUS und OTTILIE. Alles ohne einen runden Öre!!

SOPHUS. Wie ich Direktor der Brauerei von Jochum Magnussen bin!!

TANTE JUEL. – – Und ich habe auf meinem Geldsack gethront – Jochum vor ihm auf den Knien!

SOPHUS. Das ist nicht wahr. Das ist eine Lüge, die du aussprichst. Du hast mit keinem Öre geklappert, als Jochum sich vor dir beugte. Du hattest nicht einmal den Mut vor ihm hinzutreten. Ich mußte dich ihm erst gewaltsam präsentieren. Deine Pille glitt dir in den Hals, so zittertest du!

TANTE JUEL. Jochum setzte Reichtum bei mir voraus!

SOPHUS. Das stimmt ihm kein Loblied an – und wir wollen lieber von seiner Schwäche schweigen. Man soll von Abwesenden nur gutes reden. Du bist seit zwei Wochen seine Frau – hat er dich enttäuscht?

TANTE JUEL *rot*. Was willst du damit sagen?

SOPHUS. So ist es gut. Es gilt nicht, wie eine Ehe zustande kommt – sondern wie sie geführt wird. Seid ihr miteinander zufrieden?

TANTE JUEL. Jochum ist glücklich – und viel ruhiger geworden. Ihm hat die weibliche Hand gefehlt.

SOPHUS. Halte sie über ihn – und du stiftest den Segen, der nur von Frauen stammt. Das erledigt deine Bedenken, Tante – warum stehst du auf, Peter?

PETER *hinter seinem Stuhl – ernst*. Wir haben alle betrogen.

SOPHUS. Wen meinst du damit?

PETER. Die mir und Asmus Geld für unsere Bauerei gaben, als Jochum Magnussen uns die Grundstücke geschenkt hatte.

SOPHUS. Peter – höre zu: ich müßte jetzt harte Worte über Jochum sagen – die Gegenwart Tantes, seiner Frau, bindet mir die Lippen!

PETER. Jochum glaubte uns im Besitz von achtmalhunderttausend Kronen!

SOPHUS. Und beschenkte euch erst, als ihr selbst Geld hattet! Warum überhäufte er euch nicht, als ihr arm waret?

PETER *unsicher.* Was sagst du, Asmus?

ASMUS. Jetzt frage ich mich auch, warum er uns nicht beschenkte, als wir mittellos waren!

SOPHUS. Da rührt ihr an einen Punkt, der empfindlich ist. Aber jetzt stelle ich mich vor Jochum Magnussen – der Direktor vor seinen Chef! Ich erlaube nicht, hier weiter zu forschen und alte Wäsche nach Flecken zu durchstöbern. Wo Schwächen sind, wird Schonung verlangt. Das ist Sitte unter Verwandten. Vor Jochum, mit dem wir auf du stehen, soll der Streit verstummen. Er hat – wenn er einen Fehler begehen sollte! – erheblich gebüßt. Tante ist geheiratet – du baust, Peter – Asmus renoviert mit Ottilie: die Gelder honoriert ihr mit Zinsen – da kommt keiner zu Schaden, der sich mit euch einließ!

PETER. – – Du hättest uns am ersten Tage die Wahrheit sagen müssen.

SOPHUS. Nein, Peter – ich hatte die Pflicht zu schweigen!

PETER. Du durftest uns nicht vier Wochen in Träume wiegen.

SOPHUS. Ist das nicht alles? Vom Glück träumen? Glück entwickelt Fähigkeiten, die sonst verborgen bleiben. Fragte ich euch nicht an jenem Abend nach euren Plänen? Da recktet ihr die Glieder: arbeiten wolltet ihr. Schaffen und nicht rasten! Da wußte ich Bescheid – da mußte ich die Dinge treiben lassen – und schleuderte in mächtigem Bogen den Köder ins Wasser, nach dem die Goldfische schnappen!!

ASMUS *reicht Sophus stumm die Hand. Auch Ottilie. Auch tante Juel.*

SOPHUS *zu Peter.* Du nicht?

PETER. Ich kann dich in allem verstehen, Sophus – nur eins wird mir bitter meinem Bruder zu sagen: du hast zehn Jahre lang unsere Beiträge angenommen und nicht abgeschickt. Das ist – eine Unterschlagung.

SOPHUS. Ich habe sie unterschlagen. Ich weiß es! – Der Zweck heiligt nicht die Mittel. Aber es gibt Zwecke, vor denen die Missetaten in einem milderen Lichte erscheinen können. Ich ließ Dagmar davon ihre Musik studieren.

PETER *streckt ihm die Hand hin.* Bruder – ich schäme mich ein wenig vor dir!

SOPHUS. Sind nicht Kinder das Paradies, in dem wir Alten immer schuldlos wandeln?

OTTILIE *zu Asmus*. Wir haben fünf zu Haus in ihren Bettchen!

ASMUS. Lass' uns zu ihnen gehen – und im Geiste behalten, was Sophus sagte. *Zu Sophus*. Leb' wohl!

OTTILIE. Dank, Sophus – daß Asmus nicht nach Kopenhagen muß!

PETER. Schlaf' gut, Sophus!

SOPHUS. Der beste Wunsch aus brüderlichem Herzen!

TANTE JUEL. Was soll ich Jochum erzählen, daß keiner von euch reist?

SOPHUS. Sorg' abends nicht, was morgen ist!

TANTE JUEL. Das Wort sitzt dir, wie auf den Leib geschnitten!

Alle rechts ab.

Sophus kehrt zurück – mit Axel in Reisekleidung; Handtasche.

SOPHUS. Verreisen Sie?

AXEL. Nach Kopenhagen!

SOPHUS. Hals über Kopf?

AXEL. Das Maß lief heute abend über!

SOPHUS. Eine Szene zwischen Ihnen und Ihrem Papa?

AXEL. Lassen wir das! Ich kapituliere und flüchte. Für immer. Hier verabschiede ich mich von Ihnen – von Frau Möller – und von Dagmar!

SOPHUS. Nein, Axel. Ihre Hand im Zorn gereicht ergreifen wir nicht. Schütten Sie Ihr Herz aus. Es atmet sich schon freier beim Sprechen.

AXEL *losbrechend*. Soll ich seinem Verlangen gehorchen – und ein Mädchen heiraten, bloß weil es Geld hat?!

SOPHUS. Wenn – Liebe nicht zuredet – –

AXEL. Es dreht sich nicht um Liebe – – entscheidend, daß es arm ist!

SOPHUS. Müssen Sie arm wählen?

AXEL *wütend*. Mit meinem Schwur, der mich bindet!!

Dagmar kommt von links – im Reisemantel.

DAGMAR. Peter und Asmus schon fort??

SOPHUS. Längst.

DAGMAR. Ohne mich?!

SOPHUS. In ihre Betten!

DAGMAR. Warum nicht nach Kopenhagen?!

SOPHUS. Sie wollen sich nicht mit dem Großschlächter herumstreiten, wenn der Mann an der Lotteriekasse sein Los präsentiert!!

AXEL *starrt ihn an – verstehend, strahlend.* Herr Möller – –??

SOPHUS. Der Gewinn soll der ganzen Bevölkerung zugute kommen und auf die Fleischpreise kräftig drücken. Das Wohl der Gesamtheit steht höher als unser Appetit nach Hunger und Champagner!

DAGMAR *stammelnd.* Ihr kriegt – kein Geld??

SOPHUS. Vom Staate nichts – wer wird sich wundern?

DAGMAR *sieht Axel an.* Ich bin – arm – – *Sie breitet schon die Arme aus.*

AXEL *vor ihr – sie an sich ziehend.* – und ich so reich!

SOPHUS *nach rechts hörend.* Wer stört noch? *Rechts ab.*

Axel küßt Dagmar – Dagmar küßt Axel.
Sophus von rechts – mit Lundberg.

SOPHUS. Haben Sie Herrn Magnussen nicht bestellt?

LUNDBERG. Ich habe! Er schreit mich an: die Brüder müssen reisen – sonst gibt es ein schlimmes Ende – wenn keiner nach Kopenhagen fährt!

Sophus sieht Axel an.

AXEL *abwehrend.* Ich reise nach Kopenhagen! *Zu Lundberg.* Laufen Sie zu meinem Vater: ich wäre nach Kopenhagen gefahren – und kehre mit dem kostbarsten Schatz zurück!! *Er drückt Dagmar an sich.*

LUNDBERG. Das macht ihn sanft wie ein Heideschäfchen! *Rechts ab.*

DAGMAR *zweifelnd, selig.* Nachts – – Kopenhagen –??

AXEL *zu Sophus.* Habe ich gelogen?

SOPHUS. Nein – von jetzt an müssen wir bei der Wahrheit bleiben. Besonders wenn sie einem so leicht fällt! – Fährt noch ein Zug?

AXEL. Der Bummelzug!

DAGMAR. Zu langsam dir?

AXEL. Der Weg zur Tür! *Er umarmt Sophus flüchtig – auch Dagmar tut es; dann beide rasch rechts ab.*

Helene kommt von links.

HELENE. Wo ist – –??

SOPHUS *tritt zu ihr – mit Geste.* Lass' große Stille sein. Zwei Liebende fahren in die Nacht. Sternenüberglänzt.

HELENE. Dagmar – –??

SOPHUS. – – und Axel! Es hat sich vollendet. Frage nicht. Die Details sind zerfallen. Das Wesentliche besteht! *Er setzt sich mitten ins Sofa.* Bring' mir Dagmars Konfirmationbibel!

HELENE *nimmt sie aus einem Schrank und trägt sie auf den Tisch.* Was willst du?

SOPHUS. Lass' mich suchen – und setz' dich zu mir.

HELENE *setzt sich zu ihm ins Sofa.*

SOPHUS. Hier steht es. Die Geschichte von David und Goliath. Ich will sie dir vorlesen! *Er beugt sich über das Buch.*

[1905/06; 1913/14; 1920; 1921; 1922]

MARGARINE

Lustspiel in vier Akten

PERSONEN

KONSTANTIN STROBEL
FRAU STROBEL, *seine Mutter*
VIERKANT
FRAU VIERKANT
JUDITH ⎫
FRITZ ⎭ *ihre Kinder*
FRAU SIEBENEICHER
FARBE
SEINE NEUN KINDER
BRAUSEWETTER, *Kastellan*
EIN BOTE
ALMA, *Dienstmädchen bei Vierkant*
EMILIE, *Dienstmädchen bei Strobel*
EIN LAKAI

ERSTER AKT

Wohnzimmer bei Vierkant. Das Mobiliar ist altes Erbstück. Um den runden Tisch grüne Sessel und Polsterstühle. Über dem Sofa Ölbild einer alten Dame mit frischem Gesicht; Großmama Lene. Beim Fenster in einem Nußholzgalgen Vogelbauer mit ausgestopftem Papagei. Türen links und rechts. –
Vierkant und Strobel sitzen sich gegenüber.

VIERKANT. Das war ein Antrag!
STROBEL *ein Knie in den Klapphut bohrend.* Ich bin auf Fragen vorbereitet, die Sie als Vater bei dieser Gelegenheit zu stellen berechtigt sind, und die ich nach bestem Wissen und Gewissen beantworten werde.
VIERKANT *den fetten kurzen Körper immer wieder auf die Sesselkante vorstoßend.* Nach bestem Wissen und Gewissen – das hört sich ja wie eine Steuererklärung an!
STROBEL. Über diesen Punkt –
VIERKANT. Sprechen wir uns noch! – Also, mein Kind –
STROBEL. Ihre Tochter Judith.
VIERKANT. Das Mädel natürlich, um den Bengel Fritz kann es sich ja in diesem Falle nicht handeln! *Er lacht; dann sachlich.* Im Grunde – und Sie gestanden mir ja eben ausdrücklich das Recht zu einigen Erkundigungen zu – Oder habe ich Sie mißverstanden? – Schön. Kurz und bündig – Sie werden mir schon meine Offenheit zugute halten müssen –: eine Frage ist es eigentlich nur – die Kardinalfrage, die ich auf dem Herzen habe: – gesund sind Sie?
STROBEL. Ich darf sagen, daß mein Körper Feind jeder Unordnung gewesen ist. Krankheit ist Unordnung im Körper! Kinderkrankheiten haben mich kaum gestreift – und später hat mir mein Amt keine Zeit zu solchen Scherzen gelassen. Ich rühme mich, noch keine Stunde Urlaub aus dieser Veranlassung genommen zu haben!
VIERKANT *staunend.* Donnerwetter!

STROBEL. Meine Konstitution ist keine herausfordernd mächtige, aber zähe.

VIERKANT. Jedenfalls der Kern durch und durch gesund!

STROBEL. Das wollte ich bekunden.

VIERKANT *mit einem Finger drohend*. Und immer hübsch solide mit den Kräften hausgehalten?

STROBEL. Inwiefern?

VIERKANT *sieht ihn verblüfft an*. Nichts von Bedeutung – ein rhetorischer Einwurf!

STROBEL. Ich übe keine strapazierende Körperpflege – ein einstündiger Spaziergang in den Stadtwald, regelmäßig nach Tisch unternommen, verschafft mir die notwendige Bewegung.

VIERKANT *aus dem Sessel strebend*. Bravo. Damit haben Sie mich gewonnen. Ich habe große Stücke von Ihnen gehalten – aber Sie übertreffen meine Erwartungen! Vorwärts!

STROBEL. Ich gebe nun im Abriß die notwendigen Darlegungen.

VIERKANT. Was denn? Von welcher Art?

STROBEL. Das Besoldungsgesetz vom siebzehnten März neunzehnhundertsieben –

VIERKANT. Allmächtiger Gott – drückt Sie das?

STROBEL – sieht für die erste Stufe –

VIERKANT. Über die Sie längst hinaus sind – und über die zweite und dritte auch!

STROBEL. Ein Grundgehalt –

VIERKANT. Der Grundgehalt!

STROBEL. Wozu ein Wohnungszuschuß –

VIERKANT. Der gesetzmäßige!

STROBEL. Dieser Grundgehalt ist der Steigerung fähig.

VIERKANT. Aber das sind uns beiden doch an den Schuhen abgelaufene Geschichten!

STROBEL. Hinzuzusetzen habe ich hier –

VIERKANT. Also das noch.

STROBEL. Zunächst wird der Wohnungszuschuß nicht berührt.

VIERKANT. Keinen Finger hebe ich.

STROBEL. Wieder mit dem Aufrücken in die –

VIERKANT. Weil alles sich vermehrt – seit Menschengedenken!

STROBEL. Gestaffelt von drei zu drei Jahren –

VIERKANT. Bis die Pensionierung allen goldenen Träumen ein Ende setzt!

STROBEL. Gegenwärtig genieße ich die Bezüge der Stufe zwei, in der ich seit Ostern geführt werde.

VIERKANT. Aber ich bin doch genau orientiert. Ich fresse doch aus derselben Staatskrippe meinen Hafer!

STROBEL. Demzufolge der volle Zuschuß mir erst nach weiteren zweieinhalb Jahren in Aussicht steht.

VIERKANT. Sehen Sie, das nenne ich dann eine Wohnung mit schöner Aussicht!

STROBEL. Ich rechne –

VIERKANT. Das haben Sie gar nicht nötig zu rechnen. *Sich verbessernd.* Mir vorzurechnen!

STROBEL. Siebenundzwanzig Prozent –

VIERKANT. Was! Vom Hundert siebenundzwanzig? Was ist das für ein fettes Papierchen?

STROBEL – des Gesamteinkommens für Haushaltung. Ich begreife darin Wirtschaftsgeld, Wäsche, Beleuchtung und Diverses. Zwei Prozent verschlingt die Bekleidung. Habe ich richtig gesagt, zwei Prozent?

VIERKANT. Was soll das alles?

STROBEL. Halt, hier habe ich einen Vorteil – ein Plus einzusetzen: ein Dienstmädchen –

VIERKANT. Wir haben auch nur eins!

STROBEL. – werde ich nicht zu entlohnen brauchen, da eine alte treue Person, die seit dreißig Jahren im elterlichen Hause dient, uns zu gleichem Anteil verpflichtet wird.

VIERKANT. Prachtvoll, da wird ja das Kind den Himmel im Hause haben. Nicht der elende Dienstbotenjammer.

STROBEL. Mit dem Anfall des vollen Wohnungszuschusses wird mir die strenge Einhaltung dieses Wirtschaftsprogramms die Hausstandgründung gestatten.

VIERKANT. Und wann wäre das?

STROBEL. In zweieinhalb Jahren!

VIERKANT *räuspert.* Also wir sprechen uns noch. – Sonst quält Sie nichts?

STROBEL. Ich möchte noch kurz auf meine Eltern zu sprechen kommen.

VIERKANT. Da ist ihr altes Mütterchen, das bei Ihnen wohnt und sich von dem treuen erprobten Dienstmädchen pflegen läßt.

STROBEL. Es betrifft meinen verstorbenen Vater.

VIERKANT. Seid fröhlich mit den Fröhlichen!

STROBEL. Wenn ich meine Braut an das schlichtgrüne Grab

führe, so bleibt ein Geheimnis bewahrt, das ich Ihnen – als dem Mann mit dem herberen Empfinden – nicht verschweige. Mein Vater war Kaufmann. Er vertrat eine Margarinefabrik am Rhein. Als er dort gelegentlich – und immer hoch für alles in seinem Fach interessiert – die maschinellen Anlagen besichtigte, kam er dem Getriebe zu nahe. Die Zangen, Räder, Hebel packten ihn – hielten ihn fest und rissen ihn in einen der großen Behälter mit dem Rohmaterial. An Hilfe war nicht zu denken. Der Prozeß wickelt sich in rasender Eile auf rein technischem Wege ab und gibt erst das fertige Produkt wieder. So kam auch Vater wieder zum Vorschein, regelrecht verarbeitet. Eine Ausscheidung war nicht möglich. Die Kraft des Farbstoffes ist zu gewaltig – auch der Margarine war nichts anzusehen. Die Fabrik telegraphierte uns so fort – und hielt die Ware in kulantester Weise vom Verkauf zurück. Wir schickten eine Gegendepesche ab, in der wir um Reservierung des ganzen Blockes baten. Die Fabrik stellte ihn, wie sie sich überhaupt zuvorkommend in der ganzen traurigen Angelegenheit benommen hat, gratis zur Verfügung. Wir wollten natürlich ein Geschenk von diesem Umfange nicht annehmen, sondern forderten Berechnung des Materials ein, das durch den Unfall meines Vaters unbrauchbar gemacht war. So erhielten wir wenigstens auf dem Wege der Kalkulation Vater zurück. Es wird Sie daher nicht mehr überraschen, wenn Sie auf dem Leichenstein auch sein Gewicht eingemeißelt finden, was ja nicht üblich ist. Wir ließen den neun Zentner schweren Block als Eilgut – deklariert als Margarine – überführen. Die Zusendung geschah wiederum franko. Würde es Sie nun – als Bekenner christlichen Auferstehungsgedankens – abstoßen, daß mit meinem Vater noch siebeneinhalb Zentner Margarine – und nach menschlichem Ermessen in untrennbarer Verbindung – unter dem Hügel ruhen?

VIERKANT *schnappend*. Man muß – Sie aufheitern! Man muß – – Sie aufheitern!

STROBEL. Bevor in dem Mädchen Hoffnungen erweckt werden, wollte ich mich rückhaltlos dem Vater bekennen.

VIERKANT. Unter jeden Hügel werden ja weltliche Dinge mit hinabgenommen – warum nicht auch einmal Margarine! – Aber sagen Sie meiner Tochter nichts davon, ihr könnte das richtige Verständnis fehlen! *Er unterdrückt einen neuen Ausbruch*. Schonen Sie Ihre Kräfte, Sie haben eine Herzensburg zu erobern, die gut verschanzt ist. Das Mädel ist ein Racker. Den setzen Sie nicht so schnell matt, wie seinen alten Vater! Seien Sie nicht zu genau, kein Ferderlesen. Solch Mädel hat keine Logik im Kopf – das hat zwei Lippen, da muß es wie gedruckt gehen. Dann haben Sie den ganzen Falter auf der Hand. Also – daß wir nur Erfreuliches hören! Gottes Segen über Sie und mein Kind. Jetzt will ich Ihnen das Mädel hereinschicken. *Schon links.* Verstanden? Brust heraus, Kopf aufgesetzt: ich will – du sollst – ich will dein Herr sein! *Ab.*

STROBEL *stellt den Klapphut auf den Tisch und nimmt eine lässige Haltung ein.*

Judith kommt von rechts – reizend in ihrem Matrosenkleidchen.

JUDITH *mit gespielter Überraschung.* Sie sind da – Herr Strobel?
STROBEL *nickt ihr zu.*
JUDITH. Soll ich – Papa rufen?
STROBEL. Ihrem verehrten Herrn Vater ist meine Anwesenheit bekannt. Er hat mich mit der Absicht verlassen, Sie zu suchen. Vielleicht verständigen Sie ihn noch davon, daß Sie mich bereits gefunden haben.
JUDITH. Papa – kann mich ja hier finden.
STROBEL. Die Vermutung wird sich ihm allerdings aufdrängen.
JUDITH. Und mit wem wünschen Sie zu sprechen?
STROBEL. Mit Ihnen, Judith.
JUDITH. Judith?
STROBEL. Wollen Sie sich nicht setzen?
JUDITH. Aber das klingt ja, als wären Sie zu Hause?
STROBEL. Ich hoffe es bald mit noch stärkerem Rechte zu sein.
JUDITH *in einen Sessel gleitend.* Aber wollen Sie sich nicht setzen?
STROBEL *kurz verweisende Geste.* Doch das eilte voraus. Für jetzt genügt so viel, daß ich mich der völligen Übereinstimmung mit Ihrem Herrn Vater erfreue.
JUDITH. Da ist wohl etwas hinter meinem Rücken abgemacht?

STROBEL. Es gilt jetzt, Judith, von Ihnen zu hören, wie Sie sich ein Heim, in dem Sie als Hausfrau einmal schalten und walten, ausgemalt haben. Der Gedanke spielt ja in jedes Mädchens Hirn. Treibt auch wunderliche Blasen – aber die werden wir ja aufstechen und das ganze Traumgebilde so zustutzen, daß es die Wirklichkeit verträgt. Mit Wirtschaftsgeld, Wäsche, Beleuchtung und Diverses – siebenundzwanzig Prozent. Sehen Sie vorläufig in mir nichts als den Neugierigen – und sprechen Sie mir in den Rücken. Das wird Sie nicht ablenken. Ein pädagogisches Axiom. Sie sind hier der einzige, der redet!

JUDITH *zwischen Verlegenheit und Lachen*. Wenn Sie es so interessiert – muß ich mich besinnen.

STROBEL *stumm*.

JUDITH. Das Haus – vom äußersten angefangen – soll nicht in der neuen Stadt, es muß in der krummen Stadt liegen. Durch die Straße darf die Elektrische nicht rattern. Am liebsten ist mir die Gegend hinter dem Naschmarkt. Da ist es so still – und die Häuserchen sehen alle so traulich aus. Da steht mein Haus.

STROBEL. Sie haben zu wählen.

JUDITH. Es hat nur zwei Stockwerke. Auf der ersten Stiege wohne ich. Soll ich die Wohnung innen auch beschreiben?

STROBEL. Ich rede nicht.

JUDITH. Vorn ist eine Glastür – in ihren Rändern hat sie bunte Scheiben. Blau – grün – rot. Rot ist am lustigsten, da wird einem hinterher alles grün, wie in einem Walde!

STROBEL. Faxen.

JUDITH *sich sammelnd*. Wenn man eintritt, liegt rechts eine Tür. Dahinter ist das Arbeitszimmer. In das wage ich mich nicht!

STROBEL. Brav.

JUDITH. Die zweite Tür geht in den Salon. Der hat zwei Fenster – und die Tapeten sind von Rosen und Tulpen. An der Decke werden es Nelken. Da fängt mein Reich an. Darin sitze ich natürlich nie. Es wird auch nicht geheizt. Nur wenn ich ein Kränzchen gebe, wird es betreten.

STROBEL. Das wird winterhalbjährlich zweimal der Fall sein.

JUDITH. Ja, im Sommerhalbjahr findet der Ausflug in den Stadtwald statt.

STROBEL. Und ein Rektorabend im Schulgarten.

JUDITH. Aber der ist nicht mit Damen.

STROBEL. Nein, dort wird die Wissenschaft einmal im Scherz behandelt – und der Scherz wissenschaftlich vertieft!

JUDITH. Ja! – Daran schließt sich das Eßzimmer. Das hat nur ein Fenster und ist etwas dunkel. Aber das ist sehr praktisch, man spart Gardinen! – Das hinterste Zimmer – *Sie stockt.*

STROBEL. Vorwärts.

JUDITH. Da ist noch ein Zimmer.

STROBEL. Haben Sie sich von diesem Raum keine weiteren Vorstellungen gemacht?

JUDITH *leise.* Das Schlafzimmer.

STROBEL. Warum die Stockung? Der Mensch muß doch auch schlafen. Im Schlaf erneuern sich seine Kräfte.

JUDITH *klatscht in die Hände.* Das ist meine Wohnung!

STROBEL. Es fehlt ja noch hier und da an festen Begriffen – und die andere Seite des Korridors wurde ganz übergangen, aber ich deutete ja schon an, daß ich Zustutzungen vornehmen müßte. Ich war also nicht unvorbereitet.

JUDITH *leise.* Es fehlt noch –

STROBEL. Halt!

JUDITH. Was habe ich denn verbrochen?

STROBEL. Ich habe nur zur Vorsicht gemahnt. Keine Hast. Zur flüchtigen Berührung sind mir diese Dinge zu heilig. Festina lente – das heißt: Eile mit Weile!

JUDITH. Ich sitze hier doch nicht auf der Schulbank!

STROBEL. In der Vorklasse des Lebens sitzen Sie, in dem wir nie auslernen. Das letzte Examen bestehen wir erst jenseits. Auch ich. Und unser oberster Rektor teilt strenge Zensuren aus.

JUDITH. Von mir kann keiner mehr verlangen als ich bin!

STROBEL. Wie denken Sie nun über die Bewohner? Des Arbeitszimmers – des Salons – des Eßzimmers – des Schlafzimmers?

JUDITH. Ja, die Bewohner –

STROBEL. Wurden die noch nicht in engeren Betracht gezogen?

JUDITH. Im Anfang sind es nur zwei.

STROBEL. Wieso?

JUDITH *ernsthaft.* Dann aber müssen Knaben herumspringen – und das ganze Haus mit lustigem Lärm erfüllen!

STROBEL *betroffen.* Wie?

JUDITH. Ich würde natürlich nie erlauben, daß dadurch die

Bewohner der oberen Etage in ihrer Ruhe gestört werden. Aber tollen müssen sie!

STROBEL. Woher nur Knaben? – Was heißt das?

JUDITH. Das ist mein Wunsch und meine Aufgabe. Ich bin kein Kind. Ich bin, was ich sein muß – und will es mit Freuden vollbringen. Das ist nun meine beste Weisheit!

STROBEL *schlägt sich vor die Stirn*. Ach so, Knaben!

JUDITH. Von ganzem Herzen wünsche ich mir das!

STROBEL. Die Knaben!

JUDITH *unsicher werdend*. Es können auch Mädchen sein!

STROBEL *verdutzt*. Auch – Mädchen?

JUDITH. Ich umfasse sie mit derselben Liebe. Ich kenne keinen Unterschied.

STROBEL. Was sollen im Hause eines – –??

JUDITH. Oder Knaben!

STROBEL. Und nun wieder Knaben!

JUDITH. Und Mädchen!

STROBEL. Und jetzt Knaben und Mädchen durcheinander!!

JUDITH. Das kann man doch vorher nicht wissen. *Sie läuft nach links.*

Von links Frau Vierkant, ein Koloß in Schwarz mit Spitzen, asthmatisch. Hinter ihr Vierkant.

FRAU VIERKANT *Judith aufhaltend*. Es ist alles so geschehen, wovor ich mich gebangt habe – und was ich dir doch brennend gewünscht! *Gegen Strobel vordringend*. Was höre ich, Sie wollen uns unsere Tochter entführen? Dann nehmen Sie mich nur gleich mit, ich kann mich von dem Aff' nicht trennen. Mein Mann bereitet mich eben schonend vor – und nun steht man vor dem Fait accompli! Also wirklich – Sie sind's geworden? Da muß ich doch vor Scham in den Boden sinken. Ich denke bloß an den Sommerausflug in den Stadtwald. Da kamen wir ins Gespräch miteinander, wir blieben doch weit zurück. Vaterchen, du mußtest uns doch noch rufen. Rektor Grunert machte mich knallrot, wie er mir sagte: immer noch verführerisch – unsere geistliche Frau Inspektor! *Strobel auf den Arm schlagend*. Das war natürlich im Scherz. Man ist sich doch kein Rätsel!

VIERKANT. Und worin hattet ihr euch im Stadtwald so vertieft?

FRAU VIERKANT. Eifersüchtige Dohle! *Nach Judith langend.*

Über den Quack hier. Ich hab' doch meine eigene Tochter ausposaunt – mit Harfentönen – *Sie schlägt sich auf den Mund.* Hätt' ich auch nur mit einem Schimmerchen geahnt, was sich anspinnen würde, ich hätt' mir das Maul zugebunden – mit deinem großen Schnupftuch mindestens, Mann!

VIERKANT. Das nennt man einen wunderlichen Zufall!

FRAU VIERKANT. Es soll aber das Kind nicht schlechter machen. Das nimmt deine Mutter auf sich. Du sahst so verführerisch aus in dem hellen Kleidchen – ausgeschnitten war's. *Mit einem ungenierten Klaps nach Judith.* Ach, dem Mädel steht ja alles!

VIERKANT. Du hast es gewiß nur gut gemeint.

FRAU VIERKANT *zu Strobel.* Verstehen sie mich nun falsch? Dann zeigt's eurer Mutter, daß ihr der Schwatzelster nicht nachtragt, mit einem Schmatz, daß ihr euch liebt – und sonst nichts existiert in der schönen Welt!

VIERKANT. Das Kind soll Vater und Mutter verlassen –

FRAU VIERKANT *zu Judith.* Was schwänzt denn der Fratz immer hinter mir rum? Du stehst ja steif wie ein Pfeifenrohr und die Arme baumeln wie Kuhschwänze herab. Ich habe mich in den Armen meines Bräutigams überraschen lassen – und keiner hat mich losgekriegt, so hielt ich mich anklammert!

VIERKANT. Das ist lange her und nicht mehr modern, Trudchen!

FRAU VIERKANT. Aber Sie, Herr Strobel, von Ihnen hätte ich doch erwartet, daß Sie Ihr Mädchen schon gezähmt haben. Mir klopfte doch das Herz, als ich mit Ihnen allein durch die Stämme schritt. Kommandieren Sie Ihr süßes Eigen!

JUDITH. Es ist ja noch nicht –

FRAU VIERKANT *kategorisch.* Dann gibst du hier vor uns deinem künftigen Eheliebsten den ersten Schmatz!

JUDITH *schielt mit entzückender Schelmerei nach Strobel – wirft sich ihm an den Hals.* Da – du Dummlieb!

FRAU VIERKANT *zu Vierkant.* Immer wieder der seligste Anblick – das Erblühen der jungen Liebe!

VIERKANT *zu Frau Vierkant, bedeutungsvoll einen Finger auf seine Lippen legend, halblaut.* Mulier taceat in ecclesia!

STROBEL *hält nun Judith fest.* Aus der Beschreibung habe ich – es gehörte kein allzu großer Scharfblick dazu – –

JUDITH. Ja, es ist dein Haus – deine Wohnung – alles dein

und mein! Das Arbeitszimmer, das Eßzimmer und – ach! – du hast mich ja nur ausgehorcht – du wilder Schlingel!

STROBEL. Die einzige Verschiedenheit, die sich ergeben –

JUDITH *hält ihm den Mund zu.* St!

FRAU VIERKANT *sogleich aufmerksam.* Worüber habt ihr euch gestritten?

JUDITH *Strobels Mund mit Küssen verschließend.* Ach, sprich nicht mehr davon. Nein, keine Silbe. Oder ich laufe wieder weg und komme nie wieder.

FRAU VIERKANT *Judith am Arm fassend.* Was hast du ihm abgestritten? Jetzt heraus mit der Sprache!

JUDITH. Nein – nein, ich sage es nicht. Das war dumm, daß ich's gesagt habe – und jetzt ist es schon vergessen.

FRAU VIERKANT. Vater – sprich du ein Machtwort!

VIERKANT. Womit hat sich das Mädchen etwas herausgenommen?

FRAU VIERKANT. Hiergeblieben. Du hörst, Vater verlangt Antwort!

JUDITH *puterrot.* Es ist ja Dummheit. *An Strobels Hals zurück.* Rette mich doch, sie martern mich zu Tode!

VIERKANT *zu Strobel.* Schaffen Sie Klarheit.

JUDITH. Dann sterbe ich.

STROBEL. Während ich mit Vorsicht sondierte, ob meine Mutter – ich hüte mich, sie aufzudrängen! – in meinem Hause weitergelitten würde –

FRAU VIERKANT. Das hat euch entzweit? Das wäre: die eine Mutter bringt euch zusammen und die andere soll euch scheiden. Die wird von meiner Tochter nicht verdrängt! Hurtig, bitte deinem Bräutigam ab!

JUDITH *rasch.* Ja, ja, so war's. Ich bereue – bereue!

STROBEL *fortfahrend.* – machte meine Braut einen Vorschlag, der mir ja den schönen Beweis einer denkenden und sparsamen Hausfrau lieferte: – Knaben in das Haus zu nehmen. Und nicht nur Knaben – sondern auch Mädchen. Und wiederum nicht getrennt – also Knaben und Mädchen nebeneinander. So mit eine gemischte Pension aufzumachen!

JUDITH *hat ihn angestarrt. Jetzt stürzt sie ihm an die Brust.* Das hast du verstanden: eine Pension! – Du Engel. Du schneeweißes Schäfchen. Buben und Mädchen! – und ich die Pensionsmutter! Konstantin Strobel – das Lämmchen auf der Heiden!

*Vierkant und Frau Vierkant haben bedeutungsvolle Blicke
gewechselt. Jetzt tritt Frau Vierkant dicht an Vierkant heran.*

FRAU VIERKANT *mit gedämpfter Stimme anherrschend.* Jetzt!
VIERKANT. Doch nicht schon!
FRAU VIERKANT. So fort! *Zu Strobel und Judith.* Da klebt
ihr ja doch zusammen. So, Judith, jetzt reiß' deine Mutter
heraus. Beweise gleich mal, daß ich nicht zuviel mit dir geprahlt habe. Du trägst die Gläser auf und den Wein. Dann
wollen wir mal anstoßen auf die Zukunft und was sie uns
bringen soll. Los, wir Weiber haben hier nichts zu kramen,
jetzt wollen die Männer unter sich sein. Vater hat was auf
der Pfanne, er schnappt schon nach Luft! *Mit Judith rechts
ab.*

STROBEL. Ein Tummelköpfchen – ein Tummelköpfchen!
VIERKANT. Sie werden Ihre Beschäftigung haben. – Ja, setzen
wir uns. *Er läßt sich auf einen Stuhl nieder.*
STROBEL *besetzt den anderen Stuhl.*
VIERKANT. Hatten Sie nicht schon Pläne geschmiedet – über
Nähe oder Ferne der Heirat?
STROBEL. Ich sagte –
VIERKANT. Zweieinhalb Jahre, nach Anfall des Zuschusses!
– Ja, das Geld hat eine harte Hand. Seine Gesetze sind in
Gold und Silber geschrieben. Aber auf Papierchen stehen
doch die besten. Da wird der hohe Herr ganz milde – da
verliert er alle Strenge, da nimmt er uns in seine Arme wie
der Bräutigam sein Mädchen. Da sind alle Hindernisse weg-
geräumt.
STROBEL. Um auszukommen –
VIERKANT. Warten Sie den Zuschuß ab! – Und das ist ein
Grund, den lasse ich Ihnen nicht – unter keinen Umständen!
Sie werden sich keine Frist setzen. Das sollen Sie nicht, das
brauchen Sie nicht. Meine Tochter ist nicht arm. Wir haben
natürlich keine Glocken darüber gebimmelt. Das war uns zu
gefährlich. Das führt allerlei ins Haus, und bald hängt uns
ein windelweicher Geselle dran. Das können wir nicht brauchen. Weil das dem Willen des Erblassers ins Gesicht schlägt!
STROBEL. Was heißt das?
VIERKANT *nach dem Bilde zeigend.* Da hängt sie in Öl: die
Mutter meiner Frau. Judiths Großmutter, Großmama Helene. Das ist sie.

STROBEL. Ich überblicke nicht gleich, was –

VIERKANT. Sie starb mit Hinterlassung eines Testaments, worin sie über ihr Vermögen verfügt. In folgender Form: Das Kapital bleibt unantastbar in Bankregie und nur die Zinsen sollen ausgezahlt werden. Sie sind uns ausgezahlt! – Die Geschichte aber hört auf und die Zinsen bleiben beim Kapital – ohne Murren: wenn unsere Judith bis zu ihrem neunzehnten Jahre nicht geheiratet hat – oder zwei, drei Monate danach, die sind zugegeben. Verheiratet sie sich, so bezieht sie die Hälfte und wir Eltern weiter den Rest. Sonst fällt der ganze Schwamm an eine Stiftung! – Und die Zinsen sind beträchtlich. Es ist kein Katzendreck!

STROBEL. Sprechen Sie von einer – Mitgift?

VIERKANT. Aber bedingungsweise! – Alte Damen, die Kapital haben, entbehren ja nie einer gewissen Komik!

STROBEL *fährt sich über den Scheitel.*

VIERKANT. Es stört Sie doch nicht, daß wir unsrer Tochter etwas mitgeben können?

STROBEL. Es kommt so unerwartet –

VIERKANT. Aber es vergnügt Sie?

STROBEL. Mir schwindelt förmlich ein wenig!

VIERKANT. Dann kann ich Ihnen den besten Witz noch auftischen!

STROBEL. Witze im Testament?

VIERKANT *glucksend.* Wenn Ju – Ju – Judith – –

STROBEL. Und nun noch Judith?

VIERKANT. – nach ihrem ersten Ehejahr – – kein Kindchen wiegt – –! Hören Sie zu?

STROBEL *starrt ihn steif an.*

VIERKANT. Dann sackt das Kapital wieder die Zinsen ein – unbarmherzig! – und wir Alten und ihr Jungen wischen uns die Näschen!

STROBEL *steht auf.*

VIERKANT. Und mit dem Kindchen kommen sie auch wieder. Kindchen und Zinschen, das soll sich reimen. Das ist die Verskunst Großmutter Lenes!

STROBEL *tastet nach der Sessellehne.*

VIERKANT. Beeinträchtigt Sie etwas?

STROBEL *stammelnd.* Es – es – –

VIERKANT. So machen Sie sich doch Luft!

STROBEL. Ich – – ich – –

VIERKANT. Heraus mit Ihren Trümpfen.

STROBEL. Ich komme mir vor – – nicht anders – – wie der Reiter über den Bodensee!

VIERKANT. Ja, die Frage, die ich mir nach Ihrer Gesundheit erlaubte und die Sie so befriedigend beantworteten, werden Sie wohl jetzt besser verstehen.

STROBEL *fährt sich über die Stirn.* Es wird die einzige Frage von Wichtigkeit hier.

VIERKANT. Und auch meine andern Einwände sind Ihnen durchsichtig geworden! Zu rechnen brauchen Sie nicht! Sie haben mehr zum Leben, als Ihnen das Leben kostet. Aber auch mehr Pflichten. Die ja auch ein Vergnügen sind. – Und – wie soll ich sagen – Spielraum ist euch gelassen. Menschliche Voraussicht kann zuschanden werden. Das Mädchen ist mit neunzehn nicht anders als jetzt. Man sorgt vor – und wie gesagt – es schafft Spielraum. Es sind ja auch nach unten keine Beschränkungen getroffen. Die Aussichten sind verbessert – was in einem Jahre zu erhoffen wäre, ist in zwei bestimmt zu erwarten! Ja, ja, diese Großmutter Lene. Sie hat nicht sterben wollen. Jetzt lebt sie in ihrem Vermächtnis bei Kindern und Kindeskindern. Das war ihre besondere Auffassung von der Auferstehung. Hier sitzen wir ja auch auf ihren Stühlen. Die ganze Einrichtung stammt daher. Die Sessel – das Sofa – der Teppich – und der Papagei, den wir nach ihrer Bestimmung ausstopfen ließen – um auch ihren Vogel hier vor Augen zu haben.

Frau Vierkant von links – mit entfaltetem Tischtuch auf Vierkant zu.

FRAU VIERKANT. Der schwere Mann – immer auf dem schwächsten Sessel – und wenn er fünfmal geleimt ist. Sie können sitzen bleiben, Herr Strobel, Sie sind nicht geleimt. *Aufdeckend.* Nun, was habt ihr denn für Geheimnisse vorgekramt? Nichts für schämige Frauenohren? Das kennt man, Männerwitze!

JUDITH *mit Tändelschürzchen, Gläser auf einem Tablett.*

FRAU VIERKANT. Sind alle Gläser klar? Sehen Sie mal hin, Herr Strobel, ob ich zuviel gesagt habe. Nehmen Sie jedes Glas gegen's Licht! – So. Judith, nun stell' hin. Kind – und ein Schürzchen hast du dir auch vorgebunden? Na, zu wenig hab' ich gerühmt. Du bist ja heute schon die perfekte Hausfrau. Zeig' doch mal deinem Zukünftigen die Lochstickerei. Das wird ihn mehr interessieren.

JUDITH *hebt die Schürze gegen Strobel.*

FRAU VIERKANT *hastig. Vierkant grob anstoßend.* Abgemacht? Fünfzehnter September?

VIERKANT. Du kamst zu früh wieder.

FRAU VIERKANT *zu Judith.* Herr, du mein – wo bleibt die Alma mit dem Wein?

JUDITH. Sie wollte sich doch auch eine weiße Schürze vorbinden.

FRAU VIERKANT. Sieh' du mal nach, ob sie sich die Bänder gleich auf die Taille näht!

JUDITH *rechts ab.*

FRAU VIERKANT *zu Strobel.* Und mein Mann hat Ihnen ja nun allerhand aus der Familie geplauscht? Das letzte Wort ist mir natürlich wie immer in den Mund geschoben.

VIERKANT *gedämpft.* Festina lente!

FRAU VIERKANT. Herr Strobel, wie ist's: fünfzehnter September? Judith wird am sechzehnten ihre Achtzehn – am vierzehnten der Polterabend – und den Geburtstag feiert ihr schon als Eheleute auf der Hochzeitsreise! – Das klappt ja alles wie geschmiert. Na – und ein Jahr später, da gibt's Kindtaufe!

VIERKANT. Gott wird's auch an seinem Segen nicht fehlen lassen!

FRAU VIERKANT. Da kommt ja der süße Brautfratz wieder!

JUDITH *mit Wein von rechts.*

FRAU VIERKANT *ihr entgegen.* Alles schleppt sie sich selbst zusammen. Ja, die Kinder sind heut' anders. Jetzt sollst du uns so bald genommen werden. Über ein Weilchen tut sie ihre Schwingen auf und schwirrt uns davon. Für immer. Was sind dann Eltern noch. Gerümpel für die Bodenkammer. Das ist hart.

JUDITH *sich freimachend.* Das ist ja die Flasche.

FRAU VIERKANT. Ja, gieß' ein. Stoßen wir auf dein Glück an. Dein Glück ist's ja!

JUDITH *gießt die Gläser voll.*

VIERKANT. Das wird deinem Vater nun bald zum letztenmal von dir geschehen sein!

Rechts ist Alma eingetreten, bäurisch dralle Person.
Hinter ihr hält sich Fritz versteckt, ab und zu steckt er
rechts und links unter Almas Armen den Kopf heraus und
schneidet Grimassen.

FRAU VIERKANT. Da ist ja die übrige Gesellschaft erschienen. Na, Alma, da steht der Herr Bräutigam von Fräulein Judith. Nun gehen Sie mal hin und gratulieren Sie manierlich!
ALMA *von Fritz geschoben, wehrt sich in tödlicher Verlegenheit.*
VIERKANT *Fritz gewahrend, streng.* Fritz!
FRAU VIERKANT. Fritz, begrüße deinen Schwager! *Zu Strobel.* Der Junge ist so verschüchtert. Judith, hol' deinen Bruder und stell' ihn vor!
JUDITH *geht hin, packt ihn.* Firlefanz!
FRITZ *tänzelt komisch heran.*
FRAU VIERKANT. Nun sag' dein Wort, daß du als Schwager willst fleißiger und ehrgeizig sein!
FRITZ *kichert und hält die Hände im Rücken.*
FRAU VIERKANT *zu Judith.* Was gibts über den Bengel zu lachen?
JUDITH *drückt Fritz an sich.* Das ist doch mein treuer Verbündeter!
FRITZ *stößt sie verächtlich zurück.*
VIERKANT. Dann Herr Strobel, richten Sie das erste Wort an ihn.
FRAU VIERKANT. Bieten Sie ihm Bruderschaft an als der Ältere!
STROBEL *tut vage Schritte zu Fritz.*
FRAU VIERKANT *zu Fritz.* Jetzt sag' dein du!
FRITZ. Buh! *Er läuft hinter Alma.*
FRAU VIERKANT. Der Junge bleibt ein Füllen.
VIERKANT. Jetzt wollen wir Alten aber anstoßen.
FRAU VIERKANT. Alma, holen Sie sich auch ein Glas!
ALMA *wird rot und rührt sich nicht.*
FRAU VIERKANT. Alma, mein Mann wünscht es!
JUDITH *zu Strobel.* Alma gehört zur Familie!
ALMA *schüttelt heftig den Kopf.*
FRAU VIERKANT. Dann soll das Mädchen zusehen, serviert wird ihr nichts.
VIERKANT. So laßt uns denn –

Alma schreit auf.

Fritz, der hinter ihr gebastelt hatte, läuft aus der Tür, schlägt sie knallend ins Schloß. Noch draußen hallt sein Gelächter.

Alams Schürze ist heruntergesunken. Sie steht im Unterrock da und schlägt die Hände vors Gesicht.

FRAU VIERKANT. Alma, Sie dienen hier doch in keinem Kuhstall!

ALMA *dreht sich rasch um, bückt sich und rafft die Schürze auf. Dabei präsentiert sich der breite Unterrockschlitz.*

FRAU VIERKANT. Nennt sie das, sich adrett in der Stube zeigen?

VIERKANT. Das ist ja unerhört!

JUDITH *sich mit dem Rücken vor Strobel stellend.* Das darf mein Lämmchen doch nicht sehen!

ALMA. Fritz hat mich aufgebunden! *Sie läuft hinaus.*

FRAU VIERKANT. Warten Sie auf mich in der Küche! Ich weiß nicht: bei uns lernen die Mädchen sich nicht benehmen!

JUDITH *beiseite tretend.* Jetzt darf er wieder hinsehen!

VIERKANT *mit dem Weinglas.* Ja, Herr Strobel, haben Sie den Appetit verloren?

STROBEL *hatte sein Glas hingestellt und blickt tiefsinnig vor sich hin. Er erregt Aufmerksamkeit.*

ZWEITER AKT

Strobels Arbeitszimmer. – Vor einem Fenster in der Hinterwand ein Rohrsessel. Türen rechts und links.

STROBEL *sitzt am Schreibtisch; den Kopf in beide Hände gestützt, starrt er vor sich hin.*

FRAU STROBEL *unruhig hin und her.* Jungchen, wenn nur dich einer verstände.

STROBEL *rührt sich nicht.*

FRAU STROBEL *tritt hinter ihn und streicht ihm über das Haar.* Vielleicht kann ich dir doch raten.

STROBEL *sich auf die Stirn trommelnd.* Nein, Mutter, diesmal kannst du mir nicht helfen. Hier ist aller mütterlicher Rat am Ende. Hier scheiden sich unsere Wege!

FRAU STROBEL. Wie meinst du das: unsere Wege scheiden sich?

STROBEL. Mutter – sieh mich an.

FRAU STROBEL. Ich seh' dich immer so gern an.

STROBEL *hält sie an beiden Händen.*

FRAU STROBEL *in Tränen.* Muß ich aus dem Hause – Platz machen?

STROBEL. Mache ich den Eindruck, daß ich fähig wäre, dich wegzuschicken?

FRAU STROBEL. Deine junge Frau –

STROBEL. Judith wird dir den gleichen kindlichen Gehorsam entgegenbringen, den du von mir gewöhnt bist!

FRAU STROBEL. Dann hast du dein Glück gemacht! Das Weibchen habe ich dir gewünscht, das mal deine heiligsten Gefühle achtet.

STROBEL. Das war doch die Voraussetzung.

FRAU STROBEL *rasch.* Was sagst du dann, daß sich unsere Wege trennen?

STROBEL. Du bleibst bloß zurück. Ich wandere weiter – mit einer Last auf den Schultern, die mir keiner abnehmen kann. Vielleicht geht mein Weg in Nacht – in das Grauen!

FRAU STROBEL. Du bist so gar nicht froh zurückgekommen.

STROBEL. Nein, mir ist das Leben auf der Zunge abgestorben.

FRAU STROBEL. Es ist doch alles in Ordnung. Die Eltern stellen dir nichts entgegen. Oder verschweigst du mir etwas?

STROBEL. Ich gebe dir ein für alle Male die Versicherung: meine zukünftigen Schwiegereltern sind grundgütige Leute,

– und ich habe nur die Empfindungen der allergrößten Hochachtung vor diesem prächtigen Ehepaar!

FRAU STROBEL. Hat deine Braut an dir auszusetzen gehabt?

STROBEL. Mutter!!

FRAU STROBEL *an seiner Brust.* Nein, ich habe dich ja hier aus der Tür gehen sehen, Jungchen, da hab' ich an den gedacht, von dem du mir so oft vorgelesen hast: von Siegfried. In deinem schwarzen Rock und dem Zylinder – du warst unwiderstehlich. Wenn ich jung wäre, ich wüßte meine Wahl. Ja, mein goldner Junge!

STROBEL. So, sah ich schön aus in meinem Rock und glänzenden Hut? Wie Siegfried, sagst du?

FRAU STROBEL. Das war für mich nicht anders.

STROBEL. Hättest du mich doch so angerufen, als ich ging. Es hätte mir jedenfalls zu denken gegeben – mich stutzig gemacht und –

FRAU STROBEL. Das sind nur so dumme Ideen von deiner alten Mutter!

STROBEL. Aber das paßt auf mich. Schlagend und scharf. Wie Siegfried am Frühlingsmorgen – strahlend und kühn – zum Quell aufbricht, um von Hagens Speer die tödliche Wunde zu empfangen –! Es lebt doch eine lächerliche Ewigkeit in diesen sagenhaften Vorgängen!

FRAU STROBEL. Das ist mir nun zu hoch.

STROBEL. Ich gehe hin, nur um die alte Wahrheit wieder mal zu beweisen: wen die Götter vernichten wollen, den schlagen sie zuvor mit Blindheit. Ich bin hineingetappt – in all meiner Pracht und Verblendung!

FRAU STROBEL. Ich begreife dich nicht.

STROBEL. Ja, Mutter, leg' dir doch einmal die Frage vor – Aber das kannst du nicht! Der eigenen Mutter kann man das zuletzt sagen. Das nicht!

FRAU STROBEL. Jetzt machst du mich ganz ängstlich.

STROBEL. Ich habe den ersten Schritt getan – der Stein ist ins Rollen gekommen. Er reißt andere mit – Schutt, Blöcke, – bald fährt eine Lawine nieder, die uns alle begraben soll!

FRAU STROBEL. Du dichtest!

STROBEL. An mich treten Fragen heran – Aufgaben, von deren Vorhandensein ich nichts ahnte!

FRAU STROBEL. Ja, du nimmst nichts von der leichten Seite!

STROBEL. Wenn du es wüßtest, wie mich deine Worte brennen!

FRAU STROBEL. Sie sagen nur, was wahr ist.

STROBEL. Bin ich ein Wüstling, der von Begierde berauscht ist und nicht mehr rechts und links sieht?

FRAU STROBEL. Nein, dergleichen bist du nicht!

STROBEL. Fragen, Fragen – und keine Antwort!

FRAU STROBEL. Es ist ja nur ein Mädchen, wie andere!

STROBEL. Ein Mädchen – wie andere!

FRAU STROBEL. Und wer bist du?

STROBEL. Ja, wer bin ich? Was weiß ich denn selbst von mir? Woher schöpfe ich das Vertrauen? Wer bin ich, daß ich es unternehme, Verantwortungen auf mich zu laden – die, wenn ich enttäusche, Familien an den Rand des Abgrunds ziehen – ja, in ihrer gesicherten Existenz bedrohen?

FRAU STROBEL. Kennst du dich nicht?

STROBEL. Nein. Ich kenne mich nicht!

FRAU STROBEL. Was fehlt denn?

STROBEL *an ihr auf den Fußboden sinkend.* Mutter – Mutter, warum bin ich nicht einmal leichtsinnig gewesen! – Warum habe ich nicht einmal die Bücher in die Ecke geworfen – und bin Student gewesen – wie alle Kommilitonen!

FRAU STROBEL. Jetzt erschreckst du mich!

STROBEL. Hätte ich dich und Vater nur damals erschreckt – so würdest du heute lachen können!

FRAU STROBEL. Steh' doch auf – rutsch' doch nicht auf dem Teppich herum – ich schäme mich doch vor dir!

STROBEL *erhebt sich – tritt an den Schreibtisch. Gedankenvoll reißt er ein Blatt vom Kalenderblock.*

FRAU STROBEL *pirscht sich an ihn heran.* Nun hole ich dir deinen schwarzen Rock, deine Braut mit ihrer Mutter kann hier eintreten – und sollen sie Siegfried in der Hausjacke finden?

STROBEL *starrt auf das Kalenderblatt.*

FRAU STROBEL. Glück macht traurig, das ist eine alte Erfahrung. Aber dann scheint wieder die gute Sonne und vergoldet alles noch besser. Hörst du deiner Mutter nicht zu?

STROBEL *gibt ihr das Blatt.* Da lies, Mutter!

FRAU STROBEL. Dafür hast du jetzt Augen?

STROBEL. Lies – lies!!!

FRAU STROBEL. Dazu brauche ich eine Brille. *Sie geht ans Fenster, sucht die Brille.* Was hat denn dieser Tag für einen Spruch? *Sie liest.* Was du nicht voll erprobt, davon sollst du noch bleiben – nur was du schon gekonnt, dem darfst du dich verschreiben! *Aufblickend*. Was hat denn das mit deiner Verlobung zu schaffen?

STROBEL *nickt vielsagend*. Kalenderweisheit – Binsenweisheit!

FRAU STROBEL *erschreckend*. Jetzt haben wir uns blamiert. Eben höre ich sie auf der Treppe scharren. Du mußt deine Verwandten empfangen. Emilie ist nicht in dem Aufzug, daß sie aufmachen kann. Emilie hat große Wäsche. Und wenn Emilie wäscht – *Links ab*.

STROBEL *schiebt das Kalenderblatt in die Tasche*.

Es schellt.

FRAU STROBEL *mit Strobels Rock zurück, in den sie ihm hilft*. Da rasselt die Klingel. Wonach kramst du nur in der Tasche?

STROBEL *bringt den Zettel noch in die Westentasche unter*.

FRAU STROBEL. Kannst du dich von der Kalenderweisheit nicht trennen? *Die Klingel schmettert*. Wir zeigen uns ja unhöflich!

STROBEL *rechts ab*.

FRAU STROBEL *setzt sich schnell in den Rohrsessel und nimmt eine feierliche Haltung an. Strobels Jackett hat sie hinter den Sessel gestopft*.

FRAU VIERKANT *in der Tür*. Da sind wir!

JUDITH *Strobel am Arm, mit dem Sonnenschirm winkend*. Hallo!

FRAU VIERKANT. Das ist die Hauptsache, unserer liebsten besten Frau Strobel unsern schönen Tag zu sagen. Wir machen unsere Referenz.

FRAU STROBEL. Sehr ehrenvoll –

FRAU VIERKANT. Bleiben Sie unten – bleiben Sie unten! – Wo ist denn der Matrose? Lass' doch den Mast mal los und geh' hier vor Anker.

JUDITH *Strobel küssend*. Bist du jetzt wieder lustig, Struppelchen?

FRAU VIERKANT. Das ist deine Schwiegermutter. Mach' dich possierlich, Aff'!

JUDITH *Frau Strobel umarmend*. Ich will eine artige Schwiegertochter sein, Schwiegermama.

FRAU STROBEL. Du nimmst mir meinen Sohn.

JUDITH. Und schenke dir eine Tochter.

FRAU STROBEL. Du machst dein Glück, Konstantin ist ein guter Mensch.

FRAU VIERKANT *klopft unter die Schreibtischplatte.* Das soll man nicht berufen. *Den Kalender aufhebend.* Habt ihr denn schon den siebenten?

STROBEL. Ich entfernte in Gedanken das Blatt.

FRAU VIERKANT. Den siebenten Himmel will er sich ablesen. Ihr seid Heißsporne. Kinder, macht sachte. Wie, Mutter Strobel, Großmama wollen wir so rasch nicht werden. Dann sind wir ausrangiert.

FRAU STROBEL. Gott – o Gott, mein Junge!

FRAU VIERKANT. Kommt Zeit – kommt was!

JUDITH *lachend.* Wir machen eine Pension auf. Was, Konchen?

FRAU VIERKANT. Kinder, setzt mal eurer elfenleichten Mutter einen Stuhl unter. Treppentappen, das ist nicht meine Rage.

FRAU STROBEL. Jungchen, hörst du nicht?

STROBEL und JUDITH *fassen zugleich den Stuhl.*

JUDITH *ihn zwischen sich schwingend.* Eia popeia – was raschelt im Stroh!

FRAU VIERKANT. Eia popeia – Herrschaften, knöpft die Ohren auf, woher der Marsch geblasen wird. *Sie sitzt.* Mein Mann – Vierkant läßt sich empfehlen.

FRAU STROBEL. Es ist zuviel Ehre.

FRAU VIERKANT. Warum?

FRAU STROBEL. Daß sich Herr Vierkant bei mir entschuldigen läßt.

FRAU VIERKANT. Mein Mann hätte Ihnen lebensgern gratuliert. Er kommt noch. Wir hatten's eben eilig. Was, Judith? Die Jugend gibt keine Ruhe.

FRAU STROBEL. Ich werde mir morgen erlauben –

FRAU VIERKANT. Recht so. Wir kennen uns ja gar nicht. Das muß anders werden. Daß du, Konstantin, dein Mütterchen noch nie zu uns geführt hast? Na, er wollte allein grasen. Und hat ja sein Füllen gekapert.

JUDITH. Was hast du immer in der Westentasche zu kramen? Stecke ich drin?

FRAU VIERKANT. Kinder, produziert euch mal, daß es knallt. Sonst glaubt euch ja Mutter Strobel die Geschichte nicht.

JUDITH *küßt zuerst.* Beweis eins – Beweis zwei – bis hunderttausend!

FRAU STROBEL. Wenn ihr jetzt mal so –

FRAU VIERKANT. Was ist denn, Frau Strobel?

FRAU STROBEL – vor Vaters Bild nebenan treten wolltet, er würde gewiß die Lippen regen und euch segnen.

FRAU VIERKANT. Bravo!

FRAU STROBEL. Er ist ja so naturgetreu. Konstantin hat es auf eine Annonce in Paris vergrößern lassen. Erst sollte es gar nichts kosten – wir haben es verschmerzt. Es war Vaters größte Reise!

JUDITH. Los ins Nebenzimmer.

STROBEL *folgt ihr mit steifen Beinen. Beide links hinein.*

FRAU STROBEL. Zwei Dinge habe ich mir immer gewünscht, daß er die noch erleben sollte.

FRAU VIERKANT. Wer?

FRAU STROBEL. Die Hochzeit seines Sohnes mitfeiern –

FRAU VIERKANT. Die sieht sich Ihr Mann vom Himmel an. Und was fehlt noch?

FRAU STROBEL. Das ist ja ein ganz anderes Gebiet, aber er war ein so leidenschaftlicher Kaufmann: die Ausbreitung der Margarine, die hätte er noch erleben können!

FRAU VIERKANT *gerät in lautloses Lachen, nur der mächtige Körper wogt.*

FRAU STROBEL *aufblickend.* Ihnen laufen ja auch die Tränen über die Backen?

FRAU VIERKANT nickt krampfhaft. Mein Mann – Vierkant hat mir erzählt!

FRAU STROBEL. Sie sind eine gute Frau.

Von rechts Emilie, das alte Dienstmädchen. Greulicher Drachen. Im Waschkostüm. Eine nasse Hand ist in die Schürze gewickelt, auf der anderen ein Stoß Schulhefte. Ohne irgendwelche Notiz von den Anwesenden zu nehmen, legt sie den Stoß auf den Schreibtisch nieder. Ab.

FRAU VIERKANT. Ihr altes Inventar?

FRAU STROBEL. In dreiunddreißig Jahren.

FRAU VIERKANT. Da können Sie von Glück sagen! *Nun ganz von ihrem Thema hingerissen.* Nun will ich auch die Geschichte von meiner Schluder erzählen. Hat Ihnen Ihr Sohn schon mitgeteilt? Nicht? So viel Zartgefühl war die Person gar nicht wert. Also denken Sie, wie man rein per Zufall auf Schliche kommt. Die Dirn', wie sich das hübsch schickt, soll zur Verlobung im Zimmer bei uns gratulieren. Ich sag' ihr draußen, binden Sie sich eine frische Schürze vor. Was unternimmt die dreiste Nummer? Sie zieht das Zeug darunter weg – und hängt sich die weiße Fahne auf den bloßen Unterrock. Noch nicht zu Ende. Das Beste kommt jetzt. Fritz, der Fratz, hat das wohl entdeckt und will sich einen Fez veranstalten: er knotet also die Bänder hinten auf und die Schürze sinkt zu Boden – und meine dralle Donna steht da – vor unserem Brautpaar derartig kostümiert! – bückt sich noch nach dem Schürzenlappen und dreht sich, um uns – jeder Unterrock hat seinen Schlitz – ihren knapp verhüllten Allerwertesten zu präsentieren!

FRAU STROBEL *aufatmend*. Jetzt verstehe ich meinen Sohn!

FRAU VIERKANT. Noch nicht zu Ende! – Ich nehm' sie mir draußen vor. Ich brauche natürlich Worte wie Schande – die waren doch am Platze und nicht zuviel gesagt?

FRAU STROBEL. Sie verteidigte sich?

FRAU VIERKANT. Bewahre. Sie gab mir noch mehr zu tun. Sie flennte gleich los. Krokodilstränen. Was heult man denn auf so ein paar Vorhaltungen? Sie läßt sich gar nicht zureden. Das fließt und schüttet. Ich frag' sie, womit ich sie beleidigt habe. Und was glauben Sie, was sie mir zur Antwort gibt?

FRAU STROBEL. Hatte sie Erwiderungen?

FRAU VIERKANT. Sie wisse, daß sie Schande habe – dran sei aber nur der Kerl schuld, der sie hat sitzen lassen. Allein habe sie sich das Kind nicht gemacht!

FRAU STROBEL. Ein Kind hat sie?

FRAU VIERKANT. Kleine Ursachen – große Wirkungen. Da – bravo: von der Schürze aufs Kind! – Das muß mir in meinem Hause passieren – und ich habe das Mädchen vier Wochen lang!

FRAU STROBEL. Nichts hat sie beim Eintritt davon gesagt?

FRAU VIERKANT. Eingeschlichen in einen anständigen Dienst! Ich hätte ihr am liebsten eins auf die Backe gepfeffert. Aber man vergibt sich was. Dumm – dumm ist die Person wie Asche. Und wer in der Asche bläst, wirbelt sich den Dreck ins Gesicht!

FRAU STROBEL. Ist sie schon weg?

FRAU VIERKANT. Sie packt und morgen zieht sie!

FRAU STROBEL. Hat sie ihren Anhang hier?

FRAU VIERKANT. Das schert mich zuletzt. Lass' sie sich Unterkunft suchen, wo sie will. Dabei war sie tüchtig. Bei der Ausstattung nähte sie. Das hat sie von der Kinderwäsche gelernt!

FRAU STROBEL. Judiths Ausstattung? Ist schon was in Arbeit?

FRAU VIERKANT. Das wäre doch höchste Zeit!

FRAU STROBEL. Warum?

FRAU VIERKANT. Ja – hat Ihnen denn Konstantin nicht erzählt?

FRAU STROBEL. Wovon?

FRAU VIERKANT. Daß im September – auf den fünfzehnten fest geheiratet wird?

FRAU STROBEL. Keine Silbe!

FRAU VIERKANT *entrüstet*. Da soll doch –! Jetzt will ich ihn doch gefälligst um Aufklärung ersuchen!

Strobel und Judith wieder von links.

FRAU VIERKANT *Strobel fixierend*. Nehmt ihr die Räume für die Ausstattung in Augenschein?

STROBEL. Wir kehren von Vaters Bild zurück.

FRAU STROBEL. Hat er euren Bund gesegnet?

STROBEL. Von Eindrücken, die ich drin erhalten habe, möchte ich sprechen. *Alle verstummen.* Es wurde eine stille Zwiesprache von Vater zu Sohn. In einer Weise – über die nur die Theologie Aufschlüsse gibt. Ich trug ihm meine Pläne – Hoffnungen – Aussichten vor. Er lohnte meine Aufrichtigkeit. Er hob – ich fühlte es! – die Hand gegen mich, so wie man einem Bedrängen wehrt. Es war nicht mißzuverstehen: er verwies mich.

FRAU VIERKANT. Das Bild muß ich mir nachher betrachten!

STROBEL. Ich kämpfte den härtesten Kampf, den ein Mann kämpfen kann. Durchdringen zum Verzicht – es wird geboten, wo man nicht überblickt, was die Zukunft bringen kann. In sie hineinzugehen – ohne die noch wogenden Nebel gelichtet zu haben! – wäre Frevel.

JUDITH. Quasselchen!

STROBEL. Dennoch ist es nicht zu spät. Es wurde am Vormittag ein bestimmter Termin angedeutet – ich widersprach in der jubelnden Stimmung, die sich meiner bemächtigt hatte, nicht. Aber nachdem ich in die ernste Stille dieser Stube zurückgekehrt war, wog ich mit ruhiger Überlegung nochmals jedes Für und Wider ab. Und vor dem Bild neben-an erhielt ich eben die Bestätigung, daß ich recht tue! *Zu Frau Strobel tretend.* Mutter, ich bleibe dein Sohn, bis ich mit frohem Herzen den Tag der Hochzeit nennen kann!

FRAU VIERKANT. Was ist denn los? Was kann er? Was will er?

JUDITH *an seinem Halse.* Kakel – kakel – kakel!

STROBEL. Auch dir ist eine schöne Zeit gegeben, um zu reifen.

FRAU VIERKANT. Gleich wird Abbitte geleistet. So zu er-schrecken – so zu hetzen! *Zu Judith.* Hat sich was geregt nebenan? Du standest dabei.

JUDITH. Kein Arm.

STROBEL. Ich handle, wie ich mich als Ehrenmann verpflich-tet weiß.

FRAU VIERKANT·. Daß du ein Mann bist, das sollst du auf eine ganz andere Manier beweisen!

FRAU STROBEL. Willst du nicht am fünfzehnten September heiraten?

FRAU VIERKANT. Kein Wort darüber. Abgehängt, Schluß. Mädel her. *Sie wirbelt Judith im Kreise. Zu Strobel.* Hast du dir das auch überlegt? Mädel, dreh' dich. *Sie gibt ihr einen Klaps.* Das hat Gott nicht gepolstert? Dir sind die Augen nur noch nicht gewachsen. Aber das wächst. Nachher sieht man im schwarzen noch. Du reißt sie noch voneinan-der, wie Sankt Lucae Kirchenportale. Da geht dann der Pfarrer mitsamt dem Küster durch! – Alles Unfug. Darauf lassen wir uns heute nicht ein. Der Tag hat seinen Inhalt bis zum Rand. Morgen weiter. Fertig. Sela. Das gibt's nicht, hier an der Braut lutschen. Geheiratet wird – geheiratet ist bis zum fünfzehnten September! – und wenn das nicht auf Stunde und Minute gewesen ist, so heiße ich nicht Vierkant – dann mögt ihr mich Fünf- und Sechskant rufen – und meinethalben Kugelrund! *Mit Judith rechts ab.*

FRAU STROBEL. Deine Schwiegermutter ist ja außer sich!

STROBEL. Ja – der Kampf wird keinem schließlich erspart!

FRAU STROBEL. Am Vormittag schon die Aufregung!

STROBEL. So? Meine Bewerbung versetzte sie doch heute morgen sichtlich in die froheste Laune?

FRAU STROBEL. Nein! Die Geschichte mit der Alma!

STROBEL. Wer ist Alma?

FRAU STROBEL. Ihr unverschämtes Dienstmädchen, das sie seit vier Wochen im Hause hält. Heute mittag – kurz nach deinem Antrag – hat sie es erfahren. Die Person hat ein Kind. Ein Luder – und dazu über alle Begriffe dumm. Die hat sicher nicht mal gewußt, wie das endigt, als sie sich einließ. Solche Dummheit – solche Dummheit!

STROBEL. Das ist das Mädchen, das ins Wohnzimmer vorgerufen wurde?

FRAU STROBEL. Die ist entlassen. Heute packt sie – morgen zieht sie! – Nein Konstantin, da dank' ich doch, daß ich mit meiner Emilie sicher bin. Nur keine jungen Schürzen. Das hat vielleicht ein feineres Ansehen mit Türöffnen und Knicksen – aber hinter den Kulissen, da tobt die Hölle. Nein, ich weiche nicht von meiner alten Emilie. *Sie hat Strobel den Rock abgezogen und hilft ihm ins Jackett.*

STROBEL *steht steif, dann schlägt er die Hände vor das Gesicht – stöhnt. Neuerdings versinkt er in Nachdenken – schüttelt resolut den Kopf. Er wirft sich in den Schreibtischsessel – schlägt ein Heft auf – klappt es wieder zu. Nochmals sammelt er sich – korrigiert. Nach dem Kalender blickend.* Was denn – der siebente? *Er stockt – zieht das Kalenderblatt aus der Tasche.*

FRAU STROBEL *mit Kapotthut und Umhang von links.* Auf einen Sprung um die Ecke – ich berichte nur Frau Mehlmann von Vierkants Alma. Die hat auch so ein junges Ding im Hause. Die Alma soll ihr eine Warnung sein! *Sie küßt Strobel aufs Haar – rechts ab. Im Flur weitersprechend.* Emilie – –

STROBEL *hatte das Kalenderblatt unter das Heft geschoben – jetzt nimmt er es wieder vor – liest bebend.* Was du nicht voll erprobt – – – nur was du schon gekonnt – – – *Er muß sich von wachsender Erregung geschüttelt an die Tischkante anklammern. Zuletzt ist er ein willenloser Spielball seiner ihn überflutenden Gesichte. Mit kurzen Griffen stößt er den Haufen Hefte vom Schreibtisch.*

FRAU STROBEL *in der Tür.* Was richtest du hier an?

STROBEL *mit erstickter Stimme.* Tür zu!

FRAU STROBEL *gehorcht.*

STROBEL. Wer bin ich im Hause?! bin ich hier Scharlatan – mit dem man Possen treibt?! Verrate es mir.

FRAU STROBEL. Du bist Herr im Hause!

STROBEL *donnernd*. Dann verbitte ich mir, daß mir die Hefte vorgeworfen werden – wie einem tollen Hund!!

FRAU STROBEL. Deine Hefte?

STROBEL. Liegen aus der Reihe!!

FRAU STROBEL. Dann wird sie der, der sie gebracht hat –

STROBEL. Der Kastellan wagt es nicht, die Ordnung zu stören!

FRAU STROBEL. Emilie hat sie vor meinen Augen hingelegt.

STROBEL. Dann hat sie sie draußen verwirrt. Mit Absicht. Um mich zu reizen, um mich herauszufordern. Um den Bogen zu spannen, wie weit er sich biegen läßt. Da liegt der Dreck! *Er schiebt noch alles übrige vom Tisch zu Boden.* Da korrigiere, wer will! – Und wenn meine vorgesetzte Behörde mich inquiriert, so sage ich: nicht ich bin der Herr in meinem Hause, der ist die alte Emilie bei uns. Die flötet uns – die tyrannisiert uns. Ich bin das Pappenmännchen! – Da ist reiner Tisch. Kannst du das sehen? – Gut, dasselbe verlange ich jetzt von dir. Ich bin es satt. – Zum Erbrechen überdrüssig: – ich gebe dir vierundzwanzig Stunden Frist. Wenn Emilie dann nicht aus dem Hause ist, schicke ich zur Polizei.

FRAU STROBEL. Was – hast du mit Emilie?

STROBEL. Der Name ist zum letztenmal hier gesprochen. Ich fackle nicht!

FRAU STROBEL. Schön – schön – ja, du befiehlst. Das ist dein Recht –

STROBEL. Ich zähle noch eins!

FRAU STROBEL *der die Beine versagen*. Ich renne ja –

STROBEL. Ich zähle zwei!

FRAU STROBEL. Sag' mir nur noch, woher soll ich so rasch Ersatz nehmen. Ich kann doch nicht –

STROBEL. Ich kann dir raten.

FRAU STROBEL. Ja, gib mir den Rat. Dann bin ich ja bereit. Wenn du mir nur einen Strohhalm reichst, ich fasse zu. Ich schwöre dir, wenn du das kannst!

STROBEL. Vierkants Mädchen – wird frei.

FRAU STROBEL. Die liederliche Person?!

STROBEL. Ich zähle – drei!!!!

FRAU STROBEL *schon umkehrend*. In Gottes Namen!

DRITTER AKT

Dasselbe Zimmer. Der Rohrsessel fehlt. Zwischen den Fenstern nun die vergrößerte Photographie Frau Strobels mit Florschleife.

STROBEL *hin und her gehend – vor dem Bilde stehen bleibend.* Mutter – gib mir ein Zeichen. Ich bin dein Kind – das sich fürchtet, weil es im Dunkel allein ist. Tritt mit Licht zu mir – verscheuch die Schatten, die in den Winkeln sitzen. Es wühlt ja ein Aufruhr in meiner Brust, dem ich zu unterliegen drohe! *Er wendet sich seufzend ab und setzt sich vor den Schreibtisch. Mit Kalender rechnend.* September – Oktober – November – – Dezember. Vier! – Weiter: Januar – fünf, Februar – sechs, März – sieben, April – acht, Mai – neun! *Sich steil aufrichtend und die Fäuste auf die Tischplatte aufstemmend.* Ich kann jede Stunde gefaßt sein – *Es schellt. Es trifft ihn wie ein Schlag in den Nacken. Neues scharfes Schellen. Er tritt nochmals vor das Bild – mit gerungenen Händen.* Mutter, was ist recht – was unrecht? *Rasselndes Klingeln.* Ich weiß es selbst nicht! *Rechts ab. – Strobel kommt mit Vierkant.*

VIERKANT *schwarzer Strohhut und grauer Schirm.* Ich lege nicht ab.

STROBEL. Willst du dich setzen?

VIERKANT. Ich setze keinen Fußbreit weiter in Ihre – *Mit Betonung der Anrede.* Haben Sie gehört?

STROBEL *holt einen Stuhl.*

VIERKANT. Unternehmen Sie nichts, ich danke bestens.

STROBEL. Wir haben uns längere Zeit nicht gesehen.

VIERKANT. Das soll stimmen: Sie haben sich lange nicht sehen lassen!

STROBEL. Ich hatte mich in Arbeit vergraben.

VIERKANT *die Kalender aufnehmend.* Ist das Ihr Quellenmaterial? Was ist das?

STROBEL. Ich räumte auch meinen Schreibtisch auf.

VIERKANT *ironisch.* Kalender – die sich häufende Arbeit! Dazu sind Osterferien! Sich häufende –! Ich habe Ferien noch nie zum Arbeiten benutzt!

STROBEL. Es betrifft Privatstudien. Es war nötig, vorher die Zeiteinteilung festzulegen.

VIERKANT. Mit vorjährigen Kalendern?

STROBEL. Ich legte mir Rechenschaft ab über das schon erledigte Pensum –

VIERKANT. Das ist doch unerhört! Das ist doch eine fabelhafte Dreistigkeit. Soll ich Ihnen Aufschluß geben über die Dinger da auf Ihrem Tisch?

STROBEL *starrt ihn an.*

VIERKANT. Ihre Zeit vertrödeln Sie damit. Das ist so eine billige Beschäftigung. Da ein Abreißkalenderchen, da werden die Rätselchen geknackt – die Kochrezepte beschnuppert. Ich kenne den Jokus. Damit schlägt man halbe Tage tot – – wenn man sich einsperrt. Wenn man sich nicht aus der Haustür wagt – – wenn man sich nicht auf der Straße blicken lassen kann!

STROBEL *stammelnd.* Wie – wie geht es meiner Braut?

VIERKANT *verstummt konsterniert.*

STROBEL. Ich hoffe, daß sie bei bestem Befinden ist.

VIERKANT *sprachlos.*

STROBEL. Bringst du mir Judiths Grüße?

VIERKANT. Herr – das trauen Sie sich? Das bringen Sie über die Lippen – und brennt Sie nicht?! – – Ich habe hier nichts mehr zu sagen. Ich räume das Feld. Wenn Sie meine Tochter noch sprechen wollen, sie steht auf dem Treppenabsatz. Sie können sie rufen. Ich trete so lange hier ein. *Links hinein.*

STROBEL *sieht ihm nach – streicht sich über die Stirn – schüttelt den Kopf – geht rechts hinaus.*

Judith kommt – Strobel folgt ihr und schließt langsam die Tür.

STROBEL. Wozu diese Zeremonie? – Warum bleibst du wie ein Dienstmädchen auf der Treppe, bis ich dich hereinrufe?

JUDITH. Hat Vater mit dir gesprochen?

STROBEL. Wir – haben uns unterhalten.

JUDITH. Worüber?

STROBEL. Über die schöne Ferienzeit. Er verriet mir, sie am liebsten müßig zu verbringen.

JUDITH. War das alles?

STROBEL. Da – meine Privatstudien. Der Kram stach ihm in die Augen. Das sündhafte Zeug, das mich an den Schreibtisch schmiedet, statt an Liebchens Brust.

JUDITH. Dann hat Vater dir auf dein Gesicht hin geglaubt. Er hat dich gesehen, und seine Worte, die er auf der Zunge hatte, sind verflogen. *Ausbrechend.* Das kann ja auch nicht wahr sein!

STROBEL *den Sonnenschirm, der ihm zwischen die Knie fiel, aufspannend.* Ich sagte dir den vollen Sachverhalt. Meine Ferienarbeit beschäftigte ausschließlich deinen Vater.

JUDITH. Konstantin, die Leute reden –

STROBEL *aufmerksam.*

JUDITH. Sieh mich an, Konstantin. Ich will mich ja auch so überzeugen lassen. Bei Vater ist es dir gelungen.

STROBEL *hantiert umständlich mit dem Schirm, nimmt eine komische Pose wie ein Photograph ein.* Nun – bitte recht freundlich: eins, zwei, drei. *Den Schirm zuklappend.* Die Aufnahme ist gelungen. Probebild in acht Tagen.

JUDITH *vor ihn hinsinkend.* Hast du nichts gehört, was über dich geflüstert wird? Nein – nicht geflüstert – herumgeschrien wird?

STROBEL. Ich gehe wenig aus.

JUDITH. Das muß doch zu dir gedrungen sein. Es läuft von Haus zu Haus!

STROBEL. Wer soll mir zutragen? Ein Dienstmädchen halte ich nicht – und die Aufwärterin kommt, während ich noch schlafe.

JUDITH *aufstehend.* Dann ist es gut so, daß ich den ersten Schritt getan habe, so schwer es mir wurde. Ich habe mich überwunden, weil ich dich lieb habe. Aus meiner Liebe bin ich zuerst zu dir gekommen.

STROBEL. Was habt Ihr denn – dein Vater und du?

JUDITH. Ich habe es mir schon gedacht, du weißt nur nichts. Sonst wärest du aufgetreten und hättest die Lästerer zum Schweigen gebracht. Du sitzest hier ahnungslos, weil du ein Gelehrter bist, bei deinen Büchern. Da kann das hinter deinem Rücken aufschießen – das Unkraut! – Du hast ja damals unser Dienstmädchen – die Alma – zu dir genommen. Weil du Mitleid mit der verratenen Person hattest. Jetzt wird dir dein weiches Herz so gelohnt. Das Mädchen liegt wieder im Mutterasyl – und soll niederkommen. Du wirst mit ihr in Verbindung gebracht. Du sollst an dem Kind schuldig sein!

STROBEL *mit irrlichtelierendem Lächeln.* Ein – Kind?!

JUDITH. Schwöre mir, du weißt nichts.

STROBEL. Ich weiß ja selbst noch nichts!

JUDITH. Jetzt hast du geschworen. Nichts weißt du!

STROBEL *mit sich beschäftigt.* Eine knappe Benachrichtigung konnte ich erwarten!

JUDITH. Warum bin ich nicht gleich zu dir gelaufen, wie es meine Pflicht war!

STROBEL *wie vorher.* Das war Pflicht!

JUDITH. Ja, ich bin dir alles schuldig; du Guter, du Großer. Ich kniee ja vor dir – dich bete ich an. Du bist mächtig, wenn du willst. Mit einem Fuß stampfst du auf und alles verstummt!

STROBEL. Die Leute behaupten also felsenfest, daß ich –

JUDITH. Du bist Vater!

STROBEL *hält sich die Schläfen.*

JUDITH *aufspringend.* Jetzt verbinden wir zwei uns!

STROBEL *überwältigt ihr beide Hände hinstreckend.* Von jedem Bedenken bin ich von jetzt an frei!

JUDITH. Nimm mich! Du! Mach' mit mir, was du willst. Was hast du an deiner Geliebten auszusetzen? Die bin ich doch. Lass' mich deine Geliebte sein. Ich bin dir zu kalt gewesen. Ich schmachte ja nach dir. Rufe mich, ich komme allein. Heimlich verkleidet. Als Fritz. Morgens. Mittags. Nimm mich. Ich gebe dir alles, was ich habe! *Es schellt.* Jetzt erklärst du es noch Vater. Du fängst selbst davon an. Er hat sich so gehärmt. Erlöse ihn aus seinen Zweifeln an dir. Du gehst hinein zu ihm und ich empfange euch beide hier! *Sie hat ihn nach links gedrängt.*

STROBEL *ab.*

Judith läuft rechts hinaus – kommt zurück.
Ein Bote in Uniform folgt.

JUDITH. Treten Sie bitte ein. Haben Sie etwas für Herrn Strobel?

DER BOTE *einen Brief aus seiner Mappe nehmend.* Herr Strobel hat den Empfang zu bescheinigen.

JUDITH. Herr Strobel ist beschäftigt. *Übermütig.* Kann ich für Herrn Strobel quittieren?

DER BOTE. Sind Sie hier im Hause?

JUDITH. Vollständig.

DER BOTE. Es ist dasselbe.

JUDITH. Wo unterschreibe ich? Ich sehe schon.

DER BOTE *lesend.* Wie heißt das?

JUDITH. Judith – Judith Vierkant. Ich war etwas aufgeregt, als ich schrieb. Es ist das erstemal, daß ich für Konstantin – *Sie schlägt sich auf den Mund.*

DER BOTE *gibt ihr den Brief.* Das gehört Ihnen.

JUDITH. Das ist mein Eigentum.

DER BOTE *an der Tür.* Herr Strobel hat sich persönlich einzufinden – aber das steht ja alles genau drin.

JUDITH. Ich werde es meinem – ich richte es Herrn Strobel aus.

DER BOTE *ab.*

JUDITH *mit dem Brief am Schreibtisch.* Beinahe hätte ich mich verschnappt: mein Bräutigam und ich hier zu Hause! Der Mann hätte mich für wen angesehen – und von Konstantin sich was Schönes gedacht. So entsteht Gerede aus einem raschen Wort und die Stadt hat ihren Klatsch! *Mit der Faust auf die Tischplatte schlagend.* Das ist auch so gewesen, was Konstantin in die Schandmäuler gebracht hat. Kein Deut anders – dafür garantiere ich! – Herr Strobel hat sich persönlich einzufinden? Vielleicht vor Gericht? – – Er hat sich beklagt – – er hat von der gräßlichen Verleumdung gewußt – und ohne Federlesen den Klageweg beschritten! Ja, das war er sich und mir schuldig. Er ist ein wunderbar stolzer Mensch. Jetzt haben sie den Verleumder und es kommt zur Verhandlung! – – Dann steht der Namen auch hier drin. Ich will ihn wissen! Ich habe ein Recht so gut an diesem Brief wie er! *Sie macht ihn auf, liest.* Benachrichtigung. Wir setzen Sie hierdurch in Kenntnis, daß die ledige Dienstmagd Alma Schieke heute früh sechs Uhr fünfzehn Minuten von einem lebenden Kinde männlichen Geschlechts entbunden ist. Da Sie nach Angabe der Alma Schieke zur Tragung der Entbindungskosten verpflichtet sind, ersuchen wir Sie morgen zwischen zehn und eins in unserem Bureau vorzusprechen. Wir benachrichtigen Sie ferner dahin, daß die Alimente im Rathaus Zimmer neunundvierzig anzumelden sind. Das städtische Mutterschaftsasyl. *Sie starrt auf das Papier.*

Links ist mit fröhlichem Tonfall die Unterhaltung lauter geworden.

JUDITH *zieht sich den Ring vom Finger – wickelt ihn in das Schriftstück.* Dann nimmt sie ihren Schirm.

VIERKANT *Strobel eingehakt links heraus.* Schwamm darüber. Kein Wort mehr davon. Wenn du mir heute sagst, daß alles in Ordnung ist, baue ich Häuser darauf! Da steht ja das Brautmädel. Lieblich in der Jugend Prangen – prangt sie nicht – unsere Jungfrau, über der nun bald die Glocke läutet? *Zu Judith* Ja, wir haben nebenan ein ernstes Stündchen gefeiert. Nach dem Ernst herrscht nun die Lust. Jetzt wollen wir eine Promenade durch die ganze Stadt machen und uns einem staunenden Publikum präsentieren. Du hast ja schon Schirm und Hut. Strobels Kalabreser harrt im Flur. Wieder mal alles in schönster Ordnung. Eine Lust!

STROBEL. Du hast es mir leicht gemacht, Schwiegerpapa.

VIERKANT *den Takt angebend.* Also an die Gewehre – zur Parade!

JUDITH. Ich werde mich hüten – mit diesem hier Spießruten zu laufen! *Vor Strobel tretend, sprühend.* Ja, ich danke für Ihre Begleitung jetzt – wie für Ihre ganze Person in Zukunft. Suchen Sie sich Ihre Gesellschaft, für die Sie passen. Ich halte mich für zu gut – um mit einem Ausdruck zu Ihnen herabzusteigen, der Sie kennzeichnet!

STROBEL *verdutzt.* Schätzeli!

JUDITH. Was bilden Sie sich ein? Was denken Sie sich von mir? Sind Sie so von jedem Fünkchen Verstand verlassen, daß Sie auch nur eine Sekunde glauben konnten, ich liebe Sie? Dann hält sich Ihre Dummheit auf gleicher Höhe mit Ihrer –! Und das will etwas sagen! – Mir sind Sie nicht in den Sinn gekommen. An Sie bin ich verschachert. Ich bin systematisch aufgestachelt und zum Affen abgerichtet. Immer. Ich sollte heiraten um jeden Preis. Es ist das Testament von Großmutter Lene, das uns alle verrückt macht. Das uns mit seinen Schrullen so tief entwürdigt, bis wir bei Ihnen angelangt sind. Das hat sich bitter gerächt. Wir haben Sie verdient. Aber an Ihnen wird uns der Geschmack verdorben sein – an Ihnen – ach! Ich verachte Sie so gründlich, daß mir das Wort fehlt – – Da! – – lesen Sie das!! *Sie schleudert ihm das Papierknäuel ins Gesicht. Rechts ab.*

STROBEL *ihr nachgehend.* Schätzeli – Schätzeli – – *Rechts ab.*

VIERKANT. Was war das? Das hier? *Er hebt das Knäuel auf,*

wickelt auf – und findet den Ring. Ring?? – Das lesen Sie??
Er liest. – Donnernd zu Strobel, der wieder eintritt. Und da
wagen Sie mich zu beschwatzen, daß alles in schönster Ordnung ist?!!

STROBEL *nach dem Papier langend.* Was gibt es denn?

VIERKANT *hält es im Rücken.* Ordnung, Herr! Nach der
Reihe – Punkt für Punkt. Peinlichste Delikatesse! Da – der
Ring ist wohl Ihr Eigentum. Sie hatten gelegentlich die
schwindelhafte Unverfrorenheit, ihn meiner Tochter aufzu-
stecken. Mit Dank zurück. Ihr Ergebenster. Wir haben keine
Verwendung mehr dafür! – – Da schwarz auf weiß! Das
hatten Sie wohl nicht in den Bereich der Möglichkeiten gezogen, daß uns das in die Finger plumpt?

STROBEL *wieder danach greifend.* Ich suche Zusammenhänge –

VIERKANT. Hände hoch!

STROBEL. Was enthält es denn?

VIERKANT. Ihres schändlichen Treibens taghelle Enthüllung.
Der Vorhang ist gesunken, da stehen Sie – bengalisch be-
leuchtet von den Feuern, die aus der Tiefe zischen, Satanas!
Wolf in Schafskleidern. Luzifer!

STROBEL *taumelt zurück.*

VIERKANT. Ja, diesmal ist es nicht glatt abgegangen.. Da hat
sich was eingestellt. Ich gratuliere. Und aller Segen auf den
kleinen Alibaba. *Er legt das Schriftstück auf den Schreibtisch.* Angenehme Lektüre! *Nach der umflorten Photographie weisend.* Das findet ja nun auch seine Erklärung. Ihre
gute schlichte Mutter – daran siechte sie hin. Sie empfahl
sich ja so wortlos. Jetzt löst sich das Rätsel – jetzt liegt die
Wurzel bloß. Weil sie mit ansehen mußte, wie ihr Sohn die
Unzucht unter dies Dach hereinführte!

STROBEL *wankt nach dem Schreibtisch.*

VIERKANT. Warten Sie, es soll Ihnen teuer zu stehen kommen. Wir werden Ihnen die Butter salzen – oder bei Ihnen
muß man wohl sagen, die Margarine. Ach Gott, Mann, sie
sind ja so von Komik umflossen, daß es einem schwer wird,
Sie anzupacken. Aber das geschieht! Der Prozeß wird kurz
sein, aber von durchschlagendem Erfolg. Und wenn meine
Tochter das Wort nicht fand, um Ihnen einen Titel zu sagen, so halte ich ihn für Sie bereit: Don Juan! *Rechts kommt
Kastellan Brausewetter.* Nun, Brausewetter, was tragen Sie
Schönes herein? Nehmen Sie alles wieder mit. Hier ist von
Amts wegen nichts mehr zu hinterlassen!

BRAUSEWETTER. Ich glaube, ich bringe schon das Richtige mit.

VIERKANT. Sie sind abgeschickt, um –

BRAUSEWETTER *entschiedene Geste*. Schon erledigt!

STROBEL *empfängt einen Brief von Brausewetter. Mechanisch*. Wie steht's mit einer Zigarre, Brausewetter?

BRAUSEWETTER *in Haltung*. Dienstliche Angelegenheit, Herr – *Sich räuspernd*. Herr!

VIERKANT. Bravo, Brausewetter. Kommen Sie mit mir: die Ratten verlassen das Schiff! *Beide rechts ab*.

STROBEL *sitzt niedergebrochen am Schreibtisch, öffnet den Brief*. Suspendiert – vom Amt suspendiert! – – *Er nimmt das andere Schriftstück, liest*. Amtliche Benachrichtigung – *Er läßt beide Arme sinken – trostlos*. Don Juan!

VIERTER AKT

Wohnzimmer bei Vierkant.
Vierkant und Frau Vierkant sind beschäftigt, die Lichter
eines Geburtstagsrings anzuzünden.

FRAU VIERKANT *seufzend beim letzten*. Neunzehn!

VIERKANT. Und voll besetzt!

FRAU VIERKANT. Für neunzehn Lichter war vorgesehen!

VIERKANT. Ich weiß es noch wie heute. Ich bestellte den Holzring damals persönlich. In der Aufregung vergaß ich beim Drechsler meinen Schirm. Er hatte einen Horngriff in Gestalt eines Apfels. Du schaltest mich tüchtig aus, als ich ohne das Prachtstück nach Hause kam.

FRAU VIERKANT. Das sollte ihr letzter Geburtstag bei uns sein!

VIERKANT. Und der nächste im eigenen Heim gefeiert werden!

FRAU VIERKANT. Ich sah mich schon im Geiste als Großmutter!

VIERKANT. Ja, heute mußte die Hochzeitsfackel entzündet werden – wenigstens alles zum Feuerwerk hergerichtet sein. – – Drei Monate hatte Großmama Lene ja noch zugegeben.

FRAU VIERKANT. Jetzt zeigt sich nicht einmal ein Freier – geschweige an weiteres zu denken.

VIERKANT. Die Zukunft hätte es uns schon sichergestellt.

FRAU VIERKANT. Die ist verpatzt!

VIERKANT. Jawohl – gründlich!

FRAU VIERKANT *den brennenden Leuchter rückend*. Üppig hast du deine Tochter nicht bedacht!

VIERKANT *setzt sich ins Sofa*. Ja, die Kinder müssen beizeiten lernen sich an Einschränkungen zu gewöhnen.

FRAU VIERKANT. Läßt du dir Abzüge am Rauchtabak gefallen?

VIERKANT. Es läßt sich überall sparen.

FRAU VIERKANT. Bitte bitte, zieh mir den Schmachtriemen nur fest an!

VIERKANT. Ja, es muß gehen.

FRAU VIERKANT. Natürlich, wenn die Zinsen nicht mehr kleckern!

VIERKANT. Warum haben wir eigentlich keine Ersparnisse gemacht, als wir im Segen saßen?

FRAU VIERKANT. Hat dir die Butter nicht herrlich gemundet – zwei Finger hoch aufs Brot geschmiert?

VIERKANT. Ich habe –

FRAU VIERKANT. Bist du nicht wütend über alles Geschmorte und Gesülzte hergefallen?

VIERKANT. Ich bin –

FRAU VIERKANT. Schießt du den ersten Pfeil in die Küche? Das nenne ich Dankbarkeit: geschmeckt hat es ihm – und jetzt erbricht er sich, wo die Rechnung präsentiert wird. Eine nette Art von Zechprellerei!

VIERKANT. Ich sorge mich einfach um die Zukunft –

FRAU VIERKANT. Deinen Tabakskasten schließe ich dir ab. Die halben Zinsen gingen in blauen Dunst auf. Da hängen sie unter der Decke! – Ich werde dir das Loch zeigen, wo der erste Pflock vorgesteckt wird. *Rechts ein Schränkchen verschließend.* Den Schlüssel nehme ich unter Kontrolle. Da hast du die Bescherung!

VIERKANT *aus dem Sofa geschmissen.* Ich verbitte mir –

FRAU VIERKANT. Wirst du jetzt beweglich?

VIERKANT. Ich bin Manns genug –

FRAU VIERKANT. Größenwahn!

VIERKANT. So fort lieferst du mir den Schlüssel aus!

FRAU VIERKANT. Das sollte mir einfallen!

VIERKANT. Ich verlange Respekt!

FRAU VIERKANT. Und ich lasse mich nicht in meinen vier Pfählen anbrüllen!!

Judith in der Tür links – Vierkant und Frau Vierkant verstummen.

JUDITH. Warum sprecht ihr denn so laut?

FRAU VIERKANT. Kind – wir haben dir beschert. Nimm es von uns an und sieh auf den guten Willen. Bleib gesund – daß wir dir noch viele Lichter aufstecken können!

JUDITH. Ich danke euch, liebe Eltern. *Sie küßt beide.* Neunzehn Lichter.

FRAU VIERKANT. Fühl' mal den Napfkuchen an, ob der mir gut geraten ist. Dabei hatte ich nicht mal ordentliche Hitze im Ofen.

JUDITH. Köstlich.

FRAU VIERKANT. Locker. Eier – Butter! Was, Mann, dir backe ich Törtchen aus Sägemehl?

JUDITH *rasch*. Was heißt das?

FRAU VIERKANT. Daß Butter knapp wird im neuen Jahr!

JUDITH. In meinem neuen Lebensjahr, meinst du?

VIERKANT. Das Portemonnaie kommt dir gelegen?

FRAU VIERKANT. Mit Inhalt? *Sie macht es auf.* Zum Durch-pusten. Keinen Groschen. Eine noble Gabe!

VIERKANT. Jeder gibt, was er kann.

JUDITH. Neunzehn Lichter.

FRAU VIERKANT. Zähl' doch nicht immer, das macht mich nervös!

VIERKANT. Tropft eins?

FRAU VIERKANT. Ins Portemonnaie!

JUDITH. Was sollt ihr mir auch schenken? Ich habe eine Aus-stattung.

FRAU VIERKANT. Das fehlte noch!

VIERKANT. Die Ausstattung liegt komplett.

FRAU VIERKANT. Mann!

JUDITH. Liebe Eltern – ich drehe den Spieß um: ich will euch bescheren. Wollen wir uns ins Sofa setzen?

VIERKANT. So feierlich?

FRAU VIERKANT. Judith – nein!! – Mir schwant von allerlei!

JUDITH. Ich in die Mitte unter Großmutter Lenes Bild. Sie hat es ja so haben wollen.

FRAU VIERKANT. Rede – rede doch –! Aff' – warum redst du nicht?

JUDITH. Ich bringe euch heute meinen Verlobten!

FRAU VIERKANT. Wer ist das?

JUDITH. Herr Farbe von oben.

FRAU VIERKANT. Der Witwer Farbe – mit neun Gören?

JUDITH. Er ist es.

FRAU VIERKANT. Teufelsmädel!

JUDITH. Nehmt ihr ihn auf?

FRAU VIERKANT. Vater – du döst! Ein Prachtmensch – dieser Herr Farbe von oben!

VIERKANT. Er ist ein kleiner Beamter.

FRAU VIERKANT. Größenwahn!

JUDITH. Das Trauerjahr –

FRAU VIERKANT. Ein Glücksjahr!

JUDITH. – wartet er ab.

FRAU VIERKANT. Und ihr heiratet?

JUDITH. In drei Wochen ist es um.

FRAU VIERKANT. Es wird kein Tag zugegeben. Mit der Be-dingung kriegt ihr unsern Segen. Vater, behaupte dich!

VIERKANT. Neun, sagst du?

FRAU VIERKANT. Natürlich brauchen die Bälger eine Mutter. Begreifst du es zuletzt?

JUDITH. Ich habe an euch gedacht, denen ich alles schuldig bin. Jetzt werde ich euch Farbe vorstellen. *Rechts ab.*

FRAU VIERKANT *an Vierkants Hals.* Mann – Versöhnung auf diesem Sofa – unter Großmutter Lenes Bild! *Sie schneidet ein Kuchenstück ab.* Du prüfst die Qualität. Nicht dick genug? Beschwere dich nur. *Den Kuchen zerteilend.* In jeder Faust eins – zwei – drei. Rosinen. Solche Augen hat unser Mädel im Kopf! *Vierkant Kuchen gebend.* Zugegriffen!

VIERKANT. Potiphar!

FRAU VIERKANT. Der Schornstein raucht nicht? *Sie holt eine Zigarrenkiste aus dem Schränkchen.* An diesen Lichtern wird angesteckt – reihum bis neunzehn. Vorwärts und rückwärts!

VIERKANT. Der Schreck ist mir in die Ballen gesaust!

FRAU VIERKANT. Um den Schwiegersohn? Der schon zweimal Witwer ist – einmal mit fünf, einmal mit vier Kücken? Ach du lieber Himmel – jetzt soll er erst Farbe bekennen, daß uns rosenrot vor den Augen nebelt. Wo bleibt er? *Sie läuft nach rechts, steckt den Kopf aus der Tür, prallt zurück.* Strobel!

VIERKANT. Ausgeschlossen!

FRAU VIERKANT *die Tür zuschlagend.* Er paradiert schon im Flur. Judith hatte die Tür offen gelassen.

VIERKANT. Zugeschlossen und geriegelt.

FRAU VIERKANT. Wenn das Mädchen mit Farbe jetzt zurückkommt – wir müssen ihr den Anblick ersparen!

VIERKANT. Ich alarmiere die Polizei. Der Mann ist reif!

FRAU VIERKANT. Mach' keine Szene – wir feiern Verlobung – Farbe könnte stutzen. Am Ende will er bloß Judith am Geburtstag gratulieren.

VIERKANT. Das schlägt dem Faß den Boden aus!

FRAU VIERKANT *schneidet rasch noch ein Kuchenstück ab und läßt Vierkant einbeißen.* Stärk' dich noch. Mann!

VIERKANT *kauend.* Er soll vor mir stehen – dieser – –!!

FRAU VIERKANT. Mach' dir den Spaß, laß ihn herein – bloß um ihn um so gründlicher an die Luft setzen zu können. An dem wollen wir unser Mütchen kühlen!

Strobel in der Tür rechts, pocht gegen den Pfosten.

VIERKANT. Woher Sie Ihre Kaltblütigkeit beziehen – aus welchen Schlünden und Gründen Ihnen das zuweht – *Er verschluckt sich.*

STROBEL *schon bei ihm, trommelt ihm den Rücken.* Arme strecken – Arme hoch!

VIERKANT. Eine Ro – Ro – Rosine!

STROBEL. Hinuntergeschwemmt?

VIERKANT. Ich hätte diese kleine Störung ohne Ihre Bemühung überwunden. *Zornig.* Ja potztausend – und nochmal potztausend: habe ich es an Deutlichkeit fehlen lassen?

STROBEL *nach einem Räuspern.* Als sich frühere Beziehungen nicht aufrecht erhalten ließen –

VIERKANT. Erscheinen Sie auf der Bildfläche, um mir das zu offenbaren? Die von Ihnen wohl kaum vorgeahnte Rosine in meinem Hals hat Sie nicht aus der Versenkung geholt!

STROBEL. Können wir uns nicht setzen?

VIERKANT. In Gottes Namen. Aber verfolgen Sie mich nicht ins Sofa!

STROBEL. Ich begnüge mich mit einem Stuhl. *Er setzt sich.* Es sind Gründe rein geschäftlicher Natur, die mich –

VIERKANT. Das will ich hoffen. Sind Sie mir etwas schuldig?

STROBEL. Die Vergangenheit ist von mir saldiert und ich bilanziere sie jetzt ohne Vortrag.

VIERKANT. Die termini technici prasseln nur so!

STROBEL. Ich absolvierte einen Kursus im Handelsinstitut, um mir eine neue Existenzmöglichkeit zu eröffnen, die naturgemäß sehr dringend geworden ist. Wie Sie bei Gelegenheit einer früheren Unterhaltung erfuhren, besitze ich kein Vermögen –

VIERKANT. – und haben auch keinen Zuschuß mehr zu erwarten. Nein, diese rosigen Aussichten haben Sie sich gründlich verplempert!

STROBEL. Lassen wir das.

VIERKANT. Ich möchte Sie auch darum gebeten haben! Womit kann ich sonst noch dienen?

STROBEL. Es handelt sich um meinen Eintritt in ein kaufmännisches Kontor.

VIERKANT. Dann wünsche ich Ihnen alles Gedeihliche auf Ihrem Kontorschemel.

STROBEL. Es hängt nun davon ab, inwieweit ich – *Eine Zeitung herausziehend.*

VIERKANT. Wollen Sie nicht lieber Kalenderchen blättern?

STROBEL. Hier: Von Direktor großer Fabrik – Aktiengesellschaft – wird Person in gesetzten Jahren mit ausgesprochenem Pflichtgefühl in vollkommene Vertrauensstellung gesucht. Besondere Warenkenntnisse nicht erforderlich. Herren, die den an sie gestellten Ansprüchen genügen können, wollen sich unter möglichster Bestätigung der genannten besonderen Eigenschaft melden unter – und so weiter.

VIERKANT. Fühlen Sie sich gekitzelt?

STROBEL. Es geht doch klar hervor, worauf der Nachdruck gelegt ist: ausgesprochenes Pflichtgefühl! Ich habe meine Bewerbung geschrieben.

VIERKANT. Was fehlt Ihnen noch?

STROBEL. Eine Empfehlung von Ihrer Hand!

VIERKANT *fuchtelnd.* Stecken Sie ein – ich zermalme den Fetzen! – – Von mir – – ich soll Sie polstern – – die pflichtvergessenste Kreatur – – nicht Gottes! – – Äffen Sie einen wehrlosen Mann im Sofa?

STROBEL *ruhig.* Ich verstehe Ihre Erregung, die Tatsachen haben gegen mich gesprochen.

VIERKANT. Jawohl, sehr vernehmlich!

STROBEL. Einen Vorwurf möchte ich jedenfalls entkräften, den Sie gegen mich schleuderten und der mich furchtbar verletzt hat – weil er ungerecht ist. Sie brandmarkten mich damals – als Don Juan. Ich erkläre Ihnen bei dem Andenken an meine selige Mutter –: ich habe nicht das Vergnügen gesucht – ich sah nur Pflichten!

VIERKANT. Wie? Was? Regnet es? Graupelt es?

STROBEL. Darf ich an ein Scherzwort erinnern, das Sie damals in aufgeräumter Stimmung gebrauchten?

VIERKANT. Meine Stimmung ist gründlich verflogen!

STROBEL. Sie nannten es die Verskunst Großmama Lenes!

VIERKANT. So? Reimte sich was?

STROBEL. Kindchen – und Zinschen!

VIERKANT. Jawohl, ich machte Ihnen Aussichten – auf goldene Berge! Jeder hätte sich die Finger danach geleckt – *Zischend.* Sie laufen von der Verlobung hin und machen dem Dienstmädchen den Balg! Nennen Sie das Pflichtgefühl?

STROBEL. Pflicht gegen zwei Familien, um sie vor dem Ruin zu schützen: Ihre und die von mir zu begründende!

VIERKANT. Sind Sie – – bei heiler Vernunft?

STROBEL. Es waren Bedingungen auf Grund eines Testaments

gestellt – es ging um Existenzen – ja um Tod und Leben
konnte es sich handeln: – – es kostete mich ungeheure Überwindung – – aber den Beweis war ich mir vor der endgültigen Bindung schuldig, daß – – – – Sonst wäre ich ohne
Zucken beizeiten zurückgetreten!

VIERKANT *sprachlos – dann in die Hände klatschend*.
Prächtig – prächtig. Sie sind ein gerissener Kopf. Bravo,
meine uneingeschränkte Bewunderung. Treten Sie damit
auf – in irgendeinem Bums. Das ist Ihre Nummer, die macht
Sie populär. Der Refrain gepfiffen! – – Sie schieben dem
Testament die Verantwortung in die Lappen. Das ist ja ein
Witz, Mann. Das erzielt ja bei mir nicht endenwollendes
Gelächter!

STROBEL. Pflicht – in erschöpfender Durchführung – grenzt
wohl immer an Komik!

VIERKANT. Es übersteigt alle Grenzen – verlassen Sie sich
drauf! – Mir recken Sie sich hinten und vorne. Ja, Sie in
figura. Übermenschlich – übermenschlich! – Der Mythos
wölkt um Sie: Zentaur – Zentaur!!

STROBEL. Sie wählen ein wuchtiges Sinnbild!

VIERKANT. Großmutter Lene, was hast du angerichtet – du
setzest noch im Grabe Kinder in die Welt!

STROBEL. Ich nehme die Gewißheit aus dieser Unterhaltung
mit, daß Auskünfte über mich von Ihnen in günstigem Sinne
erledigt werden!

*Frau Vierkant sieht rechts herein, macht Vierkant ermun-
ternde Zeichen – verschwindet.*

VIERKANT *sarkastisch*. Mehr darf ich nicht für Sie tun? Nicht
ein Tausendmarkschein gefällig?

STROBEL. Mir ist die Situation in diesem Hause geläufig. Leider ist ein früherer Überfluß demnächst nicht mehr vorhanden!

VIERKANT. Machen Sie sich Sorgen unsertwegen?

STROBEL. Eine gewohnte Rente wird in naher Zeit hinfällig.

VIERKANT. Sind Sie dessen auch ganz sicher?

STROBEL. Meiner herzlichen Teilnahme bitte ich versichert
zu sein!

VIERKANT. Schonen Sie Ihre Gefühle. Meine Tochter hat Sie
auch verschmerzt. So gründlich – daß sie sich wieder verlobt
hat!

STROBEL. Das dürfte wohl noch nicht entscheiden.

VIERKANT. Und in drei Wochen heiratet sie!

STROBEL. Es dürfte fraglich bleiben, denn –

VIERKANT. Das sollen Sie erleben! *Er winkt Frau Vierkant, die wieder hereinsieht.*

Frau Vierkant schiebt Farbe, ein dürftiges Männchen – mit einem Blumentopf – ins Zimmer.

VIERKANT *geht zu ihm.* Da sind Sie!

FARBE. Farbe ist mein Name. *Er will sich Strobel vorstellen.*

VIERKANT. Keine Umschweife, mein lieber Farbe. Was bringen Sie uns denn Schönes?

FARBE. Es ist ein Nelkenstock.

VIERKANT *stellt ihn hin.* Da, ein Stock. Auf die Geburtstagstafel. Da prangt er!

STROBEL *macht Miene sich zu nähern.*

VIERKANT *wehrt ihn ab. Zu Farbe.* Lassen Sie sich nicht stören. – Judith floß bereits das Herzchen über – sie überrumpelte uns im Sofa mit einem Geständnis. Wir waren paff!

FARBE *will sich Strobel wieder vorstellen.*

VIERKANT *verhindernd.* Zur Sache!

FARBE. Ich bin Beamter. Meine Gesellschaft –

VIERKANT. Wir kennen uns ja von der Treppe. Sie haben mir immer einen vorzüglichen Eindruck gemacht. Ich gebe Ihnen meine Tochter mit besonderer Freude. Ich brauche sie Ihnen ja nicht zu empfehlen. Sie werden sich ja gegenseitig geprüft haben – *Lächelnd* – hinter meinem breiten väterlichen Rücken!

FARBE. Ja – das heißt, Fräulein Judith – erst gestern –

VIERKANT. Aber uns Eltern kommt es immer zu früh!

FARBE. Als Witwer –

VIERKANT. Die Judith war auch schon vergeben!

FARBE. Zweimal Witwer –

VIERKANT. So haben Sie die doppelte Pflicht gegen die mutterlose Schar!

FARBE. Ja, das sagte Fräulein Judith gestern.

VIERKANT. Das Mädel ist früh ernst geworden und hält Zucht in Ihrem Gewimmel!

FARBE. Haben Sie nicht Bedenken?

VIERKANT. Nur die schönsten – die allerschönsten Hoffnungen, mein lieber Herr Farbe!

FRAU VIERKANT *reißt die Tür auf*. Jetzt schwärmt aus. Da steht Kuchen. *Gegen Strobel*. Ja, Kuchen! *Sie schlägt die Tür zu*.

Farbes neun Knaben stürmen herein. Geschrei durcheinander: »Wir sollen Kuchen kriegen.«

FARBE. Anständiges Betragen!
VIERKANT. Lassen Sie Ihr Völkchen tollen. Seid ihr alle da?
DIE KINDER. Ja.
VIERKANT. Wieviel seid ihr?
DIE KINDER. Alle neune!
VIERKANT. Alle Bengels?
EIN KNIRPS. Wir kriegen noch ein Schwesterchen!
FARBE. Lümmel!
VIERKANT. Von den Unmündigen die Wahrheit, bester Farbe! – Bande, ich stopfe euch die Mäuler. *Er verteilt Kuchen*.
STROBEL *an den Tisch stürmend*. Zurück! Ich lege Protest ein! *Er wirft den Kuchen ins Sofa*.
VIERKANT. Was unterstehen Sie sich?
STROBEL. Ich verlange Beteiligung!
VIERKANT. Am Kuchen?!
STROBEL An der Rente!!
VIERKANT. Hinaus! Was stehen Sie hier herum? Hinaus!
STROBEL. Ich melde meine berechtigte Forderung an!
VIERKANT. Scheren Sie sich zum Teufel oder –!
FARBE *schiebt die schreienden Kinder rechts hinaus, will gehen*.

STROBEL *ihm den Weg vertretend*. Es geht zu drei Teilen!
VIERKANT *überschnappend*. Die Polizei!!
STROBEL. Ruft sie – es gibt hier Diebe. *Zu Farbe*. Herr, Sie stehlen! *Er schüttelt ihn*.
FARBE. Lassen Sie mich doch los – ich bin unschuldig!
STROBEL. Sie beuten fremde Patente aus. Es ging um Garantien! – Die verschaffte ich und fiel dabei in den Staub. Aber mein Vorgehen wirkte anfeuernd. Ich habe den Weg gezeigt, wie man Renten schützt! Mein geistiges Eigentum bleibt die Erfindung!
VIERKANT. Der Herr hat nicht die leiseste Ahnung!
STROBEL. Das ist mir gleich. Ich halte mich an den Stehler. Den Hehler treffe ich in ihm!
VIERKANT. Das ist unerhört!

STROBEL. Meine Lage ist prekär – und ich habe noch andere dazu auf der Tasche. *Zu Farbe, der flüchten will.* Hiergeblieben!

VIERKANT *wirft ihm einen Taler hin.* Trinken Sie sich einen Rausch an!

STROBEL. Danke. Akzeptieren Sie meinen Vorschlag? Nicht für mich – für den kleinen Alibaba sorge ich nur!

FARBE. Polizei!!

VIERKANT. Polizei!!

FRAU VIERKANT *in der Tür.* Polizei!!

STROBEL. Ich beantrage Vorlegung des Testaments und Feststellung des Kapitals! Ich beanspruche nur die dringendsten Spesen für die Aufzucht des Schiekesprößlings!

FARBE, VIERKANT, FRAU VIERKANT. Polizei!!!

STROBEL. Gewaltsamkeiten von jener Seite? Wohlan: ich streite für Recht und Pflicht! *Er schleudert den Blumenstock ins Zimmer und trifft Farbe.*

FARBE *hinsinkend.*

VIERKANT *über ihm.* Verletzt? Wo? Beschädigt?

FRAU VIERKANT *zu Strobel.* Dann soll Sie der Schlag treffen!!

STROBEL *steht gelähmt.*

VIERKANT und FRAU VIERKANT *schaffen Farbe hinaus.*

STROBEL *langsam zu sich kommend.* Noch helle Fenster? – Aussicht in die Straße -- frohe Besonntheit. – – Ein Wort hallt – Polizei! Davon bersten die Brücken. Die Flut gurgelt. Allerlei Gegenstände treiben hin. Bruchstücke. Valete! *Gegen die offene Tür rechts gehend – die Hände wie unter einer Fessel vor sich streckend.* Nehmt mich hin!

Frau Siebeneicher – distinguiert und sehr elegant kostümiert – kommt.

FRAU SIEBENEICHER. Von Ihrer Wohnung bin ich hierher gewiesen. Sie hinterlassen mit bewundernswürdiger Genauigkeit Zettel an der Flurtür, wohin Sie verschwinden, als ob das große Schicksal Sie versäumen könnte. *Leicht betroffen.* Zu Vierkant –? Hat sich zusammengezogen, was –?

STROBEL *noch benommen.* Auf Körperverletzung wird jetzt geklagt. Mir ist die Wahl gestellt zwischen Zahlen oder Zelle.

FRAU SIEBENEICHER *aufatmend.* So bin ich doch nicht umsonst gekommen. – Wollen wir uns nicht setzen?

STROBEL. Ich habe nicht die Ehre –

FRAU SIEBENEICHER. Wollen Sie mich zwingen, sehr laut zu sprechen? *Sie zeigt nach dem Stuhl ihr gegenüber.*

STROBEL *setzt sich.*

FRAU SIEBENEICHER. Unsere Beziehungen sind nicht neu, Herr Strobel.

STROBEL. Ich entsinne mich nicht, wann –

FRAU SIEBENEICHER. Ja, wir wollen ganz von vorne anfangen. Das wird am schnellsten zum Ziele führen. Erinnern Sie sich eines Harald Siebeneicher?

STROBEL *begreifend.* Sie kommen als Mutter in Angelegenheiten – denen ich seit längerer Zeit fernstehe!

FRAU SIEBENEICHER *fortfahrend.* Ein braunhaariger Knabe mit einem feinen Gesicht. Etwas kränklich in der Farbe – und immer sehr geschmackvoll gekleidet. Harald Siebeneicher. Denken Sie einmal nach und sträuben Sie sich nicht.

STROBEL. Ich habe mit dieser Epoche vollkommen abgeschlossen!

FRAU SIEBENEICHER *unbeirrt.* Er saß zu Ihren Füßen. Harald hat nun stets ausführlich von Ihnen erzählt.

STROBEL. Sehr schmeichelhaft, jedoch –

FRAU SIEBENEICHER. Dem verwöhnten Jungen, dem zu Hause jede Freiheit gelassen war, wurde die Schulzucht eine harte Prüfung. Besonders Ihre pedantische Genauigkeit war ihm unerträglich.

STROBEL. Das ist –!

FRAU SIEBENEICHER. Sie stießen Harald so stark ab, daß ich immer Mühe hatte, ihn zu Ihnen zu schicken. Er wurde jeden Morgen zur Schulbank wie ein Lamm zur Schlachtbank geführt.

STROBEL. Unglaublich!

FRAU SIEBENEICHER. Diese Abneigung gegen Ihre Person – in der sich ja nur für ihn das feindselige Prinzip potenzierte! – wurde die Tragödie dieses jungen Lebens. Sein ohnehin nicht sehr widerstandsfähiger Körper unterlag in diesem Kampfe zwischen Selbstbehauptung und Unterordnung. Er starb.

STROBEL. Ich zwinge mich –!

FRAU SIEBENEICHER. Es wäre albern von mir, Ihnen Vorwürfe zu machen. Es wurde hier unbewußt eine jener Missetaten begangen, für die es weder im Himmel noch hier einen Richter gibt.

STROBEL. Die Entscheidung überlasse ich Ihnen!

FRAU SIEBENEICHER. Aber es heißt falsch: fiat justitia – pereat mundus. Was uns übrig ist, kann doch nur sein: wenn wir über einen begangenen Fehler aufgeklärt wurden – den Schaden reparieren. Dazu sind wir allerdings dann verpflichtet!

STROBEL. Was fordern Sie?

FRAU SIEBENEICHER. Meinen Sohn!

STROBEL *zweifelnd*. Es ist Juli –!

FRAU SIEBENEICHER *ruhig*. Ersatz für Harald.

STROBEL. Das ist doch – ein ganz unmögliches Verlangen!

FRAU SIEBENEICHER. Ist es unmöglich?

STROBEL. Ich bin der Hexenmeister nicht, den Sie suchen!

FRAU SIEBENEICHER. Wenn Sie über den guten Willen verfügen?

STROBEL *springt auf*.

FRAU SIEBENEICHER. Lassen Sie mich zu Ende kommen. Ich bin Witwe. Ich führe ein Leben ohne Inhalt, der es einer reifen Frau nur wertvoll machen kann. Ich bin aufrichtig genug, Ihnen zu sagen, daß ich aus brennender Liebe mich nicht zu einer zweiten Heirat entschließe. Ich verfolge eine festumrissene Absicht!

STROBEL. Ein – – zweiter Harald?

FRAU SIEBENEICHER. Deshalb mußte ich nach Garantien umschauen, die mir – so weit das möglich ist – Erfüllung meines Wunsches verbürgen. Nach allem, was zu mir gedrungen ist – und es kursieren die entzückendsten Versionen! – bin ich zu der Überzeugung gekommen, daß Sie mich nicht – –! So ist mein Entschluß zur Reife gediehen. *Sie reicht ihm die Hand über den Tisch*. Schlagen Sie ein?

STROBEL. Ich bin gewohnt, daß mir Bedingungen gestellt werden!

FRAU SIEBENEICHER. Sehen Sie mich gut an: darf ich sie stellen?

STROBEL *abrückend*. Unmöglich – Mit derselben Offenheit –

FRAU SIEBENEICHER. Gern!

STROBEL. Es ist kläglich – ich wurde ohne Pension verabschiedet!

FRAU SIEBENEICHER. Dann nehmen Sie es als kleinen Beweis, daß es auch ohne dem geht – und fassen Sie Zutrauen: es hat mir Vergnügen gemacht, einige Verbindlichkeiten für Sie zu decken!

STROBEL *starrt sie an.* Ich verstehe nicht – –

FRAU SIEBENEICHER. Versorgung Ihres kleinen – und doch so unsagbar segensreichen Malheurchens!

STROBEL *steht auf.* Restlos für alle Zeiten beglichen?!

FRAU SIEBENEICHER. Vergessen Sie die Lappalie. *Sie winkt nach rechts.*

Glänzend livrierter Lakai kommt mit Pelzmantel, den er hinter Strobel zum einschlüpfen bereit hält.

STROBEL. Diese grandiose Einkleidung?

FRAU SIEBENEICHER. Sie wäre standesgemäß.

STROBEL *tritt zu ihr – küßt ihre Hand.* Ich – bin bereit.

FRAU SIEBENEICHER. Wie rasch Sie lernen: – Handkuß?

STROBEL. Ich habe mich es auch etwas kosten lassen.

FRAU SIEBENEICHER. Und von jetzt an will ich es mit meinen Millionen gutmachen. *An Strobels Arm ab – Lakai folgt.*

FRAU VIERKANT *in der Tür – fast bamsend – nachsehend.* War das – an mir vorbei – aus der Tür – –?? *Sie stürmt ans Fenster – späht.*

VIERKANT *kommt – hebt den Blumentopf auf.* Nur Schrekken – keine Verletzung. Gottseidank. Schon abends ist Farbe wieder frisch. Judith rührend um ihn. – Was klebst du am Fenster? *Den Blumentopf schwingend hin.* Entfernte sich Strobel nicht fluchtartig?

FRAU VIERKANT. Mit Vorspann, Mann –

VIERKANT. Da hat ihn der Teufel geholt!

FRAU VIERKANT. – und kutschiert ihn schnurstracks in den siebenten Himmel!

[1906; 1913; 1915; 1921; 1925; 1926]

DIE VERSUCHUNG

Eine Tragödie
unter jungen Leuten aus dem Ende des vorigen Jahrhunderts
in fünf Akten

PERSONEN

ALBERT AXTHELM, *ein Gerichtsassessor*
KARLA, *seine Frau*
ÄNNE FORBRIG
ROLF LUKAS, *Assistenzarzt* } *Geschwister*
HILDE BRESSLER
RUST
BETTY LATZA
KINDERFRÄULEIN
DIENSTMÄDCHEN } *bei Axthelm*

ERSTER AKT

Das Eßzimmer bei Axthelm.

KARLA *kommt durch die Mitteltür, geht zum Büfett und stellt eine Likörflasche hin.* Nein, Rolf ist heute noch nicht hier.

HILDE *ein Schreibheft im Arm, Klemmer, Strohhut – bleibt in der Tür und zieht die Uhr.* Das ist merkwürdig.

KARLA *im Büfett einige Flaschen ordnend.* Hast du nicht Zeit auf Rolf zu warten?

HILDE. Ich muß schließlich die Elektrische benutzen.

KARLA. Ihr könnt ja dann zusammen hinausfahren.

HILDE. Bis viertel will ich mich aufhalten. Das heißt, wenn ich dich nicht störe. Ich kann ganz allein stillsitzen. Bitte, Karla, denk nicht weiter an mich. *Sie setzt sich an den Eß-tisch.*

KARLA *setzt sich ihr gegenüber.* Nein, Hilde, ich leiste dir Gesellschaft – wenn ich dich nicht störe.

HILDE. Du?

KARLA. Weil du eine junge feine Braut bist. Darum, Hilde.

HILDE. Daran hätte ich jetzt die wenigste Zeit zu denken.

KARLA. Du bist schon aufgebracht, wenn Rolf sich nur ver-spätet!

HILDE. Ich bin nur unruhig –

KARLA. Nun frage ich nicht mehr. Aber du weißt nicht, wie mich alles für Rolf freut.

HILDE. Ich muß Rolf nämlich dringend. –

KARLA. Hast du kein Fahrgeld?

HILDE. Gib nur zehn Pfennig her.

KARLA *gibt ihr.*

HILDE. Danke schön. In die Sammelbüchse draußen: Elek-trische fahren ist überhaupt verboten.

KARLA *lachend.* Daß man dir auch jedesmal hereinfällt!

HILDE *wieder ernst.* Ich hatte gerade heute fest auf Rolf gerechnet.

KARLA. Aber der Tag ist ja noch lang.

HILDE. Nein, ich muß ihn unbedingt vor dem Kursus sprechen.

KARLA. Ja, Hilde, er wird doch seinen triftigen Grund haben, daß er nicht pünktlich kommen kann.

HILDE. Rolf sollte mir noch Auskunft geben über einen Punkt, der mir nicht klar ist. Du könntest mir nicht antworten?

KARLA *steht auf.* Nein, Hilde, dazu habe ich ganz und gar keine Lust.

HILDE. Fräulein Grosche macht alles so schnell.

KARLA. Nimmt sie sich nicht genug Zeit?

HILDE. Vielleicht ist sie mit Absicht manchmal oberflächlich.

KARLA. Sie darf eben nie vergessen, wen sie vor sich hat.

HILDE. Dann lohnt doch die Mühe überhaupt nicht, die einmal aufgewendet wird!

KARLA. Sie wird ihre Anweisung haben wie jeder, der einen öffentlichen Unterricht gibt.

HILDE. Aber bitter unrecht tut sie uns damit.

KARLA. Ja, Hilde, danach geht es nun nicht im Leben.

HILDE. Wer es nicht erlebt hat, der kann es sich nicht vorstellen, mit welchem Eifer alle bei der Sache sind. Ich kenne doch die Teilnehmer und weiß, daß sie albern sind, wo sie es können. Draußen haben sie Gesichter von Heiligen. Ich habe mich oft gefragt: ist das die Ella Diest vom Tanzzirkel – oder der heimlichgeflügelte Engel Lotte Abel?

KARLA. Lotte Abel ist auch draußen?

HILDE. Nicht die du kennst.

KARLA. Ich dachte Lotte Abel.

HILDE. Dieselbe und vertauscht.

KARLA. So meinst du das.

HILDE. Und darum glaube ich mit Recht die Flüchtigkeit zu tadeln, wie man uns obenhin abspeist. Die leitenden Herren sind im großen Irrtum. Wir sind in der Stunde keine Backfische. Das ist Unsinn. Ich trete da für alle ein.

KARLA. Es ist der erste Versuch, der gemacht wird. Sie werden Erfahrungen mit euch sammeln und die Grenzen weiterziehen.

HILDE. Jammervoll, daß wir die ersten sind.

KARLA. Bleib dankbar, daß einmal der Anfang gemacht ist.

HILDE. Dazu kann ich mich nur schwer entschließen.

KARLA *legt den Arm um ihre Schultern.* Entschließe dich nur, Hildchen.

HILDE. Ich habe auch mit Rolf darüber gesprochen.

KARLA. Hat er dich ausgelacht?

HILDE. Rolf lacht nicht.

KARLA *sich aufrichtend.* Das weiß ich. Es war Scherz.

HILDE. Rolf hat so wunderbar tiefe Ansichten. Von ihm lerne ich das Eigentliche. Das bißchen Handwerk, das uns Fräulein Grosche beibringt, ist ja ganz unentbehrlich – aber ohne Rolf wäre ich die erste, die witzelte und kicherte.

KARLA. Sprecht ihr darüber?

HILDE. Er spricht zu mir und macht alles erst fruchtbar. Rolf hat mich vielleicht anspruchsvoller gemacht, als die andern nun geben können.

KARLA. Hildchen, jetzt mußt du fort. Rolf kommt nicht.

HILDE. Schick' Rolf. Nach Schluß Portal fünf.

KARLA. Grüße Lotte Abel mal von mir.

HILDE. Für konventionellen Schmus keine Gelegenheit! *Beide ab.*

KARLA *kommt zurück, am Fenster.* Da läuft sie Änne in die Arme. *Sie holt sich ein Buch und setzt sich ins Sofa.*

ÄNNE *in der Tür – zurücksprechend.* Helene, halten Sie sich an Ihre Arbeit. Es ist Vormittag, da bleibt in keinem Haushalt viel Zeit.

KARLA *klappt das Buch zu, steht auf.* Guten Tag, Änne.

ÄNNE *gibt ihr auf einige Entfernung die Hand und sieht sie forschend an.* Im Sofa? Wie geht's dir?

KARLA. Dir?

ÄNNE. Illa und Bubs sind famos. Hat Albert Sitzung?

KARLA. Ja.

ÄNNE. Dauert's lange?

KARLA. Willst du mit Albert sprechen?

ÄNNE. Ich sage das bloß, weil du es viel besser hast.

KARLA. Wieso?

ÄNNE. Dein Mann kommt nach Hause, wenn die Sitzung aus ist.

KARLA. Wohin sollte er gehn?

ÄNNE. Willy ist schon wieder zehn volle Tage unterwegs. In und um Posen.

KARLA. Du hast doch deine Illa und Bubs.

ÄNNE. Sonst hielte ich es im Hause nicht aus. Die Kinder ersetzen mir alles!

KARLA. So.

ÄNNE. Ja, Karla, das weißt du noch nicht.

KARLA. Nein. Macht Willy gute Geschäfte in Posen?

ÄNNE *geheimnisvoll*. Vielleicht läßt er sich in Posen nieder.

KARLA *rasch*. Und wo bleibt Rolf?

ÄNNE. Darüber mache ich mir noch keine Gedanken.

KARLA. Wohin steckt ihr Rolf?

ÄNNE *begütigend*. Wenn Rolf mal verheiratet ist.

KARLA. Da hast du ja die beste Gelegenheit ihm zuzureden, daß er sich beeilt.

ÄNNE. Ich denke Rolf und Hilde braucht keiner auf die Heirat vorzubereiten. Die sind uns über.

KARLA. Darin hast du sicher recht!

ÄNNE. Hilde bin ich begegnet – sie kam von dir.

KARLA. Und woher kommst du – am Vormittag?

ÄNNE. Das will ich dir sagen: ich habe Toni Born einen Besuch gemacht. Sie ist ja nun so weit, daß sie nicht mehr ausgehen kann. Also, Karla, man muß Bescheid wissen: einfach prachtvoll. Sie macht es – wie man unter uns sagt – zwischen Kaffee und Abendbrot ab. Und nachts tanzt sie schon. – – Na, da steht uns wieder eine Taufe in Aussicht. Auf Taufen freue ich mich immer. Die sind doch für uns Frauen die einzigen Feste, wo wir uns fühlen können. Ich habe mich wenigstens beidemal Mittelpunkt gefühlt. Um das wiederzukosten –

KARLA. Nun wirst du dir's ja bei Toni Born wieder verschaffen.

ÄNNE. Ich könnte auch anderen die Freude nicht trüben! Und nimm einmal du den Fall an –

KARLA *sieht ihr ins Gesicht*.

ÄNNE. Du freust dich auf was und die anderen zeigen nicht die geringste Teilnahme! – Na ja, du bist ja selbständiger und lehnst so was ab. Aber wir gewöhnlichen Sterblichen – wir geben's zu, daß wir's entbehren. Das ist vielleicht der ganze Unterschied zwischen uns.

KARLA. Ich erinnere mich nur, daß auf den Taufen, denen ich beigewohnt habe, furchtbar gegessen, getrunken und geraucht wurde!

ÄNNE. Ja Karla, wo wird es das nicht!

KARLA *mit unverhohlenem Erstaunen*. Und das gestehst du so ohne weiteres zu?

ÄNNE. Aber Karla! Mein Mann war noch nie so himmlisch wie bei deiner Hochzeit. Er hatte sich doch einen entzückenden Schwips angetrunken. Er ist es doch gewesen, der euch die Stimmung gemacht hat. Ihr könnt auf eure Hochzeit stolz sein. Ihr wart ein stattliches Paar, wie es nicht jeden Tag zusammenläuft. Du besonders; ich sehe dich noch aus dem Wagen steigen vor der Kirche. Dein Schleier wehte auf und bauschte sich wie eine Fahne über dich – und Albert, der dich in seine Arme nahm aus der Kutsche – fast vor der Öffentlichkeit – ich will dir meine Gedanken nicht verraten. Es hat mich geschüttelt. – Nein, eure Hochzeit war in jeder Beziehung einzigartig!

KARLA. Weil sich dein Mann einen himmlischen Schwips angetrunken hatte.

ÄNNE. Ja, Karla, Hochzeiten verlaufen nun mal so, wenn sie nicht gegen Ende abflauen sollen.

KARLA. Ansichtssache, Änne.

ÄNNE. Oder findest du das etwa hübsch, wie Hilde es betreibt?

KARLA. Hübsch –

ÄNNE. Siehst du, Karla, darüber ist mir dein Urteil nun wertvoll. Das wollte ich aus deinem Munde mal hören. Du bist uns ja in deinen Ansichten voraus, aber daß wir hier übereinstimmen, das freut mich doch. Ich hätte schon hundertmal – mir brannte das Wort auf der Zunge – ich hüte mich, ich habe es gelernt. Jetzt bin ich also doch nicht so hausbacken, wie man sich schließlich schon vorkam? – Das ist doch nicht das natürliche Verhältnis mehr – einer Braut zu ihrem Bräutigam! Entweder sie wissen nicht, was sie tun – oder sie tun es, weil sie nichts ahnen! Ich habe den Kopf geschüttelt, als ich Hildes Entschluß hörte. Sie ist ja nicht die einzige, und kein Vorwurf soll sie treffen. Ich wundere mich nur, wie die Einrichtung überhaupt geschaffen werden konnte. Stelle dir das doch einmal vor: junge Mädchen, die vor der Hochzeit stehen, machen draußen im städtischen Krankenhaus – allerdings unter weiblicher Anleitung – einen Kursus durch in der Säuglingspflege. – Sie haben Kinder vor sich, die eben geboren sind – mit allen Merkmalen der Geburt noch –! Ich bin gewiß nicht prüde – aber die jungen Mädchen, sie sind doch alle reif! – denken doch weiter! – Karla, wir waren doch auch einmal verlobt – war unsere Verlobungszeit darum weniger glücklich? Hand aufs Herz!

KARLA *hinter einer Stuhllehne.* Du –

ÄNNE. Was?

KARLA. Du hast mich nicht aussprechen lassen. Ich finde es nicht hübsch –

ÄNNE. Deine Worte!

KARLA. Ich halte es für notwendig, daß Hilde draußen lernt, so viel sie nur auffassen kann!

ÄNNE *sieht sie zweifelnd an.*

KARLA. Ich habe mich vorhin geschämt, daß ich ihr eine ausweichende Antwort geben mußte, weil ich nichts gelernt habe.

ÄNNE *zuckt die Achseln.* Ich an Rolfs Stelle hätte es meiner Braut nicht erlaubt.

KARLA. Dann hätte sich Hilde das Recht von Rolf erzwingen müssen!

ÄNNE. Vielleicht läßt sich Rolf als Kinderarzt nieder, dazu braucht er die Hilfe seiner Frau.

KARLA. Nein, solche praktischen Zwecke haben Rolf und Hilde damit sicher nicht im Auge!

ÄNNE. Welche dann?

KARLA. Das Rolf selbst zu fragen – er wohnt bei dir – –

ÄNNE. Es soll die jungen Mütter vorbereiten. Gott – als ob das nun besonders begabte Kinder werden, die so gewickelt und so – na! – Nein, Kinder lassen sich nichts vormachen. Kinder wachsen auf, wie sie wachsen wollen und sollen!

KARLA. Das sind so bequeme Ansichten.

ÄNNE. Bequem wird es einem damit noch lange nicht gemacht! In einer Beziehung – ja: wir laufen unsern Kindern nicht nach. *Sie lacht kurz.* Was wird nicht Aufsehen gemacht mit jedem Wesen, das zur Welt kommt. Der Heiland ist fast geboren. Mindestens ein Prinz, ein Genie in Windeln – so und so kann er schon machen – das und das hat er schon gepapt und gemamt –! Ich finde es ja sehr schön und lobenswert – aber was wird dann aus allen diesen gepriesenen und beschrienen Kindern? Normale Durchschnittsmenschen, die auch wieder essen, trinken und qualmen, wie es ihre guten Väter getan haben. Das sind Erfahrungen, die du so machen wirst, Karla, wie sie keinen von uns bisher verdrossen haben: unsere Kinder zu vergöttern und Durchschnittsmenschen großzuziehen!

KARLA. Ich könnte es nicht ertragen – ein Durchschnittskind nach deinem Rezept zu bilden.

ÄNNE *warm.* Du wirst dich mit deinem Kinde, das du geboren hast, stolz und glücklich fühlen!

KARLA. Nein, ich würde mich schuldig fühlen.

ÄNNE. Das sind Worte, die aus Rolfs und Hildes Register stammen. Du bist aber verheiratet. Über den Abgrund führt keine Brücke. Die stehn jenseits, wir sind hier. Was Rolf und Hilde denken und sagen –

KARLA. Rolf und Hilde sagen gar nichts!

ÄNNE. Doch, Karla, ich höre es deutlich heraus.

KARLA. Ach, du hörst nur Worte!

ÄNNE. Die schönen Redensarten, die blenden.

KARLA. Mehr ist das nicht für dich?

ÄNNE. Na, Karla, wir wollen uns nicht gegenseitig auf den Zahn fühlen!

KARLA *mit einem Entschluß.* Hast du jetzt eine Viertelstunde für mich Zeit?

ÄNNE *verwundert.* Was ist denn, Karla?

KARLA. Wollen wir uns aufs Sofa setzen?

ÄNNE *freudig.* Ja, Karla, ich bin ja völlig überrumpelt! *Im Sofa.* Also?

KARLA. Also – weil du an keinen Ernst in Rolf und Hilde –

ÄNNE *gespannt.* Nicht mehr Hilde und Rolf!

KARLA. In meinen Anschauungen –

ÄNNE. Du bist kein leichtfertiger Mensch!

KARLA. Nun will ich dir den Beweis dafür bringen, daß ich nicht rede, was ich nicht tue! *Sie stockt.*

ÄNNE. Helene ist in der Küche!

KARLA *an der Tischdecke zupfend.* Wir hatten doch die sehr lustige Hochzeit. Und die Stimmung, die sich sonst erst gegen Ende einstellen soll, sie war ja schon aufgekommen, als wir – Albert und ich – noch da waren. Ich war in mir selbst vergnügt – und der Lärm um mich kam zu mir wie der Widerhall meiner innerlichen Vergnügtheit. *Nach einer Pause.* Das war, so lange die Menschen um mich waren, die lachten und erregte Gesichter hatten – und ein Fest vortäuschten, von dem ich hingetragen wurde ohne Widerstand und ohne Gedanken. Ja, so war es wohl. – Und dann fuhren wir ab – durch die Straßen – da war der Bahnhof – dann die Eisenbahnfahrt – wir fuhren, glaube ich, nicht allein – und schließlich – das Hotel – Kellner – ein Zimmermädchen mit einer Brille. Ob das alles auf mich gewirkt hat – wer kann so in sich selbst hineinhorchen – du siehst, ich suche allen Umständen gerecht zu werden! – jedenfalls war mir nachher etwas unmöglich – – *Sie beugt sich tiefer auf die Tischdecke.* – als mir ein Dunst von Tabak und Wein und Kaffee und Bier dicht entgegenschlug, der mit einem Male die Hochzeit enthüllte, die ich verlassen hatte: das Trinken und Rauchen – die ganze schwindelhafte Betrunkenheit, die das Hochzeitsmahl beherrschte – an dem mein Mann teilgenommen hatt! – –

ÄNNE. Karla, du bist die einzige nicht!

KARLA. So? – Das wußte ich nicht.

ÄNNE. Und jetzt willst du mir sagen –?

KARLA. Ach so – weiter nichts: – als daß es so bis auf diesen Tag geblieben ist!

ÄNNE *mit einem Lachen.* Ja, Karla – ihr seid doch verheiratet!

KARLA. Das wird sich wohl nicht widerlegen lassen.

ÄNNE. Aus deinen Reden klingt es doch so – als bekämt ihr vorläufig keine Kinder?

KARLA. Dann habe ich mich ja deutlich ausgedrückt.

ÄNNE *verblüfft.* Was – sagt denn Albert dazu?

KARLA. Mein Mann kann mich doch nicht – –

ÄNNE. Und du?

KARLA. Was mir damals gelungen ist – mitten in der Erregung des Tages – – oder weil es mir damals gelungen ist – darum muß ich mir jetzt eine Pflicht daraus machen.

ÄNNE. Und einzig und allein – weil dein Mann auf seiner Hochzeit gezecht hatte?!

KARLA. Damals zechte und heute noch nicht zu zechen aufgehört hat.

ÄNNE. Albert ist doch kein Trinker! Das erlaubt ihm sein Beruf doch gar nicht!

KARLA. Bei euch muß es ja ein Trinker sein, der taumelt und lallt!

ÄNNE. Albert nimmt nur zu sich, was man täglich zu sich nimmt.

KARLA. Das hat meinen Entschluß befestigt.

ÄNNE. Das verstehe ich nicht. Albert trinkt nicht –

KARLA. Er trinkt Wein und Bier und raucht Zigarren täglich!

ÄNNE. Soll er sich's abgewöhnen?

KARLA. Ja, Änne, das wird er wohl müssen!

ÄNNE. Weigert er sich?

KARLA. Ich habe ihn nicht aufgefordert.

ÄNNE. Wie hat er dann erfahren, daß du es nicht gern bei ihm siehst?

KARLA. Er weiß davon nichts.

ÄNNE. Das weiß er nicht und du – *Rasch.* Soll ich ihm –

KARLA. Das hätte auch keinen Zweck. Es wäre ein Zwang.

ÄNNE. Den muß er sich auferlegen!

KARLA *heftig.* Das ist doch das Allerfalscheste, das angestellt werden könnte. Ich lasse mich mit keinem Fünkchen darauf ein, daß du oder einer ihm etwas mitteilt, was ich dir eben im engsten Vertrauen eröffnet habe, wenn ihr das beabsichtigt. Es würde mich zum Äußersten treiben und zwischen ihm und mir eine Scheidung herbeiführen, die unüberbrückbar bliebe – in alle Ewigkeit!

ÄNNE *verdutzt.* Aber Karla, was tut dir denn einer von uns?

KARLA. Ihr seid gewarnt – also besinnt euch, ehe ihr einen Schritt tut – –!

ÄNNE. Aber natürlich, dein Wunsch ist uns heilig! Ich habe auch nur den besten Willen – ich mag mich ungeschickt ausdrücken – verzeih es deiner Schwester – helfen möchte ich dir! Ja – einfach helfen. Du wirst mir ja unglücklich darüber. Ich sehe, was auf dem Spiel steht. Nicht nur du – auch Albert. Und, Karla, dann das Letzte, Beste – um das dreht sich ja auch alles bei dir! Laß uns noch einmal versuchen – du bist ja klug und klar. Etwas mußt du dir doch ausgedacht haben, wie du es äußerst. So unauffällig, wie du es willst. Das ist natürlich der einzige Weg. Du hast recht. Zweifellos. Wie versuchst du es, Karla?

KARLA. Es gibt nur ein Mittel: – er muß echten und dauernden Abscheu sich erwerben! – Sonst ist alles umsonst und wertlos.

ÄNNE. Wie willst du das erreichen?

KARLA *lächelnd.* Ja, Änne, das ist mein Geheimnis und mein Zauberkunststück!

ÄNNE. Das war die echte Karla!

KARLA *verwundert.* Was hast du denn jetzt verstanden?

ÄNNE. Karla, mach' einem nicht die Worte zu Gift. Ich mein' es doch nur gut. Was hätt' ich denn weiter zu denken? Ist das nicht meine einzige Pflicht? Herrgott, Karla, mach' uns doch die Freude! Das müßte doch etwas Herrliches werden, wenn du uns einmal die Freude machtest!

KARLA *still.*

ÄNNE. Sieh an dir herunter: wer bist du denn? Und faß dich an den Kopf: wer hat denn deine Gaben? Wohin soll es denn? Verflüchten in Worte und Phrasen? Klara, das will doch leben – wachsen – und Wucher treiben!

KARLA *wie vorher.*

ÄNNE. Mir sagst du es zuerst. Das versprichst du mir. Ich frage auch nicht wieder – komme nicht mehr, bis du mich rufst. Das ist mit einem Kuß besiegelt! – Nun muß ich zu Illa und Bubs. Die Mutti war ja ewig fort. Da sind Illa und Bubs keine Helden. Laß mich allein gehn, du bist ja nicht für Umstände! *In der Mitteltür.* Helene, gehn Sie aus? Nehmen Sie mich mit. *Ab.*

KARLA *nimmt eine Rotweinflasche vom Büfett.*

Es schellt.
Karla ab.
Unterhaltung draußen.
Karla mit Rolf zurück.

ROLF *seine Brille putzend.* Weißt du nicht, was mich Hilde fragen wollte?

KARLA *die Rotweinflasche ins Büfett stellend.* Sie hat es mir nicht gesagt. Sie erwartet dich draußen. Die Bestellung hat sie nur hinterlassen.

ROLF *kommt an den Tisch.* Ich sagte dir, ich konnte es leider nicht einrichten. Das stimmt aber nicht ganz. Ich wollte heute nicht pünktlich sein.

KARLA. Ich erklärte es Hilde so, daß du aufgehalten sein mußtest.

ROLF. Nein, das ist nun nicht der Fall!

KARLA. Du kannst es Hilde ja dann auseinandersetzen.

ROLF. Sondern das Merkwürdige war: ich war gar nicht gern gelitten, wo ich mich versäumte – und dennoch versäumte ich mich!

KARLA. Hast du widerspenstige Kranke in deinem neuen Bezirk?

ROLF. Einer, der gesünder ist als wir alle vielleicht!

KARLA. Simuliert er?

ROLF. Ratest du nicht, wer mich hat fesseln können?

KARLA. Nein.

ROLF. Ich habe Rust entdeckt!

KARLA. Ist er hier? Das freut mich für dich. Das wurde allerdings ein wichtiger Grund, den Hilde und ich nicht ahnen konnten.

ROLF. Und denke dir, wie sonderbar: in einem Hause, wo ich seit Wochen praktiziere!

KARLA. Daß gerade du an ihm vorübergehst.

ROLF. Ist es nicht geradezu ein bißchen verrückt? Er ist hier und keiner sieht ihn. Er läuft hier zweibeinig in den Straßen und keiner trifft ihn. Das streift doch hart an Spuk!

KARLA. Hat er sich verändert?

ROLF. Er ist gewachsen – breiter geworden – mich überragt er wie ein Turm. Sonst – wie kann Rust sich ändern!

KARLA. Wie bist du ihm denn heute begegnet?

ROLF. Ich hatte mich in dem labyrinthischen Wirrwarr von Treppen und Korridoren auf der Suche nach einem gemeldeten Kranken verlaufen. Plötzlich stehe ich vor der letzten Tür, die mit ungefügen Kreidebuchstaben seinen Namen trägt: Rust! Mit einem Ausrufungszeichen am Schluß: hier sucht mich – ecce Rust!

KARLA. Was für ein Haus ist das?

ROLF. Im ärgsten Viertel. Wer kommt auf die Idee: hier steckt Rust drin. Zwischen dem Abschaum und Ameisengewimmel von Insassen, das so eine sündhafte Mietskaserne beherbergt. Im letzten Logis unterm Dachstuhl. Wohnt da – schläft da – wacht da!

KARLA. Absonderlich.

ROLF. Nicht im mindesten!

KARLA. Ist er mittellos?

ROLF *greift in seine Brusttasche.* Absonderlich ist – *Er holt einige Druckbogen aus der Brusttasche.* Arbeitet da – und läßt ein Buch erscheinen!

KARLA. Rust schreibt ein Buch?

ROLF. Die ersten Bogen habe ich ihm nach Kampf abgenommen. Ich mußte das kennenlernen von Rust!

KARLA. Wie heißt es?

ROLF. Ich bin nicht ganz klug geworden. Entweder wollte er mir den Titel unterschlagen oder er steht noch nicht ganz fest.

KARLA. Ist es denn nicht das erste bei einem Buch?

ROLF. Jedenfalls ist es hier schwerer zu greifen, was sich zum Titel ballt. So was wie *Der tägliche Mord* scheint ihm vorzuschweben. Es konnte ironisch gemeint sein.

KARLA. Der tägliche Mord? Kraß.

ROLF. Ja, Karla, die Sache verlangt die Fanfare!

KARLA. Was versteht er darunter?

ROLF. Das läßt sich mit wenigen Strichen ausführen. Rust sagt: – in der Form des Propheten – es ist darin was von einem hitzigen Bibelton – verkündet er die Pflicht zur Nachkommenschaft!

KARLA. Die Pflicht zur Nachkommenschaft?

ROLF. Er schreibt – er versteigt sich zu einigen Übertreibungen, die ich aber für durchaus nötig halte. In großer Höhe müssen Glocken aufgehängt werden, daß man unten vernimmt. So stellt er unumwunden an die Spitze die Forderung: jede Frau muß genau die Anzahl Kinder gebären, die die Natur zuläßt. Auf andere Weise macht sie sich des Mordes schuldig. So laufen unter uns Mörderinnen herum, die wir nicht anhalten und einkerkern. Die Frau hat nicht das Recht, Leben zu unterdrücken. *Er hat dabei die Seiten durchblättert.* Das ist der grobe Umriß. Was mich vorläufig anzieht, das ist die ungeheure Wertschätzung des Menschen, die hervorleuchtet: daß er auf jeden Fall geschaffen werden muß!

KARLA. Was kann Rust zu diesem Gegenstand geführt haben?

ROLF. Das hängt mit einer Reise zusammen, die er durch Norwegen und Schweden in Märschen gemacht hat. Wie so viele hat auch ihn der Norden ergriffen. Als ein dreizehnter Apostel kommt er nun zu uns zurück. Stell' dir vor: er ist keine fünf Kilometer mit der Bahn gefahren. Man sieht es ihm ja auch an. Blond und rot ist die Flagge, unter der seine Körperlichkeit segelt!

KARLA. Das ist schön.

ROLF. Dieser Fundus von Begeisterung: die Zivilisation verachten und diese Reise unternehmen – auf durchgetretene Stiefel hin – wo steckt da der Spaß? Das ist böser Ernst!

KARLA. An seine Freunde hat er nie eine Nachricht geschickt.

ROLF. Von ihm war es gefordert, daß er keinen einzigen einweihte. Bis die Woge ihn aus sich selbst wegschwemmt. Er verschwand – und taucht jetzt auf! Was dazwischen liegt, ist Heiligtum. Niemand hat das Recht daran zu rühren, wenn er das aus seiner Stille hervorträgt!

KARLA. Hat er sein Buch fertig mitgebracht?

ROLF. Nein. Er hat da oben Eindrücke empfangen – gesammelt. Unter diesem kräftigen Menschenschlage ist es ihm aufgegangen. Er konnte sich einfach nicht ausmalen, daß von dieser Schönheit und Gesundheit ein Teilchen unterschlagen werden dürfte! – Und das Buch schreibt er nun in einer Umgebung, die den krassesten Widerspruch darstellt! Mitten im Untergang entsteht sein aufbauendes Werk – ja dadurch wird es erst notwendig! Aus dem Chaos kommt es – wie alles, das leben soll!

KARLA. Und du hoffst für Rust auf einen Erfolg mit seinem Buch?

ROLF. Der steht schon heute fest. Der wichtigste Verlag hat es übernommen, der sonst sehr zurückhaltend ist!

KARLA. Ein Glück für Rust.

ROLF. Ein großes.

KARLA. An einem sichern Untergrund hat es ihm doch in der Hauptsache gefehlt.

ROLF. Ich habe nun den Plan gefaßt ihn dahin zu bringen, daß er sich eine ruhige Wohnung mietet.

KARLA. Es ist ja peinlich für dich, wenn du als Arzt in dieses Haus kommst, wie du es schilderst, und hast einen Bekannten da wohnen.

ROLF. Jetzt, wo das Buch geschrieben ist, liegt ja kein Grund für seine selbstgewollte Internierung in dem armseligen Quartier mehr vor. Ein innerer Zwang bestand unleugbar vorher! Jedenfalls könnte er es nicht mehr begründen. Und für eine Marotte halte ich Rust zu ehrlich!

KARLA. Du mußt Rust auf die hellen Häuser am Ring stoßen.

ROLF. Mit einem fertigen Projekt komme ich ihm. *Mit der Uhr.* Ich kann dir leider die Bogen nur bis Mittag dalassen. Ich habe nämlich die Korrektur übernommen. Das war eine List von mir.

KARLA *schließt die Bogen in ein Büfettfach ein.* Soll ich sie dir dann durch Helene zu Änne schicken?

ROLF. Nein nein, Karla, ich komme selbst. Das ist mir alles nicht sicher genug. Das muß ich Rust gegenüber tun. Kannst du –

KARLA. Was, Rolf?

ROLF. Wenn ich vom Krankenhaus zurückkomme, schon fertig sein?

KARLA. Ja, Rolf, ich lese rasch.

ROLF. Ich will Rust noch am Vormittag einen zweiten Besuch machen.

KARLA. Kann ich dir was vorsetzen, Rolf?

ROLF. Was ist es denn, Karla?

KARLA. Ein Glas Rotwein?

ROLF. Wein trinke ich nicht!

KARLA. Vormittags nicht?

ROLF. Überhaupt nicht.

KARLA. Seit wann?

ROLF. Ich habe mir vorgenommen, bis zu meiner Verheiratung alle Getränke zu meiden.

KARLA. Heiratet ihr bald?

ROLF. Ich weiß, daß ich heirate!

KARLA. Was habe ich dann für dich? *Scherzend.* Bleibt Wasser übrig!

ROLF. Ich genieße auch kein Wasser.

KARLA. Scherz, Rolf?

ROLF. Ich halte es für nützlich einmal nichts zu trinken!

KARLA. Hältst du denn das aus?

ROLF. Ich mache gegenwärtig die Erfahrung. Mein Körper ruht sich aus. Herz – Nieren wird eine geringere Arbeit zugemutet. Jedes Trinken überanstrengt sie. Sie müssen Lasten bewältigen, die sie erschlaffen. Es ist wichtig das zu wissen. Ich will das jetzt mal bei mir durchführen, bis ich an die Grenze stoße. Aber weißt du, was ich heute schon fest glaube, Karla?

KARLA. Was, Rolf?

ROLF. Daß ich einer höheren Gesundheit entgegengehe, wie ich sie noch nicht gekannt habe. Denke dir, es teilt sich schon meinen Augen mit. Ich sehe schärfer. Ich breche ein sinnloses Vorurteil – lache nicht: was heute zum Beispiel hier an Flaschen – Karaffen – herumsteht und uns nicht den mindesten Eindruck macht, das wird später mal als eine Unsauberkeit empfunden werden, die uns noch anfaffetete. Gläser, Karla, die kommen alle ins Museum – genau wie die alten ausgegrabenen Trinkgeschirre. *Belustigt.* Wenn du mir also etwas vorsetzen willst, so muß ich schon um einen Apfel bitten, den ich aus der Faust zermalmen kann.

KARLA. Ja, Rolf, ich müßte erst nachsehen, ob Helene –

ROLF. Ich verspüre ja nicht den geringsten Reiz. Also – Prinzip! Es ist wieder mal gerettet!

KARLA. Willst du gehn?

ROLF. Ich will dir Zeit lassen.

KARLA. Wozu?

ROLF. Zum Lesen.

KARLA *am Fenster.* Kommt deine Elektrische?

ROLF. Zu Fuß, Karla!

KARLA. Den langen Weg?

ROLF. Nach dem Rezept von Rust – wenn die Straße auch nur eine gut gepflasterte Promenade ist! *Beide ab.*

KARLA *kommt und geht rechts hinein. Sie bringt einen größeren gelben Brief und zerreißt ihn.*

Draußen Schlüsselgeräusch.
Eine Tür wird geräuschvoll zugeworfen.
Pfeifen.

KARLA *sammelt die Schnitzel.*

ALBERT *in der Mitteltür. Unterm Arm rote Ledermappe.*

KARLA. Du, Albert?

ALBERT. Wer anders? Ich habe mich doch signalisiert. Hoffmanns Erzählungen. Siegfriedmotiv ist unmodern. *Er pfeift und umfaßt Karla.*

KARLA *biegt aus.* Du bist heute nicht lange beschäftigt gewesen?

ALBERT *küßt sie auf die Wange.* Nicht einen Arm um mich? Nicht mal den linken?

KARLA. Ich habe beide Hände voll Papierschnitzel.

ALBERT. Karla – wo der Papierkorb neben meinem Schreibtisch steht!

KARLA. Ich will sie verbrennen.

ALBERT *mit der Ledertasche klappend.* Mir ist vom heitern Himmel ein arbeitsloser Tag herniedergefallen. Aber geht das nicht immer so zu: wenn man sich mal vorbereitet hat – wird's nicht abverlangt. Wie im Pennal!

KARLA *in der Mitteltür.* Ich bin gleich zurück. *Ab.*

ALBERT. Schön. So lange schließe ich den Pflichtranzen ins unterste Schubfach, wo es am untersten ist. *Rechts hinein; er rumort, singt und pfeift.*

KARLA *zurück.*

ALBERT *drin sprechend.* Bist du wieder da?

KARLA. Ich bin hier.

ALBERT. Erst eine Zigarre!

KARLA. Die erste heute?

ALBERT *in der Tür*. Die erste – zu Hause!

KARLA. Hast du unterwegs geraucht?

ALBERT. Unterwegs – nein.

KARLA. Wo hast du denn dein Morgenopfer verbrannt?

ALBERT *nickt*. Des modernen Menschen an die Göttin Zivilisation!

KARLA. Wie ihr die arme Zivilisation für alles bemüht.

ALBERT. Man kann es auf andere Weise jedenfalls auch, aber dies ist –

KARLA. Die angenehmste Art zu opfern.

ALBERT *im Sofa*. Wenn ich die Genüsse, die der Fortschritt schenkt, achte – bin ich damit ein Sünder?

KARLA. Eure Tabakphilosophie zum Selbstgebrauch.

ALBERT. Praktische Philosophie ist Religion.

KARLA. Es fragt sich, ob sie praktisch ist.

ALBERT. Ja, die Frage hat sich noch niemals freihändig beantworten lassen! Du stehst – tu mir den Gefallen – ich habe den Aschenbecher nebenan vergessen.

KARLA *rechts hinein*.

ALBERT. Auf meinem Schreibtisch rechts. Da steht er mir ja immer bei der Hand.

KARLA *kommt mit der umfangreichen Schale und stellt sie vor ihn auf den Tisch*.

ALBERT *ihre Hand küssend*. Dank dem gütigen Geber. Nachher habe ich noch einen Wunsch – aber ich erzähle erst, wie ich zu meinem Morgenopfer gekommen bin. Die Sache fing so an, daß der einzige Punkt von der Tagesordnung abgesetzt wurde. Der Raubmörder war unpäßlich.

KARLA. Hast du einen Spaziergang gemacht?

ALBERT. Nein, Karla, den habe ich nun nicht gemacht.

KARLA. Was?

ALBERT. Ich habe alte Erinnerungen aufgefrischt.

KARLA. Alte Erinnerungen?

ALBERT. Das wirst du nicht so ohne weiteres verstehen. Die Geschichte ist auch merkwürdig genug. Ich bin mir über diese Anwandlung selber nicht im geringsten klar. Aber als ich aus dem Gerichte kam und auf den Stufen stand und die Straße lag so vor mir – da hatte ich so ungefähr das Gefühl, wie ich es als Schuljunge kenne, wenn ich aus irgendeinem Grunde – vorgemogelter Kopfschmerz – die Klasse schwänzte. Man weiß nicht, was mit sich anfangen – man kommt sich losgelöst vor – man gehört mit einem Male nicht mehr dazu – da ist einem windelweich zumute – halb lustig – halb weinerlich – man brammt fest. Undefinierbare Empfindungen.

KARLA. So unerklärlich sind sie nicht.

ALBERT. Ja, heute geriet ich also in Zweifel, was ich mit dem unvermutet freien Vormittag anfangen sollte.

KARLA. Womit hast du ihn ausgefüllt?

ALBERT. Ich habe mein altes Frühstückslokal aufgesucht und mich an den bekannten Tisch gesetzt.

KARLA. Dein altes Frühstückslokal?

ALBERT. Aus meiner Referendarzeit. Wir trafen uns da regelmäßig nach den Sitzungen und erholten uns von den Strapazen der Langweile, die für uns so eine Verhandlung war. Man darf ja noch nicht mitsprechen – na, und da wurden es denn köstliche Stunden, wenn wir endlich wieder den Mund auftun konnten. Ein Referandar schweigt doch nur mit höchster Kraftentfaltung. Ich habe das alles an meinem Geiste vorüberziehen lassen, es war ein teils komischer, teils trauriger Pilgerzug. Ein alter Kellner war noch da – und denke dir – er stellte ohne ein Wort der Verwunderung mir mein Stammglas hin, als habe ich nur mal unterbrochen! – Es war für seinen Verstand unfaßlich, daß man nicht wiederkommt!

KARLA *ruhig*. Hat es dir am frühen Morgen geschmeckt?

ALBERT. Karla – ich habe eine Erfahrung gemacht!

KARLA *gespannt*. Welche Erfahrung hast du gemacht?

ALBERT. Es ist Unsinn, was man behauptet.

KARLA. Was ist Unsinn, Albert?

ALBERT. Es gibt doch Charaktere, wenn sie knapp die grünsten Referendarjahre hinter sich haben und auf den Assessor losziehn – *Er streift umständlich die Asche ab.*

KARLA *ist an den Tisch getreten.*

ALBERT *Asche verstreuend*. Pardon – ich war ungeschickt. *Er wedelt sie mit dem Taschentuche fort.*

KARLA. Nein – ich stieß gegen den Tisch.

ALBERT. Die sagen, der Frühschoppen schmeckt nicht mehr.

KARLA. Das ist dir heute aufgegangen?

ALBERT. Mit Funken und Raketen!

KARLA *erregt*. Da war es doch gut, daß du diesen Versuch selbst machtest?

ALBERT. Ja, Karla, wenn es sich mit dem Gerichtsbetrieb vereinen ließe –

KARLA. Albert, es läßt sich durchführen!

ALBERT. Du meinst es sehr gut mit mir –

KARLA. Ich meine es nicht nur gut mit dir –

ALBERT. Doch, Karla, ich höre es heraus.

KARLA. Nein – nicht nur mit dir – –! *Ihre Stimme klirrt.*

ALBERT. Ich sehe also einfach nicht ein, warum der Frühschoppen nicht schmecken soll! – Mir ist er ein Labsal gewesen – und ich könnte ihn heute so gut wie früher halten.
Es sind äußerliche Widerstände, die es mir verbieten – innerlich hielte mich nichts ab!

KARLA *tritt vom Tisch*. Wir haben uns mißverstanden.

ALBERT. Ich bin zu ehrlich, um mich für den zu geben, was
ich nicht bin. Ich mache kein Hehl daraus. Ich entbehre den
Frühschoppen fröhlichen Gedenkens – basta, so entbehre ich
ihn! Ohne das Geschrei und die große Verdammung. Das
schmeckt doch verflucht nach sauren Trauben. *Er legt die
Zigarre hin und steht auf. Er ist ans Büfett getreten und
entnimmt ein Likörglas.*

KARLA. Willst du noch etwas trinken?

ALBERT *mit Glas und Flasche*. Das eben ist die Kunst, bis an
die Grenzen zu gehn. Weiter aber keinen Schritt. Das geht
aber den meisten gänzlich ab. Zur Strafe kommen sie um
den Genuß, während derjenige, der sich in der Gewalt hat,
ihn sich jeden Augenblick verschaffen kann! *Er stutzt und
hält die Flasche gegen das Licht.*

KARLA *sieht zu.*

ALBERT *geht ans Fenster und sieht durch die Flasche*. Komm
mal her. Hast du zum Kochen verbraucht?

KARLA. Likör, nein.

ALBERT. Dann hat Helene genascht! Warst du heute vormittag weg?

KARLA. Nein, ich hatte Besuch. Hilde und Änne waren hier.

ALBERT. Dann entschuldige, ich wußte das nicht.

KARLA. Ich habe ihnen keinen Likör vorgesetzt!

ALBERT. Aus dieser Flasche nicht?

KARLA. Nein, Likör biete ich niemals an.

ALBERT. Ich habe nichts dagegen, wenn du von meinem Likör anbietest.

KARLA. Danke.

ALBERT. Es ist doch seit gestern weniger geworden. Gestern

stand er bis knapp über die Etikette – heute ist er bis zur Mitte des Schildes gesunken!

KARLA. Vielleicht hat sich die Etikette verschoben.

ALBERT *lacht.* Ist Helene da?

KARLA. Du willst ihr doch wegen des Likörs nichts sagen?

ALBERT. Wegen des –?

KARLA. Vielleicht hast du ihn selbst so weit ausgetrunken?

ALBERT. Du hast recht – man irrt leicht, wieviel man getrunken hat, und wieviel nicht. Ich habe keine Beweise in den Händen. Die werde ich mir auf die einfachste Weise verschaffen. *Er zieht einen Bleistift heraus und markiert sorgfältig auf der Etikette.*

KARLA. Und wenn du jetzt selbst davon trinkst?

ALBERT. Ich werde es mir versagen –

KARLA. Kannst du es?

ALBERT. – und mich an einem Glas Rotwein schadlos halten. *Er nimmt ein größeres Glas heraus und schenkt voll. Zu Karla.* Der Vormittag ist für die Arbeit doch einmal unbrauchbar geworden. Dir zum Wohle, Karla! *Er trinkt, setzt sogleich ab, schluckt.* Was ist denn das? Das ist ja giftiges Zeug, puh! *Er stellt alles hin, speit ins Taschentuch.* Da muß man ja erst ein paar Züge aus der Zigarre tun, um den Teufelsgeschmack von der Zunge zu bringen! – Das ist doch die Flasche, von der ich gestern getrunken habe. Dieselbe Flasche, Karla!

KARLA. Vielleicht schmeckt sie dir nicht, weil du schon anderes vorher getrunken hast.

ALBERT *hebt das Glas hoch.* Überzeug' dich mal. Weißt du, wo wir uns befinden? In Diebeshänden! Das ist der mildeste Ausdruck. Fälschung als erschwerender Umstand! Hier – zu sehen ist es! – verdünnt ist der Wein – statt blutrot – eine fade rosa Farbe! Der Wein ist ausgenascht – und mit Wasser aufgefüllt!

KARLA. Ich unterscheide nichts.

ALBERT. Das ist hier kein Wein mehr – das ist Mostrich! Koste mal! Und ich täusche mich auch mit dem Schnaps nicht. – Derselbe Marder, der mir an die Rotweinflaschen gegangen ist, der wird wohl auch über den Verbleib des fehlenden Likörs etwas wissen! *Er hält in jeder Hand eine Flasche, befestigt die Zigarre zwischen den Lippen und will zur Mitteltür.*

KARLA. Wohin willst du denn?

ALBERT. Ich nehme mir in der Küche jemand vor!

KARLA. Aber doch nicht Helene?

ALBERT. Ich werde den Dieb zu stellen wissen!

KARLA. Aber du wirst doch nicht mit Helene streiten?

ALBERT. Das Abstreiten wird ihr nicht viel nützen!

KARLA. So viel kannst du dir doch nicht vergeben!

ALBERT. Ich vergebe mir gar nichts –

KARLA. Es ist doch nur Rotwein und Likör, um den du zum Dienstmädchen heruntersteigst.

ALBERT. Du scheinst die Preise nicht zu kennen!

KARLA. Das macht Likör doch nicht wertvoller als Likör!

ALBERT. Und dann geschieht es nicht des Weins wegen, sondern die Unehrlichkeit muß aufgedeckt werden – rücksichtslos! Ich mache nicht im eigenen Hause halt. Wozu bin ich Jurist?

KARLA. Albert, das ist doch häßlich, wie du dastehst – mit den Flaschen rechts und links – und die Zigarre rauchst!

ALBERT. Schön hat die strafende Gerechtigkeit noch niemals ausgesehen! Oder meinst du, mir macht es Spaß, hier privatim einen Strafakt zu vollziehn?

KARLA. Du kannst doch dem aus dem Wege gehn – ganz leicht!

ALBERT. Wie?

KARLA. Wenn du so viel Schererei hast – von deinen Getränken – das muß dir doch den Genuß verekeln. Ich würde mich einfach mit ihnen nicht mehr abgeben – und nichts mehr von heute an anrühren!

ALBERT *kommt an den Mitteltisch, stellt die Flaschen hin, lacht.* Das ist ja die Methode, die wir alle versuchen, um keine Verbrecher mehr zu machen! Ich soll deshalb nicht mehr trinken, um dem Näscher keine Gelegenheit mehr zum Naschen zu schaffen. Dein Spott!

KARLA. Mein Spott?

ALBERT. Weil ich den Schaden habe!

KARLA. Mein ganzer Ernst!

ALBERT. Nun hör mal!

KARLA. Wird dir nicht die Freude getrübt, wenn du dadurch mit Sachen in Berührung kommst, die unsauber sind? Mußt du dich nicht mit innerstem – echtem Widerwillen abwenden?

ALBERT. Die Freude an einer guten Flasche Wein wird mir nur getrübt – wenn ihn andere trinken! *Er trägt die Fla-*

schen aufs Büfett. Ich möchte dir sagen, daß mich eins wundert – wenigstens erwartete ich es nicht: daß du dein Dienstmädchen deinem Manne gegenüber in Schutz nimmst. Das ist etwas altmodisch, liebe Karla. Leider. Und wir wollen ja so modern sein. *Er nimmt seinen Aschenbecher, küßt Karla flüchtig auf die Wange.* Hast du in der Wirtschaft zu tun? *Rechts ab.*

KARLA *steht gegen den Tisch.*

ALBERT *rechts öffnend, laut.* Karla, das ist doch nun ein Unfug, der in meinem Zimmer getrieben wird. Ich verbiete das ein für allemal, daß Helene eigenmächtig auf meinem Schreibtisch aufräumt. Ich bitte dich ihr das zu sagen, ich würde am Ende nicht mehr die milden Ausdrücke finden. Meine Geduld ist auch nicht aus Drahtseil! – Ich hatte mir einen Katalog der Weinfirma hingelegt, den ich genau durchsehen wollte, jetzt ist er spurlos verschwunden! – In einem gelben Umschlag! – Im Papierkorb habe ich ihn auch nicht entdeckt! – Also wenn du mir einen Gefallen tun willst, sorge bitte für die Übermittlung meiner Wünsche an die betreffende Stelle! *Er schlägt die Tür zu.*

KARLA *will den Büfettschrank schließen. Die Tür sperrt sich. Sie öffnet wieder, um die Ursache zu entdecken. Die Druckbogen fallen ihr in die Hände. Sie setzt sich ins Sofa und beginnt zu lesen, während nebenan die Schubfächer donnern.*

ZWEITER AKT

Rusts Stube.

RUST *aufs Bett gestreckt – mit Korrekturbogen.*
BETTY *im Sofa – ißt ein Stück Kuchen.*
RUST. Eintauchen!
BETTY *kommt aus dem Sofa – gibt ihm den Federhalter wieder.*
RUST. Beiläufig: du führst dir doch nicht sämtlichen Kuchen zu Gemüte?
BETTY *kauend.* Meinen.
RUST. Wo ist meiner?
BETTY *hebt einen Teller hoch.*
RUST. Was für Kuchen?
BETTY. Pflaum'!
RUST. Näher zu mir.
BETTY *stellt den Teller auf einen Stuhl am Bett.*
RUST. Willst du mir einen Gefallen tun?
BETTY *nickt.*
RUST. Ja oder nein?
BETTY. Ja.
RUST. Es ist aber ein großer Gefallen, Betty.
BETTY. Ja doch.
RUST. Schwöre.
BETTY. Gemacht.
RUST. Sag nicht mehr Pflaum'kuchen.
BETTY. Wie soll ich denn sagen?
RUST. Zwetschenkuchen.
BETTY. Warum denn?
RUST. Weil du geschworen hast. Also – Zwetschenkuchen.
BETTY. Zwetsch – *Sie verschluckt sich und prustet heraus.*
RUST *lacht.* Siehst du, so locke ich meine Leute auf den Leim!
BETTY. Die weiße Schürze mit Pflaum'stücken versaut.
RUST. Deshalb habe ich erst meinen Teller vor deinem vulkanischen Ausbruch in Sicherheit gebracht. Bring meine Kaffeetasse mit.
BETTY *vorm Waschständer, ihre Schürze in der Schüssel säubernd.* Die Herren haben immer den Spaß und wir Mädchen die Arbeit davon.
RUST *trinkend.* Wir sind die Herren der Schöpfung, erfährst auch du!

Es wird angeklopft.

RUST. Ich bin da!

Rolf Lukas kommt.

RUST. Wer ist jetzt da?
ROLF. Rolf Lukas.
RUST *schwingt sich vom Bett*. Das Evangelium Lucae. Lux in tenebris. Entsteige deines Mantels Falten. *Zu Betty*. Das bin ich dir schuldig. Kauf dir Kuchen. *Zu Rolf*. Willst du nicht ablegen?
ROLF *nach Betty sehend*. Noch nicht.
RUST *laut zu Betty*. Auf Wiedersehen und alles Vergnügen!

Betty ab.

ROLF. Guten Tag, Rust.
RUST. Was denn, guten Tag. Du bist doch schon lange da? – Man kann dir nicht böse sein, Lux. Ich hatte eben einen Zwischenfall nettester Sorte.
ROLF. Aufklärung bist du mir nicht schuldig.
RUST. Wenn du was mitnehmen willst –
ROLF. Das –
RUST. Wie du willst – und ohne deine Entschlüsse zu beeinflussen. Unterhalte dich. Tritt hin. *Am Fenster*. Wo sind wir? Hoch oben, wo die Dächer über die Firste abstürzen. Wo die Schlote Hauben aufhaben von phantastischen Formen, um die fressende Stille abzuschrecken. Kirchennadeln – wo Glocken in Türmen angstvoll hochgewunden in die Tiefe um Hilfe bellen. Wo allen graust – haust Rust. Hoch – einzeln – ein Fürst, der die Stille aushält. Gewaltig Denken – was, Lux? Dies Imperium von Schornsteinkronen – diese schweifenden Purpurmäntel von Ziegeldächern, unter ihrem Saum hockt eine ganze Stadt! – Halt's aus, wenn du kannst. Ich mache dir den Bogen fertig. Auf in den Kampf mit dem Setzerjungen!
ROLF. Das ist ein Anblick, den ich täglich habe.
RUST. Du?
ROLF. Als Bezirksassistent bin ich gewöhnt, hauptsächlich von Giebelstuben auf Dächer hinabzusehen.
RUST. Der Effekt?

ROLF. Einen andern Eindruck habe ich nicht feststellen können als den, daß ich in Dachkammern unter dürftigstem Volk war.

RUST. Hier jedoch, wo deinesgleichen wohnt?

ROLF. Das wird mir die Tatsache einer minderwertigen Dachwohnung nicht wegschaffen.

RUST. Nimm's nicht übel, wenn ich jetzt arbeite. In deinem Interesse.

ROLF. Nein, Rust, ich dränge heute nicht.

RUST. Du willst doch so rasch wie möglich wieder weg?

ROLF. Nein, Rust.

RUST. Nein – ja, was schwatzt du denn? Das ist ja der offene Wirrwarr. Du ekelst dich förmlich vor Berührung mit den Gegenständen hier. Du überwindest dich erst zu Gutentag. Am liebsten nimmst du deinen Filz nicht herunter! – Euch muß ja erst Blei ins Blut gegossen werden. Ihr wißt ja nie, was ihr wollt!

ROLF. Das Bewußtsein, mich hier nicht dauernd aufzuhalten, macht mir die Viertelstunde erträglich.

RUST. Du kitzelst dir das angenehme Gefühl von Schadenfreude hoch?

ROLF. Ich gebe zu, daß für dich dies Quartier nötig war.

RUST *vor dem Spiegel Kragen und Krawatte anlegend*. Was? Was war nötig?

ROLF. Daß du dich in dieser Weise freiwillig abschlossest.

RUST. Habe ich mich abgeschlossen?

ROLF. Um dein Buch schreiben zu können.

RUST *starrt in den Spiegel*. Um – mein – Buch – –

ROLF. Und darum tust du mir heute nur leid, daß du nicht die Kraft findest, unter eine Epoche einen Strich zu setzen, die für dich erledigt ist.

RUST. Eine Epoche – die erledigt –?

ROLF. Dein Buch ist geschrieben!

RUST. Bist du heute gekommen, um mir meine Wohnung vorsätzlich zu verekeln?

ROLF. Du hast bei meinem Eintritt selbst davon angefangen. Deine Empfindlichkeit in dieser Beziehung war für mich symptomatisch. Ich hatte mir auch vorgenommen, zu dir darüber zu sprechen.

RUST. Sprich dich aus.

ROLF. Du kannst mit nichts mehr deinen Aufenthalt hier verteidigen. Ich werde dich in einem nach dem andern widerlegen. Dies Haus mit seinen versinkenden Existenzen war für dich eine Notwendigkeit. Du mußtest noch hierhinein. Mitten im absteigenden Leben konntest du nur deine Forderung des vielfachen Lebens erheben. Denn nur hier konnte die Frucht deiner Reise voll reifen. Deine Pilgerschaft im Norden bringt dir das Erlebnis des starken gesunden Menschenschlages – deine Rückkehr verschlägt dich in die elendeste menschliche Niederlassung! – Zweifellos hast du – aber wer weiß das, was vorgeht, wenn wir mitten im Werke stehen! – dich erst überwinden müssen. Ich will dir nochmals bezeugen, daß ich hier Zwang mit freien, stolzen Entschließungen im engsten verknüpft sehe, die dich ehren – ganz groß, Rust! – und darum mußt du jetzt eine Gefahr vermeiden: dich selbst zu verlieren. Ein Weg führt unweigerlich dahin: nämlich, wenn du dich auf einen Zustand versteifst, dem du entwachsen bist. Schließ' auch äußerlich das Buch ab – gib diese Wohnung auf!

RUST. Ja, Lux – bin ich das denn –

ROLF. Und mit der Entfremdung erlebst du den letzten Aufstieg!

RUST. Was redest du denn für Teufelszeug zusammen?

ROLF. Versuche dich mit einem einzigen Argument zu behaupten!

RUST. Ich verstehe ja kein Wort davon!

ROLF. Du verlegst dich auf Ausflüchte!

RUST. Das sind ja Märchen! Was phantasierst du mir denn vor?

ROLF. Du hast vielleicht darauf gewartet. Es bedarf ja meistens nur eines Anstoßes, wenn wir innerlich längst entschlossen sind. Du bist es! – Das ist kein Haus mehr für dich!

RUST *fast heftig.* Wenn ich nun einpackte, was wäre damit erreicht? Was stellst du dir vor? Ja, was wird denn das?

ROLF. Es würde uns den Umgang mit dir leichter gestalten.

RUST. Wer sind die – uns?

ROLF. Ich denke daran, daß du Verkehr mit meinen beiden Schwestern suchen wirst.

RUST *irgendwie sich beschäftigend.* Möglich.

ROLF. Ich will dir bekennen, daß ich eine Indiskretion begangen habe. Ich glaubte sie verantworten zu können. Ich habe die ersten Bogen meiner Schwester zum Lesen gegeben.

RUST. Bei der du wohnst – die den Kaufmann hat?

ROLF. Karla.

RUST *korrigiert geräuschvoll.*

ROLF *mit dem Notizblock.* Wohnungen, die für dich in Betracht kommen, habe ich notiert – zum Teil selbst angesehn. Kennst du die neuen Einzelhäuser am Ring? Sie liegen still und in Gärten. Ich möchte dir besonders zu einem raten – allerdings war nur durch meine Vermittlung etwas zu haben. Die Besitzerin ist eine Hauptmannswitwe. Die Dame fürchtet sich einesteils im ganzen Haus allein, und zweitens sucht sie etwas intelligente Unterhaltung. Über den Preis weiß ich nichts, sie wird das mit dir verabreden. Ich habe dich für morgen vormittag angemeldet. Ich bin dann selbst in der Villa. Ich möchte dir vorläufig auch keine weiteren Adressen übergeben. Die Angebote sind alle weniger günstig. Keins kann annähernde Vorteile bieten. *Er reißt das Blatt ab und gibt es Rust.*

RUST *schleudert den Federhalter hin.* Donnerwetter, wer soll dabei arbeiten! Merkst du denn nicht, daß mich das alles gar nicht interessiert! Ich logiere hier, weil's billig ist. Ganz meinem Bankkonto gemäß. *Eine Tasche ausbeutelnd.* Da siehst du die Schlußabrechnung! – Deine Geschichten, Mensch, hast du das etwa der Hauptmannswitwe vorgefaselt? Na, wenn sie darauf nicht fliegt, dann zieht nichts mehr. Moralischer Revolutionär und meine knallende Gesundheit – alle Himmelbetten rauschen. Eine Photographie der Witwe brennt dir auf der Brust. Ich sehe es dir an. In Balltoilette extra dekolletiert – oder – los, Lux!

ROLF *knöpft seinen Mantel.* Morgen pünktlich elf. Ich rechne mit dir.

RUST. Du verschacherst mich!

ROLF. Ich will dir nur behilflich sein.

RUST. Es ist ein Kreuz mit euch. Fahr' zur Tiefe.

ROLF. Morgen gehen wir zusammen. *Ab.*

RUST *nachrufend.* Auf Witwenschau! *Er wirft die Tür hinter ihm zu.*

Betty kommt.

RUST *auffahrend.* Was willst du hier?

BETTY *sich ins Sofa schiebend.* Nichts.

RUST. Geh mal zu deiner Mama.

BETTY. Jetzt nicht gleich.

RUST. Bestell' mal deiner Mama –

BETTY. Was denn?

RUST. Ich kündige.

BETTY. Sie ziehn?

RUST. Morgen.

BETTY. Aber den Monat müssen Sie doch voll Miete bezahlen!

RUST. Bezahl' ich!

BETTY *ab.*

RUST *zieht einen zerriebenen Lederkoffer unter dem Bett hervor, stellt ihn auf den Stuhl und wirft Sachen hinein.*

Es wird angeklopft.

RUST. Ich bin da.

KARLA *tritt ein; ein schon verbrauchter Mantel reicht ihr bis auf die Füße, von dem einfachen Hut fällt ein dichter Schleier.*

RUST *kramt weiter.* Wer ist jetzt da? *Als er keine Antwort erhält, dreht er sich hin.*

KARLA *hebt den Schleier.*

RUST. Gnädige Frau – –

KARLA *zu ihm gehend.* Das ist fein, daß Sie gar nicht überrascht sind. Genau so habe ich es erwartet. Oder habe ich zu lange auf mich warten lassen? Aber das ist nun Ihre Schuld.

RUST *rührt schwach ihre Hand an.* Gnädige Frau –

KARLA. Sie haben sich dort erst entdecken lassen. Aber ich mache Ihnen keinen Vorwurf. Es gehört ja zu Ihnen. Ich bin nicht im geringsten beleidigt. Darf ich im Sofa sitzen? Ich bin müde von allen Treppen. Jetzt lassen Sie noch den Tee servieren und öffnen die Türen zu den inneren Zimmerfluchten!

RUST *komisch geschäftig.* Gnädigste befehlen Tee. Das altchinesische Porzellan – jüngst in Genua erstanden – oder war es auf der Auktion der Fürsten Pimperlimp –

KARLA. Ich befehle nur eins.

RUST. Die Diener flitzen.

KARLA. Daß Sie mit der gnädigen Frau aufhören.

RUST. In dieser Bodenkammer eine Blasphemie.

KARLA. Sie sind noch nicht lange in der Stadt?

RUST *auf einem Stuhl*. Ihr Interesse vorausgesetzt – ziemlich lange. Aber mit Andacht inkognito.

KARLA. Bis Rolf Sie neulich stellte.

RUST. Er wagte einen Einbruch hier.

KARLA. Studieren Sie noch?

RUST. Ich gebe schon an die Menschheit ab.

KARLA. Was verstehen Sie darunter?

RUST *sieht sie erstaunt an*.

KARLA. Geben Sie Unterricht? Um des Verdienstes willen?

RUST. Ihr Bruder Rolf erzählte mir – *Kurz*. Ich schreibe mein erstes Buch.

KARLA *ruhig*. Schon jetzt? Ist das nicht ein bißchen früh – für ein wissenschaftliches Werk?

RUST *spöttisch*. Das Genie hat keine Zeit.

KARLA. Ich würde es gern lesen und hoffe es zu kapieren.

RUST *kopfschüttelnd*. Ich – kapiere nichts!

KARLA. – Warum sind wir eigentlich auseinandergekommen?

RUST. Auseinander?

KARLA. Sie haben einer alten Freundschaft ziemlich brüsk den Stuhl vor die Tür gesetzt. Stimmt das?

RUST. Um auseinanderzukommen –

KARLA. Weichen Sie mir doch nicht aus. Sie haben mir immer anders imponiert. Warum haben Sie mir nicht einmal einen Hochzeitsglückwunsch geschickt?

RUST. Ich reiste.

KARLA. Konnten Sie die Reise nicht aufschieben, um auf meiner Hochzeit zu sein?

RUST. Unmöglich.

KARLA. Konnten Sie auf Ihrer Reise kein Postamt ausfindig machen für einen Depeschengruß?

RUST. Undenkbar.

KARLA. Dann sind wir ja nicht auseinandergekommen, weil Sie meine Verheiratung glatt ignoriert haben!

RUST. Salto mortale der Logik.

KARLA. Aber ein Gutes werden Sie doch anerkennen müssen. Jetzt kann ich zu Ihnen kommen.

RUST. Ich hätte nicht versäumt – mein Schneider borgt miserabel – die Verzögerung findet also den tiefsten Grund aller Gründe.

KARLA. Und ich habe die Bitte an Sie – und mit dieser Bitte bin ich zu Ihnen gekommen: machen Sie keinen Besuch bei uns.

RUST. Niemals – ehe mein Schneider es nicht verantworten könnte!

KARLA. Nein – weil ich verheiratet bin.

RUST. Gehorsamer Diener.

KARLA. – Soll ich Ihnen erzählen, was ich im Heraufsteigen gedacht habe?

RUST. Ich habe auf diesen Treppen noch nichts denken können.

KARLA. Doch! – Kann ich meinen Mantel ablegen?

RUST. Verzeihung. *Er hilft ihr aus dem Mantel und hängt ihn an den Türhaken.*

KARLA *in einem ehemaligen Gesellschaftskleid, rotseiden, mit weiten Halsausschnitt.*

RUST *kehrt zurück.* – – – – Die Treppen.

KARLA. Ich trat in ein verwunschenes Haus ein.

RUST. Verwünschtes Haus.

KARLA. Darin führten Stufen hinter Stufen aufwärts. Es gab kein Licht und keine Nacht. Die Wände schienen zu fliehen, wenn ich anstieß. Mein Gang war mehr getragen als von mir bemüht. Ich stieg – und stieg – –

RUST. Fünf Stockwerke sind es. Zahlenmäßig.

KARLA. – – auf den Treppen höher und höher – und mit einemmal hatte ich die Empfindung, als ginge ich nicht mehr aufwärts – sondern abwärts. Immer tiefer mit jedem Schritt, den ich hinauftat. Wollen Sie es mir erklären.

RUST. Schwindelgefühle.

KARLA. Nein, ganz bestimmt ist es das nicht. Ich blieb Herr meiner Sinne. Ich finde eine Erklärung. Wollen Sie sie hören?

RUST *nickt.*

KARLA. Sie sind ein Freund aus alter Zeit – und mit allem, was sich inzwischen ereignete, haben Sie nichts zu tun. Ihre Person fehlt ganz darin. Die Gegenwart hüllt sie ein – und in die Vergangenheit steige ich hinab, zu Ihnen hochkommend. Habe ich meine Aufgabe gelöst?

RUST. Und zur Ernüchterung ein Dachlokal!

KARLA. Der Dachboden, wohin man alles liebe Gerümpel früherer Zeit schafft. Meine Puppen besuche ich heute noch.

RUST. Passe ich zu den Puppen im Dachsparren?

KLARA. Es sind doch unsere eigentlichen Schlösser!

RUST *schweigt.*

KARLA. Denken Sie nicht ähnlich? Lassen Sie einmal eine

kleine Wahrheit der strengen Zensur Ihrer Lippen ent-
schlüpfen. Denken Sie an die Stunden bei uns zurück?

RUST *langsam*. Ich wagte nicht – – – –

KARLA *schiebt ihre flachen Hände über den Tisch*. Ich denke
daran.

RUST *beugt sich auf eine Hand und küßt sie*.

KARLA. Das kann nicht wiederkehren. Man muß vorüberle-
ben. Wie Reiter auf einem Pferd reiten, das dem Zügel nicht
gehorcht. Das sagt man sich nüchtern.

RUST. Und Nüchternheit ist das Prinzip, das ich reite!

KARLA. Man will aber alles festhalten. Ich war als Kind
schon trotzig. Ich soll tolle Geschichten geleistet haben. Einmal die Amme, als sie mich entkleidete – ich war vollkommen nackt – – *Sie faßt sich flüchtig an die Stirn*. Wie alt
waren Sie, als Rolf Sie zu uns brachte?

RUST. Ein schlaksiger Tertianer. Es warf Rolfs Geburtstag.
Zuletzt trat Ihre Mutter herein und fragte jeden nach seinem Platz in der Klasse. Da wurde mir die Torte mit einmal
sauer.

KLARA. Danach verschwanden Sie für längere Zeit.

RUST. Schicksalsfügungen.

KARLA. In den Juliferien schlossen Sie sich Rolf wieder an.

RUST. Ein Ausflug.

KARLA. Wir Schwestern gingen mit.

RUST. Da wurde es ein Tag, wie er in den Tagen des Knaben
nur einmal glückt. Jetzt kann man es ja sagen.

KARLA. Warum jetzt?

RUST. Weil Sie verheiratet sind.

KARLA. Erkennen Sie nun die Vorteile?

RUST. Nur Vorteile.

KLARA *kommt vom Sofa – tritt zu Rust und sucht seine
Hand*. Ich danke Ihnen für meine Mädchenzeit. Ich möchte
sie nicht untergehn lassen. Das ist sicherer Besitz. Dem täglichen Erlebnis kann man nicht trauen. Wollen Sie mir das
erhalten?

RUST. Zu Ihrer Verfügung, Gnädige –

KARLA. Eine Bedingung, die ich stelle.

RUST. Ich werde nicht mehr gnädige Frau sagen.

KARLA. Nein, das nicht.

RUST. Ich erwarte Befehle.

KARLA. Ich muß immer erst über die vielen Treppen
kommen.

RUST. Um hinauf – hinabzusteigen.

KARLA. Sonst könnte ich mich ja selbst nicht begreifen. *Vor dem Spiegel, um ihren Schleier zu ordnen.* Soll ich morgen mich überzeugen – daß Sie nicht fahnenflüchtig geworden sind? Um dieselbe Stunde? *Sie schwankt – haltsuchend greift sie nach dem Waschständer.*

Die Waschschüssel kippt um.

RUST *hin.* Die Sintflut!

KARLA *streckt ihre triefenden Hände vor sich.* Sehen Sie – ich wasche meine Hände in Unschuld!

RUST. Ich begleite Sie hinunter.

KARLA. Ich gehe allein, wie ich gekommen bin.

RUST. Vielleicht ein Wagnis in diesem Haus, gnädige Frau.

KARLA. Gnädige Frau?

RUST *lachend.* Gnädiges Fräulein.

KARLA. Finden Sie keinen Ausweg?

RUST *schüttelt heftig den Kopf.*

KARLA. Nicht – Karla? Einen Namen habe ich schon verloren, den andern möchte ich mir behalten. *Im Mantel, hinterm Schleier.* Erkennen Sie mich?

RUST. Harun al Raschid, der umgeht.

KARLA. Heimlich kommt und geht – *An der Tür.* – geht – und kommt.

BETTY *kommt.* Sie brauchen die Miete nicht für den vollen Monat zahlen. Sie sollen bloß heute ziehn. Mama hat schon wen.

RUST. Bestell' deiner Mama: ich ziehe nicht!

BETTY. Wenn das nur noch geht!

RUST. Es geht – wenn ich den Mietpreis ums Zehnfache erhöhe!

BETTY. Sie sind einer!

DRITTER AKT

Das Eßzimmer bei Axthelm.
Karla im Straßenanzug kommt mit einem großen Karton und stellt ihn neben die Tür.
Hilde in der Tür.

KARLA. Entschuldige, Hilde, daß ich so unhöflich bin und voranlaufe. Leg ab. Warum hilft dir Helene nicht? *Sich auf die Stirn klopfend.* Helene habe ich ja auf eine Besorgung weggeschickt.

HILDE. Bemüh dich nicht.

KARLA *selbst ablegend.* Ja. Ich bin nämlich gern allein in der Wohnung. Eine Laune, die ich mir von früher aufbewahrt habe. Als Mädel konnte ich keine fremden Menschen in unsern Zimmern leiden. Ich schloß mich ein und mußte weinen vor Zorn und Trotz. Wundert dich das?

HILDE *ohne sich zu rühren.* Ich staune bloß, daß du dir solche großen Pakete nicht zubringen läßt.

KARLA. So? Nein, Hildchen, ich kann nicht jeder Verkäuferin meinen Namen sagen. Dann ist er auch schwer zu verstehen – Axthelm. Dann muß ich buchstabieren, und die Leute stehen um die Kasse. Lieber trage ich mir meine paar Einkäufe selbst nach Hause.

HILDE. Für die eine Mark, die ich gekauft habe, verlange ich noch Zusendung innerhalb einer Stunde.

KARLA. Ja, du bist nicht verheiratet.

HILDE. Muß man dazu nicht verheiratet sein?

KARLA. Ja, Hilde – nein, Hilde, wie du willst. *Sie trägt den Karton ins Sofa.* Es war nett von dir, daß du mir behilflich gewesen bist.

HILDE. Das war durchaus nicht umsonst getan und mit einem Schöndank bin ich nicht abgelohnt.

KARLA. Und ich habe gerade kein Stück Torte für das Lekkermäulchen da!

HILDE. Den steifen Karton habe ich nur geschleppt, weil –

KARLA. Ich kenne dein gutes Herz, Hildchen.

HILDE. Diesmal irrst du gründlich.

KARLA. Du willst nicht hören, wie gut du bist.

HILDE. Danke für Komplimente. Komplimente sind Nüsse, aus denen andere die Kerne geknackt haben. Also Botenlohn.

KARLA. Ja was soll ich dir geben?

HILDE. Für meine Würmchen draußen.

KARLA. Geld?

HILDE. Nein. Aus dem Karton.

KARLA *denk nach*. Was sind das für Kinder, für die du von mir bittest?

HILDE. Kinder sind doch Kinder!

KARLA. Kinder sind so verschieden.

HILDE. Wir machen draußen keinen Unterschied.

KARLA *sich ausredend*. Ich muß doch meine Wahl danach treffen!

HILDE. Für meine lüttje Nummer siebzehn.

KARLA. Nummer?

HILDE. Mit verkümmerter rechten Hand zur Welt gekommen und wird das Gehen nicht lernen. Überhaupt ein Häufchen Unglück. Der soll es mal gut haben aus Tante Karlas Karton! *Sie langt über den Tisch weg nach dem Karton.*

KARLA *tritt dazwischen*. Nein das kann ich nicht. Dafür kann ich nichts geben. Es ist mir unmöglich mich zu entschließen. Ich würde mich selbst nicht mehr achten können, wenn ich mich dazu überwinde. Ich darf nicht. Ich bin es mir schuldig – oder ich werde schuldig!

HILDE. Du hast dich doch sonst überwunden und gern gestiftet.

KARLA. Früher ja. Früher konnte ich das – was ich heute nicht mehr kann! – Ich bin Wege inzwischen gegangen – – Das wißt ihr nicht. Es sind meine Wege, die ich verantworte – und verantworten kann, so lange ich sie einhalte – bis zum Ziel! Mein Ziel verliere ich, wenn ich ein einziges Mal mich schwach zeige!

HILDE. Verzeih, daß ich im Laden deinen Weg kreuzte.

KARLA. Nicht böse sein. Ich will dir natürlich alles zeigen und geben. Du sollst selbst aussuchen. Jetzt mache ich extra für dich auf! *Sie stellt den Karton auf den Tisch.*

HILDE *verhindert sie*. Wenn meine Würmchen in deinem Herzen keinen Platz haben – neben andern, die du so reich bedenkst, zwing' dich nicht.

KARLA. Neben andern?

HILDE. Ännes Illa und Bubs haben ja keine lahmen Händchen.

KARLA. Du glaubst, für die bin ich in dem Geschäft gewesen?

HILDE. Wenn ich an Ännes Kinder die feinen Sachen sehe, werde ich mich auch bei ihr entschuldigen.

KARLA. Willst du zu Änne darüber sprechen?

HILDE. Unverblümt, du kennst mich.

KARLA. Aber für Änne habe ich ja gar nicht gekauft!

HILDE. Ja, Karla, für Winkelzüge habe ich kein Verständnis.

KARLA. Hilde, ich lüge dir nichts vor. Wenn ich gesagt habe, nicht für Ännes Kinder –

HILDE. Nur wissen möchte ich noch, seit wann ich in deinen Augen zum Leckermäulchen avanciert bin.

KARLA. Soll ich dir einen Beweis geben, wie ich dich, Hilde –

HILDE. Du hattest allerdings mein Gleichgewicht etwas erschüttert.

KARLA *mit ihr im Sofa*. Dir möchte ich es sagen. Dir zuerst und nur dir, Hilde. Ich habe mich dir vorhin widersetzt – – weil ich jetzt für mich selbst sorgen muß!

HILDE. Karla!

KARLA. Niemandem sage ich's!

HILDE *an ihrem Halse*. Karla – das ist – das ist ja ganz herrlich. Das ist ja herrlich über alles – – du liebe – – du große Karla!

KARLA. Hilde, versprich mir –

HILDE *sie bedrängend*. Daran werden ja alle Worte albern. Karla – Mutter – Mutter Karla! – Wie ich dumm gewesen bin. Ich muß mich ja schämen, blau – grün – gelb. Ich muß ja erst an den Laternenpfahl mit meinem Dickschädel gestoßen werden, um zu finden, wo das Licht brennt! Schick' mich in die dunkle Ecke. Soll ich dreimal den Karton um die Promenade schleppen! Ich will büßen!

KARLA *ermüdet*. Du sollst nur lustig sein.

HILDE *die Hände zusammenschlagend*. Rolf! Der versteht's lustig zu sein auf eine tiefere Art. Ich lauf', was ich laufen kann. Dich habe ich ja auch gehetzt.

KARLA. Mich – hast du gehetzt.

HILDE. Und das war mäßiges Tempo. Jetzt bin ich losgelassen.

KARLA. Jetzt bist du –

HILDE. Ein Husch die Treppe hinunter! *Ab.*

KARLA *steht langsam auf – trägt Hut und Jacke hinaus.*

Es schellt.

ÄNNE *vor Karla eintretend*. Ein Abenteuer habe ich doch

gehabt vor eurem Hause. Ich wollte ja gar nicht zu dir heraufkommen, ich bin zum Kränzchen unterwegs. Aber es ist zu ulkig. So was darf man nicht abstehen lassen, das muß warm genossen werden! *Am Tisch.* Bei dem schönen Wetter gehe ich zu Fuß. Wie ich in eure Straße einbiege, sehe ich schon von fern wen mir entgegentraben – Kragen hoch, Kopf geduckt, Hände bis zu Ellbogen in die Taschen gepaukt – trapp trapp. Wer kann nur so schieben, denke ich instinktiv nach. Rust! – und wahrhaftig Rust ist es. Na, sehr angenehm – ich halte meinen schönsten Gruß bereit – ich hätte ihn angesprochen – er nähert sich wie das Schicksal in Gestalt – und schwupp an mir vorbei. Großartig, wie? Na, ich habe gequiekt vor Vergnügen innerlich, am liebsten hätte ich losgelacht! – Rust grüßt uns nicht mehr. Karla – denk dir – er ignoriert dich und mich! – Furchtbar, was? Ist das nicht entsetzlich? Ich bin total zertrampelt!

KARLA. Er hat dich nicht erkannt.

ÄNNE. Unterm Hutrand heraus mich angeblinzelt! Merkst du was? Er straft uns für irgendwelche Todsünde mit Verachtung!

KARLA *am Büfett.*

ÄNNE. Ich wollte es dir erzählt haben, daß du bei Gelegenheit ihn gründlich abdampfen läßt. Guck' du zuerst weg!

KARLA. Dann wissen wir ja – wie wir uns zu verhalten haben.

ÄNNE. Eigentlich ärgert's mich doch!

KARLA. Kann dir das überhaupt Eindruck machen?

ÄNNE. Ja. Deine Kühle besitze ich nicht. Schofel. Ein Mensch, der bei uns – in unserm Elternhause – genossen hat, wie man nur genießen kann – auf dessen Ideen wir eingegangen sind von Mutter bis zu dir, der jüngsten – und pustet das zu Luft! – der sinkt für mich tief, daß ich die frühere Bekanntschaft wie eine peinliche Beschmutzung empfinde. Solche Menschen dürfen mir nicht zu nahe kommen. Das nächste Mal stehe ich nicht für mich ein, daß ich nicht eine sehr scharfe Bemerkung fallen lasse. Wenn ich Rolf erzähle –

KARLA. Rust ist Rolfs Freund.

ÄNNE. Gewesen!

KARLA. Die beiden haben sich wieder getroffen.

ÄNNE. Davon hat mir Rolf ja keine Silbe erzählt!

KARLA. Rolf ist auch schweigsam.

ÄNNE *lacht kurz.* Rolf – der Apostel Rusts am Familientisch.

Wir waren das Publikum. Sind wir jetzt überflüssig? – Was kann Rust? Was ist Rust? Ich habe nicht die Glocke über ihn läuten hören. Und auf so was wurden wir ja vorbereitet!

KARLA *kommt an den Tisch, jäh lustig.* Was streiten wir hier um gewesene Dinge!

ÄNNE. Rust ist ein Hanswurst – und damit sela!

KARLA *gesteigert.* Menschen kommen – Menschen gehen – –

ÄNNE. Vorbeizugehn!

KARLA *immer erregter.* Neue Menschen werden – es ist Platz für alle –

ÄNNE. Die Straße ist gottlob breit genug!

KARLA. Wir sind eines Menschen erst sicher – den wir selbst schaffen – der mitten in unserem Leben stehen soll!

ÄNNE. Solche ernsthaften Betrachtungen widme ich dem Stockfisch mit schlechten Manieren gar nicht!

KARLA *sich über Änne werfend.* Ich bin Mutter, Änne!

ÄNNE *aufatmend.* Na endlich! – Wann denn? Hast du schon gerechnet?

KARLA *mit übertriebener Hingabe.* Ich finde mich noch gar nicht zurecht!

ÄNNE. Noch nicht? Dann laß uns rechnen. Hast du einen Kalender da?

KARLA. So freu dich doch auch!

ÄNNE *unbeirrt.* Wann bist du –

KARLA *hinlaufend.* Eingekauft hab ich schon. Die ganze kleine Ausstattung. Süße Sachen!

ÄNNE. Du ruinierst es noch vor dem Gebrauch!

KARLA. Hier für die Ärmchen – für die Beinchen –! *Sie küßt in die Sachen.*

ÄNNE. Karla, dich hatte ich mir als Mutter auch anders vorgestellt!

KARLA. Ein Kind – das lacht und faselt – mir in die Augen strahlt!

ÄNNE. Aber lieber sehe ich dich so. Höre: an diese Stunde habe ich geglaubt – felsenfest – und habe mich von dir nicht zurückstoßen lassen. Eine Schwester konnte das kränken –

KALRA *vor ihr kniend.* Ich will dir Abbitte tun. Bitte – bitte – bitte!

ÄNNE. Aber nein, die will ich gar nicht.

KARLA. Doch doch, Änne, wenn ich vor dir knie!

ÄNNE. Nur ein bißchen recht will ich behalten haben.

KARLA. Du große kluge Schwester!

ÄNNE *ihr über das Haar streichend.* Ja, das kriegt uns alle klein – und es ist das Größte, Karla. Du brauchst dich nicht zu schämen. – Was sagt denn nun Albert?

KARLA *steht auf.* Albert?

ÄNNE. Indianer oder Priester? Wohl mehr Indianer.

KARLA. Albert weiß von nichts.

ÄNNE. Man sieht dir wirklich nichts an.

KARLA *bringt den Karton auf den Tisch.* Ich bin ja so gespannt, wie du alles findest. Dein Urteil ist mir über alle Maßen wichtig!

ÄNNE. So bin ich doch auch einmal wichtig. – Karla, man darf nicht mit dem Messer – das bringt Unglück!

KARLA. Da habe ich aufgeschnitten!

ÄNNE. Ja, aufgeschnitten hast du immer gewaltig!

KARLA. Ich?

ÄNNE. Na, den guten Albert hast du mir doch –

KARLA. Du hast geglaubt?

ÄNNE. Offengestanden – keine Minute!

KARLA *küßt sie.* Ännchen!

ÄNNE *die Sachen aus dem Karton nehmend.* Karla – das ist ja für Kaiserkinder!

KARLA *schmollend.* Dann war ich also doch zu bescheiden.

ÄNNE. Spitzen – Spitzen oben und unten – das hält ja keine zwei Wäschen aus!

KARLA *alles knüllend.* Für mein Kind!

ÄNNE. Du hast ihm nicht so fort –

KARLA. Nein, Albert hab ich es nicht gestanden.

ÄNNE. Er ist doch der Vater!

KARLA. Ich – habe es nicht über die Lippen gebracht. *Eigensinnig.* Ich warte bis zum letzten Tag. Das ist mein Plan.

ÄNNE *lacht.* Da hört sich doch alles auf. Lebst du denn auf dem Mond? Das sieht er doch.

KARLA. Sieht Albert das?

ÄNNE. Heute schwerlich, aber – na und überhaupt!

KARLA *rasch.* Hilde weiß es auch.

ÄNNE. Hilde vor mir?

KARLA. Hilde hat mich überrumpelt. Sie ertappte mich im Laden, als ich die Sachen kaufte. Sie hat mich verfolgt – sie hat mich nicht aus den Händen gelassen – schritt ich schneller aus, schritt sie mit – wollte ich einen Umweg machen, bog sie mit ein – log ich eine Ausrede, nagelte sie mich fest! – Ich bin wie ein Wild vor seinem Jäger durch die Straßen gerast – und als ich mich in Sicherheit dünkte, hat sie mir das Geständnis abgepreßt! – Unbarmherzig mit furchtbarer Folter – unbarmherzig – unbarmherzig – unbarmherzig!! *Ihre geballten Fäuste schlagen auf und nieder.*

ÄNNE. Karla, du mußt dich jetzt schonen.

KARLA *schrill.* Schont mich – schont mich – habt Erbarmen – seid doch um Himmels willen gnädig mit mir!! *Sie fällt über den Tisch.*

ÄNNE *steht auf.* Hat Albert Sitzung?

KARLA *auffahrend.* Änne!!

ÄNNE. Ich übernehme es gern. Heute abend möchte ich bei euch beiden Mäuschen sein.

KARLA *zischend.* Wenn du das tust – was du sagst –

ÄNNE *ihre Wangen zwischen ihren Händen.* Ich bin kein Mäuschen. Blumen schicke ich dir.

KARLA. Ein Wort zu Albert – und ich – – verreise!!

ÄNNE. Karla – Kindchen!

KARLA *hervorstoßend.* Albert weiß es – – wir haben uns geschworen – – es geheimzuhalten – – bis zuletzt – – wir haben einen heiligen Eid geleistet – – auf unsern Tod – – auf unser Leben – – wir sind nicht wie alle – – wir lieben uns wahnsinnig – – eifersüchtig – –!!

ÄNNE *sich die Ohren zuhaltend.* Ich bin taub – ich höre nichts – ich verschwinde.

KARLA. Wohin gehst du?

ÄNNE. Zum Kaffeeklatsch!

KARLA. Wahrheit?

ÄNNE *lacht, küßt sie.* Der ist doch jetzt das Wichtigste von der Welt! *An der Tür, noch lachend.* Karla – Karla! Ab.

KARLA *schleudert die Sachen in den Karton – hält ein – lächelt – nimmt ein Jäckchen heraus und trägt es rechts hinein. Sie kommt zurück – schiebt den Karton unters Sofa.*

Rolf in der Mitteltür – mit Rosen.

KARLA. Rolf!

ROLF. Ich kam mit Helene zusammen.

KARLA *stammelnd.* Rolf –

ROLF *gibt ihr die Blumen.* Hilde ist bei mir gewesen.

KARLA *hält die Rosen einen Augenblick – dann läßt sie sie aus lockeren Händen auf den Teppich fallen.*

ROLF. Hilde ist am stärksten in ihrer Freude. *Aufmerksam.* Hast du viel Besuch gehabt?

KARLA. Änne.

ROLF. Ich bitte, setz dich. Störe ich dich?

KARLA. Ja, wir müssen davon sprechen. Man muß sich einmal klarmachen – und dann ist es aus dem Kopf.

ROLF. Was meinst du?

KARLA. Wir wollen von dem Kind sprechen, das ich erwarte. – – Ich habe mich früher gefürchtet, einem Kind das Leben zu schenken. Heute freue ich mich. Woher schöpfe ich den Mut? Nach meiner Ansicht, weil ich weiß, daß ich ein kluges und schönes Kind haben werde. Genügt das?

ROLF. Was soll genügen?

KARLA. Habe ich das Recht – jedes Recht, wenn ich die Gewißheit besitze, ein intelligentes Kind zu gebären?

ROLF. Jedes Recht – was ist das?

KARLA. Was überwiegt: – die Ehe oder das Kind?

ROLF. Die letzte Fragestellung war wesentlich einfacher.

KARLA. Was soll uns Müttern höher stehen: der Mann oder die Nachkommenschaft? – Die Antwort, die du mir gibst, akzeptiere ich. Als Urteil über schlimm und gut.

ROLF. Du schiebst dies so dicht auf persönliches Gebiet, daß ich zögere.

KARLA. Jede Frage, die uns im Fleisch brennt, fordert ein ganzes Bekenntnis. Hier stehe ich – Mutter eines Kindes – und frage nach meiner Pflicht!

ROLF. Ich lehne das ab.

KARLA. Ich kann jede erfüllen – die eine wie die andere. Wer sind wir Mütter? Wir sind die Auferstehung. Wir erwecken von den Toten. Nichts schläft, weil wir leben! – Wir können unsere Männer lieben – stark und freudig – aber wir fürchten für unser Kind. Und das Kind muß werden. Sonst vergehen wir uns am ewigen Leben. An Menschen der Zukunft, die größer und heller die Welt erfassen mit ihren Sternen und Sonnen. Wir sind die Brücke – zum kühnsten Bogen müssen wir uns spannen – um zu tragen – und nicht zusammenzubrechen!

ROLF. Es ist auffällig, wie stark die Ideen Rusts aus der Lektüre von zwei Bogen in dir Fleisch und Blut geworden sind.

KARLA. Ist – es auffällig?

ROLF. Ich will dich mit dem Vorwurf eines Plagiats nicht

beleidigen. Beileibe nicht. Deine Verarbeitung ist recht selbständig. Während Rust zum Phantom greift –

KARLA. Phantom –?

ROLF. – findest du instinktiv und einschränkend den gangbaren Weg: du schenkst der Ehe bis zu einem gewissen Abschnitt ihr egoistisches Recht – danach tritt die Pflicht auf, die Ehe mit dem Zweck einer befähigten Nachkommenschaft zu führen. Wohlverstanden: ein und dieselbe Ehe! *Seinen Notizblock hervorziehend.* Das ist sehr interessant.

KARLA *ist aufgestanden, schwankt.*

ROLF. Was machst du?

KARLA. Ich sammle deine Rosen.

ROLF. Ja, sehr interessant. Rust könnte da profitieren. – Würdest du Rust einmal zu euch einladen? Ich habe diese Bitte an dich. Ich möchte diesen Versuch nicht unterlassen. Rust findet sich nicht allein heraus. Es fehlt ihm jede Kraft, alte Verhältnisse aufzugeben. Ich bin gescheitert. Willst du ihm schreiben?

KARLA. Ich kann mir doch – in meinem Zustand keine jungen Leute einladen.

ROLF. Das sehe ich aber nun nicht ein!

KARLA. Mach' Änne den Vorschlag.

ROLF. Der Fehlschlag im Versuch!

KARLA. Er grüßt Änne ja nicht auf der Straße.

ROLF. Da siehst du!

KARLA *in der Mitteltür.* Und mir ist er ebenso fremd geworden! *Ab.*

ROLF *folgt ihr, ab.*

Karla kommt zurück mit den Rosen in einer Vase. Sie horcht nach Schlüsselrasseln – plötzlich reißt sie die Rosen heraus und trinkt gierig Wasser aus der Vase.

ALBERT *in der Tür mit der Ledermappe.* Stell' auf den Tisch die duftenden – *Über den Rosen.* Nach der Atmosphäre im Sitzungssaal – eine Luft, wie Präsident Wanker sagte, aus der man Verbrechen ballen könnte! – Deine Vase hat nicht genug Wasser. Wenn es auch der Vase nichts schadet, aber die Blümlein lechzen.

KLARA *eigentümlich lauernd.* Ich habe das Wasser ausgetrunken.

ALBERT *komplimentierend*. Ganz wie die Rosen.

KARLA *sich ihm an den Hals werfend*. Du hast mich ja gar nicht lieb!

ALBERT. Hoppla, das ist Insinuierung eines –

KARLA *ihn leidenschaftlich küssend*. Nein nein nein – du liebst dein Frauchen nicht!

ALBERT *resigniert*. Also nicht.

KARLA. Hast du mich lieb wie nichts auf der Welt?

ALBERT. Zum Zeichen dessen schleudere ich diese blutdampfende Mappe weit von mir. Nun habe ich erst die Arme frei!

KARLA. Herzensmann!

ALBERT *Küsse in Haar wühlend*. Karlamädchen!

KARLA *sich losmachend*. Jetzt mußt du in dein Zimmer gehen!

ALBERT *erregt*. Jetzt –

KARLA. Im Augenblick!

ALBERT. Muß ich meine Schulaufgaben machen?

KARLA. Gehorsam!

ALBERT. Ich lauf ja schon. *Er trottet mit komischen Schlenkerbewegungen rechts hinein*. Tür zumachen?

KARLA. Auf deinem Schreibtisch!

ALBERT *kommt wieder: an den Fingern das Jäckchen vor sich*. Kann man vertraulich fragen, stehen uns Onkel- und Tantenfreuden bevor?

KARLA *entreißt ihm das Jäckchen und hält es hinter sich*.

ALBERT. Bitte, das ist mein Eigentum. Das hat Schwägerin Änne für mich hingelegt, das ist die Ernennung zum dermaleinstigen Patenonkel.

KARLA *sieht ihn schräg an*.

ALBERT. Darf ich so was nicht mal ansehen?

KARLA *wie vorher*.

ALBERT. Also ausgeschlossen – von allen Kleinigkeiten. *Er setzt sich ins Sofa*.

KARLA *legt es vor ihn*. Es ist deins!

ALBERT. Das lege ich auf meine Akten. Ein Trostblick, es müssen mal bessere Menschen kommen.

KARLA *wieder wegnehmend*. Und meins!

ALBERT. Wir wollen es doch nicht salomonisch teilen. Lieber verzichte ich. So was zierliches zerreißen. Nicht mal mit einem Kinderjäckchen könnte ich das. Die Salomogeschichte ist mir zu grobschlächtig. Er hätte die Väter zitieren müssen. Ein ganz fauler Jurist – dieser Oberstaatsanwalt Salomo! *Hinlangend.* Wie wird das eigentlich geknöpft? Ich kann mich nicht mehr erinnern. Hatten wir Knöpfe?

KARLA *es an ihrer Wange wiegend.* Nein – nein.

ALBERT. Wie einfach das anfängt – und zu welchem Aufwand von Garderobe steigert es sich.

KARLA *gibt es ihm.* Da – nun ist es warm von meinem Gesicht!

ALBERT. Ist das niedlich gemacht. Da rutschen die Ärmchen durch – eins zwei. *Er steckt die Zeigefinger ein.* Eia popeia – was raschelt im Stroh! – So klein war man auch mal. Und so unschuldig. Das erschüttert mein Juristenherz am meisten. Meinst du, ob man seinen Eltern auch solche Freude macht wie –

KARLA. Jetzt mußt du ein Glas Wein trinken!

ALBERT. Aber – Karla, das ist doch stark verfrüht. Erst muß das Kindchen doch dasein, um auf seine goldnen Tage anzustoßen.

KARLA. Du trinkst Wein von deinem schönsten und schwersten Wein. Gib mir den Weinschrankschlüssel!

ALBERT. Ich trinke keinen Tropfen. Ich habe noch ein Urteil auszuarbeiten.

KARLA *vor ihm.* Du trinkst doch immer Wein! Du rauchst immer Zigarren! Du trinkst Likör!

ALBERT. Nein.

KARLA *ihn anstarrend.* Bist du es denn nicht gewesen, der immer den Wein – und die Zigarren – und den Likör – –??

ALBERT. Und wer hat's mir im Grunde seines Herzens nie gegönnt?

KARLA *sich an ihn ins Sofa werfend.* Ich – ich habe dir nichts gegönnt. Jetzt will ich dir deshalb das Schönste zeigen!

ALBERT. Noch was Schönres?

KARLA *zieht den Karton heraus und stürzt den Deckel ab.* Ich habe ja noch viele Jäckchen und Hemdchen und Häubchen!

ALBERT. Aha – wir statten unser Patenkind komplett aus. Sehr praktisch für die betreffenden Eltern.

KLARA *ihn hätschelnd.* Wir – werden ein Kindchen haben!

ALBERT. Was du nicht sagst.

KARLA. Änne war hier – wir haben zusammen gerechnet –

Anfang Mai können wir es erwarten! – Änne versteht sich doch darauf! – Denk dir, im Frühling kommt es zu uns!

ALBERT *zieht ein übertrieben dummes Gesicht.*

KARLA. Ich fühle mich doch seit einem Monat Mutter!

ALBERT *lacht.* Na – ich nehme dir deinen Scherz nicht übel.

KARLA. Lachst du? Freust du dich?

ALBERT. Also gut – hoffen wir auf einen Frühling!

KARLA. Nein – dieser Frühling!

ALBERT. Dein Programm ist nun leider nicht mehr durchführbar.

KARLA. Aber rechne doch. Ein Monat – im zweiten Monat bin ich doch!

ALBERT. Jetzt habe ich aber doch Lust auf ein gutes Glas Wein! *Er klimpert mit dem Schlüsselbund.*

KARLA *ihn im Sofa niederhaltend.* Siehst du – du trinkst. Du trinkst doch. Du hast immer getrunken. Getrunken – und getrunken, bis du benebelt warst – und wenn du deinen Rausch hast, vergißt du alles! – Ich weiß doch – daß du Wein getrunken hast – und Bier – Flaschen Bier und Flaschen Bier – – an einem Abend – – an diesem Tisch – – du probiertest die neuen Sorten Wein – – aus dem gelben Katalog – – den du zuerst suchtest – – das weißt du doch noch? – – Du wolltest Helene eine furchtbare Szene machen! – – Weißt du denn nichts mehr? – – Du wurdest immer lustiger – – du sangst Lieder aus deiner Studentenzeit – – vom Referendartisch – – und nahmst mich auf die Knie – – wie dein Mädchen – – du hast dich ja so verschwatzt an dem Abend – – du wußtest ja gar nicht mehr, wo du warst – – wer ich ich – – du betteltest – – und barmtest – – und da tat ich dir den Gefallen! – – So beduselt warst du – – so beduselt warst du!!

ALBERT *sehr ruhig.* Ich weiß nicht, worauf du zielst. Vielleicht führst du ein Gespräch herbei, auf das ich gewartet habe. Ich möchte dir einiges sagen, was nicht unüberlegt über meine Lippen kommt. Ich will dir bekennen, wie schön – und wenn ich mich als nüchterner, sehr nüchterner Mensch so ausdrücken soll! – wie erhaben ich unser Verhältnis zueinander einschätze. Ich habe durch dich das wiedergefunden, was für uns junge Männer vielleicht der schwerste Verlust ist: die Ehrfurcht vor der Reinheit der Frau. Fast neunundneunzig Prozent holen das nicht mehr ein. Auch später nicht, wenn sie sich verheiratet haben. Ich will über mich

keinen Schein breiten, ich habe diese Dummheiten gefähr-
lichster Art auch gemacht. Ich glaubte das Weib nicht mehr
achten zu können. Seit ich mit dir das Leben führen darf, ist
mir das Beste neugeschenkt worden. Ich danke dir. Durch
dich kann ich an meine reine Kindheit wieder anknüpfen –
und sollte mir einmal blühen, was du eben sagtest – so
würde ich meine ganze Kraft daransetzen, meinem Sohn vor
seiner Mutter jene Ehrfurcht einzuprägen – zu der ich ihm
das Beispiel gebe! *Rechts ab.*

KARLA *sieht auf die Tür – dann stürzt sie in sinnloser Hast
vor dem Karton in die Knie und arbeitet ohne Rücksicht
auf Lärm den Inhalt heraus. Jedes Stück glättet sie, liebkost
es.* Eia popeia – – – –

ALBERT *öffnet halb die Tür und sieht ihr zu.*

VIERTER AKT

Rusts Stube.

RUST *kommt. Paletotkragen hoch, Hut tief. Er findet einen Brief auf dem Tisch, liest und steckt ihn zerknüllt ein. Dann tritt er vors Bett, kramt Laubwerk aus den Taschen und streut es über das Bett hin. Danach wieder zur Tür.*

BETTY *in der Tür.* Sind Sie gekommen?

RUST *kehrt um – zieht den Mantel aus, schleudert den Hut weg und beginnt sich umständlich zu waschen.*

BETTY. Heute ist der zehnte Tag.

RUST. Führst du Kalender?

BETTY. Ich habe doch hier geschlafen!

RUST *spritzt Wasser nach ihr.* Kreatur!

BETTY. Verreist sind Sie nicht. Ihr Koffer steht unterm Bett. Warum schlafen Sie nicht mehr hier?

RUST. Tags ist mir der Park zu fratzenhaft belebt.

BETTY. Nachts sind Sie drin?

RUST. Da sitz ich auf Bänken, reihum. Jede Bank hat ihre Stunde und ihren Namen. Nach dem Stern drüber. Eine Bank hat keinen Stern. Dafür den schönsten Namen. Den verrate ich dir so nicht. Willst du heute nacht in den Park kommen?

BETTY. Mama verhaut mich.

RUST. Ins Bett?

BETTY. Wenn Sie wieder weg sind.

RUST *packt sie.* Und wenn ich da bin?

BETTY. Da spricht wer! *Ab.*

ÄNNE *in der Tür.* Hier wohnen Sie. Hier bin ich also erst am Ziel. Wie in Katakomben steigt man ja. Überall zweigen Gänge ab. Ich hatte mir das gar nicht vorgestellt. Ich bin ja Spießruten gelaufen!

RUST. Eine elegante Dame!

ÄNNE *umschauend.* Hier – wohnen Sie?

RUST. Ein Sofa ist immerhin vorhanden.

ÄNNE. Ja – kann man sich denn setzen?

RUST. Blitzeinfach – leichte Kniebeuge, um das Niveau der Sitzfläche zu erreichen – und man schwebt!

ÄNNE *staunend.* Nein –!

RUST *im Sofa.* Ich übertreibe nicht. Sprungfedern gelenkig.

Arabisch Roßhaar. Vollblut. Wenn Sie sich an meiner Seite niederlassen, prellen wir gegeneinander wie vergnügte Gummibälle!

ÄNNE *sich schüttelnd*. Nein – das kann ich nicht! *Zur Tür.*

Es wird angeklopft.

RUST *schreit*. Ich habe Damenbesuch!

ROLF *öffnet*. Du?

ÄNNE. Gottseidank daß du kommst, Rolf!

ROLF. Du bei Rust? Hast du dich mit Rust ausgesprochen? Ich will euch nicht unterbrechen.

ÄNNE. Herr Rust hat mir von seiner schönen Reise erzählt. Er kann uns die Route dringend empfehlen. Vor allen Dingen die reine Luft!

ROLF. Rust macht Sensation mit seiner Reise. Jetzt geht ihm Änne in die Schlinge.

ÄNNE. Für Willy. Er ist ja von seinen vielen geschäftlichen Eisenbahnfahrten ganz elend!

ROLF. Ja, Reisende sind Wundertiere.

ÄNNE. Begleitest du mich? Ich habe keine Minute mehr übrig.

ROLF. Nein, Änne, jetzt mache ich meine Rechte an Rust geltend.

ÄNNE *gegen Rust*. Ich danke Ihnen auch im Namen meines Mannes. Leben Sie wohl, Herr Rust.

ROLF. Wie das klingt. Was, Rust?

ÄNNE. Rolf, sei nicht zu spät heut abend! *Ab.*

ROLF *vergnügt*. Meine ältere Schwester hier. Auf Änne hätte ich zuletzt geraten! – Aber ich will dir berichten. Dein Werk – die beiden Bogen – haben einen Leser gehabt, der dir alle Ehre macht.

RUST. Bemühe dich nicht.

ROLF. Karla.

RUST *scharf*. Lügst du aus Bedürfnis?

ROLF *mit seinem Notizblock*. Aus dem Eindruck auf Karla kann man leicht Schlüsse auf die Wirkung in der weiten Öffentlichkeit ziehen.

RUST *lauernd*. Weiter.

ROLF. Es hallt wie ein mächtiger Weckruf aus deiner Schrift. Und da geschieht das Wunderbare: du wirbst dir Mitarbeiter. Die sind ja hier ganz unentbehrlich. Am Fall meiner Schwester ist mir das aufgegangen. Hast du die lapidaren Sätze von Bogen eins im Kopf? Das strotzt doch von Übertreibungen und hat Gültigkeit nur in der These. Die Posaune ist notwendig, ich wünsche keine Milderungen. Aber was wäre für dich gewonnen, wenn tatsächlich nur das gelesen würde, was dasteht. Eine ernsthafte Beachtung könntest du kaum erwarten. Mit dem Gefühl des Abscheus würde man das Buch aus der Hand legen, lächeln und vergessen. Denn im Grunde predigst du die wüsteste Unmoral. Und Unmoral – und damit schlägst du dir selbst ins Gesicht – verdammt zur Unfruchtbarkeit! – Alles das sind Gefahren, die dein Werk zerstören würden, wenn nicht die Frau selbst mitarbeitet. Sie findet instinktiv die gebotenen Einschränkungen und schafft das wertvolle Prinzip zu möglichem Leben um. So ist es wieder: du, der Mann, befruchtest – und die Frau muß gebären. Dieser Unterstützung bist du sicher, ich bringe dir den durchschlagenden Beweis! – Kann dir das nun nicht den Stoß geben, fleißiger zu sein?

RUST *sucht den Brief aus dem Mantel und gibt ihn Rolf.*

ROLF *glättet – liest. Sieht Rust an.* Du ziehst dein Buch zurück?

RUST. Bestätigungsschreiben des Verlegers. Deutlich?

ROLF. Ich frage – warum?

RUST. Weil es mir durch deinen Köder unschmackhaft geworden ist!

ROLF. Was heißt das?

RUST. Wer hat gelesen?

ROLF. Ich sagte dir: Karla.

RUST. Nein!

ROLF. Eine Indiskretion hast du mir damals nicht vorgeworfen.

RUST. Du bist nicht indiskret gewesen!

ROLF. Ich faßte die Weitergabe an meine jüngere Schwester auch nicht so auf.

RUST. Hinaus!

ROLF. Ich verstehe dich nicht. Arbeitest du nicht mehr?

RUST *seinen Knotenstock schwingend.* Ich arbeite mit diesem Knüppel Schritt vor Schritt mich durch. Durch dick und dünn wieder. Mein Werk? Mein Namen? Ehrgeiz? Piff paff! Ich will nichts vorstellen, vorbeten oder vorkäuen. Auf dieser Erde mit geringstem Reiz, die Schwadronen Pilze ansetzt. Ich bin nicht Hauptpilz – nicht Mittelpunkt – nicht Peripherie – ich bin nicht Radius – ich erhebe mich nicht zum Quadrat – ich ziehe keine Wurzel aus mir – ich bin der verdämmernde Schwanz eines Logarithmus an letzter Stelle. Das ist mein Einmaleins – einmal eins und keins – piff paff – beiseite!

ROLF *ruhig.* Arbeitest du nicht mehr?

RUST. Piff paff!

ROLF. Liegt das Manuskript noch beim Verleger?

RUST. Willst du mich plagiieren? Piff paff!

ROLF. Ja – dann bin ich vielleicht von jetzt an überflüssig.

RUST. Immer, Lux. Piff paff. Du begreifst langsam!

ROLF *ab.*

RUST *hämmert die Fäuste auf den Tisch – wirft sich aufs Bett.*

Schwaches Anklopfen.

RUST *springt auf, starrt zur Tür.*

KARLA *wieder im Mantel, mit Schleier – kommt.*

RUST *steif.*

KARLA *verschließt die Tür – lächelt geziert.*

RUST *wie vorher.*

KARLA *setzt sich ins Sofa. – –* Bist du stark genug, um einen Stoß auszuhalten?

RUST *wie vorher.*

KARLA. Einen tüchtigen Puff gegen die liebe Eitelkeit?

RUST *wie vorher.*

KARLA. Schriftsteller sind eitel. Gesteh es doch. Sie werden es mit ihren gedruckten Büchern. Das ist wie hundert Leben aus einem, wenn andere sie lesen. Ihr müßt euch doch wie kleine Götter vorkommen.

RUST *macht eine schleudernde Bewegung.*

KARLA. Ich soll dir wohl noch schmeicheln?

RUST. Mein Buch –

KARLA. Ja, du hast mir erzählt. Ein Reisewerk – was Geographisches.

RUST *sarkastisch.* Geopgraphie – schön!

KARLA. Bist du jetzt ernst oder lustig? Sonst habe ich keinen Mut zu meiner Frechheit.

RUST. Gebeutelt!

KARLA. Nein, nicht lachen. Wir müssen ganz ernst davon sprechen.

RUST *rittlings auf einem Stuhl.* Todernst.

KARLA. So, jetzt kann ich es herausbringen. Willst du auf dein Buch verzichten?

RUST. Nur was Geographisches, nicht der Rede wert!

KARLA. Um meinetwillen!

RUST. Fordere – befiehl – herrsche – knall die Peitsche.

KARLA *erregt.* Ja, ich will dich prüfen, ob du eines Opfers für mich fähig bist. Gib mir dein Buch. Ich will es vor deinen Augen verbrennen!

RUST. Etwas zu spät.

KARLA. Das kann ich von dir verlangen! *Gesteigert.* Ich habe dir gegeben – ich habe mich von Hause fortgestohlen – ich habe Lügen um mich geschichtet, daß ich mich selbst nicht mehr kenne! Ich habe mich im Keller verkleidet – ich bin auf diesen Treppen gewandert, auf denen ich fast zusammengebrochen bin! – Ich bin von Wahrheit und Reinheit so verlassen, wie nur ein Mensch unter Menschen sein kann! – – und du weigerst dich, mit diesen erbärmlichen Gefallen zu tun, der dich nichts kostet als deine Eitelkeit?!

RUST. Das Buch ist tot! *Er legt den Brief vor sie.*

KARLA *überfliegt.*

RUST *überm Tisch.* Soll ich dir noch von dem Buch erzählen? – Ich genoß einmal das hohe Glück, in einem Hause zu verkehren, in dem zwei Schwestern waren. Die ältere verehrte ich – die jüngere liebte ich. Ich wuchs in einen Zustand hinein, von dem ich erst Bewußtsein erhielt – als es abschnitt. Als die jüngere sich gelegentlich verlobte. Ganz gelegentlich! – Ich floh. Das war die Reise. An welchen Türen ich bettelte – in welchem Idiom ich abgewiesen wurde – auf welchem Heu oder Klee ich nächtigte, morgenwindgeschüttelt, mir eins und gleich. Nur das vergessen und vergraben! – Und dann muß man doch zurück mit keuchender Eile. Und dann setzt man sich hin – und lügt ein Buch zusammen, um zu beleidigen – um zu verhöhnen – um zu bespein. Wer's Geld hat, der kauft euch – der kirrt euch. Dem unterliegt ihr – holla die Nacht ist lustig auf dem Geldsack. Ihr kennt euch knapp, einer den anderen, und paart euch. So schamlos, so – so dirnenhaft. Ekel! – – Ich aber – du und ich – wir zwei, die durch das einzigartige Wunder gemeinsamer Jugend verbunden sind – unverbrüchlich! – wir sind versprengt – – und eins doch, wie Tod und Leben verkettet sind!!

KARLA *stammelnd.* Du nimmst dein Buch nicht ernst?

RUST. Ein höllischer Witz – Wutschrei des Gerpellten! – Übrigens nur eine schlichte Reisebeschreibung!

KARLA *steht auf.* Ja – – eine Reisebeschreibung – – mehr doch nicht – –

RUST. Abschied?

KARLA *mühsam.* Sie müssen –

RUST. Warum dies Widersehn, das nachhinkt? Ich trete ab – tat's am selben Tage, als ich zum erstenmal vergeblich hier wartete.

KARLA. Sie müssen reisen.

RUST. Vielleicht.

KARLA. Gleich!

RUST. Wüste hier – Wüste dort. Kein blendendes Ziel.

KARLA. Irgendwohin – jetzt – aus der Stadt! Du bist gestern schon abgereist – vor Wochen – vor vielen Wochen. Schreibe von irgendwoher was an Rolf – an Änne!

RUST. Ich bleibe. Im Hauch dieser Kammer blüht noch Duft. Unvergeßlich.

KARLA. Dein Koffer – ich will dich weggehn sehen!

RUST. Blüht Duft, unvergeßlich.

KARLA. Ich – habe ein Kind!

RUST. Sie sind verheiratet.

KARLA. Nein!

RUST *stumm.*

KARLA *steif gegen den Tisch.*

RUST *im Sprung bei ihr.* Du sagst das – – mir?

KLARA. Du!

RUST *sucht seinen Hut.* Bleib – sitz hier!

KARLA. Wohin willst du?

RUST. Zu dir – zu mir – zu uns!

KARLA. Was ist das?

RUST. Ich laufe in dein Haus – irgendwo steht das Haus in der Straße – ich finde es heraus – ich hafte an der Klingel – und wenn sie kommen und plärren, schrei' ich ihnen ins Gesicht – ein Wort, das hallt – das erleuchtet – das die Gaffer platt zu Boden haut!

KARLA *hält ihn fest.* Ich verstehe Sie nicht –

RUST *umschlingt sie.* Ich fechte für uns wie der Löwe. Ich lasse nicht mehr mit mir feilschen!

KARLA. Was wollen Sie denn tun?

RUST. Herüber mit dir zu mir. Kein Widerstand, ich brauche Fäuste!

KARLA. Was reden Sie denn durcheinander?

RUST *sachlich.* Soll ich von dem Kind nichts sagen? Das bleibt unsere letzte Karte. Für den Notfall. Ich flunkere dreist: Ich brauche dich zu meinem neuen Werk. Da müssen sie sich doch ergebenst verbeugen!

KARLA. Wagen Sie es nicht –

RUST. Oder hast du dich schon freigemacht, selbstherrlich wie in allen deinen Taten?

KARLA. Wagen Sie nichts!

RUST *grübelnd.* Am Ende ist es falsch. Von dem Kinde darf nichts gesagt werden.

KARLA. Was geht Sie –

RUST. Was geht es die andern an? Unser Kind!

KARLA. Was geht Sie – – mein Kind an?!

RUST. Das schmiedet uns zusammen wie Stahl an Stahl!

KARLA. Es trennt uns – – wie man sich nur voneinander trennen kann!!

RUST. Ich kenne nur noch uns!

KARLA. Wollen Sie mich zur Mörderin machen? Soll ich mein Kind mit meinen Händen erwürgen müssen?! Wollen Sie mich anstiften – zur Kindesmörderin?!! – Fassen Sie mich nicht an. Rühren Sie nicht an meinen Arm – an meine Handschuhe. Fassen Sie das Kind nicht an!!

RUST. Wir müssen ruhig denken.

KARLA. Soll ich ruhig an den Mord meines Kindes denken?!

RUST. Wir leben nur unserm Kind.

KARLA. Soll es leben – und wissen, daß seine Mutter eine Dirne ist?! – – Soll es an seiner Mutter zweifeln, aus der es kommt – – in der es stehen will zeitlebens?! – – Mein Kind kommen aus dem Schwindel – – aus der Lüge?! – Mein Kind?! – Mein Kind?!

RUST. Es wird dich einmal nur tiefer achten.

KARLA. Wenn ich mich selbst verachten muß?!

RUST. Stolze – schöne Karla!

KARLA. Weg von meinem Kind!!

RUST. Du Muttergottes!

KARLA. Was ist denn das? – Mein Kind, das schöne Kind – das sich entwickeln sollte – – mit Augen, die die Welt an-strahlen – – die ganze Welt wieder verwandeln – – gut und

klar und rein – –! Mein Kind – im Dunkel treiben – – ver-
stümmelt – – haltlos – – haltlos im einzigen Halt seiner
Mutter?! – – *Stark.* Ich will mein Kind – – meins – – meins
– – Ich bin die Mutter – – Gottes ist das Kind!! – –

RUST *entschlossen.* Ich werde morgen kommen.

KARLA *weicht vor ihm zurück.* Ich soll – kein Kind haben?!

RUST. Morgen werde ich dich von dem andern fordern.

KARLA *mit dünner Stimme.* Darf – ich – kein – Kind –
haben??

RUST *kalt.* Ich nehme mir jetzt mein Recht ohne Rest.

KARLA *tonlos.* Ich – darf – nicht??

RUST. Ich sehe mein Ziel – und so erreiche ich es.

KARLA *fast demütig.* Ich – darf – kein – Kind – haben – –
– – *Sie schließt auf – ab.*

RUST *füllt seinen Koffer, packt den Knotenstock fest -- ab.*

Betty kommt und schiebt sich ins Sofa.
Es wird angeklopft.

BETTY. Ich bin hier!

ROLF *kommt, im schwachen Licht nicht sehend.* Ich fingierte
um der Sache willen einen Auftrag von dir und holte das
Manuskript ab. Ich frage dich in letzter Stunde: willst du
diese für mich heilige Schrift verwerfen?

BETTY *lacht.*

ROLF. Rust?

BETTY. Koffer weg – verreist!

ROLF. Das ist die endgültige Absage. *Er steckt das Buch in
den Ofen und zündet an.*

FÜNFTER AKT

Das Wohnzimmer bei Änne.

ÄNNE *in einem Sessel, vor sich Flasche Bier.*
HILDE *schält Rolf, der neben ihr im Sofa sitzt, einen Apfel.*
Wenn es ein Junge ist, muß er Benvenuto heißen – der hochwillkommene.
ÄNNE *trinkt.*
HILDE. Für ein Mädel habe ich einen ebenso schönen Namen in petto. – Seid ihr nicht neugierig?
ÄNNE. Wir warten lieber ab, was wir erleben.

KINDERFRÄULEIN *kommt links.* Das Fräulein möchte doch jetzt den Kindern das Märchen erzählen.
HILDE. Ich komme.
KINDERFRÄULEIN *ab.*

HILDE *den Apfel zerstückelnd.* Rolf, du mußt verzichten – mit diesem Apfel muß ich mir die Nachsicht meiner Zuhörer erkaufen.
ÄNNE. Ist dir schon die große neue Geschichte eingefallen, die du Illa und Bubs angekündigt hast?
HILDE. Keine Spur. Ich rechne auf meine Eingebungen, die mir vor Kindern nie fehlen. *Links ab.*

Gleich aufjauchzende Kinderstimmchen.

ÄNNE. Sonst fließen die Tränen, wenn es zu Bett heißt. Bei Hilde können sie nicht früh genug abmarschieren.
ROLF *schweigsam.*
ÄNNE *gedämpft.* Ich habe dir noch keine Aufklärung über unser Zusammentreffen heute nachmittag gegeben.
ROLF. Läßt sich der Zweck nicht erraten?
ÄNNE. Was hast du von mir gedacht?
ROLF. Rust hast du zu euch eingeladen. Und Rust lehnt ab.
ÄNNE. Hat Rust so erzählt?
ROLF. Weil Rust deinen Besuch mit keiner Wendung im weiteren Gespräch vor mir erwähnte, ahne ich deinen Mißerfolg bei ihm.
ÄNNE. Ich habe Rust nicht eingeladen!
ROLF. War denn die Erkundigung nach Rusts Reise der Grund?

ÄNNE. Nein. Eine Ausrede, die mir über die Lippen schoß. Wir planen keine Reise. Am wenigsten auf Rusts Empfehlungen.

ROLF. Was führte dich zu ihm?

ÄNNE. Ich wollte ihn einladen. Mit dem Vorsatz ging ich hin. Aber dann konnte ich nicht. Ich konnte kein Wort davon sagen. Der Widerstand war so stark, daß ich im Augenblick selbst meine ursprüngliche Absicht vergessen hatte.

ROLF. Was hat dich von Rust abgestoßen?

ÄNNE. Nichts – und alles.

ROLF. Die Person Rust?

ÄNNE. Oder die Umgebung. Die ganze Liederlichkeit in der Kammer.

ROLF. Ja, Rust ist nicht verwöhnt.

ÄNNE. Ein Mensch, der diese Ansprüche macht – und nicht bessere, an den hängt es sich.

ROLF. Liederlichkeit?

ÄNNE. Ja.

ROLF. Wie kamst du auf den Gedanken, Rust aufzufordern zu euch zu kommen?

ÄNNE. Karlas wegen.

ROLF. Was?

ÄNNE. Rust sollte hier sein und Karla ihn treffen. Ich dachte mir, sie würde da den Anschluß an die Vergangenheit wiederfinden und die Wirkung eine wohltätige sein. Das war mein Plan. Karla sollte mit ihm sprechen – wir sitzen alle um den Tisch – alles ist wie damals – und ihre reine schöne Jugendzeit würde wieder aufleben.

ROLF. Und willst du den Versuch nicht wiederholen?

ÄNNE. Wenn du und ich uns den besten Erfolg versprechen müßten – ich überwände mich nicht!

ROLF. Dann will ich dir folgendes sagen, was deinen Irrtum korrigiert: in dieser dürftigen Umgebung, die dich zum Ekel stimmt, hat Rust ein wertvolles Buch geschrieben. Du siehst also, daß die äußeren Zustände nicht auf ihn abfärben konnten.

ÄNNE. Was ist das für ein Buch?

ROLF. In rechten Händen das sittlichste Buch der Erde.

ÄNNE. Wovon handelt es?

ROLF. Es erhebt die Forderung nach dem vielfachsten Leben.

ÄNNE. Was heißt das?

ROLF. Die Pflicht der Mütter zur reichsten Nachkommenschaft.

ÄNNE. Die Pflicht?

ROLF. Nicht die Ehe ist wichtig – die Schöpfung des Menschen soll bestimmend wirken.

ÄNNE *unruhig.* Solche Bücher sollten nicht geschrieben werden!

ROLF. Du willst sagen, nicht von jedem gelesen werden. Das ist ja auch nicht gewünscht. Es kommen nur wenige ernsthafte Menschen in Betracht.

ÄNNE. Ich würde es nicht aufklappen!

ROLF. Du bist ja ganz aufgeregt.

ÄNNE. Ich kann mich furchtbar erregen über Bücher, die die Natur verzerren. Nur wer unmoralisch ist, liest das!

ROLF. Karla hat es weit ruhiger aufgenommen.

ÄNNE. Hat Karla das gelesen?

ROLF. Was schon gedruckt war, aber immerhin doch voll orientierend.

ÄNNE. Wer hat es ihr gegeben?

ROLF. Ich erhielt es von Rust zur zweiten Korrektur und habe Karla mitlesen lassen.

ÄNNE. Rolf – ich weiß nicht, ob du das durftest!

ROLF. Ich erhielt Rusts nachträgliche Erlaubnis.

ÄNNE. Nein, so nicht. Ich meine – – – Aber das ist ja – – Bücher sind Bücher. Die liest man!

ROLF. Deine rasche Verurteilung ist typisch. Es hat schon dem Wertvollsten zur Unfruchtbarkeit verholfen! – Aber ich kann dich besänftigen, das Buch ist kassiert.

ÄNNE. Polizeilich?

ROLF. Nein, das nun nicht. Rust verleugnet es – und ich selbst habe es verbrannt. Bist du jetzt beruhigt?

ÄNNE. Das – weiß ich selbst nicht. Warum verleugnet es Rust?

ROLF. Sein reicher Geist verschmäht die dürftige Gabe, an der wir uns sättigen.

ÄNNE *abbrechend.* Hast du mit Albert gesprochen? Ist er einverstanden?

ROLF. Ich werde mir den Arzt noch ansehen, dem wir Karla ins Sanatorium geben.

ÄNNE. Irren wir denn nicht?

ROLF. Professor Lozinger gilt als Kapazität.

ÄNNE. Ja ja.

ROLF. Ich wüßte keinen geeigneteren Vorschlag für ihre Unterbringung zu machen.

ÄNNE. Es muß ja richtig sein. Albert hat seine Beobachtungen gemacht – auch das Dienstmädchen. Sie hat die Flaschen, wenn sie sie halb geleert, mit Wasser aufgefüllt. Den Likör hat sie unverblümt weggetrunken. Ich selbst entsinne mich solcher Momente. Du auch. Hilde. Sie hantierte eigentlich immer mit Flaschen. – Ist es häufig, daß Frauen, die Trinkerinnen sind, sich als Mutter ausgeben?

ROLF. Der Fall ist selten.

ÄNNE. Nicht wahr?

ROLF. Vielleicht eine Einzelheit.

ÄNNE. Siehst du!

ROLF. Wie übrigens alle Fälle dieser Art einmalige sind. Es ist nämlich das Bestreben jedes Trinkers, seinen Zustand mit einer möglichst absurden Begründung zu verschleiern. Es soll verblüffen – und beweist desto gewichtiger. Wissenschaftlich fällt also Karlas Behauptung nicht aus dem Rahmen. Sie schützt beginnende Mutterschaft vor, weil sie davon gehört hat, daß Frauen sich dann erregter verhalten.

ÄNNE. Aber jetzt, wo Albert ihr jede Gelegenheit fernhält! Selbst keinen Tropfen vorbildlich trinkt.

ROLF. Was mich – eine Frage, die mich beschäftigt und die ich mir selbst nicht beantworte: warum soll sich Karla nicht Mutter fühlen?

ÄNNE. Weil – Albert es mir gesagt hat!

HILDE *kommt.* Jetzt sind die Herrschaften gnädig. Endlich entlassen.

ÄNNE. Ja, was man Kindern verspricht, muß man halten.

HILDE. Der Apfel wurde als Bestechungsversuch mit Entrüstung zurückgewiesen.

ÄNNE. Was hast du ihnen denn aufgetischt?

HILDE. Vom schwarzen und vom goldnen Turmhahn.

ÄNNE. Hildchen, du verwöhnst mir die Knirpse!

ROLF *steht auf.* Illa und Bubs sind befriedigt.

HILDE *sich von Änne verabschiedend.* Laß dir morgen von Illa erzählen.

ÄNNE. Ach, Bubs führt ja immer das große Wort. Kommt gut nach Hause. Rolf, ich stelle dir Äpfel hin. Ich bin müde.

Rolf und Hilde ab.

ÄNNE *stellt die Teller zusammen.*

KINDERFRÄULEIN *kommt.*
ÄNNE *zusammenfahrend.* Was gibt es denn?
KINDERFRÄULEIN. Sie möchten mit den Kindern singen.
ÄNNE. Ja. *Beide links ab.*

Durch die offene Tür hört man gleich darauf Änne und die Kinder singen.

DIENSTMÄDCHEN *öffnet die Mitteltür.* Ich rufe Frau Forbrig.

KARLA *wie zuletzt gekleidet, doch verwüstet.* Sagen Sie nichts. Ich will meine Schwester überraschen.
DIENSTMÄDCHEN *ab.*

KARLA *bleibt an der Tür.*

Der Gesang hört auf.

ÄNNE *kommt – zurücksprechend.* Sie können auf Ihr Zimmer gehn, Marta. Gutenacht. Die Höschen von Bubs flicken Sie doch noch. Gutenacht. *Karla sehend, stumm.*
KARLA *taktiert.*
ÄNNE *rauh.* Karla – wie siehst du aus! – Was machst du denn mit den Händen? Bist du nicht sicher auf den Füßen?
KARLA. Ihr singt schön.
ÄNNE. Setz dich hin. Ich führe dich.
KARLA. Du hast ja eine große Stimme. Mezzosopran. Wirklich, Ännchen.
ÄNNE. Ins Sofa.
KARLA. So weich saß ich in der Kutsche auch.
ÄNNE. Wie – in der Kutsche?
KARLA. Ich bin doch Droschke gefahren. Aber Albert darf es nicht wissen. Er schilt sonst, ich verschwende. Sein Gehalt ist doch nicht unerschöpflich. Darum habe ich mich ja auch zu dir fahren lassen.
ÄNNE. Karla, der Weg zu euch ist doch nun erst recht weit!
KARLA. Ist er weit? – Aber Drosche bin ich doch gefahren. Den Spaß mache ich mir nämlich oft. Heimlich in eine Droschke – und dann losgesaust. An einer Ecke steige ich aus. Das wißt ihr nicht? Meine rasende Passion? Droschkefahren!
ÄNNE. Hut schief – der Schleier verknüllt!

KARLA *zerrt daran.* Jetzt ist er ganz herunter. Wie ein Strick hat er sich gerollt, mit dem ich mich erwürgen kann.

ÄNNE. Laß!

KARLA. In diesem Mantel war ich als Backfisch so stolz. Und als du mir den Hut dazu schenktest, kam ich mir wie eine große Dame vor. *Die Arme um Änne schlingend.* Ach, ich danke dir für alle deine Güte und Liebe!

ÄNNE. Du weckst die Kinder auf.

KARLA. Laß mich deine Kinder sehn!

ÄNNE. Jetzt nicht. Das erlaube ich dir nicht!

KARLA. Du erlaubst nicht, daß ich deine Kinder nur ansehe?

ÄNNE. Ich habe sie mit Mühe und Not in Schlaf gesungen.

KARLA. Wenn ich ganz leise an ihre Bettchen trete. Mich leicht mache, daß sie meine Schritte nicht knistern hören?

ÄNNE. Das kannst du nicht!

KARLA. Und mich auf ihre Köpfchen beuge und einmal schwach auf den Mund küsse?

ÄNNE. Du fällst auf die schlafenden Kinder. Ich kann dir's nicht zugeben!

KARLA. Warum kannst du's mir nicht zugeben?

ÄNNE. Weil – –

KARLA. Warum?

ÄNNE. Ich darf nicht. Nun finde dich damit ab. Ich muß es auch.

KARLA. Ich soll also deine Kinder nicht mehr ansehn – nicht küssen dürfen?

ÄNNE. Heute nicht!

KARLA. Warum heute nicht?

ÄNNE. Nein.

KARLA *sie wieder umschlingend.* Erlaub' es mir doch einmal!

ÄNNE. Quäl' nicht!

KARLA *läßt sie los.* Ich will trinken.

ÄNNE *stellt Flasche und Glas zurück.* Nein!

KARLA. Es ist doch Bier.

ÄNNE. In meinem Hause bekommst du nichts zu trinken!

KARLA. Du hast doch da Bier.

ÄNNE. Von mir bekommst du nichts!

KARLA. In deinem Hause – bekomme ich nichts zu trinken?

ÄNNE. Karla – Karla! – um eine Antwort – um die Wahrheit – – bei allem, was uns Menschen, die wir alle sind, heilig ist! – flehe ich dich an. Wir sind ja alle schon fast verrückt geworden! Antworte mir mal, Schwester zu Schwester!

KARLA. Bekomme ich dann Bier?

ÄNNE. Alles – alles, wonach du rufst. Die Kinder springen in ihrem Hemdchen hier herein – barfuß – vor dich – in deinen Schoß! – – Hast du ein Kind?!

KARLA *wiegt den Kopf.* – – – – In meinem Kopfe – –

ÄNNE *zieht ihr Gesicht zwischen ihren Händen vor sich.* Hast du ein Kind?

KARLA. In meinem Kopf – – da war es zuerst am Leben – – die Ohren sind offen – – die Augen sind offen – da ist es durch die Augen – oder die Ohren – hineingeschlüpft!

ÄNNE. Und du erzählst uns, was nicht wahr ist?

KARLA. – – Kann denn ein Kind im Kopfe geboren werden??

ÄNNE. Sag klipp und klar – nein!

KARLA. – – Ich darf ja keins haben!

ÄNNE. Nein, nein, Karla, du nicht. Denk an Albert!

KARLA. Ich darf keins haben – – ich darf keins haben – – ich darf keins haben – – –

ÄNNE. Wie bist du auf die Lüge gekommen?

KARLA. Ja, Änne – – weil alles Lüge ist – – alles Schwindel! Es müßte blind geboren werden – – und stumm – – um nicht zu sehen – – um nicht zu fragen – – – – wenn man das nur bestimmt vorher wüßte!

ÄNNE. Hast du geglaubt, daß sich so was zusammenlügen läßt?

KARLA. Nein – – es kommt heraus – – es läßt sich nicht vertuschen – – das Kind bringt alles an den Tag – – das Kind entlarvt seine Mutter!!

ÄNNE. Du mußt doch geradezu beschwipst gewesen sein?

KARLA. Ja, Änne, ich muß es gewesen sein.

ÄNNE. Du bist es eigentlich immer?

KARLA. Beschwipst?

ÄNNE. Du bist es doch jetzt wieder?

KARLA. Was denkst du denn von mir?

ÄNNE. Was wir alle denken. Albert – Rolf – Hilde – ich. Du trinkst!

KARLA. Wie kommt ihr denn darauf?

ÄNNE. Du hantierst doch zuhause immer mit Flaschen – füllst die geleerten auf. Das Dienstmädchen hat dich doch beobachtet. Du fährst ja mit Droschken in Kneipen!

KARLA *keuchend.* Das habt ihr – – von mir – –?!!

ÄNNE. Und um deine Sucht vor uns zu verstecken – erklärst du deine fortwährende Aufgeregtheit mit Mutterschaft. Rolf hat diese Diagnose gestellt!

KARLA *wimmernd.* Ihr habt mich – hinter meinem Rücken – beschmutzt!!

ÄNNE. Karla, so kannst du nicht vor Albert erscheinen. Du schläfst diese Nacht hier, das Fremdenzimmer ist ja nicht hergerichtet, das Bett ist nicht bezogen, du mußt auf der bloßen Matratze liegen. *Humoristisch.* Aber im Rausch schwebt der Mensch ja auf Wolken! – Laß doch den Schleier! *Sie nach links führend.* Morgen fassen wir hier einen Entschluß, der für dich und uns die Rettung ist! *Beide ab.*

Dienstmädchen kommt und klopft links gegen die offene Tür.

ÄNNES STIMME. Wünschen Sie etwas?

DIENSTMÄDCHEN. Ein Herr Rust wünscht die gnädige Frau zu sprechen.

ÄNNE *kommt, schließt die Tür hinter sich.* Ja, führen Sie herein.

DIENSTMÄDCHEN *ab.*

ÄNNE *wartet mitten im Zimmer.*

Dienstmädchen öffnet, läßt Rust – mit Koffer und Stock – eintreten.

ÄNNE. Ich überwinde mich Sie zu sehen. Ich bin vielleicht auch nicht in der Stimmung, Ihren Besuch recht zu würdigen. Wollen Sie abreisen? Oder fassen Sie meine Verirrung zu Ihnen heute nachmittag so auf, daß Sie mir den Gegenbesuch schuldig werden? Ich danke.

RUST *stellt den Koffer ab.*

ÄNNE. Ich kann Ihnen noch sagen wie grenzenlos es mich anwidert, daß man Erlebnisse, die man früher genossen, so schonungslos vergessen kann. Ich schäme mich Ihres Umgangs. Ich bereue aus tiefstem Herzen!

RUST. Am Ende ist keinem die Reue erspart.

ÄNNE. Das ist Ihre alte Taktik, die mir gut bekannt ist. Viel Dunkelheit um sich, ein seßhaftes Orakel, und winzig wenig Licht im Innern. Früher haben Sie uns damit verblüfft – heute verschonen Sie mich.

RUST. Machen Sie sich auf einen stärkeren Stoß gefaßt. Ich reise.

ÄNNE. Also reisen Sie so glücklich wie Sie wollen.

RUST. Ja, ich reise. Morgen früh zehn Uhr geht der Zug. Hauptbahnhof.

ÄNNE. Wollen sie meinen Bruder durch mich zur Abfahrt bestellen? Rolf ließen Sie ja stets Stimmung für sich bei uns machen.

RUST. Ich habe den Weg hierher gewählt. Ich wollte nicht in das Haus des Verführers Karlas treten.

ÄNNE *tritt zurück*. Was – sagen Sie?

RUST. Des Verführers Ihrer Schwester Karla.

ÄNNE. Wer ist – –??

RUST. Sie fragen sonderbar. Aber Sie müssen ja so fragen. Ein angetriebener Gerichtsassessor – mit einer Fracht Geld und frohen Manieren. Sonst Wrack. Der Name – Axthelm. Nebensächlich.

ÄNNE. Sind Sie – –??

RUST. Sie erhalten nun folgenden Auftrag von mir: begeben Sie sich, sobald ich hier aus der Tür bin, zu Ihrem Schwager und machen Sie ihm nach Möglichkeit verständlich, daß die Frau, die er verführte, seine Frau von dieser Stunde an nicht mehr ist! – Das ist das eine, jetzt das andere wesentliche. Ihre Schwester Karla bringen Sie so fort hierher, wo sie die Nacht bleibt. Ihr haben Sie auszurichten, daß sie sich morgen pünktlich zehn Uhr im Hauptbahnhof – Wartesaal dritter Klasse – einfindet, wo sie von allem weiteren, das ich inzwischen besorgt habe, hören wird. Haben Sie gut behalten?

ÄNNE *atemlos*. Mit Karla – sind Sie zusammengetroffen?

RUST. Sie hat mich angerufen – und ich habe vernommen!

ÄNNE. Jetzt reden Sie doch!

RUST. Ich rede schon lange. Meine Zeit ist knapp.

ÄNNE. Wo – haben Sie sich getroffen?

RUST. Wo Sie mir Ihren Ekel nicht verbergen konnten!

ÄNNE *betäubt*. Das ist ja – –

RUST. Nun bin ich gekommen, sie ganz von euch zu lösen!

ÄNNE. Will denn Karla mit Ihnen reisen?

RUST. Sie muß jetzt!

ÄNNE *ausbrechend*. Das ist ja kostbar. Sie wissen nicht, ob sie will – und treten hier auf als dämonischer Don Juan. Sind Sie bezecht?

RUST. Auf meine Weise.

ÄNNE. O – ich kann Sie ernüchtern. Ich will Sie gründlich – – Sie mißverstanden eine Jugendfreundschaft –

RUST. Aus der Jugendfreundschaft ist eine Ehe geworden!

ÄNNE. Nie!

RUST. Wir hoffen auf unser Kind!

ÄNNE *stumm. Dann stark.* Auch dann niemals! – *Keuchend.* Lassen Sie mich denken – – ich finde es heraus!

RUST. Schlägt es nun seine eisernen Klauen in eure Köpfe? Wagt ihr den Kampf mit mir? Versucht's! Hebt einer den Arm auf, im nächsten Augenblick liegt er zermalmt am Boden – und über eure starren Knie weg trage ich meine Beute zu mir!

ÄNNE. Das ist Ihr Buch!

RUST. Neuen Werken steige ich entgegen – nun erst von drängender Bedeutung!

ÄNNE. Das Karla las!

RUST. Sie las nichts!

ÄNNE. Sie hat es gelesen! Mit Eifer und Glut! Sie haben die eifrigste Schülerin an ihr gefunden. Das ist es!

RUST. Sie wußte nichts von dieser Schrift.

ÄNNE. Doch! Ich habe einen Zeugen, den ich anrufe. Rolf selbst hat ihr die ersten Bogen, so viel es war, gegeben und mit ihr disputiert! – Rolf hat auch mir den Inhalt berichtet! – Karla hat sich verirrt – – um Ihres Buches willen!!

RUST. Sie kannte es nicht.

ÄNNE. Hat sie Ihnen das gesagt?

RUST. Gelegentlich.

ÄNNE. Mit Absicht! – Um so stärker wächst meine Erkenntnis! – Sie hat Sie nie geliebt. Träumen Sie sich das nicht. Sie glauben es schon selbst nicht mehr! – Und wenn sie einen Schritt getan hat – der schrecklich ist! – so hat sie es um des Kindes willen getan. An ihrem Manne zweifelte sie, da er sich mit Trinken und Rauchen hin und wieder vergaß! – Sie hat sich geopfert – an Sie hat sie nicht gedacht! – Sie sind ein Zwerg neben diesem Riesen von Selbstverleugnung mit Ihren kleinlichen Gedanken von Aufstieg und Erfolg! – – Wenn zwei Menschen ewig getrennt sind – so sind meine Schwester und Sie es – hochgetrennt wie der Himmel und schwärzeste Abgrund unten!!

RUST *nimmt seinen Koffer – ab.*

ÄNNE *wirft sich über den Tisch. – Nach der Tür horchend.* Rolf! *In der Tür.* Karla ist bei mir!

ROLF *kommt.* Mit Albert?
ÄNNE. Allein!
ROLF. Was ist denn vorgefallen?
ÄNNE. Rolf, wir müssen Albert – – ja, was müssen wir nur??
ROLF. Macht uns Karla Sorgen?
ÄNNE. Rolf, ich habe nicht den Mut – *In einen Sessel sinkend.* Zu nichts mehr finde ich Mut!
ROLF. Wo ist Karla?
ÄNNE. Auf dem Bett.
ROLF. Ist sie krank?
ÄNNE *auffahrend.* Rolf – sieh nach ihr! Um Gottes willen geh hinein!
ROLF. Ich gehe. *Links hinein.*

Es klingelt.
Dienstmädchen läßt Albert ein.

ALBERT. Ich wollte bei euch anfragen. Ich sitze zu Hause und warte vergeblich. Der Appetit will sich nicht einstellen, wenn man allein am Tisch sitzt. Vielleicht kann ich bei dir essen.

ROLF *in der Tür links.*
ALBERT. Da ist ja auch Schwager Rolf.
ÄNNE. Rolf – – sprich!
ALBERT. Ist eins der Kinder –
ROLF. Karla –
ALBERT. Karla hier?
ÄNNE. Karla –??
ROLF. Ist tot. – – – – Sie hat sich im Schlaf – im Rausch in den Schleier verwickelt – und jedenfalls im Bestreben ihn zu lösen – nur fester angezogen – – und erstickte.
ALBERT. Was denn – – mit eigener Hand – –??
ROLF. Haben wir auch Grund, das zu denken?
ÄNNE. Ja, sie hat sich ein Leid angetan: ich hatte ihr Vorhaltungen über ihre Trunksucht gemacht – und die Scham hat sie in den Tod getrieben!
ALBERT. Das – ist furchtbar.

[1909/10]

KÖNIG HAHNREI

Tragödie

für Margarethe

PERSONEN

KÖNIG MARKE

ISOLDE

TRISTAN

ANDRET

MAJORDO

GANELON } *Barone*

GONDOIN

KAEDIN

KURWENAL

BRANGÄNE

MELOT

EIN JUNGER PRIESTER

EIN CHORKNABE

EIN KABBALIST

DESSEN KNABE

EIN GELEHRTER

STEUERMANN

EIN RUDERKNECHT

EIN JUNGER DIENER

ERSTER, ZWEITER KNABE

VIER WÄCHTER

DIENER

ERSTER AKT

Ein Platz von einer Mauer, die hoch wie ein Mann ist, abgeschlossen. In der Mitte ein hundertjähriger blühender Akazienbaum mit einer Steinbank an seinem Stamm, auf die die Zweige dicht herabreichen.

MARKE *ein schneehäuptiger König, dem der Bart in zwei Strömen auf sein weites buntstreifiges Gewand rinnt – kommt von links, von einem Diener gefolgt. Er setzt sich auf die Bank nieder und spricht ohne den Diener, der in Entfernung stehen geblieben ist, anzublicken.* Du bist mein junger Diener, dir kann ich alles sagen. Ich bin der glücklichste König von der Welt. Mein Namen ist Marke und ich herrsche in Kornwall. Meine Burg heißt Tintajol. – – Wer denkt bei dem Aussprechen von meinem Namen nicht an den andern, der so eng mit ihm für alle Zeiten und Geschlechter – die ein lebendiges Gefühl sich bewahren! – verbunden ist: Isolde? – – Wer bringt es nicht bei einem Erzählen von Kornwall an: in dem Lande lebt Isolde? – – Wer stützt nicht die Stirn auf die Fläche der Hand, wenn einer das Wort Tintajol fallen läßt, und versinkt in Gedanken und murmelt vor sich hin: das ist die Burg, die Isolde beherbergt? – – Der Namen Marke hat zwei Flügel erhalten, auf denen fährt er über alle Zeiten hin. – – In dieser Burg wohnt Isolde. Marke nahm sie zum Weib. Er ist alt, sie ist jung – und ist sie nicht die schönste der Frauen in der Burg? – – Nun will der alte König Marke immer von Isolde träumen! – Kein Platz ist ihm still genug dazu. An jedem Morgen nach jeder Nacht sucht er durch die Burg – heute hat er, was er begehrt, entdeckt. Hier an der äußersten Mauer wird ihn keiner stören. Kein Fuß, der in den Sand geschrieben hat: ich war vor dir da – und bin mit meinem Zeichen mit dir da. Hier unter dem Akazienbaum – – *Er hat flüchtig in den Baum über sich aufgeblickt, bricht ab, sagt zum Diener.* Geh'! *Der Diener ab. – Gedämpft.* Nein – nicht unter dem

Akazienbaum – – im Akazienbaum! *Er zieht die Füße auf die Bank, richtet sich auf, Kopf und Arme reichen schon in die Zweige und mühelos steigt er über die tiefen Zweige wie über eine leichte Treppe in den Baum auf und verschwindet. Nach einem Rütteln von Ästen tritt oben Ruhe ein.*

Isolde in einem grünen Kleide – und Tristan – im Jägerrock – kommen von links. Sie gehen in Gedanken versunken getrennt und setzen sich von einander auf die Enden der Bank.

TRISTAN. Wir kommen heute zum ersten Male in Sorgen nach unserem verborgenen Platz. Sonst saßen wir hier voll Glück. Du hattest die Nacht an meiner Seite geruht und wenn wir uns am Morgen trennten, damit du in die Kammer zurückschlüpfen konntest, füllte uns die Hoffnung, daß wir uns nach wenigen Stunden wiedersehen würden, um an diesen versteckten Ort zu gehen. Wir saßen umschlungen nebeneinander und genossen unsere Liebe. Jetzt sollen wir zum ersten Male eine Nacht von einander geschieden sein! – Brangäne ist krank. Sie wird nicht beim König ruhen können. Brangäne kann nicht mehr an deiner Stelle beim König schlafen. Mit Brangäne ist nicht zu rechnen! – – Mir fällt nichts ein, was wir tun könnten. Auf meinen Kopf ist durch diese Nachricht, die du eben mitbrachtest, ein Stein gewälzt, den ich noch nicht bewegen kann. Es ist ganz danach angetan mich zu Boden zu drücken! – – Wenn mir nichts einfällt, was diese drohende Trennung in der kommenden Nacht zu verhindern vermag, so weiß ich nicht, was das Ende dieses Tages sein soll! – – Ich darf mich aber nicht hinreißen lassen, denn dadurch bereite ich uns selbst das Ende. Das fürchte ich mehr, als alles. Ich habe seit dem Tage auf dem Schiff, wo wir aus demselben Glas zu trinken begonnen hatten, unsere Liebe über alles gestellt. Ich will ihr alles unterordnen, um sie vor dem Untergang zu schützen. *Er versinkt in Nachdenken.*

ISOLDE. Meine Liebe stammt von einem früheren Tage her. Nur wußte ich noch nicht, daß ich dich liebte. Wir saßen im Garten und du maltest mir diese Burg aus, auf die du mich für deinen König einladen solltest. Du schildertest mir alle Einzelheiten und beschriebst jeden Turm und jedes Haus und jeden Platz. Ich sah bald alles deutlich vor mir – und war verwundert über diese Deutlichkeit, mit der ich alles ansah. Da durchbrauste mich mit einem Male der jähe Entschluß, daß ich dahin reisen wollte und darin herumgehen und da wohnen. Es war ein warmes Gefühl, das in mir aufquoll und mich gewaltsam antrieb. Jetzt weiß ich, daß ich um dich das neue Land liebgewonnen hatte. Du wohntest da, woher du geschickt warst! – – – Ich hatte meinen jungen sechsjährigen Bruder aufgehoben – und ich umschlang das Kind und preßte das Kind an mich, als ob ich mich mit dem Kinde erdrücken wollte. Es hatte seine Ärmchen mit aller Kraft an meinen Hals geworfen und stemmte sich – in meinem Schoß feststehend, so daß mir seine Füße an meinen Gliedern wehtaten – gegen meine bebende Brust, daß ich am Ersticken nahe war! – – – Das Kind ließ ich entgelten, was in mir strömte und an mir rüttelte. *Sie sitzt schweigend.*

TRISTAN *erhebt sich.* Wir wollen das Boot im Fischteich losmachen und uns nach der Insel hinüber rudern. Vielleicht daß es mir da einfällt. Denn hier müssen meine Gedanken immer abschweifen. *So wie sie ankamen, entfernen sie sich wieder nach links.*

MARKE *läßt sich aus dem Baum herunter, steigt von der Bank, will – die Augen fest geschlossen bewahrend – nach rechts, hält nach wenigen Schritten ein, geht rückwärts nach der Bank zurück, lehnt sich kurz gegen sie – setzt sich, reißt die Augen auf.*

Von rechts kommen die Barone Andret, Majordo, Ganelon, Gondoin – und stutzen.

MARKE. – – – – Was wollt ihr?

ANDRET *tritt mit den andern an ihn heran.* Wir vier suchen dich. Wir haben uns an diesem Morgen aufgemacht – und sind seit dem frühesten Morgen unterwegs – und haben schon die ganze Burg durchsucht – und wahrlich diese Mauer hätte uns auch noch nicht aufgehalten, wenn wir dich hier nicht entdeckt hätten! – Wir haben diesen Morgen endlich und eidlich vor einander dazu bestimmt, um mit einer Mahnung an dich heranzutreten, für die wir vier unsere Namen einsetzen. *Seinen Begleitern abfragend.* Majordo? *Zustimmung.* Ganelon? *Zustimmung.* Gondoin? *Zustimmung. Zu Marke.* Wir sind vier!

MARKE *streicht sich über die Stirne, schließt die Augen, öffnet sie.* Was habt ihr?

ANDRET. Wir vier haben dieselbe Beobachtung – und wir vier haben sie getrennt einer vom andern zum ersten Male gemacht: an deinem Hochzeitstage. Doch wollte ihr keiner so viel Bedeutung zumessen, daß er zum andern hinträte und ihn aufmerksam machte. Es konnte ein Zufall sein! – Jetzt wo wir vier unsere Beobachtungen ausgetauscht haben – denn sie häuften sich, daß keiner mehr schweigen konnte! – erfuhren wir, daß es dieselbe Beobachtung ist – und daß wir an deinem Hochzeitstage nicht irrten in der Bedeutung dessen, was wir ansahen.

MARKE *blickt wie träumend in den Baum auf.* Was ist das?

ANDRET *nach schwerem Ringen.* Isolde und Tristan lieben sich!

Die andern Barone sind bereit sich auf Marke zu stürzen.

MARKE *sieht Andret verwundert an.* – Was tun sie?

ANDRET. Sie tun alles, was darauf hindeutet, daß sie sich mehr zugetan sind, als ihnen erlaubt ist. *Erregt.* Sie sitzen an deinem Tische und versenken die Augen ineinander –! Sie gehen dicht neben einander her –! Sie mischen in ihre Reden – wenn man scharf hinhört – –

MAJORDO. Und ohne dies, daß man scharf hinhört!

ANDRET. Marke –: Isolde und Tristan betrügen dich!!

MARKE *den Kopf hin und her führend.* Was sprecht ihr von –? *Sein Blick irrt dunkel suchend wieder nach dem Baum hoch.*

GONDOIN. Von Isolde sagen wir's!

GANELON. Und von Tristan sagen wir's!

ANDRET. Sie hintergehen dich!! Du wirst von ihnen getäuscht!!

MARKE *sieht alle an.* Was sagt ihr?

MAJORDO. Wie Isolde und Tristan Heimlichkeiten hinter deinem Rücken haben – so Isolde mit Tristan! – so Tristan mit Isolde!

MARKE *springt auf – verwandelt, stürmisch.* Was erzählt ihr von Tristan? – Tristan, der mich liebt – – der mir mit der Liebe eines Sohnes zugetan ist, wie kein Sohn sie einem Vater schenkt – – der alles für mich gewagt hat – sein Leben! *In schnellem Flusse.* Damals als von Irland Morold mit seiner Forderung kam, unsere Söhne als Knechte nach Irland in die Roßställe zu geben – unsere Töchter in ihre Dirnenhäuser zu stecken! – wer widersetzte sich da auf dem kleinen Werder im Wasser allein dem starken Morold? – Das hat Tristan gewagt – ruderte sich in den Streit – und rettete uns alle! – – Wer holte darauf aus dem feindlichen Irland mit Gefahr seines Lebens mir die Königin? – – Ich hatte nie ein Weib berührt, da sollte die schönste mein sein! – Er scheute nicht die Gefahr in der Ferne, wo er ohne Unterstützung von seinen Freunden stand – und segelte hinaus und brachte die Braut mir heim. Was sagt ihr nun von Tristan? Tristan verriete mich? – – – Habt ihr Beweise?

ANDRET. Die wir die nannten!

MARKE. Den einen Beweis?!

ANDRET – Den haben wir nicht!

MARKE *unter den Baronen.* So müssen wir ihn suchen!! – So müssen wir mit allen Kräften nach ihm fahnden! – Wir dürfen nicht ruhen, bis wir ihn haben! Wir wollen einander eifrig in der Nachforschung unterstützen, keiner darf rasten, bis wir ihn nicht gefunden haben! – *Drängend.* Kommt! Verteilt euch über die Burg! Hinter jedem Busch ein Auge – in jeden Winkel ein Auge – seid scharfsichtig mit mir! *Er legt einen Arm um Andrets Schulter, den andern auf Majordo – läßt gleich wieder los. Forschend nach dem Baum zurückblickend.* Oder geht – ich folge nach. *Wieder bei ihnen.* Ich werde doch mit euch gehen und unser Werk betreiben! *Dabei sieht er sich immer wieder nach dem Akazienbaum mit befremdeter Miene um, schüttelt den Kopf, fest.* Ich gehe mit euch!

Alle nach rechts ab.

Das Schlafgemach. Mitten vor der Hinterwand das breite, zu den Fußenden herunter sehr schräge Lager. Eine Lampe, die an einem Rahmen läuft, brennt über dem linken Teil des Bettes, auf dem Marke unbedeckt schläft. Die rechte Hälfte liegt im Schatten. Ein Tisch, der einen goldenen Becher trägt, an Markes Seite.

MARKE *schläft regungslos. Dann krümmt er sich, murrt auch. Er liegt wieder still. Darauf wälzt er sich hin und her –*

wirft einen Arm nach der Lampe hoch, läßt ihn fallen. Stille. Plötzlich geht sein Atem unruhig, wird kurz und stoßend – er schnauft – wird abgebrochen laut. Ich bin – der glücklichste – – *Er fährt in die Höhe, reißt die Augen auf, starrt ins Licht. Gedämpft.* Die Nachtlampe – – *Er bedeckt sich die Augen, sitzt unbeweglich. Flüsternd.* Es ist noch Nacht – – die Lampe hat mich aufgeweckt – sie hat sich allein über mein Bett hin verschoben – – sie muß in der Mitte des ganzen Lagers brennen – – um keinen zu blenden – – wie sie mich geblendet hat – – *Mit geschlossenen Augen schiebt er die Lampe nach rechts hin. Dann sitzt er weiter so aufrecht.* Es ist auch ein Rauch hier – – ein Rauch, der aufsteigt – – und mich mit seinem Dunst benebelt – – und mich nicht schlafen läßt – – Ich schwanke – – ich träume – – ich bin meiner Sinne nicht so mächtig, um zu schlafen – – *Er lehnt sich zum Tischchen hinaus und nimmt den Becher auf, riecht daran.* Das ist es – – mein Nachtwein hat mich – – mein Nachtwein raucht – – und entfacht diesen süßen Dunst, der mir den Kopf – – und die Brust benommen macht – – – – und ich kann nicht atmen – – ich kann ersticken – – der Nachtwein ist vertauscht – – er war zu schwer – – ich habe ihn nicht vertragen – – Es ist gut, daß ich ihn nur zur Hälfte ausgetrunken habe – – der Geschmack muß mich schon gewarnt haben. *Er stellt den Becher wieder hin, sieht vor sich.* – – Der Nachtwein – – ist vertauscht – – *Er denkt träumend nach. Seine linke Hand streift langsam in die andere Hälfte des Bettes. Er dreht den Kopf nach: sein Leib erstarrt, seine Augen blicken gebannt. Dann steigt ein Krampf mit schnellem Wachstum in ihm auf. Mit einem einzigen Aufschrei wirft er sich lang über die leere Hälfte des Bettes.* Leer – –!!! – – – *Sich in den Knien aufrichtend.* Der Wein!! – sie haben mich betäuben wollen –!! *In Nachdenken stürzend.* Wer? – sie? – – *Aufheulend.* Tristan und Isolde!! – – *Für sich selbst eindringlich.* Tristan –?? – Isolde?? *Er drückt die Fäuste an die Stirn.* Was weiß ich es?? – – Woher weiß ich das?! – – Woher weiß ich das nur?? – Woher weiß ich denn alles?!! *Er grübelt vor sich hin.* Was alles? – Was ist alles?? *Sich versenkend.* Wo war das? – Wo wurde ich –? – – Wo war ich? – – Wo saß ich – –?? *Plötzlich auf Füßen auf dem Bett aufsteigend.* Der Akazienbaum!!! – – im Akazienbaum!!! – – *Mit stürzendem Erzählen.* Sie kamen – sie saßen unter mir da – sie erzählten es sich – – ich saß da oben und

war von den tausend Blüten trunken geworden – – und vergiftet – –! – – Meine Ohren hörten, aber mein Verstand
faßte nichts – – was sie erzählten – – – was sie erzählten – –
– –?? *Wieder mit dem stärksten Ausbruch.* Brangäne!!! – – –
*Auf das Bett niederbrechend und die Stirn auf dem lee-
ren Teil vergrabend.* Ich habe Isolde – – die schönste – –
– schimmernde – – kühle – – – ich habe nie – nie sie besessen!!!! *Winselnd und in das Laken beißend.* Sie haben
mich erst mit einer Dirne abgespeist – – dann haben sie mich
mit vergiftetem Wein begnügt – – und über meinen Rausch
die Lampe geschoben – – das wurde genug für mich – –
da schlief ich nun und war befriedigt! – – Nun können sie bei
einander liegen – – und – – – –*Er fährt steil hoch, weicht auf
seine Bettseite, wölbt die Hand auf den Mund – verharrt
sprachlos. – – Dann sich darunter krümmend.* Das ist –
qualvoll – –! – – das sind qualvolle Vorstellungen – – *Sein
Oberkörper schaukelt in der vorgebeugten Haltung. Die
Worte sickern durch die Finger heraus.* Das sind – – Vorstellungen – !!! *Mit einem Aufwirbeln der Hände, im Bett
stehend und an die Wand zurückweichend – stammelnd.*
Vorstellungen – – aus mir – – – mehr nicht! – – – Aus mir?
– – mehr nicht?? *Stärker.* Nichts ist!! *Nachlauschend. Fester.*
Es ist – – nichts!! – – Es spielt mir vor – – was ich – – – im
Akazienbaum geträumt habe! – – Der Blütenduft hat mir's
eingeträufelt – – in meine Ohren, die ich nicht geschlossen
hatte – – wie die Augen, nichts gesehen haben!! *Sich daran
haltend.* Die Augen haben nichts gesehen – – was ist dann
noch?! – – Die Ohren laufen gern weit herum – – da war
das Sausen von Bienen! – – Die Augen sind mir treu geblieben – sie versagen den Dienst nicht! – – Das sind meine
lieben Augen, die nichts sehen! – – die nichts sahen!! – –
Fast schreiend. Die nichts sahen!!! *Flüsternd.* Die nichts sehen!
Sich auf dem Bett niederkauernd. Das war ein matter
Traum, der mich geängstigt hat – – – – *Er wiegt ermüdet
den Kopf – hebt ihn mit einem Male, blickt mit freudig sich
erhellendem Ausdruck vor sich.* Daß ich sie nie besessen habe
– – *Noch stockend, dann im Jubelüberschwang und die
Hände zusammenklatschend.* Daß ich sie nie besessen habe
– – rein ist sie – – keusch – – wie Schnee auf's Wasser fällt!
– – Sie ist ganz unberührt!! – – Noch niemals ist sie ange-
tastet –! – Noch niemals ist ihr Hals – – Brust – – ihr Schoß
– – *Langsam wiederholend.* Hals – – Brust – – und Schoß

– – *Heller*. Noch niemals sind Füße in ihren Schoß gestemmt
– – *Stärker*. Noch niemals sind Hände hinten an ihren Hals
geworfen – – *Froh*. Noch niemals sind Arme auf ihre Brust
gedrängt – – *Dunkel nachsagend*. Noch niemals sind Füße
in ihren Schoß gestemmt – – *Gedehnt*. Noch niemals sind
Hände hinten an ihren Hals geworfen – – *Grübelnd*. Noch
niemals sind Arme auf ihre Brust gedrängt – – –*Mit allem
Glück ausbrechend*. Ich habe sie nie besessen!!! – – *Heiter
nach rechts ins dunkle Zimmer*. Sie kommt zurück! *Schon
die Lampe auf dem Laufrahmen zu sich herüber reißend*.
Ja, sie wird zurückkommen – – und sie darf mich nicht entdecken! – *Er wirft sich auf die Seite zum Schlaf*. Ich schlafe.
Rasch wieder hoch. Ich muß auch noch den Wein austrinken
–: es könnte sonst den Verdacht auf mich lenken – erwek-
ken, daß ich nicht fest geschlafen habe. Ich muß fest geschlafen haben. Er soll mich ganz müde machen – – wie ein
Stein – – *Er trinkt den Becher aus*. So – nun wieder auch
vorsichtig so hinstellen, wie er vorher stand, als – – –Man
hat scharfe Augen, wenn – – – – *Sich wie zu Anfang hin-
legend*. Ich spüre schon wieder die Müdigkeit – – sie steigt
herauf – durch Brust – – und Hals – – – *Schon murmelt er
im Halbschlaf. Er liegt überwältigt still. – – – Wie gepeitscht wird er aus dem Schlaf hochgerissen, steht auf dem
Bett – – schreit*. Das Kind!!!! – – *Nachhörend*. Was ist: –
das Kind? *Mit stiegendem Entsetzen*. Das Kind hat – sie
berührt – –! mit Händen hinterm Hals – – mit Armen auf
die Brust – – mit Füßen im Schoß – – *Die Arme wirbelnd*.
Überall – – überall – – überall hin!!! – – Sie ist berührt –
sie ist nicht rein – – sie ist nicht keusch – – an Brust – – an
Hals – – *Gewürgt*. – – ihr Schoß – –! – – von – – *Ruhig*. – –
einem Kinde? *Aufmerksam, ein Lächeln steigt auf*. Weil ein
Kind sie angefaßt hat? – *Heller*. Ein Kind? – ein Kind??
Jubelnd. Ein Kind!! – – ein Kind ist es!! – ja, ein Kind!!!!
Nun kann ich mich beruhigt niederlegen. Was ein Kind tut,
verwandelt den Menschen nicht. Ein Kind kann uns nicht
beleidigen – – mit seinen Ärmchen, Händchen, Füßchen. *Er
klopft sich an die Stirn*. Ein Kind! *Er legt sich nieder, hält
die Augen offen, starrt vor sich hin. Dann richtet er sich von
neuem zum Sitzen auf, grübelt*. Sie hatte es auf ihren Schoß
gehoben – das stand es – – gut! – ein Kind, wie es noch nicht
– – das noch nicht – – da hielt es die Arme – – – doch war es
ihre Brust – – *Mit bebendem Mund*. – – Ihr Hals war es – –

ihr Schoß war es doch – – – – *Er zwingt sich zur Ruhe.* Wie
komme ich nur auf diesen Gedanken, daß ein Kind mich
kränken soll? *Zitternd gepreßt.* Weil ich den Strom ver-
stopfen will – und ihn niederhalten – tritt das Rinnsal auf
der Seite aus. Das ist es! – Das ist – – der Witz – – – *Mit*
wuchtigem Anwachsen. – – dem ich verfalle!!!! *Ruhig.*
Nein, ich muß es mir nur immer ruhig sagen: – ein Kind –
an ihrem Halse – – *Schluckend.* Doch an ihrem Halse – –!
– nicht an ihrem Halse – –! – – Ein Kind an ihrem Halse
– – also an ihrem Halse? – – *Mehr und mehr gesteigert.*
Nicht an ihrem Halse!! – doch an ihrem Halse!! – nicht!! –
– doch!! – – nicht!! doch!! – – nein!! – – ja!! – – nein!!
ja!! *Sich niederwerfend und zusammenrollend.* Ach – – ein
Kind – – zum Lachen – – zum Vergessen – – vergessen und
verschlafen – – *Halb auffahrend.* Das ist sie! – das sind ihre
Schritte! – sie kommt an! – – schon weht der Vorhang vor
ihrem Gang – – *Sich herumwerfend.* Ich schlafe! – Still! –
Nacht! *Er schnarcht in regelmäßigen Zügen.*

Am Fischteich unter einer überhängenden Trauerweide.
Rechts ragen Netze, die an halbhohen Pflöcken zum Trock-
nen ausgespannt sind, herein.
Isolde und Tristan stehen unter der Weide. Hinten tief ein
Ruderknecht mit langem aufrechten Ruder.

ISOLDE *nach einem Warten.* Der Bote, der zu mir kam, sagte,
ich sollte nach dem Fischteich hinabgehen, wo das Boot liegt.
TRISTAN. Der Bote, der zu mir kam, bezeichnete mir dieselbe
Stelle: hier ist das Boot.
ISOLDE. Wir wollen warten.
TRISTAN *sich an den Burschen wendend.* Ist dir aufgetragen
uns hinauszurudern?
DER RUDERKNECHT. Mir ist bestellt Kissen für König Marke
– Isolde – und dich aufzulegen.
TRISTAN *zu Isolde.* So wird Marke kommen.
ISOLDE. Er hat noch nie nach dem Fischteich gerufen.
TRISTAN. Man rudert auch sonst nicht am Tage in diesem
Wasser, um nicht unter die Fische zu treiben, die hier ihre
Brut halten.
ISOLDE *mit leisem Beben.* Vom Fischteich spricht niemand.
TRISTAN. Auch die Fischer kommen nur nachts, um dann zu
jagen.

ISOLDE. Jetzt trocknen auch die Netze. *Beide blicken dahin.*

Der Ruderknecht steigt plötzlich und mit der Kette rasselnd noch tiefer in das Boot.

TRISTAN *sieht schnell auf*. Marke – er ist es!
ISOLDE *blickt nach links*. Marke kommt da! *Sie bleiben unter der Weide stehen.*

MARKE *eilig von links, freudig erregt, mit ausgestreckten Händen auf beide zu und jedem eine Hand bietend.* Ich bin in eure Schuld gekommen: ich lasse euch an das Ufer des Fischteichs einladen und komme selbst nicht! *Ihre Hände kräftig schüttelnd.* Entschuldigt mich: – wie das so kommt! – will man am eiligsten sein – hält einen das meiste auf. Ich habe eine Abhaltung gehabt – ich will nicht von ihr sprechen, damit sie uns nicht weiter von unserer – – *Sie loslassend und an den Rand tretend.* Da ist ja schon das Boot – fertig mit Kissen – *Ausschauend.* Und da ist der Fischteich – – *Für sich selbst wiederholend.* Das ist der Fischteich –! *Er beschattet die Augen. Mit raschem Besinnen sich zu den andern wendend.* Und der Bursche wird uns drei ja darauf rudern können! *Zu ihnen tretend und mit kurzen Blicken von einem zum andern.* Auf dem Fischteich! – auf den Fischteich bin ich nämlich verfallen – ihr könnt euch verwundert haben? – *Kurz auflachend.* Ganz mit Unrecht – und es ist die einfachste Erklärung von der Welt: – weil der Fischteich uns am sichersten für uns bleiben läßt! – – Ich habe eben erst wieder – und das ist jene Abhaltung gewesen! – den Beweis erhalten, wie wenig ich mich vor Störungen schützen kann, so lange ich auf dem festen Boden erreichbar bin – daß ich nun immer auf den Fischteich mich flüchten werde, wenn wir allein sein wollen! – Denn auf das Wasser hinaus wird uns ja keiner folgen können. Das verbietet sich ja von selbst. Im Wasser sinkt man unter und ein Boot hat der Teich nur. Wenn wir damit abstoßen, dann sind – wir beieinander. *Flüchtig zum Ufer hinaustretend.* Ich werde selbst nach der Herrichtung unseres Fahrzeugs mich erkundigen. *Heraufkommend.* Wir sind dann so weit, der Bursche legt noch den Riemen ein. Dann stoßen wir ab und fahren um den Teich. Wollt ihr? Genügt es euch? Immer herum? Um den Teich? Um das eine Ufer? Tut es mir zu Gefallen

– fahrt mit mir. *Wieder hinten.* Gerüstet? *Vorkommend.*
Wir müssen immer beieinander sein. Im Boot sind wir es
am schönsten. Das hat nur Platz für uns drei – eins! zwei!
drei! – Es hält uns die andern vom Leib, wie es sein soll! –
Isolde seine Hand gebend. Kommt, wir müssen immer beieinander sein. *Er führt Isolde einige Schritte, dreht sich nach
Tristan um.* Oder führ' du Isolde – hier tritt doch her: –
führ' Isolde! *Er zieht Tristan fast heran und steckt Isoldes
Hand in die seine.* Tu' es – tu' es doch: – weil der Boden ab-
schüssig ist und es könnte mir geschehen, daß ich abgleite!
Ich habe mit mir selbst zu tun. Das ist der Grund. So, so
tust du es mir zur Liebe. *Isolde und Tristan gehen voran. Er
hält sich auf der Höhe des Ufers und folgt nicht. Auf das
fragende Umwenden der beiden.* Ich komme – geht nur
voran – steigt nur hinein in den Kahn – und setzt euch! *Da
sie warten.* Aber ihr werdet doch in den Kahn steigen – und
nicht auf mich warten. Ihr seid doch keine Kinder. *Schnell.*
Er schaukelt mir auch zu sehr, wenn ihr nicht vorher sitzt
und die Lage einhaltet! – So, ich schicke euch in den Kahn!
*Isolde und Tristan setzen sich – an ihren Köpfen zu sehen –
auf verschiedene Bänke.* Aber wie setzt ihr euch denn? Nein
– nein, das dulde ich nicht. Ich habe euch eingeladen! Ich
werde euch anweisen. Der Ruderknecht in die Spitze des
Boots – ihr nehmt die Bank mitten beide nebeneinander ein
– so – dicht! nebeneinander – dicht! – – – – Damit ich das
Steuer bedienen kann! Ich will doch die Kreise angeben, die
wir ziehen wollen. Ich bediene das Steuer, darum ist es mir
doch zu tun! Um die Fahrt zu lenken – – zu lenken – – *Mit
einer Eingebung.* Oder fahrt allein! Fahrt das erste Mal
allein um! Einmal allein! – Ich stehe am Ufer – und rufe
von hier aus die Richtung, die ihr nehmen sollt. Das ist ein
Vergnügen, das ich mir verschaffen will: euch allein herum-
zuschicken – und vom Ufer aus zuzusehen, wie ihr allein
hinausschwimmt. Ich stehe hier am Ufer – ihr sollt allein
hinausfahren. Das will Marke so – Marke hat auch seine Be-
gierden. *Leise, vertraulich.* Nach Wasser habe ich nämlich
kein großes Begehren – ich bleibe aus Wasserangst am festen
Ufer. Mich hat ja auch noch niemand auf dem Teich gesehen!
– Aber ihr sollt um die Fahrt nicht kommen. Ich habe sie
einmal bestellt – also müßt ihr sie auch auskosten. Ihr macht
sie nun allein. Fertig – den ersten Schlag ins Wasser! –
Schnell. Oder macht sie ganz allein! Ohne den Burschen! Ich

nehme auch noch den Burschen heraus! – Tristan rudert – –
und du siehst ihm zu. Tristan wird ja mit dem Ruder richtig
steuern, wohin ihr wollt. Komm', Bursche, spring' rasch
an's Land – los! hopp! – heran! – – So troll' dich, du bist
nicht am Platz! *Der Ruderknecht nach links ab.* – – Jetzt
seid ihr ganz allein – nun fort! – Das ist nun Markes größte
Lust –: am Ufer zu stehen und – – Oder ich werde nicht hier
am Ufer bleiben – bleibt euch selbst überlassen. Es könnte
sein, daß ich meinen Entschluß – nicht mit euch zu fahren! –
bereute und euch wieder riefe! – Umkehr ist keine Freude!
– – Also entschuldigt mich, ich wünsche euch gute Fahrt –
gute Bahn – Tristan – schlag ein! – So, Tristan – klatsch –
klatsch – voraus – mächtig – – – – *Die Gesten des Ruderns
mitmachend begleitet er das Boot nach links hin, biegt um
die Weide.* Fahrt beide hinaus! – – hinter die Insel herum!
– – gedeckt vom Weidengestrüpp – – – – *Sich gegen die Weide
lehnend ruft er nach.* Und wartet auf der Insel! – Rastet!
– – Übermüde dich nicht mit dem Boot, Tristan! – – Steigt
auf der Insel aus – – ruht euch! – – Ich gehe fort. *Das Boot
ist hinaus geglitten, er steht an der Weide.*

*Von rechts kommen zwischen die Netze gebückt Andret
und Majordo geschlichen.*

ANDRET *Majordo hinter sich zuwinkend, stillzuhalten. Flüsternd.* Ich erkenne sie jetzt – genau: sie sind es! – – Sie sind
draußen – – auf dem Wege zur Insel! – – Ja, nach der Insel
geht's! Da – da haben wir den Schlupfwinkel! *Neues Zeichen.* Jetzt bis an den Weidenstamm weiter – geduckt – gehuscht! *Sie erreichen in lautlosen Sätzen den Baum, drängen
sich an ihn.* Hinterher besetzen wir ringsum das ganze Ufer
– rufen den König herbei – und fangen sie vor Marke ab!
Laut. Jetzt sind sie drüben – jetzt kehren wir um und schlagen den offenen Lärm! *Sie wollen an dem Weidenstamm
nach links vorbei.*
MARKE *tritt ihnen lächelnd entgegen.* Was sucht ihr?

Andret und Majordo prallen zurück.

MARKE.– – Sucht ihr?
ANDRET *sich sammelnd.* Dich suchen wir jetzt! Wir haben für
deine Augen ein Schauspiel vorzuweisen: – *Auf den See hin-*

auszeigend. – wenn wir Isolde! – und Tristan! – von der Insel hervorscheuchen werden!!

MARKE *sieht sie erwartend an.*

ANDRET *ausbrechend.* Wohin sie im Fischerboot, das hier lag, sich ruderten – und eben hinter dem Weidengestrüpp verschwanden!! – Das haben wir alles beobachtet!

MARKE *verzieht keine Miene.*

MAJORDO. Das sah ich so, wir standen in den Netzen!!

ANDRET. Wir kamen gerade recht, um zu erblicken, wie das Boot an die Insel stieß! Er ruderte – sie lenkte – hinaus nach der Insel, wo wir sie haben!

MAJORDO. Die Insel ist's!!

ANDRET. Die Insel im Fischteich – die ist's!! *Die zwei sehen – auf den Teich weisend – Marke gespannt an.*

MARKE *mit einem Heben der Schultern.* Und – was ist mit der Insel?

ANDRET. Isolde! – Tristan! – suchen die auf!

MAJORDO. Dahinaus fahren die!

MARKE. Ja – dahin sind sie gerudert.

ANDRET. Weißt du?!

MAJORDO. Suchst du?!

ANDRET. Was sinnst du?!

MAJORDO. Hast du dich selbst überzeugt?!

ANDRET. Du hast sie auch entdeckt?!

MARKE *ruhig.* Was ist daran zu entdecken? – Auf mein Geheiß sind sie gefahren! – – Ich habe sie geschickt. Ich bin eben noch mit ihnen hier am Ufer gestanden – wir haben das Boot durch einen Ruderknecht frei machen lassen – nachher habe ich auch den Burschen weggeschickt – sie beide sind in den Kahn gestiegen – und ich bin am Ufer geblieben – von wo aus ich sie eben winkend hinter die Insel verabschiedet habe. – Das habe ich so eingerichtet! *Mehr und mehr erregt.* Ich habe sie auch an die Insel hinter dem Weidengestrüpp anlaufen heißen – und die Rast auf dem Lande einschieben – um meine Königin auf dem Wasser nicht zu langweilen – und meinen Neffen nicht zu ermüden. Das war mein Wunsch – und von mir ging die Ursache aus. Es ist mein Werk – dem ihr in den niedrigen und nassen Fischnetzen nachgeschlichen seid. Was ihr dabei entdeckt habt, das ist nur von mir selbst ausgegangen. Das ist der Lohn eurer Mühe! *Sich rötend, verächtlich.* Strengt euch mehr an, wenn ihr mir etwas vorweisen wollt, was eure Meinung, die ihr hegt, bekräftigen soll. Mir habt ihr noch keine Beweise gebracht. Im Gegenteil – die Beweise von ihrer Unschuld dadurch, daß ihr euch an meine eigenen Werke hängt und sie mit Verdächtigungen auslegt. Das wirkt auf mich bezeichnend für die ganze Schwere eures Verdachts – nämlich daß er federleicht wiegt. Für mich federleicht! – Ich habe noch kein Stäubchen entdeckt – für mich liegen keine Ursachen vor – im Gegenteil: ich bin zu einer Hervorhebung der Haltung meines lieben Neffen umgeschlagen: – – ich will die alte, schöne Sitte, die leider so lange nicht mehr geübt wurde – vielleicht weil kein Würdiger vorhanden war! – von neuem aufleben lassen – jene königliche Sitte: – seinen nächsten Freund – dem man sein volles Vertrauen entgegenträgt – in sein Schlafgemach zu ziehen! – Ich werde das Bett Tristans bei mir und der Königin aufstellen lassen! – – Zu dieser Meinung bin ich gelangt! Die haltet euch vor Augen. Ihr mögt daraus ersehen, wie ich urteile. – Ich verzeihe euch. Das ist alles, was ich können werde. *Er geht starr erhobenen Hauptes nach links davon.*

Die zwei Barone stehen ratlos am Stamm der Weide.

Ein Zimmer.

MARKE *steht in der Mitte und sieht gespannt zum Hintergrunde.*

DER GELEHRTE *ein hochgewachsener weißbärtiger Mann tritt ein.*
MARKE *geht behende auf ihn zu, faßt ihn begrüßend bei den Händen.* Ihr habt euch also wirklich aus eurem behüteten Studierzimmer zu mir gefunden?
DER GELEHRTE *blickt erstaunt auf.*
MARKE. Ja, es hätte mich nicht verwundert, wenn ihr meinen Boten mit einem abschlägigen Bescheide zu mir zurückgesandt hättet! *Schnell.* Und ich hätte von euch das nicht übel genommen, denn ich weiß, daß sich die Wissenschaft mit schwereren Gegenständen zu beschäftigen hat, als ich ihr eine bedeutende Aufgabe stellen kann. Ihr müßt milde mit mir verfahren und denken, daß es ein ungelehrter Mann ist – wie alle außer euch! – der vor euch steht – und vor euch spricht.

Ich danke euch, daß ihr gekommen seid – und ich wünsche, ihr sollt das Opfer nicht allzu schwer bewerten, das ihr mir von eurer köstlichen Zeit bringt. – – Die Wissenschaft ist köstlich – und in ernsten Dingen, die uns ergriffen haben, kann nur sie uns das Licht aufzünden, das wir doch so arg benötigen, um aus des Irrtums Klammern ohne Ende zu entrinnen! – Dies ist nach meinem Urteil das allgemeine Gebiet der Wissenschaft, wie ich es abgrenzen möchte – und das ihr mir doch wohl ohne Zögern zugestehen könnt! *Er hat ihn in die Mitte des Zimmers geführt, läßt ihn los.* Ich sage dies, damit ihr Vertrauen zu mir faßt – und seht, daß auch ich mich unterrichtet habe. Denn es ist sonst nicht die Sache von uns Königen – uns Gedanken über Herkunft und Hinlauf des großen Getriebes zu machen, das wir Welt nennen. Wir klirren lieber in Waffen – und ein Schwerthieb ist unser bester Gedanke – *Lachend.* – in eines andern Kopf! – – Ein Scherz – ihr erkennt schon daran den vollendeten Laien, der ich vor euch stehe. Wir führen eben die Auf- und Kehrseite einer Münze in schnellem Wechsel in der Hand – und entscheiden es nicht, was sich als den Wert darstellt: ob in des Königs eingeprägtem Kopf – oder wichtiger in der Zahl! *Wieder abbrechend.* Doch ihr hört schon, daß ich den Namen Wissenschaft anrufe – und einzig die schlechten Dinge wie Geld und Schwert für die Unterredung aufbringen kann. Es wird auf euch liegen den Gegenstand in die Weite der wissenschaftlichen Betrachtung zu schieben – und ihm den Platz in der umfassenden Ordnung anzuweisen, der ihm gebührt – und auf dem er entweder an Wichtigkeit gewinnt oder sich verflüchtigt. *Wieder an ihn herantretend.* Habe ich euch schon nichts an geistiger Bereicherung zu bieten, so kann vielleicht das offenherzige Bekenntnis meiner Unterordnung unter eure hohe Begabung euch entschädigen! – Auf jeden Fall stehe ich in eurer Schuld und euer Schuldner zu sein: dieser Last braucht sich ja – auch ein König nicht zu schämen! – – Ich greife also euren Reichtum an – und nehme von euren Schätzen! – – *Er tritt kurz abseits.* – Gestattet mir also eine Frage. Eine Frage ist es – – die – – die ich mir bereits natürlich hinreichend selbst beantworten konnte – – und ich habe sie auch in dem Sinne beantwortet, wie ihr eine Entgegnung darauf finden werdet! – – denn sie läßt nur diese eine Antwort zu – die wie gesagt mir nicht verschleiert ist. Trotzdem habe ich mich an einen Mann der geistigen Schulung gewandt – um auch eine Bestätigung dessen zu vernehmen, was sich für mich selbst ergründet hat. Ergründen ist zu viel gesagt – ich will euch mit der späteren Frage doch nicht lächeln machen! – *Aufatmend.* Also es gilt nicht mehr, als daß ich in euch ein Echo hören will – von meiner Selbstbeantwortung. Ihr gebt mir dieses Echo – und seid entlassen – wieder in eure behütete Enge – nach der ihr ja schon unruhig seid. Oder wollt ihr erst frühstücken? – Wartet, es ist nicht wert sich auf die Geringfügigkeit vorzubereiten – ich möchte ganz verhüten, daß sie aufwachsen kann und sich breiter gebärden, als ihr von Natur an Inhalt gegeben ist. Habe ich es verhütet? – Ihr erwartet nichts? – Ihr seid weder neugierig noch gespannt? – Es ist auch nichts daran, was derlei begründen könnte. Im Gegenteil: stimmt euch möglichst tief – daß ihr niemals enttäuscht werden könnt. Denkt an einen Pfau, der mit seinem Flug eine Last von bunten Federn aufhebt – und an Fleisch ist knapp ein Pfund bewegt! – – Die Beantwortung soll auch nur beiläufig geschehen, wir gehen dann zusammen zum Frühstück – ich habe nämlich auch selbst noch nicht gefrühstückt! – Zuvor eine Frage: – – seid ihr der Ansicht – – vermutet ihr – – urteilt ihr so: – – daß in einem sechsjährigen Knaben Gefühle der Leidenschaft nach dem andern Geschlechte – – nach dem Weibe in Regung sind? *Seine Stimme ist trocken geworden.*

DER GELEHRTE *ohne Besinnen.* Nein.

MARKE *die Schultern sinken lassend.* Die Ansicht teile ich mit euch! *Rasch auf ihn zutretend, seinen Arm um seine Schulter legend.* Ihr kommt zum Frühstück. *Er will ihn mit sich führen.*

DER GELEHRTE. Nun die Frage, um die du mich gerufen hast?

MARKE *ihn weiter zum Hintergrunde leitend.* Denkt an das Frühstück! – die ist nicht der Rede wert!

ZWEITER AKT

Ein Platz, den die hohe kahle Rückwand eines Hauses ab-
schließt. Vom Mondlicht erhellt, die Wand bedeckt noch
Schatten.
Von rechts kommt eilig Andret, bleibt in der Mitte stehen
und sieht suchend herum.

MARKE *folgt ihm unwillig und zögernd.* – Es ist ein ab-
scheuliches Spiel, das du da mit mir treibst – und abscheu-
licher ist meine Folgsamkeit, mit der ich dir nachgebe. Ich
bin zornig auf mich, daß ich mich so weit habe verleiten
lassen. Und jetzt will ich keinen Schritt weiter gehen! Ich
habe genug davon herumzustreifen und meinen Schlaf zu
vergeuden! Ich bin ein alter Mann. Ich halte ein!
ANDRET. Hier ist es!
MARKE. Was ist hier?
ANDRET *nach links sehend.* Da stehen die Tonnen!
MARKE. Was für Tonnen?
ANDRET. Nun: – die Tonnen der Burg! – – Ich habe zwei
reinigen lassen und mit Kissen auf dem Boden ausgelegt –
und dahin auf die verfallene alte Mauer aufgestellt!
MARKE. Was soll mit diesen Tonnen werden?
ANDRET. Sie sollen uns aufnehmen – daß wir in ihrem Ver-
steck der nächtlichen Zusammenkunft beiwohnen!
MARKE. Das wird niemals geschehen!!
ANDRET *erregt.* Willst du nicht heute die Entdeckung machen?
MARKE. Ich will sie – ich will jede Entdeckung machen –
aber mute mir nicht zu, daß ich mich so tief entwürdige und
in die unreinlichen Tonnen steige!
ANDRET. Es ist die sicherste Gelegenheit, die sich dir bietet!
Sie kommen hierher. Wohin willst du dich verbergen?
MARKE. Nicht in die Tonnen der Burg! Das verwerfe ich.
So viel wahre ich meine königliche Würde – –
ANDRET. Die leidet schwerer darunter, wenn du eine Nacht
länger von ihnen hintergangen wirst! Das ratet dir ein
Freund!
MARKE *höhnisch.* Das ist ein echter Freundesrat, der mich
an den unsaubern Ort schickt!
ANDRET. Ja zu dem Zweck – –
MARKE. Er ist ein Glied von der Kette, an der ihr mich wie
einen Schelm haltet! An diesem Strang hast du mich hierher

hinter die Häuser meiner Burg geführt, wohin mein Fuß nicht treten dürfte –! An diesem Seil willst du mich jetzt in den vergifteten Brunnen eines Fasses hinablassen. Jetzt büße ich nur, was ich im Anfang gefehlt habe: euch mit euren Verdächtigungen mein Ohr zu verweigern. Aber ich war zu milde – zu schwach, da ließ ich eure Einflüsterungen – eure Schattenbilder vor mir tanzen, bis ich von ihnen schwankend wurde. Das war der Erfolg! – Aber heute stoße ich ihn um – und stelle mich wieder fest, wie ich stehen geblieben wäre, wenn ihr nicht an mir gerüttelt hättet. Ich verschließe mein Ohr von nun an – und verbiete euch mit euren Reden aus meiner Umgebung. Ihr habt mich getäuscht – immer getäuscht – und auch nicht einen Finger unter dem Nagel habt ihr's schwärzen können. So steht es mit euch! – Das war euer Prahlen! *Er will umkehren.*

ANDRET *der nach rechts gelaufen war, gehorcht hat – hält ihn auf*. Es ist Zeit, daß wir einsteigen. Der Mond steigt höher – die Stunde bricht an!

MARKE *hitzig*. Niemand wird nahen, das verspreche ich dir! Ich weiß nicht was euch bestrickt und äfft – aber mich entlaßt aus eurem Taumel!

ANDRET *nach dem Himmel blickend*. Sie werden kommen – sie müssen kommen! Verlass' dich auf mich! Wir müssen dringend uns verstecken!

MARKE *laut*. Knetet euch aus Wachs zwischen den Fingern einen Schellenkönig – und tut mit ihm, was euch kitzelt! *Fast schreiend*. Ich steige nicht dahinein – ich bleibe nicht an diesem öden Ort!! *Schallend*. Ich kehre um!!!

ANDRET *bestürzt*. Rede doch mit Vorsicht! – schon können sie in der Nähe sein – sie hören dich – und sind gewarnt!

MARKE. Ich brauche niemanden zu warnen, weil keiner in der Nähe ist! – Ich schwöre dir, es wird auch niemand kommen – und wenn wir die Nacht hindurch festsitzen! Und ich gedenke nicht im Monde zu frieren – und darum gehe ich zurück! *Doch weicht er nicht – unsicher in seinen Entschlüssen – vom Platz.*

ANDRET *schnell von rechts zurückkehrend*. Nein! – du könntest ihnen begegnen – es ist nur dieser Zugang zu dem Platze offen!

MARKE *betroffen*. Nur dieser Zugang offen?

ANDRET. Den wir gekommen sind – und auf dem sie ankommen werden!

MARKE *Andret packend.* So führe: – wir wollen in die Fäs-
ser steigen! *Beide links ab.*

Der Platz liegt leer.
Jetzt beginnt der Mond langsam an der Wand emporzustei-
gen und es auf ihr wie ein weißes Laken auszuspannen – auf
dem sich im klarsten Schattenspiel folgender Vorgang ab-
zeichnet: zwei bauchige Tonnen – in jede steigt ein Mann
ein, Marke und Andret. Marke, deutlich an seinem langen
Bart erkennbar, wird von Andret unterstützt. Marke ist be-
müht ganz unterzutauchen, Andret drückt ihn von oben
noch mehr zusammen. Dann ist Marke ganz verschwunden.
Andret richtet sich auf – entdeckt das Abspiel an der Wand.
Sofort beugt er sich über Markes Faß und spricht auf ihn
ein, dabei mit ausgestrecktem Arm nach der Wand und dem
Mond weisend: er macht Marke auf die Gefahren dieser
Wand aufmerksam. – Da schießt Marke aus seinem Faß her-
vor, starrt nach der Wand – und macht versuchsweise einige
schleudernde Gesten. Andret hindert ihn. Marke hört auf,
taucht unter. Ebenso Andret.
Die Wand steht über dem leeren Platz wieder weiß da.
Tristan betritt von rechts den Platz. Lauschend steht er reg-
los. Dann dreht er sich langsam, um über den Platz zu spä-
hen. Da – als er sich der Wand zugekehrt hat – springt das
Schattenbild Markes auf und gestikuliert über dem Tonnen-
rand mit gewaltigen Schwingungen. Ein zweiter Schatten –
Andret – taucht auf, sucht Marke zu überwältigen, Marke
gibt nach – das Schattenspiel ist weggewischt.
Tristan steht starr. Von seinen Händen ein Beben verrät den
Schreck, der sich seiner bemächtigt hat. Schließlich geht er
nach links über den Platz, stellt sich dort abgewandt auf,
Kopf und Arme kraftlos sinken lassend.
Isolde kommt rasch von rechts – stutzt, als sie Tristan still
dastehen sieht. Sie streift den Platz mit kurzen Blicken, ge-
langt zur Wand: der Schatten Markes schlägt auf sie – führt
die Arme hoch und weit über sich. Der Schatten Andrets
jagt diesen geschwungenen Armen nach, fängt sie ein – über-
wältigt, stößt den Schatten Markes in die Tiefe der Tonne
– taucht selbst nieder.

ISOLDE *steht stumm.*
TRISTAN *verändert seine Stellung nicht.*

ISOLDE *beginnt – die Stimme nach Möglichkeit festigend.* Bist du –

Der Schatten Markes schießt auf die Wand, schwenkt die Arme – verschwindet, bevor der Schatten Andrets – der nachkam – ihn übermannen konnte.

ISOLDE. – – der Bote Tristans, der mich erwarten soll?
TRISTAN *dreht sich langsam um und hat die Wand vor Augen.* Ich bin –

Der Schatten Markes wie vorher – auch verfolgt vom Schatten Andrets – an der Wand.

TRISTAN. – – ein Bote, den Tristan schickt.
ISOLDE. Warum kommt –

Das Schattenspiel in seiner raschen Flucht.

ISOLDE. – – ein Bote von ihm an diese versteckte Stelle? *Schneller.* Weiß nicht der, der dich gesandt hat, daß es schmachvoll für mich ist, nachts und allein durch die Straßen der Burg zu gehen und bis hinter die Häuser zu suchen?
TRISTAN. Ich – *Das winkende Schattenspiel.* – bin geschickt und weiß nichts deinen Vorwürfen zu entgegnen als meinen Auftrag, den ich erhalten habe.
ISOLDE *Erregung in ihrer Stimme zittern machend.* So sage ich dir noch vor jeder Antwort, daß ich – *Das Schattenspiel.* – dir keine Entgegnung für ihn von diesem Ort mitgeben werde. *Gesteigert.* Ich bin so tief entrüstet über die Kühnheit, die der, der dich dahin gestellt hat, sich anmaßt, daß es auch ein Grund geworden ist, mit dem ich seiner Aufforderung gefolgt bin, nur um ihm meinen heißesten Tadel auszudrücken!
TRISTAN. Darf ich nun sprechen, wie ich unterrichtet wurde?
ISOLDE. Ich – *Schatten an der Wand.* – würde niemals neugierig nach den Worten werden, die dir in den Mund gelegt wurden – wenn mich nicht die Sorge um meinen König erfüllte, während ich dich anhöre! *Lebhaft.* Denn warum spricht der, der dich erst beredt gemacht hat, nicht zu mir, die wir doch am Tage zehnmal aufeinander treffen – – und in der Kammer des Königs allein sind? Höre: – darum ist die Angst

um meinen König in meine Brust eingestiegen, daß Tristan nicht in der eigenen Kammer des Königs zu mir sprechen will – und mich nach einem Winkel der Burg bestellt. Sprich schnell: scheut sich Tristan in der Kammer und ihren schallenden Wänden zu sprechen, weil es sich um den König handelt?

TRISTAN. Es ist der König – *Die jagenden Schatten.* – nicht die Ursache, aus der Tristan dich bis an das Ende der Burg mitten in der Nacht beruft.

ISOLDE. Was ist – – denn geschehen?

Der Schatten Markes winkt groß und mächtig – wird vom Schatten Andrets erst nach einem Kampfe niedergeholt.

TRISTAN. Geschehen – ist nichts. Aber Tristan kann nicht in der Kammer, in der er – nur durch einen hohen Vorhang geschieden – mit dir und dem König schläft, zu dir sprechen, weil er von der ersten Nacht der großen Gunst, die der König ihm erlaubte, das Gelöbnis abgelegt hatte: niemals mit der Königin hinter diesem Vorhang hervor das kleinste Wort zu wechseln! Das ließ ihn der Dank gegen den König tun!

ISOLDE. Das – *Schattenspiel.* – verstehe ich gut von ihm. Aber warum redet er dann nicht am Tage zu mir – wenn er mich auf dem Teiche rudert – oder mich in meinem Rosenhof herumführt?

TRISTAN. Daran hindert ihn derselbe Schwur!

ISOLDE. Derselbe Schwur?

TRISTAN. Der ihm auch verbieten sollte, jemals die Kammer mit einer Silbe zu erwähnen, wenn du zugegen warst. Das dünkte ihm sich des Vertrauens, das der König in ihn setzte, ganz würdig zu zeigen. – –

ISOLDE. Will er – nun durch dich zu mir vom Schlafgemach sprechen lassen?

TRISTAN. Er muß es.

Jäher Aufprall des Schattens Markes – ungestüm sich gebärdend, den Schatten Andrets zurückwerfend – endlich ermattet untertauchend. Zugleich der Schatten Andrets.

ISOLDE *atmend.* So sprich – – es aus!

Das Schattenspiel – abgerissen, stark wie vorher – vorbei.

TRISTAN. Tristan bittet dich – bei deinem König dafür ein-
zutreten – daß er wieder aus dem Schlafgemach entlassen
wird. *Schneller.* Tristan ist ein unruhiger Schläfer. Er hört
aus dem Wald die Hirschbrunst rauschen, er kann nicht nach
Bogen und Spieß greifen, aufspringen und im mondhellen
Waldplatz sich das Geweih holen. – Er hört den Teich in der
Tiefe branden, er darf nicht das Boot losmachen und die
Fackel anbrennen und nach den Hechten schießen. – Tristan
fühlt sich durch die Gnade des Königs mehr gebunden als
herausgehoben, doch kann er sie dem König nicht zurückgeben. Da wendet er sich an dich: daß du den König so be-
stimmtest, daß er den unruhigen Schläfer Tristan wieder aus
der Kammer frei gibt, wo er auf seinem Bette liegt, nicht
schläft – wacht – und lauscht – nach seinem alten Leben mit
nächtlicher Jagd und Streife im Mond. Der Mond macht ihn
vollends unruhig, da hat er mich heute hergeschickt, dir hier
– so lange der Mond dauert und weitab von seinem Schwur
– alles zu gestehen!

ISOLDE. Das hat Tristan recht getan. Er ist jung – und un-
beweibt: es muß ihm eine Last sein, an sein Bett gefesselt zu
sein. Ich achte seine Zurückhaltung und will ihm darum verzeihen, wie er mich in meiner Ruhe gestört hat! – Wüßte ich
nicht, daß der König fest in seinem Bette schläft, so hätte ich
ihn nie verlassen, um hierher zu gehen. Aber so bin ich un-
besorgt, daß er von meinem Schritte, den ich mit meinem
Erscheinen in diesem Winkel eigenmächtig getan habe, einen
Schatten erfährt! – So sagte Tristan meine Antwort, die ich
ihm nicht mehr verweigern kann: ich will mit allen Kräften
alles daran setzen, um ihn von der Gunst zu erlösen, die sich
in ein Gegenteil verkehrt hat. Mich schmerzt seine Jugend,
die zur Nacht aufseufzt – nach einer Jagd. Und ich will es
so einrichten, daß sich weder der König – noch ich mich beleidigt fühlen soll.

TRISTAN. Ich werde mit diesem Versprechen zu Tristan eilen!

ISOLDE. Wo ist Tristan?

TRISTAN. Wo Tristan ist? – Er schläft hinter seinem Vorhang
– wie jede Nacht! – Morgen am Tage will er mich erwarten!

ISOLDE. Ich werde ihn nicht aufwecken, wenn ich leise wieder zum König in das Gemach zurückkehre. Ich gehe allein,
wie ich gekommen bin. *Rechts ab.*

TRISTAN *wartet noch, geht dann langsam auch nach rechts ab.*

Der Mond war inzwischen weiter gestiegen und erhellte die Wand nicht mehr. Nun steht sie wieder dunkel da.

MARKE *von links hereinstürzend.* Isolde! – Isolde! *Er ruft nach rechts in das Dunkel, will nacheilen.*
ANDRET *Marke folgend.* Bleib'! – bleib'! –
MARKE *aufgebracht.* Ich werde nicht mehr bleiben! Bist du taub? Kannst du nicht hören? Trägst du den Unrat dieses Ortes auch in den Ohren?
ANDRET. Hör' erst!
MARKE. Ich habe genug gehört! Ich bin geheilt! Von euch – von euren Fabeln! – Isolde! – Isolde! – Isolde! *Er strebt weiter.* Sie darf nicht allein gehen!
ANDRET. Es war Tristan, der hier war!
MARKE. Mensch – bist du kindisch? – Tristan schläft im Bett! – Lass' mich zu ihm hinein: ich will ihn auf dem Bett festhalten – immer und immer! – ich entlasse ihn nicht, wenn er auch bittet: – denn er soll mir nicht in eure Hände fallen!!
ANDRET. Du bist getäuscht – –
MARKE. Ich bin getäuscht von euch!! – – Isolde! – Isolde! – sie geht ja ganz allein dahin!
ANDRET. Tristan ist es, der sie begleitet! – beschützt! – Bleib' du noch hier – höre!
MARKE *aufheulend.* Tristan – der im Bett schläft – hinter dem Vorhang!! – – Sie machen sie mir zur Dirne – nächtlich – auf der Straße!! – – Isolde! – Isolde!
ANDRET *mit Marke ringend.* Sie hatten uns gesehen – sie haben dir ein Spiel entgegengehalten – auf unser Schattenspiel. Jedesmal wenn du erschrocken aus der Tonne fuhrst – haben uns unsere Schatten verraten!
MARKE *Andret bekämpfend.* Lass' mich ihr nach – – es ist Nacht – – lass' mich jetzt – – *Er wirft ihn zurück.*
ANDRET *laut.* Am Schattenspiel hat es gelegen, wenn es mißglückt ist!!
MAKRE *schon rechts sich entfernend.* Isolde! – Isolde! – –
– –

ANDRET *zornig.* Und ich hatte ihn gewarnt!

Hoher Dom, kleine Seitenkapelle. Indes der Hauptraum halbdunkel liegt, fällt in die Kapelle – schräg hinten – durch ein unsichtbares Fenster in der Höhe helles Licht: vor gelblicher Wand links gleich über dem Fußboden ein lebensgroßer blutiger Christus – vor der Hinterwand, von einem Gitter umgeben, ein Altar mit kleiner Jungfrau mit dem Kind.
Durch den Dom von rechts schreiten der Chorknabe, ein junger Priester, Marke mit gebeugtem Haupt, schleppenden Schritten. Sie treten in die Kapelle ein.
Der Chorknabe beginnt sofort das Räuchergefäß zu entfachen.

DER JUNGE PRIESTER *ohne Marke anzusehen.* Wo willst du abschwören: bei den Gebeinen dieses blutigen Heilands oder – *Verbeugung.* – vor der Jungfrau mit dem Kinde?

MARKE *schwer atmend.* Lass' es dort sein: – vor der Jungfrau – mit ihrem Kinde!

DER JUNGE PRIESTER *schließt das Gitter auf, tritt ein und rüstet den Altar.*

Der Chorknabe ist fertig und geht schwingend hinter das Gitter.

MARKE *steht mit Händen vor der Brust da.*
DER JUNGE PRIESTER *nach kurzem Gruß an das Bild auf dem Altar und immer Marke den Rücken zukehrend.* Was ist es?

MARKE *rafft sich auf, senkt die Stirn noch tiefer.* Es ist –– ein Gedanken in meinem Kopfe – in der täglichen Arbeit meines Denkens –– von dem ich weiß, daß ich mit ihm frevle.

DER JUNGE PRIESTER *nie anders als sachlich.* So sage ihn mir.

MARKE *kämpft, spricht mit gepreßten Zähnen.* Ich sehe eine Jungfrau ––

DER JUNGE PRIESTER *nach einem Warten.* Ich habe gehört.

MARKE – – mit einem Kinde. *Schneller.* Und obwohl das Kind der Bruder der Jungfrau ist und nicht mehr als sechs Jahre zählt – – schaffe ich doch einen unziemlichen Zusammenhang zwischen ihr und diesem jungen Kinde. – – Ich habe nicht unterlassen gegen diese Versuchung anzukämpfen – – mit den Mitteln, die mir zu Gebote stehen – – sei es in eigener Geistesarbeit – sei es mit der Befragung anderer – – ich habe die Vorstellung nicht aus meinem Kopfe verdrängen können – – sie hat mich im Gegenteil weiter beschäftigt – – *Mit gedrückter Stimme.* – stärker gequält. – – Nun will ich mich von diesem Gedanken mit Zwang befreien – – einmal um nicht länger eine Jungfrau – – und ein junges Kind zu beflecken – – dann: um mich nicht mit dieser täglichen Selbstpeinigung auf das letzte meiner Kräfte zu erschöpfen! – – *Er ist fast nach vorn zusammengesunken. Jetzt richtet er sich auf, sagt mit fester Stimme.* Ich will mit einem Schwur – mit einem heiligen Eide vor der reinen Jungfrau – den du mir abnehmen sollst und fest verwahren – mich binden: – aufzuhören mit diesem Irrtum, der sich aus irgendwelcher dunklen Quelle mit dünnem Rinnsal in mich ergießt – mit dieser Verkündigung vor dir ihn aus meinem täglichen Denken zu bannen und keinen Einlaß wieder zu gewähren – und für alle Zukunft mich frei und rein zu halten – wie bei Tage so auch in der Nacht – von diesem Wahn, der mich und andere antastet und vergiftet. – Nimm mir den Eid vor der Jungfrau, die du verehrst, ab!

DER JUNGE PRIESTER. Tritt heran – zum Gitter. *Auf ein Zeichen entfacht der Chorknabe große Rauchwolken. Zu Marke.* Knie' nieder.

MARKE *kniet außerhalb des Gitters und preßt die Stirn an die Stäbe.*

DER JUNGE PRIESTER. Sprich mir nach – und versenke meine Worte in dich – wie das Schwert im Herzen der Mutter Gottes steckt. – *Vor dem Altarbild mit zusammengelegten Händen, tonlos, rasch.* Bei deinem heiligen Bilde – *Er wartet.*

MARKE. Bei deinem heiligen Bilde –

DER JUNGE PRIESTER. – du heilige Mutter Gottes –

MARKE. – du heilige Mutter Gottes –

DER JUNGE PRIESTER. – liege ich hier auf Knieen vor dir – *Er beugt selbst kurz das Knie.*

MARKE. – hier liege ich auf Knieen vor dir –

DER JUNGE PRIESTER. – und will abschwören das, was ich sage!

MARKE. – und will abschwören das, was ich sage!

DER JUNGE PRIESTER. Ich sehe eine Jungfrau und ein junges Kind, das ihr Bruder ist –

MARKE. Ich sehe eine Jungfrau und ein junges Kind, das ihr Bruder ist –

DER JUNGE PRIESTER. – und störe in ihre reine geschwisterliche Beziehung mit anderen Gedanken –

MARKE *dunkel leidenschaftlich.* – und störe in ihre reine geschwisterliche – reine geschwisterliche Beziehung mit anderen Gedanken –

DER JUNGE PRIESTER *ohne jemals die Stimme zu erheben.* – die unkeusch machen, was keusch ist!

MARKE. – die unkeusch machen – *Inbrünstig.* – was keusch ist!

DER JUNGE PRIESTER. Ich weiß, daß ich Unrecht an ihnen – der Jungfrau und dem Kinde – tue –

MARKE. Ich weiß, daß ich Unrecht an ihnen – der Jungfrau und dem Kinde – tue –

DER JUNGE PRIESTER. – und ich selbst trage schwer unter der Last dieser Verdächtigung!

MARKE. – und ich selbst trage schwer unter der Last dieser Verdächtigung!

DER JUNGE PRIESTER. So werfe ich mich vor deiner Barmherzigkeit nieder – *Er knickt kurz ein.*

MARKE. So werfe ich mich vor deiner Barmherzigkeit nieder –

DER JUNGE PRIESTER. – damit aus ihr in mich Kraft strömt, die mich wieder stark macht –

MARKE. – damit aus ihr in mich Kraft strömt, die mich wieder stark macht –

DER JUNGE PRIESTER. – um auszustoßen, was ausgestoßen werden muß!

MARKE. – um auszustoßen, was ausgestoßen werden muß!

DER JUNGE PRIESTER. Ich weiß, daß du mir in meiner Niedergeworfenheit Stärke verleihen wirst –

MARKE. Ich weiß, daß du mir in meiner Niedergeworfenheit Stärke verleihen wirst –

DER JUNGE PRIESTER. – und vor deinem heiligsten Bilde mit dem Kinde auf deinem heiligsten Schoße –

MARKE. – und vor deinem heiligsten Bilde mit dem Kinde auf deinem heiligsten Schoße –

DER JUNGE PRIESTER. – schwöre ich –

MARKE. – schwöre ich –

DER JUNGE PRIESTER. – daß ich die Kraft, die du mir spendest, auch gebrauchen will – in diesem Dienst, für den ich um Stärke gefleht habe.

MARKE. – daß ich die Kraft, die du mir spendest, auch gebrauchen will – in diesem Dienst, für den ich um Stärke gefleht habe.

DER JUNGE PRIESTER *drückt die Stirn auf den Altar, ist still.*

DER CHORKNABE *hat mit Schwenken aufgehört, liegt mit der Stirn auf den Stufen.*

MARKE *preßt das Gesicht an das Gitter.*

DER JUNGE PRIESTER *richtet sich wieder auf, stellt auf dem Altar die Gegenstände zur Seite.*

DER CHORKNABE *löscht das Räuchergefäß aus.*

MARKE *ist aufgestanden, wartet.*

DER JUNGE PRIESTER *kommt heraus, läßt den Chorknaben aus dem Gitter, schließt ab.*

MARKE *empfängt ihn lächelnd.*

DER JUNGE PRIESTER *nickt ernst. –*

Alle drei gehen durch den halbdunklen Dom wieder nach rechts hinaus.

Thronsaal. Nach der Hinterwand über mehrere Stufen langes Podium. Darauf die Thronbank, die mit niedriger Lehne halbkreisförmig geschwungen ist und in der zwei Kissen liegen. Vorn rechts und links offene Türen. Zwei gepanzerte Wächter stehen bei jeder, abgewandt hinaus schauend und lange Lanzen kreuzend.

Von rechts kommen und warten auf dieser Seite: Andret, Majordo, Ganelon, Gondoin – jedem hängt das Schwert vor der Brust.

ANDRET *sich flüchtig umblickend, dann hinauswinkend.* Kommt!

Es treten noch zwei schlankgewachsene Knaben ein, von denen der zweite ein dünn gelegtes, scharlachrotes Tuch trägt.

ANDRET *zum ersten.* Bist du vorsichtig gewesen? *Zum zweiten.* Hat es nicht gestäubt? *Vereinen. – Zu den Baronen.* Ich rechne so: der König wird wie gewöhnlich, wenn er allein im Sessel sitzt, auf der linken Seite Platz nehmen, also daß er den Blick in dieser Richtung hat. Deshalb stelle ich die Jungen auf, wo es ihm am leichtesten in die Augen fällt. *Zu den Knaben.* Tretet hoch – weiter bis an die Wand selbst

– und steht dicht nebeneinander – Schulter an Schulter! *Sie tun es.* Und nun unterrichte ich euch folgendermaßen: du trägst das Tuch und du hältst es so dicht gefaltet wie es jetzt auf deinen Händen liegt. Auf ein Zeichen nun, das ich später noch geben werde im Verlauf und je nach den Umständen – ich sage euch das, daß ihr gut auf mich seht und auch wartet! – reichst du deinem Nachbar die beiden Zipfel, die obenauf lose liegen – und während du die unteren dir immer bewahrst! – rückt dein Nachbar schnell – seine Zipfel fest haltend – von dir ab, so daß das Tuch ausrollt – und bis es zwischen euch beiden ganz straff ausgespannt ist! Dabei kehrt ihr das Tuch mit euren hurtig übereinander gestellten Armen schräg – zum Thron! *Zustimmung.* Das geschieht, wenn ihr eine Aufforderung von mir erhaltet. Erwartet die. Macht das ohne Hast – und auch ohne Langsamkeit. Das Tuch ist Seide. *Zu den Baronen.* So! – wir sind am Schlusse. *Sein Schwert vor der Brust umfassend.* Wer sich schuldig fühlt, gibt sein Schwert ab! – Ich sage das: weil heute dort – *Er weist vor den Thron.* – ein Schwert liegen wird – oder vier!

MAJORDO. Das sind unsere vier. Warum sollen die liegen?

ANDRET *kurz ausbrechend, höhnend.* Weil *wir* uns vergangen haben – wenn ein anderer sich nicht bekennt!

MAJORDO *mit Nachdruck.* Heute zeigen wir den Beweis!

GANELON. Denk' an ihn!

GONDOIN. Wir bringen ihn weiß – auf bunt!

ANDRET *nickt.* Gott sei Dank! – daß wir das haben: – es läßt sich ohne Worte machen. *Nach den Knaben zeigend.* Es steht eine Tafel gemalt!

MAJORDO. Sehr lesbar!

GONDOIN. Man kann sie schmecken!

GANELON. Bitter, wem daraus sein Brot gebacken werden muß!

ANDRET *mit kurzem Nachdenken bestimmt.* Es war von uns gefordert – da sind wir unserer Pflicht nachgegangen! – Wir hatten gesprochen – jetzt haben wir unser Wort bekräftigt! – Mit jedem Mittel mußten wir das – sollte die Brust das Schwert behalten! – bei Tag! – bei Nacht!

MAJORDO. Wir hatten gesprochen – jetzt mußten wir unser Wort bekräftigen!

GONDOIN. Mit jedem Mittel mußten wir das!

GANELON. Bei Tage! – auch bei Nacht!

ANDRET *alles von sich schüttelnd.* Über allem: rein sei der Stuhl da über uns! *Sie warten stumm.*

TRISTAN – *auch er trägt das Schwert vor der Brust – ist rechts gekommen. Er bleibt zwischen den Wächtern stehen und sieht durch den Saal gespannt nach links.*

Von links kommen Isolde und Brangäne. –
Brangäne ist auffällig übereinstimmend mit Isolde gekleidet, auch nicht die geringste Abweichung in der Tracht ist zu entdecken. Ebenso gleicht sie – in einiger Vergröberung – Isolde an Haltung und Wuchs vollständig. Nur ihr Haar ist unterscheidend schwarz.
Sie bleiben unten links beim Throne stehen.

TRISTAN *geht an den Baronen vorüber, grüßt Isolde und stellt sich rechts unter dem Throne auf.*

Die Barone – auf ein Zeichen Andrets – gehen im Rücken Tristans vorbei und nehmen den Platz in der Mitte unter dem Throne zwischen Isolde und Tristan ein.

MARKE *schnell von links – mit dem Schwert – bleibt stehen, überfliegt die Gruppen.*

Die Wächter kreuzen wieder vor den immer offenen Türen die Lanzen.

MARKE *mit einem Anlauf, in tiefem Erstaunen.* Habt ihr unter euch ausgeredet? – – euch zusammengetan –? – schon zwischen euch abgesprochen: – euch so auseinander zu stellen – daß ihr mir einen tiefen Schreck einjagen könnt? – Welches Bild bietet ihr meinen Blicken aus? – Was ist euch in den Sinn getaucht – – und wirft nun Blasen auf – die so schillern? – – Was sehe ich? – – Aber nicht – niemals! – das verwehre ich euch – dies Recht: – *Er tritt zu Isolde.* Isolde – du? – hier unten – noch unter der ersten Stufe – unter der ersten Stufe des Throns stehst du – wo der Sitz mir und dir gehört? – Es gebührt dir nicht! Wir teilen den Thron – wie alles, was wir teilen! – *Er führt sie hinauf.* Oder wir teilen nichts, wenn wir hier nicht teilen! Brangäne soll dir nahe sein – sie wird zu dir wie immer stehen – wie sie deine Begleiterin an jedem Orte ist – den wir teilen! *Schnell*. Da ist dein Kissen – setz' dich! Brangäne steht hinter Isolde – setze dich so! – indessen ich mich umschaue – *Nach Tristan schweifend*. – nach Tristan! – Tristan – mein lieber – mein Tristan – was hat dich mir denn so entrückt? Wo stehst du? – Wie ein Fremder – wie ein Gast – der nicht zum Hause seines Freundes gehört! – wie ein Gast bei dir selbst! – Muß ich dich zu mir rufen, wo du immer bei mir stehst? Schaffst du den Widersinn? Bist du noch ein Schatten, der ohne seinen Herrn für sich steht? – Komm', Tristan, ich bitte dich zu mir herauf – an meine Seite – an meinen Rücken – an dem du nie gefehlt hast – und hoffentlich auch nie fehlen wirst! *Da Tristan folgt*. So – nun hat jeder wieder seinen Schatten hinter sich – du Isolde – und ich! – Nun sind wir vollkommen – wie wir sind! *Er schließt kurz die Augen – öffnet sie jäh und blickt auf die Barone*. Nun frage ich euch: – wie kann ein Zwist euch so weit verfeinden, daß ihr in einem Haufen vor meinen Stuhl tretet? Was verstimmt euch? Warum der Hader? Welcher Streit? So sprecht! Ihr habt Zungen – ich habe Ohren. So sind die Wege geschaffen, wo wir uns verständigen können! *Er blickt sie gespannt an*.

Die Barone stehen stumm da.

MARKE *von neuem nur zu ihnen*. Ich bin gekommen, um zu schlichten, wo etwas zu schlichten ist. Ich bin weder strengen Sinnes – noch geteilten Sinnes – ich höre, um zu entscheiden!

Schweigen.

MARKE *wieder*. Nicht um zu entscheiden – zu beschwichtigen! Diese Milde führe ich schon mit mir. Mit ihr ist voll meine Brust – und mein Herz kennt nichts anderes als diese Milde!

Tiefe Stille.

MARKE *verwundert*. So sprecht! Tragt mir euren Zwiespalt vor, was es ist, das euch verstimmt – euch reibt – vor mein Urteil treibt? Sprecht, was ist es?

Schweigen.

MARKE *lebhaft.* So sprecht ihr nicht? – So höre ich nicht! –So ist es nichts? – – Oder bedurfte es der Beilegung – nur durch mein Erscheinen – einmal zwischen euch?? – – Ist das schon die Vermittlung? – – Die will ich euch nicht entgehen lassen! *Er ist frohbewegt.* Sie soll euch blühen! – Ihr standet ja in Parteien gesondert von einander und ich habe gut bei meinem Eintritt unterschieden! Ihr seid veruneinigt! Ich will euch versöhnen! Ja, jetzt erlaube ich keinem ein Wort mehr – der Streit ist begraben. Ihr habt nicht gesprochen, als ich euch aufrief – keiner wollte zuerst reden – nun redet keiner mir zuletzt. Ich rede allein! – Und verbiete euch das Recht euch zu verfeinden! Ich verwehre es euch mit allen Kräften! Niemand hat in der Burg das Anrecht darauf – sich einen Gegner zu machen – noch einen Gegner anzunehmen! Es verstößt gegen den Frieden der Burg. Es ist das oberste Gesetz, das uns allen gebieten soll – mir so wohl wie meinem jüngsten Burschen! Wer es nicht achtet, der – – *Er besinnt sich. In Lachen umschlagend.* – – macht sich selbst die Tage dunkel – und damit wollen wir ihn in seinem Schatten nicht stören! – – Gebt mir eine Hand – ihr von unten – Andret! – und meine andere hält Tristan: – – nun geht der Druck eures Vertrages durch eines Königs Blut – und siegelt dicht! *Ohne Andrets noch Tristans Hand zu empfangen.* Ich vergleiche eure Zwietracht – da ist sie euch verglichen!

ANDRET. Kein Zwist, der uns trennt –!

MARKE *hell.* Was nicht? – So laßt uns von hier aufbrechen! Laßt uns hier nicht schwatzen – uns den Tag versäumen!

ANDRET. Ein Eisen wird es, das dich brennt!

MARKE *die Hände auf seinen Bart werfend, verwundert.* So mir den Bart –? Sag' an!

ANDRET. Wir sind eines Tages mit einer Anschuldigung vor dich getreten –! Willst du dich ihres Inhalts hier entsinnen?

MARKE. Das will ich nicht erst – mir läutet das ja lebendig im Ohr!

ANDRET. Du gabst uns auf: Beweise – – – – den Beweis! – zu bringen. – – Und wir – – suchten – – für dich nach dem Beweis!

MARKE *sich mit Lächeln an Tristan und Isolde wechselnd wendend.* Ich entsinne mich dieses Vormittages noch ganz genau. Es war an jener entlegensten Stelle der Burg – wo unter dem hundertjährigen Akazienbaum die Steinbank ist. Ich saß dort – –

ISOLDE *schließt die Augen.*

MARKE *an Tristan.* – Ich ruhte da im gesegneten Schatten dieses blütenüberwölbten Baums – –

TRISTAN *umklammert hart sein Schwert.*

MARKE *zu den Baronen.* – Da kamen diese vier – *Seine Lippen schwirren.*

ANDRET *fest.* Und redeten das auf dich ein: das Schwert von Tristan zu nehmen – und ihn ohne Schwert aus der Burg zu schicken!

MARKE *sich an den Hals greifend.* Von – einem Schwerte – wurde nichts gesagt!

ANDRET *stark.* Von einem Schwerte wird heute gesprochen – weil du es fordern kannst! – Heute ist es dir verfallen! – *Nach einer Pause.* – Nun nimm es! – Wir sind dir vier Bürgen!

MARKE *nach Atem ringend, gewürgt.* Sprecht nicht! – Wartet! – Mein Schwert – – ja, ein Schwert – ich trug es zuletzt selten! – – drückt auf meiner Brust! – – Wartet! – Wartet noch! – Sprecht nichts! – *Er hat mühevoll gerungen – seine Hände tasten noch weiß und starr über den Schwerthals auf dem Bart – jetzt sagt er fest.* Nun sprecht! *Mit jähem Erschrecken zu Tristan und Isolde.* Ihr sprecht nicht! – Laßt jene reden! *Ruhig.* Es könnte mich verwirren. Nun sagt es!

ANDRET. Wir klagen – Isolde – und Tristan an: – – daß sie dich betrügen. Isolde ist untreu der Ehe mit dir – und Tristan hält die Gemeinschaft mit Isolde! – Das behaupten wir: – seit dem ersten Tage – an dem Isolde deine Frau wurde! – Wir beschuldigen beide: schon über deiner Hochzeitstafel sich erkannt zu haben und einander gewährt zu haben! – Was sie sich damals mit Blicken versprochen haben – das haben sie mit der Tat erfüllt! *Er wartet.*

MARKE *dünn lächelnd, mit flachen Händen.* Nun – der Beweis?

ANDRET – Wird er gefordert?

MARKE *verändert seine fragende Geste nicht.*

ANDRET *nickt.* Wir haben ihn – aus dem Bette Tristans geholt!

MARKE – Das in meiner Kammer steht?

ANDRET *ungestört fortfahrend.* Wir haben einen Versuch un-

ternommen dieser Art: wir haben das weiße Laken im Bett
der Königin mit Mehl bestreut –!
MARKE *wird in den Lippen bleich, blickt starr, weit.*
ANDRET. Wir haben am andern Morgen das Mehl auf dem
purpurnen Laken im Bette Tristans gefunden – mit diesem
Abdruck eines Körpers! *Er winkt den Knaben.* Öffnet!

*Es geschieht: in das ausgespannte sattrote Tuch ist verstüm-
melt die Form eines menschlichen Körpers weiß eingezeich-
net – von Aussehen etwas wie ein ausgegrabener leicht
löcheriger Torso: ein Rücken – zwei gespreizte Schenkel.
Alle Blicke sind darauf gerichtet. Es herrscht tiefes
Schweigen.*

MARKE *gewinnt allein Bewegung zurück. Seine Blicke irren
über alle Anwesenden hin. Er besinnt sich, sucht, beginnt zu
sprechen, ohne anfangs seiner Rede Ziel zu fassen.* Das – –
ist euch aufgestoßen? *Ins Tuch starrend.* Das ist – das rote
Laken aus Tristans Bett! – – Das habt ihr also begriffen – –
und gebracht – – und hier wird es gezeigt: – – das rote
Laken aus deinem Bett – Tristan! – – – – *Im Barte flechtend.*
Das ist etwas weißes darauf – – Mehl! – gut! – wohl! – also
Mehl! – – Mehl ist in deinem Bett – – Tristan – gefunden!
– – – Es ist, als habe sich ein Müller darin gewälzt – –
– – oder nicht gewälzt – – vielmehr still gelegen! – – –
Ja, das ist eine sehr ruhige Haltung – – des Müllers! *Ge-
bannt.* In deinem Bett – Tristan! – – Das ist nicht verwischt
– und nicht verstäubt – – das ist fest in das Laken eingestampft – – das Mehl! – – Mehl! Mehl – ja – – Mehl! – – –
– *Sich aufraffend, durch die Totenruhe.* Nun wird es mir
vor mein Angesicht geschleppt – mit der Frage: – wie gelangt das Mehl in Tristans Bett? – – Das soll ich wissen? –
Oder ich soll es wissen! – nicht wahr? – weil es in Isoldes
Bett ausgestreut war – – muß ich auch wissen, wie es wandern konnte! – Wie konnte das wandern? – von einem Bett
auf das zweite? – – so lautet die Frage? – – Die Frage
brennt – jawohl! – – Und weil sich ihrer vier bemächtigt
haben – und Antwort haben wollen – – so muß die Erklärung kommen! – – Woher soll sie kommen? – – Ja, kommen muß sie! – – Das ist eine offene Frage – und gibt zu
Deutungen Anlaß! – – Wie wird sie doch gestellt? – – Mehl
von Isoldes Bett in Tristans Bett! – – Das ist ihr Wortlaut

– den halten wir – – fest – – und mit allen klammernden
Fingern – – klammert er sich an uns – – und gräbt aus unserm Hirn – – und schaufelt – – schaufelt – – heraus, was
notwendig ist –: eine Antwort! – – *Er atmet schwer, ist von
Farbe grau, an Gestalt verfallen – doch hält ihn das Fieber
des Suchens aufrecht.* Die gebe ich auch natürlich! – Ich ver-
hehle sie euch nicht! – – Ihr habt euch diese Mühe gemacht –
sie sucht ihren Lohn! – Da hat sie ihn: – – ich – ich habe das
ausgestreute Mehl aus Isoldes Bett nach Tristans Bett über-
tragen – – mich müde ausgestreckt – – Tristan mußte halb
auf mir liegen, so sehr nahm ich – von Isolde kommend –
ermüdet die Mitte des Bettes ein – – – – Ich hatte mit Tristan noch etwas zu besprechen – – was mir nicht bis zum
Morgen entfallen sollte – – darum macht ich mich noch in
der Nacht auf – obwohl ich sehr ermattet war – wie auch
der Abdruck ja nun verrät! – – und setzte ihm meinen Plan
auseinander – der mich – was war es doch! – beschäftigte.
– *Die Hand vor das Gesicht legend.* Was war es doch – –
– –

ANDRET *unter ihn dicht herantretend, ruhig, nachdrücklich.*
Du irrst dich in der Nacht, die du bei Tristan auf dem Bett
saßest – – in der Nacht, als wir das Mehl ausgestreut hatten
– – waren wir mit dir zur Jagd aufgebrochen!
MARKE *schnell die Hand herunternehmend.* Mit euch auf
der Jagd?
ANDRET. In der Nacht, die wir zur Ausführung unseres Pla-
nes bestimmt hatten!
MARKE. Das kann nicht möglich sein! Ihr irrt!
ANDRET *unnachgiebig.* Doch! – es geschah mit deiner Zustimmung, daß wir die Jagd ansetzten, um das Mehl auszu-
streuen!
MARKE *rasch.* So rechnet euch doch dies vor: – *Hell.* – wie
kann man beides zugleich vollbringen: – bei Tristan liegen
– – und auf der Jagd sein? – Eins von beiden kann man doch
nur! – Auch ich bin nur ein König! – Da prangt das Mehl
– so muß ich wohl bei Tristan gewesen sein! – so sehr ihr
euch sträubt – – und mir mißgönnt! – – Aber ich pflege die
Freundschaft – – noch in meiner Kammer – – wo mir ein
Weib ruht – – und es wird alles meines Alters Lust! *Sich
umwendend, mit geschlossenen Augen.* Kommt, meine
Frauen, zu lange zögerten wir schon – – es soll Abend sein
– – und unsere Augenlider schaffen eine frühzeitige Nacht.

Die will ich nutzen! Kommt, meine Frauen – führt mich.
Er breitet – nun hilflos – die Arme aus.
ISOLDE *rührt sich nicht.*
BRANGÄNE *geht zu Marke.*
MARKE *legt den Arm auf sie.* Komm' – bringe mich hinweg
– ich habe Wünsche. – – Meine Wünsche sind hier nicht zu
sagen – – sie würden wunderlich berühren. – – Von warmen
Strömen unter dem Eis meines Bartes müßte ich reden – –
die noch das Eis sprengen – – und ausfluten – – in frucht-
baren Schoß – – – *Links mit Brangäne ab.*

ISOLDE *schwankt an Tristan heran.*
TRISTAN *zaudert – dann führt er sie links hinaus.*

ANDRET *wachgerüttelt. Zu den Knaben.* Fort! – Alle hinaus!
Fast schreiend. Eilt euch – ihr mit dem Tuch – ihr mit Lanzen – –

Wächter und Knaben rasch ab.

ANDRET *auf die Sufen niederfallend, das Gesicht mit beiden
Händen bedeckend.* Der König – weiß es – – – –

*Die anderen Barone laufen an die Türen, schließen sie, blei-
ben bei den Türen, verwahren sie und starren zu Andret
hin.*

ANDRET *aufheulend.* – aber er will es nicht wissen!!!!
MAJORDO, GANELON, GONDOIN *auf ihn zustürzend und ihn
anpackend.* Andret!!

Das Zimmer, in dem hinten der Gelehrte wartet.

MARKE *kommt endlich durch die Tür hinter dem Gelehrten,
tritt rasch vor ihn. Seine Miene ist ernst, karg.*
DER GELEHRTE *schreckt kurz zusammen, lächelt.*
MARKE *nickt dem Gelehrten zu. Mich sicherer Sprechweise.*
Ich habe dich warten lassen. Ich komme – *Er streicht sich
über die Stirn.* – von einer Verhinderung, die mich länger
aufgehalten hat. *Mit schwachem Scherzanflug.* Geschäfte ohne
Ende. Eines Königs Tagewerk – *Lachend.* Falsch gesagt: –

der ausgeschöpfte Tag setzt unserer Arbeit kein Ziel – – *Mit fliehender Erinnerung in sich hinein.* Nachts sind wir noch unterwegs – –

DER GELEHRTE *neugierig*. Unterwegs?

MARKE *abwinkend*. Mit den Siebenmeilenschaftstiefeln der Sorge um unser Reich! *Aufatmend.* Die Sorge um die Kinder – des Landes beschäftigt so – – und Kinder verursachen ja die ängstlichste Sorge!

DER GELEHRTE *bestätigt*. Deine Landeskinder!

Pause.

MARKE *den Kopf aufwerfend*. Ich habe dich damals in Verwunderung zurückgelassen – – *Er zögert.* – Oder du gingst vielmehr damals mit mir in Erstaunen versetzt zum Frühstück – – und vom Frühstück brach ich zu deiner Verwunderung schon auf, ehe ich mich gesetzt hatte – – – *Entschlossen.* Ich komme nun jetzt auf dieselbe Frage zurück – die sich in mir wieder fester eingenistet hat – – mich quält – mich plagt – wie Fragen wühlen können! – – auf die es darum einer Antwort bedarf, die keinen Zweifel übrig läßt. – – Du kennst die Frage noch, die ich aufwarf? – vor dir?

DER GELEHRTE *sieht Marke an. Nach einem Schweigen.* Die Frage wurde von dir schließlich nicht genannt!

MARKE. Doch! – ich äußerte sie!

DER GELEHRTE. Du unterließest – eben zu meiner Verwunderung – sie zu äußern!

MARKE. Nein! – wir glitten vielleicht über sie hinweg – richtig! – das Frühstück drängte – und da erschien sie mir zu nachhaltig für ein Tischgerede – und so brach ich sie ab!

DER GELEHRTE. So verlief es.

MARKE. Heute trete ich jedoch besser gesammelt – entfernt von allen Abschweifungen vor dich hin – mit dieser Frage! *Er umfaßt den Bartschnee unter dem Kinn.*

DER GELEHRTE. – Ich hörte sie noch nicht!

MARKE. Du hörtest sie – sie dünkte dich wohl schwächlich – leer von Wichtigkeit. Dennoch trägt sie ein Gewicht! Dir vielleicht nicht. Mir legt sie eine Last – auf die Brust, daß ich davon zu atmen nicht vermag. Es ist eben der Unterschied: ich stehe mitten in der Sorge um das Wohl der Kinder – meines Landes, dir ist alles Erscheinung. Dich regt etwas an – mich regt dasselbe auf. Wir sind so getrennt. Du sammelst – ich schaffe. Und wie du von den Erscheinungen ablesen mußt, um dir eine Anschauung zu gründen – so greife ich in wichtigen, besonderen Entscheidungen auf deine Gründe zurück, wo die Versammlung ruht. So sind wir wieder vereinigt – und mit Recht suche ich nach dir, wo ich schwanke. Aus der Erfahrung knüpft sich die Richtschnur auf Neues!

DER GELEHRTE *unterbrechend*. Nicht! – nicht mit der Erfahrung, die wir aus der sinnlichen Anschauung holen.

MARKE *rasch*. Du sprichst die Worte aus: sinnliche Anschauung –

DER GELEHRTE *schnell*. Die stört!

MARKE. Sie stört! – das sage ich.

DER GELEHRTE *zögernd*. Wie meinst du?

MARKE. Von diesen Störungen durch die sinnliche Anschauung werde ich mit dir handeln!

DER GELEHRTE *rasch*. Doch sind Stufen –

MARKE. Stufe um Stufe steige ich herab – und lange bei den untersten an – die meine Sorge anrührt: es sind die Kinder meines Landes.

DER GELEHRTE *verwundert*. Deine Landeskinder?

MARKE. Die Kinder! – – Und hier stelle ich die Frage auf: – stört sie schon die sinnliche Anschauung?

DER GELEHRTE *blickt ihn schweigend an*.

MARKE. Ich meine: ist auf dieser untersten Stufe schon eine sinnliche Anschauung vorhanden, die stören kann?

DER GELEHRTE *sieht Marke forschend ins Gesicht*.

MARKE. Denn – eben in der fortgesetzten Bemühung um eine Besserung – um eine Annäherung der Zustände dem edelsten, besten Ziele – das ich nicht falsch in den reinsten Sitten sehe! – bin ich zu einem Entschluß gekommen, den ich – da er so durchgreifend ist – nicht ohne Bestätigung aus dem Gebiete der Wissenschaft – auf die ich mich stützen und vor Irrtum gewahrt wissen kann – verwirklichen will: – ich gehe mit der Absicht um – vom sechsten Lebensjahre an jedes Kind nur im Kreise seines Geschlechtes sich tummeln zu lassen – und ihm den Anblick oder Annäherung an das Geschlecht außer ihm zu versperren! – – Das ist in Umrissen mein Vorsatz – auf den näher einzugehen ja erst nach der Anerkennung der Grundfrage – über der er sich aufrichtet – gewiesen ist. Also brauche ich aus deinem Munde die kurze Antwort: besteht unter Kindern – dieses sechsjährigen Alters – eine sinnliche Anschauung voreinander? – – *Heftig hinzufügend.* Kein Nein – kein Ja – – eine auf Beweis beruhende Lösung fordere ich – – *Fast gestört.* – – den Beweis, der mich enthebt mit einmal – und sicher macht – mich niederstreckt wieder ruhig auf mein Bett!! *Er ist nach rechts vor die Wand gelaufen, steht steif.*

DER GELEHRTE *mit einem Lächeln.* Einen Beweis kann ich dir nicht geben – –

MARKE *herumfahrend.* Kannst du ihn nicht –?!

DER GELEHRTE. Aus meinem Gebiete – nein – –

MARKE *an seinem Bart raufend.* Aus deinem Gebiete nicht – –

DER GELEHRTE *immer lächelnd.* Aber – –

MARKE *verwüstet.* Aber mich in den Irrsinn schicken – – mich foltern – – mich so plagen – – *Mit Fingern in die Luft greifend.* Für alles schafft ihr Beweise – – den Beweis um Beweis – –!!

DER GELEHRTE. Aber wenn du in einem Zimmer ein Fenster offen hast –

MARKE. Dann erlöst mich ein Sprung durchs Fenster aus jedem Gebiete!!

DER GELEHRTE *fein.* Nein –

MARKE. Der auch nicht?!!

DER GELEHRTE. Dann kann dir eine zufällig vor dem Fenster spielende Kinderschar – –

MARKE *gewürgt.* – spielende Kinderschar – –

DER GELEHRTE. – durch ihr kindisches Spiel den Beweis liefern, den dir keines gelehrten Mannes Schweiß zusammensetzen kann: – das Kind selbst, wie du es frei von – *Leise spöttisch.* – sinnlichen Anschauungen spielen siehst!

MARKE *sich mit großem Erwachen vor die Stirn greifend.* Ich – *Den Kopf drückend.* – ich – *In ein Gelächter ausbrechend.* – ich brauche nur hinzusehen – – sehen! – –

DER GELEHRTE. Kinder!

MARKE. Die Kinder, die unter dem Fenster treiben – mit Augen – – mit meinen Augen – – die Augen!! – – die Augen!! – – die hatte ich vergessen! – –

DER GELEHRTE *heimlich ironisch.* Und jetzt ist unser wissenschaftliches Gespräch wohl zu Ende?

MARKE *aufjubelnd.* Es ist vorbei – vorbei auch – wie ich mich jetzt meiner Augen entsonnen habe – – des Dienstes, den sie leisten können! – – will ich die Ausführung schon

nicht mehr! – – Ich bin im Klaren über alles – über mich
selbst – mich gelüstet gar nicht – – – – Ich bin geheilt! –:
sehen!! – sehen!! – sehen!! – – *Er schlägt die Hand auf die
Augen, steht so da.*
DER GELEHRTE *entfernt sich unbemerkt, ab.*

MARKE *freudig.* Nur sehen!! – – jedes Kind taugt – – es berät mich!! – irgendeins – irgendwo!! – – Das – das kann ich
festhalten – – *Schon grübelnd.* So leicht: – sehen! – – *Er
blickt auf, gewahrt den Gelehrten nicht mehr, runzelt die
Stirn, glättet sie heiter.* So einfach ist es: – – *Herumschau-
end.* Ein Fenster?

DRITTER AKT

Kleiner Saal mit einem freien Podium, auf dem Marke ruhelos auf- und abwandert. Vor der Brust das Schwert. So oft er den Blick nach dem Eingang links hat – er wendet auch den Kopf dahin zurück – springt ein jähes Lächeln über sein Gesicht und verschwindet, wenn der Türteppich unbewegt blieb.

Isolde und Tristan – Tristan mit dem Schwert – treten Hand in Hand links ein.

Marke erwartet sie mit Lächeln.

Isolde und Tristan stehen vor ihm, knieen unter ihm hin.

Marke blickt erstaunt auf sie herab.

Tristan streift das Schwert über den Kopf los – wortlos reicht er es Isolde.

Isolde küßt inbrünstig auf den Knauf.

Tristan nimmt das Schwert wieder und drückt den Mund lange auf dieselbe Stelle am Knauf.

Marke macht verwunderte Augen.

Tristan legt das Schwert zu Markes Füßen nieder.

Isolde und Tristan beugen tief den Kopf und erwarten so.

MARKE *ohne sein Lächeln zu verlieren, schaut auf sie herab. Dann mit freudig lachendem Munde.* – Du legst dein Schwert ab? – – Ich sehe, mein lieber Neffe, dich von deiner Tante begleitet – ihr kommt beide – und du vollziehst eine Schwertabgabe – die ihr zwischen euch verabredet habt? – – Ich wußte ja nichts davon! – Seit wann habt ihr Heimlichkeiten miteinander? – *Tristan und Isolde blicken auf.* – Von denen ich nichts weiß? – – von denen ich nicht das geringste ahne? – – – – Ihr überrascht mich auf die übermäßigste Weise! – Ich habe mir nicht denken können, warum ihr vor mich treten wolltet? – – Ich habe aber nicht gezögert, euch den Wunsch zu erfüllen! – – Keinen Wunsch euch zu verwehren – bin ich immer für euch gesonnen gewesen! – – Schaut zurück die Reihe meiner Taten – – und ihr werdet mir Recht geben – – mit meinem Ausspruch! – Wo habe ich gefehlt – wo weist sich eine Lücke dar – in die ich nicht – oft vor euren Wünschen schon! – – eine Erfüllung stellte? – – Warum mit dieser absonderlichen Feierlichkeit – – mit der ihr die Freundschaft unserer Beziehungen erkältet? – – – – Es ist nicht viel echte Freundschaft in der Welt – – denkt selbst nach! – – darum stört nicht den Bund, der uns drei wärmend umschließt! – – Darin taue ich auf – aus Altersschnee – und kann wieder wie ein springender Bach durch das Leben eilen – wenn er auch dem Abgrund zustrebt – ich sehe nicht mehr weite Strecken des Lebens vor mir! – – Um so mehr muß ich das Glück preisen – daß ich noch in dem Rest meiner Tage eine Flamme bin – die eure Freundschaft wärmt! – – Freundschaft – milde! – die umfängt mich bei euch – wie in einem Mantel mit wärmendem Futter eingehüllt gehe ich da einher! – Wollt ihr mein letztes wärmendes Gewand von den Schultern reißen – – die nackt und dürr in den Wind ragen – – und vielleicht zerbrochen werden – – vom schwächsten Sturm? – – Ich bin den Stürmen nicht mehr gewachsen – das vergeßt nicht – ich stelle einer Wucht eines Lufthauches – die mich streifen sollte – keinen Widerstand mehr entgegen. – Ich bin leicht zerbrochen – – und ohne Kunst gekränkt! – Ein Kind kann's tun! – – *Sein Auge brennt flüchtig an Isolde auf.* – – Die Tat von einem Kinde kann euch nicht wichtig werden! – Ihr seid – mein lieber Neffe Tristan – der bei seiner Tante steht! – – Warum sollst du – mein immergeliebter Neffe – nicht bei der Tante stehen? – – Ich frage die Welt – – und wohin drängt ihr da ein Wunder? – euer Erstaunen? – – Nichts liegt näher – als daß ihr immer beieinander seid! – – – – Tretet nicht von einander zurück – – sucht euch, wo ihr könnt – – oder sucht euch nie – da ihr immer beieinander seid! – – Ich gebe euch – – jede Gelegenheit – – ich bin euch darin zu eifrigen Diensten – – denn wer erzeugt mir die Flamme, die mir in den Leib steigt – – und mein Alter friert nicht auf dem Eisberg meiner Jahre? – – Das seid ihr – ihr seid meine zwei Freunde, die um mich sorgen – – ja, das weiß ich – – die mir für den Rest meines Lebens – – nicht den Rest geben! – – – – So sehe ich euch – – – dich, mein immergeliebter Neffe – – – – und deine Tante – – – und sehe ein, daß es euch fern liegen wird, mich zu kränken. Frost wuchert mit Wunden, die furchtbar schmerzen: da bin ich an euer Feuer der Freundschaft aufgenommen und wärme meine Glieder in seinem milden Strahl! – – Das schützt mich – der erhält mich – der treibt mich in keine Wüsten des Schnees – der ist knospend über Akazienbäumen ein wohlduftendes Meer – – in das ich – wie in ein Bad – von euch gerichtet – langsam gern gleite – – und von keinem Wellenstoß beschossen beglückt

niederliege. – – Habe ich euch recht verstanden? – – So
schweigt auch weiter – denn über meine Worte sind keine
Worte zu sprechen, die so von den Nöten des Alters künden. Schweigt! – – ein Riesenvogel – zu Häupten Taube, zu
Enden Mensch! – flog hier vorbei, der klatschte aus seinen
Flügeln: – – ich weiß alles! – ich begreife! – – – – ich weiß
und begreife auch jetzt deine Schwertabgabe! – – *Er atmet
tief auf. Dann bückt er sich und hebt das Schwert vom Boden.* Ich verstehe am besten die Sprache der Dinge: – ich
habe deinen Schwur gehört – den dein Schwert deutlich auf-
sagte: – – du hast es abgelegt, weil du mir nie einen Schlag
versetzen willst! – Das ist deine Liebe, mein Neffe, die mir
daraus entgegenschlägt. Ich nehme dein Schwert an – – ich
werde es selbst tragen – – und es dir mit meinem eintau-
schen – – *Er löst es von sich.* – – Nimm es – – trage es – –
und wenn es vor deiner Brust klirrt – – so mahnt es dich an
mich – – der sich von deinem Schwerte mit seinem Klang
auf meiner Brust immer besänftigt weiß! – – *Er hängt Tristan das Schwert um.* Da hat es nun seinen neuen Platz –
und ein neues Amt! – – Nun will ich mich mit deinem gür-
ten! *Er tut es.* Das war ein schöner Gedanken von dir – –
uns die Schwerter zu vertauschen – eine Sitte, die ich fruchtbar werden lassen will und weit verbreiten – – sie soll daran
erinnern: – daß die Freundschaft in der Welt lebt – – wenn
wir uns einmal einsam und verstoßen fühlen. Die gute Bürg-
schaft klirrt das Schwert dann auf der Brust! – – Erhebt
euch doch – – und geht – – ich entlasse euch – – ich bin zufrieden – – jetzt bin ich der glücklichste König von der Welt!
Er steht mit einem rieselnden Lächeln da.

*Isolde und Tristan halten den Kopf gesenkt, den Rücken
gekrümmt.*
*Isolde steht zuerst auf – ohne auf Tristan zu warten – geht
sie langsam nach der Tür, ab.*
Tristan folgt gedankenschwer, ab.
Marke sieht ihnen nach, das Lächeln ist erstarrt.

Ein Zimmer.

MARKE *in der Mitte.*
EIN DIENER *beim Eingang hinten – zögernd.* Es sind – Land-

fahrer, die auf Jahrmärkten dem niederen Volke ihre Kunst vorstellen!

MARKE. Die will ich sehen!

DER DIENER *noch sehr bedenklich*. Sie haben sich berufen – eine Aufforderung erhalten zu haben?

MARKE. Ich habe sie gerufen!

DER DIENER *senkt den Kopf, ab*.

MARKE *tut einige Schritte – ballt die Fäuste vor der Brust – schließt die Augen, stöhnt*.

Der Vorhang bei der Tür wölbt sich: hindurch treten der Kabbalist und sein Knabe. – Der Kabbalist ist ein hochgewachsener schlanker Italiener mit kurz geschnittenem schwarzen Kinnbart in schwarzem Samtmantel und Barett. Der Knabe – ein so kostümiertes Mädchen – steckt in orangefarbenen Hosen und knappem Wams, das Haar ist rötlichblond und in Zopfgewinden an den Kopf gelegt. Er trägt einen dunklen Kasten. – Beide verneigen sich umständlich – der Italiener jedoch mit Gemessenheit – nach Gauklerart.

MARKE *blickt lächelnd hin*. Von welchem Jahrmarkte bist du aufgebrochen?

DER KABBALIST *blickt von nun an teilnahmslos – die Blicke unverändert geradeaus richtend – stumm stehend.*

DER KNABE *tritt an ihn heran, flüstert mit ihm.*

DER KABBALIST *bewegt rasch schwach die Lippen.*

DER KNABE *zu Marke*. Er sagt: ich gehe nicht auf Jahrmärkte – ich behüte meine Kunst vor der Torheit des Volkes! Dein Bote hat uns in der Herberge einer großen Stadt gesucht!

MARKE *halb ernst*. So kann man deiner Kunst Glauben schenken?

DER KNABE *vermittelt wie vorher, antwortet*. Er sagt: seine Kunst hat das nicht nötig ihr etwas zu schenken – wenn du aber ein Geschenk suchst, so ist seine Kunst reich genug!

MARKE *verstummt, sieht mit wachsendem Ernst den Kabbalisten an. Schließlich spricht er fest*. Gut. Ich glaube ihr und dir. Ich werde dir im Anfang mit Vertrauen entgegentreten. Das Ende weist es aus. – Weißt du, was ich von dir gehört habe? Von dir und deinesgleichen, die ihr euch Kabbalist nennt und das ferne Italien zur Heimat habt? – Ihr sollt die Kunst erfunden haben – mit eurem Blick die Entfernungen des Raumes zu durchdringen, daß ihr Dinge, die an einem andern Ort sich begeben, wie aus einem Fenster anseht? – Ist es so?

DER KNABE *nach der Übertragung.* Er sagt: nein! – Es ist der Spiegel, den wir geschliffen haben, in dem der, der nach unserer Anleitung hineinsieht, an jedem Orte der Welt erblickt, was er wünscht!

MARKE *erstaunend.* Mit einem Zauberspiegel?

DER KNABE *immer wie vorher.* Er sagt: nein! – Es ist kein Zauberspiegel – es ist der Spiegel der Wahrheit!

MARKE. Ein Wunderspiegel! – Ich habe von euch – und eurem Spiegel mehr gehört: er soll nicht nur die Dinge, die im Augenblick, da man hineinsieht, geschehen, anzeigen – sondern auch die Entfernungen der Zeit auslöschen und uns die Ereignisse der Vergangenheit hervorholen. Ist es so?

DER KNABE. – – Er sagt: alles, was auf der Welt war und ist, offenbart der Spiegel. Nur die Zukunft ist ein Geheimnis. *Dabei verschränkt er, wie vorher der Italiener, einmal die Rücken der Hände vor der Stirn.*

MARKE. – Diese Beschränkung eurer Kunst ist weise. Sie flößt Vertrauen ein – *Schnell hinzufügend.* – denen, die nicht von vornherein den Glauben besitzen, wie ich mich nun von jedem Zweifel frei fühle. Darum glaube ich, daß ich als ein würdiger Schüler an dich, als meinen Lehrer, herantreten darf – um meine lebhafte Neugierde zu befriedigen, die mich seit langem nach der Bekanntschaft deines Spiegels ergriffen hat. – Führst du ihn mit dir – oder ist er noch anders gut verwahrt? – Ich schicke Boten!

DER KNABE. – – Er sagt: der Spiegel ist nur wertvoll, so lange er von mir bedient wird – darum kann ich ihn überallhin mit mir führen!

MARKE *scherzend.* Es wird ihm bei mir die Gefahr eines Verlustes nicht drohen! – Willst du vor mir deinen Spiegel spielen lassen?

DER KNABE. – – Er sagt: ich kann dir nur eine Erscheinung machen, wenn du eine heftige Begierde nach dem Bilde trägst!

MARKE *nach kurzer Pause, hart.* Ich habe die heftigste Begierde nach deinem Spiegelbilde – und ich habe dich gerufen, daß du mir die Erscheinung machst!

DER KNABE *spricht mit dem Kabbalisten. Dann beginnt er den Kasten zu öffnen und einen verhüllten Gegenstand aus ihm zu nehmen. Diesen reicht er dem Kabbalisten. Der schlägt das Tuch von ihm zurück, haucht darauf, nickt – reicht ihn wieder verhüllt dem Knaben zurück. Dieser geht danach weiter nach vorn.*

MARKE *mit einem Anflug von Lächeln.* Muß ich schon etwas tun?

DER KNABE *hat mit dem Kabbalisten Blicke über seine Stellung mit dem Spiegel ausgetauscht, merkt mit einem Kreidezeichen den Platz und tritt zur Seite. Zu Marke.* Er sagt: hier mußt du stehen, hier kann er dich sehen! – Er sagt: jetzt mußt du antworten! *Dabei wieder beim Kabbalisten.*

MARKE. Wie du es verlangst! *Er tritt zur Stelle.*

DER KNABE. – – Er fragt: ist es Gegenwart, darin du suchst?

MARKE. Nein – Vergangenheit!

DER KNABE. – – Er sagt: die Vergangenheit ist schwerer! – Er fragt: bist du mit frischen Kräften, um mir deutlich zu beschreiben, was du sehen willst?

MARKE. Ja – ich bin es!

DER KNABE. – – Er fragt: ist es weit von hier?

MARKE. – Ja!

DER KNABE. – – Er fragt: ist ein Wasser dazwischen?

MARKE. – Das Meer!

DER KNABE. – – Er fragt: was ist es da: – ein Haus? – ein Stein? – ein Tier? – ein Mensch?

MARKE. – Ein Mensch!

DER KNABE. – – Er fragt: tot oder am Leben?

MARKE. – Am Leben!

DER KNABE. – – Er fragt: ist er alt oder jung?

MARKE. – Ein Kind!

DER KNABE. – – Er fragt: wie alt?

MARKE. – Sechs Jahre!

DER KNABE. – – Er fragt: womit beschäftigt es sich?

MARKE. – Soll ich das genau beschreiben?

DER KNABE. – – Er sagt: nur was du mir nennst, kann ich dem Spiegel aufgeben!

MARKE. – Es soll: – mit Füßen im Schoße eines jungen Mädchens stehen – – es soll: – – die Arme auf die Brust des jungen Mädchens drücken – – die Hände hinten an den Hals des jungen Mädchens halten!

DER KNABE. – – Er sagt: so versenke dich mit deiner Be-

König Hahnrei 415

gierde in das Bild, dessen Anblick du suchst – bis ich mit dem Spiegel schicke. – Er sagt: wenn du alles außer dem Bilde vergessen hast – schicke ich mit dem Spiegel! – – – –

DER KABBALIST *beobachtet Marke, der angestrengt grübelnd steht. Dann nimmt er leise das Tuch von dem Spiegel – eine wenig kunstvolle und halbtrübe Metallscheibe – hält den Knaben noch kurz zurück, bedeckt noch einmal flüchtig den Spiegel – und entläßt dann.*

DER KNABE *geht behutsam rasch zu Marke, stellt sich hinter ihm auf. – –* Er sagt: such' und sieh'!

MARKE *dreht sich schnell herum, ist kurz verblüfft – will sprechen.*

DER KABBALIST *zischt leise.*

MARKE *rafft sich zusammen, schiebt den Kopf vor und blickt starr in das Metall. Endlich – mit anfänglich freudigem Murmeln.* Da – – sehe ich – – – – da von der Tiefe – – – – was eben noch trübe kam – – steigt nahe – – – – es taucht – – wie vom Grunde – – eines Fischteiches – – – – mir entgegen – – – es strahlt: – – – – auf einer Bank – – – – im Parke – – – sie – – – und es – – – deutlich – – beide! – – – – wie ich sie sehen wollte – – – – – – Jetzt – – – ohne ein Nachdenken schon – – – gibt sich mir klar das Bild auf trüber Platte – – – – es ist aus meinem Kopf darauf gesprungen – – und sieht mich – – es lächelt mich an – – – es lacht mich an – – – – mit seiner Wirklichkeit!! – – – – es lebt – – nicht mehr, als es leben kann – – – – herrlich – – – klar – – – rein – – Noch einmal will ich mich versenken – – um es wieder in mich aufzunehmen – – – – mit seiner Wirklichkeit – – die mich entbindet – – als Leben – – – geklärt – – – gereinigt – – ohne meinen Wahn – – – – *Ablassend, sich aufrichtend.* Ich habe es – ich halte es – – – nun verschließe wieder – – jetzt halte ich aus eigenen Kräften fest – – hier hinter meiner Stirn – – ergreife ich Besitz – – – und stoße ab – – – mich ab! – – wie es der Spiegel mir geschenkt hat!

DER KNABE *geht zum Kabbalisten, dieser deckt den Spiegel zu. Der Knabe schließt ihn in den Kasten.*

MARKE *Hände in die Hüften gestützt.* Ich habe gesehen! – gesehen! – gesehen! – – und gelernt! – – Sehen, das fehlte mir! – – Das war es, was mir fehlte! – – Ich habe zugelernt! – Ich habe gesehen – das enthebt – das verscheucht – das befreit –: die Wirklichkeit! – – Das zerstäubt allein die Wolken – Dünste – Nebel – die herumlagern – – in unserm Denken, mit dem wir Wolken schaffen! – – Ein Blick auf die Wirklichkeit – und ich bin erlöst! – – Was die Einbildung schuf – besteht nicht mehr! – – Was wir hinzudenken – das liegt nicht auf der Tat – das häufen wir hinzu! – Das habe ich zugelernt – – Die Wirklichkeit ist rein und klar – – frisch wie ein Herbsttag, wo die Bäume: Äste und Blätter sind – und nicht sturmhauptschüttelnde Riesen! – – Die Wirklichkeit – die muß man kennen – so kühlt sie uns! – – Nur wo wir nicht sehen – da erzeugt es Fieber – Riesen bauschen auf – das kleine Ding der Tat schwillt gierig – berstet – will uns verschütten – – jedoch wir sehen: da ist die Wirklichkeit – – unschuldig! – – *Sich an den Kopf greifend.* Angesehen haben! – angesehen haben! – *Zum Kabbalisten.* Du betreibst nicht weniger als eine Heilkunst! – – Dein Spiegel ist das bare Mittel eines Arztes – der ausgeht, Fieber zu dämpfen – Ungetüme zu schlachten – du zerstörst den letzten Wahn! Nichts gilt da als reine Wirklichkeit! – – Die bösen Schlangen schrumpfen ein – entwirren sich – da fließen sie hin – ein Fädchen Wassergarn! – – *Er klatscht in die Hände.*

Der Diener tritt sogleich ein, ein zweiter folgt – die beiden blicken drohend auf die Gaukler.

MARKE *zum Kabbalisten tretend, ihm eine Hand hinstreckend.* Ich will mich von dir verabschieden. Ich schulde dir Dankbarkeit. Du hast mir eine köstliche Stunde bereitet. Es war mehr als eine Unterhaltung! *Ebenso zu dem Knaben.* Und auch du hast deine Sache geschickt gehandhabt. Bist du die Tochter deines Meisters? *Der Knabe will zu dem Kabbalisten sprechen.* Ich will nicht mit neuen Fragen in euch dringen. Ich werde ihn schon müde gemacht haben. Geht in Frieden. *Zu den Dienern.* Führt die beiden in ein Zimmer, wo sie sich ausruhen. Sie sollen die Nacht über in der Burg bleiben. *Zum Kabbalisten.* Und benutze die Nacht dazu, für einen Lohn am andern Morgen nachzudenken! *Er nickt noch einmal.*

Der Kabbalist und der Knabe verbeugen sich wieder gauklerhaft, ab.
Die Diener folgen.

MARKE *sieht auf die Tür, die sich hinter ihnen geschlossen hat, murmelt.* Wunderbar – – – –

In einem Zimmer: Marke steht vor der Hinterwand und blickt mit unverhohlenem Entsetzen nach einem Türvorhang links. Seine Lippen sind schmerzhaft gewölbt, die Augen schlagen schnell, die Hände ballen sich im Krampf.
Links tritt der Steuermann ein: ein starker, gebräunter Mann in Kittel und Hosen von weißem Leder – die Seehundskappe zwischen seinen Handschuhen aufgeregt drehend. Beim Anblick Markes fährt er zusammen, vergißt sich zu verneigen – und starrt weiter in das Gesicht Markes.

MARKE *seine Brust arbeitet schwer – seine Worte kommen gestoßen.* Was – trieb dich – zu mir?

DER STEUERMANN *mühsam.* Ich – komme mit einem Bericht!

MARKE *keuchend.* Ein Bericht? – Hast du eine glatte Fahrt gehabt? – Hast du wieder eine Königin an Bord?

DER STEUERMANN *verwirrt.* Ich – will dir den Bericht davon geben – was ich sah – an Bord – als ich die Königin brachte! – – – –

MARKE *die Schultern wölbend.* – – Nun wohlauf – sprich! – Du wolltest mir einen Bericht machen? – – Ich höre!

DER STEUERMANN *sich rötend.* – – Wir waren am sechsten Tage – –

MARKE *einfallend.* Am sechsten –!

DER STEUERMANN. Ich irre mich nicht!

MARKE. Darum wiederhole ich die Zahl nicht! – Weiter!

DER STEUERMANN. – Als wir uns dem Eiland näherten, das wir auf jeder Fahrt anlaufen müssen, um uns auf dem Schiff mit frischem Tinkwasser zu versorgen. Wir kamen am Mittag dahin, der Tag war heiß – und ich schickte alle Matrosen von Bord an Land, um sich einander zu helfen und auch um zu beeilen und den Aufenthalt so kurz wie möglich zu fristen. So wateten alle mit den Schläuchen auf den Schultern beladen durch das dünne Wasser zum Strand – und verschwanden nach der Waldquelle hin. Ich war aber auf dem Schiff geblieben und hatte mich auf dem Steuerkasten gelagert – und hatte das platte Schiff vor mir! – *Atemholend.* Im Vorderdeck war das Zelt für die Königin aufgerichtet. Es mußte schwül darunter sein, denn die

Tücher nach mir hin – aber auf den Seiten nicht! – waren aufgezogen und das Zelt stand für meine Blicke offen. – – Mochte es nun sein, daß die Königin glaubte, daß keiner von der Bemannung zurückgeblieben war – Tristan saß bei ihr – auf demselben Fell mit ihr – – sie saßen nebeneinander – – die Braut für dich – – mit einem anderen Manne! – *Er schöpft Luft.* Ich wollte anfangs meine Augen in die entgegengesetzte Richtung drehen – oder an Land gehen – aber da schlug mir das folgende lähmend in meine Glieder: – – sie schickten – im Zelt! – ein Mädchen, das bei ihnen war, nach Wein fort – sie waren vom heißen Tage durstig – und als das Mädchen zurückkam, brachte es nur einen Becher mit. Es sollte den zweiten Becher suchen – so ging das Mädchen wieder von ihnen. Da warteten die Königin und Tristan noch eine Weile – und ihr Durst mochte wohl zum Brennen gestiegen sein! – – denn Isolde goß den Wein ein – – für beide Wein, den sie aus demselben Becher genossen! – – tranken mit den Lippen zuletzt nebeneinander am selben Kelchesrand – – und hielten die Lippen auch noch fest, als der Wein schon erschöpft war – – ließen den Becher aus den Händen fallen – – und drückten nur noch die leeren Lippen auf Lippen – – das Alleinsein schlug wohl über ihnen zusammen und der Wein wirkte: – – sie umschlangen sich – – warfen sich nieder – – und vereinigten sich – – – – vor der ungeheuren Bläue des Meeres! – – Zuletzt kam das Mädchen wieder – es hatte den Becher inzwischen gefunden – – aber da ergriff Tristan ihn – sprang an den Schiffsrand – und schleuderte ihn unter einem Wunsche in das Wasser hinaus! – – Seit dem Tage haben sie wohl nur noch aus einem Becher sich gelabt! *Er blickt Marke gespannt an.*

MARKE *seine Hände beben, er hält sich noch in den Hüften zurück – dann ist er mit Sprüngen an den Steuermann heran, packt ihn, zerrt ihn rechts in die Ecke hinten hinein. Zischend.* Höre – du kommst reichlich spät mit deinem Bericht – – er war dir wohl zugleich in das Wasser gestürzt – – daß du erst jetzt den Mund auftust! – – *Ihn schüttelnd.* Das hast du nicht aus dir! – – *Ihn dicht an sich zwingend.* Bekenne: – wer hat dich geschickt?! – Wer hat dich abgerichtet?! – – Wer treibt sein Affenspiel mit mir?! – – Wer macht Leute deines Schlages gegen mich aufsässig?! – – Nenne sie – oder du bist hier am Ende aller deiner Seefahrten!

DER STEUERMANN *sich windend.* Ich habe selbst –

MARKE. Du eingespielter Meeraffe – gestehe hier!!

DER STEUERMANN. Ich habe selbst – – gesehen!!

MARKE. Gesehen?! – – du blinde Katze! – – Wer hat dich abgesandt zu mir?! – – Wenn ich erst raten soll – –!!

DER STEUERMANN. Geschickt – – bin ich – –

MARKE. Von wem?!!

DER STEUERMANN. – Ich hatte erst davon gesprochen – – mich gemeldet – – als die Gerüchte in Umlauf kamen – –

MARKE. Wem hast du dich angeboten?!

DER STEUERMANN. – Die Barone haben mich zu dir gewiesen!!

MARKE. Die treuen Seelen!

DER STEUERMANN. – – weil du etwas suchtest!!

MARKE *keuchend*. Jawohl – du Schelm – ich suchte etwas!! – – Was sind die Narren weise, was ich suche! – – Wie kenne ich das gut! – – wie du die Kunst des Schreibens! – doch ist uns beiden nichts geläufig! – – *Ihn wieder fest packend*. Du bist bestochen –!!!

DER STEUERMANN. Für Geld – – *Er schüttelt heftig den Kopf*.

MARKE. – Du läßt dich schicken –!!

DER STEUERMANN *wieder ablehnend*. Ich bin freiwillig – –

MARKE *abwehrend*. Jetzt besteche ich dich!! – jetzt schicke ich dich!! – jetzt sollst du mir bringen, was ich suche!! *Mit einer Hand vergeblich in seinem Gewand suchend*. Hier – hier – hier – ist Gold in Hülle und Fülle – – Hier ist nichts, aber ich lasse dich mit Geld überhäufen – – wenn du meinen Auftrag ausgeführt hast! *Sich flüchtig umblickend, den Steuermann mit sich in die Höhe ziehend*. Hierhin – so sind wir weit von allen Wänden! – – Strenge dich an – – der Auftrag ist nicht gewöhnlich – – doch bist du mehr geübt als andere – du brachtest mir ja die Königin von Irland – – jetzt: – besteige dein Schiff – segele heute abend aus – – jetzt hole mir auch den Prinzen von Irland!!

DER STEUERMANN *fährt erschreckt zurück*.

MARKE. Locke ihn dann auf dein Schiff – – mit einem Kunstgriff, dessen Erfindung ich deinem Scharfsinn überlasse. Ziehe ihn an Bord – unter Vorspiegelungen – und verbirg ihn unter Deck! – Dann fahre mit ihm ab! – hierher! – und schaff' ihn heimlich in eins meiner Zimmer! – – Du bist der rechte Mann dazu – dir ist das Geschicktwerden nicht fremd – und nimmst Botengeld für deine Tasche an! Solchen

Menschen suche ich schon lange. Vom Wasser mußte er mir kommen. Da braut sich Wind und Wetter euern Stamm!

DER STEUERMANN *sich sträubend.* Ich soll den Prinzen rauben?!

MARKE. Nicht doch: – rauben! – – Er soll eine Reise mit dir machen – einmal hin und her – das ist das Ganze! – – Ich will ihn doch nicht hier behalten: ich will nur einmal meine Blicke über ihn streifen lassen! – Wenn ich ihn angesehen habe – ist es genug! – Es soll ihm nichts geschehen!

DER STEUERMANN. Kennst du nicht: ein Prinz, der den Thron erbt, soll nie aus seinem Lande genommen werden, bis er den Thron besitzt? Nicht freiwillig, nicht mit Gewalt – –! Prinzenraub: – das wäre das wildeste Verbrechen!

MARKE. Tu' es – auf meine Kosten! Du wirst von mir geschützt – und bezahlt! – Tu' es so, daß niemand es erfährt – der Prinz ist einige Wochen verschwunden aus seinem Lande – dann setzt du ihn irgendwo aus – und er war nie von seiner Küste. Das ist erst deine volle Aufgabe! – Ein Kindeswerk!

DER STEUERMANN. Ich – – sträube mich!!

MARKE. Sträubst du dich –?! – – Wenn ich bezahle, so ist es Wahnsinn!

DER STEUERMANN. Das andere ist Wahnsinn!!

MARKE. Was weißt du: dies ist der Wahnsinn deines Königs? Doch Wahnsinn ist die Krankheit – die mit einem Scherz geheilt werden kann! – – Bereite ihn mir! Soll ich nicht der glücklichste König der Welt sein? Eben hast du mir so dienen wollen – – mit deinem Berichte – jetzt verkünde ich dir, wie man an meinem Glücke dient! – – Der Anblick des Prinzen!!!! – – – – Nun kannst du wählen – das liegt auf deinen braunen Fäusten: – dienst du mir ehrlich – -- *Plötzlich an ihm niedersinkend.* – Bringe mir das Kind – – – – ich muß es sehen!! – – – –

DER STEUERMANN *blickt nach der Tür.*

MARKE *aufspringend, zur Tür eilend, sie mit seinem Rükken deckend.* Wir sind hier allein – – in diesem Zimmer – – du wirst es verlassen – – *Von der Tür wegtretend, lächelnd.* – – wenn du mir eine Bitte, die ich an dich richte, verweigern willst – – – –

DER STEUERMANN *nähert sich mit unsicheren Schritten der Tür – und geht hinaus.*

MARKE *beachtet es nicht: seine Augen hellen sich auf, ver-*
dunkeln sich – sein Gesicht leuchtet, er sagt vor sich hin.
Hier ist ein Hoffnungsschimmer – die letzte – und sichere
Hoffnung – – *Er nickt.* Ja!

Der Rosenhof, in dem die Steige ein Kreuz bilden und vier
gleichförmige Beete abschneiden, die mit Rosen an Stäben
dicht bestanden sind.

ISOLDE *schreitet auf dem Mittelsteig langsam auf und nieder.*
MARKE *steht linksseitig im Quersteig – vor einem Rosen-*
stamm, in dessen Krone er mit beiden Händen zupft. Jedes-
mal sieht er auf, wenn Isolde auf dem Mittelsteig hinauf
oder hinab den Quersteig überschritten hat, und verfolgt sie
im Rücken mit unruhigen Blicken. Doch immer, kurz bevor
sie oben oder unten umwendet, macht er sich wieder mit den
Rosen zu schaffen.
ISOLDE *hebt die Augen nicht vom Kies des Steiges auf.*
MARKE *beugt sich mit dem Gesicht auf die Rosen und rafft*
sie noch zu einem Bündel mit den Händen um sein Kinn
zusammen.
ISOLDE *kommt auf dem vorderen Teil des Mittelsteiges.*
MARKE *richtet sich rasch auf – will sie anreden – bückt sich*
wieder auf die Rosen.
ISOLDE *kommt auf dem tieferen Teil des Mittelsteiges.*
MARKE *hat von neuem die Absicht zu sprechen – schweigt.*
ISOLDE *kehrt vorn um, geht zurück – ohne Markes zu achten.*
MARKE *über den Rosen.* Ah! – Duft! – – der ist gemacht zu
berauschen – –! – – Mit diesem Nebel, der aufsteigt, uns
sanft zu vergiften – –! – – Ah! – – ein Wein, dessen Dunst
wir trinken – – wie Nachtwein, in dem Gift ruht – – uns
tiefer dämmern zu machen – – *Er ist dicht auf der Rosen-*
krone. – Ich habe ihn gern getrunken – – diesen Dunst – –
wie Nachtwein – – der einschläfert – – der schlummern
macht – – ah! – – Duft! – – – –
ISOLDE *ist stehen geblieben und blickt gebannt auf Marke –*
dann geht sie weiter. Sie ist blaß geworden.
MARKE *plötzlich Laub und Rosen loslassend – sich gegen*
Isolde aufrichtend. Ich habe mit eigener Absicht diesen Spaziergang im Rosenhof eingerichtet!
ISOLDE *hält ein, sieht nach ihm.*

MARKE *nickend.* Ja! – ich wollte mich – vermittels dieser Luft – die von einem Blütengeruch geschwängert ist – in einen Tag in der Vergangenheit zurückversetzen lassen – – wo ich auch von Duft umflossen und vergiftet saß!

ISOLDE *geht weiter.*

MARKE *ihr nachsprechend, lebhaft.* Soll ich ihn dir erzählen?

ISOLDE *wandert gesenkten Hauptes.*

MARKE *hinterdrein erzählend.* Es war ein Morgen – blau lohend – an dem ich hinauswanderte –! Ein junger Diener begleitete mich! – Da kam ich auf dem entlegensten Platz der Burg an. Ich will ihn dir schildern – wie er mir gut im Gedächtnis brennt: – – ein Platz von einer Mauer – die hoch wie ein Mann – abgeschlossen –! – in seiner Mitte ein hundertjähriger – von Blütentrauben überschütteter Akazienbaum –! an seinem Fuß eine Steinbank –! – – Ich setzte mich auf die Steinbank! – – Den Diener schickte ich fort! – – Ich war allein – wollte allein sein! – – einzig und still auf der Welt! – – Ich stieg in den Akazienbaum! – – Auf seinen tiefreichenden Ästen wie über eine leichte Treppe ging ich in die Baumkrone hoch! – und suchte mir obendrin einen Sitz auf einem runden Zweiggegabel! – – und schlief ein – – von dem Gift aus den tausend Blüten um mich vergiftet! – – und saß betrunken reglos da oben – – lange Zeit! – – lange Zeit! – – lange Zeit!

ISOLDE *tut keinen Schritt mehr, drängt die Hände auf die Brust und hört zu.*

MARKE *mit wogendem Munde.* Und was geschah?

ISOLDE *wirft den Blick suchend umher.*

MARKE *seine Rosen festhaltend.* Und was geschah mit mir? – – auf meinem Baum? – – Was ging vor? – – Was ging mit mir vor? – – mit mir dem Schläfer auf der runden Gabel? – – Was stellte sich ein? – – ja, was? – – Was gab es für ein Stelldichein?!

ISOLDE *schwankt.*

MARKE. Ich – lauschte! – – Lauschte etwas in mich hinein – das ich nicht mit dem Kopfe auffing! – – Es füllte nur meine Ohren – und schlief in den Gängen meiner Ohren ein – – und ich trug es aus dem Baume in meinen Ohren weg – – auf mein Bett – – und da verstand ich in der Nacht – – als das Gift zu schwach wirkte – – das Gift aus dem Becher – – das in mich geträufelt wurde – – und seinen Bruder – das Gift aus dem Baume! – weckte – – da senkte es sich erst in mich – – aus den Ohren in den Kopf hinab – – was ich von der Bank unter meinem erhabenen Sitze erlauscht hatte!!

ISOLDE *sucht durch den Garten.*

MARKE *nach einigem Schlucken.* Du hörst: – ich hörte! – – Du vernimmst: – ich vernahm! – – von der Bank in den Baum – von tief zu hoch! – – *Seine Kehle ist verstopft.*

ISOLDE *tut einige Schritte zur Flucht, ihre Knie wanken.*

MARKE *sie starr beobachtend – indes sich sein Gesicht verändert: breit und farbig wird und Lichter in den Augen glitzern.* – Jetzt sollst du mir sagen – –! – – selbst du sagen! – – – Fragen, die ich dir stelle, mußt du mir beantworten – –! Worte, die ich beginne, mußt du mir schließen – –! – – Riesen, die ich türme, mußt du mir zu Zwergen machen – –! – Werke, die ich baue, mußt du mir zu Hauch verflüchten – –! – – – sammle deine Gaben! – – sammle deine Sinne! – Suche mir, was ich verliere! – – zeichne mir aus der Luft, was ich nicht sehe!!!

ISOLDE *ist an seinen Ausbruch gebunden.*

MARKE *nach einigen vergeblichen Anfängen.* Antworte: – – die Hände – – die Hände – – die hinten an deinem Hals lagen – – – –

ISOLDE *hört vorgebeugt zu.*

MARKE *ringend.* – Sprich: – – die Arme – – die Arme – – Arme! – – die auf deine Brust drängten – – – – deine Brust drängten – –

ISOLDE *hört atemlos zu.*

MARKE *im Krampf.* Rede – – rede: – – die Füße – – die Füße – – die Füße! – – – die sich in deinen Schoß stemmten – – – – die Füße – – in deinem Schoß – – *Er umklammert den Rosenbusch, daß die Dornen in seine Hände ritzen.*

ISOLDE *wird von Entsetzen geschüttelt.*

MARKE *fast zusammenbrechend.* Zeichne – – zeichne mir sie – – aus der Luft – – mit Strichen – – nicht lang! – – nicht hoch! – – nicht breit! – – wie die Hände fassen! – – die Arme drängen! – – die Füße sich in den Schoß stemmen! – – – – *Röchelnd.* Zeichne mir ihn daraus – – ihn!! – – zeichne mir ihn – – daß ich ihn davon kenne – – – – daß ich ihn – – – – daß ich ihn – – sehe – – – – –du noch allein kannst es – – – – kennst es: – – *Mit zerlachtem Schrei.* – – das – – – – Kind!!!!!

ISOLDE *atmet fliegend, mustert Marke mit brennenden Blik-*

*ken, sucht nach der Sprache. Dann stößt sich ein Schrei aus
ihrer Kehle, klirrend, schallend.* Nein!!!!

MARKE *schießt auf, wirft sich nach ihr herum.* Nein?! – –
du kannst es nicht?!! – – Nein?! – du kannst nicht?!! – – du
nicht?! – – Du kannst nicht?! – – Du kannst es auch nicht?!
– – Nein?!!! *Er stürmt mit erhobenem Arm auf sie zu.*

ISOLDE *hält seinen Angriff aus.*

MARKE *die Arme sinken lassend.* – – Du willst nicht!! – –
du willst auch nicht!! – – du willst mich nicht entreißen!! – –
du willst – – mich ausliefern – – an – – Du hast mich zu diesem Ende bestimmt!! – – du hast schon über mich beschlossen!! – – schon immer!! – – schon immer!! – – das: mich ausliefern an – an – an mich!!!! *Sich aufbäumend, die Augen
bedeckend.* – – an mich!!!! – – an mich!! – – an mich!! – –
Winselnd. – – ja an mich – – – – an mich – – – –

ISOLDE *bebt.*

MARKE *mit neuem Ausbruch.* Aus meinen Augen!!!! – –
fort, daß meine Augen dich nicht mehr sehen! – – Aus meinen Augen – – dein Anblick soll mir nichts mehr aufstören!!
– dein Anblick ist es – – der mir das weckt und nährt – – es
aufreizt – – alle Wut gegen mich – – *Von neuem vor ihr
mit Armen zum Schlagen.* Die Wut soll verlöschen – mit
dir!!

ISOLDE *hört zitternd zu.*

MARKE *läßt von ihr ab, blind wütend.* Aus meinem Hause
– – raff' – – *Ächzend.* – – raff' dich! – – aus dem Hause!!
– – aus der Luft!! die ich trinke!! – aus dem Wein, den ich
atme!! – – aus dem Bett, das ich drücke!! – – aus dem
Hause!! – – aus dem Hause!!!!

ISOLDE *flieht, ab.*

MARKE *den Mittelsteig herantaumelnd, mit geschlossenen
Augen achtlos in die Rosen rechts und links vom Wege greifend und sich die Hände aufschlitzend und von den Schmerzen der Verwundung immer wieder auf den Steig zurecht-
gewiesen – aus überfülltem Munde mit quellenden Reden.*
Leer alles!! – – leer alles!! – – leere Luft!! – – leeres Haus!!
– – leeres Bett!! – – alles leer!! – – leer!! – – leer! – –
Taumelnd. Das ist das letzte! *Er fällt mit dem Gesicht zu-
unterst in die Stacheln und die Blüten der Rosenstöcke und
liegt bewegungslos, mit den Beinen im Steig.*

Hinten taucht Andret auf – hastig, freudig über den Rosen-
hof blickend. Er stutzt – dringt weiter vor – sucht die Steige
ab – entdeckt Markes Beine.

ANDRET *mit einer Stimme, die in Jubel schüttert, ruft nach*
der Tiefe rechts, schwenkt die Arme. Hier! – hier! – – hier
liegt Marke blutend in den Rosen! – – *Er kniet zu Marke*
hin, kriecht vorsichtig unter den Rosen zu ihm vor.

Es kommen Majordo, Ganelon, Gondoin gelaufen – mit
glücklicher Erregung auf den Gesichtern. Alle werfen sich
bei Marke nieder, arbeiten ihn frei.

DIE VIER BARONE *mit hellen Tränen über die Wangen –*
unter Lachen und Weinen – durcheinander. Sie sind aufgebrochen! – – Sie sind fort! – – Sie sind aus der Mauer! – –
Sie sind aus der Burg! – – Beide – –: Tristan! – – Isolde! – –
Jetzt bist du genesen! – – Jetzt hast du Frieden! – – *Sie*
haben ihn auf dem Steige liegen, heben ihn auf. Jetzt bist
du wieder unser, der du warst! – – Jetzt tragen wir dich in
dein Haus zurück! *Sie tragen den besinnungslosen Marke*
zwischen sich weg.

VIERTER AKT

Ein innerer quadratischer steingepflasterter Hof, von star-
ken Hausrückwänden ohne Unterbrechungen umstellt. Un-
ter der Wand hinten ein gedrückter Säulengang, der Aus-
tritt daraus in den Hof in der Ecke links. Vorn rechts breiter
Durchgang mit einem Eisengitter, das fast halbkreisrund in
den Hof hineinsteht.

Mit dem Rücken am Gitter schauen Andret, Majordo, Gon-
doin, Ganelon – jägermäßig gerüstet – belustigt Vorgängen
zu, die sich außerhalb des Durchgangs abspielen: diese Vor-
gänge sind die lärmenden Vorbereitungen zu einer Jagd,
die mit einzelnen Hornstößen, Hundegebell, Peitschenknal-
len, Zurufen hereindringen.

ANDRET *hinausrufend.* Dein Horn ist noch verstopft, blase
keine Töne, sondern fege mit deiner Lungenwindsbraut vor-
läufig den Staub heraus!
MAJORDO. Es liegt nicht an seinem Horn, der Bläser hat die
Übung verloren!
GANELON. Kein Kunststück!
ANDRET. Ich habe auch keins von ihm gerühmt!
GANELON. Ich meine, es ist die natürliche Folge, seine Kunst
zu verlieren, nachdem man so lange kein Mundstück anzu-
setzen bekommen hat!
GONDOIN. Das war verständlich!
MAJORDO. Es ist auch nicht ausgemacht, wer von uns zuerst
seinem Bock hinter das Licht schießt!
GANELON. Ich glaube an eine gute Jagd!
ANDRET. Woher?
GANELON. Das Wildzeug ist in der Zeit zahm geworden, seit
wir ihm nicht angegangen sind: es läßt sich vorn an den
Stangen festhalten und hinten sein Licht mit Muße aus-
löschen! *Sie lachen.*

Ein Hornlaut.

ANDRET. Das war schon besser – ah! – das stieg wie eine gute
Lerche in die Morgenluft auf!
MAJORDO. Die Musik ist gestimmt – daran wird es nicht
fehlen. Blast uns einen fröhlichen Gruß, wenn wir von der
Mauer an den Wald ziehen!

Zwei Hörner neben einander, verschlingen sich kunstvoll, jubeln, tönen aus.

ANDRET *in den Hof sich umblickend.* Das hat nicht nur an den Wald gelockt – das stieß weiter hinein!

MAJORDO *sich die Beine vertretend.* Die Posaune des jüngsten Gerichts ruft nicht besser!

ANDRET *ihm auf die Schulter klopfend.* Das Gericht war gehalten – jetzt geht es mit uns schon in den Paradiesgarten – zu Hirschen und Sauen!

MAJORDO *seine Kappe kurz schwenkend.* Lockt noch einmal in die Hörner!

Die beiden Hörner, in die sich ein drittes mischt, doch die Melodie zerstört.

ANDRET *abwinkend, nickend.* Seht ihr: zu dreien ist nichts daraus gemacht! *Zu den Baronen.* Eins weniger – sind vier mehr!

MAJORDO *sieht ihn an.* Warum vier?

ANDRET *kurz.* Und du bist der vierte!

MAJORDO *auflachend.* Dein Witz ist hell heute morgen wie deine Spießspitze – und trifft! *Hinauswinkend.* Für Baron Andret – für den Meister der Jagd!

Hörner.

GONDION *heftig hinausweisend.* Da – in der Meute! – – Jetzt sind die Leda – Diana – – zu den Rüden ausgelassen!

Alle blicken lustig gespannt.

GANELON *halb lachend.* Die werden wir heute nicht vor die Keiler bringen!

GONDOIN. Der lange Zwinger schärft – da! – da sind zwei hinter der – und die hält stand!

MAJORDO. Kreatur – die!

ANDRET *ruhig.* Ja – weil es Kreatur ist!

GANELON. Klüger – man hätte früher ausgelassen, jetzt trabt das stumpf überm Schweiß!

MAJORDO. Auch das legt sich, wenn wir noch warten!

ANDRET *ungeduldig.* Auf die Meute warte, wer noch kann –
ich kann nicht mehr warten!
GANELON *scherzend.* Da seht: nimm also eine billige Rücksicht!
MAJORDO *ein Zeichen gebend.* Lang' blasen! – Der Meister
der Jagd will unterhalten sein!

Die Hörner setzen ein.

ANDRET. Ich werde zur Tafel eingeladen – und man setzt
mir leere Schüsseln vor!
MAJORDO. Sei im Herzen froh, daß endlich wieder einmal
eine Jagd angesagt ist!
ANDRET. Wer hungrig ist – und Nahrung riecht –
MAJORDO. Der fängt sie sich auch!

Die Hörner brechen ab. Stille tritt ein.

ANDRET. – – Was ist?
MAJORDO *aufmerksam einen Schritt vortuend.* Die Jagd – –?
GANELON *ganz dicht am Durchgang, zu den Baronen.* Die
Jagd ist abgesagt!
ANDRET *vom Gitter tretend.* Wer sagt die Jagd ab?
GONDOIN *neugierig.* Wie – Marke?
MAJORDO *ebenso.* Marke?
ANDRET *nach einem Anhören, böse.* Was ist der Grund? – –
Kein Grund? – – So ist es uns kein Grund! – Die Jagd ist
mit Grund angesagt – wird ohne Grund abgesagt! – Woran
halten wir uns jetzt?

*Majordo, Ganelon, Gondoin sind schon aus dem Durchgang
verschwunden.*

ANDRET *allein im Gitter.* Ich lasse mich nicht abspeisen mit
ein wenig Musik – mit ein wenig Hundelärm! Ich lasse mich
nicht schwanken machen. Hier bestehe ich auf meiner Jagd!
Und wenn alles zu taumeln beginnt – ich stehe steif wie eine
Bachforelle nach Beute! – Ich schnappe hier nach der Luft –
ich atme schon auf! – und man bläst mir wieder alles vor
der Nase weg. Keinen Ruch hat man gekostet! – – *Eigensinnig.* Es gibt kein hin und her! – – Ich höre nicht – ich
verstehe nicht – ich bin taub –! Ich krieche nicht aus diesem
Rock, wenn ihn kein Strauchwerk mir fetzenweise vom

Leibe beißt – – mit keiner Gewalt zieht ihr mich heraus! – –
Ich bleibe! – *Er geht durch den Durchgang ab.*

*Rechts hinten wird von Brangäne und einem jungen Diener
Marke in den Säulengang geführt: er lastet auf seinen Begleitern, seine Schritte ziehen sich schwer über den Steinbo-
den, der Kopf ist auf die Brust gesunken, auf dem sich der
Schneeberg seines Haares türmt, die Augen sind geschlossen.
Die drei gelangen bis an den Austritt links, dort stützt Brangäne Marke allein, indes der junge Diener aus dem Säulengang einen niedrigen Sessel nimmt und gleich neben dem
Ausgang aufstellt.*

MARKE *läßt sich nieder.*

Brangäne – traurig, weiß – steht links, der Diener rechts.

MARKE *hebt den Kopf, legt ihn in den Nacken – ohne die
Augen zu öffnen – und saugt vernehmlich die Luft ein.*
– Ah! – – das strömt – – in meine Brust! – – das ist nicht
dick – – das ist nicht dünn – – und mir leicht zu atmen! – –
Es schmeckt noch – – da schlürft man es gerne! – – Brunnen
der Luft – – der speist! – – So wohl ist mir – – so leicht! – –
Ich wünsche mir – – nichts! – – nein: nichts mehr! – – Nichts!
– Nein – nein! – – hier sitzen – – und die Stille – – frei von
gellenden Hornstößen! – – trinken – – die haben mich ge-
schreckt! – – die haben an mir gerüttelt! – – – So wünsche
ich nichts mehr – – die sind begraben! – – Das ist alles – –
und alles ist es! – – – – So – – so laßt mich bleiben – – Labsal
atmen – – leicht! – – *Dann ohne aufzusehen.* Die Taube nur
– – die im Gesimse schnurrt – – schießt Pfeile Lichts – die
meinen Augen wehtun!

Diener und Brangäne schauen befremdet herum.

MARKE *auf das Geräusch hin.* Nicht störren – – nicht scheuchen! – – Das mehrt die Stille! – – Ohne Schmerz keine
Wohltat! – Sie tut mir wohl – – ich sehe sie gerne: – – sie ist
weiß! – wie Schnee auf Wasser fällt – –! – – sie ist rein – –
der gute Vogel! – – – So ist sie mir lieb – – da oben – – ver-
flattert vom Lärm – – geborgen im Gesimse – – wo die
Sonne hintrifft – – wärmend und blinkend! – – – – *Nach*

einem Schweigen. Wie ist mir leicht! – – Ich fühle mich so frei – – ich bin wie ein Fisch – – der aus einem Fischteich auftaucht – – und ohne Türme des Wassers über ihm auf dem Sande des Ufers ruht! – – – Warum ist mir denn so leicht? – – – – Ich weiß es nicht – und denke ihm nicht nach, was es leicht macht! – – – Laßt mich ein Fisch sein – – der sich frei getaucht hat – – aus einem dunklen Grunde – in diese strömende Luft – – die so dünn eindringt – – auch in meine Brust!– – – – In einem dunklen Grunde – – da fuhr ich einmal herum mit hitzigen Schlägen – da traf ich dies und traf ich das – – und traf nur immer mich selbst! – – So hieb ich auf mich ein – – und hieb mich müde auf mir und mit meinen Kräften von Kräften – – – der Schlag ist unser – – auch der Schmerz wird unser! – – Ratet – ratet nicht an diesen Dingen –! – Sondern ich pries euch von den Fischen – die wunderbar schweigend leben –! – Sie haben mich das gelehrt – – was ich nur noch weiß! – – Luft schöpfen – – leichte – – dünne – – und in der Sonne bleiben! – – – *Müde.* Jetzt bin ich von Kräften – – gut: Kräfte taugen nichts – – – gut: jetzt bin ich matt – – da lehnt sich wieder das Leben an mich – – das Leben kann unsern Streit nicht vertragen – – milde als ein schmeichelndes will es nahen – – und an unsern Knieen stehen! – – – Wer von Kräften ist, kann leben – – da tritt das Leben zu ihm hin! – – – – Wer hinter seinen Streit gesprungen ist – – der lebt! – – der atmet – –: Luft, die nicht bitter mundet! – dem schafft sich dünne – leichte – herrliche Luft! – – – – Ah! – – das strömt – – in meine Brust – – das ist nicht dick – – es schmeckt noch – – lieblich – – als flöge die Taube – – die Sonne briet sie! – über meine Zunge – – und zerflösse – – zu dieser Luft! – – – – Hier will ich nun immer sitzen – – seit ich so gesund bin – – leicht wie ein Fisch auf dem Ufer! – – Hier verbraust jeder Lärm! – – Wer will hier lärmen? – – Die Taube flog schon aus dem Lärm zurück – – nun schnurrt sie im Gesimse! – – Wer will da lärmen? – Mit Worten – – Mit Rufen? – – Mit Hunden? – – Mit Hörnern? – – Das alles schläft hier ein! – – Es ist hinausgeblasen! – – Hörner haben es weggeblasen – hinausgetragen! – – Gute Hörner – – liebe Hörner – – ihr stiftet den Frieden – – nun segelt der Schall draußen über Wald und Flur – – und fährt von meiner Burg! – – Die Burg ist still – – und leer – – meine Burg ist ein schöner Aufenthalt! – – Ich liebe meine Burg! – – Lieb ist mir meine Burg! – – Ich sitze in meiner Burg – – wie der glücklichste – – ich bin der glücklichste König von der Burg! – – Menschen nicht! – – Tiere nicht! – – Laute nicht! – – Töne nicht! – – Kein Ton, der dringt! – – Kein Ruf, der springt! – – – – Ohne Ruf – – ohne Tritt – – ohne Schritt – – ohne Gang – – ohne Klang – – ohne Klirren – – ohne Schwirren – – – – – –

Bei seinen letzten Worten ist Kurwenal – leicht mit Schritten lärmend und mit Waffen klirrend – in den Säulengang rechts eingetreten. Er ist in bestäubtes Leder gekleidet, an dem Stücke von Laubbrüchen haften – wie er vom Pferde gestiegen ist. Er ist angestrengt und unruhig. Anfangs zögert er, dann kommt er durch den Gang, tritt nicht heraus, sondern bleibt schräg hinter Marke und dem Diener stehen.

BRANGÄNE *hat ihn mit fragenden Blicken angesehen.*
KURWENAL *nickt gegen Marke hin.*
BRANGÄNE *zuckt die Schultern, steht wieder still.*
KURWENAL *hat gewartet, klirrt mit einem Waffenstück, räuspert – wartet wieder. Er blickt unruhig suchend über den Hof nach dem Gitter vorn, legt den Kopf auf die Seite, um auch in den Durchgang spähen zu können. – Er schüttelt die Sporen, entschließt sich zu sprechen, rasch heraus.* Kurwenal ist in die Burg eingeritten. Er kommt vom Forste! – *Er schweigt, setzt von neuem an.* Ich war ausgeritten – – – an einem Tage – *Stockend.* – an dem Tage – – *Durcheinander geratend.* – – am Tage, wo – – *Er bricht ab.* – *Nun fest.* Ich will von Isolde und Tristan berichten! – – Am Tage, wo sie von der Burg geritten, habe ich sie begleitet – – sie geführt – sie weggeführt in den Wald. Wir ritten ohne Weg und Ziel – am ersten Tage – am zweiten Tage – am dritten Tage noch – und gerieten immer tiefer in die Wildnis. Zuletzt überquerten wir einen Sumpf – auf einer Furt – und gedachten jenseits des Sumpfes noch weiter zu ziehen. Aber da trafen wir wieder auf einen Sumpf – wir bogen ihm nach rechts aus – nach links aus – von allen Seiten war Sumpf – es war derselbe Sumpf, der ein Waldrund umgab – und abschnitt – wie eine Insel. Und um den Sumpf stand wie eine Mauer gewachsen Dornendickicht – undurchdringlich! – Da erschien mir der Platz ein rechtes Gewahrsam zu sein für die beiden – und ich verließ sie. Ich hatte mir vorher die

Furt für mich gemerkt und ein Zeichen, das nur ich erkannte, gemacht – denn ich mußte ja einmal zurückreiten. Als es Abend wurde, trennte ich mich in der hereinbrechenden Dämmerung von ihnen, damit sie mich nicht gewahrten, wie ich mich von ihnen entfernte – fand die Furt wieder, brachte den Sumpf hinter mich – die Dornenhecke – und trabte den Heimweg ohne Nächtigen – ohne Rast aus dem Sattel! – den beschwerlichen Weg zurück – bis jetzt die Hörner mir von der Burg entgegendrangen – – und die letzten Kräfte meines Gauls verbrauchend sprengte ich auf die Burg an, klapperte ein, bin da – um dir noch vor deiner Jagd zu melden: – – daß der Wald weithin leer ist und frei für die Meute und die Jäger! *Er sucht wieder nach dem Gitter hinüber, biegt sich zur Seite, richtet sich auf, runzelt die Stirn, fügt mit Nachdruck hinzu.* Das ist ihre Wohnung: – ein Rund im Wald – nicht groß! – nicht frei! – und tief im Forst – – Wohin kein Hund stöbert – – wohinaus kein Horn aushallt – – wohin keine Jagd abschweift – – wohin wir nicht mit jagen an vielen Tagen dringen! – *Noch stärker.* Die sind fort! – *Dann wartet er wieder, blickt flüchtig nach dem Gitter aus, schüttelt den Kopf, zischt durch die Zähne, zaudert noch – geht mit harten Schritten durch den Säulengang nach rechts.*

MARKE *von diesem Geräusch gestört, fährt nach vorn.* Sie sind fort?

KURWENAL *hält ein.*

MARKE *die Augen aufreißend.* Sind sie fort?!

KURWENAL *kommt rasch näher.* Ja – Isolde und Tristan – im dicksten Waldloch stecken sie!

MARKE *aufgestachelt.* Warum sind sie fort?!

KURWENAL *blickt mit Erstaunen nach ihm.*

MARKE. Warum sind sie – –?! *Schnell.* Haben Sie mich hintergangen?! – Haben sie mich getäuscht?! – Haben sie mich betrogen?!

KURWENAL *steht mit allen Zeichen großer Verwunderung stumm.*

MARKE *wütend.* Haben sie mich betrogen?! – Haben sie mich hintergangen?!!

KURWENAL *mit einer Eingebung rasch an die Brüstung tretend.* Ich – weiß doch nicht!

MARKE *nach Luft ringend.* Sind sie – darum fort?!

KURWENAL *noch heller, stärker.* Ich weiß doch nicht!

MARKE *nach kurzem Erstarren, dann aufgerüttelt.* Wißt ihr das nicht?! – Ist euch das fremd?! – – Ist euch das dunkel geblieben?! – – Wißt ihr es nicht?!

KURWENAL *froh.* Nichts! – Nichts! – Wir alle wissen nichts!

MARKE *gepeitscht, immer auf dem Sessel sitzend.* Ihr wißt es nicht?! – – Ihr wißt es noch nicht?! *In rasenden Hohn umschlagend.* Was wißt ihr denn?! – Was könnt ihr denn wissen?! – – Was könnt ihr davon erfahren haben?! *Die Hände über sich schleudernd.* Ich weiß!! – – ich weiß es!! – – ich weiß!! – – ich allein!! – – ich allein!! – – ich weiß!! – – *Plötzlich hinter sich greifend und den Diener mit hartem Griff um die Handknöchel vor sich auf die Knie zwingend.* Du bist mein junger Diener – dir kann ich alles sagen! *Er atmet stoßend, dann überstürzt er.* Sie haben mich betrogen – getäuscht – einmal! – zweimal! – immer! – vom ersten Anfang an – hintereinander – – *Er sammelt von neuem Kräfte.* Ihr Betrug zählt hundert – hundert – hundert Tage – – und hundertmal am Tage haben sie ihn geübt – – *Nach kurzem Verstummen.* Du bist mein junger Diener – dir kann ich alles sagen! – – Ein Schiff – – das Schiff, auf dem sie zu mir segeln sollten – – das diente ihnen zuerst – – da schifften sie sich ein in einen andern Hafen – – da landeten sie – auf einer Zeltbank!! – – da strandeten sie mit meiner Ehre an Bord – – da stürzte sie in den Schiffbruch – – und ertrank in dem Salz – – und verbrannte in dem Salz der Flut – – da war sie hinab und hinaus – – in das begierige Meer gestoßen – – sie aber ruhten auf der Zeltbank in freudiger Umschlingung! – – *Stärker auf den Diener eindringend.* Es wuchs der Betrug – – er wucherte – – er trieb in Samen! – – Jetzt höre zu – – jetzt höre daran vorbei – jetzt bläst eine giftige Wolke vor dich hin –! – Erst war es auf dem Schiffe – – – – das war auf dem Schiffe: sie benutzten die Einsamkeit des Meeres – – auch die Stille des Tages – – und den Rausch vom Wein – – und fielen gegeneinander – – und waren gefallen – – gut! *Den Diener schüttelnd.* Gut! – sage ich? – Furchtbar! – muß ich schreien! *Sich mäßigend.* Und trotzdem: gut – sage ich – das war auf dem Schiff – das schwamm weiter – und kam an – hier am Land – da waren sie in der Burg! – in meiner Burg! *Hohnlachend.* Der Betrug wuchs – er schäumte über!! – – Jetzt höre, was sie mir taten: – – – – sie legten mir in mein Hochzeitsbett eine Dirne – – *Flüsternd.* – – eine Dirne! – – *Schreiend.* – – eine Dirne!! – – und schliefen bei-

einander neben meiner Kammer in meiner Hochzeitsnacht!!
– – *Mit dunklem Haß.* Die Dirne – die ich für die Königin
nehmen sollte – – – ich nahm sie! – – Ja, ich nahm sie an!
– – ich wütete an ihr – – in meiner Hochzeitsnacht – auf
meinem Hochzeitsbett – mit einer Dirne! – Ich zerbrach sie
fast – – so sehr nahm ich sie für die Königin! – – Der Betrug
war gelungen – da war ich wieder hintergangen! – – *Sich
beherrschend.* In einer folgenden Nacht konnte die Dirne
ihren Dienst nicht bei mir versehen – da ließen sie mein Bett
ohne Schwanken leer – und vergifteten mir den Nachtwein!
– Da sollte ich mit meinem Rausch wie mit einem Weibe genug der Freuden pflegen – und mich mit meinem Rausch –
mit meinem Rausch! – wie mit einem Weibe befriedigen! – –
Sie nahmen mir noch die Dirne – – ich wälzte mich auf dem
leeren Bette! – – *Rauh.* Betrug! – Betrug! – über Betrug! –
Fast heiser. Und sie schickten mir danach die Dirne immer
wieder – und ich nahm sie! – – ich nahm sie! – – ich hielt sie
mir – – mit meinem Krampf! – – unter meiner Brust!! *Er
fährt sich mit einer Hand über die Augen.*
BRANGÄNE *taumelt in den Säulengang.*
KURWENAL *weicht ihr dort aus.*
BRANGÄNE *oft hinstürzend, rechts ab.*

MARKE. Weiter – Betrug nach Betrug! – – Wenn sie vom
Betrug der Nacht aufstanden, so sanken sie zum Betrug des
Tages nieder! – – Wo ist ein Platz in der Burg, den sie nicht
verschmähten – den sie nicht schmähten? – Wo läuft ein Weg
hinten um die Häuser, den sie nicht schlichen? – – Wo liegt
an stinkenden Netzen das Boot, das sie bestiegen und in den
Fischteich hinausruderten – nach der Insel – hinter das Weidengestrüpp? – *Trocken.* Da genossen sie einander! – Weiter: – es gibt auch einen Platz hinter den Häusern – an der
verfallenen Mauer, wo Tonnen stehen – – *Abbrechend.* Still
davon! – Still von mir, der in der Tonne stak – und Unrat
war – mehr Unrat als ein Unrat in einem Faß – – still! –
Weiter! – Betrug über Betrug! – Welcher Betrug dann!? – –
Dann trennte sie ein Vorhang in der Kammer – – und der
Vorhang trennte sie nicht! – – Nein – er führte sie zusammen – – und unter meinen lauschenden Ohren war ihre Zusammenkunft – – von meinem Bett glitt es zum Bette hinter
dem Vorhang – – und das Mehl wurde eingestampft in das
Tuch – und verstäubte nicht mehr! – – Das war die Kammer

– und das nächtliche Tun in meiner Kammer!! – – So lautet das Geheimnis aus meiner Ehekammer! – – Laut schallt es von den Wänden meiner Kammer – und wölbt sich im Vorhang: – – die Geschichte meiner Nächte in meiner Kammer! – – *Er röchelt, liegt mit einem Arm auf des Dieners Rücken, stützt sich.*

KURWENAL *hört mit entsetzten Mienen zu.*

MARKE *auffahrend.* Und jetzt – jetzt sind sie wieder zusammen! – – Jetzt vollenden sie, was sie hier begonnen haben – – im Walde – – beieinander! – – Jetzt sind sie im Walde immer beieinander – – da treiben sie ihr Spiel – – da setzen sie ihren Betrug fort! – – Betrug – nach Betrug!! – – Betrug ohne Ende!! – – Der Betrug ruht nicht – – der Betrug schläft nicht – – er ist am Werke – – er häuft seine Taten – – er türmt sich auf – – er ragt aus dem Walde – – stößt in die Wolken – – schlägt ein klaffendes Loch in den blauen Himmel – – die Scheibe spaltet sich – – und in den Spalt dringt – – dringt – – Betrug!!! – *Ganz aufgebracht.* Soll das der Lohn für ihre Taten sein? – – Sollen sie beieinander sein – – weil sie mich täuschten? – – Sollen sie mich noch hintergehen? – – Soll ich sie nicht strafen?! – – soll ich sie nicht treffen – – mit meiner Rache?!! *Mit zügellosem Ausbruch.* Jetzt lasse ich den Strom aus!! – – Jetzt ist es heraus!! – – Jetzt flutet er mit springenden Wellen!! – – die Gischt soll zischen!! – – und auf dem rollenden Schaum schäumt meine Rache!! – – Jetzt ist es am Licht!! – – Jetzt verkünde ich es!! – – jetzt schreie ich es herum!! – – Es gilt!! – – Ich schäume rächend!! – – ich rufe nach Rache!! – – Rache für die Schmach!! – – Rache für die Beleidigung!! – – Rache für den Falscheid!! – – Rache!! – – Rache!! – – Rache an beiden!! – – Verflucht sind sie!! – – Verflucht ihr Tag!! – – Verflucht ihre Nächte!! – – Verflucht ihr – – – – Leben!!!! *Er liegt fast auf dem Diener vornüber. Plötzlich auffahrend, sich aufrichtend.* Sind sie fort?! – – Sind sie fort?! – – Fort sind sie?! – – Jetzt sind sie fort?! – – aus meiner Burg?! – – aus meiner Mauer?! – – aus meinem Haus?! – – aus meiner Macht?! – – aus meiner Gewalt?!! – – *Er starrt vor sich hin, dann ist er mit einem Sprung an der Brüstung vor Kurwenal.* Reite – – reite – – reite – – reite aus – – du hast den Weg – – und suchst die Spur – – ehe die sich verwischt – – säume nicht: – – hol’ sie zurück!!!!

In das Gitter vorn rechts springen Andret, Majordo, Ganelon, Gondoin.

DIE VIER BARONE *ein Schrei.* Marke!!

MARKE *ungehindert an Kurwenal.* Säume nicht! – – du stiegst vom Perd – – du taumelst noch! – – Steig' wieder ein – – in Sattel! – – über dein Perd – – das seine Spur noch riecht – – die es grub!!

ANDRET. Marke – warte!!

MARKE *nur zu Kurwenal.* Stehe hier nicht – – drücke dich nicht auf die Wand –: ich schicke dich wieder nach dem Wald, aus dem du kommst – – dahin ist dein Ziel!!

ANDRET. Höre von uns erst – Marke!

MARKE *gesteigert.* Ruhe nicht – raste nicht – lass' dir's auf den Sattel reichen – – wenn dich hungert – – wenn dich dürstet – – dürste einmal! – – es geschieht um mich – – deinen König – – der ist noch einen Tag der Trockenheit wert – – von einem guten Diener – – wie Kurwenal ist! – – Du bist mein guter Diener – – du läßt dich nicht aufhalten – – wenn dein alter König befiehlt – – du bist unterwegs auf dein Ziel los – – wie ein Wettermal, das mit seinem Winde steht! – – sei mein Windspiel!!

ANDRET. Schicke Kurwenal noch nicht ab –!!

MARKE *mit geschwungenem Arm.* Auf! – auf! – die Zeit streicht ab! – auf's Pferd! – auf dein Pferd! – – auf die Reise! – – auf zum tiefen Wald! – –

KURWENAL *ist im Säulengang langsam vor Marke nach rechts gewichen.*

MARKE *hat ihn außen längs der Brüstung – an sie geklammert – sich stützend – begleitet.*

KURWENAL *steht noch zögernd.*

ANDRET, MAJORDO, GANELON, GONDOIN *durcheinander.* Nicht hinaus! – Nicht nach dem Wald! – – Erst höre von uns! – – Schick' ihn nicht aus der Burg! – – Höre von uns!

MARKE *mit befehlender Geste.* Hinaus!! – – nach dem Wald!! – – ich will befehlen!!

KURWENAL *ab.*

ANDRET, MAJORDO, GANELON, GONDOIN *außer sich, an den Gitterstäben wütend.* Marke – das tust du falsch! – Warte noch mit Kurwenal! – – Wir sprechen! – – Wir haben dir Kurwenal geschickt!

ANDRET *allein.* Ich habe dir Kurwenal geschickt!!

MARKE *von der Brüstung ablassend, sich umwendend, an der Wand rechts sich vorwärts tastend.* Jetzt zu euch! – – jetzt zu euch! – – *Er muß sich ermattet auf halbem Wege an die Mauer lehnen.*

ANDRET *schnell.* Höre von mir: du sagtest die Jagd ab – – und das verwunderte mich! – – Denn ich fand keine Ursache für dein Verzichten noch auf die Lust der Jagd. Wir stritten und standen noch – da kam Kurwenal zurück. Er hatte seinen Auftrag ausgeführt. Wir schickten dir ihn – er sollte dir mit seiner Rückkehr zeigen – daß dir nichts mehr droht! – Das sollte er dir zerstreuen, was wir für die Störung der Jagd annahmen: nämlich, daß du noch nicht in Sicherheit über die Entfernung von Isolde und Tristan warst. Das hat dir Kurwenal gemeldet – wir bestätigen es dir: weit liegt der Ort, wo sie sich verborgen halten! – Du sollst sie nicht wieder zurückholen müssen – um für sie eine neue Verbannung zu erfinden – – sie sind verbannt – verloren – sie kehren daher nicht wieder – nicht durch die Macht der Erde unter ihnen – und nicht durch die Macht des Himmels über ihnen. Dafür schwören wir dir! Hier! *Er streckt die Faust durch das Gitter.*

MAJORDO, GANELON, GONDOIN *wie Andret.* Hier!

ANDRET. Der Wald ist frei, so tief sind sie im Wald!!

MAJORDO. Nun rufe wieder die Jagd aus!

GANELON, GONDOIN. Rufe die Jagd aus! – Rufe die Jagd aus!

MARKE *an das Gitter wankend, die Fäuste vermeidend.* Streif' nicht an mir – einer aus euch! – – Ich speie auf euren Betrug!!

ANDRET. Wann hat dich einer aus uns betrogen?

GANELON. Wann habe ich dich – –

GONDOIN. Wann habe ich dich – –

MAJORDO. Habe ich dich betrogen?

MARKE. Eifert noch nicht!

ANDRET. Wir müssen dir eifern!!

MARKE. Spart euch die Mühe – –

ANDRET. Nie mehr!

MARKE. Wer hat sie mir gestohlen?!

Die vier Barone sehen sich befremdet an.

MARKE *ächzend, an dem Gitter hin und her.* Wer hat sie mir

geraubt – – und hält sie jetzt verborgen? – – Jetzt – – jetzt, wo ich mit meiner Rache über sie hereinbrechen will! – – Wer entzieht sie meiner Strafe? – – Wer hat sie aus der Burg getrieben?!

ANDRET. Das hast du selbst!

MARKE *vergehend*. Das habe ich selbst – –

MAJORDO *schnell*. Sie kam aus dem Rosenhof gelaufen und rief nach einem Pferd –

GANELON. Da riefen wir auch Tristan schnell!

GONDOIN. Und ließen sie schnell ihres Wegs aus dem Tore ziehen!

ANDRET *fest*. In die Verbannung!

MAJORDO. Dich huben wir blutend aus den Rosen auf!

GANELON. Und trugen dich in dein Haus!

GONDOIN. Weil es leer war von den Störern deines Friedens!

MARKE *stöhnend*. Ich habe sie hinausgewiesen –

ANDRET. Jetzt besinnst du dich!

MARKE *abwehrend*. Nicht beide! – nicht zusammen! – sie! – sie! – sie allein!

ANDRET. – Warum sie allein?

MARKE *gequält*. Sie schmerzte meinen Augen!! – –

ANDRET. – Und Tristan?

MARKE *fast schreiend*. Ist das ihre Strafe, wenn sie zusammen in den Wald reiten?!!

ANDRET. Ja – es ist die Verbannung –: von Menschen! – von Ehre! – von Waffen!

MARKE *sich windend*. Verbannung! – Verbannung! – sie machen sich ein weiches Lager daraus – sie schlafen darauf ein, wie über Daunen – – Verbannung!

MAJORDO. Marke – die Verbannung ist doch die stärkste Strafe!

GANELON, GONDOIN. Von Ehre! – Von Waffen!

MARKE *arbeitend*. Für sie nicht! – für sie nicht! – für die, die alles taten – was nie gewagt wurde – nicht! – Ich sage euch, für sie nicht! – Ich kenne sie – ihr kennt sie nicht! – ich aber kenne sie! – – Und ihr habt mich nicht gefragt – – ihr habt mich nicht – – *Wild gegen das Gitter stürmend.* Ihr habt sie mir aus den Händen gerissen – – mit denen ich sie packen wollte – – an Armen – – Händen – – Beinen – – am Leibe!! – – ihr!! – – ihr!! – – ihr seid meine Mörder!! – ihr seid Henker!! – – und Schergen!! – – an mir!! – – nicht an ihnen! – – an mir!!! – – an eurem König!!

Die vier Barone stehen stumm, betroffen.

MARKE *mit neuem Angriff*. Soll ich sie nicht strafen – für ihr Verbrechen – – für ihre Verbrechen ohne Zahl – – und Maß – – an mir!! – – Wem sind die Kränkungen geschehen?! – – Euch?! – – Mir sind sie auf das Fleisch geschlagen – – soll ich da die Male nicht auslöschen von den Schlägen, die ich erhalten habe – – denen ich hingehalten bin?! – – Soll ein König blaugestreift auf nackter Haut gekleidet gehen? – – Mit diesem Gewand, das er nie abstreifen kann – – nachts wenn er auf sein Bett steigt?! – – Soll ich ein Spott noch sein – – wenn ich mich zur Nacht entkleide – – vor – – vor den Weibern?! – – He?! – Wollt ihr mich schänden?! – – Wollt ihr mich zu den Hunden stoßen, die solche Hiebe heimtragen müssen – – unter den Stall – – zwischen die Tonnen?! – – Wollt ihr mich wieder dahin haben?!! *Geschüttelt*. Ich soll hier stehen – sie liegen indes beieinander?! – – Mich schüttelt der Grimm – – die schüttelt der Gott?! – – Seid ihr von Menschen zu Narren gewandelt – – und tritt euch der Witz aus dem Geiste?! – – Seid ihr Menschen?! – – Menschen?! – – Ein Kleiderwäscher rächt sich, wenn man ihm sein Weib besaß?!! – –

ANDRET. Hier sühnt die Verbannung –

MARKE *unbezähmt*. – Verbannung!! – mit meinem Weibe!!

ANDRET *fortfahrend*. – auch sie leidet die Verbannung! –

MARKE *einfallend, höhnisch*. Leidet – belustigt sich an solcher Verbannung – – *Keuchend*. – – hinter meinem Rücken!! – – Das leiden sie – – das haben sie – – von der Verbannung!!!

ANDRET. Und was Verbannte in der Verbannung tun – das streift uns nicht mehr!

MARKE *läßt von seinem Arbeiten ab, starrt ihn an. Sein Mund steht offen – die Augen weiten sich. Plötzlich ausbrechend*. Schafft sie herbei!!! – – beide!!! – – reißt sie vom Lager, das sie sich von frischem Laub geschüttelt haben!! – – Sammelt vom Laube auf, wo Blätter aufeinander gestampft sind – sammelt alles, was euch gut dünkt: – – bringt mir den Beweis – – – – bringt mir den Beweis – – – – *Er schweigt verwirrt*.

MAJORDO *unwillig*. Marke – die büßen die Verbannung!

MARKE. Ja – zu lange schon! – – zu lange! – – *Bebend*. Die Nacht brach schon einmal über sie herein – – zweimal –

dreimal – oder schon mehr?! *Mit erstickter Stimme.* Die Nacht kann über sie wieder fallen – ehe ihr sie habt! – – die Nacht kommt – – – – und sie sind noch draußen – – *Seine Stimme erstickt.*

ANDRET *mit ruhiger Frage.* Marke – was wirst du tun?

MARKE *sich unter den Hals greifend, die Fäuste in sein Gewand wühlend, mit einem jähen Ausbruch.* Ich – – will sie sehen!!!!

MAJORDO, GANELON, GONDOIN *ausrufend.* Noch einmal?!

ANDRET *ruhig wie vorher.* Wo?

MARKE *schreiend.* In meiner – – – –

ANDRET. Hier – in der Burg?

MARKE *mit berstender Kraft.* In meiner – – – Kammer!!! *Er sinkt – am Ende seiner Kräfte – mit der Stirn auf die Gitterstäbe.*

ANDRET *achselzuckend zu den Baronen.* Kurwenal ist hinaus – *Mit leisem Spott.* Vielleicht wird die Burg zum Orte der Verbannung – *Er schweigt kurz, schüttelt sich.* Marke – ade! *Ab.*

MAJORDO *wie Andret enschlossen.* Marke – ade! *Ab.*

GANELON *ebenso.* Marke – ade! *Ab.*

GONDOIN *ebenso.* Marke – ade! *Ab.*

MARKE *nicht vom Gitter ablassend.* Redet ihr! – redet ihr! – – erst habt ihr mich beschwatzt – ich soll mir einen Erben machen – – jetzt freut es euch wieder nicht – – daß mir einer dazu hilft! *Er löst die Finger von den Stäben, tut einige Schritte in den Hof, schüttelt die Arme über sich.* Allein! – – allein! – – *Vorwärtstaumelnd.* Krank bin ich, bis ich sie wieder habe! *Er strauchelt mitten im Hof.*

Der Diener ist herangesprungen und fängt ihn auf.

FÜNFTER AKT

Ein Platz unter einem Turm. Links ein Stück der geradlinigen Turmwand mit einer Galerie daran. Dichte Tannen rechts und hinten, die im Winkel einen Pfad öffnen. Bänke vor den Tannen hinten und rechts.
Ein Tag im Winter. Schnee lastet auf den Zweigen, auf den Banksitzen, über der Galerie – liegt am Boden.
Bei der Bank hinten steht Isolde, Hals und Haar ohne Schutz, Pelzwerk an dem prächtigen Kleide.
Vor der Bank rechts Tristan – gedankenvoll niederblickend.

ISOLDE *auf den Schnee vor sich starrend.* Mit dem täglichen Grübeln, das mich nur noch beschäftigt, suche ich nach dieser Erklärung: wie es gekommen ist?

TRISTAN. Wir reden auch täglich darüber – und werden es nicht anders entdecken, als wir es aufgefunden haben.

ISOLDE. Der tägliche Wunsch, der uns zu einander führt, davon zu sprechen – ist das nicht doch ein dünner Rest, der aus dem Früheren geblieben ist?

TRISTAN. Wenn ein Rest – nicht mehr als der vergossene Inhalt die Wand des Bechers bekleidet – zurückgelassen wäre, so sollte unser Zusammensein uns nicht von einander stehen lassen, sondern – vielleicht! – und ich achte danach, daß immer die letzten Funken den gesunkenen Brand noch einmal am hellsten entfachen – auch uns näher aneinander drängen!

ISOLDE *ihn flüchtig anblickend.* Ja – so sind deine Wangen fahl geblieben.

TRISTAN. Es rötet sich dir kein Stirnrand bei deinem Haar mehr und dein Hals steht kühl von der Brust. *Sie verstummen, blicken wieder nieder.*

Auf der Galerie kommt Kaedin – ein frischer Jüngling – müßig gegangen. Als dann von unten das Gespräch zu ihm dringt, wird er aufmerksam, lauscht – tritt an die Turmwand zurück, drängt sich mit dem Rücken und gespreizten Händen dicht auf, um seine Anwesenheit mit der Brüstung zu verdecken – und horcht begierig hinunter, sich mehr und mehr verfärbend.

ISOLDE *fröstelnd.* Einst liebten wir uns.

TRISTAN *nickt.* Einst liebten wir uns.

ISOLDE. – Es war an einem Tage: du gabst dein Schwert ab und empfingst sein Schwert. – An dem Tage schritt ich zum ersten Male ohne dich aus einem Saale – und wollte nicht an deiner Seite gehen. Dort begann es. Dann ließ es mich langsam von dir sinken.

TRISTAN. Hast du es da schon gefühlt?

ISOLDE. Ich – ja.

TRISTAN. Ich erfuhr es erst später so mit mir. Und auch von dir fühlte ich deine beginnende Kälte nicht! Täuschst du dich nicht?

ISOLDE *lebhaft.* Nein – weil es ist, wie du sagst: Brände, die verlöschen wollen, brennen jählings auf – denn der Rest ist schnell verzehrt! – In der Zeit nach jenem Ereignis – als ich ohne auf dich zu warten – wegging, wuchs beständig in mir dies erfrierende Empfinden: ich warf mich an dich, wie ich begriff, daß wir uns von einander entfernen mußten.

TRISTAN. – Mir stieg eine Erkenntnis dieser Art auf, als wir im Forste waren. Ich werde wohl auch vorher wie du ein Gefühl getragen haben. Aber dann deckte es deine überschwengliche Hingabe wohl zu. Ich hätte auch im Forste noch ohne ein Vermindern oder Sinken an unserer Liebe festhalten können – ich hätte sie sicherlich echt gehalten! – aber als wir zurückgeholt wurden, da brach es auch über mich herein, was dir schon damals entschieden war!

ISOLDE. – Es ist wahr: hätten wir im Walde allein bleiben können – mitten im Waldesdickicht – *Sie bricht ab.*

TRISTAN. Ein Sumpf war herum –

ISOLDE. Dornen und Dickicht –

TRISTAN. Was wäre dann mit dir geschehen?

ISOLDE. Die Erinnerung an jenen Tag in der Vergangenheit hätte verbleichen können – draußen im tiefen Forst!

TRISTAN. Über die Furt im Sumpf brachten wir unsere Liebe nicht mehr hinüber!

ISOLDE. Ja – sie wurde die gefährliche Furt!

TRISTAN. Weil sie uns hierher zurückführte! *Sie schweigen.*

Kaedin hat mit offenem Munde zugehört, jetzt preßt er die Lippen zusammen und sucht unbemerkt zu entkommen. Er schiebt sich – die Turmwand nicht verlassend – auf dem Schnee lautlos zur Tiefe – verschwindet mit einem hastigen Sprung.

ISOLDE *tonlos.* Marke – hat unsere Liebe getötet.

TRISTAN. Einmal am Tage, da ich das Schwert bot – danach, als er uns aus der Verbannung herbeirief. Warum ließ sie sich von ihm töten?

ISOLDE. – Weil er sie in den Schatten vor die Mauer stellte, der zu einer kalten Wolke verdorben wurde.

TRISTAN. – Er machte ihr ein Bett mit Tüchern auf ihm, die aus dem eigenen Betrug gesponnen waren!

ISOLDE. – Seine Schwäche lastete auf ihrer Kraft, bis sie uns zerbrach!

TRISTAN. – Er hat sich nicht erhoben und unsere Liebe angerufen – wie eine Liebe!

ISOLDE. – Er hat an ihr mit heimlichen Händen verwüstet, als er sie litt!

TRISTAN. – Er machte aus ihr eine wüste Tat, als er mit einer Duldung zu uns trat und nicht von uns wegging!

ISOLDE. – Von seinen Händen ist sie gestorben!

Sie schweigen.

ISOLDE. – Ich habe nur noch das einzige Verlangen: in meine Heimat zurückzureisen!

TRISTAN. – Er schlägt mir mein Vorhaben immer ab!

ISOLDE. – Er will mich nicht dahin zurückkehren lassen, woher ich gekommen bin! So viel ich ihn bitte.

TRISTAN. – Er bewacht die Schiffe – er verwahrt die Pferde –: ich muß in der Burg bleiben.

ISOLDE. – Er hat mir Brangäne genommen – ich weiß nicht, wohin er sie entfernt hat. Ich habe niemand, der mir Hilfe leisten kann!

Schweigen.

TRISTAN. – Warum hät er uns so an seine Nähe gefesselt? Weil wir uns nicht mehr lieben?

ISOLDE. – Kann er das Früher ausstreichen und vergessen?

TRISTAN. – Ich weiß es nicht! Aber es muß so sein, wenn ich mir eine Erklärung für das letzte schaffen soll!

ISOLDE. – Hat er uns damit verziehen, als er uns aus dem Walde zurückrief?

TRISTAN. – Er gab alle seine Freunde dafür hin. Hier lebt er nur noch mit uns allein!

ISOLDE. – Vielleicht sollte uns das strenger ermahnen, von einander zu lassen, weil er von jedem Abschied nahm!

TRISTAN. – So ist ihm sein Willen geworden – aber auf einem anderen Wege haben wir ihn erfüllt!

ISOLDE *nickt.* Kalt bin ich innen, daß der Schnee nicht einmal zu mir dringt, in dem ich ohne Schutz stehe!

TRISTAN. – Wie mit Schnee ist alles kühl und stumm zugedeckt! *Sie blicken vor sich nieder.*

Oben auf der Galerie taucht Marke auf. Hinter ihm Kaedin mit einem kurzen Speer, mit dem er vorwärts weist.

MARKE *mit raschen Schritten durch den stäubenden Schnee heranstampfend.* Wo? – wo? – wo ist das?

KAEDIN. Schau' hin – da unten!

MARKE *wirft sich an die Brüstung und starrt hinab – von einem zum anderen mit raschen Kopfdrehungen schweifend.*

Isolde und Tristan blicken ruhig auf.

KAEDIN *sich neben Marke drängend.* Ich habe es angehört! – Dies ist der Hergang: – ich streifte durch die Burg – und gelangte zu diesem Turme – und bog auf diese Galerie hinaus – und der Schnee dämpfte meine Schritte – – Mit drangen Stimmen zu den Ohren – die erkannte ich – als die Stimme Isoldes – und Tristans auch – und die sagten laut – ohne Vorsicht – das! – ehe ich hervortreten konnte und anzeigen, wo ich in der Nähe war! – – Aber nun mußte ich mich ja stille verhalten und begierig lauschen – – das ging an deine Ehre, Marke! – und ich fing alles auf, was dich beleidigte! – – Das vernahm ich mit meinem Erschrecken – – ich drückte mich halb, um nicht zu fallen – halb um nicht gesehen zu sein – dicht hier gegen die Wand – und hielt mich wie Eisen so steif daran! – – und entdeckte sie: – wie sie sich geliebt haben – – wie sie an einer Stelle im Wald zusammengekommen – – wie sie da von einem Sumpf geschützt nicht mehr herausgehen wollten – und hättest du nicht nach ihnen geschickt – – sie hätten sich immer verborgen gehalten!! – – So hatten sie alles geplant! – *Er ist außer Atem.*

MARKE *seine Blicke laufen zwischen Isolde und Tristan.*

KAEDIN *von neuem.* So bist du hintergangen – Marke! – – Hintergangen von ihm – der mein engster Freund war – der mich auf diese Burg geladen hatte – um ihm müßige Tage zu vertreiben! – – bei dem ich zu Gaste bin –: alles das hat mich nicht aufgehalten – dir deine Ehre wiederzugeben, Marke, weil der da sie dir verletzt hat!

MARKE *schaut gespannt weiter hinab.*

KAEDIN. Wahr ist es! – wahr ist alles! – ich stelle mich in deine Gewalt mit meinem Eide! – ich schwöre dir mit meiner Jugend! – mit meiner Geburt! – mit meiner Ehre! – – *Er drängt Marke den Speer auf.* Schütze dich – vor deinem Feind da! – – Räche den Schimpf! – an seinem Leben! *Er weist nach Tristan.*

MARKE *hat den Speer genommen, drückt ihn an seine Brust und redet über die Spitze hinunter.* Was höre ich: – ihr liebtet euch einst?

KAEDIN. Ich hörte sie an!

MARKE *mit Blicken von Tristan nach Isolde.* Was sehe ich: – – ihr liebtet euch einst?

KAEDIN. Ich sah sie zuerst!

MARKE. Seit wann – lebe ich in diesem Betrug?

KAEDIN. Triff ihn jetzt!

MARKE. Seit wann – – hintergeht ihr mich so?

KAEDIN. Straf' ihn heute!

MARKE. Bin ich – – auf einer Wolke gewandelt – – und nicht auf dem Felsen, den ich aus eurer Treue baute? – – Ich habe mich täuschen lassen – ich habe mich locken lassen – – in eine Täuschung?

KAEDIN. Stoß' zu! Er steht dir!

MARKE. Ihr ruft mir zu: – – ihr liebtet euch einst?

KAEDIN. Die schweigen! – die erdulden es! – die gestehen! – – Ich habe es dir zugerufen!

MARKE *immer Kaedin überredend.* Ihr schweigt – –?!

KAEDIN. Ich sagte dir das!

MARKE. Ihr sagt es mir nicht: – ihr liebtet euch einst?!

KAEDIN. Nein!

MARKE. Nein?!

KAEDIN. Von ihnen sollte es dir immer verborgen sein!

MARKE. Wolltet ihr das?!

KAEDIN *liegt weit über die Brüstung aus und zeigt hinab auf Tristan.* Da unten steht dein Feind!

MARKE. Mein Feind? – mein Feind? – ein Feind? – habe ich einen Feind? – – *Er rückt den Speer herauf.* Wenn ich einen Feind habe, so muß ich mich seiner erwehren! – – Besser den Feind vom Leib gehalten – – als den Leib dem Feind hingehalten! – – Wo ist der Feind? – – der Feind? – – wo entdecke ich ihn? – – wo treff' ich ihn? – – wo befreie ich mich von ihm? – – wo treff' ich ihn? *Er richtet den Speer halbhoch.*

KAEDIN. Schieß'!

MARKE. Du willst es! *Unter Kaedins erhobenem Arm hindurch jagt er ihm den Speer in die Seite.* – Das sind voreilige Knaben – – denen der Mund zu behende zwischen den Ohren geht – und die einen Weg zu hurtig unter den Sohlen sich weglaufen lassen! – Vorwitz straft sich!

KAEDIN *ist mit einem Stöhnen von der Brüstung geglitten, sinkt still zu Boden und verhaucht.*

TRISTAN *tritt einen Schritt von der Bank weg. Fest.* Marke – er hatte dir nicht gelogen – du hast nur wieder der Wahrheit den Mund verschlossen!

MARKE *jäh aufwallend.* Der Wahrheit den Mund – – welcher Wahrheit: ihr liebtet euch einst – – –

TRISTAN *schnell.* Einst liebten wir uns – brünstig und stark!

MARKE. – – und liebt euch nicht mehr?!

TRISTAN. Wir liebten uns!

MARKE. Ihr liebt euch nicht mehr? – – nicht mehr? – – nicht?!

TRISTAN. Doch waren wir in einer Zeit beständig beieinander!

MARKE. – Wohin ist eure Liebe? – Ist sie euch aufgeflogen? – – Ein Vogel – husch! – hin? – hinaus? – fort? – Wo hockt sie? – Wo versteckt sie sich? – Wo kroch sie unter?

TRISTAN. Sie ist gewichen!

MARKE. – – Und gibt es keine Jäger, die sie einfangen? – – Mit Hornschall und Vallera? – – Sind keine Jäger da? – – Die ausfahren wollen? – – mit der geilen Meute? – – und sie euch heimbringen – – die Pirsch – – die Beute – – vom Walde? – – Seid ihr nicht dazu Jäger?!

TRISTAN. Du hast sie weggenommen!

MARKE. – – So muß ich sie euch wieder einfangen! – – Mit Netzen, wenn sie in den Teich sprang! – – Mit Pferden, wenn sie in den Forst stob! – – Mit Feuer, wenn sie die Furt verfehlte! – – Ich jage sie frisch euch wieder ein! – – Da hascht ihr sie! – da habt ihr sie! – da zappelt sie euch zwischen den Händen – – glatt und warm! – – so schlüpft sie in euch – – und ihr schluckt gern zu!

TRISTAN. Marke – hörst du das nie, was du nie hören wolltest? Wir liebten uns – schwer und süß: – Isoldes Leib glitt unter meinen Leib – – so liebten wir uns!!

MARKE *sich breit auf die Brüstung vorlegend.* Ihr müßt euch – – – – immer lieben!!!

TRISTAN *weicht zurück.*

MARKE *zu Isolde gewendet.* Ihr müßt euch immer lieben! – – *In ein Lächeln übergehend.* Seht: – so schenke ich euch den schillernden Vogel! *Er greift kurz über sich in die leere Luft, öffnet nach unten die Hand.* Husch – da flog sie in euch! – Jetzt ist sie wieder bei euch! – – – Nun laßt mich aufbrechen! – – *Er rührt sich nicht vom Fleck.* – *Grollend.* – Ihr steht noch von einander? Ihr wollt mich kränken – – wie ihr mich verweigert! – – – – Ich bringe euch doch ein Geschenk – freiwillig von meinen Händen – – von meinem Werk! – – So speist man keinen Geber, zumal wenn er ein König, ab! – Das bin ich im Grunde meines Herzens mehr, als mit der Larve meiner grellen Lumpen! – – Seht: – ich schenke euch eure Liebe – die ihr aufgezehrt habt – neu und fülle sie wieder an, wo sie sich erschöpfte! – – *Kraß hinunter.* So ist es: – ihr liebt euch wieder!

Isolde und Tristan blicken sich an.

MARKE *hell.* Die Augen! – sie leisten ihren verfänglichen Dienst schon wieder – ha! – die Augen, die sind flinke Boten – über Hochzeitstische – – über Wein – über Braten! – die Augen laufen hin und her: da ist der Anfang gemacht! – – Nun zueinander! – – Nun überschreitet die kurze Strecke Schnee zwischen euch – und sinkt zueinander – – eilig oder bedächtig – – und umarmt euch!!

TRISTAN *zu Isolde.* Wenn es noch ein letztes Glimmen gab, jetzt löscht er das aus!

ISOLDE. Jetzt treibt er die Asche von einander!

MARKE *erbleichend.* Ich vertreibe von euch –?? – – Was richte ich an?! – – Ich zerblase Glut?! – – Ich stoße in die Asche?! – – Ich will sammeln! – – Wo ist Asche?! – – *Aufklagend.* Ich suche das Feuer in euch – ich baue es auf – in euch! – aus euch! – – ich brauche eure Glut – – – – um mich nicht zu erhitzen – – an meinem Fieber, das schweift – – und keine Grenzen von euch gesetzt erhält – – – an eurer Tat!!!

ISOLDE *seufzt.*

TRISTAN *senkt den Kopf.*

MARKE *mehr und mehr in Krampf geratend.* Ihr müßt es immer tun!! – – Das seid ihr mir schuldig!! – – So tilgt ihr eure Schuld, wenn ihr sie immer tut! – – So brennt sie nicht auf mir – – so steckt der Pfahl, den ihr gestoßen habt, ruhig in meinem Fleische – – und wird nicht gedreht – – von meinem Wahn, der schweifen muß – – nach eurer Tat, die er nicht mehr finden soll – und wachsen soll – – mit seinem Suchen über die Welt hin! – – Wartet: – – oder ihr zündet ihn an seinem freien Ende in der Luft an und laßt ihn auf meine Wunde zu glühen! – – Der Pfahl muß in der Wunde, die er öffnete, bleiben – – dann ist sie verschlossen vom sel- ben Pfahl! – – Darum tut, wie ihr tatet! – – Dann ist es ein Ding, das ich kenne! – – das ich abschätze! – das ich sehe!! – – So zieht ihr es nicht aus dem Kreis um mich, den ich überfliege – – und mein Fieber – Wahn und Vorstellung – schlägt in die bodenlose Leere weit hinein! – – und wuchert drin tausendfach! – – Laßt mir die Tat! – – Seht an: – die Tat! – – sie steht da! – geschaffen! – wahr! – rund! – eine Kugel: nichts kann zu ihr hinzutreten – noch aus ihr heraus- fallen! – – alles an ihr ist Grenze und Ende – – Ruhe! – – Glück!! – – Nichts verändert daran – mit meinem Denken – – mit meinen Sinnen – – mit meinem Aufbauschen – – mit meiner Angst – mit meiner Furcht! – – Rein – glatt steht sie da! – – Und mag sie furchtbar – oder niedrig sein: – die Tat ist immer milde – – sie ist mit Liebesarmen um unsern Wahn gebreitet!! – – – – Darum: – umarmt euch! – – küßt euch!! – – auch der Schnee ist ein Bett! – – – zeigt mir eure Umarmung!!!!

ISOLDE *zieht fröstelnd die unbedeckten Schultern aufwärts.*

TRISTAN *sieht zur Seite.*

MARKE – – Zu kalt? – zu frostig? – – – – Kommt in meine Kammer! – – Besucht mein Bett! – – Da soll wieder sein, wie es immer war: ich liege still – – und ihr seid beieinander! – – Ihr kost – ich lausche! – – Ihr rollt – ich schiele! – – Ich verschütte den Nachtwein – – um wach zu bleiben! – – So ist alles geschaffen – – was alle glücklich macht! – Kommt in die wärmende Kammer!

ISOLDE *setzt sich in die Bank, von der der Schnee aufstäubt.*

MARKE. Ihr hört – ich weiß manches! – ich weiß vielleicht alles! – – – und seht, das Wissen hat mich erhalten! – Wissen macht ruhig – denn Wissen setzt Grenzen – Wissen um- schlingt – Wissen verringert! – – Hitze bringt nur die Un- gewißheit: – aber die Tat – wenn sie unser Wissen hat – fällt von ihrem Grauen ab. Da liegt sie klein und niedlich – ja

verschrumpft auf der Hand! – – Wißt ihr nicht: es gibt mehr
Fragen als Antworten? Und eine Antwort schüttelt eine
Traube – ein Bündel von Fragen herunter, die sich ein Heer
von Bienen – mit giftigem Stachel! – herumgehängt haben!
– – Das ist das Geheimnis! – Das ist die Kunst: – ich weiß
sie! Ich habe gelernt! Ich habe ihr zugelernt! Wißt ihr woher? Von welchem großen Meister? – Von welchem großen
Meister dieser Weisheit? – – Von einem Kinde! – Ein Kind
hat's mich gelehrt – – und ihr wolltet's nicht fassen? – Die
kleine Weisheit eines Kindes soll euch zu breit sein, um bei
euch Eingang zu finden?! – So glaubt denn: Unser Wissen
ist für das Erfassen der Taten gerichtet – aber das Wesen-
lose zersprengt es in den weiten Wahnsinn! – – Jeder Sinn
wird Wahn – – *Überredend.* Fangt meinen Sinn ein: – küßt
euch! – – ihr zögert nicht!

TRISTAN *wendet sich ab.*

MARKE *aufbrausend.* Ihr zögert noch?!! – Nicht: – Kuß?!
– Umschlingung?! – Fall?! – – – – Ihr verbergt eure Tat
in eurem Schweigen? – – in eurem Voneinanderstehen?! – –
Ihr wollt nicht zueinander treten – – und euch halten, wie
ihr euch nur halten könnt – mit dem Maß eurer Macht – –
mit dem Rand eurer Kraft – mit der Schwäche eurer Kräfte
– – – die mein Irren nicht umstört – vermehrt – aufsteigen
läßt – – zu Schatten – – riesenhoch vor der Wand?! – *Sich*
mehr und mehr verlierend. Ihr sträubt euch? – ihr wankt?
– ihr zaudert? – ihr wartet? – ihr wollt nicht?! – – – – Was
wollt ihr nicht: – mir dienen – – mir unterwürfigen Dienst
verrichten – – – – zu dem ich euch am Leben ließ? – – – –
Ihr wollt mir ausbrechen? – – ihr wollt mir den schuldigen
Dienst verweigern? – – ihr wollt euch nicht – –?! – – Beherrscht euch das?! –

ISOLDE *blickt zum Turm auf.*

MARKE *unauffällig den Speer aus Kaedins Wunde ziehend*
und raffend. Wozu steht ihr dann noch im Schnee?! – – Im
Licht?! – – Wozu füllt ihr die Brust mit Luft?! – – Woher
hat euer Tag noch Wert?! – – Was ist das?! – – Was ist das?!
– – Was ist das?! – – *Er holt mit dem Speer aus.*

ISOLDE *ist mit einem Sprung mit ihrer Brust an Tristans*
Rücken.

MARKE. Leer!! – nichts!! – Schnee!! – Nebel!! – Nacht!! *Er*
schleudert ab.

Der Speer durchbohrt leicht Isoldes Rücken, tritt aus der Brust heraus und stößt noch tief in Tristans Rücken.

ISOLDE. – – Wärme – – – –

TRISTAN. – – Licht – – – – Isolde – – –

ISOLDE. – – Tristan – – – – *Vom Speer vereinigt sinken sie seitüber, sind tot.*

MARKE *schaut hinunter, nickt befriedigt.* Da liegen sie – – – – Man wird sie aufheben – forttragen – und sie in die Gruben betten! – – So ist es gut – – das war gut! – – – Die sind tot – – und stumm – – und steif! – – – – Man wird sie forttragen – – und die Hügel bedecken sie – – das Grab bedeckt, was sie mir taten – – was sie taten – – was sie missetaten – – von Anfang bis zu Ende! – – – – Tristan – – Isolde! – – – – Das wird durch die Welt hinklingen – – – – Euer Ruf! – – Tristan und Isolde! – – Tristan – – deine Brüder – deine Brüder in der Welt! – – Isolde – – deine Schwestern – deine Schwestern in der Welt! – – sie werden in Tränen sich baden, wenn sie eure Geschichte hören. – – – – Denn sie waren jung – – Marke ist alt! – – – So gleitet das Mitleid an der Schwäche vorbei – – und setzt sich zu den Kräften! – – – – Eure Geschichte: wie ihr Marke betrogt – – und Marke sich betrügen ließ – – bis Marke doch die Lösung fand: der Tod! – – Der Tod der beiden – – – – – – – – – Man wird sie aufheben – – – und vielleicht in eine Grube betten – – – – – Rosenreben – immer blütenschwangere – – werden aus ihren Herzen sprießen – – und sich verschlingen – – – – Tristan und Isolde sind tot – – – – – – und ich lebe! *Er sinnt vor sich hin.* Das Ende – die Lösung – –! Ist das die Lösung? – – ist das das Ende? – – – – Ruhen eure Taten unter euch im Grabe? – – – – Sie werden durch die Welt hinklingen – – – – und leben!!– – – *In neue Unruhe verfallend – in seinem Barte wühlend.* Da liegen sie – – – man wird sie forttragen – – und in eine Grube betten – – und zuschütten – – und die Verwesung wird ihr Werk an ihnen tun! – – – – Doch leben sie – – – – weil ich lebe!! – – *Er greift sich in das Haupthaar.* Ich habe sie getötet!! – – – – und habe mich getroffen!!!! *Er schweigt entsetzt. – – – – Angstvoll murmelnd.* Wo sind eure Taten – – von euren Händen?! – – von Armen?! – – von euren Füßen?! *Ausbrechend.* Hände – – tastet ihr nichts?!! – – Arme – – hebt ihr nichts?!! – – Füße – – wandelt ihr nicht?!! – – *Mit Grauen.* Sie leben – – und zeigen mir es nicht!! *Geschüttelt.* Was habe ich getan? *Wild.* Mit mir getan?!! – – Zur Grube geschickt?! – – ins Dunkel gebannt?! – – *Schreiend.* Nein!! – nein!! – – *Atemlos keuchend.* Die Grube hält sie nicht – – die Schicht lockert sich – –: ihre Hände sprießen aus dem Schoß der Gruft – – ihre Arme steigen hinter ihren Händen – – und heben sie höher auf ihren wuchernden Stangen – – – – der Schoß quillt aus – – alles wirft aus – – sie stehen bis unter die Knöchel aus dem Grabe – – – – sie bauen sich auf – – – – sind Riesen über mir – – – – sind Riesenriesen – – Elephanten – – Wolken – – Schatten auf der Welt!! – – *Entsetzt.* Sie springen von der Erde ab – – unter meine Stirne – – sie stehen auf meinem Hirn – – sie tasten mit Zehen darin nach Halt – – – – um noch zu wachsen – – – – rieseln mich durch ihre Glieder hoch – – – – ich bin es – – – – ich bin es selbst – – – – der Schatten auf der Welt!!!! -- – – – der drohend grauenvolle! – – – – flatternde Fetzen meines gesprengten Hirns!!!! – – – – sie fallen über mich her – – – – Riesenhände lagern sich auf mich – – – Riesenarme stemmen mich nieder – – – – auf mich – – – – auf mich – – – – auf mich – – – – in den Staub mit mir!!!! *Er drückt die Stirn in den Schnee der Brüstung.*

MELOT *ein Zwerg in sonderbar prunkvollem Anzuge erscheint rechts hinten in der Öffnung zwischen den Tannen. Als er Isolde und Tristan liegen sieht, huscht ein Zug hämischer Freude in sein faltiges Gesicht. Mit einem Sprung ist er bei den Getöteten, er hebt den Speer sacht an und blickt nach dem Turm. Er entdeckt Marke, nickt – dann auch Kaedin, nickt stärker.*

MARKE *hat seine Stellung nicht verändert.*

MELOT *zieht jetzt ein kleines Seidentuch von blauer Farbe aus seinem Wams, entfaltet es, faßt es doppelt und beginnt mit leise klatschenden Schlägen abwechselnd den beiden Getöteten auf das Gesicht zu schlagen.*

MARKE *hebt den Kopf.*

MELOT *unterbricht sich nicht.*

MARKE *sieht ihm erstaunt zu. Plötzlich betrachtet er den Zwerg aufmerksam und mit tiefem Haß. Rauh.* Du bist – der Spürhund?

MELOT *zu den Schlägen das Bellen eines Hundes nachahmend.* Hei-hau! – hei-hau! – hei-hau!

MARKE *erbittert.* Was hat dich – hinter die Spur gebracht?

MELOT *ablassend, das Tuch hochhaltend, mit pfeifender Stimme.* Das Tuch – Marke – das Tuch!

MARKE. Was ist mit dem Tuch?

MELOT. Ich fand's! Wo fand ich's, König Marke?

MARKE. Du – fandest es?

MELOT *es schwenkend.* Gefunden – und genützt!

MARKE. Wo fandest du es?

MELOT *tritt dicht unter den Turm, legt die Hand um den Mund, gedämpft.* Unter uns gesagt – oder besser unter dir gesagt, denn das entspricht deiner erhabenen Stellung mehr – da oben! –

MARKE *lebhaft.* Du fandest es – wo?

MELOT *noch vorsichtiger.* Im Bett!

MARKE *mit stockendem Atem.* Ja – in welchem Bett?

MELOT *verwundert.* Wie kommst du so schnell auf diese Frage?

MARKE. So – nenne mir das Bett.

MELOT. Vom Bette Tristans nahm ich es. – Warte ein wenig, du sollst es dir auch ansehen und mir sagen, wem das Tuch gehört. Ich werfe es dir in die Höhe – und du rufst mir leise herunter. Wir wollen hier niemand stören! *Er bückt sich, ballt eine Schneekugel, wickelt das Tuch herum und wirft Marke zu.* Jetzt enthülle mir den Besitzer des Tuches – aber entferne vorher die Schneekugel daraus, du könntest mir sie sonst angeben! – *Zwitschernd.* Ich fand das Tuch auf Tristans Bett – – *Unbändig lachend.* – und in deinem Bett hatte ich es vorher gesehen! *Er will sich ausschütten.* Marke – – aus deinem Bett – – in Tristans Bett – – und es ist ein Frauentuch! – – Wer löst solch ein Rätsel? – – Wer hat Verständnis für das Rätsel? – – Wer löst es nur?! *Er umschlingt seinen tiefen spitzen Leib und verschnauft.*

MARKE *hält das Tuch ausgebreitet, betrachtet es. Seine Wangen röten sich, seine Augen erhalten Glanz.* Das Tuch – *Nun bricht er in Lachen aus.*

MELOT *blickt erstaunt hinauf.*

MARKE *in vollem Gelächter.* Das Tuch – – ist Brangänes Tuch! – – Der Schlingel Tristan – – hat mit der Magd – gelegen – –! – – indes die Herrin mit ihrem Herrn lag – – *Er lacht lange.*

MELOT *steht verdutzt.* Ist es Brangänes Tuch?

MARKE. Ich erkenne es gewiß wieder – – ich habe es oft bei

ihr gesehen – – und alle Tücher der Dienerinnen sind blau –
die Königsfarbe dagegen rot! – – Ein Tuch Brangänes ist
es doch! – – Weißt du nicht? – – Blau?! – Blau?! –

MELOT *ganz verwundert.* Aber dann sage mir: – wie kommt
das in dein Bett?

MARKE. Das – – – – rate wer kann! – – Ich weiß es nicht,
wie Weiber ihre Tücher verlieren – Mägde!

MELOT *kraut in den Haaren. Dann plötzlich auf Isolde und
Tristan zeigend, überrumpelnd.* Dann sage mir: warum sind
diese getötet?

MARKE. Das – – soll ich dir sagen?

MELOT *keck.* Heraus damit! – He – du erhabener – da oben!
– Wirst du nicht hinabmüssen – – dich an den Tannen streifen –? *Er steckt Hörner auf.*

MARKE *sich aufraffend.* Wie das geschah? – – wie Isolde –
und Tristan getötet wurden? – – *Rasch auf Kaedin zeigend.*
Durch dieses Buben Hand! *Eifrig.* Sie stritten sich – diese
drei – ich kannte nicht die Ursache, ich kam zu spät hinzu –
– da war der Streit schon ausgetragen! – – Isolde und Tristan – von einem Speer durchbohrt – – sanken vor meinen
entsetzten Augen zu Boden – – ich konnte nur noch ihren
Tod rächen an diesem Knaben! – – *Er blickt auf Kaedin.*
Ich zog meinen Dolch aus der Scheide – *Er tut es jetzt.* – und
stieß ihn mit aller Kraft ihm in die Seite – – so! *Er tut es,
läßt den Dolch in Kaedins Körper stecken, richtet sich auf,
atmet mächtig.* – seine Strafe ereilte ihn schnell! – – So war
es – so ist es! *Er läßt das Tuch herabflattern.* Und mit dem
Tuche verhält es sich so: nichts ist es! *Sich über die Augen
streifend.* Nichts von einem Verdacht – nichts von einer
Schuld – nichts von einem Beweis –: dies Tuch berät uns alle!
– – Es fällt über alle Geschichten herab! – – – Und wo nichts
ist: – da schließt sich der Ring – rundet sich – und liegt fest
um meinen Sinn – an meinem Kopf! – – wie eine Krone der
Ruhe – des Friedens – des frohen – seligen Alters! – – *Im
Weggehen.* Ich bin der glücklichste König der Welt: – ich
trage einen schönen Ring – – geschwungen um mein Haar
– – gewunden aus diesem Anfang und Ende – der alles ein-
schließt: – – nichts! *Er geht ab.*

MELOT *hat das Tuch aufgehoben, betrachtet es kopfschüttelnd, zupft daran, hält den Kopf an, sagt.* Nichts!

[1910; 1912; 1914]

BALLADE
VOM SCHÖNEN MÄDCHEN

Das Schlafzimmer des schönen Mädchens. Ein offenes Fenster in den Garten, von Vogelgezwitscher erfüllt. Hinten der Alkoven, mit einem Vorhang geschlossen. Daneben die Tür; sie wird hastig aufgemacht: die beiden Brüder treten rasch rein. Der zweite trägt ein Bündel unter dem Arm.

DER ERSTE *geht sogleich an den Alkoven, zieht die Gardine zurück und hebt von dem darin stehenden Bett die Decke ab.*
DER ZWEITE *tritt an das Kopfende und macht sich dort, tief über das Kissen gebeugt, längere Zeit zu schaffen. –*

Das leere Tuch des Bündels fällt zu Boden.

DER ERSTE *hebt es auf, faltet es zusammen und steckt es ein.*
DER ZWEITE *gibt dem andern ein Zeichen.*
DER ERSTE *wirft die Decke wieder über das Bett.*
DER ZWEITE *tritt beiseite: obwohl das Bett zwischen den Brüdern leer da war, liegt jetzt ein Mensch mit dunkelm Haupthaar – bis an den Hals zugedeckt und nach der Wand gedreht – darin.*
DER ERSTE *zieht zu.*
Die beiden entfernen sich lautlos und eilig.

DAS SCHÖNE MÄDCHEN *kommt mit einem Blumenstrauß – tritt zum Fenster und späht, sich hinter der Gardine haltend, in die Gartentiefe.*

Ich wünschte mir es so. Dies macht die Stunde
ganz schön und stark und wird so wie ein Zwang
auf sie gelegt. Nun kenn' ich ihr Gesetz.
Ich will es so: einer soll unten stehn,
der reich sich dünkt mit Pfennigen des Guts,
das ohne Waage, Maß und Zählung hier

verschwendet ist. Er soll im Wege warten –
den Kies mit seinem Schuhe scharren und
den Kopf aufwerfen: und die Haare flattern
ihm hoch wie Vögel – ungeduldige! –
und fallen traurig auf die Stirn zurück.
Das Auge sucht den Steig hinauf – hinab –
und findet nicht – leer zieht er in der Sonne
und dehnt sich endlos in die öde Stille.
Ich komme nicht – ich komme nicht zu dir
und einem von euch. – Wie er sich nicht rührt! –
Ich bin kein Gut um das ihr feilscht und wettet,
das sinkt euch nicht in euern Handel, wo
ihr bettelt – auf die Knie stürzt und liegt
an jedem Wege –: und in meine Spuren
von meinen Schuhen gierig senkt die Lippen
wie Dürstende! – – Ich kann euch nicht aufstehn
und neben mir hingehen heißen, denn
es ist ja nichts, was würdig sich erwiese.
Ihr habt ja nichts, was ganz euch würdig macht! –
Wer so wie ich, der kann nur noch verschenken:
es wär ein Handel unter Sonn' und Wolken,
dem ihr kein gleiches bötet zum Entgelt!
Ich bin gebunden so an dies Gebot,
daß auch mein Wunsch mit Brausen zu ihm schießt!
Sie sieht auf die Blumen in ihren Händen; nachdenklich.
Warum kam der an diesem Tag? Ich ließ
ihn einmal rot vor andern werden – ich
muß daran denken! – er entfernte sich
eilends und seitdem sah ich ihn nie mehr.
Und heute kommt er? Sah die Brüder er
am frühen Morgen reiten aus der Stadt?
Am Morgen ritten beide weg. Die sind
nun weit. Ich bin allein im Haus! – –
Beriet ihn das? So will ich ihn den Brüdern
anzeigen und sie werden züchtigen
ihn wie man Buben straft, die sich aufdrängen!
Er riß mir Blumen aus und bückte sich
zehnmal und zehnmal – war so unterwürfig
wie einer, dem ich eine Gunst noch werde
tun müssen – und ich kränkt' ihn nur!
Ich kränkte ihn auch heute wieder mehr
denn einmal: doch er schien den Sinn davon –

von keinem herben Wort zu finden, stand
bei mir und wich nicht – riß die Blumen ab –
und als ich ihm mitleidig lächelnd log:
es wäre nun die Last zu schwer den Armen,
ich müsse sie jetzt in mein Zimmer bringen,
und ließ ihn stehn – wie man den letzten nicht
von seinen Dienern ohne Gruß und Dank
verläßt – und ging davon – – da rief er mir
dies hinterdrein – – was rief er da: er würde
noch um die Blumen kommen und sich sorgen,
ob auch nicht irgend Schaden sie gelitten? – –
Was meinte er damit? – – Wie wußt' er das,
daß ich zum Garten nicht mehr gehen würde?
Was für ein Mensch? – –

Fröhlich verändert.

                    Ich habe ja nun Blumen!
Und der sie sammelte, muß einer sein
aus ihnen, die die Spur von meinem Gang
im Kies abküssen! – Das ist auch Gesetz
und Teil der Tat, die sich zur Kugel ründet,
die rollt mit ihrem Lauf jetzt an das Ende! –
Wie Perlen man verschenkt in Gold gebettet
und so ganz ohne Geizen gibt – noch schmückt
die Gabe – will ich so mit diesem Duft
und aller Buntheit meiner Blüten tun!

*Sie geht vom Fenster weg und verschließt die Tür. Dann
tritt sie an den Alkoven, zieht den Vorhang auf. Mit einem
Lachen in der Stimme.*

Der schläft! Der kam – wie kam er denn schon an?
Noch fehlt es an der Stunde – die ist da,
wenn in den farbigen Dunst die Glocken schwingen,
die andre in die dunklen Kirchen schicken
wie Kinder in des Hauses letzte Stube,
wenn hell noch alles ist – nur weil sie Kinder! –

Langsam in Betrachtung des Daliegenden.

Doch ihn zog ich hervor aus ihrer Schar
und zünd' ihm einen Tag an nach dem Tag,
wo der schon grauend ausgebrannt – die Asche
von einem Tag! – sinkt auf den Boden und
sich leer verweht – –

In ein gedämpftes Lachen ausbrechend.

                Da kommt er – – und schläft ein!

Sie drückt sich die Blumen auf den Mund.

Will ich ihn jetzt bestreun – weck' ich ihn auf.
Noch nicht. Ich will ihn so nicht schrecken aus
dem Traum, der ihn stark, wie kein Schlaf es kann,
gefangen hält. Ich kenne solche Träume!
Wer da den Traum – wer solchen Traum zerbricht,
der muß ein Beßres hinzugeben haben!

Sie tritt zum Fenster und wirft die Blumen, die sich zu einem
Regen verbreiten, hinaus. Dann schließt sie das Fenster.

Hier schließ' ich eine Welt in dieses Zimmer
ab, die kein Tor nach außen offen hält,
durch das ich gehen könnte oder einer
von euch zu mir einträte. Das ist streng
geschieden. Gärten sind mit hoher Mauer –
unübersteiglich ganz – geschieden so:
ein Lachen klingt herüber, doch nicht mehr –
ein Lachen, das uns zuruft, wie wir weit!

Sie geht bis in die Mitte des Zimmers; kopfschüttelnd.

Dies darf ich nicht. Ich kann nicht folgen, wo
mich einer ruft. So ist Erniedrigung
und so Verkauf, wo wer ein Recht sich glaubt
zu haben oder etwas doch, was ihm
den Fug erteilte. Ich bin immer fremd
durch euch geschritten und die Kälte schwoll,
wenn einer enger meine Seite suchte. –
Da drehte ich den Blick – entdeckte mir
– ganz fern euch – –

Sie tritt vor das Bett.

Wer sah das Spiel – das Spiel so vieler Tage –
so wiederholt und immer neu ergriffen! –
sah wer es an, indes es doch geschah
immer am hellen Tage zwischen uns?
Die Blicke – lockend winkend tröstend auch –
den langen Garten querend bis zum Schatten
des Gartenendes, drin der andre stand –
der Ungenannte – Unberufene – Letzte –
und war des Spiels Genoß! – Für ihn noch Spiel –
und blieb es so. Bloß eines Mädchens Laune,
das viele Freunde hat, zu viele Freunde –
bis ich ihn lud und meine Stunde preisgab!

Sie betrachtet ihn lange.

Und er schläft – müde – ein: was doch ein Kind!

Nach einem Besinnen.
>   Vielleicht lief er den Brüdern aus der Stadt
>   noch nach? – Die kommen nicht vor Nacht zurück! –
>   Und lief sich matt und sank gleich auf das Bett
>   und in den tiefen Schlaf: er regt sich nicht.

Lächelnd.
>   Er sorgte wohl um nichts. Er trat herein
>   und war sehr früh – mich hielt der Garten fest –
>   und liebte gleich die Kissen – drückte sich
>   hinein – ganz nah und tief – und lag darin –:
>   da war es nur ein Bett – ein Bett, darauf
>   man schläft. Ein Bett, darauf man schläft. Das Bett,
>   wie's ihm zuhause steht. Die Mutter sagte
>   auch immer: in den Betten soll man schlafen.
>   So tat er nur was Knaben tun: er schläft!
>   Schläft und vergißt! – verschläft der Stunde Wachsen
>   und große Nähe – schläft und denkt sich nichts!

Sie öffnet den Gürtel und läßt ihn zu Boden klirren. Sie lauscht.
>   Ganz still! – und Glocken können so nicht schwingen
>   mit diesem Klang – –

Sie richtet sich hoch auf.
>   Ich will es so: es soll
>   ein Knabe sein, der ohne Maß und Achten
>   das Gut aufnimmt – das ohne Maß und Zählung
>   ich ihm vergeude: denn so fühl' ich erst,
>   was ich besitze – wenn ich es hinwerfe,
>   wo mit den Pfennigen des Guts schon alle
>   Hände sind angefüllt, die bettelnd sich
>   ausstrecken – Bettler fassen nicht so Großes:
>   dies muß verstreut sein – lachend – für ein Nichts – –

Sie hebt die Decke auf: mit einem hohen Schrei fährt sie zurück, stürzt an die Tür, rüttelt, schließt endlich auf, entflieht. Nur der hohe Schrei ist noch.

Das abgeschlagene blutige Knabenhaupt liegt auf dem Kopfkissen.

[1910]

VON MORGENS BIS MITTERNACHTS

Stück in zwei Teilen

PERSONEN

KASSIERER
MUTTER
FRAU
ERSTE, ZWEITE TOCHTER
DIREKTOR
GEHILFE
PORTIER
ERSTER, ZWEITER HERR
LAUFJUNGE
DIENSTMÄDCHEN
DAME
SOHN
HOTELKELLNER
JÜDISCHE HERREN ALS KAMPFRICHTER
ERSTE, ZWEITE, DRITTE, VIERTE WEIBLICHE MASKE
HERREN IM FRACK
KELLNER
MÄDCHEN DER HEILSARMEE
OFFIZIERE UND SOLDATEN DER HEILSARMEE
PUBLIKUM EINER VERSAMMLUNG DER HEILSARMEE:
KOMMIS, KOKOTTE, ARBEITER USW.
SCHUTZMANN
DIE KLEINE STADT W. UND DIE GROSSE STADT B.

ERSTER TEIL

Kleinbankkassenraum. Links Schalteranlage und Tür mit Aufschrift: Direktor. In der Mitte Tür mit Schild: Zur Stahlkammer. Ausgangstür rechts hinter Barriere. Daneben Rohrsofa und Tisch mit Wasserflasche und Glas.
Im Schalter Kassierer und am Pult Gehilfe, schreibend. Im Rohrsofa sitzt der fette Herr, pustet. Jemand geht rechts hinaus. Am Schalter Laufjunge sieht ihm nach.

KASSIERER *klopft auf die Schalterplatte.*
LAUFJUNGE *legt rasch seinen Zettel auf die wartende Hand.*
KASSIERER *schreibt, holt Geld unter dem Schalter hervor, zählt sich in die Hand – dann auf das Zahlbrett.*
LAUFJUNGE *rückt mit dem Zahlbrett auf die Seite und schüttet das Geld in einen Leinenbeutel.*
HERR *steht auf.* Dann sind wir Dicken an der Reihe. *Er holt einen prallen Lederbeutel aus dem Mantelinnern.*

Dame kommt. Kostbarer Pelz, Geknister von Seide.

HERR *stutzt.*
DAME *klinkt mit einigem Bemühen die Barriere auf, lächelt unwillkürlich den Herrn an.* Endlich.
HERR *verzieht den Mund.*
KASSIERER *klopft ungeduldig.*
DAME *fragende Geste gegen den Herrn.*
HERR *zurückstehend.* Wir Dicken immer zuletzt.
DAME *verneigt sich leicht, tritt an den Schalter.*
KASSIERER *klopft.*
DAME *öffnet ihre Handtasche, entnimmt ein Kuvert und legt es auf die Hand des Kassierers.* Ich bitte dreitausend.
KASSIERER *dreht und wendet das Kuvert, schiebt es zurück.*
DAME *begreift.* Pardon. *Sie zieht den Brief aus dem Umschlag und reicht ihn hin.*
KASSIERER *wie vorher.*

DAME *entfaltet noch das Papier.* Dreitausend bitte.

KASSIERER *überfliegt das Papier und legt es dem Gehilfen hin.*

GEHILFE *steht auf und geht aus der Tür mit dem Schild: Direktor.*

HERR *sich wieder im Rohrsofa niederlassend.* Bei mir dauert es länger. Bei uns Dicken dauert es immer etwas länger.

KASSIERER *beschäftigt sich mit Geldzählen.*

DAME. Ich bitte: in Scheinen.

KASSIERER *verharrt gebückt.*

DIREKTOR *jung, kugelrund – mit dem Papier links heraus.* Wer ist – *Er verstummt der Dame gegenüber.*

GEHILFE *schreibt wieder an seinem Pult.*

HERR *laut.* Morgen, Direktor.

DIREKTOR *flüchtig dahin.* Geht's gut?

HERR *sich auf den Bauch klopfend.* Es kugelt sich, Direktor.

DIREKTOR *lacht kurz. Zur Dame.* Sie wollen bei uns abheben?

DAME. Dreitausend.

DIREKTOR. Ja drei – dreitausend würde ich mit Vergnügen auszahlen –

DAME. Ist der Brief nicht in Ordnung?

DIREKTOR *süßlich, wichtig.* Der Brief geht in Ordnung. Über zwölftausend – *Buchstabierend.* Banko –

DAME. Meine Bank in Florenz versicherte mich –

DIREKTOR. Die Bank in Florenz hat Ihnen den Brief richtig ausgestellt.

DAME. Dann begreife ich nicht –

DIREKTOR. Sie haben in Florenz die Ausfertigung dieses Briefes beantragt –

DAME. Allerdings.

DIREKTOR. Zwölftausend – und zahlbar an den Plätzen –

DAME. Die ich auf der Reise berühre.

DIREKTOR. Der Bank in Florenz haben Sie mehrere Unterschriften geben müssen –

DAME. Die an die im Brief bezeichneten Banken geschickt sind, um mich auszuweisen.

DIREKTOR. Wir haben den Avis mit Ihrer Unterschrift nicht bekommen.

HERR *hustet; blinzelt den Direktor an.*

DAME. Dann müßte ich mich gedulden, bis –

DIREKTOR. Irgendwas müssen wir doch in Händen haben!

EIN HERR *winterlich mit Fellmütze und Wollschal ver-mummt – kommt, stellt sich am Schalter auf. Er schießt wütende Blicke nach der Dame.*

DAME. Darauf bin ich so wenig vorbereitet –

DIREKTOR *plump lachend.* Wir sind noch weniger vorbereitet, nämlich gar nicht!

DAME. Ich brauche so notwendig das Geld!

HERR *im Sofa lacht laut.*

DIREKTOR. Ja, wer brauchte keins?

HERR *im Sofa wiehert.*

DIREKTOR *sich ein Publikum machend.* Ich zum Beispiel – *Zum Herrn am Schalter.* Sie haben wohl mehr Zeit als ich. Sie sehen doch, ich spreche mit der Dame noch. – Ja, gnädige Frau, wie haben Sie sich das gedacht? Soll ich Ihnen auszahlen – auf Ihre –

HERR *im Sofa kichert.*

DAME *rasch.* Ich wohne im Elefant.

HERR *im Sofa prustet.*

DIREKTOR. Ihre Adresse erfahre ich mit Vergnügen, gnädige Frau. Im Elefant verkehre ich am Stammtisch.

DAME. Kann der Besitzer mich nicht legitimieren?

DIREKTOR. Kennt sie der Wirt schon näher?

HERR *im Sofa amüsiert sich köstlich.*

DAME. Ich habe mein Gepäck im Hotel.

DIREKTOR. Soll ich Koffer und Köfferchen auf ihren Inhalt untersuchen?

DAME. Ich bin in der fatalsten Situation.

DIREKTOR. Dann reichen wir uns die Hände: Sie sind nicht in der Lage – ich bin nicht in der Lage. Das ist die Lage. *Er gibt ihr das Papier zurück.*

DAME. Was raten Sie mir nun zu tun?

DIREKTOR. Unser Städtchen ist doch ein nettes Nest – der Elefant ein renommiertes Haus – die Gegend hat Umgegend – Sie machen diese oder jene angenehmen Bekanntschaften – und die Zeit geht hin – mal Tag, mal Nacht – wie sich's macht.

DAME. Es kommt mir hier auf einige Tage nicht an.

DIREKTOR. Die Gesellschaft im Elefant wird sich freuen, etwas beizutragen.

DAME. Nur heute liegt es mir dringend an dreitausend!

DIREKTOR *zum Herrn im Sofa.* Bürgt jemand hier für eine Dame aus der Fremde auf dreitausend?

DAME. Das könnte ich wohl nicht annehmen. Darf ich bitten, mir so fort, wenn die Bestätigung von Florenz eintrifft, telephonisch Mitteilung zu machen. Ich bleibe im Elefant auf meinem Zimmer.

DIREKTOR. Persönlich – wie gnädige Frau es wünschen!

DAME. Wie ich am raschesten benachrichtigt werde. *Sie schiebt das Papier in das Kuvert und steckt es in die Tasche.* Ich spreche am Nachmittag noch selbst vor.

DIREKTOR. Ich stehe zur Verfügung.

DAME *grüßt kurz, ab.*

HERR *am Schalter rückt vor und knallt in der Faust einen zerknüllten Zettel auf die Platte.*

DIREKTOR *ohne davon Notiz zu nehmen, sieht belustigt nach dem Herrn im Sofa.*

HERR *im Sofa zieht die Luft ein.*

DIREKTOR *lacht.* Sämtliche Wohlgerüche Italiens – aus der Parfümflasche.

HERR *im Sofa fächelt sich mit der flachen Hand.*

DIREKTOR. Das macht heiß, was?

HERR *im Sofa, gießt sich Wasser in ein Glas.* Dreitausend ist ein bißchen hastig. *Er trinkt.* Dreihundert klappern auch nicht schlecht.

DIREKTOR. Vielleicht machen Sie billigere Offerte – im Elefant, auf dem Zimmer?

HERR *im Sofa.* Für uns Dicke ist das nichts.

DIREKTOR. Wir sind mit unserm moralischen Bauch gesetzlich geschützt.

HERR *am Schalter knallt zum zweitenmal die Faust auf die Platte.*

DIREKTOR *gleichmütig.* Was haben Sie denn? *Er glättet den Zettel und reicht ihn dem Kassierer hin.*

LAUFJUNGE *hatte die Dame angegafft, dann die Sprechenden – verfehlt die Barriere und rennt gegen den Herrn im Sofa.*

HERR *im Sofa nimmt ihm den Beutel weg.* Ja, mein Junge, das kostet was – schöne Mädchen angaffen. Jetzt bist du deinen Beutel los.

LAUFJUNGE *lacht ihn verlegen an.*

HERR. Was machst du denn nun, wenn du nach Hause kommst?

LAUFJUNGE *lacht.*

HERR *gibt ihm den Beutel wieder.* Merk' dir das für dein Leben. Du bist der erste nicht, dem die Augen durchgehen – und der ganze Mensch rollt nach.
LAUFJUNGE *ab.*

KASSIERER *hat einige Münzen aufgezählt.*
DIREKTOR. Solch einem Schlingel vertraut man nun Geld an.
HERR *im Sofa.* Dummheit straft sich selbst.
DIREKTOR. Daß ein Chef nicht den Blick dafür hat. So was brennt doch bei der ersten Gelegenheit, die sich bietet, aus. Der geborene Defraudant. *Zum Herrn am Schalter.* Stimmt es nicht?
HERR *prüft jedes Geldstück.*
DIREKTOR. Das ist ein Fünfundzwanzigpfennigstück. Das sind zusammen fünfundvierzig Pfennig, mehr hatten Sie doch nicht zu verlangen?
HERR *steckt umständlich ein.*
HERR *im Sofa.* Deponieren Sie doch Ihr Kapital in der Stahlkammer! – Nun wollen wir Dicken mal abladen.
HERR *am Schalter rechts ab.*

DIREKTOR. Was bringen Sie uns denn?
HERR *legt den Lederbeutel auf die Platte und holt eine Brieftasche heraus.* Soll man kein Vertrauen zu Ihnen kriegen mit Ihrer feinen Kundschaft? *Er reicht ihm die Hand.*
DIREKTOR. Jedenfalls sind wir für schöne Augen in Geschäftssachen unempfänglich.
HERR *sein Geld aufzählend.* Wie alt war sie? Taxe.
DIREKTOR. Ohne Schminke habe ich sie noch nicht gesehen.
HERR. Was will die denn hier?
DIREKTOR. Das werden wir ja heute abend im Elefant hören.
HERR. Wer käme denn da in Betracht?
DIREKTOR. In Betracht könnten wir schließlich alle noch kommen!
HERR. Wozu braucht sie denn hier dreitausend Mark?
DIREKTOR. Sie muß sie wohl brauchen.
HERR. Ich wünsche ihr den besten Erfolg.
DIREKTOR. Womit?
HERR. Daß sie ihre Dreitausend kapert.
DIREKTOR. Von mir?

HERR. Von wem ist ja nebensächlich.

DIREKTOR. Ich bin neugierig, wann die Nachricht von der Bank in Florenz kommt.

HERR. Ob sie kommt!

DIREKTOR. Ob sie kommt – darauf bin ich allerdings noch gespannter!

HERR. Wir können ja sammeln und ihr aus der Verlegenheit helfen.

DIREKTOR. Auf Ähnliches wird es wohl abgesehen sein.

HERR. Wem erzählen Sie das?

DIREKTOR *lacht*. Haben Sie in der Lotterie gewonnen?

HERR *zum Kassierer*. Nehmen Sie mir mal ab. *Zum Direktor*. Ob wir draußen unser Geld haben oder bei Ihnen verzinsen – richten Sie mal ein Konto für den Bauverein ein.

DIREKTOR *scharf zum Gehilfen*. Konto für Bauverein.

HERR. Es kommt noch mehr.

DIREKTOR. Immer herein, meine Herrschaften. Wir können gerade brauchen.

HERR. Also: sechzigtausend – fünfzig Mille Papier – zehn Mille Gold.

KASSIERER zählt.

DIREKTOR *nach einer Pause*. Sonst geht's noch gut?

HERR *zum Kassierer*. Jawohl, der Schein ist geflickt.

DIREKTOR. Wir nehmen ihn selbstverständlich. Wir werden ihn wieder los. Ich reserviere ihn für unsere Kundin aus Florenz. Sie trug ja auch Schönheitspflästerchen.

HERR. Es stecken aber tausend Mark dahinter.

DIREKTOR. Liebhaberwert.

HERR *unbändig lachend*. Liebhaberwert – das ist kolossal.

DIREKTOR *unter Tränen*. Liebhaberwert – *Er gibt ihm die Quittung des Kassierers*. Ihre Quittung. *Erstickend*. Sechzig – tau – –

HERR *nimmt, liest sie, ebenso*. Sechzig – tau – –

DIREKTOR. Liebhaber –

HERR. Lieb – – *Sie reichen sich die Hände.*

DIREKTOR. Wir sehen uns heute abend.

HERR. Liebhaber – *Er knöpft seinen Mantel, kopfschüttelnd ab.*

DIREKTOR *steht noch, wischt sich die Tränen hinter dem Kneifer. Dann links hinein.*

KASSIERER *bündelt die zuletzt erhaltenen Scheine und rollt die Münzen.*

DIREKTOR *kommt zurück.* Diese Dame aus Florenz – die aus Florenz kommen will – ist Ihnen schon einmal eine Erscheinung wie diese vorm Schalter aufgetaucht? Pelz – parfümiert. Das riecht nachträglich, man zieht mit der Luft Abenteuer ein! – – Das ist die große Aufmachung. Italien, das wirkt verblüffend – märchenhaft. Riviera – Mentone – Bordighera – Nizza – Monte Carlo! Ja, wo Orangen blühen, da blüht auch der Schwindel. Von Schwindel ist da unten kein Quadratmeter Erdboden frei. Dort wird der Raubzug arrangiert. Die Gesellschaft verstreut sich in alle Winde. Nach den kleineren Plätzen – abseits der großen Heerstraße – schlägt man sich am liebsten. Dann schäumend in Pelz und Seide. Weiber! Das sind die modernen Sirenen. Singsang vom blauen Süden – o bella Napoli. Verfänglicher Augenaufschlag – und man ist geplündert bis auf das Netzhemd. Bis auf die nackte Haut – die nackte, nackte Haut! *Er trommelt mit seinem Bleistift dem Kassierer den Rücken.* Ich zweifle keinen Augenblick, daß die Bank in Florenz, die den Brief ausgestellt hat, so wenig von dem Brief etwas weiß – wie der Papst den Mond bewohnt. Das ganze ist Schwindel, von langer Hand vorbereitet. Und seine Urheber sitzen nicht in Florenz, sondern Monte Carlo! Das kommt zuerst in Frage. Verlassen Sie sich drauf. Wir haben hier eine jener Existenzen gesehen, die im Sumpf des Spielpalastes gedeihen. Und ich gebe mein zweites Wort darauf, daß wir sie nicht wiedersehen. Der erste Versuch ist mißglückt, die Person wird sich vor dem zweiten hüten! – Wenn ich auch meine Späße mache – dabei bin ich scharfäugig. Wir vom Bankgeschäft! – Ich hätte eigentlich unserm Polizeileutnant Werde einen Wink geben sollen! – Es geht mich ja weiter nichts an. Schließlich ist die Bank zu Stillschweigen verpflichtet. *An der Tür.* Verfolgen Sie mal in den auswärtigen Zeitungen: wenn Sie von einer Hochstaplerin lesen, die hinter Schloß und Riegel sicher gesetzt ist, dann wollen wir uns wieder sprechen. Dann werden Sie mir recht geben. Dann werden wir von unserer Freundin aus Florenz mehr hören – als wir heute oder morgen hier wieder von ihrem Pelz zu sehen bekommen! *Ab.*

KASSIERER *siegelt Rollen.*

PORTIER *mit Briefen von rechts, sie dem Gehilfen reichend.* Eine Quittung für eine Einschreibesendung bekomme ich wieder.
GEHILFE *stempelt den Zettel, gibt ihn an den Portier.*
PORTIER *stellt noch Glas und Wasserflasche auf dem Tisch zurecht. Ab.*

GEHILFE *trägt die Briefe in das Direktorzimmer – kommt wieder.*

DAME *kehrt zurück; rasch an den Schalter.* Ach Pardon.
KASSIERER *streckt die flache Hand hin.*
DAME *stärker.* Pardon.
KASSIERER *klopft.*
DAME. Ich möchte den Herrn Direktor nicht nochmal stören.
KASSIERER *klopft.*
DAME *in Verzweiflung lächelnd.* Hören Sie bitte, ist das nicht möglich: ich hinterlasse der Bank den Brief über den ganzen Betrag und empfange einen Vorschuß von dreitausend?
KASSIERER *klopft ungeduldig.*
DAME. Ich bin eventuell bereit, meine Brillanten als Unterpfand auszuhändigen. Die Steine wird Ihnen jeder Juwelier in der Stadt abschätzen. *Sie streift einen Handschuh ab und nestelt am Armband.*

DIENSTMÄDCHEN *rasch von rechts, setzt sich ins Rohrsofa und sucht, alles auswühlend, im Marktkorb.*
DAME *hat sich schwach erschreckend umgedreht: sich aufstützend sinkt ihre Hand auf die Hand des Kassierers.*
KASSIERER *dreht sich über die Hand in seiner Hand. Jetzt ranken seine Brillenscheiben am Handgelenk aufwärts.*
DIENSTMÄDCHEN *findet aufatmend den Schein.*
DAME *nickt hin.*
DIENSTMÄDCHEN *ordnet im Korb.*
DAME *sich dem Kassierer zuwendend – trifft in sein Gesicht.*
KASSIERER *lächelt.*
DAME *zieht ihre Hand zurück.* Ich will die Bank nicht zu Leistungen veranlassen, die sie nicht verantworten kann.

Sie legt das Armband an, müht sich an der Schließe. Dem Kassierer die Hand hinstreckend. Würden Sie die Freundlichkeit haben – ich bin nicht geschickt genug mit einer Hand nur.

KASSIERER *Büsche des Bartes wogen – Brille sinkt in blühende Höhlen eröffneter Augen.*

DAME *zum Dienstmädchen.* Sie helfen mir, Fräulein.

DIENSTMÄDCHEN *tut es.*

DAME. Noch die Sicherheitskette. *Mit einem kleinen Schrei.* Sie stechen ja in mein offenes Fleisch. So hält es. Vielen Dank, Fräulein. *Sie grüßt noch den Kassierer. Ab.*

DIENSTMÄDCHEN *am Schalter, legt ihren Schein hin.*

KASSIERER *greift ihn in wehenden Händen. Lange sucht er unter der Platte. Dann zahlt er aus.*

DIENSTMÄDCHEN *sieht das aufgezählte Geld an; dann zum Kassierer.* Das bekomme ich doch nicht?

KASSIERER *schreibt.*

GEHILFE *wird aufmerksam.*

DIENSTMÄDCHEN *zum Gehilfen.* Es ist doch mehr.

GEHILFE *sieht zum Kassierer.*

KASSIERER *streicht einen Teil wieder ein.*

DIENSTMÄDCHEN. Immer noch zuviel!

KASSIERER *schreibt.*

DIENSTMÄDCHEN *steckt kopfschüttelnd das Geld in den Korb. Ab.*

KASSIERER *durch Heiserkeit sträubt sich der Laut herauf.* Holen Sie – Glas Wasser!

GEHILFE *geht aus dem Schalter zum Tisch.*

KASSIERER. Das ist abgestanden. Frisches – von der Leitung.

GEHILFE *geht mit dem Glas in die Stahlkammer.*

KASSIERER *behende nach einem Klingelknopf – drückt.*

PORTIER *kommt.*

KASSIERER. Holen Sie frisches Wasser.

PORTIER. Ich darf nicht von der Tür draußen weg.

KASSIERER. Für mich. Das ist Jauche. Ich will Wasser von der Leitung.

PORTIER *mit der Wasserflasche in die Stahlkammer.*

KASSIERER *stopft mit schnellen Griffen die zuletzt gehäuften Scheine und Geldrollen in seine Taschen. Dann nimmt er den Mantel vom Haken, wirft ihn über den Arm. Noch den Hut. Er verläßt den Schalter – und geht rechts ab.*

DIREKTOR *in einen Brief vertieft links herein.* Da ist ja die Bestätigung von Florenz eingetroffen!

GEHILFE *mit dem Glas Wasser aus der Stahlkammer.*

PORTIER *mit der Wasserflasche aus der Stahlkammer.*
DIREKTOR *bei ihrem Anblick.* Zum Donnerwetter, was heißt denn das?

Hotelschreibzimmer. Hinten Glastür. Links Schreibtisch mit Telephonapparat. Rechts Sofa, Sessel mit Tisch mit Zeitschriften usw.

DAME *schreibt.*

SOHN *in Hut und Mantel kommt – im Arm großen flachen Gegenstand in ein Tuch gehüllt.*
DAME *überrascht.* Du hast es?
SOHN. Unten sitzt der Weinhändler. Der schnurrige Kopf beargwöhnt mich, ich brenne ihm aus.
DAME. Am Morgen war er doch froh, es loszuwerden.
SOHN. Jetzt wittert er wohl allerhand.
DAME. Du wirst ihn aufmerksam gemacht haben.
SOHN. Ich habe mich ein bißchen gefreut.
DAME. Das muß Blinde sehend machen!
SOHN. Sie sollen auch die Augen aufreißen. Aber beruhige dich, Mama, der Preis ist derselbe wie am Morgen.
DAME. Wartet der Weinhändler?
SOHN. Den lassen wir warten.
DAME. Ich muß dir leider mitteilen –
SOHN *küßt sie.* Also Stille. Feierliche Stille. Du blickst erst hin, wenn ich dich dazu auffordere. *Er wirft Hut und Mantel ab, stellt das Bild auf einen Sessel und lüftet das Tuch.*
DAME. Noch nicht?
SOHN *sehr leise.* Mama.
DAME *dreht sich im Stuhl um.*

SOHN *kommt zu ihr, legt seinen Arm um ihre Schultern.* Nun?

DAME. Das ist allerdings nicht für eine Weinstube!

SOHN. Es hing auch gegen die Wand gedreht. Auf die Rückseite hatte der Mann seine Photographie gepappt.

DAME. Hast du die mitgekauft?

SOHN *lacht.* Wie findest du es?

DAME. Ich finde es – sehr naiv.

SOHN. Köstlich – nicht wahr? Für einen Cranach fabelhaft.

DAME. Willst du es als Bild so hochschätzen?

SOHN. Als Bild selbstverständlich! Aber daneben das Merkwürdige der Darstellung. Für Cranach – und für die Behandlung des Gegenstandes in der gesamten Kunst überhaupt. Wo findest du das? Pitti – Uffizien – die Vatikanischen? Der Louvre ist ja ganz schwach darin. Wir haben hier zweifellos die erste und einzige erotische Figuration des ersten Menschenpaares. Hier liegt noch der Apfel im Gras – aus dem unsäglichen Laubgrün lugt die Schlange – der Vorgang spielt sich also im Paradies selbst ab und nicht nach der Verstoßung. Das ist der wirkliche Sündenfall! – Ein Unikum. Cranach hat ja Dutzend Adam und Eva gemalt – steif – mit dem Zweige in der Mitte – und vor allem die zwei getrennt. Es heißt da: sie erkannten sich. Hier jubelt zum erstenmal die selige Menschheitsverkündung auf: sie liebten sich! Hier zeigt sich ein deutscher Meister als Erotiker von südlichster, allersüdlichster Emphatik! *Vor dem Bild.* Dabei diese Beherrschtheit noch in der Ekstase. Diese Linie des menschlichen Armes, die die weibliche Hüfte überschneidet. Die Horizontale der unten gelagerten Schenkel und die Schräge des andern Schenkelpaares. Das ermüdet das Auge keinen Moment. Das erzeugt Liebe im Hinsehen – der Fleischton leistet natürlich die wertvollste Hilfe. Geht es dir nicht ebenso?

DAME. Du bist wie dein Bild naiv.

SOHN. Was meinst du damit?

DAME. Ich bitte dich, das Bild im Hotel in deinem Zimmer zu verbergen.

SOHN. Zu Hause wird es ja erst mächtig auf mich wirken. Florenz und dieser Cranach. Der Abschluß meines Buches wird natürlich weit hinausgeschoben. Das muß verarbeitet sein. Das muß aus eigenem Fleisch und Blut zurückströmen, sonst versündigt sich der Kunsthistoriker. Augenblicklich fühle ich mich ziemlich erschlagen. – Auf der ersten Station dieser Reise das Bild zu finden!

DAME. Du vermutetest es doch mit Sicherheit.

SOHN. Aber vor dem Ereignis steht man doch geblendet. Ist es nicht zum Verrücktwerden? Mama, ich bin ein Glücksmensch!

DAME. Du ziehst die Resultate aus deinen eingehenden Studien.

SOHN. Und ohne deine Hilfe? Ohne deine Güte?

DAME. Ich finde mein Glück mit dir darin.

SOHN. Du übst endlose Nachsicht mit mir. Ich reiße dich aus deinem schönen, ruhigen Leben in Fiesole. Du bist Italienerin, ich hetze dich durch Deutschland mitten im Winter. Du übernachtest im Schlafwagen – Hotels zweiter, dritter Güte – schlägst dich mit allerhand Leuten herum –

DAME. Das habe ich allerdings reichlich gekostet!

SOHN. Ich verspreche dir, mich zu beeilen. Ich bin ja selbst ungeduldig, den Schatz in Sicherheit zu bringen. Um drei reisen wir. Willst du mir die Dreitausend geben?

DAME. Ich habe sie nicht.

SOHN. Der Besitzer des Bildes ist im Hotel.

DAME. Die Bank konnte sie mir nicht auszahlen. Von Florenz muß sich die Benachrichtigung verzögert haben.

SOHN. Ich habe die Bezahlung zugesagt.

DAME. Dann mußt du ihm das Bild wieder ausliefern, bis die Bank Auftrag erhält.

SOHN. Läßt sich das nicht beschleunigen?

DAME. Ich habe hier ein Telegramm aufgesetzt, das ich jetzt besorgen lasse. Wir sind ja schnell gereist –

KELLNER *klopft an.*

DAME. Bitte.

KELLNER. Ein Herr von der Bank wünscht gnädige Frau zu sprechen.

DAME *zum Sohn.* Da wird mir das Geld schon ins Hotel geschickt. *Zum Kellner.* Ich bitte.

KELLNER *ab.*

SOHN. Du rufst mich, wenn du mir das Geld geben kannst. Ich lasse den Mann nicht gern wieder aus dem Hotel gehen.

DAME. Ich telephoniere dir.

SOHN. Ich sitze unten. *Ab.*

DAME *schließt die Schreibmappe.*

Kellner und Kassierer erscheinen hinter der Glastür. Kassierer überholt den Kellner, öffnet; Kellner kehrt um, ab.

KASSIERER *noch Mantel überm Arm – tritt ein.*

DAME *zeigt nach einem Sessel und setzt sich ins Sofa.*

KASSIERER *den Mantel bei sich, auf dem Sessel.*

DAME. Bei der Bank ist –

KASSIERER *sieht das Bild.*

DAME. Dies Bild steht in enger Beziehung zu meinem Besuch auf der Bank.

KASSIERER. Sie?

DAME. Entdecken Sie Ähnlichkeiten?

KASSIERER *lächelnd.* Am Handgelenk!

DAME. Sind Sie Kenner?

KASSIERER. Ich wünsche – mehr kennenzulernen!

DAME. Interessieren Sie diese Bilder?

KASSIERER. Ich bin im Bilde!

DAME. Finden sich noch Stücke bei Besitzern in der Stadt? Sie würden mir einen Dienst erweisen. Das ist mir ja wichtiger – so wichtig wie das Geld!

KASSIERER. Geld habe ich.

DAME. Am Ende wird die Summe nicht genügen, über die ich meinen Brief ausstellen ließ.

KASSIERER *packt die Scheine und Rollen aus.* Das ist genug!

DAME. Ich kann nur zwölftausend erheben.

KASSIERER. Sechzigtausend!

DAME. Auf welche Weise?

KASSIERER. Meine Angelegenheit.

DAME. Wie soll ich –?

KASSIERER. Wir reisen.

DAME. Wohin?

KASSIERER. Über die Grenze. Packen Sie Ihren Koffer – wenn Sie einen haben. Sie reisen vom Bahnhof ab – ich laufe bis zur nächsten Station zu Fuß und steige zu. Wir logieren zum ersten Male – – Kursbuch? *Er findet es auf dem Tische.*

DAME. Bringen Sie mir denn von der Bank über dreitausend?

KASSIERER *beschäftigt.* Ich habe sechzigtausend eingesteckt. Fünfzigtausend in Scheinen – zehntausend in Gold.

DAME. Davon gehören mir –?

KASSIERER *bricht eine Rolle auf und zählt fachmännisch die Stücke in eine Hand vor, dann auf den Tisch hin.* Nehmen

Sie. Stecken Sie fort. Wir könnten belauscht sein. Die Tür hat Glasscheiben. Fünfhundert in Gold.

DAME. Fünfhundert?

KASSIERER. Später mehr. Wenn wir in Sicherheit sind. Hier dürfen wir nichts sehen lassen. Vorwärts. Einkassiert. Für Zärtlichkeiten ist diese Stunde nicht geeignet, sie dreht rasend ihre Speichen, in denen jeder Arm zermalmt wird, der eingreift! *Er springt auf.*

DAME. Ich brauche dreitausend.

KASSIERER. Wenn sie die Polizei in Ihrer Tasche findet, sind Sie hinter Schloß und Riegel gesetzt!

DAME. Was geht es die Polizei an?

KASSIERER. Sie erfüllten den Kassenraum. An Sie hakt sich der Verdacht, und unsere Verkettung liegt zutage.

DAME. Ich betrat den Kassenraum –

KASSIERER. Unverfroren.

DAME. Ich forderte –

KASSIERER. Sie versuchten.

DAME. Ich suchte –

KASSIERER. – die Bank zu prellen, als Sie Ihren gefälschten Brief präsentierten.

DAME *aus ihrer Handtasche den Brief nehmend.* Dieser Brief ist nicht echt?

KASSIERER. So unecht wie Ihre Brillanten.

DAME. Ich bot meine Wertsachen als Pfand an. Warum sind meine Pretiosen Imitationen?

KASSIERER. Damen Ihres Schlages blenden nur.

DAME. Von welchem Schlage bin ich denn? Schwarzhaarig – mein Teint ist dunkel. Ich bin südlicher Schlag. Toskana.

KASSIERER. Monte Carlo!

DAME *lächelt.* Nein, Florenz!

KASSIERER *sein Blick stürzt auf Hut und Mantel des Sohnes.* Komme ich zu spät?

DAME. Zu spät?

KASSIERER. Wo ist er? Ich werde mit ihm verhandeln. Er wird mit sich handeln lassen. Ich habe Mittel. Wieviel soll ich ihm bieten? Wie hoch veranschlagen Sie die Entschädigung? Wieviel stopfe ich ihm in die Tasche? Ich steigere bis zu fünfzehntausend! – Schläft er? Rekelt er sich im Bett? Wo ist euer Zimmer? Zwanzigtausend, fünftausend mehr für unverzögerten Abstand! *Er rafft Hut und Mantel vom Sessel.* Ich bringe ihm seine Sachen.

DAME *verwundert.* Der Herr sitzt im Vestibül.

KASSIERER. Das ist zu gefährlich. Es ist belebt unten. Rufen Sie ihn herauf. Ich setze ihn hier matt. Klingeln Sie. Der Kellner soll fliegen. Zwanzigtausend – in Scheinen! *Er zählt auf.*

DAME. Kann mein Sohn mich legitimieren?

KASSIERER *prallt zurück.* Ihr – – Sohn?!

DAME. Ich reise mit ihm. Ich begleite ihn auf einer Studienreise, die uns von Florenz nach Deutschland führt. Mein Sohn sucht Material für sein kunsthistorisches Werk.

KASSIERER *starrt sie an.* – – Sohn?!

DAME. Ist das so ungeheuerlich?

KASSIERER *wirr.* Dies – – Bild?!

DAME. Ist sein glücklicher Fund. Mit dreitausend bezahlt es mein Sohn. Das sind die von mir sehnlich gewünschten Dreitausend. Ein Weingroßhändler – den Sie ja kennen werden, wenn Sie seinen Namen hören – überläßt es ihm zu diesem Preis.

KASSIERER. – – Pelz – – Seide – – es schillerte und knisterte – – die Luft wogte von allen Parfümen!

DAME. Es ist Winter. Ich trage nach meinen Begriffen keine besondere Kleidung.

KASSIERER. Der falsche Brief?!

DAME. Ich bin im Begriff, an meine Bank zu depeschieren!

KASSIERER. Ihr Handgelenk nackt – – um das ich die Kette ranken sollte?!

DAME. Die linke Hand allein ist ungeschickt.

KASSIERER *dumpf.* Ich habe – – das Geld eingesteckt – – – –

DAME *belustigt.* Sind Sie und die Polizei nun zufrieden? Mein Sohn ist wissenschaftlich nicht unbekannt.

KASSIERER. Jetzt – – in diesem Moment werde ich vermißt. Ich hatte Wasser für mich bestellt, um den Gehilfen zu entfernen – zweimal Wasser, um die Tür vom Portier zu entblößen. Die Noten und Rollen sind verschwunden. Ich habe defraudiert! – – Ich darf mich nicht in den Straßen – auf dem Markt sehen lassen. Ich darf den Bahnhof nicht betreten. Die Polizi ist auf den Beinen. Sechzigtausend! – – Ich muß übers Feld – quer durch den Schnee, bevor die Gendarmen alarmiert sind!

DAME *entsetzt.* Schweigen Sie doch!

KASSIERER. Ich habe alles Geld eingesteckt – – Sie erfüllten den Kassenraum – – Sie schillerten und knisterten – – Sie

senkten Ihre nackte Hand in meine – – Sie rochen heiß – –
Ihr Mund roch – –

DAME. Ich bin eine Dame!

KASSIERER *stiert*. Jetzt müssen Sie doch – –!!

DAME *sich bezwingend*. Sind Sie verheiratet? *Auf seine
schwingende Geste*. Ich meine, das gilt sehr viel. Wenn ich
es nicht überhaupt als einen Scherz auffassen soll. Sie haben
sich zu einer unüberlegten Handlung hinreißen lassen. Sie
reparieren den Schaden. Sie kehren in Ihren Schalter zurück und schützen ein momentanes Unwohlsein vor. Sie haben den vollen Betrag noch bei sich?

KASSIERER. Ich habe mich an der Kasse vergriffen –

DAME *schroff*. Das interessiert mich dann nicht weiter.

KASSIERER. Ich habe die Bank geplündert –

DAME. Sie belästigen mich, mein Herr.

KASSIERER. Jetzt müssen Sie – –

DAME. Was ich müßte –

KASSIERER. Jetzt müssen Sie doch!!

DAME. Lächerlich.

KASSIERER. Ich habe geraubt, gestohlen. Ich habe mich ausgeliefert – ich habe meine Existenz vernichtet – alle Brücken
sind gesprengt – ich bin ein Dieb – Räuber – – *Über den
Tisch geworfen*. Jetzt müssen Sie doch – – jetzt müssen Sie
doch!!!

DAME. Ich werde Ihnen meinen Sohn rufen, vielleicht – –

KASSIERER *verändert, agil*. Jemanden rufen? Allerweltsleute
rufen? Alarm schlagen. Großartig! – Dumm. Plump. Mich
fangen sie nicht ein. In die Falle trete ich nicht. Ich habe
meinen Witz, meine Herrschaften. Euer Witz tappt hinterher – ich immer zehn Kilometer voraus. Rühren Sie sich
nicht. Stillgesessen, bis ich – *Er steckt das Geld ein, drückt
den Hut ins Gesicht, preßt den Mantel auf die Brust*. Bis
ich – *Behende geräuschlos durch die Glastür ab*.

DAME *steht verwirrt*.

SOHN *kommt*. Der Herr von der Bank ging aus dem Hotel.
Du bist erregt, Mama. Ist das Geld –

DAME. Die Unterhaltung hat mich angestrengt. Geldsachen,
Jungchen. Du weißt, es reizt mich immer etwas.

SOHN. Sind Schwierigkeiten entstanden, die die Auszahlung
wieder aufhalten?

DAME. Ich müßte es dir vielleicht doch sagen –

SOHN. Muß ich das Bild zurückgeben?

DAME. An das Bild denke ich nicht.

SOHN. Das geht uns doch am meisten an.

DAME. Ich glaube, ich muß so gleich eine Anzeige erstatten.

SOHN. Was für eine Anzeige?

DAME. Die Depesche besorge. Ich muß unter allen Umständen von meiner Bank eine Bestätigung in Händen haben.

SOHN. Genügt dein Bankbrief nicht?

DAME. Nein. Nicht ganz. Geh nach dem Telegraphenamt. Ich möchte den Portier nicht mit der offenen Depesche schicken.

SOHN. Und wann kommt nun das Geld?

Das Telephon schrillt.

DAME. Da werde ich schon angerufen. *Am Apparat.* Ist eingetroffen. Ich soll selbst abheben. Gern. Aber bitte, Herr Direktor. Ich bin gar nicht aufgebracht. Florenz ist weit. Ja, die Post in Italien. Wie? Warum? Wie? Ja, warum? Ach so – via Berlin, das ist allerdings ein großer Umweg. – Mit keinem Gedanken. Danke, Herr Direktor. In zehn Minuten. Adieu. *Zum Sohn.* Erledigt, Junge. Meine Depesche ist überflüssig geworden. *Sie zerreißt das Formular.* Du hast dein Bild. Dein Weinhändler begleitet uns. Er nimmt auf der Bank den Betrag in Empfang. Verpacke deinen Schatz. Von der Bank fahren wir zum Bahnhof. *Telephonierend, während Sohn das Bild verhüllt.* Ich bitte um die Rechnung. Zimmer vierzehn und sechzehn. Sehr eilig. Bitte.

Verschneites Feld mit Baum mit tiefreichender Astwirrnis. Blauschattende Sonne.

KASSIERER *kommt, rückwärts gehend. Er schaufelt mit den Händen seine Spur zu. Sich aufrichtend.* Solch ein Mensch ist doch ein Wunderwerk. Der Mechanismus klappt in Scharnieren – lautlos. Plötzlich sind Fähigkeiten ermittelt und mit Schwung tätig. Wie gebärden sich meine Hände? Wo haben sie Schnee geschippt? Jetzt wuchten sie die Massen, daß die Flocken stäuben. Überdies ist meine Spur über das Schneefeld wirkungsvoll verwischt. Erzielt ist ein undurchsichtiges Inkognito! *Er streift die erweichten Manschetten ab.* Nässe und Frost begünstigen scharfe Erkältungen. Unversehens bricht Fieber aus und beeinflußt die Entschlüsse. Man verliert die Kontrolle über seine Handlungen, und aufs Krankenbett geworfen, ist man geliefert! *Er knöpft die Knöpfe heraus und schleudert die Manschetten weg.* Ausgedient. Da liegt. Ihr werdet in der Wäsche fehlen. Das Lamento plärrt durch die Küche: ein Paar Manschetten fehlt. Katastrophe im Waschkessel. Weltuntergang! *Er sammelt die Manschetten wieder auf und stopft sie in die Manteltaschen.* Toll: da arbeitet mein Witz schon wieder. Mit unfehlbarer Sicherheit. Ich quäle mich mit dem zerstampften Schnee ab und verrate mich mit zwei leichtsinnig verschleuderten Wäschestücken. Meist ist es eine Kleinigkeit – ein Versehen – eine Flüchtigkeit, die den Täter feststellt. Hoppla! *Er sucht sich einen bequemen Sitz in einer Astgabel.* Ich bin doch neugierig. Meine Spannung ist gewaltig geschwollen. Ich habe Grund, mich auf die wichtigsten Entdeckungen gefaßt zu machen. Im Fluge gewonnene Erfahrungen stehen mir zur Seite. Am Morgen noch erprobter Beamter. Man vertraut mir runde Vermögen an, der Bauverein deponiert Riesensummen. Mittags ein durchtriebener Halunke. Mit allen Wassern gewaschen. Die Technik der Flucht bis in die Details durchgebildet. Das Ding gedreht und hin. Fabelhafte Leistung. Und der Tag erst zur Hälfte bezwungen! *Er stützt das Kinn auf die Faustrücken.* Ich bin bereit, jedem Vorfall eine offene Brust zu bieten. Ich besitze untrügliche Zeichen, keinen Anspruch die Antwort schuldig zu bleiben. Ich bin auf dem Marsche – Umkehr findet nicht statt. Ich marschiere – also ohne viel Federlesen heraus mit den Trümpfen. Ich habe sechzigtausend auf die Karte gesetzt – und erwarte den Trumpf. Ich spiele zu hoch, um zu verlieren. Keine Flausen – aufgedeckt und heda! Verstanden? *Er lacht ein krächzendes Gelächter.* Jetzt müssen Sie, schöne Dame. Ihr Stichwort, seidene Dame. Bringen Sie es doch, schillernde Dame, Sie lassen ja die Szene unter den Tisch fallen. Dummes Luder. Und so was spielt Komödie. Kommt euren natürlichen Verpflichtungen nach, zeugt Kinder – und belästigt nicht die Souffleuse! – Verzeihung, Sie haben ja einen Sohn. Sie sind vollständig legitimiert. Ich liquidiere meine Verdächtigungen. Leben Sie wohl und grüßen Sie den Direktor. Seine Kalbsaugen werden Sie mit einem eklen Schleim bestreichen, aber machen Sie sich nichts draus. Der Mann ist um sechzigtausend geprellt, der Bauverein wird ihm das Dach neu beschindeln. Das klappert erbärmlich. Ich entbinde Sie aller Verpflichtungen gegen mich, Sie sind entlassen, Sie können gehen. – Halt! Nehmen Sie meinen Dank auf den Weg – in die Eisenbahn! – Was? Keine Ursache? – Ich denke, bedeutende! Nicht der Rede wert? – Sie scherzen, Ihr Schuldner! Wieso? – Ich verdanke Ihnen das Leben! – Um Himmels willen! – Ich übertreibe? Mich haben Sie, knisternd, aufgelockert. Ein Sprung hinter Sie drein stellt mich in den Brennpunkt unerhörter Geschehnisse. Und mit der Fracht in der Brusttasche zahle ich alle Begünstigungen bar! *Mit einer nachlässigen Geste.* Verduften Sie jetzt, Sie sind bereits überboten und können bei beschränkten Mitteln – ziehen Sie sich Ihren Sohn zu Gemüte – auf keinen Zuschlag hoffen! *Er holt das Banknotenbündel aus der Tasche und klatscht es auf die Hand.* Ich zahle bar! Der Betrag ist flüssig gemacht – die Regulierung läuft dem Angebot voraus. Vorwärts, was bietet sich? *Er sieht in das Feld.* Schnee. Schnee. Sonne. Stille. *Er schüttelt den Kopf und steckt das Geld ein.* Es wäre eine schamlose Übervorteilung – mit dieser Summe blauen Schnee zu bezahlen. Ich mache das Geschäft nicht. Ich trete vor dem Abschluß zurück. Keine reelle Sache! *Die Arme aufwerfend.* Ich muß bezahlen!! – – Ich habe das Geld bar!! – – Wo ist Ware, die man mit dem vollen Einsatz kauft?! Mit sechzigtausend – und dem ganzen Käufer mit Haut und Knochen?! – – *Schreiend.* Ihr müßt mir doch liefern – – ihr müßt doch Wert und Gegenwert in Einklang bringen!!!! *Sonne von Wolken verfinstert. Er steigt aus der Gabel.* Die Erde kreißt – Frühlingsstürme. Es macht sich, es macht sich. Ich wußte, daß ich nicht umsonst gerufen habe. Die Aufforderung war dringend. Das Chaos ist beleidigt, es will sich nicht vor meiner eingreifenden Tat am Vormittag blamieren. Ich wußte ja, man darf in solchen Fällen nicht locker lassen. Hart auf den Leib rücken – und das Mäntelchen vom Leib, dann zeigt sich was! – Vor wem lüfte ich denn so höflich meinen Hut? *Sein Hut ist ihm entrissen. Der Orkan hat den Schnee von den Zweigen gepeitscht: Reste in der Krone haften und bauen ein menschliches Gerippe mit grinsenden Kiefern auf. Eine Knochenhand hält den Hut.* Hast du die ganze Zeit hinter mir gesessen und mich belauscht? Bist du ein Abgesandter der Polizei? Nicht in diesem lächerlich beschränkten Sinne. Umfassend: Polizei des Daseins? – Bist du die erschöpfende Antwort auf meine nachdrückliche Befragung? Willst du mit deiner einigermaßen reichlich durchlöcherten Existenz andeuten: das abschließende Ergebnis – deine Abgebranntheit? – Das ist etwas dürftig. Sehr dürftig. Nämlich nichts! – Ich lehne die Auskunft als nicht lückenlos ab. Ich danke für die Bedienung. Schließen Sie Ihren Laden mit alten Knochen. Ich bin nicht der erste beste, der sich beschwatzen läßt! – Der Vorgang wäre ja ungeheuer einfach, Sie entheben der weiteren Verwickelungen. Aber ich schätze Komplikationen höher. Leben Sie wohl – wenn Sie das in Ihrer Verfassung könnten! – Ich habe noch einiges zu erledigen. Wenn man unterwegs ist, kann man nicht in jede Haustür eintreten. Auch auf die freundlichste Einladung nicht. Ich sehe bis zum Abend noch eine ganze Menge Verpflichtungen vor mir. Sie können unmöglich die erste sein. Vielleicht die letzte. Aber auch dann nur notgedrungen. Vergnügen macht es mir nicht. Aber, wie gesagt, notgedrungen – darüber läßt sich reden. Rufen Sie mich gegen Mitternacht nochmals an. Wechselnde Telephonnummern beim Amt zu erfragen! – Verzeihung, ich rede dich mit Sie an. Wir stehen doch wohl auf du und du. Die Verwandtschaft bezeugt sich innigst. Ich glaube sogar, du steckst in mir drin. Also winde dich aus dem Astwerk los, das dich von allen Seiten durchsticht, und rutsche in mich hinein. Ich hinterlasse in meiner zweideutigen Lage nicht gern Spuren. Vorher gib mir meinen Hut wieder! *Er nimmt den Hut vom Ast, den der Sturm ihm jetzt entgegenbiegt – verbeugt sich.* Ich sehe, wir haben bis zu einem annehmbaren Grade eine Verständigung erzielt. Das ist ein Anfang, der Vertrauen einflößt und im Wirbel kommender großartiger Ereignisse den nötigen Rückhalt schafft. Ich weiß das unbedingt zu würdigen. Mit vorzüglicher Hochachtung – – *Donner rollt. Ein letzter Windstoß fegt auch das Gebilde aus dem Baum. Sonne bricht durch. Es ist hell wie zu Anfang.* Ich sagte doch gleich, daß die Erscheinung nur vorübergehend war! *Er drückt den Hut in die Stirn, schlägt den Mantelkragen hoch und trabt durch den stäubenden Schnee weg.*

ZWEITER TEIL

Stube bei Kassierer. Fenster mit abgeblühten Geranien. Zwei Türen hinten, Tür rechts. Tisch und Stühle. Klavier. Mutter sitzt am Fenster. Erste Tochter stickt am Tisch. Zweite Tochter übt die Tannhäuserouvertüre. Frau geht durch die Tür rechts hinten ein und aus.

MUTTER. Was spielst du jetzt?
ERSTE TOCHTER. Es ist doch die Tannhäuserouvertüre.
MUTTER. Die Weiße Dame ist auch sehr schön.
ERSTE TOCHTER. Die hat sie diese Woche nicht abonniert.

FRAU *kommt.* Es ist Zeit, daß ich die Koteletts brate.
ERSTE TOCHTER. Lange noch nicht, Mutter.
FRAU. Nein, es ist noch nicht Zeit, daß ich die Koteletts brate. *Ab.*

MUTTER. Was stickst du jetzt?
ERSTE TOCHTER. Die Langetten.

FRAU *kommt zur Mutter.* Wir haben heute Koteletts.
MUTTER. Bratest du sie jetzt?
FRAU. Es hat noch Zeit. Es ist ja noch nicht Mittag.
ERSTE TOCHTER. Es ist ja noch lange nicht Mittag.
FRAU. Nein, es ist noch lange nicht Mittag.
MUTTER. Wenn er kommt, ist es Mittag.
FRAU. Er kommt noch nicht.
ERSTE TOCHTER. Wenn Vater kommt, ist es Mittag.
FRAU. Ja. *Ab.*

ZWEITE TOCHTER *aufhörend, lauschend.* Vater?
ERSTE TOCHTER *ebenso.* Vater?
FRAU *kommt.* Mein Mann?
MUTTER. Mein Sohn?
ZWEITE TOCHTER *öffnet rechts.* Vater!
ERSTE TOCHTER *ist aufgestanden.* Vater!
FRAU. Der Mann!
MUTTER. Der Sohn!

KASSIERER *tritt rechts ein, hängt Hut und Mantel auf.*
FRAU. Woher kommst du?

KASSIERER. Vom Friedhof.

MUTTER. Ist jemand plötzlich gestorben?

KASSIERER *klopft ihr auf den Rücken.* Man kann wohl plötzlich sterben, aber nicht plötzlich begraben werden.

FRAU. Woher kommst du?

KASSIERER. Aus dem Grabe. Ich habe meine Stirn durch Schollen gebohrt. Hier hängt noch Eis. Es hat besondere Anstrengungen gekostet, um durchzukommen. Ganz besondere Anstrengungen. Ich habe mir die Finger etwas beschmutzt. Man muß lange Finger machen, um hinauszugreifen. Man liegt tief gebettet. So ein Leben lang schaufelt mächtig. Berge sind auf einen getürmt. Schutt, Müll – es ist ein riesiger Abladeplatz. Die Gestorbenen liegen ihre drei Meter abgezählt unter der Oberfläche – die Lebenden verschüttet es immer tiefer.

FRAU. Du bist eingefroren – oben und unten.

KASSIERER. Aufgetaut! Von Stürmen – frühlinghaft – geschüttelt. Es rauschte und brauste – ich sage dir, es hieb mir das Fleisch herunter, und mein Gebein saß nackt. Knochen – gebleicht in Minuten. Schädelstätte! Zuletzt schmolz mich die Sonne wieder zusammen. Dermaßen von Grund auf geschah die Erneuerung. Da habt ihr mich.

MUTTER. Du bist im Freien gewesen?

KASSIERER. In scheußlichen Verliesen, Mutter! Unter abgrundsteilen Türmen bodenlos verhaftet. Klirrende Ketten betäubten das Gehör. Von Finsternis meine Augen ausgestochen!

FRAU. Die Bank ist geschlossen. Der Direktor hat mit euch getrunken. Es ist ein freudiges Ereignis in seiner Familie?

KASSIERER. Er hat eine neue Mätresse auf dem Korn. Italienerin – Pelz – Seide – wo die Orangen blühen. Handgelenke wie geschliffen. Schwarzhaarig – der Teint ist dunkel. Brillanten. Echt – alles echt. Tos – Tos – der Schluß klingt wie Kanaan. Hol' einen Atlas. Tos – Kanaan. Gibt es das? Ist es eine Insel? Ein Gebirge? Ein Sumpf? Die Geographie kann über alles Auskunft geben! Aber er wird sich schneiden. Glatt abfallen – abgebürstet werden wie ein Flocken. Da liegt er – zappelt auf dem Teppich – Beine kerzengerade in die Luft – das kugelfette Direktorchen!

FRAU. Die Bank hat nicht geschlossen?

KASSIERER. Niemals, Frau. Die Kerker schließen sich niemals. Der Zuzug hat kein Ende. Die ewige Wallfahrt ist unbegrenzt. Wie Hammelherden hopsen sie hinein – in die Fleischbank. Das Gewühl ist dicht. Kein Entrinnen – oder mit keckem Satz über den Rücken!

MUTTER. Dein Mantel ist auf dem Rücken zerrissen.

KASSIERER. Betrachtet meinen Hut. Ein Landstreicher!

ZWEITE TOCHTER. Das Futter ist zerfetzt.

KASSIERER. Greift in die Taschen – rechts– links!

ERSTE TOCHTER *zieht eine Manschette hervor.*

ZWEITE TOCHTER *ebenso.*

KASSIERER. Befund?

BEIDE TÖCHTER. Deine Manschetten.

KASSIERER. Ohne Knöpfe. Die Knöpfe habe ich hier. Triumph der Kaltblütigkeit! – – Paletot – Hut – ja, es geht ohne Fetzen nicht ab, wenn man über die Rücken setzt. Sie fassen nach einem – sie krallen Nägel ein! Hürden und Schranken – Ordnung muß herrschen. Gleichheit für alle. Aber ein tüchtiger Sprung – nicht gefackelt – und du bist aus dem Pferch – aus dem Göpelwerk. Ein Gewaltstreich, und hier stehe ich! Hinter mir nichts – und vor mir? *Er sieht sich im Zimmer um.*

FRAU *starrt ihn an.*

MUTTER *halblaut.* Er ist krank.

FRAU *mit raschem Entschluß zur Tür rechts.*

KASSIERER *hält sie auf. Zu einer Tochter.* Hol' meine Jacke. *Tochter links hinten hinein, mit verschnürter Samtjacke zurück. Er zieht sie an.* Meine Pantoffeln. *Die andere Tochter bringt sie.* Mein Käppchen. *Tochter kommt mit gestickter Kappe.* Mein Pfeife.

MUTTER. Du sollst nicht rauchen, wenn du schon –

FRAU *beschwichtigt sie hastig.* – Soll ich dir anstecken?

KASSIERER *fertig häuslich gekleidet – nimmt am Tisch eine bequeme Haltung an.* Steck an.

FRAU *immer sorgenvoll eifrig um ihn bemüht.* Zieht sie?

KASSIERER *mit der Pfeife beschäftigt.* Ich werde sie zur gründlichen Reinigung schicken müssen. Im Rohr sind wahrscheinlich Ansammlungen von unverbrauchten Tabakresten. Der Zug ist nicht frei von inneren Widerständen. Ich muß mehr, als eigentlich notwendig sein sollte, ziehen.

FRAU. Soll ich sie gleich forttragen?

KASSIERER. Nein, geblieben. *Mächtige Rauchwolken ausstoßend.* Annehmbar. *Zur zweiten Tochter.* Spiel'.

ZWEITE TOCHTER *auf das Zeichen der Frau setzt sich ans Klavier und spielt.*

KASSIERER. Was ist das für ein Stück?

ZWEITE TOCHTER *atemlos.* Wagner.

KASSIERER *nickt zustimmend. Zur ersten Tochter.* Nähst – flickst – stopfst du?

ERSTE TOCHTER *sich rasch hinsetzend.* Ich sticke Langetten.

KASSIERER. Praktisch. – Und Mutterchen, du?

MUTTER *von der allgemeinen Angst angesteckt.* Ich nickte ein bißchen vor mich hin.

KASSIERER. Friedvoll.

MUTTER. Ja, mein Leben ist Frieden geworden.

KASSIERER *zur Frau.* Du?

FRAU. Ich will die Koteletts braten.

KASSIERER *nickt.* Die Küche.

FRAU. Ich brate dir deins jetzt.

KASSIERER *wie vorher.* Die Küche.

FRAU *ab.*

KASSIERER *zur ersten Tochter.* Sperre die Türen auf.

ERSTE TOCHTER *stößt die Türen hinten zurück: rechts in der Küche die Frau am Herd beschäftigt, links die Schlafkammer mit den beiden Betten.*

FRAU *in der Tür.* Ist dir sehr warm? *Wieder am Herd.*

KASSIERER *herumblickend.* Alte Muttter am Fenster. Töchter am Tisch stickend – Wagner spielend. Frau die Küche besorgend. Von vier Wänden umbaut – Familienleben. Hübsche Gemütlichkeit des Zusammenseins. Mutter – Sohn – Kind versammelt sind. Vertraulicher Zauber. Er spinnt ein. Stube mit Tisch und Hängelampe. Klavier rechts. Kachelofen. Küche, tägliche Nahrung. Morgens Kaffee, mittags Koteletts. Schlafkammer – Betten, hinein – hinaus. Vertraulicher Zauber. Zuletzt – auf dem Rücken – steif und weiß. Der Tisch wird hier an die Wand gerückt – ein gelber Sarg streckt sich schräg, Beschläge abschraubbar – um die Lampe etwas Flor – ein Jahr wird nicht das Klavier gespielt – – –

ZWEITE TOCHTER *hört auf und läuft schluchzend in die Küche.*

FRAU *auf der Schwelle, fliegend.* Sie übt noch an dem neuen Stück.

MUTTER. Warum abonniert sie nicht auf die Weiße Dame?

KASSIERER *verlöscht die Pfeife. Er beginnt sich wieder umzukleiden.*

FRAU. Gehst du in die Bank? Du hattest einen Geschäftsweg?

KASSIERER. In die Bank – Geschäftsweg – nein.

FRAU. Wohin willst du jetzt?

KASSIERER. Schwerste Frage, Frau. Ich bin von wehenden Bäumen niedergeklettert, um eine Antwort aufzusuchen. Hier sprach ich zuerst vor. Es war doch selbstverständlich. Es ist ja alles wunderschön – unstreitbare Vorzüge verkleinere ich nicht, aber vor letzten Prüfungen besteht es nicht. Hier liegt es nicht – damit ist der Weg angezeigt. Ich erhalte ein klares Nein. *Er hat seinen früheren Anzug vollendet.*

FRAU *zerrissen*. Mann, wie entstellt siehst du aus?

KASSIERER. Landstreicher. Ich sagte es ja. Scheltet nicht! Besser ein verwahrloster Wanderer auf der Straße – als Straßen leer von Wanderern!

FRAU. Wir essen jetzt zu Mittag.

KASSIERER. Koteletts, ich rieche sie.

MUTTER. Vor dem Mittagessen willst du –?

KASSIERER. Ein voller Magen macht schläfrig.

MUTTER *fuchtelt plötzlich mit den Armen durch die Luft, fällt zurück.*

ERSTE TOCHTER. Die Großmutter –

ZWEITE TOCHTER *aus der Küche*. Großmutter – *Beide sinken an ihren Knien nieder.*

FRAU *steht steif.*

KASSIERER *tritt zum Sessel.* Daran stirbt sie, weil einer einmal vor dem Mittagessen weggeht. *Er betrachtet die Tote.* Schmerz? Trübsal? Tränengüsse, verschwemmend? Sind die Bande so eng geknüpft – daß, wenn sie zerrissen, im geballten Leid es sich erfüllt? Mutter – Sohn? *Er holt die Scheine aus der Tasche und wägt sie auf der Hand – schüttelt den Kopf und steckt sie wieder ein.* Keine vollständige Lähmung im Schmerz – kein Erfülltsein bis in die Augen. Augen trocken – Gedanken arbeiten weiter. Ich muß mich eilen, wenn ich zu gültigen Resultaten vorstoßen will! *Er legt sein abgegriffenes Portemonnaie auf den Tisch.* Sorgt. Es ist ehrlich erworbenes Gehalt. Die Erklärung kann von Wichtigkeit werden. Sorgt. *Er geht rechts hinaus.*

FRAU *steht unbeweglich.*

DIREKTOR *durch die offene Tür rechts.* Ist Ihr Mann zu Hause? – Ist Ihr Mann hierher gekommen? – Ich habe Ihnen leider die betrübende Mitteilung zu machen, daß er sich an der Kasse vergriffen hat. Wir haben seine Verfehlung schon seit einigen Stunden entdeckt. Es handelt sich um die Summe von sechzigtausend Mark, die der Bauverein deponierte. Die Anzeige habe ich in der Hoffnung noch zurückgehalten, daß er sich besinnen würde. – Dies ist mein letzter Versuch. Ich bin persönlich gekommen. – Ihr Mann ist nicht hier gewesen? *Er sieht sich um, gewahrt Jacke, Pfeife usw., alle offenen Türen.* Dem Anschein nach – *Seine Blicke haften auf der Gruppe am Fenster, nickt.* Ich sehe, die Dinge sind schon in ein vorgerücktes Stadium getreten. Dann allerdings – *Er zuckt die Achseln, setzt den Hut auf.* Es bleibt ein aufrichtiges, privates Bedauern, an dem es nicht fehlt – sonst die Konsequenzen. *Ab.*

BEIDE TÖCHTER *nähern sich der Frau.* Mutter –
FRAU *ausbrechend.* Kreischt mir nicht in die Ohren. Glotzt mich nicht an. Was wollt ihr von mir? Wer seid ihr? Fratzen – Affengesichter – was geht ihr mich an? *Über den Tisch geworfen.* Mich hat mein Mann verlassen!!
BEIDE TÖCHTER *scheu – halten sich an den Händen.*

Sportpalast. Sechstagerennen. Bogenlampenlicht.
Im Dunstraum rohgezimmerte freischwebende Holzbrücke.
Die jüdischen Herren als Kampfrichter kommen und gehen.
Alle sind ununterscheidbar: kleine bewegliche Gestalten, in Smoking, stumpfen Seidenhut im Nacken, am Riemen das Binokel.
Rollendes Getöse von Rädern über Bohlen.
Pfeifen, Heulen, Meckern geballter Zuschauermenge aus Höhe und Tiefe.
Musikkapellen.

EIN HERR *kommend.* Ist alles vorbereitet?
EIN HERR. Sehen Sie doch.
EIN HERR *durchs Glas.* Die Blattpflanzen –
EIN HERR. Was ist mit den Blattpflanzen?

EIN HERR. Zweifellos.

EIN HERR. Was ist denn mit den Blattpflanzen?

EIN HERR. Wer hat denn das Arrangement gestellt?

EIN HERR. Sie haben recht.

EIN HERR. Das ist ja irrsinnig.

EIN HERR. Hat sich denn niemand um die Aufstellung ge-kümmert?

EIN HERR. Einfach lächerlich.

EIN HERR. Der Betreffende muß selbst blind sein.

EIN HERR. Oder schlafen.

EIN HERR. Das ist die einzig annehmbare Erklärung bei die-ser Veranstaltung.

EIN HERR. Was reden Sie – schlafen? Wir fahren doch erst in der vierten Nacht.

EIN HERR. Die Kübel müssen mehr auf die Seite gerückt wer-den.

EIN HERR. Gehen Sie?

EIN HERR. Ganz an die Wände.

EIN HERR. Der Überblick muß frei auf die ganze Bahn sein.

EIN HERR. Die Loge muß offen liegen.

EIN HERR. Ich gehe mit.

Alle ab.

EIN HERR *kommt, feuert einen Pistolenschuß. Ab.*

ZWEI HERREN *kommen mit einem rotlackierten Mega-phon.*

DER EINE HERR. Wie hoch ist die Prämie?

DER ANDERE HERR. Achtzig Mark. Dem ersten fünfzig. Dem zweiten dreißig.

DER EINE HERR. Drei Runden. Mehr nicht. Wir erschöpfen die Fahrer.

DER ANDERE HERR *spricht durch das Megaphon.* Eine Preis-stiftung von achtzig Mark aus der Bar so fort auszufahren über drei Runden: dem ersten fünfzig Mark – dem zweiten dreißig Mark.

Händeklatschen.

MEHRERE HERREN *kommen, einer mit einer roten Fahne.*

EIN HERR. Geben Sie den Start.

EIN HERR. Noch nicht, Nummer Sieben wechselt die Mannschaft.

EIN HERR. Start.

EIN HERR *senkt die rote Fahne.*

Anwachsender Lärm.
Dann Händeklatschen und Pfeifen.

EIN HERR. Die Schwachen müssen auch mal gewinnen.

EIN HERR. Es ist gut, daß die Großen sich zurückhalten.

EIN HERR. Die Nacht wird ihnen noch zu schaffen machen.

EIN HERR. Die Aufregung unter den Fahrern ist ungeheuer.

EIN HERR. Es läßt sich denken.

EIN HERR. Passen Sie auf, diese Nacht fällt die Entscheidung.

EIN HERR *achselzuckend.* Die Amerikaner sind noch frisch.

EIN HERR. Unsere Deutschen werden ihnen schon auf den Zahn fühlen.

EIN HERR. Jedenfalls hätte sich dann der Besuch gelohnt.

EIN HERR *durchs Glas.* Jetzt ist die Loge klar.

Alle bis auf den Herrn mit dem Megaphon ab.

EIN HERR *mit einem Zettel.* Das Resultat.

DER HERR *durchs Megaphon.* Prämie aus der Bar: fünfzig Mark für Nummer elf, dreißig Mark für Nummer vier.

Musiktusch.
Pfeifen und Klatschen.
Die Brücke ist leer.
Ein Herr kommt mit Kassierer. Kassierer im Frack, Frackumhang, Zylinder, Glacés; Bart ist spitz zugestutzt; Haar tief gescheitelt.

KASSIERER. Erklären Sie mir den Sinn –

DER HERR. Ich stelle Sie vor.

KASSIERER. Mein Namen tut nichts zur Sache.

DER HERR. Sie haben ein Recht, daß ich Sie mit dem Präsidium bekannt mache.

KASSIERER. Ich bleibe inkognito.

DER HERR. Sie sind ein Freund unsres Sports.

KASSIERER. Ich verstehe nicht das mindeste davon. Was machen die Kerle da unten? Ich sehe einen Kreis und die bunte Schlangenlinie. Manchmal mischt sich ein anderer ein und ein anderer hört auf. Warum?

DER HERR. Die Fahrer liegen paarweise im Rennen. Während ein Partner fährt –

KASSIERER. Schläft sich der andere Bengel aus?

DER HERR. Er wird massiert.

KASSIERER. Und das nennen Sie Sechstagerennen?

DER HERR. Wieso?

KASSIERER. Ebenso könnte es Sechstageschlafen heißen. Geschlafen wird ja fortwährend von einem Partner.

EIN HERR *kommt.* Die Brücke ist nur für die Leitung des Rennens erlaubt.

DER ERSTE HERR. Eine Stiftung von tausend Mark dieses Herrn.

DER ANDERE HERR. Gestatten Sie mir, daß ich mich vorstelle.

KASSIERER. Keineswegs.

DER ERSTE HERR. Der Herr wünscht sein Inkognito zu wahren.

KASSIERER. Undurchsichtig.

DER ERSTE HERR. Ich habe Erklärungen gegeben.

KASSIERER. Ja, finden Sie es nicht komisch?

DER ZWEITE HERR. Inwiefern?

KASSIERER. Dies Sechstageschlafen.

DER ZWEITE HERR. Also tausend Mark über wieviel Runden?

KASSIERER. Nach Belieben.

DER ZWEITE HERR. Wieviel dem ersten?

KASSIERER. Nach Belieben.

DER ZWEITE HERR. Achthundert und zweihundert. *Durch Megaphon.* Preisstiftung eines ungenannt bleiben wollenden Herrn über zehn Runden so fort auszufahren: dem ersten achthundert – dem zweiten zweihundert. Zusammen tausend Mark.

Gewaltiger Lärm.

DER ERSTE HERR. Dann sagen Sie mir, wenn die Veranstaltung für Sie nur Gegenstand der Ironie ist, weshalb machen Sie eine Preisstiftung in der Höhe von tausend Mark?

KASSIERER. Weil die Wirkung fabelhaft ist.

DER ERSTE HERR. Auf das Tempo der Fahrer?

KASSIERER. Unsinn.

EIN HERR *kommend*. Sind Sie der Herr, der tausend Mark stiftet?

KASSIERER. In Gold.

DER HERR. Das würde zu lange aufhalten.

KASSIERER. Das Aufzählen? Sehen Sie zu. *Er holt eine Rolle heraus, reißt sie auf, schüttet den Inhalt auf die Hand, prüft die leere Papierhülse, schleudert sie weg und zählt behende die klimpernden Goldstücke in seine Handhöhle.* Außerdem erleichtere ich meine Taschen.

DER HERR. Mein Herr, Sie sind ein Fachmann in dieser Angelegenheit.

KASSIERER. Ein Detail, mein Herr. *Er übergibt den Betrag.* Nehmen Sie an.

DER HERR. Dankend erhalten.

KASSIERER. Nur ordnungsgemäß.

EIN HERR *kommend*. Wo ist der Herr? Gestatten Sie –

KASSIERER. Nichts.

EIN HERR *mit der roten Fahne*. Den Start gebe ich.

EIN HERR. Jetzt werden die Großen ins Zeug gehen.

EIN HERR. Die Flieger liegen sämtlich im Rennen.

DER HERR *die Fahne schwingend*. Der Start. *Er senkt die Fahne.*

Heulendes Getöse entsteht.

KASSIERER *zwei Herren im Nacken packend und ihre Köpfe nach hinten biegend*. Jetzt will ich Ihnen die Antwort auf Ihre Frage geben. Hinaufgeschaut!

EIN HERR. Verfolgen Sie doch die wechselnden Phasen des Kampfes unten auf der Bahn.

KASSIERER. Kindisch. Einer muß der erste werden, weil die andern schlechter fahren. – Oben entblößt sich der Zauber. In dreifach übereinandergelegten Ringen – vollgepfropft mit Zuschauern – tobt Wirkung. Im ersten Rang – anscheinend das bessere Publikum tut sich noch Zwang an. Nur Blicke, aber weit – rund – stierend. Höher schon Leiber in Bewegung. Schon Ausrufe. Mittlerer Rang! – Ganz oben fallen die letzten Hüllen. Fanatisiertes Geschrei. Brüllende Nacktheit. Die Galerie der Leidenschaft! – Sehen Sie doch: die Gruppe. Fünffach verschränkt. Fünf Köpfe auf einer Schulter. Um eine heulende Brust gespreizt fünf Armpaare. Einer ist der Kern. Er wird erdrückt – hinausgeschoben – da purzelt sein steifer Hut – im Dunst träge sinkend – zum mittleren Rang nieder. Einer Dame auf den Busen. Sie kapiert es nicht. Da ruht er köstlich. Köstlich. Sie wird den Hut nie bemerken, sie geht mit ihm zu Bett, zeitlebenslang trägt sie den steifen Hut auf ihrem Busen!

DER HERR. Der Belgier setzt zum Spurt an.

KASSIERER. Der mittlere Rang kommt ins Heulen. Der Hut hat die Verbindung geschlossen. Die Dame hat ihn gegen die Brüstung zertrümmert. Ihr Busen entwickelt breite Schwielen. Schöne Dame, du mußt hier an die Brüstung und deine Büste brandmarken. Du mußt unweigerlich. Es ist sinnlos, sich zu sträuben. Mitten im Knäuel verkrallt wirst du an die Wand gepreßt und mußt hergeben, was du bist. Was du bist – ohne Winseln!

DER HERR. Kennen Sie die Dame?

KASSIERER. Sehen Sie jetzt: oben die fünf drängen ihren Kern über die Barriere – er schwebt frei – er stürzt – da – in den ersten Rang segelt er hinein. Wo ist er? Wo erstickt er? Ausgelöscht – spurlos vergraben. Interesselos. Ein Zuschauer – ein Zufallender – ein Zufall, nicht mehr unter Abertausenden!

EIN HERR. Der Deutsche rückt auf.

KASSIERER. Der erste Rang rast. Der Kerl hat den Kontakt geschaffen. Die Beherrschung ist zum Teufel. Die Fräcke beben. Die Hemden reißen. Knöpfe prasseln in alle Richtungen. Bärte verschoben von zersprengten Lippen, Gebisse klappern. Oben und mitten und unten vermischt. Ein Heulen aus allen Ringen – unterschiedlos. Unterschiedlos. Das ist erreicht!

DER HERR *sich umwendend.* Der Deutsche hat's. Was sagen Sie nun?

KASSIERER. Albernes Zeug.

Furchtbarer Lärm.
Händeklatschen.

EIN HERR. Fabelhafter Spurt.

KASSIERER. Fabelhafter Blödsinn.

EIN HERR. Wir stellen das Resultat im Büro fest.

Alle ab.

KASSIERER *jenen Herrn festhaltend.* Haben Sie noch einen Zweifel?

DER HERR. Die Deutschen machen das Rennen.

KASSIERER. In zweiter Linie das, wenn Sie wollen. *Hinaufweisend.* Das ist es, das ist als Tatsache erdrückend. Das ist letzte Ballung des Tatsächlichen. Hier schwingt es sich zu seiner schwindelhaften Leistung auf. Vom ersten Rang bis in die Galerie Verschmelzung. Aus siedender Auflösung des einzelnen geballt der Kern: Leidenschaft! Beherrschungen – Unterschiede rinnen ab. Verkleidungen von Nacktheit gestreift: Leidenschaft! – Hier vorzustoßen ist Erlebnis. Türen – Tore verschweben zu Dunst. Posaunen schmettern und Mauern kieseln. Kein Widerstreben – keine Keuschheit – keine Mütterlichkeit – keine Kindschaft: Leidenschaft! Das ist es. Das ist es. Das lohnt. Das lohnt den Griff – das bringt auf breitem Präsentierbrett den Gewinn geschichtet!

EIN HERR *kommend.* Die Sanitätskolonne funktioniert tadellos.

KASSIERER. Ist der Kerl stürzend zermahlen?

EIN HERR. Zertreten.

KASSIERER. Es geht nicht ohne Tote ab, wo andre fiebernd leben.

EIN HERR *durchs Megaphon.* Resultat der Preisstiftung des ungenannt bleiben wollenden Herrn: achthundert Mark gewonnen von Nummer zwei – zweihundert Mark von Nummer eins.

Wahnsinniger Beifall.
Tusch.

EIN HERR. Die Mannschaften sind erschöpft.

EIN HERR. Das Tempo fällt zusehends ab.

EIN HERR. Wir müssen die Manager für Ruhe im Felde sorgen lassen.

KASSIERER. Eine neue Stiftung!

EIN HERR. Später, mein Herr.

KASSIERER. Keine Unterbrechung in dieser Situation.

EIN HERR. Die Situation wird für die Fahrer gefährlich.

KASSIERER. Ärgern Sie mich nicht mit den Bengels. Das Publikum kocht in Erregungen. Das muß ausgenutzt werden. Der Brand soll eine nie erlebte Steigerung erfahren. Fünfzigtausend Mark.

EIN HERR. Wahrhaftig?

EIN HERR. Wieviel?

KASSIERER. Ich setze alles dran.

EIN HERR. Das ist eine unerhörte Preisstiftung.

KASSIERER. Unerhört soll die Wirkung sein. Alarmieren Sie die Sanitätskolonnen in allen Ringen.

EIN HERR. Wir akzeptieren die Stiftung. Wir werden sie bei besetzter Loge ausfahren lassen.

EIN HERR. Prachtvoll.

EIN HERR. Großartig.

EIN HERR. Durchaus lohnender Besuch.

KASSIERER. Was heißt das! bei besetzter Loge?

EIN HERR. Wir beraten die Bedingungen im Büro. Dreißigtausend dem ersten, fünfzehntausend dem zweiten – fünftausend dem dritten.

EIN HERR. Das Feld wird in dieser Nacht gesprengt.

EIN HERR. Damit ist das Rennen so gut wie aus.

EIN HERR. Jedenfalls: bei besetzter Loge.

Alle ab.
Mädchen der Heilsarmee kommt.
Gelächter der Zuschauer. Pfiffe. Rufe.

MÄDCHEN *anbietend*. Der Kriegsruf – zehn Pfennig, mein Herr.

KASSIERER. Andermal.

MÄDCHEN. Der Kriegsruf, mein Herr.

KASSIERER. Was verhökern Sie da für ein Kümmelblättchen?

MÄDCHEN. Der Kriegsruf, mein Herr.

KASSIERER. Sie treten verspätet auf. Hier ist die Schlacht in vollem Betrieb.

MÄDCHEN *mit der Blechbüchse*. Zehn Pfennig, mein Herr.

KASSIERER. Für zehn Pfennig wollen Sie Krieg entfachen?

MÄDCHEN. Zehn Pfennig, mein Herr.

KASSIERER. Ich bezahle hier Kriegskosten mit fünfzigtausend.

MÄDCHEN. Zehn Pfennig.

KASSIERER. Lumpiges Handgemenge. Ich subventioniere nur Höchstleistungen.

MÄDCHEN. Zehn Pfennig.

KASSIERER. Ich trage nur Gold bei mir.

MÄDCHEN. Zehn Pfennig.

KASSIERER. Gold –

MÄDCHEN. Zehn –

KASSIERER *brüllt sie durchs Megaphon an.* Gold – Gold – Gold!

MÄDCHEN *ab.*

Wieherndes Gelächter der Zuschauer. Händeklatschen.
Viele Herren kommen.

EIN HERR. Wollen Sie selbst ihre Stiftung bekanntgeben?

KASSIERER. Ich bleibe im undeutlichen Hintergrund. *Er gibt ihm das Megaphon.* Jetzt sprechen Sie. Jetzt teilen Sie die letzte Erschütterung aus.

EIN HERR *durchs Megaphon.* Eine neue Preisstiftung desselben ungenannt bleiben wollenden Herrn. *Bravorufe.* Gesamtsumme fünfzigtausend Mark. *Betäubendes Schreien.* Fünftausend Mark dem dritten. *Schreien.* Fünfzehntausend Mark dem zweiten. *Gesteigertes Schreien.* Dem ersten dreißigtausend Mark. *Ekstase.*

KASSIERER *beiseite stehend, kopfnickend.* Das wird es. Daher sträubt es sich empor. Das sind Erfüllungen. Heulendes Wehen vom Frühlingsorkan. Wogender Menschheitsstrom. Entkettet – frei. Vorhänge hoch – Vorwände nieder. Menschheit. Freie Menschheit. Hoch und tief – Mensch. Keine Ringe – keine Schichten – keine Klassen. Ins Unendliche schweifende Entlassenheit aus Fron und Lohn in Leidenschaft. Rein nicht – doch frei! – Das wird der Erlös für meine Keckheit. *Er zieht das Bündel Scheine hervor.* Gern gegeben – anstandslos beglichen!

Plötzlich lautlose Stille.
Nationalhymne.
Die Herren haben die Seidenhüte gezogen und stehen verneigt.

EIN HERR *tritt zum Kassierer.* Händigen Sie mir den Betrag ein, um die Stiftung jetzt so fort ausfahren zu lassen.

KASSIERER. Was bedeutet das?

DER HERR. Was, mein Herr?

KASSIERER. Dieses jähe, unvermittelte Schweigen oben und unten?

DER HERR. Durchaus nicht unvermittelt: Seine Hoheit sind in die Loge getreten.

KASSIERER. Seine Hoheit – in die Loge – –

DER HERR. Um so günstiger kommt uns Ihre bedeutende Stiftung.

KASSIERER. Ich denke nicht daran, mein Geld zu vergeuden!

DER HERR. Was heißt das?

KASSIERER. Daß es mir für die Fütterung von krummen Buckeln zu teuer ist!

DER HERR. Erklären Sie mir –

KASSIERER. Dieser eben noch lodernde Brand ausgetreten von einem Lackstiefel am Bein Seiner Hoheit. Sind sie toll, mich für so verrückt zu halten, daß ich zehn Pfennig vor Hundeschnauzen werfe? Auch das wäre noch zu viel. Ein Fußtritt gegen den eingeklemmten Schweif, das ist die gebotene Stiftung!

DER HERR. Die Stiftung ist angekündigt. Seine Hoheit warten in der Loge. Das Publikum verharrt ehrfürchtig. Was soll das heißen?

KASSIERER. Wenn Sie es denn nicht aus meinen Worten begreifen – dann werden Sie die nötige Einsicht gewinnen, indem ich Ihnen mit einem Schlage ein einwandfreies Bekenntnis meinerseits beibringe! *Er treib ihm den Seidenhut auf die Schultern. Ab.*

Noch Hymne. Schweigen. Verbeugtsein auf der Brücke.

Ballhaus. Sonderzimmer.
Noch dunkel.
Gedämpft: Orchester mit Tanzrhythmen.

KELLNER *öffnet die Tür, dreht rotes Licht an.*

KASSIERER *Frack, Umhang, Schal, Bambusrohr mit Goldknopf.*

KELLNER. Gefällig?

KASSIERER. Ganz.

KELLNER *nimmt Umhang in Empfang.*

KASSIERER *vorm Spiegel.*

KELLNER. Wieviel Gedecke belieben?

KASSIERER. Vierundzwanzig. Ich erwarte meine Großmama, meine Mama, meine Frau und weitere Tanten. Ich feiere die Konfirmation meiner Tochter.

KELLNER *staunend.*

KASSIERER *zu ihm im Spiegel.* Esel. Zwei! Oder wozu polstern Sie diese diskret illuminierten Kojen?

KELLNER. Welche Marke bevorzugen der Herr?

KASSIERER. Gesalbter Kuppler. Das überlassen Sie mir, mein Bester, welche Blume ich mir auf dem Parkett pflücke, Knospe oder Rose – kurz oder schlank. Ich will Ihre unschätzbaren Dienste nicht übermäßig anspannen. Unschätzbar – oder führen Sie auch darüber feste Tarife?

KELLNER. Die Sektmarke des Herrn?

KASSIERER *räuspert.* Grand Marnier.

KELLNER. Das ist Kognak nach dem Sekt.

KASSIERER. Also – darin richte ich mich entgegenkommend nach Ihnen.

KELLNER. Zwei Flaschen Pommery. Dry?

KASSIERER. Zwei, wie Sie sagten.

KELLNER. Extra dry?

KASSIERER. Zwei decken den anfänglichen Bedarf. Oder für diskrete Bedienung drei Flaschen extra? Gewährt.

KELLNER *mit der Karte.* Das Souper?

KASSIERER. Spitzen. Spitzen.

KELLNER. Œufs pochés Bergère? Poulet grillé? Steak de veau truffé? Parfait de foie gras en croûte? Salada cour de laitue?

KASSIERER. Spitzen – von Anfang bis zu Ende nur Spitzen.

KELLNER. Pardon?

KASSIERER *ihm auf die Nase tippend.* Spitzen sind letzte Ballungen in allen Dingen. Also auch aus Ihren Kochtöpfen und Bratpfannen. Das Delikateste vom Delikaten. Das Menu der Menus. Zur Garnierung bedeutsamerer Vorgänge. Ihre Sache, mein Freund, ich bin nicht der Koch.

KELLNER *stellt eine größere Karte auf den Tisch.* In zwanzig Minuten zu servieren. *Er ordnet die Gläser usw.*

Durch die Türspalte Köpfe mit seidenen Larven.

KASSIERER *in den Spiegel mit dem Finger drohend.* Wartet, Motten, ich werde euch gleich unter das Glühlicht halten.

Wir werden uns über diesen Punkt auseinandersetzen, wenn wir beieinandersitzen. *Er nickt.*

Die kichernden Masken ab.

KELLNER *hängt einen Karton: »Reserviert!« – an die Tür. Ab.*

KASSIERER *schiebt den Zylinder zurück, entnimmt einem goldenen Etui Zigarette, zündet an.* Auf in den Kampf, Torero – – Was einem nicht alles auf die Lippen kommt. Man ist ja geladen. Alles – einfach alles. Torero – Carmen. Caruso. Den Schwindel irgendwo mal gelesen – haften geblieben. Aufgestapelt. Ich könnte in diesem Augenblick Aufklärungen geben über die Verhandlungen mit der Bagdadbahn. Der Kronpinz von Rumänien heiratet die zweite Zarentochter. Tatjana. Also los. Sie soll sich verheiraten. Vergnügtes Himmelbett. Das Volk braucht Fürsten. Tat – Tat – jana. *Den Bambus wippend, ab.*

KELLNER *mit Flaschen und Kühler; entkorkt und gießt ein. Ab.*

KASSIERER *eine weibliche Maske – Harlekin in gelbrotkariertem, von Fuß zu offener Brust knabenhaft anliegendem Anzug – vor sich scheuchend herein.* Motte!
MASKE *um den Tisch laufend.* Sekt! *Sie gießt sich beide Gläser Sekt in den Mund, fällt ins Sofa.* Sekt!
KASSIERER *neu vollgießend.* Flüssiges Pulver. Lade deinen scheckigen Leib.
MASKE *trinkt.* Sekt!
KASSIERER. Batterien aufgefahren und Entladungen vorbereitet.
MASKE. Sekt!
KASSIERER *die Flaschen wegstellend.* Leer. *Er kommt in die Polster zur Maske.* Fertig zur Explosion.
MASKE *lehnt betrunken hintüber.*
KASSIERER *rüttelt ihre schlaffen Arme.* Munter, Motte.
MASKE *faul.*
KASSIERER. Aufgerappelt, bunter Falter. Du hast den prickelnden gelben Honig geleckt. Entfalte Falterflügel. Überfalle mich mit dir. Vergrabe mich, decke mich zu. Ich habe mich in einigen Beziehungen mit den gesicherten Zuständen überworfen – überwirf mich mit dir.

MASKE *lallt.* Sekt.

KASSIERER. Nein, mein Paradiesvogel. Du hast deine hinreichende Ladung. Du bist voll.

MASKE. Sekt.

KASSIERER. Keinen Spritzer. Du wirst sonst unklar. Du bringst mich um schöne Möglichkeiten.

MASKE. Sekt.

KASSIERER. Oder hast du keine? Also – auf den Grund gelotet; was hast du?

MASKE. Sekt.

KASSIERER. Den hast du allerdings. Das heißt: von mir. Was habe ich von dir?

MASKE *schläft ein.*

KASSIERER. Willst du dich hier ausschlafen? Kleiner Schäker. Zu dermaßen ausgedehnten Scherzen fehlt mir diesmal die Zeit. *Er steht auf, füllt ein Glas und schüttet es ihr ins Gesicht.* Frühmorgens wenn die Hähne krähn.

MASKE *springt auf.* Schwein!

KASSIERER. Aparter Namen. Leider bin ich nicht in der Lage, deine Vorstellung zu erwidern. Also, Maske der weitverzweigten Rüsselfamilie, räume die Polster.

MASKE. Das werde ich Sie eintränken.

KASSIERER. Mehr als billig, nachdem ich dir hinreichend eingetränkt.

MASKE *ab.*

KASSIERER *trinkt Sekt; ab.*

KELLNER *kommt, bringt Kaviar; nimmt leere Flaschen mit.*

KASSIERER *kommt mit zwei schwarzen Masken.*

ERSTE MASKE *die Tür zuwerfend.* Reserviert.

ZWEITE MASKE *am Tisch.* Kaviar.

ERSTE MASKE *hinlaufend.* Kaviar.

KASSIERER. Schwarz wie ihr. Eßt ihn auf. Stopft ihn euch in den Hals. *Er sitzt zwischen beiden im Polster.* Sagt Kaviar. Flötet Sekt. Auf euren eigenen Witz verzichte ich. *Er gießt ein, füllt die Teller.* Ihr sollt nicht zu Worte kommen. Mit keiner Silbe, mit keinem Juchzer. Stumm wie die Fische, die diesen schwarzen Kaviar über das Schwarze Meer laichten. Kichert, meckert, aber redet nicht. Es kommt nichts dabei aus euch heraus. Höchstens ihr aus euren Polstern. Ich habe schon einmal ausgeräumt.

MASKEN *sehen sich kichernd an.*

KASSIERER *die erste packend.* Was hast du für Augen? Grüne – gelbe? *Zur andern.* Deine blau – rot? Reizendes Kugelspiel in den Schlitzen. Das verheißt. Das muß heraus. Ich setze einen Preis für die schönste!

MASKEN *lachen.*

KASSIERER *zur ersten.* Du bist die schönere. Du wehrst dich mächtig. Warte, ich reiße dir den Vorhang herunter und schaue das Ereignis an!

MASKE *entzieht sich ihm.*

KASSIERER *zur andern.* Du hast dich zu verbergen? Du bist aus Scham überwältigend. Du hast dich in diesen Ballsaal verirrt. Du streifst auf Abenteuer. Du hast deinen Abenteurer gefunden, den du suchst. Von deinem Milch und Blut die Larve herunter!

MASKE *rückt von ihm weg.*

KASSIEER. Ich bin am Ziel. Ich sitze zitternd – mein Blut ist erwühlt. Das wird es! – Und nun bezahlt. *Er holt den Pack Scheine heraus und teilt ihn.* Schöne Maske, weil du schön bist. Schöne Maske, weil du schön bist. *Er hält die Hände vor das Gesicht.* Eins – zwei – drei!

MASKEN *lüften ihre Larven.*

KASSIERER *blickt hin – lacht.* Deckt zu – deckt zu – deckt zu! *Er läuft um den Tisch.* Scheusal – Scheusal – Scheusal! Wollt ihr gleich – aber so fort – oder – *Er schwingt seinen Bambus.*

ERSTE MASKE. Wollen Sie uns –

ZWEITE MASKE. Sie wollen uns –

KASSIERER. Euch will ich!

MASKEN *ab.*

KASSIERER *schüttelt sich, trinkt Sekt.* Kontrakte Vetteln! *Ab.*

KELLNER *mit neuen Flaschen. Ab.*

KASSIERER *stößt die Tür auf: im Tanz mit einer Pierrette, der der Rock bis auf die Schuhe reicht, herein. Er läßt sie in der Mitte stehen und wirft sich in die Polster.* Tanze!

MASKE *steht still.*

KASSIERER. Tanze. Drehe deinen Wirbel. Tanze, tanze.

Witz gilt nicht. Hübschheit gilt nicht. Tanz ist es, drehend –
wirbelnd. Tanz. Tanz. Tanz!

MASKE *kommt an den Tisch.*

KASSIERER *abwehrend.* Keine Pause. Keine Unterbrechung.
Tanze.

MASKE *steht still.*

KASSIERER. Warum springst du nicht? Weißt du, was Der-
wische sind? Tanzmenschen. Menschen im Tanz – ohne Tanz
Leichen. Tod und Tanz – an den Ecken des Lebens aufgerichtet. Dazwischen –

Das Mädchen der Heilsarmee tritt ein.

KASSIERER. Halleluja.

MÄDCHEN. Der Kriegsruf.

KASSIERER. Zehn Pfennig.

MÄDCHEN *hält die Büchse hin.*

KASSIERER. Wann denkst du, daß ich in deine Büchse
springe?

MÄDCHEN. Der Kriegsruf.

KASSIERER. Du erwartest es doch mit Bestimmtheit von mir?

MÄDCHEN. Zehn Pfennig.

KASSIERER. Also wann?

MÄDCHEN. Zehn Pfennig.

KASSIERER. Du hängst mir doch an den Frackschößen?

MÄDCHEN *schüttelt die Büchse.*

KASSIERER. Und ich schüttle dich wieder ab!

MÄDCHEN *schüttelt.*

KASSIERER. Also – *Zur Maske.* Tanze!

MÄDCHEN *ab.*

MASKE *kommt in die Polster.*

KASSIERER. Warum sitzt du in den Ecken des Saals und
tanzt nicht in der Mitte? Du hast mich aufmerksam auf dich
gemacht. Alle springen und du bleibst ruhig dabei. Warum
trägst du Röcke, während alle anderen wie schlanke Knaben entkleidet sind?

MASKE. Ich tanze nicht.

KASSIERER. Du tanzt nicht wie die andern?

MASKE. Ich kann nicht tanzen.

KASSIERER. Nicht nach der Musik – taktmäßig. Das ist auch
albern. Du weißt andere Tänze. Du verhüllst etwas unter

deinen Kleidern – deine besonderen Sprünge, nicht in die Klammern von Takten und Schritten zu pressen. Eiligere Schwenkungen, die sind deine Spezialität. *Alles vom Tisch auf den Teppich schiebend.* Hier ist dein Tanzbrett. Spring auf. Im engen Bezirk dieser Tafel grenzenloser Tumult. Spring auf. Vom Teppich hüpf' auf. Mühelos. Von Spiralen gehoben, die in deinen Knöcheln federn. Spring. Stachle deine Fersen. Wölbe die Schenkel. Wehe deine Röcke auf über deinem Tanzbein.

MASKE *schmiegt sich im Polster an ihn.* Ich kann nicht tanzen.

KASSIERER. Du peitschst meine Spannung. Du weißt nicht, um was es geht. Du sollst es wissen. *Er zeigt ihr die Scheine.* Um alles!

MASKE *führt seine Hand an ihrem Bein herab.* Ich kann nicht.

KASSIERER *springt auf.* Ein Holzbein!! *Er faßt den Sektkühler und stülpt ihn ihr über.* Es soll Knospen treiben, ich begieße es!

MASKE. Jetzt sollen Sie was erleben!

KASSIERER. Ich will ja was erleben!

MASKE. Warten Sie hier! *Ab.*

KASSIERER *legt einen Schein auf den Tisch, nimmt Umhang und Stock, beeilt ab.*

Herren im Frack kommen.

EIN HERR. Wo ist der Kerl?

EIN HERR. Den Kumpan wollen wir uns näher ansehen.

EIN HERR. Uns erst die Mädchen ausspannen –

EIN HERR. Mit Sekt und Kaviar auftrumpfen –

EIN HERR. Hinterher beschimpfen –

EIN HERR. Das Bürschchen werden wir uns kaufen –

EIN HERR. Wo steckt er?

EIN HERR. Abgeräumt!

EIN HERR. Ausgebrannt!

EIN HERR. Der Kavalier hat Lunte gerochen.

EIN HERR *den Schein entdeckend.* Ein Tausender.

EIN HERR. Donnerkeil.

EIN HERR. Draht muß er haben.

EIN HERR. Ist das die Zeche?

EIN HERR. Ach was, durchgegangen ist er. Den Bräunling machen wir unsichtbar. *Er steckt ihn ein.*

EIN HERR. Das ist die Entschädigung.

EIN HERR. Die Mädchen hat er uns ausgespannt.

EIN HERR. Laßt doch die Weiber sitzen.

EIN HERR. Die sind ja doch besoffen.

EIN HERR. Die bedrecken uns bloß unsere Fräcke.

EIN HERR. Wir ziehen in ein Bordell und pachten den Bums drei Tage.

MEHRERE HERREN. Bravo. Los. Verduften wir. Achtung, der Kellner kommt.

KELLNER *mit vollbesetztem Servierbrett; vorm Tisch bestürzt.*

EIN HERR. Suchen Sie jemanden?

EIN HERR. Servieren Sie ihm doch unter dem Tisch weiter.

Gelächter.

KELLNER *ausbrechend.* Der Sekt – das Souper – das reservierte Zimmer – nichts ist bezahlt. Vier Flaschen Pommery – zwei Portionen Kaviar – zwei Extramenus – ich muß für alles aufkommen. Ich habe Frau und Kinder. Ich bin seit vier Monaten ohne Stellung gewesen. Ich hatte mir eine schwache Lunge zugezogen. Sie können mich doch nicht unglücklich machen, meine Herren?

EIN HERR. Was geht uns denn Ihre Lunge an? Frau und Kinder haben wir alle. Was wollen Sie denn von uns? Sind wir Ihnen denn etwa durch die Lappen gebrannt? Was denn?

EIN HERR. Was ist denn das überhaupt für ein Lokal? Wo sind wir denn hier? Das ist ja eine hundsgemeine Zechprellerbude. In solche Gesellschaft locken Sie Gäste? Wir sind anständige Gäste, die bezahlen, was sie saufen. Wie? Oder wie?

EIN HERR *der den Schlüssel in der Tür umgesteckt hatte.* Sehen Sie doch mal hinter sich. Da haben Sie unsere Zeche auch! *Er versetzt dem Kellner, der sich umgewandt hatte, einen Stoß in den Rücken.*

KELLNER *taumelt vornüber, fällt auf den Teppich.*

HERREN *ab.*

KELLNER *richtet sich auf, läuft zur Tür, findet sie verschlossen. Mit den Fäusten auf das Holz schlagend.* Laßt mich heraus – Ihr sollt nicht bezahlen – ich springe ins Wasser!

Lokal der Heilsarmee – zur Tiefe gestreckt, abgefangen von gelbem Vorhang mit aufgenähtem schwarzen Kreuz, groß, um einen Menschen aufzunehmen. Auf dem Podium rechts Bußbank – links die Posaunen und Kesselpauken.
Dicht besetzte Bankreihen.
Über allem Kronleuchter mit Gewirr von Drähten für elektrische Lampen.
Vorn Saaltür.
Musik der Posaunen und Kesselpauken. Aus einer Ecke Händeklatschen und Gelächter.

SOLDAT *Mädchen – geht dahin und setzt sich zu dem Lärmmacher – einem Kommis – nimmt seine Hände und flüstert auf ihn ein.*
JEMAND *aus der andern Ecke.* Immer dicht an.
SOLDAT *Mädchen – geht zu diesem, einem jugendlichen Arbeiter.*
ARBEITER. Was wollen Sie denn?
SOLDAT *sieht ihn kopfschüttelnd ernst an.*

Gelächter.

OFFIZIER *Frau – oben auftretend.* Ich habe euch eine Frage vorzulegen.

Einige zischen zur Ruhe.

ANDERE *belustigt.* Lauter reden. Nicht reden. Musik. Pauke. Posaunenengel.
EINER. Anfangen.
ANDERER. Aufhören.
OFFIZIER. Warum sitzt ihr auf den Bänken unten?
EINER. Warum nicht?
OFFIZIER. Ihr füllt sie bis auf den letzten Platz. Einer stößt gegen den andern. Trotzdem ist eine Bank leer.
EINER. Nichts zu machen.
OFFIZIER. Warum bleibt ihr unten, wo ihr euch drängen und drücken müßt? Ist es nicht widerwärtig, so im Gedränge zu sitzen? Wer kennt seinen Nachbar? Ihr reibt die Knie an ihm – und vielleicht ist jener krank. Ihr seht in sein Gesicht – und vielleicht wohnen hinter seiner Stirn mörderische Gedanken. Ich weiß es, es sind viele Kranke und Verbrecher in

diesem Saal. Kranke und Verbrecher kommen herein und sitzen neben allen. Darum warne ich euch! Hütet euch vor eurem Nachbar in den Bänken. Die Bänke da unten tragen Kranke und Verbrecher!

EINER. Meinen Sie mir oder mich?

OFFIZIER. Ich weiß es und rate euch: trennt euch von eurem Nachbar, so lautet die Mahnung. Krankheit und Verbrechen sind allgemein in dieser asphaltenen Stadt. Wer von euch ist ohne Aussatz? Eure Haut kann weiß und glatt sein, aber eure Blicke verkünden euch. Ihr habt die Augen nicht, um zu sehen – eure Augen sind offen, euch zu verraten. Ihr verratet euch selbst. Ihr seid schon nicht mehr frei von der großen Seuche. Die Ansteckung ist stark. Ihr habt zu lange in schlimmer Nachbarschaft gesessen. Darum, wenn ihr nicht sein wollt wie euer Nachbar in dieser asphaltenen Stadt, tretet aus den Bänken. Es ist die letzte Mahnung. Tut Buße. Tut Buße. Kommt herauf, kommt auf die Bußbank. Kommt auf die Bußbank. Kommt auf die Bußbank!

Die Posaunen und Kesselpauken setzen ein.

MÄDCHEN *führt Kassierer herein.*
KASSIERER *im Ballanzug erregt einige Aufmerksamkeit.*
MÄDCHEN *weist Kassierer Platz an, setzt sich zu ihm und gibt ihm Erklärungen.*
KASSIERER *sieht sich amüsiert um.*

Musik hört auf.
Spöttisches lautes Bravoklatschen.

OFFIZIER *wagt oben auftretend.* Laßt euch von unserm Kameraden erzählen, wie er den Weg zur Bußbank fand.
SOLDAT *jüngerer Mann tritt auf.*
EINER. So siehst du aus.

Gelächter.

SOLDAT. Ich will euch berichten von meiner Sünde. Ich führte ein Leben, ohne an meine Seele zu denken. Ich dachte nur an den Leib. Ich stellte ihn gleichsam vor die Seele auf und machte den Leib immer stärker und breiter davor. Die Seele war ganz verdeckt dahinter. Ich suchte mit meinem Leib den

Ruhm und wußte nicht, daß ich nur den Schatten höher reckte, in dem die Seele verdorrte. Meine Sünde war der Sport. Ich übte ihn ohne eine Stunde der Besinnung. Ich war eitel auf die Schnelligkeit meiner Füße in den Pedalen, auf die Kraft meiner Arme an der Lenkstange. Ich vergaß alles, wenn die Zuschauer um mich jubelten. Ich verdoppelte meine Anstrengung und wurde in allen Kämpfen, die mit dem Leib geführt werden, erster Sieger. Mein Name prangte an allen Plakaten, auf Bretterzäunen, auf Millionen bunter Zettel. Ich wurde Weltchampion. Endlich mahnte mich meine Seele. Sie verlor die Geduld. Bei einem Wettkampf stürzte ich. Ich verletzte mich nur leicht. Die Seele wollte mir Zeit zur Umkehr lassen. Die Seele ließ mir noch Kraft zu einem Ausweg. Ich ging von den Bänken im Saal herauf zur Bußbank. Da hatte meine Seele Ruhe, zu mir zu sprechen. Und was sie mir erzählt, das kann ich hier nicht berichten. Es ist zu wunderschön und meine Worte sind zu schwach, das zu schildern. Ihr müßt selbst heraufkommen und es in euch hören. *Er tritt beiseite.*

EINER *lacht unflätig.*

MEHRERE *zischen zur Ruhe.*

MÄDCHEN *leise zum Kassierer.* Hörst du ihn?

KASSIERER. Stören Sie mich nicht.

OFFIZIER. Ihr habt die Erzählung unseres Kameraden gehört. Klingt sie nicht verlockend? Kann man etwas Schönneres gewinnen als seine Seele? Und es geht ganz leicht, denn sie ist ja in euch. Ihr müßt ihr nur einmal Ruhe gönnen. Sie will einmal still bei euch sitzen. Auf dieser Bank sitzt sie am liebsten. Es ist gewiß einer unter euch, der sündigte, wie unser Kamerad getan. Dem will unser Kamerad helfen. Dem hat er den Weg geöffnet. Nun komm. Komm zur Bußbank. Komm zur Bußbank. Komm zur Bußbank!

Es herrscht Stille.

EINER *kräftiger, junger Mann, einen Arm im Verband, steht in einer Saalecke auf, durchquert verlegen lächelnd den Saal und ersteigt das Podium.*

EINER *unflätige Zote.*

ANDERER *entrüstet.* Wer ist der Flegel?

DER RUFER *steht auf, strebt beschämt zur Tür.*

EINER. Das ist der Lümmel.

SOLDAT *Mädchen – eilt zu ihm und führt ihn auf seinen Platz zurück.*

EINER. Nicht so zart anfassen.

MEHRERE. Bravo!

JENER *auf dem Podium, anfangs unbeholfen.* Die asphaltene Stadt hat eine Halle errichtet. In der Sporthalle bin ich gefahren. Ich bin Radfahrer. Ich fahre das Sechstagerennen mit. In der zweiten Nacht bin ich von einem andern Fahrer angefahren. Ich brach den Arm. Ich mußte ausscheiden. Das Rennen rast weiter – ich habe Ruhe. Ich kann mich auf alles in Ruhe besinnen. Ich habe mein Leben lang ohne Besinnen gefahren. Ich will mich auf alles besinnen – auf alles. *Stark.* Auf meine Sünden will ich mich auf der Bußbank besinnen! *Vom Soldat hingeführt, sinkt er auf die Bank. Soldat bleibt eng neben ihm.*

OFFIZIER. Eine Seele ist gewonnen!

Posaunen und Pauken schallen.
Auch die im Saale verteilten Soldaten haben sich erhoben und jubeln, die Arme ausbreitend.
Musik hört auf.

MÄDCHEN *zum Kassierer.* Siehst du ihn?

KASSIERER. Das Sechstagerennen.

MÄDCHEN. Was flüsterst du?

KASSIERER. Meine Sache. Meine Sache.

MÄDCHEN. Bist du bereit?

KASSIERER. Schweigen Sie doch.

OFFIZIER *auftretend.* Jetzt will euch dieser Kamerad berichten.

EINER *zischt.*

VIELE. Ruhe!

SOLDAT *Mädchen – auftretend.* Wessen Sünde ist meine Sünde? Ich will euch von mir ohne Scham erzählen. Ich hatte ein Elternhaus, in dem es wüst und gemein zuging. Der Mann – er war mein Vater nicht – trank. Meine Mutter gab sich feinen Herren hin. Ich erhielt von meiner Mutter Geld, so viel ich haben wollte. Von dem Mann Schläge, so viel ich nicht haben wollte. *Gelächter.* Niemand paßte mir auf und ich mir am wenigsten. So wurde ich eine Verlorene. Denn ich wußte damals nicht, daß die wüsten Zustände zu Hause nur dazu bestimmt waren, daß ich besser auf meine Seele achten sollte und mich ganz ihr widmen. Ich erfuhr es in einer Nacht. Ich hatte einen Herrn bei mir und er verlangte, daß wir mein Zimmer dunkel machten. Ich drehte das Licht aus, obwohl ich es nicht so gewöhnt war. Später, als wir zusammen waren, verstand ich seine Forderung. Denn ich fühlte nur den Rumpf eines Mannes bei mir, an dem die Beine abgeschnitten waren. Das sollte ich vorher nicht sehen. Er hatte Holzbeine, die er sich heimlich abgeschnallt hatte. Da faßte mich das Entsetzen und ließ mich nicht wieder los. Meinen Leib haßte ich – nur meine Seele konnte ich noch lieben. Nun liebe ich nur noch meine Seele. Sie ist so vollkommen, daß sie das Schönste ist, was ich weiß. Ich weiß zuviel von ihr, daß ich es nicht alles sagen kann. Wenn Ihr eure Seele fragt, da wird sie euch alles – alles sagen. *Sie tritt beiseite.*

Stille im Saal.

OFFIZIER *auftretend.* Ihr habt die Erzählung dieses Kameraden gehört. Seine Seele bot sich ihm an. Er wies sie nicht ab. Nun erzählt er von ihr mit frohem Munde. Bietet sich nicht einem zwischen euch jetzt seine Seele? Laß sie doch zu dir. Laß sie reden und erzählen, auf dieser Bank ist sie ungestört. Komm zur Bußbank. Komm zur Bußbank!

In den Bänken Bewegung, man sieht sich um.

KOKOTTE *ältlich, ganz vorne, beginnt noch unten in den Saal zu reden.* Was denken Sie von mir, meine Herren und Damen? Ich bin hier nur untergetreten, weil ich mich auf der Straße müde gelaufen hatte. Ich geniere mich gar nicht. Ich kenne dies Lokal gar nicht. Ich bin das erstemal hier. Ich bin rein per Zufall anwesend. *Nun oben.* Aber Sie irren sich darin, meine Herren und Damen, wenn Sie glauben sollten, daß ich mir das ein zweites Mal hätte sagen lassen sollen. Ich danke für diese Zumutung. Wenn Sie mich hier sehen – bitte – Sie können mich von oben bis unten betrachten, wie es Ihnen beliebt – mustern Sie mich bitte mit Ihren Blicken eingehend, ich vergebe mir damit nicht das geringste. Ich geniere mich gar nicht. Sie werden diesen Anblick nicht das zweitemal in dieser Weise genießen können. Sie werden sich bitter täuschen, wenn Sie glauben, mir auch meine Seele abkaufen zu können. Die habe ich noch niemals verkauft. Man hätte mir viel bieten können, aber meine Seele war mir denn doch nicht feil. Ich danke Ihnen, meine verehrten Herrschaften, für alle Komplimente. Sie werden mich auf der Straße nicht mehr treffen. Ich habe nicht eine Minute frei für Sie, meine Seele läßt mir keine Ruhe mehr. Ich danke bestens, meine Herrschaften, ich geniere mich gar nicht, aber nein. *Sie hat den Hut heruntergenommen. Jener Soldat geleitet sie zur Bußbank.*

OFFIZIER. Eine Seele ist gewonnen!

Pauken und Posaunen. Jubel der Soldaten.

MÄDCHEN *zum Kassierer*. Hörst du alles?

KASSIERER. Meine Sache. Meine Sache.

MÄDCHEN. Was summst du vor dich hin?

KASSIERER. Das Holzbein.

MÄDCHEN. Bist du bereit?

KASSIERER. Noch nicht. Noch nicht.

EINER *in Saalmitte stehend*. Was ist meine Sünde? Ich will meine Sünde hören.

OFFIZIER *auftretend*. Unser Kamerad will euch erzählen.

EINIGE *erregt*. Hinsetzen. Stille. Erzählen.

SOLDAT *älterer Mann*. Laßt euch von mir berichten. Es ist eine alltägliche Geschichte, weiter nichts. Darum wurde sie meine Sünde. Ich hatte eine gemütliche Wohnung, eine zutrauliche Familie, eine bequeme Beschäftigung – es ging immer alltäglich bei mir zu. Wenn ich abends zwischen den Meinen am Tisch unter der Lampe saß und meine Pfeife schmauchte, dann war ich zufrieden. Ich wünschte niemals eine Veränderung in meinem Leben. Dennoch kam sie. Den Anstoß dazu weiß ich nicht mehr – oder ich wußte ihn nie. Die Seele tut sich auch ohne besondere Erschütterung kund. Sie kennt ihre Stunde und benutzt sie. Ich konnte jedenfalls nicht ihre Mahnung überhören. Meine Trägheit wehrte sich im Anbeginn wohl gegen sie, aber sie war mächtiger. Das fühlte ich mehr und mehr. Die Seele allein konnte mir dauernde Zufriedenheit schaffen. Und auf Zufriedenheit war ich ja mein Lebtag bedacht. Jetzt finde ich sie nicht mehr am Tisch mit der Lampe und mit der langen Pfeife im Munde, sondern allein auf der Bußbank. Das ist meine ganz alltägliche Geschichte. *Er tritt beiseite.*

OFFIZIER *auftretend.* Unser Kamerad hat euch – –

EINER *schon kommend.* Meine Sünde! *Oben.* Ich bin Familienvater. Ich habe zwei Töchter. Ich habe meine Frau. Ich habe meine Mutter noch. Wir wohnen alle in drei Stuben. Es ist ganz gemütlich bei uns. Meine Töchter – eine spielt Klavier – eine stickt. Meine Frau kocht. Meine Mutter begießt die Blumentöpfe hinterm Fenster. Es ist urgemütlich bei uns. Es ist die Gemütlichkeit selbst. Es ist herrlich bei uns – großartig – vorbildlich – praktisch – musterhaft – – *Verändert.* Es ist ekelhaft – entsetzlich – es stinkt da – es ist armselig – vollkommen durch und durch armselig mit dem Klavierspielen – mit dem Sticken – mit dem Kochen – mit dem Blumenbegießen – *Ausbrechend.* Ich habe eine Seele! Ich habe eine Seele! Ich habe eine Seele! Ich habe eine Seele! *Er taumelt zur Bußbank.*

OFFIZIER. Eine Seele ist gewonnen!

Posaunen und Pauken.
Hoher Tumult im Saal.

VIELE *nach den Posaunen und Pauken aufrecht, auch auf den Bänken aufrecht.* Was ist meine Sünde? Was ist meine Sünde? Ich will meine Sünde wissen! Ich will meine Sünde wissen!

OFFIZIER *auftretend.* Unser Kamerad will euch erzählen.

Tiefe Stille.

MÄDCHEN. Siehst du ihn?

KASSIERER. Meine Töchter. Meine Frau. Meine Mutter.

MÄDCHEN. Was murmelst und flüsterst du immer?

KASSIERER. Meine Sache. Meine Sache. Meine Sache.

MÄDCHEN. Bist du bereit?

KASSIERER. Noch nicht. Noch nicht. Noch nicht.

SOLDAT *in mittleren Jahren, auftretend.* Meiner Seele war es nicht leicht gemacht, zu triumphieren. Sie mußte mich hart anfassen und rütteln. Schließlich gebrauchte sie das schwerste Mittel. Sie schickte mich ins Gefängnis. Ich hatte in die Kasse, die mir anvertraut war, gegriffen und einen großen Betrag defraudiert. Ich wurde abgefaßt und verurteilt. Da hatte ich in der Zelle Rast. Das hatte die Seele abgewartet. Und nun konnte sie endlich frei zu mir sprechen. Ich mußte ihr zuhören. Es wurde die schöne Zeit meines Lebens in der einsamen Zelle. Und als ich herauskam, wollte ich nur noch mit meiner Seele verkehren. Ich suchte nach einem stillen Platz für sie. Ich fand ihn auf der Bußbank und finde ihn täglich, wenn ich eine schöne Stunde genießen will! *Er tritt beiseite.*

OFFIZIER *auftretend.* Unser Kamerad hat euch von seinen schönen Stunden auf der Bußbank erzählt. Wer ist zwischen euch, der sich aus dieser Sünde heraussehnt? Wessen Sünde ist diese, von der er sich in Fröhlichkeit hier ausruht? Hier ist Ruhe für ihn. Komm zur Bußbank!

ALLE *im Saal schreiend und winkend.* Das ist niemandes Sünde hier! Das ist niemandes Sünde hier! Ich will meine Sünde hören!! Meine Sünde!! Meine Sünde!! Meine Sünde!!

MÄDCHEN *durchdringend.* Was rufst du?

KASSIERER. Die Kasse.

MÄDCHEN *ganz drängend.* Bist du bereit?

KASSIERER. Jetzt bin ich bereit!

MÄDCHEN *sich an ihn hängend.* Ich führe dich hin. Ich stehe dir bei. Ich stehe immer bei dir. *Ekstatisch in den Saal.* Eine Seele will laut werden. Ich habe diese Seele gesucht. Ich habe diese Seele gesucht!

Lärm ebbt. Ruhe surrt.

KASSIERER *oben, Mädchen an ihm.* Ich bin seit diesem Vormittag auf der Suche. Ich habe Anstoß bekommen, auf die Suche zu gehen. Es war ein allgemeiner Aufbruch ohne mögliche Rückkehr – Abbruch aller Brücken. So war ich auf dem Marsche seit dem Vormittag. Ich will euch mit den Stationen nicht aufhalten, an denen ich mich nicht aufhielt. Sie lohnten alle meinen entscheidenden Aufbruch nicht. Ich marschierte rüstig weiter – prüfenden Blicks, tastender Finger, wählenden Kopfs. Ich ging an allem vorüber. Station hinter Station versank hinter meinem wandernden Rücken. Dies war es nicht, das war es nicht, das nächste nicht, das vierte – fünfte nicht! Was ist es? Was ist es nun, das diesen vollen Einsatz lohnt? – – Dieser Saal! Von Klängen durchbraust – von Bänken bestellt. Dieser Saal! Von diesen Bänken steigt es auf – dröhnt Erfüllung. Von Schlacken befreit lobt sich meine Seele hoch hinauf – ausgeschmolzen aus diesen glühenden zwei Tiegeln: Bekenntnis und Buße! Da steht es wie ein glänzender Turm – fest und hell: Bekenntnis und

Buße! Ihr schreit sie, euch will ich meine Geschichte erzählen.

MÄDCHEN. Sprich. Ich stehe bei dir. Ich stehe immer bei dir!

KASSIERER. Ich bin seit diesem Morgen unterwegs. Ich bekenne: ich habe mich an der Kasse vergriffen, die mir anvertraut war. Ich bin Bankkassierer. Eine große runde Summe: sechzigtausend! Ich flüchtete damit in die asphaltene Stadt. Jetzt werde ich jedenfalls verfolgt – eine Belohnung ist wohl auf meine Festnahme gesetzt. Ich verberge mich nicht mehr, ich bekenne. Mit keinem Geld aus allen Bankkassen der Welt kann man sich irgendwas von Wert kaufen. Man kauft immer weniger, als man bezahlt. Und je mehr man bezahlt, um so geringer wird die Ware. Das Geld verschlechtert den Wert. Das Geld verhüllt das Echte – das Geld ist der armseligste Schwindel unter allem Betrug! *Er holt es aus den Fracktaschen.* Dieser Saal ist der brennende Ofen, den eure Verachtung für alles Armselige heizt. Euch werfe ich es hin, ihr zerstampft es im Augenblick unter euren Sohlen. Da ist etwas von dem Schwindel aus der Welt geschafft. Ich gehe durch eure Bänke und stelle mich dem nächsten Schutzmann: ich suche nach dem Bekenntnis die Buße. So wird es vollkommen! *Er schleudert aus Glacéhänden Scheine und Geldstücke in den Saal.*

Die Scheine flattern noch auf die Verdutzten im Saal nieder, die Stücke rollen unter sie.
Dann ist heißer Kampf um das Geld entbrannt. In ein kämpfendes Knäuel ist die Versammlung verstrickt. Vom Podium stürzen die Soldaten von ihren Musikinstrumenten in den Saal. Die Bänke werden umgestoßen, heisere Rufe schwirren, Fäuste klatschen auf Leiber.
Schließlich wälzt sich der verkrampfte Haufen zur Tür und rollt hinaus.

MÄDCHEN *das am Kampfe nicht mit teilgenommen hatte, steht allein inmitten der umgeworfenen Bänke.*

KASSIERER *sieht lächelnd das Mädchen an.* Du stehst bei mir – du stehst immer bei mir! *Er bemerkt die verlassenen Pauken, nimmt zwei Schlägel.* Weiter. *Kurzer Wirbel.* Von Station zu Station. *Einzelne Paukenschläge nach Satzgruppen.* Menschenscharen dahinten. Gewimmel verronnen. Ausgebreitete Leere. Raum geschaffen. Raum. Raum! *Wirbel.* Ein

Mädchen steht da. Aus verlaufenen Fluten – aufrecht – verharrend! *Wirbel*. Mädchen und Mann. Uralte Gärten aufgeschlossen. Entwölkter Himmel. Stimme aus Baumwipfelstille. Wohlgefallen. *Wirbel*. Mädchen und Mann – ewige Beständigkeit. Mädchen und Mann – Fülle im Leeren. Mädchen und Mann – vollendeter Anfang. Mädchen und Mann – Keim und Krone. Mädchen und Mann – Sinn und Ziel und Zweck. *Paukenschlag nach Paukenschlag, nun beschließt ein endloser Wirbel.*
MÄDCHEN *zieht sich nach der Tür zurück, verschwindet.*

KASSIERER *verklingender Wirbel.*

MÄDCHEN *reißt die Tür auf. Zum Schutzmann, nach Kassierer weisend*. Da ist er. Ich habe ihn Ihnen gezeigt. Ich habe die Belohnung verdient!
KASSIERER *aus erhobenen Händen die Schlägel fallen lassend*. Hier stehe ich. Oben stehe ich. Zwei sind zuviel. Der Raum faßt nur einen. Einsamkeit ist Raum. Raum ist Einsamkeit. Kälte ist Sonne. Sonne ist Kälte. Fiebernd blutet der Leib. Fiebernd friert der Leib. Felder öde. Eis im Wachsen. Wer entrinnt? Wo ist der Ausgang?
SCHUTZMANN. Hat der Saal andere Türen?
MÄDCHEN. Nein.
KASSIERER *wühlt in seiner Tasche.*
SCHUTZMANN. Er faßt in die Tasche. Drehen Sie das Licht aus. Wir bieten ihm ein Ziel.
MÄDCHEN *tut es.*

Bis auf eine Lampe verlöscht der Kronleuchter. Die Lampe beleuchtet nun die hellen Drähte der Krone derart, daß sie ein menschliches Gerippe zu bilden scheinen.

KASSIERER *linke Hand in der Brusttasche vergrabend, mit der rechten eine Posaune ergreifend und gegen den Kronleuchter blasend*. Entdeckt! *Posaunenstoß*. In schneelastenden Zweigen verlacht – jetzt im Drahtgewirr des Kronleuchters bewillkommt! *Posaunenstöße*. Ich melde dir meine Ankunft! *Posaunenstoß*. Ich habe den Weg hinter mir. In steilen Kurven steigend keuche ich herauf. Ich habe meine Kräfte gebraucht. Ich habe mich nicht geschont! *Posaunenstoß*. Ich habe es mir schwer gemacht und hätte es so leicht haben können – oben im Schneebaum, als wir auf *einem* Ast saßen. Du hättest mir ein wenig dringlicher zureden sollen. Ein Fünkchen Erleuchtung hätte mir geholfen und mir die Strapazen erspart. Es gehört ja so lächerlich wenig Verstand dazu! *Posaunenstoß.* Warum stieg ich nieder? Warum lief ich den Weg? Wohin laufe ich noch? *Posaunenstöße.* Zuerst sitzt er da – knochennackt! Zuletzt sitzt er da – knochennackt! Von morgens bis mitternachts rase ich im Kreise – nun zeigt sein fingerhergewinktes Zeichen den Ausweg – – – wohin?!! *Er zerschießt die Antwort in seine Hemdbrust. Die Posaune stirbt mit dünner werdendem Ton an seinem Mund hin.*

SCHUTZMANN. Drehen Sie das Licht wieder an.
MÄDCHEN *tut es. Im selben Augenblick explodieren knallend alle Lampen.*
KASSIERER *ist mit ausgebreiteten Armen gegen das aufgenähte Kreuz des Vorhangs gesunken. Sein Ächzen hüstelt wie ein Ecce – sein Hauchen surrt wie ein Homo.*
SCHUTZMANN. Es ist ein Kurzschluß in der Leitung.

Es ist ganz dunkel.

[1912; 1931]

DIE BÜRGER VON CALAIS

Bühnenspiel in drei Akten

Dante Anselms Mutter hingegeben

Nicht sind die Namen der sechs Bürger von Calais auf unsere Zeit gekommen; nur vier sind verzeichnet. Ich habe für diese Dichtung der erfundenen Benennungen entraten, um nicht mit falscher Grabplatte die fruchtbaren Gräber zu verschließen.

AD AETERNAM MEMORIAM

PERSONEN

JEAN DE VIENNE, *Erster der Gewählten Bürger*
DUGUESCLINS, *Hauptmann des Königs von Frankreich*

EUSTACHE DE SAINT-PIERRE ⎫
JEAN D'AIRE
DER DRITTE
DER VIERTE   *Gewählte Bürger*
DER FÜNFTE
JACQUES DE WISSANT
PIERRE DE WISSANT ⎭

DER VATER EUSTACHE DE SAINT-PIERRES
DIE MUTTER DES DRITTEN BÜRGERS
DIE FRAU DES VIERTEN BÜRGERS
DIE ALTE WÄRTERIN MIT DEM JUNGEN KIND DES VIERTEN
BÜRGERS
DIE ZWEI TÖCHTER JEAN D'AIRES
DER VERTRAUTE DES FÜNFTEN BÜRGERS
EIN ENGLISCHER OFFIZIER
EIN FRANZÖSISCHER OFFIZIER
ENGLISCHE SOLDATEN
ZWEI FRANZÖSISCHE SOLDATEN
ZWEI BUCKLIGE DIENER
EIN KNABE

GEWÄHLTE BÜRGER — BÜRGERVOLK

ERSTER AKT

Die offene Stadthalle. Ein roter Backsteinbau – mit breiten Stufen, die Sitzreihen sind, nach einer Plattform ansteigend, wo kurze quadratische Säulenstümpfe das unsichtbare Dach tragen. Ein Vorbau, den eine Tür verschließt, teilt in der Mitte unten die Reihen.

In den Stufen stehen die Gewählten Bürger – hagere Gestalten im Bausch überweiter Gewänder – abgekehrt und nach der Plattform aufschauend.

Nur Eustache de Saint-Pierre, siebzigjährig, sitzt – vorn rechts – und blickt zu Boden.

Am Vorbau zwei Wachen, ihre Lanzen vor der Tür kreuzend. Eine helle Glocke läutet nah und rasch. – das Brausen vieler Glocken in der Ferne.

An den äußeren Rand der Plattform gedrängt und in die Tiefe winkend und schreiend Bürgervolk. Der Lärm schwillt noch, neue Ankömmlinge stoßen eine Gasse: Jean de Vienne – Fünfziger – taucht auf. Eine zweite Woge von Menschen und Geschrei läuft herauf: Duguesclins – schwarz geharnischt – erscheint. Hinter ihm sein Fahnenträger.

Jean de Vienne hat sich umgedreht und erwartet Duguesclins: umtost tauschen sie brüderlichen Kuß.

Ein Offizier mit einem Trupp Soldaten ist oben gefolgt – hinter den vorgelegten Lanzen ist langsam die Menge verdrängt.

Die Plattform liegt leer. Der Lärm verringert sich – schweigt. Indessen beginnen Jean de Vienne und Duguesclins die Stufen hinabzusteigen. Die nun entstehende heftigste Bewegung wiederholt die Vorgänge auf der Plattform: die Gewählten Bürger empfangen die beiden mit hingestreckten Händen. Dann umarmen und küssen sie sich untereinander. Zwei Jünglinge – Jacques de Wissant und Pierre de Wissant – eilen über höhere Stufen und grüßen mit überschwenglicher Hingabe Jean d'Aire – einen hohen Siebziger.

Die helle Glocke hört auf, auch die fernen Glocken. Jean de

Vienne steht ganz unten rechts, ihm gegenüber hat sich Du-
guesclins – das geschorene Haupt entblößt – niedergelassen.
Die Gewählten Bürger suchen ihre Plätze auf.
Der Fahnenträger – die große Fahne vor sich – auf dem
Vorbau.

JEAN DE VIENNE. Die helle Glocke ist der Ruf in die Halle.
Das Zeichen wurde nicht mehr gegeben – in wem glühte noch
mit dünnster Flamme die Hoffnung, es noch zu hören? Verbrannte sie nicht so schwach – wo glimmt der Funken, der
noch ein Feuer entfacht – – von dem die Fesseln auf unseren
Armen schmelzen – auf Zungen, die wieder schwingen – von
allen Glocken über der Stadt, die frei stürmen – und die Befreiung auf Calais stürzen! -- Ihr sucht durch die Zeit – vor
euch entsteht die letzte Versammlung. Wir kamen von dem
Werk, an das wir unsere Kräfte hingegeben hatten – wie an
kein Werk noch. Geht in die Straßen und späht in die Häuser: – wo sind Arme, die nicht jetzt noch zittern – Hände,
die sich nicht krampfen wie um das Werkzeug, das sie führten – gekrümmte Rücken wie unter Bürden, die sie schlepp-
ten – zu den Dämmen, die davon ins Meer wuchsen – die
Woge nach Woge verdrängten – und ihre Wucht brachen
und ihre Unruhe dämpften – bis sich die neue Bucht rundete
– weit und glatt wie vor keiner Küste: wir öffneten ein Tor
in das Meer – nun sollten Schiffe auf glückliche Meerfahrt
hinausgleiten! Ich frage euch – und spürt selbst in euch mit
dieser Frage nach: – war dies das Ziel – oder ein anderes? – Ist
einer hier, in dem am geheimsten eine andere Begierde lebte?
– So will ich den Schlüssel der Stadt auf meine flachen
Hände legen und – barhäuptig und unbeschuht – und schreitend im Kittel des überlieferten Büßers! – ihn vor das Tor
tragen! – – – Der Hafen von Calais bedroht England.
Dunkler noch der Verdacht - schwerer die Beschwerde: die
Pforte ist es, daraus der König von Frankreich leicht und
schnell nach England dringt! Mit diesem Willen ist der Hafen gebaut! – – Wer durchdringt nicht den Vorwand? – Der
alte trübe Streit, den der König von England mit dem
König von Frankreich führt – wer herrscht in England –
wer über Frankreich! – soll von ihm auflodern! – – So
peitscht kein Sturm, so schattet keine Wolke – wie es unter
Segeln von England fuhr. Mit letztem Glück konnte der
König von Frankreich seinen Hauptmann in die Stadt wer-

fen. Calais ist nicht gefallen – Calais ist durch die Wüste der Belagerung geschritten! – – Wann trug sich dies schon zu? Wo wurde der Kampf gefochten, in dem kein Schwert schlägt – kein Bogen birst – keine Lanze zersplittert! – Draußen im Sande kauert dumpf ein träges Tier – die Sonne läuft ihm über den schillernden Leib – schoß ein anderes Geschoß von ihm auf als diese Blitze? Warum rührt es sich nicht – warum richtet es sich nicht hoch und läuft den Sturm, der über die Mauern flutet – mit dem es Calais erobert? Warum hebt es seine Tatze nicht, unter der es seine Beute zermalmt? – – – Der König von Frankreich zieht heran. Wie will sich der König von England seiner erwehren? Wie begegnet er ihm, der so vom Rücken droht – wenn er seine Macht nicht schont – für diesen anderen Feind? – Klug ist der Witz des Königs von England – nun zerschellt er vor seinem Schlusse! – Es ist ein wütender Wind ausgebrochen, der von allen Enden die Scharen zusammengetrieben hat. Gewaltig, wie es nie den Boden Frankreichs erschütterte, ist das Heer. Unaufhaltsam schwillt der Zug. Die Erde dröhnt davon – der Himmel ist von dem Staub, der von ihm aufwirbelt, verfinstert. Mit Singen und Jubel vollführt es seinen Marsch in Tag und Nacht. An seiner Spitze reitet lachend der König von Frankreich – lacht wie im Spiel – das Spiel des Löwen, der den Hamster jagen geht! – – Mit jedem Morgen kann die hohe Säule aufstehen, davor die Sonne sich verdunkelt – darunter der Boden schwankt. An jedem Morgen spähe ich nach der Wolke, die laut schallend den König von Frankreich verkündet! –: – an diesem Morgen schickt der König von England in die Stadt – nicht mehr an den, der mit dem Schwert die Stadt verteidigt! – – Die helle Glocke ruft – die Glocken rauschen über der Stadt: – heute ist das Amt, das wir von uns auf die gepanzerten Schultern des Hauptmanns von Frankreich schieben mußten, wieder auf uns gelegt! – *Überwältigt ausbrechend.* Das Schwert soll nicht mehr über Calais herrschen – Calais ist von ihm befreit! – *Mit stärkstem Nachdruck.* – Der Gesandte will hier in der offenen Halle der Stadt zu den Gewählten Bürgern von Calais sprechen!

Noch einmal flutet kurz die freudige Bewegung durch die Reihen – dann gibt auf die anweisende Gebärde Jean de Viennes der linke Wächter seine Lanze an den rechten ab, öffnet die Tür des Vorbaus und geht in diesen. – Nun geleitet er den englischen Offizier heraus, dem eine Haube von schwarzem Tuch das Haupt einhüllt. Der Soldat entfernt sie – schließt die Tür und steht wie vorher.

DER ENGLISCHE OFFIZIER *verharrt in unsicherer Haltung. Er dreht den noch halbblinden Blick im Kreise, dann haftet er auf Duguesclins fest. – Nun strafft sich seine Gestalt gegen die Versammlung.* Der König von England ist über das Meer gekommen. Das alte – in seinem Blut verbürgte Recht ist verletzt. Mit dreister Hand hat ein Fremder nach der Krone Frankreichs gegriffen. Der Frevler mußte seine Züchtigung erleiden – wie man Diebe abstraft mit Peitschenhieben! – *Eine hastige Bewegung läuft durch die Reihen. Duguesclins zieht klirrend sein Schwert zu sich.* Der freche Dieb versteckte sich – feige wie Diebe sind! – und beschwatzte mit flinkem Munde – den die Angst beredt machte! – und täuschte das verblendete Volk von Frankreich, bis es sich vor ihn hinstellte und ihn und sein Unrecht schützte. – So mußte der König von England statt der Rute das Schwert anfassen. Wo Gericht geübt wird – da fällt es nicht gegen den Richter. Der Spruch war gültig – der Schlag ist geschlagen: – vor zwei Tagen sind die Scharen, die der Dieb wider den König von England trieb, in blutiger Niederlage zertrümmert und in alle Winde gescheucht!

Die Gewählten Bürger – mit Ausnahme von Eustache de Saint-Pierre – sind aufgesprungen: in ungläubigem Erstaunen werfen sie die Arme hoch.
Nun lenkt sich die Aufmerksamkeit auf Duguesclins, der, von seiner Erregung überwältigt, sich auf den englischen Offizier stürzen will. Doch ist er von den ihm zunächst Stehenden aufgehalten.

DUGUESCLINS. Das sind – –! – – Ein Raubfisch ist von England durch das Meer geschwommen – der wühlt an Frankreichs Küste mit hitzigen Schlägen die Flut auf. Jede Welle, die davon mit trüber Brandung auf das Land rollt – Lüge! – Lüge, die schäumt: mit falschem Anspruch herrscht der König von Frankreich. Wo stiehlt ein Dieb in seinem eigenen Haus. Der Räuber ist, wer draußen schleicht. Woher kommt der, der hier schmäht und mit Schelten droht? Das

ist die diebische Elster aus England, der es nach der funkelnden Krone von Frankreich gelüstet! – Lüge, die schäumt:
mit listigem Betrug ist das Volk von Frankreich aufgestachelt. Keine Stimme, die nach ihm rief – keine Fahne, die
warb: – und dennoch spannte sich der schwächste Arm nach
seiner Waffe! – So verheißt keine Lockung – so erhebt sich
nur der Zorn. Eine wilde Woge hat ein reißendes Tier auf
Frankreichs Boden gespült – nun soll es in das Meer zurück-
gestoßen werden. Da verblutet es an den Wunden, die ihm
mit der furchtbaren Gewalt geschlagen sind! – Und hätte
der König von Frankreich seine Krone abgetan und sie dem
König von England um des Friedens willen verkauft – das
Volk von Frankreich würde mit Strömen seines Blutes ihren
Preis bezahlen und sie auf den Knien ihm wieder schenken!
– Lüge, die schäumt: Lüge, die alles zur Lüge macht, das
letzte: – kein Tag, an dem die Sonne nicht von dem schimmernden Ring, der um Calais geschlossen ist, blitzte. So lag
er in Monaten dicht und eng – so stach das Licht nicht gestern stumpf in eine Lücke: heute zuerst löste eine Rüstung
sich los – dieser trägt sie! – Kein Mann stand von seiner
Ruhe auf – und vorgestern hat der König von England das
übermächtige Heer Frankreichs vernichtet? – Sind wir erschöpft auf das Ende, daß in unseren Augen der Staub nicht
beizt – sind wir taub, daß wir den Lärm von einer Schlacht
nicht hören? – Der König von England schilt uns blind – so
erhält er das Maß für unsere Verblendung: – in jeder Stunde
noch sahen wir im Sande vor Calais Helm an Helm – Lanze
an Lanze unverrückt an!

DER ENGLISCHE OFFIZIER. – – Im Sande vor Calais liegen
Helme – Lanzen, wie Lanzen – Helme still liegen – – –
wenn ein Kind sie nicht wegräumt. – Die Sonne spiegelt
darauf – das blendet!

*Die Gewählten Bürger lassen sich nieder – wie von einer
Schwäche bezwungen, die ihre Glieder lähmt.*

DUGUESCLINS *ausbrechend.* Begreift ihr jetzt den Witz des
Königs von England? – Sprüht er nicht von seinen Taten –
die er nicht leistet? So seht den König von England an –
seines Landes Haupt und sein witzigster Kopf! – Liefert er
euch nicht Beweis nach Beweis? Der herrliche König von
England hat mich abgesetzt – der witzige König von England hat euch zusammengeschellt. Was wissen die Bürger

von Calais von Waffen! Wie zehn Schwerter stärker sind über einem. Das ist die Rechnung, die ihr nicht rechnet. So zielt sein Witz. Mit zehnfacher Macht schlägt der König von Frankreich – wie rettet sich der König von England vor dem Verderben? Wo schlüpft er aus der Schlinge, in die er vor Calais geriet? Wo ist der Ausweg – wo öffnet sich das Tor, aus dem er noch schnell und leicht hinausfährt? – Jetzt nützt ihm einzig der glatte runde Hafen von Calais? – Sprach er es noch nicht aus, klopfen uns nicht davon unsere Ohren: – geht aus der Stadt und gebt den Schlüssel hin – denn jede Hoffnung ist ausgelöscht – Calais sieht niemals seinen Befreier! – Glaubt an den Witz des Königs von England – und klatscht in die Hände – so hört er die Antwort. Ein Kind kann sie lallen – wenn es an einem Abend mit leeren Helmen spielt, die es im Sande fand – die kurze Geschichte des Tages, der nahe heran ist. Schenkt der König von England nicht selbst die beste Zuversicht? Nun schickt ihm seine frohen Boten wieder. Vergebens ist seine Mühe, die euren Mut wanken machen soll. Dies gilt – morgen und immer: wie das Schwert von mir über Calais gehalten wird – so trägt es heute noch fest und frei der König von Frankreich vor Frankreichs stolzem Herr!

DER ENGLISCHE OFFIZIER *gegen Jean de Vienne gewendet.* Der König von England weiß es, daß die Bürger von Calais nicht mit Waffen vertraut sind. Sie kennen das Handwerk mit ihnen nicht – wie man sie braucht zu harten Schlägen. Darum unterrichtet sie rascher ein Mund, an dessen Worten sie nicht zweifeln. Die Zeit eilt!

Unter seinem herrischen Befehl gehorcht der linke Türwächter – wie vorher. In der Halle wird es tiefstill.
Der Wächter geleitet einen englischen Soldaten – ebenfalls mit einer schwarzen Haube bedeckt – heraus: dieser führt hart neben sich eine dritte Gestalt, die noch von Hals bis zu den Füßen mit einem Mantel bekleidet ist, unter dem es mit heftigen Stößen zuckt.

DER ENGLISCHE OFFIZIER *zum Wächter.* Diesen zuerst!

Der Wächter streift die Haube von dem Soldaten ab.
Der englische Soldat befreit sogleich die Gestalt, den französischen Offizier, vom Mantel: seine mit Staub und Blut

bedeckte Rüstung zeigt sich – die Hände sind auf den Rücken gebunden. Der englische Soldat löst noch die Fesseln.
Mit raschen Griffen entfernt der französische Offizier die Haube von seinem Kopf, der eine Binde trägt – und reißt sich den Knebel aus dem Munde. – Seine Stimme versagt ihm noch wie im Ersticken.

DUGUESCLINS *zu ihm stürzend.* Godefroy!

Viele der Gewählten Bürger stehen, die anderen sitzen weit vorgebeugt – alle blicken in höchster Anspannung nach den beiden.

DER FRANZÖSISCHE OFFIZIER *Duguesclins vor sich festhaltend.* Rette – – rette – – die Ehre Frankreichs! – – Sie ist noch nicht verloren. – Du atmest! – Du hebst sie auf – – von dem Schmutze – in den sie unsere Füße gestampft haben! –
DUGUESCLINS. Wo ist der König von Frankreich?
DER FRANZÖSISCHE OFFIZIER. Suche ihn bei den Toten. *Fast schreiend.* Halte ihn zwischen den Fliehenden auf. – Du fängst ihn nicht mehr – der König von Frankreich reitet schnell!
DUGUESCLINS. Wo blieb das Heer?
DER FRANZÖSISCHE OFFIZIER. Tu Spreu auf deine Hand und blase darauf. Ist deine Hand danach nicht leer?
DUGUESCLINS. Wann ist das geschehen?
DER FRANZÖSISCHE OFFIZIER. Einmal – weit von Calais. Was sorgten wir uns um den Feind. Den finden wir vor Calais. Wir singen Lieder – wir schwatzen im Sattel – so ziehen wir in den blauen Tag hinein. Da geschah das. Da fegte ein Sturm in uns hinein. In den Seiten faßte er uns an – im Rücken schüttelt er uns – er brach durch unsere Reihen – er drückte uns auf den Boden – er sprang auf uns hin und her – er zerschlug unsere Helme und Panzer –! Wir sanken in Blut und Blut – – wir standen ächzend auf – und klammerten uns an, wo einer lief – und taumelten die Flucht mit ihm, bis der uns abschüttelte mit einem Hieb und das Schwert bei uns ließ – um leichter zu laufen! – – Das war ein Sturm, der raste – und Frankreichs Ruhm mit einem Hauch verwehte – wie ein Licht, das zu hell strahlte! – Der König von England war das nicht – Duguesclins – den hieltest du vor Calais fest! – – Das Licht ist nicht verloschen – es flackert: – du stehst noch da! – Nichts ist verloren – rette –

rette die Ehre Frankreichs! – *In Erschöpfung hebt er die Hände nach dem Hals. –* Durst – Durst – – trinken!

DER ENGLISCHE OFFIZIER. Du bist frei in der Stadt – du wirst in den Straßen deutlich sprechen, wo du dich zeigst!

DER FRANZÖSISCHE OFFIZIER *gelangt stolpernd über die Stufen nach der Plattform – und verschwindet.*

DUGUESCLINS *erreicht schwankend seinen Sitz. Er beugt die Stirn tief auf den Schwertknauf und verharrt reglos.*

Die Gewählten Bürger, die mit Blicken dem französischen Offizier gefolgt sind, drehen sich langsam dem englischen Offizier zu.

DER ENGLISCHE OFFIZIER *nach einem Warten.* An diesem Morgen ist der König von England vor Calais zurückgekehrt. Kein Feind ist mehr, der vom Rücken droht – keine Mauer stark, die seinen Sturm aufhält. Calais ist in seine Hand gegeben. Er tut mit ihm nach seinem Willen. Morgen ist der letzte Stein von ihm verstreut – über seinen Raum breiten sich Trümmer – öde wie die Küste des Meeres! – – – Mit gerechter Strafe züchtigt der König von England den Trotz, der vor ihm die Stadt verschloß und das Schwert anfaßte! – Das Schwert ist zerschlagen – nun ruft der König von England die Gewählten Bürger in die offene Halle der Stadt! – – Der König von England will Gnade üben. Um des Hafens willen, der von Calais in das Meer geöffnet ist – sollt ihr die Zerstörung mit der niedrigsten Buße abwenden: – – – – mit dem Grauen des neuen Tages sollen sechs der Gewählten Bürger aus dem Tor aufbrechen – barhäuptig und unbeschuht – mit dem Kittel des armen Sünders bekleidet und den Strick im Nacken! – So will der König von England den Schlüssel annehmen! – Doch versäumen sich die sechs Büßer morgen um die kleinste Frist – so läßt der König von England in derselben Stunde den Sturm laufen und die Stadt in den Hafen stürzen! – –

Die ersten sind Jacques de Wissant – links – und Pierre de Wissant – rechts, aufrecht und mit vorgestreckten Armen hinweisend entzünden sie den Ruf: » – Duguesclins!« – An ihrer Seite erheben sich die nächsten – die Bewegung schwillt eilend durch die Reihen.

Wie ein loses Gewand vom gereckten Körper ist lahme
Schwäche von den Gewählten Bürgern gesunken. Mit einer
Gebärde, in einem Schrei tost die Aufforderung: » – Du-
guesclins!!«
Duguesclins drückt den Helm auf das niedrige schwarze
Haar – steht auf. Das freie Schwert hebt er in beiden Hän-
den hoch auf die Brust.
Jean de Vienne gibt dem Wächter das Zeichen: dieser tritt
mit der Haube wieder zum englischen Offizier.
Nun schwillt der gesteigerte Lärm nach ihm: » – Jean de
Vienne!« –
Die Stufen auf entsteht eine Gasse – Arme verweisen den
englischen Offizier auf die Plattform.

EUSTACHE DE SAINT-PIERRE *geht von seinem Sitze zu Jean*
de Vienne und greift seinen erhobenen Arm an. Jean de
Vienne – willst du mit uns vor diesem Gesandten nach der
Antwort suchen?

Die Unruhe unter der Halle ebbt schnell hin.

JEAN DE VIENNE *nach kurzem Besinnen – mit stürmischer*
Geste gegen den englischen Offizier. Wir müssen suchen!

Die beiden Wächter führen den englischen Offizier und den
englischen Soldaten in den Vorbau und schließen die Tür
hinter ihnen.

JEAN DE VIENNE *immer Eustache de Saint-Pierres Hand*
festhaltend. Wir müssen suchen – mit allen Sinnen! – – Wem
schießt es nicht auf die Zunge – und brennt es wie Feuer –
und erstickt in ihm die Luft? Wem treibt es nicht das Blut
auf – und stößt es hinter seiner Stirne – und schlägt mit Lasten? – Wer will noch sprechen – wer stammelt noch – wen
verwirrt nicht diese Scham? – – Wer sind wir – mit unseren
Schultern – mit unseren Armen – mit unseren Händen? –
Was taten wir mit Schultern – was hoben wir mit Armen –
was griffen wir mit Händen? – Sind wir Täter an einem
Werk, das dunkel liegt? – – Was ist das Werk? – Wuchtig
rollt das Meer an die Küste. Kein Schiff, das ohne Not ankommt – mit Angst ausfährt. Kein Schiff, das nicht eines
Tages zerschellt. Kein Kommen – kein Ausfahren, das

nicht von dieser Gefahr bedroht ist. Sucht über den Strand
– wo häufen sich heute Trümmer? – Das Meer rollt – es
trifft nicht mehr. Die Brandung richtet sich hoch – sie fällt
hin. Schiffe kommen – Schiffe fahren aus – was stört Ankunft und Abfahrt? – – Das ist das Werk von unseren Schultern – auf die wir mit unseren Händen den Strick legen
sollen! – Das ist unsere Tat – hinter der wir schreiten sollen
– – als Missetäter! – – Wir müssen hier suchen. – – Wer ist
unter uns, der sie findet – Worte, die verweisen – Worte, die
brennen – Worte, die züchtigen! – *Mit rascher Drehung.*
Duguesclins, tritt vor uns hin!

DUGUESCLINS. – – Das Spiel ging um die Stadt Calais. Das
Spiel ist von einem anderen gewonnen. Calais ist verloren
– Calais ist sein Gewinn. Er wägt ihn in der Hand – er
gefällt ihm – er will ihn halten. Er spottet mit seinem Glück,
das er auf der Hand vor sich hält. Die Hand und das
Glück – er schüttelt beide. Denn beide sind heil – und an
ihm fest. Das ist heute ein Tag seines lauten Gelächters! –
Mit wachsender Stärke. Mit dem andern Morgen sind Hand
und Glück ihm vor die Füße gestürzt. Die Hand schlägt
ihm dies Schwert ab – den Gewinn frißt ihm das Feuer! – –
Hier gelingt es ihm nicht, uns schreckt sein Sturm nicht aus
träger Ruhe – er verwirrt nicht, wir sind vorbereitet. Kein
Arm, der ohne Waffen blieb. Wir stehen auf den Mauern – bei
den Toren – in den Straßen. Dann soll er durch sein Blut ein-
dringen. Dann wirft der letzte Arm, den einer regt, den Funken aus. Die Flammen rütteln in den Häusern – die Wände
schwanken und bersten – und mit stäubendem Fall sinkt die
Stadt in ihren Hafen. Calais ist untergegangen – über seinen
Raum treibt das Meer, das seine Beute vor jedem bewahrt!

*Jean d'Aire zuerst – danach andere, meist Greise, sind aufge-
standen: ihre Arme sind wie nach Waffen langend gespannt.
Jüngere scharen sich um sie, um diese kargen geballten Fäuste beteuernd zu fassen.*

JEAN DE VIENNE. Duguesclins – du siehst es: unsere Arme
sind nach dir ausgestreckt – nach einer Waffe. Wir stehen
neben dir bei den Toren – in den Straßen. Der Schwächste
unter uns zündet den Brand an. Unsere Hände auf deine
Hand – Duguesclins – unter deiner Hand das Schwert – so
halten wir es mit dir!

Die Gewählten stehen in den Reihen, wie im Gelöbnis sind alle Hände gespreizt.

JEAN DE VIENNE *will die Hand Eustache de Saint-Pierres mit seiner auf das Schwert auflegen. Da Eustache de Saint-Pierre widerstrebt, dreht er sich zu ihm. Dann gegen die Reihen winkend.* Dies ist unser Beschluß. Der Weg ist gezeigt, den wir schreiten. Duguesclins hat ihn vor uns eröffnet! – Noch fehlen die Worte, die vor uns laufen und uns verkünden. Nun will sie Eustache de Saint-Pierre für uns finden!

EUSTACHE DE SAINT-PIERRE *ohne Kraft – mit gesenktem Kopf und hängenden Armen.* Wir müssen es tun! – *Vor seiner Haltung verstummt jede Unruhe unter der Halle. – Seine Gestalt straffend.* Wir kommen von unserem Werke – an das wir unsere Kräfte hingegeben haben – wie an kein Werk. Die neue Bucht rundet sich – nun sollen Schiffe auf glückliche Fahrt hinausgleiten! – – Jean de Vienne, riefst du uns hier nicht auf – stelltest du nicht unserer geheimsten Begierde mit dieser Frage nach: was ist das Ziel! – Ist es nicht dies? Bückten wir nicht um dies vom ersten Anfang an die Schultern – beluden sich unsere Arme nicht um dies? – Jean de Vienne, du stacheltest uns mit dieser Aufforderung: – trübte es sich einem von uns – so legt er dir den Schlüssel auf die flache Hand und schickt dich aus dem Tor! – Jean de Vienne – jetzt nimmst du den Schlüssel selbst – jetzt gehst du – barhäuptig und unbeschuht! – vor die Stadt! – Dein Entschluß springt nicht allein aus dir allein: – *Gegen die Reihen,* – eure Hände sind es, die ihn reichen – euer Verlangen ist es, das zur Erfüllung drängt! – *Zu Jean de Vienne.* So tritt aus deinen Schuhen, streife dein buntes Gewand von dir – du willst büßen um unseren Betrug, der sich heute enthüllt –: mit anderer Begierde schufen wir das Werk. Ihr schiebt es in den Streit – und in des Streites Mitte. Das Werk gilt nicht – der Streit ist mehr! – So seid ihr schuldig daran – so sühnt es nach eurer Verheißung. Hier schallte sie – so haftet sie in unseren Ohren!

Ein betroffenes Schweigen herrscht.

DER VIERTE BÜRGER *fünfundvierzigjährig – steht halb auf.* Eustache de Saint-Pierre – sollen wir dem Willen des Königs von England gehorchen?

EUSTACHE DE SAINT-PIERRE *ohne seiner zu achten, an alle.*
Heute sollen wir das Werk vollenden. Heute beschließen
wir es mit dem letzten Eifer – der jeden Eifer lohnt. Das
eine ist getan. Seht sie an uns – die Mühe, die unsere Glieder
dorrte. Keine Stunde, die uns ausruhte – die Flut ruhte
nicht! – Keine Last, die uns überwog – der Stein wälzte sich
nicht. Unser Atem ächzte – unser gebogener Leib verdrängte
das Meer – Woge nach Woge wich es – dem Meere haben
wir es abgerungen. Es ist geschaffen! – – Es ist nicht genug.
Nun offenbart sich das andere. Nun legt sich euer Werk auf
euch – nun begehrt es nach euch mit dem stärksten Anspruch.
Sein Gelingen befiehlt euch mit dem härtesten Fron. Nun
versammelt eure Kräfte – nun bäumt den Nacken – nun faßt
den eigensten Gedanken. Euer größtes Werk wird eure
tiefste Pflicht. Ihr müßt es schützen – mit allen Sinnen –
mit allen Taten. Wer seid ihr – am Rande eurer Taten?
Mit euren Seufzern verklungen – mit eurer Erschlaffung
verworfen – vor eurem Werk armselige Büßer!
DER DRITTE BÜRGER *mit drängender Frage.* Eustache de
de Saint-Pierre, sollen sich sechs von uns im Sande vor Calais schänden lassen?
EUSTACHE DE SAINT-PIERRE. Seht hin: – schufen wir unser
Werk mit Lachen und Singen? Stiegen wir nicht durch Dienst
Schritt um Schritt zu ihm auf? Wo schenkt sich Herrschaft
hin – ohne Dienst? Dienst – der nötigt – der quält – der sich
an uns vollstreckt? – Ihr habt bis gestern gedient – könnt ihr
heute entlaufen, wo euch die Herrschaft verliehen ist?
JEAN D'AIRE *mühsam.* Eustache de Saint-Pierre, sollen wir in
dem Sand von Calais die Ehre Frankreichs auf diesem Gange zertreten?
EUSTACHE DE SAINT-PIERRE *schweigt.*

*Nun wühlt ein Aufruhr in den Reihen auf: Jean d'Aire steht
dicht umringt.*

DUGUESCLINS *an Eustache de Saint-Pierre mit raschen Schritten vorübergehend und unter Jean d'Aire hintretend.* Aus
dem armen Sande vor Calais schießt ein Baum auf. Der
blüht an einem Tage. Mit Blut speist sich seine Wurzel. Sein
Schatten breitet sich über Frankreich aus. Darunter saust es
wie von Bienen: – der Ruhm Calais', der Frankreichs Ehre
rettet! – *Er dreht sich nach Eustache de Saint-Pierre um.*

Der König von England will die Stadt schonen – um des Hafens willen. Ist der Hafen dieses Handels wert – der mit der Ehre Frankreichs bezahlt wird?

EUSTACHE DE SAINT-PIERRE *langsam.* Wir sahen die Küste, die steil ragt – wir sahen das Meer, das wild stürmt – wir suchten den Ruhm Frankreichs nicht. Wir suchten das Werk unserer Hände! – *Der entstehenden Bewegung entgegnend.* Einer kommt, den spornt die Wut. Die Wut entzündet die Gier. Mit wütender Gier greift er an – und rafft auf, was er auf seinem Wege findet. Er häuft es zu einem Hügel von Scherben – höher und höher – und auf seinem äußersten Gipfel stellt er sich dar: – lodernd in seinem Fieber – starr in seinem Krampf – übrig in der Zerstörung! – – Wer ist das? – Empfangt ihr von ihm das Maß eures Wertes – die Frist eurer Dauer? – den heute die Gier anfaßt, die morgen mit ihm verwest? – –

Hier und da steht einer in den Reihen rasch auf und wendet sich mit starker gegen Eustache de Saint-Pierre abwehrender Geste zu dem nächsten.

EUSTACHE DE SAINT-PIERRE *von einem zum anderen dieser.* Ihr wollt euer Werk zerstören – um diesen, der aus der Stunde kommt und mit der Stunde versinkt? – Ist der Tag mehr als alle Zeit? Wie belehrt euch euer Werk, an das ihr die Tage und Tage reihtet – bis der Tag gering wurde wie der Tropfen im Meer? Stürzte euch die Hast in den Taumel – oder kettete es euch mit kühlen Gliedern an euer Werk? – Wollt ihr es heute verleugnen? Wollt ihr heute mit einem Schieben der Schulter verwerfen, was euch schon beriet und besaß? – – Ein Fremder zögert vor der Stadt um dieses Hafens willen: – ihr zögert nicht?

Immer neue erheben sich – mit den gleichen ungestümen Gebärden.

EUSTACHE DE SAINT-PIERRE *unabweisbar.* Brennt euch jetzt nicht die andere Scham: – dies Werk geleistet zu haben? – Ekeln euch nicht eure Hände, die daran schufen? Graut euch nicht vor eurem Leib, der sich dazu bückte? – – Ihr vertriebt das Meer – und bautet wie auf hartem Boden. Ihr stelltet euer Werk hin – nun lockt und leuchtet es. Nun gießen sich davon heiße Ströme von Kräften in alle Arme aus! – Schon bezeichnen sie das neue Land, das sie aus der Wüste furchen – schon messen sie die Gebirge, die sie ebnen – schon graben sie die Kanäle, in denen sie den Schwall des Wassers bändigen. Kein Widerstand türmt sich länger auf – euer Werk hat das Meer überwunden!

Keiner in den Reihen ist auf seinem Platz geblieben.

EUSTACHE DE SAINT-PIERRE *mit letztem Nachdruck.* Heute wird euer Werk euer Frevel! – Logt ihr nicht schlimmer als mit Worten – mit diesem Werk? Schürtet ihr nicht mit dieser Verheißung jeden Eifer – der nun wach ist und von Ungeduld nach seinem Werke schon verzehrt wird? – Ihr wagtet, was noch keiner angriff – nun schwillt die wuchernde Woge hinaus! – Wollt ihr nun gelassen beiseite stehen – soll der feile Spott von euren Lippen lästern? – – Ihr wagtet euer Werk – um alle Werke müde zu machen – um mit ihm alle Mühe zu prellen: – immer wartet die Wut – unsere Gier schäumt auf – mit kurzen Stößen zerbricht sie unser Werk aus Leben und Leben! – – Scheut ihr nicht euren Betrug? Wollt ihr diesen Makel auf euch tragen, der euch mit einem scharfen Mal zeichnet – das ihr nicht tilgt?

Über die Stufen ist ein Fluten: – Jacques de Wissant und Pierre de Wissant dringen unten zugleich auf Jean de Vienne und Duguesclins ein und winken anderen zu, um mit ihnen die beiden wegzuführen.

DER DRITTE BÜRGER *ausbrechend.* Eustache de Saint-Pierre – mit diesen Händen suchten wir unser Werk. – *An alle.* Sind wir das Werkzeug? Sind wir die Täter? – Eustache de Saint-Pierre – soll uns nicht von unserem Werk der stärkste Stolz fließen?

EUSTACHE DE SAINT-PIERRE *schweigt.*

DER VIERTE BÜRGER. Die Küste ragt steil – das Meer stürmt wild – wir verdrängten von ihr das Meer! – – Die Woge hob uns auf ihren Kamm – Eustache de Saint-Pierre – soll uns der feige Schwindel schütteln?

EUSTACHE DE SAINT-PIERRE *bleibt stumm.*

JEAN D'AIRE *eine Stufe heruntersteigend.* Wir suchten den Ruhm nicht – nun rollt der Ruhm an unsere Füße! – Eusta-

che de Saint-Pierre – sollen wir ihn nicht aufheben – und
über uns streifen – als unser buntes Kleid?

EUSTACHE DE SAINT-PIERRE *blickt zu Boden.*

DUGUESCLINS. So wurde der Hafen von Calais tief ausgeworfen: – Ehre und Ruhm ertrinken in ihm – und euer Mut!

EUSTACHE DE SAINT-PIERRE *dreht sich schnell nach Duguesclins, tut einige Schritte gegen ihn. Allmählich sammelt sich
aus seiner Erregung die Sprache.* Brennt dein Mut auf an diesem Streit, in den du morgen läufst? – Was fordert dieser
Streit morgen noch von dir? – Morgen faßt du das Schwert
an – du schlägst viele um dich – viele überwältigen dich! –
Ist dieser Streit vor seinem Anfang nicht schon entschieden?
– Dämmert noch ein Zweifel – quillt eine Wahl? Was bleibt
dir zu tun? – – Du stürzt den Sturz deines Helmes vor dein
Gesicht und bist blind und taub hinter dem Schild. So stehst
du hier geblendet und betäubt! – Ein Dunkel umgibt dich,
mit dem du deine Tat bedeckest. Nun siehst du sie nicht an –
nun schrumpft sie ein – nun ist sie klein – nun erschreckt sie
nicht mehr, um sie zu wagen! – – *Jacques de Wissant und
Pierre de Wissant stellen sich vor Duguesclins hin.* – Wo ist
Mut, wenn sich der Willen von der Tat scheidet? – – Ich sehe
ihn nicht! – Wo ist Mut, wenn seine Tat nicht bis an ihr
Ende rollt? – Was gilt diese Tat noch, wenn sie dich dumpf
zwingt? – Wenn du heute alle Straßen um dich verschüttest
– lobt dich morgen dein Weg? – Es kostet dich keinen Mut:
du mußt ihn schreiten – dieser ist noch übrig! Den stürmst
du keuchend hinaus – wie ein Flüchtling keucht von seiner
Flucht! – Auf ihm fliehst du in deine Tat. Sie wartet noch
auf dich – sie rettet dich aus der Öde um dich – sie hebt dich
aus der Leere. Sie schlägt dich nieder –: du bist geborgen! —
Deine Tat wird feige – wie du sie heute begehrst! – Der Mut
fällt von ihr ab und verdorrt schon am Boden. Er raschelt
um unsere Füße – unsere nackten Sohlen mahlen auf ihm –
der Hauch unserer Hemden verweht seinen Staub in das
Meer! – Wo flammt morgen noch dein Mut? Ein dichter
Rauch erstickte ihn! – Von dem dumpfen Brande schwelt er
– aus deinem Blut, das hinter deinem geschlossenen Panzer
west! – Mit deinem Blute bist du heute tot vor deiner Tat –
sollen wir nicht in unseren dünnen Gewändern bis an den
anderen hellen Morgen leben?

Auf die Plattform kehrt das Bürgervolk zurück. Langsam

und lautlos geschieht sein Vordringen: in schwerer Furcht hängen die Arme schlaff – sind die Schultern gedrückt. Jetzt erreicht die Menge den inneren Rand. Dort verändert sich ihre Haltung: die Köpfe sind vorgestreckt – die Augen schweifen durch den Raum: ein unbeugsames Verlangen erhält seinen Ausdruck – ledig jeder Scheu und bar der Scham. –
Die Gewählten Bürger blicken hoch: sie stehen steif und still – belauert von diesen Augen – eingekreist von der Masse, die die ganze Breite und Tiefe der Plattform füllt.

DUGUESCLINS. Ich will den Mut, der mir das Schwert zwischen meine Hände schiebt, verlachen. Er ist klein und soll sich verstecken vor einem hier, der seine graue Schande über sich streift und am hellen Morgen aus der Stadt trägt. Das ist sein stärkerer Mut! – *Er geht nach seinem Platze.*

JEAN D'AIRE *mit einem Arm nach der Plattform weisend – mit dem anderen nach Eustache de Saint-Pierre.* Eustache de Saint-Pierre, dir ist es leid um den Hafen. Soll dich nicht am meisten die Sorge peinigen? Bist du nicht reich vor uns allen? Sind deine Speicher nicht die weitesten – sind sie nicht angefüllt mit ihren Gütern bis dicht unter das Dach? – Mußt du nicht zittern – willst du nicht betteln für deinen Reichtum?

EIN BÜRGER *auf seinem Platze.* Jean de Vienne, du sollst hier vor uns treten. Du sollst mit deiner Frage suchen. Sie soll unter der Halle schallen. Sie soll nach einem von uns rufen. Einmal soll sie dröhnen – einmal soll sie lästern! *Er winkt mit hohen Armen den Gewählten Bürgern unten. Diese erwidern ihm; mit eiliger Hast erreichen sie ihre Sitze und lassen sich nieder.*

Auf die Reihen und die Plattform legt sich hauchlose Stille.

JEAN DE VIENNE *ohne von seinem Platze wegzugehen – mit schwerer Stimme.* Der König von England hat Gewalt über Calais. Er tut mit Calais nach seinem Willen. Nun fordert er dies: sechs Gewählte Bürger sollen den Schlüssel vor die Stadt tragen – sechs Gewählte Bürger sollen aus dem Tor schreiten – barhäuptig und unbeschuht – im Kleide der armen Sünder – den Strick in ihrem Nacken. – *Er hebt den Kopf.* Sechs sollen am frühen Morgen von der Stadt aufbrechen – sechs sollen sich im Sande vor Calais überliefern – sechsmal schnürt sich die Schlinge –: das wird die Buße, die

Calais und seinen Hafen heil bewahrt! – *Nach einem War-*
ten. Sechsmal soll hier die Frage aufgerufen – sechsmal muß
die Antwort gegeben werden! – *Mit äußerster Anstrengung.*
Wo sitzen sechs – die aufstehen – und von ihren Sitzen gehen – und hier zueinander treten? – –

Die Last der Frage bedrückt anfangs noch; dann sind die Ge-
räusche der bewegten Körper und gedrehten Köpfe schwach;
nun schwillt Lärm in Lauten des Spottes an.

EUSTACHE DE SAINT-PIERRE *steht auf und geht von seinem Sitze*
weg bis zur Mitte. Seine Hände rücken an seinem Gewande
auf den Schultern, wie um es abzulegen. – – Ich bin bereit!

In den Reihen wird es still.
Jean de Vienne starrt staunend nach Eustache de Saint-Pierre.
Auf der Plattform läuft das Gemurmel: »Eustache de Saint-
Pierre!«

EIN FÜNFTER BÜRGER *rechts, fast hinter dem Platze Eustache*
de Saint-Pierres – dem Dritten und Vierten gleichaltrig – er-
hebt sich; er schreitet den Kopf tief senkend und die Hände
auf die Brust spreizend – und stellt sich wortlos neben Eu-
stache de Saint-Pierre.

Die Gewählten Bürger blicken in atemlosem Staunen hin.
Auf der Plattform ist dies Murmeln: » – Der Zweite!«
Nun schweifen die Blicke der Gewählten Bürger in den Rei-
hen: sie prüfen den nächsten neben sich und über sich.

DER DRITTE BÜRGER *links hochgerissen und mit den Fingern*
um seinen Hals greifend, schreiend. Ich – bin bereit! *Gejagt*
und keuchend erreicht er die beiden in der Mitte.

Oben zählt das Gemurmel: » – Der Dritte!«
Hastiger sind die Köpfe in den Reihen gedreht.

DER VIERTE BÜRGER *links – steht auf, wie einem Zwange ge-*
horchend geht er – unbeschleunigt und den Kopf hochtra-
gend – hin. Ich bin bereit!

Auf der Plattform wird es lauter: » – Der Vierte!«

Viele der Gewählten Bürger richten sich kurz halbhoch, um den Überblick über die Reihen zu gewinnen.
Oben wächst Murren.

JEAN D'AIRE *rechts – aufrecht: er schwankt unter der Wucht des Entschlusses – so steigt er taumelnd hinunter und muß sich an Eustache de Saint-Pierre stützen, indem er die Stirn auf seinen Rücken drückt.* Eustache de Saint-Pierre, ich will dich bitten – in die Spuren deiner Sohlen zu treten!

Oben zählt und kopfnickt es befriedigt: »– Der Fünfte!«
Jean de Vienne, der sich Jean d'Aire abwehrend entgegenstellte, wirft nun beschwörend die Arme gegen die Reihen.
Dort haben Jacques de Wissant links – Pierre de Wissant rechts, die schon Jean d'Aire mit Gesten der Angst und des Entsetzens verfolgen – sich aufgerichtet. Stöhnend und die Hände verkrampft zögern sie noch – durch den Vorbau einander verdeckt.
Von der Plattform ist ein verwundertes Hinzeigen nach den beiden und neugieriges Spähen von einer nach der anderen Seite.
Nun steigen die beiden zu gleicher Zeit von den Stufen. – Unten am Vorbau angekommen, sehen sie sich. Sie stutzen – dann suchen sie einander zu überholen und fassen zu einer Zeit die Hände Eustache de Saint-Pierres und sprechen mit einem Klang. »Ich bin bereit!«
Alle Gewählten Bürger stehen in den Reihen.

EUSTACHE DE SAINT-PIERRE *den Kopf zu Jean de Vienne drehend.* Jean de Vienne, willst du jetzt dem Gesandten unsere Antwort sagen?
JEAN DE VIENNE *rafft sich auf. Er winkt den Wächtern.*

Diese stoßen die Tür auf.
Der englische Offizier tritt heraus; hinter ihm der Soldat.

JEAN DE VIENNE *ihm die Gruppe in der Mitte zeigend.* Morgen tragen sechs Gewählte Bürger den Schlüssel vor die Stadt. Morgen überliefern sich sechs – im Gewande des Sünders und den Strick im Nacken. Sechs Büßer fordert der König von England – sechs sind gehorsam. Calais und sein Hafen sind sechsfach bezahlt!

DER ENGLISCHE OFFIZIER *die Gruppe flüchtig streifend.* Der König von England wartet auf die sechs im Grauen des Morgens. Doch versäumen sich die sechs um die kleinste Frist – so läßt er in der gleichen Stunde den Sturm laufen und die Stadt in den Hafen stürzen! *Er wendet sich nach dem Soldaten um. Als er – klirrend in der Stille – aufbrechen will, hält ihn Duguesclins mit einer Gebärde auf.*

DUGUESCLINS *tritt unter den Vorbau. Er greift nach dem Fahnentuch und zieht es zu sich nieder. Er küßt es lange und inbrünstig. Sein Blick ruht noch einmal auf der Gruppe in der Mitte – dann gürtet er sein Schwert los.* Das Schwert ist mit seiner Schärfe stumpf geworden – sein Glanz ist trübe – die Faust ist faul, die es führt. Die Hände strecken sich zu neuen Taten hin – *Fast schreiend.* Ich kann – ich will es nicht begreifen! – *Ruhig.* Der König von England hat Länder über dem Meer. Der König von England soll mich schicken, wo mein Schwert noch dient! – *Er streckt es dem englischen Offizier hin.*

DER ENGLISCHE OFFIZIER *nimmt es – achselzuckend – und gibt es dem Soldaten. Dann winkt er kurz Duguesclins, ihm zu folgen.*

Die drei – vor denen die Gewählten Bürger in den Reihen und das Bürgervolk auf der Plattform zurückweichen – ab.
Nun wächst von der Plattform ausgehend, alle Aufmerksamkeit versammelnd – immer deutlicher dies Rufen an, das nach der Gruppe unten zielt: » – Sieben!«
Schließlich ist ein einziger scharfer Schrei unter der Halle: »Sieben!!«

JEAN DE VIENNE *will an Eustache de Saint-Pierre herantreten.*
EUSTACHE DE SAINT-PIERRE *nach schnellem Blick über die bei ihm Stehenden – mit raschem Entschluß sich zu Jean de Vienne wendend, fast freudig.* So kann an diesem Nachmittag das Los dem Siebenten von uns das Leben schenken!

Tiefe Stille verbreitet sich.
Der Fahnenträger steht wie vorher: nur das niederstürzende Fahnentuch überhängt die Tür des Vorbaus – das Fahnenholz ragt trümmerhaft schräg auf.

ZWEITER AKT

Der Saal im Stadthause: ein langes Viereck mit geringer Tie-
fe. In der Rechtswand eine niedrige Tür. Den ganzen Hin-
tergrund schließt – von einer Stufe, die wie eine erhöhte
Schwelle ist, aufsteigend – ein mächtiger Bildteppich ab. In
seinen drei Feldern zeigt er mit der Kraft der Formen und
Farben einer frühen Kunst den Bau des Hafens von Calais,
links ragt die steile Küste, an die das Meer wild stürmt –
rechts stellt sich die rege Tätigkeit während des Baues dar –
die breitere Mitte zeigt den vollendeten Hafen: auf geraden
Kaien lange Speicher und fern die Einfahrt in die weite und
glatte Bucht.
Eustache de Saint-Pierre – in reichem Gewande – und Jean
de Vienne stehen in der Mitte.

JEAN DE VIENNE. Es ist gut, daß die Entscheidung nun fällt.
Die Unruhe ist mit jeder Stunde dieses Tages gestiegen –
jetzt hat sie ihren Gipfel erreicht, von dem sie stürzen muß
und – wer weiß das! – ein Unheil anstiftet, dessen furchtbare
Folgen wir nicht absehen. Diese Gefahr besteht. Wir können sie beschwichtigen, wenn sich draußen hinter der Brüstung dieses Saales der Siebente zeigt, den das Los freigibt.
An seinem Anblick richtet sich erst der Glauben auf, daß die
Rettung wirklich ist. – *Nach einem Schweigen.* Es ist merkwürdig, daß dies Bürgervolk, das die Belagerung mit stumpfer Geduld und fast gleichmütig ertragen hat, in dieser letzten kurzen Frist sie ohne den Rest eines Widerstandes ganz
verliert. Ich suche die Erklärung: – was erregt sie heißer –
was wühlt sie tiefer auf – bis zu diesem wüsten Ausbruch! –
als die schweren Entbehrungen der verstrichenen Zeit sie einmal erschrecken konnten? – Ich finde den Aufschluß, mit
dem ich nicht irre: – es ist die Ungewißheit, an der ihre frühere unerschütterliche Ruhe zerbricht. Die Erwartung des
Endes der Vorgänge in diesem Saal peinigt sie mit dem
schärfsten Stachel. Sie macht diese Qual – es ist Qual! – unerträglich. Und ich wage dies zu behaupten: – wie auch der
Ausgang sich gestaltet – gestaltet er sich nur endlich! – ändert ihr in letzter Stunde euren Entschluß – ihr gebt ihn auf
und besiegelt so das allgemeine Verderben! – sie werden
euch mit einem befreiten Aufatmen danken. Ihr habt sie aus
der schlimmeren Not erlöst! – *Er schweigt wieder.* Ich will

selbst mich diesem Gefühl, das so bedrückt, nicht entziehen. Obwohl mein Wunsch sechs von euch überliefert – die Last weicht erst, wenn ich den Siebenten heraustreten sehe. – *Rasch.* Und muß es euch nicht hundertfach erschüttern? – Seid ihr nicht jetzt frei – und mit dem nächsten Gedanken verloren – zugleich frei und verloren – so lange die Wahl schwankt? Wird nicht die Bürde, die ihr auf euch ludet, schwerer und schwerer? Müßt ihr euren Entschluß nicht immer wieder fassen – an dem die Kraft schon mit dem ersten Mal zu versinken droht? Ihr hebt die Tat, die ihr zu tun gedenkt, über das Maß hinaus, wie ihr zögert bis an diesen Nachmittag. Spart mit der Stärke – schließt nun den Siebenten aus! – Morgen wird ein übriges von euch verlangt! – *Nach einer Pause.* Wir haben den Bogen zu straff gespannt – wir müssen den Pfeil von der Sehne nehmen, bevor er schnellt und – vielleicht – grauenhaft trifft. Wir hätten am Morgen in der Halle ihnen die sechs bezeichnen sollen – dann fiele es jetzt nicht wie ein Schatten auf eure Tat – wie sie den einen ungestüm fordern und euch mißachten. Das läßt mich hier in Scham vor mir stehen! – *Im Aufbruch.* Ich bitte dich – es ist mehr, daß du unsere häßliche Erniedrigung verhütest! – ich scheue mich darum nicht, dies von dir zu verlangen: – beeile – und schicke ohn Säumen den Siebenten zu uns heraus! – *Er nimmt die Hand Eustache de Saint-Pierres – will noch etwas sagen – wendet sich ab und geht nach rechts. Als er die Tür öffnet, schlägt dunkler brausender Lärm herein. Er sieht sich nach Eustache de Saint-Pierre um, der seinem sorgenvollen Blick lächelnd entgegnet – dann rasch durch die Tür ab.*

EUSTACHE DE SAINT-PIERRE *überschreitet die Schwelle und geht durch eine Öffnung des Bildteppichs.*

Von rechts kommt der Fünfte Bürger – wie Eustache de Saint-Pierre und später die übrigen – sehr reich gekleidet. Hinter ihm der alte Vertraute.

DER FÜNFTE BÜRGER *in der Nähe der Tür zögernd.* – Ich kann dich auch jetzt nicht in Entschließungen, die ich am geheimsten hege, einweihen. Es könnte sein, daß ich es bin, der von hier frei herausgeht. Dann kehrte ich – wenn ich zu dir vorher gesprochen – leer und überflüssig an meine Geschäfte zurück. Ich hätte gleichsam mit meinen Plänen – meinen Hoffnungen mein Wesen mit dir vertauscht – und du besetztest meine Stelle so gut wie ich selbst. Damit fiele zugleich das beste Glück von meinen Entwürfen ab. Denn es ist so mit diesen: sie vertragen die Mitteilung nicht. Daran würden sie dürr und kahl – und versickern kraftlos und gelangen nicht zu ihrer Wirkung. Nur so lange wir sie in uns verbergen – wie der Schoß der Erde den Keim lange verschließen muß – nährt sie unser Glauben – schwellt unsere Kühnheit – stößt sie unser Willen – oft mit Irrtum – doch stets in die Vollendung. Du verstümmelst deine hohe Lust, wenn du ihre Wurzel – auch vor dem nächsten Vertrauten – ausgräbst! – Der bist du. – *Er seufzt.* Ich weiß nicht, wie diese Stunde über mich entscheiden wird. Wüßte ich es – so wäre alles mit einem Male leicht und klar. Das macht es dunkel und schwer. – *Er gibt dem Vertrauten die Hand.*

DER VERTRAUTE *nimmt sie schnell und küßt sie.*

DER FÜNFTE BÜRGER. Nun ist die Nacht kurz, um noch alles zu sagen. Warum hatten wir nicht den langen Tag?

DER VERTRAUTE *bückt sich tiefer über die Hand.*

DER FÜNFTE BÜRGER *lächelnd.* Weil einer das lange Leben gewinnen kann!

DER VERTRAUTE *schwach.* Du bist es!

DER FÜNFTE BÜRGER. Siehst du zwischen meinen Fingern das Los?

DER VERTRAUTE. Deine Pläne – deine Entwürfe können nicht untergehen. Sie schieben es in deine Hand!

DER FÜNFTE BÜRGER. Der Siebente ist unter uns –

DER VERTRAUTE. Du wirst als Siebenter gezählt!

DER FÜNFTE BÜRGER. Jeder ist es doch – und keiner! *Er geht von ihm – durch den Teppich ab.*

DER VERTRAUTE *entfernt sich ohne aufzublicken.*

DER DRITTE BÜRGER *kommt – geleitend die Mutter an ihren vorgestreckten Armen – bis zur Mitte. Nach einem Warten – gedämpft.* Mutter!

DIE MUTTER *röchelnd.* Sohn –!

DER DRITTE BÜRGER *besorgt.* Willst du hier warten?

DIE MUTTER. Ich – kann nicht warten! – – Ich habe gewartet – ich habe mich nicht geschont. Ich bin nicht schwach geworden – ich bin nicht feige gewesen – ich habe nicht gerastet –

ich bin nicht um Gliedesschmale abgewichen –: ich bin den Weg hierher gestrauchelt – hundertmal vom Morgen an! – Ich habe meine Füße in die Dornen gesetzt – hin und her! – Ich habe das Schwert aus meinem Herzen gezogen und wieder hineingestoßen – hundertmal – nun ist alles Blut ausgeflossen – nun zittern meine Knie – nun schwanken meine Kräfte von mir – ich wollte sie halten!

DER DRITTE BÜRGER *blickt stumm auf sie.*

DIE MUTTER *sich mehr aufrichtend.* Was ist Schmerz vor diesem: – Worte zu stammeln – die dumm sind! – graue Motten, die flattern!

DER DRITTE BÜRGER. Mutter – ich höre dich!

DIE MUTTER *heftig.* Wie sollen sie mir kommen? Wie sollen, die unter meinem Herzen drängen, sich lösen? – *Ruhiger.* Du machst mich arm in dieser Stunde – du stiehlst mir meine Liebe – du schlägst auf meinen Mund und auf meine Brust wie mit dicken Tüchern! – Du gehst mit mir – du stehst neben mir da – ich taste und streife dein Haar und dein Kleid – – ich bin gleich außer aller Sorge – *Fast verwundert ihn anschauend.* Das Kind ist ganz unversehrt! – Was geschieht denn? – Dein Haar ist es und dein reichstes Gewand! – – Warum trägst du es nur heute? Welcher Tag fiel von den Glocken? Ich bin nicht gerüstet wie du – sie sind in den Straßen alle nicht geschmückt wie du – sie feiern kein Fest – – *Verwandelt starr.* Ist deine Hand kalt – oder heiß? Ist sie noch heiß oder – – *Mit wachsendem Ausbruch.* Sie ist steif und schauerlich kühl – sie hebt sich nicht – sie lockert nicht im Nacken – sie zerrt die Schlinge nicht auf – sie schleudert den Strick nicht weg – nun weiß ich ja! – Nun bin ich nicht mehr lahm – nun kann ich mich über dich werfen – und dich umschlingen – eng wie nie! – Nun bin ich nicht mehr stumm – nun bricht der Schrei aus mir, der das letzte weckt: – du bist mein Sohn – ich bin deine Mutter!

DER DRITTE BÜRGER *sucht sie sanft von sich zu lösen.*

DIE MUTTER *sich dicht an ihn schmiegend.* Nun sinkt das Dunkel – das nimmt mich auf – und beschwichtigt meine Mühe. Kein Stoß rüttelt mich – Angst hetzt mich nicht – um was noch Angst? – Ich sitze geborgen in meinem Leid – das Leid schattet über mir – Leid ist die Zuflucht – Leid ist Frieden, der alle Zweifel mild tötet!

DER DRITTE BÜRGER. Du muß dich an dieser Hoffnung aufrichten, Mutter – die noch ist!

DIE MUTTER *sieht ihn an, dann hell*. Ich habe dich mit Ächzen geboren – ich habe dich mit Lachen gesäugt – ich habe dich mit jubelnden Tränen erlitten – je und je –! Du bist aus mir geschritten und in mich heimgekehrt zu jeder Zeit! – Gestern – eben noch – du kommst heute wieder – dich trifft das erste und das sechste nicht – du legst mir dein Los in den Schoß – *Ihre Hände wie um einen Gegenstand schließend.* das ich lachend drehe wie meinen bunten Spielball! – – *Sie wendet sich ab.* Jetzt kann ich warten – jetzt bin ich stark – jetzt gehe ich hoch und starr meinen Weg. Was kümmert mich das hier? *Tief gebückt und schleppenden Ganges gelangt sie zur Tür – ab.*

DER DRITTE BÜRGER *strafft die Schultern und schreitet über die Schwelle durch den Teppich.*

Der Vierte Bürger – die Frau des Vierten Bürgers und die alte Wärterin mit dem jungen Kinde auf dem Arm kommen. Der Vierte Bürger und die Frau gehen bis in die Mitte.

DER VIERTE BÜRGER *schon einen Fuß auf die Schwelle stellend, heiter.* Es ist nicht mehr als ein Gang aus dem Tor an einem schönen Sommertage. Über dem Sande flimmert die erhitzte Luft, doch vom Meer bläst eine linde Kühle. Ist nicht beides in dieser Stunde? – Dieser Druck ist Abschied – und dieser Druck wird Begrüßung. Das liegt so dicht beieinander, daß wir es nicht trennen. Die Waage taumelt – bis sie anhält. Heischt es nicht die kleinste Klugheit von uns, froh zu bleiben?
DIE FRAU *blickt ihn lächelnd an.*
DER VIERTE BÜRGER. Wir wollen nicht klug sein und um die winzige Spanne feilschen. Wer würfelt die Pfennige, wenn die Schulden sich über ihm türmen? Selbst von dieser Schwelle drehen sich unsere Blicke zurück. Damit tilgen wir ein wenig von ihnen. War die Zeit zwischen uns nicht wuchernd von Reichtum? Unsere Jahre gereiht ohne Lücke zu Ringen einer blanken Kette? Du nicht Glanz am Morgen – noch abendliches Glück? – Nun schleppen wir die schimmernde Last um Schultern und Leib, daß wir fast nicht schreiten können. Wir stehen blinkend gefesselt – wie Schuldige!
DIE FRAU *hebt die Hand gegen ihn.*

DER VIERTE BÜRGER *verwundert.* Nicht sprechen – nicht danken?

DIE FRAU *schüttelt verneinend den Kopf.*

DER VIERTE BÜRGER *begreifend.* Nun bist du die Klügere. Du bist Frau, die besser sorgt. Du hütest die Kammer im Hause und verteilst heute mit vorsichtigem Maß. Morgen sind wir vielleicht wieder hungrig!

DIE FRAU *nickt.*

DER VIERTE BÜRGER. Morgen vielleicht – ich weiß nicht! – Heute vergeuden wir – heute messen wir nicht – heute schlagen die blühenden Wogen um uns zusammen – was sättigt uns, wenn wir morgen auftauchen? – *Stärker.* Wenn wir jetzt das Bild aufrollen – und in einem Blick, der ganz umfaßt, das volle Leben in einer Flamme versammelt aufbrennt? Muß der Tag davon morgen nicht blind sein? Ein Tag, der dunkel kriecht, unter dem Leuchtfeuer, das wir jetzt mit jäher Hand anzünden? Dieser Tag – und Tage, die einzeln kommen – und ihren Aufwand noch schürfen müssen aus jedem kleinen und kleinsten? – Es ist leichtsinnig zu danken, wer nicht am Ende aller Gaben rastet. Das nächste Geschenk machen wir dürftig – und die wir es empfangen, verwandeln sich ärmer mit jedem Glück!

DIE FRAU *blickt fest zu ihm auf.*

DER VIERTE BÜRGER. Drückt es auf dich nicht schwerer – stumm zu stehen? Wer kennt den Wandel der kommenden Stunde? Wie wir darin verändert sind? Dann kann es spät sein – uns macht die Entscheidung dumpf und stumm. Dann haben wir uns versäumt – uns – uns! Über dein einsames Leben fällt nicht dieser Schein heißesten Geständnisses – ich habe dich verlassen, wie man in der Dämmerung von Haus und Liebe schleicht! – Ich mache dich bettelarm – ich häufe nicht die Schätze bei deiner Tür – du wirst nicht essen – du frierst – du bist in den Straßen ein lungerndes Ding! – Ich kann dir nichts geben – dies nicht und jenes nicht mehr – siehst du es jetzt: – ich bin doch ein leerer Schatten zwischen jetzt und nun!

DIE FRAU *legt ihre Hand auf sein Gewand und weist auf die Wärterin.*

DER VIERTE BÜRGER *lächelt und führt sie mit sich hin.*

DIE FRAU. Dein Kind – mein Kind!

DER VIERTE BÜRGER *überwältigt und mit einer schützenden Gebärde das Kind an sich reißend – mit erstickter Stimme.* Um dich – um dich –!

DIE FRAU *sinkt an ihm nieder.*

DER VIERTE BÜRGER *mit einer freien Hand nach ihrer Schulter greifend, um sie aufzurichten.* Ich komme – ich komme. – *Er gibt das Kind der Wärterin zurück; die Frau dicht an sich schließend.* Ich komme! *Mit raschen Schritten erreicht er die Öffnung im Teppich und verschwindet ohne Blick und Gruß.*

DIE FRAU *auf die Wärterin gestützt – ab.*

Von rechts: Jean d'Aire – an einer Seite eng die zwei Töchter, die sich umschlungen halten, unter seinem Arm führend – zur anderen gehen Jacques de Wissant und Pierre de Wissant nebeneinander her.

JACQUES DE WISSANT *den Arm Jean d'Aires angreifend.* Du sollst nicht hineingehen. Du mußt umkehren. Halte hier an und schicke uns hin! *Zu Pierre de Wissant.* Unterstütze mich doch – und beschwöre ihn mit deinen Bitten. Soll es nicht genug sein, wenn zwei aus einem Kreise scheiden?

JEAN D'AIRE. Wollt ihr mich zum Mörder der anderen da drinnen machen?

PIERRE DE WISSANT *kopfschüttelnd.* Das ist es nicht!

JEAN D'AIRE. Gaukelt nicht über jedem Haupte da drinnen noch eine Möglichkeit, an die wir geklammert sind – wenn sich auch unser bester Willen sträubt! – Das Leben ist stark – ich sehe auf ein langes Leben zurück und finde es in allem überwiegend. Diese Erfahrung könnt ihr nicht teilen!

JACQUES DE WISSANT *Pierre de Wissant ansehend – wie dieser vorher.* Das ist es nicht!

JEAN D'AIRE. Ihr eilt mit euren Wünschen hinaus – und wo das Bedeutende winkt, lauft ihr hinzu. Das ist eurer Jugend Tollheit. Euer Ziel ist ohne Weg. Aber der Weg ist oft wichtiger als die Ankunft – und schwieriger zugleich. – *Die Aufmerksamkeit auf seine Töchter lenkend.* Am Wege bleibt vielerlei – ihr hastet vorüber. Dürft ihr von jeder Möglichkeit schon ablassen? – Ihr begehrt nach dieser Tat, die euch hoch stellt und in eure Namen ein Brausen füllt, das nicht mehr verweht!

JAQUES DE WISSANT und PIERRE DE WISSANT *verneinen heftiger.*

JEAN D'AIRE. Euch ruft es an – *In Bezug auf die Töchter.* –

diese erstickt der Schwall. Da sind Tat und Opfer in ein un-
entwirrbares Knäuel verstrickt! – *Stärker.* Was schickt ihr
mich hinaus – mit welchem Vorteil bin ich entlassen? Was
gebe ich hin – womit bringe ich mich noch dar? Was bleibt
mir noch schwer zu verschenken? Was geizt der noch, der
seine Töchter in die Arme von Männern – in eure Arme
legt? – Es ist so gering, daß ich einen von euch – spielt
sich das eine Los mir zu – es hinzunehmen bitte! –

Die Töchter drängen sich an ihn.

JACQUES DE WISSANT und PIERRE DE WISSANT *blicken zu
Boden.*

JEAN D'AIRE. Ihr versteht mich nicht. Ich schweife an euch
vorbei. Es ist schade um diese letzte Gelegenheit. Danach ist
jeder mit sich selber beschäftigt – und ihr verliert einander
– ohne halten und hemmen. Ich warne euch hier!

PIERRE DE WISSANT *sich aufraffend.* Du sollst umkehren –
du kannst hinausgehen – du bist älter als jeder. Darum kann
es niemand außer dir noch. Und wäre einer hier – nicht du
– nicht dieser – nicht der – der mit irgendeinem Rechte auf-
bräche – wir würden ihn bis an die Tür geleiten und den
Saum seines Kleides küssen!

JEAN D'AIRE *sieht ihn erstaunt an.*

JACQUES DE WISSANT *ausbrechend.* Dieser Tag wäre zu Ende
– der steinigt mit nein und ja!

PIERRE DE WISSANT *schwer.* Der uns die Frist verkümmert
– für Worte!

JACQUES DE WISSANT *ungestüm wie früher.* Sie glühen uns
auf der Zunge – sie verbrennen unsere Lippen – wir sollen
nicht aufschreien!

PIERRE DE WISSANT. Wir müssen warten – und die Zeit ver-
streicht!

JACQUES DE WISSANT *ganz wirr.* Um nicht lächerlich vor uns
hinauszugehen – mit dem siebenten Los!

JEAN D'AIRE *verstand, lächelnd.* Sucht ihr Worte? Seid ihr
nicht Liebende? Suchen Worte einen Wunsch – erfüllen ihn
Worte? – Scheltet nicht auf das Ja und Nein dieses Tages –
das hat euch bewahrt. Worte – das lerntet ihr noch nicht –
schmälern vom Wert. Und haltet ihr nicht eure Liebe am
höchsten? – Treibt ihr Schacher mit dem Tag? Gilt der Tag
euch einen Deut? Für Braut und Bräutigam? – Die Hoff-

nung unter sieben der Siebente zu sein ist ungewiß – so freut euch an dieser Zuversicht: – in der letzten Nacht euer erstes Fest zu feiern! *Er schiebt die Töchter gegen die zwei, wendet sich um und geht durch den Teppich.*

Die vier stehen einander stumm gegeben.

JACQUES DE WISSANT *die erste Tochter umschlingend, stammelnd.* Ich will nicht – der Siebente sein!
DIE ERSTE TOCHTER. Jetzt warte ich auf dich!
PIERRE DE WISSANT *hat die zweite Tochter an sich gerissen.* Ich lüge mich um das siebente Los für diese Nacht!
DIE ZWEITE TOCHTER *hingegeben.* Ich will in dieser Nacht leben! *Dann gehen die Schwestern langsam von ihnen – den Kopf nach ihnen gewendet und schwach winkend kommen sie bei der Tür an. Ab.*

Jacques de Wissant und Pierre de Wissant stehen auf der Schwelle: wie sie sich umdrehen, wird der Bildteppich nach den Seiten geöffnet. Der nun sichtbare Saal hat bedeutende Tiefe. Hohe Wandflächen und Deckenbezirk belädt die Schmückung aus Erzen und Gestein der Länder des Erdballs und glitzernden Muscheln des Meeres. Eine Tafel – näher der Schwelle – steht zu einem Mahl gerüstet: sieben silberne Becher, Teller. Mitten unter blauem Tuch eine Schüssel.
Zwei ernste Bucklige – Diener – haben den Bildteppich ganz zurückgestreift und gehen von den Ecken vorn nach einer Tür links hinten.
Hinter der Längsseite der Tafel sitzen: Eustache de Saint-Pierre in der Mitte, links weiter der Fünfte Bürger und der Vierte Bürger – ein Sitz ist hier frei; rechts der Dritte Bürger und Jean d'Aire; vor dieser Querseite ist ein leerer Sitz.

EUSTACHE DE SAINT-PIERRE *Jacques de Wissant nach links weisend.* Jacques de Wissant, suche hier deinen Sitz! – *Zu Pierre de Wissant.* Du sollst der Letzte am anderen Ende der Tafel sein, Pierre de Wissant. Wir müssen euch Brüder weit voneinander setzen, daß ihr den Ring, der sich bis auf die Lücke schon schloß, nicht wieder sprengt! – *Wieder zu Pierre de Wissant.* Du bist der Nächste der Tür. – *Gegen Jacques de Wissant.* Du erreichst sie zuletzt. *An die anderen.* Zwischen

diesen kommen wir später und früher an. – *Mit hervor-*
brechender Heiterkeit. Später oder früher – was beeilen wir
die wenigen Schritte, die wir noch zu bemühen haben. Kein
Morgen drängt – keine Pflicht besorgt – wir feiern nach
Morgen und Mittag die Muße, wie ihrer keiner frönt!

Die beiden Bucklingen haben gehäufte Schalen dunkelblauer
Trauben, grüner Feigen, gelber Äpfel auf den Tisch getragen.

EUSTACHE DE SAINT-PIERRE. Wir wollen das Mahl genießen.
Früchte! – Wer will aufstehen, ohne sich zu sättigen? – Das
Auge labt sich daran – der Gaumen schmeckt an sprießender
Süße, die ein Land sott, das wir nicht sehen. Nun rollt die
reife Frucht auf unsere Hand! – Verlohnt es sich nicht un-
seres Eifers, mit dem wir das Meer zur Brücke von Küste zu
Küste wölbten, um dieser saftigen Früchte willen? – Genießt
doch!

Die anderen verharren stumm und reglos.
Die Bucklingen bringen die Gefäße, die Wein enthalten, und
stellen sie hin. Nun bleiben sie hinter Eustache de Saint-
Pierre stehen.

EUSTACHE DE SAINT-PIERRE. Wein –! Wen dürstet schwächer, um nicht am Tisch zu bleiben? Wer steht auf und
schiebt den Stuhl an den Tisch und dreht sich um und geht
hinaus? – Prüft doch die Flut! – *Er sieht um den Tisch –*
dann nimmt er eine Frucht von der Schale. Wir sitzen um
diesen Tisch – wir suchen das gleiche Ziel – der Willen ist
einer – so teilen wir noch die gleiche Speise!

Er zerschneidet die Frucht siebenfach. Er gibt dem einen
Bucklingen den Teller, beide Bucklingen gehen um den Tisch:
der zweite legt nun von rechts anfangend jedem auf – Eu-
stache de Saint-Pierre auslassend, dem er dann den Teller
mit dem letzten Fruchtstück wieder vorsetzt.

EUSTACHE DE SAINT-PIERRE *gießt Wein in seinen Becher aus.*
Wir zehren von dieser Frucht – nun mundet uns derselbe
Wein!

Der erste Buckling trägt den Becher Pierre de Wissant hin.

Dieser trinkt, gibt an den Bucklingen zurück. Mit der Ausnahme von Eustache de Saint-Pierre trinken alle; Eustache de Saint-Pierre erhielt den Becher zuletzt und trank.

EUSTACHE DE SAINT-PIERRE. Wir haben getrunken – nun genießt doch! *Er verzehrt das Fruchtstück. – Die anderen – gebückt auf den Tisch – tun wie er.*

Die Tür rechts vorn wird geöffnet. Jean de Vienne tritt ein und hält sie noch auf: dunkler Lärm der Menge dringt ein.

EUSTACHE DE SAINT-PIERRE *lächelnd.* Jean de Vienne, wir halten das Mahl. Früchte und Wein erquicken uns jetzt!
JEAN DE VIENNE *schließt und tritt unten vor die Mitte.* Ich komme in den Saal, weil mich die Sorge treibt. Die Unruhe, die sich bei dem Anblick des ersten gedämpft hatte, ist mit dem letzten, der hier hereinging, nun von neuem ausgebrochen. Sie murren und rufen schon laut nach einem. Er soll heraustreten und sich vor ihnen zeigen – um dieser Ungewißheit das Ende zu setzen! – Es ist dieser Krampf, der das Bürgervolk von Calais verwandelt hat und es meinen Augen fast unkenntlich macht: – mit dem sie an ihre Rettung glauben, wenn der Siebente sich von euch scheidet. Es ist nicht dies, daß sie an dem festen Willen eines von euch zweifeln – dieser Vorwurf schändet sie noch nicht! – das Warten seit dem frühen Morgen hat ihre Kraft geschwächt. Nun schwillt sie vor der nahen Entscheidung ohne Widerstand auf! – Eustache des Saint-Pierre, ich weiß, was ich von dir – von euch bitte! – Eustache de Saint-Pierre, schicke die Gewißheit – antworte ihrem Verlangen – es ist viel für jene – für euch gering: ihr feilscht nicht um die karge Frist!
EUSTACHE DE SAINT-PIERRE. Du trägst die Stimmen, die draußen lärmen, in den Saal zu uns. Wir hören ein dumpfes Geräusch und ein pfeifendes Zischen – unsere Ohren dröhnen davon – unser Kopf denkt es nicht. Unsere Tat wartet doch morgen auf uns – müssen wir nicht unsere Ungeduld zügeln? – *Rasch.* Unser Mahl ist beschlossen – das ist, was du aus dem Saal berichten sollst. Sage es doch schnell, Jean de Vienne!

Auf einen Wink beginnen die Bucklingen die Tafel abzuräumen.

JEAN DE VIENNE *wartet noch, dann geht er eilig nach rechts, ab.*

Die beiden Bucklingen haben ihren Dienst vollendet und entfernen sich nach links hinten.
Auf dem Tisch ist nur die verhängte Schüssel stehengeblieben.

EUSTACHE DE SAINT-PIERRE. Es ist leer über dem Tisch – nun können die Reden um den Tisch laufen. So wird das Mahl vollkommen. Wer teilt nicht beides klug, um jedem das volle Maß zu geben? Ihr schwiegt, als ihr aßet – jetzt ist euer Mund doppelt beredt. Nun verschwendet er gerne seine heimliche Lust – so müssen wir von dem Schwersten reden, das dieser Tag auf uns legte! – *Er wendet sich zu dem Fünften Bürger neben sich.* Was ist es, das dich zwischen dem frühen Morgen und deinem Gang hierher mehr denn alles beschäftigte?
DER FÜNFTE BÜRGER *vor sich hinblickend.* Ich habe einen alten Vertrauten, den führte ich bis an die Schwelle dieses Saales. Ich wollte ihm von Plänen, mit denen ich mich trage, mitteilen. Ich wollte ihn in meine Entwürfe – verborgene Hoffnungen einweihen. – Ich konnte es nicht. Meine Zunge war gebunden. War es denn das letzte Mal, daß ich zu ihm redete? Entäußerte ich mich nicht voreilig meines Eigentums? Und mußte ich ihn nicht einsetzen, um es vor dem Verluste zu retten? Eins stieß – jenes hemmte. Und zwischen Stößen und Widerstreben entstand die Marter dieses Tages, die ihren Stachel scharf stach: – die Ungewißheit des letzten Ausgangs!

Die anderen haben die Köpfe erhoben und sehen mit einem betroffenen Staunen nach ihm.

EUSTACHE DE SAINT-PIERRE *mit rascher Wendung zum Dritten Bürger neben sich, verwundert.* Was ist ärger, als in der offenen Halle aus den Reihen aufzustehen und vor alle hinzutreten? War dein Entschluß nicht am schwersten zu fassen, mit dem du dein helles Gewand von dir streifst – und mit dem Kleide dein langes Leben? Ist eins noch bitter bei diesem?
DER DRITTE BÜRGER *nickt schwer.* Mich geleitete eine greise

Mutter. Ihr Mut blieb fest – mit dem sie am Morgen den Entschluß des Sohnes hörte. Hier lag sie klagend an meinem Leib! – *Aufblickend*. Betrog ich sie nicht um den Abschied? Erstickte ich nicht ihren Schrei, mit dem sie mich wieder zu sich riß? Glitt ich nicht hin ohne Wesen? Kehrte ich nicht wehend in ihren Schoß zurück? Häufte ich nicht den kreißenden Schmerz in hundertfacher Wiederkunft? – Derselbe Atem entließ mich und begrüßte mich. Ein ungeheures Wirrsal drehte den sausenden Wirbel. Und die Ungewißheit machte sie stammeln – sie verdrehte ihre Worte – sie fand keins und schlich von mir – arm und leer – um ihre Schätze geplündert, die sie nicht vor mir ausbreiten konnte! – *Den Kopf aufstützend*. Sie litt mein Leiden – sie klagte meine Klagen. Aufzustehen und für alle hinzutreten – ist leicht. Die Last, die mich zu Boden biegt, bürdet diese Tat nicht auf. – *Er spreizt die Hände über dem Tisch*. Diese Tat – wo ist sie? – –

Eine Unruhe löst sich um den Tisch, die den Dritten Bürger bestätigt.

EUSTACHE DE SAINT-PIERRE *sich gegen den Vierten Bürger vorbeugend*. Du kamst nach diesen beiden. Gingst du langsamer, weil diese Stunde dir kostbar wurde, wie keine deines Lebens? Zähltest du sie mit Schritten ab – wie Finger den Wert der Ringe einer Kette, weil sie entgleitet? Drohte der Schatten deines Entschlusses dunkel? Saugst du das wenige Licht, das dir noch leuchtet, nun mit heißerer Begierde?
DER VIERTE BÜRGER. Ich ging von meinem Hause – und die im Hause immer mit mir war – ging mit mir. Wir schritten nebeneinander ohne Hast und ohne Halt – wie an einem schönen Sommerabend aus der Stadt. Das Blut klopfte nicht schneller – und staute nicht. Es ist ein Tag wie jeder. – *Mehr in sich versunken*. Das Licht floß gestern durch ihn – so strömte es von Anfang unserer Zeit miteinander. Kein Schatten löschte je – kein Dunkel brauste je – kein Verlangen, das sich nicht stillte – kein Glück, das sich uns beiden nicht bescherte. Ist es nicht recht und billig, daß morgen eine schwarze Wolke sich türmt? – Muß ich nicht in sie hineingehen – beladen mit meiner Schuld? Rufe ich nicht Dank – Dank – wenn sie mich mit ihrer Gewalt zermalmt? – Bin ich nicht lüstern danach – schwingen nicht meine Lippen –

spannen sich nicht meine Arme, an mich zu reißen die, der ich danken muß – mit glühenden Worten – in dringender Verschränkung? – Sind ihre Lippen nicht geöffnet – ihre weißen Hände nicht nach mir gestreckt – wartet ihr bereiter Leib nicht auf Ergießung, die sich erschöpft mit diesem Mal? Sind wir nicht zueinander getrieben – und auf der Stelle gelähmt? – – Unsere Arme fielen müde herab – unser Mund blieb stumm – wir standen steif und fremd. – Wer will den Dank sagen, wenn das Geschenk nicht ausgegeben ist? Wer lästert das neue Geschenk mit seinem frühen Genügen? Wer will danach geben und hinnehmen, ohne die Scheu zu prassen? – Diese Stunde vernachtete das tiefste Dunkel. Aus ihm herauszugehen – ist der einzige Wunsch, der brennt. Entlassen oder überliefert – es ist eins und gleich. Überliefert, es peinigt nicht – entlassen, es verlockt nicht: über jenem und diesem erleuchtet endlich – die Gewißheit!

Jacques de Wissant und Pierre de Wissant sind zugleich aufgesprungen und strecken die Arme nach der verhängten Schüssel.

EUSTACHE DE SAINT-PIERRE. Jacques de Wissant – Pierre de Wissant, seid ihr nicht Brüder? Am Morgen verwies es euch euer brüderliches Blut, vor dem andern beiseite zu stehen und mit ihm sein Leben zu verdienen, als ihr zugleich und einer zuviel aus den Reihen stiegt. Entzweite euch die Hitze des Tages? Gönnt ihr das eine Los dem andern nicht mehr? Will es jeder schnell erraffen? – *Einer Entgegnung zuvorkommend zu Jean d'Aire.* Was ist es, das dir den Weg in diesen Saal weit und finster verwandelt?
JEAN D'AIRE. Ich gehe weite Wege nicht mehr. Jeder Weg ist kurz – das Ziel ist nahe. Ich sehe es so dicht vor mir, darum trübt es kein Staub. Es ist hell um mich – das Dunkel ist gewichen: ich kenne, wohinaus ich walle. Meine Zeit ist ausgeschenkt – meine Schätze sind ausgeteilt. Ich halte nichts mehr mit diesen dorren Fingern! – Welchen Teil gewinne ich an der Tat, zu der ich mich bereite? Schmarotze ich nicht an dem Lob, das euch dröhnt? Bin ich nicht der schellenklingende Narr bei euch? Ich brüste mich – und mir geschieht doch nur, was noch geschehen muß. Von der untersten Stufe meines Alters steige ich herab – eine tiefere breitet sich nicht – was schwankt mein Schritt? – Ich weiß alles – durchsichtig

ohne Wand liegt der Rest. Fasse ich das eine Los – oder verliere ich damit, es ist kein Unterschied. Darum vergebt und zollt meiner Scham, daß ich mit euch am Tische sitze! – *Lebhafter*. Ihr seid würdig – ihr leidet die Qual. Ihr habt zwischen vielem zu wählen. Ihr sollt verzichten – ich bin schon leer. Ihr sollt eure Augen vor allem Licht und Mittag verschließen – ich bin schon blind. Ihr sollt die Luft im Halse erwürgen – meine Brust ist schon tot. Von euch wird das Schwerste gefordert – mir gilt der Ruf nichts mehr: – ich bin vor allem Taumel geborgen – ich bin von jedem Ja und Nein des Ausgangs geschieden – mein Los ist eins – ob dieses oder jenes – es friert mir aus dem Eis meiner Jahre – ich ruhe in dieser Unruhe – mit meiner schönen Gewißheit.

Die Bewegung um den Tisch hat sich mit den letzten Worten Jean d'Aires mehr und mehr gesteigert: Hände greifen nach dem Tuch über der Schüssel.

PIERRE DE WISSANT *aufrecht, seine Fäuste an die Schläfen drückend*. Ich will der erste vor euch morgen aus der Stadt gehen – ich will den Kopf nicht nach euch drehen – ich will den Strick vor mich strecken und die Schlinge eifrig rücken – und lachen und lästern – *Ausbrechend*. Ich will das letzte Los nicht – ich will mein Los!

JACQUES DE WISSANT *stammelnd*. Ich will das siebente nicht – ich will das erste nicht – ich suche mit keinem das Leben nach dieser Nacht! – *Im Ausbruch*. Ich will mein Los – ich will mein Los! – *Röchelnd*. Das andere reizt zum Wahnsinn!

DER VIERTE BÜRGER *zu Eustache de Saint-Pierre*. Schicke die Schüssel um den Tisch!

DER FÜNFTE BÜRGER *dringender*. Eustache de Saint-Pierre – schicke die Schüssel um den Tisch!

JACQUES DE WISSANT, PIERRE DE WISSANT und DER DRITTE BÜRGER *im Schrei*. Schicke die Schüssel um den Tisch!

JEAN DE VIENNE *in Hast von rechts. Er schließt die Tür nicht, geht schnell bis zur Mitte.*

Ungehindert dringt der Schall von draußen: ein kreischendes Schreien, ein heulendes Winseln, Johlen und grelles Pfeifen.

JEAN DE VIENNE. Eustache de Saint-Pierre, sie wollen nicht länger warten. Sie fordern den Siebenten. Sie schreien über mich hin – ich mahne sie nicht mehr zur kleinsten Geduld! – Ich habe die Wächter vor den Eingang gestellt – doch vertraue ich nicht der schwachen Macht. Euer Säumen zögert den Aufstand heran, den wir nicht bändigen. Die Folgen sind für alle furchtbar! – Eustache de Saint-Pierre, ich habe die Scheu nicht mehr – ich flehe von dir: – schicke den Siebenten hinaus!

EUSTACHE DE SAINT-PIERRE. Du kommst um ein kleines zu früh –

JEAN DE VIENNE. Es wird um ein kleines zu spät!

EUSTACHE DE SAINT-PIERRE *unbeirrt.* – und störst im Saal: siehst du nicht, daß jede Hand ausgestreckt ist? – *Heftig.* Willst du unsern Gleichmut erschüttern, der uns um diesen Tisch wie zur Feier versammelt? Ist er uns nicht nötig? – Du dringst mit diesem Ungestüm ein: – lacht nicht jenen das Licht – spielt nicht die laue Luft an ihren Stirnen? – Schone uns doch vor dem Lallen und Greinen! – Freut euch der Sonne und Wärme – indes wir das Dunkel und die Kühle wählen!

JEAN DE VIENNE. Eustache de Saint-Pierre, ich will hier warten und mit dem Letzten herausgehen!

EUSTACHE DE SAINT PIERRE *noch stärker.* Du bist fremd zwischen uns – du hast das Mahl nicht am Tisch gegessen – du hast nicht mit uns getrunken – du bist von uns geschieden, wie jeder nun jenseits tiefer Klüfte steht!

JEAN DE VIENNE. Eustache de Saint-Pierre, dauert es noch?

EUSTACHE DE SAINT-PIERRE. Wir sind bereit!

JEAN DE VIENNE – *geht mit gebeugtem Nacken nach rechts, ab.*

Es herrscht lautlose Stille.

EUSTACHE DE SAINT-PIERRE *zieht die verhängte Schüssel zu sich.* Die blaue Kugel ist kalt auf der Hand – und erkältet das Leben. Wem rollt sie – wem rollt sie nicht? Nun bin ich mit euch begierig! – Jacques de Wissant – Pierre de Wissant, ihr stelltet das Spiel an – so leitet es ein. Diesmal soll euch die erste Kugel trennen, mit der ihr den Ausgang nicht wieder verwirrt! *Er reicht dem Fünften Bürger neben sich die Schüssel, dieser gibt an den Vierten Bürger. –*

Der Vierte Bürger bietet Jacques de Wissant an.
Die anderen verharren in hingenommener Aufmerksam-
keit.
Eustache de Saint-Pierre sieht vor sich auf den Tisch.

JACQUES DE WISSANT *öffnet mit linker Hand knapp das*
Tuch und schiebt die rechte hinein. In noch nicht umschlie-
ßenden Fingern holt er heraus – streckt den Arm lang und
tiefhaltend über den Tisch und – zeigt auf gewölbter Hand-
fläche blaue Kugel dar.

Alle Blicke drehen sich nach Eustache de Saint-Pierre, der
seine Haltung nicht verändert.

JACQUES DE WISSANT *drückt die Hände, darin die Kugel,*
auf seine Brust.
DER VIERTE BÜRGER *gibt die Schüssel wieder an den Fünften*
Bürger – und sucht die Kugel: die er vorweist – ist blau.
Danach stützt er die Stirn auf die umfaltenden Hände.
DER FÜNFTE BÜRGER *will an Eustache de Saint-Pierre reichen.*
EUSTACHE DE SAINT-PIERRE *sieht flüchtig auf und greift*
schnell: die blaue Kugel, die er holt, legt er vor sich auf den
Tisch – nimmt die Schüssel und hält sie dem Fünften Bürger hin.
DER FÜNFTE BÜRGER *zögert staunend – dann zieht er die*
blaue Kugel. Er läßt die vorgeschobenen Hände offen und
wirft den Kopf in den Nacken.
EUSTACHE DE SAINT-PIERRE *wendet sich mit der Schüssel -*
ohne aufzublicken – an den Dritten Bürger.
DER DRITTE BÜRGER *zeigt die blaue Kugel, legt sie auf den*
Tisch – um Jean d'Aire die Schüssel anzubieten.
JEAN D'AIRE *sieht Pierre de Wissant an, lächelt – und wählt*
lange unter dem Tuch. Von neuem sieht er Pierre de Wissant
an und öffnet – ohne die eigenen Augen darauf zu lenken -
die blaue Kugel.
PIERRE DE WISSANT *beugt sich vor – und steht auf.* Ich
bin es!

Alle drehen sich bei dem Geräusch und seinen Worten rasch
hin – der Dritte Bürger stellt die Schüssel hin.

EUSTACHE DE SAINT-PIERRE *rasch.* Hast du dein Los gegriffen?

PIERRE DE WISSANT. Eine ist übrig – ihr haltet sechs blaue Kugeln!

EUSTACHE DE SAINT-PIERRE *schüttelt den Kopf.* Die Schüssel ist nicht leer – soll danach einer der Krüppel sie ausschütten? *Er schiebt die Schüssel näher zu ihm, der Dritte Bürger rückt sie schräg über den Tisch ganz dicht vor ihn.*

PIERRE DE WISSANT *zuckt die Achseln, zieht das Tuch weg – stutzt und hebt langsam eine blaue Kugel heraus – stammelnd.* Die letzte Kugel ist blau!

Um den Tisch ist es still.

JACQUES DE WISSANT *nun die seine hinstreckend.* Blau ist diese!

DER DRITTE BÜRGER *ebenso.* Diese ist – wie die letzte!

DER FÜNFTE BÜRGER, DER VIERTE BÜRGER *erst einzeln.* Diese – *Nun zusammen.* – sind wie eure!

JEAN D'AIRE *ruhig.* Eustache de Saint-Pierre, haben die dummen Krüppel die Schüssel gemengt?

EUSTACHE DE SAINT-PIERRE *allen Blicken lächelnd begegnend.* Ich weiß es. Ich habe euch dieselben Kugeln gereicht!

Voll betroffener Neugierde ruhen die Blicke auf ihm.

EUSTACHE DE SAINT-PIERRE *lebhafter.* Verwundert euch das? Findet ihr noch nicht den Schlüssel – birst nicht das Rätsel und schüttet sich auf eure Hände? – *Er sieht von einem zum andern, die sich nicht regen. Dann nickt er.* – In euch tost der Wirbel dieses Tages – ihr seht das Nächste nicht! – *Sich aufrichtend.* So muß einer von uns führen – ich bringe euch aus dem Wirbel und ans Ende! – *Eindringlich nach rechts und links.* Gedenkt nun dieses Morgens in der offenen Halle! Wer drängte sich da vor und herrschte den fremden Gesandten eine wilde Antwort ins Gesicht? Besinnt euch – wer? Blänkten nicht um seinen Leib Panzer und Wappen, schoß nicht das steile Schwert von seiner harten Faust? Stäubte nicht vom Kamm seines Helms gerader Mut? Schwoll nicht die Tat seiner Tapferkeit wütend auf: Schwert, Schlag und hauender Streit? – War nicht blutiger Glanz um ihn gegossen und donnerte seinen Namen über die ächzende Erde hin?

JEAN D'AIRE *leise.* Duguesclins!

EUSTACHE DE SAINT-PIERRE. Galt einer vor diesem in der

Halle? Kroch nicht jeder mit Scham an ihm vorbei und begrub sich in den Winkel? Sagt ihn doch – diesen großen Namen!

DIE GEWÄHLTEN BÜRGER *gedämpft.* Duguesclins!

EUSTACHE DE SAINT-PIERRE *nickt.* – Ich ging nicht vorüber. Ist stellte mich an ihn und maß meine Tat neben seiner und schlug ihm das Schwert von der Hand und zerriß die grelle Fahne. Da brach er auf – ich blieb in der offenen Halle!

Tiefgebeugten Leibes hören die andern hin.

EUSTACHE DE SAINT-PIERRE *heimlich lachend.* Wie erniedrigte ich ihm seinen Mut? Verwies ich ihn nicht so: konnte er ihn morgen entzünden, wenn er sich in den Kampf stürzt, der heute entschieden ist? Und ist heute sein Mut groß, da der Kampf noch nicht geschieht? – Machte er seine Tat nicht feige, wie er sie heute beschloß?

Pierre de Wissant ist von seinem Platz gegangen und – sich auf den Dritten Bürger auflehnend – ist er lauschend Eustache de Saint-Pierre nahe. Andere stützen Kinn und Wange auf die Hände.

EUSTACHE DE SAINT-PIERRE. Er schenkte sein Schwert weg – und stieg über die vielen Stufen und trug – Stufe nach Stufe – die Last mit sich, die er von meiner Brust hob. Ich atmete auf, als er oben verschwand. Hatte ich ihn nicht listig verstrickt? – Überbot ich denn – seinen Mut? War nicht meine Entschließung – *Zu einigen.* – deine – deine – deine – und deine – heute von euch gefaßt? Konntest du – *Wie vorher.* – du – du nicht heute jeden Abschied nehmen und dich in dich verschließen, daß morgen außer dir kein Leben mehr quält? *Umblickend.* Warst du nicht so von deiner Tat vorher geschieden – wie er? Entzogst du dich nicht so dem schmerzhaft bohrenden Stachel deiner Tat – wie er?

Einige nicken schwer.

EUSTACHE DE SAINT-PIERRE. Wir waren dicht an – vor ihm mit unserm Entschluß zuschanden zu werden! – *Pierre de Wissant über das Haar streifend.* Da kamt ihr – du und der Bruder – zu meiner Hilfe! *An die andern.* Jacques und

Pierre de Wissant – zusammen herunterkommend – überboten noch die geforderte Zahl. Sieben statt Sechs – einer zu viel! Der Eine sprengte unsern Kreis wieder, der fast geschlossen war. Einer zu viel! Dieser Eine gab jedem von uns seinen Entschluß zurück. Nun wurde jeder übrig – jeder war der Siebente – jeder konnte der Überzählige hinter sechs sein! *Von einem zum andern blickend.* Konntest du nicht ausgeschieden sein – nicht du – nicht du – nicht du? Du mit dem gleichen Glück wie dein Nächster? *Nach einem Warten.* Nun riß euch euer Entschluß zur ungeheuersten Prüfung auf! – – Seht die Kugeln an – ich spielte mit euch dies Spiel – ich erfand es zu unserer letzten Läuterung! – – *An alle.* Die Ungewißheit reizte euch! – *Zum Fünften Bürger.* Woran trugst du am schwersten seit diesem Morgen? *Weiter zum Vierten Bürger.* Was stieß Stachel und Keile in dein Fleisch? *Zum Dritten Bürger.* Was wühlte durch dein Blut? *Auf zu Jacques und Pierre de Wissant.* Was quälte euch? – *An alle.* Euch schüttelte dieser Krampf – der euch feige macht –: ihr verratet die Tat, die von euch gefordert wird!

DIE GEWÄHLTEN BÜRGER. Eustache de Saint-Pierre, schilt nicht auf uns!

EUSTACHE DE SAINT-PIERRE *mit wachsender Erregung.* Was erhebt euch schon über Duguesclins? Lästert ihr ihn mit gerechtem Tadel, der seinen Mist zum Kot stößt? Steht ihr auf seinen Schultern und trifft der Strahl von Lob euch über ihm? *Mit letzter Stärke.* Nur wenn ihr euren Entschluß über seinen türmt, dürft ihr lästern! Wenn ihr ihn zehn- und zehnmal beschließt, seid ihr berufen! *Ein* Mal faßte ihn auch Duguesclins – ihr sollt ihn tausendfach fassen. Tausend Mal seid ihr aus ihm entlassen – tausend Mal sollt ihr zu ihm wiederkehren! – Nur der Siebente ist frei – versteht ihr nun das: der Siebente zu sein? Der kommt und geht – und über seine Tat mit Lächeln gleitet? Der Leben und Ende auf ruhiger Hand wägt – mit seiner Tat verschmolzen ohne Ankunft und Abschied! – und spricht: was ist das doch?

Alle blicken hingenommen nach ihm über den Tisch.

EUSTACHE DE SAINT-PIERRE. Seid ihr schon würdig, – zu diesem Ziel zu wallen? Die Tat zu tun – die ein Frevel ist – ohne verwandelte Täter? Seid ihr reif – für eure neue Tat? – die an allem Bestand lockert, die alten Ruhm verhaucht –

was klang, dämpft – was glänzt, schwärzt, – was galt, ver-
wirft! – Seid ihr die neuen Täter? – Ist eure Hand kühl –
euer Blut ohne Fieber – eure Begierde ohne Wut? Steht ihr
bei eurer Tat – hoch wie diese? – – –

DER DRITTE BÜRGER. Sollten sieben im grauen Morgen hinausgehen, Eustache de Saint-Pierre?

EUSTACHE DE SAINT-PIERRE. Sechs sind gefordert!

JACQUES DE WISSANT. Sollen sich sieben dem Henker anbieten, Eustache de Saint-Pierre?

EUSTACHE DE SAINT-PIERRE. Feilscht ihr wieder? *Er faßt
seine und Pierre de Wissants Hand.* Dir und dir – ihr seid
Brüder – will ich vor allen am Tisch danken. Ihr schenktet
mir das Kugelspiel – und um ein Kleines das Größte! – Harrt
nun des Morgens. Seid ihr bereit? Ihr buhlt um diese Tat –
vor ihr streift ihr eure Schuhe und Gewänder ab. Sie fordert euch nackt und neu. Um sie klirrt kein Streit – schwillt
kein Brand – gellt kein Schrei. An eurer Brust und wütenden Begierde entzündet ihr sie nicht. Eine klare Flamme
ohne Rauch brennt sie – kalt in ihrer Hitze – milde in ihrem
Blenden. So ragt sie hinaus – so geht ihr den Gang – so
nimmt sie euch an: – ohne Halt und ohne Hast – kühl und
hell in euch – ihr froh ohne Rausch – ihr kühn ohne Taumel
– ihr willig ohne Mut – ihr neue Täter der neuen Tat! – –
Tat und Täter schon verschmolzen – wie gestern in heute –
wie heute in morgen! – Was versucht euch noch? Was bemüht euch noch? Ist eure Ungeduld nicht verblasen und tönt
als böser Schall vor diesem Saal? *Er erhob seine Stimme gegen den außen anwachsenden Lärm, der rasch vordringt.*

*Die Tür rechts vorne wird aufgerissen.
Jean de Vienne an der Spitze vieler Gewählter Bürger überstürzt herein.*

JEAN DE VIENNE *schreiend.* Eustache de Saint-Pierre, die
Wachen sind von dem Eingang getrieben – wir haben die
Türen geschlossen – sie halten noch Widerstand!

Donnernde Stöße gegen die Türen hallen herein.

EIN GEWÄHLTER BÜRGER. Sie stürmen die Tür!

*Ein krachender Schlag dicht draußen – dem jubelndes Ge-
schrei folgt.*

EIN ANDERER GEWÄHLTER BÜRGER. Die Treppe ist frei vor ihnen!

EIN ANDERER GEWÄHLTER BÜRGER. Sie laufen die Treppe hoch!

EIN ANDERER GEWÄHLTER BÜRGER. Sie kommen in den Saal!

EIN ANDERER GEWÄHLTER BÜRGER. Sie wollen sich eines von euch mit Gewalt bemächtigen!

JEAN DE VIENNE. Eustache de Saint-Pierre, wen hat das Los befreit?

EUSTACHE DE SAINT-PIERRE *hat sich aufgerichtet, laut.* Ein Irrtum ist unterlaufen – die Kugeln wurden in der Schüssel vertauscht. Wir haben uns redlich gequält – jetzt mangelt uns die Kraft, das Spiel zu wiederholen! – *Noch stärker.* Wir wollen uns ruhen bis an den Morgen – *Auch an die um den Tisch.* –: mit der ersten Glocke soll jeder von seinem Hause aufbrechen – und wer zuletzt in der Mitte des Marktes ankommt – ist los!

Alle schweigen betroffen.

JACQUES DE WISSANT und PIERRE DE WISSANT *um den Tisch vor ihn laufend.* Eustache de Saint-Pierre –

PIERRE DE WISSANT *allein fortfahrend.* Wir beide gehen morgen von demselben Haus – sollen wir wieder das Spiel verwirren, wenn wir zusammen auf dem Markte ankommen?

EUSTACHE DE SAINT-PIERRE. Sorgt ihr doch um den Morgen? Könnt ihr nicht mit euren jungen Füßen vor den anderen laufen und die ersten im Ziel werden? – *Er steht auf.*

JEAN DE VIENNE. Eustache de Saint-Pierre, willst du vor den wütenden Sturm draußen treten?

EUSTACHE DE SAINT-PIERRE *denen am Tisch zuwinkend.* Nicht ich – wir sind sieben: – soll es sie nicht besänftigen, daß einer noch zuviel ist? Kann nicht einen von uns über Nacht seine Erregung ohnmächtig machen? Ist es nicht klug, den Überfluß zu bewahren? – Wir wollen es ihnen deutlich sagen! *Die Sieben steigen von der erhöhten Schwelle und gehen an Jean de Vienne und den Gewählten Bürgern vorüber, deren sie mit keinem Zeichen mehr achten, aus der Tür und in den Lärm hinein, der schnell verebbt und verstummt.*

Jean de Vienne und die Gewählten Bürger sehen sich staunend an.

DRITTER AKT

Der Markt vor stufenhoher Kirchentür, die – mit ihrem spitzen figurenreichen Giebelfeld – den ganzen Hintergrund bis auf zwei schmale Gassen, die rechts und links zur Tiefe laufen, einnimmt. Grau des frühen Morgens schenkt Gebilden und Gestalten schwache Deutlichkeit: die Seiten und noch in die Gassen säumt die dichte Ballung des Bürgervolkes – kenntlich mit blassem Streifen der helleren Gesichter. In der Mitte bewegen sich die Gewählten Bürger.

JEAN DE VIENNE. Hier ist der Schlüssel. Ich bin mit ihm von langer Zeit vertraut – ich taste an ihm oben jede Krümmung ab und fühle unten an ihm jede Buchtung – mit meinen Fingern finde ich ihn genauer wie mit meinem Kopfe! – an diesem Morgen liegt er fremd auf meinen Händen. Es ist eine Last, die sich durch meine Arme auf meine Schultern schiebt und mit erdrückendem Gewicht auf den Boden zwingen will! – Er erwärmt sich auch nicht von meinem Blute. Ein starrer Frost dringt von ihm aus und erkältet die Haut um mich. Ich friere an diesem kleinsten Erz! – Ich halte ihn mit Mühe fest.

Die Gewählten Bürger stehen still um ihn.

JEAN DE VIENNE. Ich scheue mich, ihn auf andere Hände zu legen. Ich fürchte, daß die stärkste Kraft mit ihm zusammenbrechen soll – der fügsamste Wille bersten. Trägt nicht der die zweifache Bürde hinaus: die er hier empfängt – und jene, mit der ihn sein Entschluß schon belud? – Ich weiß nicht, wem von ihnen ich diese äußerste Anstrengung zumuten soll!

Es herrscht Schweigen.

JEAN DE VIENNE *sich aufraffend.* Ist er euch deutlich, den ich vor den anderen mit dem Schlüssel schicke?
EIN GEWÄHLTER BÜRGER. Der gestern in der offenen Halle vor den anderen zuerst aufstand – muß der nicht heute vor ihnen schreiten, Jean de Vienne?
EIN ANDERER GEWÄHLTER BÜRGER. Der sie mit seinem Vortreten rief – liegt nicht die Pflicht auf ihm?

JEAN DE VIENNE *sieht auf.* – Kann nicht Eustache de Saint-Pierre hier der letzte sein?

Neue Stille.

JEAN DE VIENNE *nach einem Warten.* Ich will keinen bezeichnen. Wer von uns kennt, wie einer aus dieser Nacht geht? Wer sah schon einen zu diesem Gang hier ankommen? Ihr bestimmt jetzt diesen und trefft vielleicht den schwächsten mit eurem Urteil! – *Stärker.* Wir atmen im wehenden Morgen – die herrliche Sonne ist uns gewiß – wir schelten leicht und frisch! – Ich will nicht diesen oder einen bestimmen! – –

EIN ANDERER GEWÄHLTER BÜRGER *fest.* Jean de Vienne, wir suchen den Streit von ihrem letzten Morgen zu nehmen, wenn wir dies vorbereiten: – gib an den ersten von ihnen, der ankommt, den Schlüssel!

JEAN DE VIENNE *langsam.* Wer geht den kürzesten Weg von seinem Hause? – *Mit wachsender Heftigkeit und nach den Seiten weisend.* Sind seine Schritte nicht schon ausgezählt? Lief die Neugierde ihm nicht voraus und schleppte ihn durch die Straßen – hundertmal? Rastete der grausame Eifer seit gestern? Tollte nicht das harte Klappern ihrer flinken Schuhe über den steinigen Grund durch die Nacht? Scholl es nicht, als schleuderten sie mit einem Sturm von Steinen nach einer Scheibe? – Sie haben sich ein schändliches Spiel daraus gemacht und das hat ihre Ungeduld unterhalten – jetzt erwarten sie die Erfüllung, um vor einander zu prahlen, wer klüger rechnete! – Ich habe nicht die Macht, sie von den Rändern des Marktes zu treiben – ich gönne ihnen den Anblick nicht! – *Zu den Gewählten Bürgern.* Hörtet ihr nicht – maß nicht auch schon einer eurer Gedanken die mindeste und die längste Strecke vor: – wer ist der Nächste zu seinem Ziel?

MEHREE GEWÄHLTE BÜRGER *dumpf, zögernd.* Eustache de Saint-Pierre. – *Dann viele.* Eustache de Saint-Pierre!

JEAN DE VIENNE. Ihr findet nur diesen Namen. Ihr ratet ihn wieder. Er ruft sich an Anfang und Ende. Er lockte gestern – soll er nicht heute mit demselben Willen verführen? Ihr habt recht, er ist der nächste. Er drängte sich gestern zu – er wird jetzt vor den anderen eilen. Er ist der erste vor ihnen – mit seinen schnellen Schritten – mit seiner frohen Kraft. Er wird dies von mir fordern: vor den anderen hinauszugehen und diese Last noch, die mich bedrückt, auf seinen vorgestreckten Armen wie eine dünne Feder tragen. Jetzt ist alle Angst von mir gewichen – jetzt sind Spiel und Ziel eins: – an Eustache de Saint-Pierre sinkt jeder Zweifel nieder!

Aus der Dichte längs der Seiten haben sich Arme gestreckt – neue Arme heben sich neben: von scheinenden Händen geschieht ein eindringliches Hinweisen nach oben.
Ein schwacher Lichtstrahl trifft die Spitze des Giebelfeldes.
Die Gewählten Bürger blicken hoch.

JEAN DE VIENNE *mit stürmischer Geste.* Die Zeit ist da – wir müssen ihnen die Gewänder rüsten!

Eine Glocke klingt, die in weiten Pausen schrille Schläge tut.
Die Arme sinken.
Gewählte Bürger bücken sich zu den Stufen und nehmen vor die Brust dunkle Bündel auf.
Die Glocke tönt nicht wieder.

JEAN DE VIENNE. – – Nun sind sie aufgebrochen – nun ist ein Gehen in den Straßen, wie noch keins in ihnen erschütterte! – – *Wieder nach einem Warten.* Wir wollen dem Ersten am Ende seines Weges entgegentreten. Kennen wir nicht den, den Eustache de Saint-Pierre schreitet? *Er geht nach rechts, ihm folgen einige – auch einer, der ein Bündel trägt.*

Von links dringt klappernder Hall eines gemächlichen gleichmäßigen Schreitens; zugleich läuft von der Tiefe dort ein Flüstern. Auf der rechten Seite zeigen noch zögernd – dann rasch Arme hinüber – nun schwillt der zischelnde Lärm stärker auf: »Der Erste!«

DER FÜNFTE BÜRGER *kommt von links.* – *Er endigt seinen rüstigen Gang in der Marktmitte. Eine kleine Weile verharrt er steif – dann dreht er den Kopf weit nach rechts – nach links.*

Es ist lautlos still geworden.

DER FÜNFTE BÜRGER *blickt vor sich auf den Boden – und*

tritt aus seinen Schuhen. Danach richtet er das Gesicht nach oben – und beginnt mit festen Händen sein Kleid am Halse zu öffnen. Schultern und Arme sind entblößt – nun hält er es nur auf der Brust zusammen und wartet.

EIN GEWÄHLTER BÜRGER *tritt von den anderen, rollt das Bündel auf und entnimmt einen wenig langen Strick. – Er stellt sich dicht hinter den Fünften Bürger, hebt das sackförmige farblose Gewand hoch über ihn und streift es an ihm nieder: es hüllt an ihm mit schwerem Hang ein, verschließt die Arme und schleppt um die Füße. – Nun weitet er die Schlinge – und legt sie auf die Schultern, das lose Seil im Rücken lassend.*

DER FÜNFTE BÜRGER *tut einen Schritt beiseite.*

DER GEWÄHLTE BÜRGER *bückt sich, rafft die leeren Schuhe und das Kleid auf, geht weg und legt alles auf die Stufen nieder.*

JEAN DE VIENNE *hatte sich bei der Ankunft des Fünften Bürgers schleunig hingewendet. Ihm stellten sich einige Gewählte Bürger entgegen und bedeuteten ihn heftig. Jetzt sie abweisend.* – Ich sehe ihn. Er ist es, der in der Halle zuerst zu Eustache de Saint-Pierre trat. Er schritt seinen Weg eilig. Nun kommt er früher an als der, den wir vor allen erwarten. Eustache de Saint-Pierre geht von seinem Haus gemächlich. Er kennt seine Zeit. Eustache de Saint-Pierre ist der nächste – der zweite auf dem Markte! – *Er kehrt nach rechts zurück.*

Wieder herrscht stiefe Stille.
Von links der hallende Gang hart wie zuvor.
Dasselbe Zischeln läuft um den Markt: »Der Zweite!« – *und verstummt.*

DER DRITTE BÜRGER *erreicht ohne Aufenthalt den Fünften Bürger und stellt sich nach einem flüchtigen Blick nach ihm neben.*

EIN GEWÄHLTER BÜRGER *dient an ihm – und entfernt sich.*

JEAN DE VIENNE *auf seinem Platz verharrend, staunend.* Wer ist es?

EIN ANDERER GEWÄHLTER BÜRGER. Der nach den beiden aufstand und aus den Reihen ging!

JEAN DE VIENNE. Nach diesem – und wem?

EIN ANDERER GEWÄHLTER BÜRGER. Nach ihm – und nach Eustache de Saint-Pierre!

JEAN DE VIENNE. Eustache de Saint-Pierre –! – *Seine Verwunderung von sich schüttelnd.* Wer will die Hast oder die Weile eines ausmessen, der zu diesem Gang aufbricht? Einer dringt von seiner Schwelle und stürmt durch die Straße – einer löscht noch das Licht aus und verschließt eine Tür. Die Füße verrichten dies Werk nicht – sie leisten den mindesten Dienst. Wir sind in dem Wettspiel dieser Nacht verwirrt – wir erfahren die schärfste Lehre. Ich war nahe daran, einen Vorwurf zu erheben – jetzt fällt er schwer auf mich. Ich schäme mich ihm entgegenzutreten, wenn er nach diesen kommt. Wir wollen vor Eustache de Saint-Pierre beiseite stehen! *Er geht rasch von rechts weg.*

Von rechts dringt ein langsam schlürfender Gang.
Die Köpfe links des Marktes sind vorgereckt. Rechts schwillt das Raunen: » – Der Dritte!« – und flutet nach links.

JEAN D'AIRE *tritt aus der Gasse rechts, hält inne und übersieht den Markt. Dann nickt er, bricht auf und gelangt zur Mitte. Er blickt die beiden prüfend an – und macht sich daran, sein Kleid von dem fleischarmen Körper zu lösen.*
EIN GEWÄHLTER BÜRGER *rüstet ihn mit Gewand und Strick aus und trägt das bunte Kleid und Schuhe weg.*
EIN ANDERER GEWÄHLTER BÜRGER *an Jean de Vienne herantretend.* Dieser ist nicht Eustache de Saint-Pierre!
EIN ANDERER GEWÄHLTER BÜRGER *zu anderen.* Eustache de Saint-Pierre ist es noch nicht!
EIN ANDERER GEWÄHLTER BÜRGER *zu Jean de Vienne.* Er stieg vor den Brüdern Jacques de Wissant und Pierre de Wissant aus den Reihen!
EIN ANDERER GEWÄHLTER BÜRGER *zu Jean de Vienne.* Er ist der Älteste unter ihnen!
JEAN DE VIENNE *sehr lebhaft.* Ist er nicht gebrechlich vor ihnen – vor Eustache de Saint-Pierre? Schlürfen seine Schritte nicht müde durch die Straße – führte ihn sein Gang nicht am Hause Eustache de Saint-Pierres vorüber? Schreitet einer mühselig wie dieser – überholte ihn nicht der letzte, der gleichen Weg mit ihm geht?
EIN ANDERER GEWÄHLTER BÜRGER *zu anderen.* Eustache de Saint-Pierre ist noch nicht aufgebrochen!
VIELE GEWÄHLTE BÜRGER *untereinander.* Eustache de Saint-

Pierre ist noch nicht aufgebrochen! *Diese Stimmen mischen sich mit dem Murmeln, das von links nach rechts kreist:* » – Der Vierte!«

Der Vierte Bürger kommt an und versammelt sich – rasch überzählend – den anderen in der Mitte.
Bei dem Geräusche, das die anhaltende Bewegung unter den Gewählten Bürgern verursacht, kleidet ihn ein Gewählter Bürger ein.

EIN GEWÄHLTER BÜRGER *fast laut zu Jean de Vienne.* Dieser kam als vierter in der offenen Halle herunter!
JEAN DE VIENNE *stammelnd.* Sind vier versammelt? – Ist Eustache de Saint-Pierre nicht unter ihnen?
EIN ANDERER GEWÄHLTER BÜRGER. Eustache de Saint-Pierre fehlt noch bei ihnen!
JEAN DE VIENNE. Eustache de Saint-Pierre fehlt noch – –
EIN ANDERER GEWÄHLTER BÜRGER. Zwei fehlen noch an sechs!
MEHRERE GEWÄHLTE BÜRGER *dicht vor Jean de Vienne.* Zwei fehlen noch zu sechs!
EIN ANDERER GEWÄHLTER BÜRGER *zuversichtlich.* Einer von ihnen wird Eustache de Saint-Pierre sein!
EIN ANDERER GEWÄHLTER BÜRGER. Eustache de Saint-Pierre will der letzte sein!
EIN ANDERER GEWÄHLTER BÜRGER. Jean de Vienne, er will den Schlüssel von dir nehmen: darum spart er mit seinen Kräften und will hier nicht lange stehen und mit den anderen noch warten!
JEAN DE VIENNE *aufgebracht.* Rechnet ihr denn dunkel? Blendet nicht auf euren Augen dieser fahle Strahl? – Wer ist noch übrig? Denkt aus – denkt aus! – Wo greift ihr dies Irrsal an – wie entwirrt ihr dies Knäuel? Strickt es sich nicht enger – vergarnt es sich nicht wie ein Filz? Knotet daran – knotet daran! – – Wer soll nun ankommen? – Lockt ihr Eustache de Saint-Pierre? Stellt er sich zu diesen und ist der fünfte? – Der fünfte, der den Kreis erschüttert – der fünfte, der den Ring zersprengt – der fünfte, der – – – *Abbrechend, noch erregter.* Brechen Jacques de Wissant und Pierre de Wissant nicht von demselben Hause auf? Sind sie nicht Brüder? Langen sie nicht zusammen an? – Stehen nicht sieben hier? Ist der Ausgang nicht wie der Anfang – ein Anfang ohne

Ende? – *Stärker, stärker.* Soll ich alle wieder schicken, um das Spiel zu wiederholen – um ihren furchtbaren Gang noch einmal zu tun? Sollen wir ihre Leiber foltern – mit dem Wechsel und Wechsel der Kleider? Sollen wir ihre Sohlen stacheln – jetzt warm – nun bloß? Sollen wir die Schlinge Mal nach Mal strängen und lockern? – – Treibt nicht die Frist hin – lauert nicht schon der Henker? Schwillt nicht das Licht – spätet sich nicht der Morgen? Versäumen wir nicht die Rettung? – – *Stockend.* Und zögert Eustache de Saint-Pierre und kommt nach allen an – der siebente! Eustache de Saint-Pierre, der alle anrief – der um alle warb! – der sich vor allen vermaß – kommt nicht. – – *Die Arme über sich werfend.* Denkt nicht aus – denkt nicht aus – ihr zerbrecht daran – an diesem und jenem –: verbietet es euch noch – in eurem Blut – in eurem Kopf – – *Andere mit sich nach hinten ziehend.* Wir wollen nicht sinnen – wir sollen nicht suchen – wir sollen nicht lauschen nach einem müden Schritt – und nach einem doppelten – wir müssen stehen und sehen!

Von neuem tritt lautlose Stille ein.
Harter doppelstarker Gangklang von rechts.
Kein Flüstern und Hinzeigen entsteht.
Jacques de Wissant und Pierre de Wissant einander in enger Umschlingung verbunden kommen an. In der Mitte halten sie ein – zählen. Dann küssen sie sich und stellen sich an die Ecken rechts und links.

ZWEI GEWÄHLTE BÜRGER *dienen an ihnen.*

Das Licht trifft tiefer auf das Giebelfeld und enthüllt – noch unscharf – eine obere Figurengruppe.
Das Bürgervolk ist aus den Gassen nachgedrungen und verschließt sie. Langsam und unaufhaltsam schiebt es sich von den Seiten vorwärts und verengt um die Mitte – flutet die Stufen auf und vereinigt sich.
Ein dunkles Murmeln – befriedigt und bestimmend – tönt davon: » – Sechs!«

JEAN DE VIENNE *aus maßlosem Erstaunen.* Ist Eustache de Saint-Pierre taub? Mit seinen Ohren vor der schrillen Glocke? Mit seinen Gliedern lahm, die nicht bebten – von harten Schritten vor seiner Tür? Erschütterte sich nicht die

Stadt von diesem Gehen in ihren Straßen? Springt nicht unser Blut – dröhnt nicht unser Kopf? Klopft und saust nicht um uns – halten wir uns nicht mit Mühe aufrecht? Stapft nicht jeder Schritt durch uns hin und reißt uns mit – sechsmal hin und her – sechsmal tausend Schritte auf und ab? – Rennen wir nicht den Wettlauf seit gestern – und rasten nicht – und hetzen die Jagd – mit Fleiß und Schweiß – und kommen an – von den letzten Winkeln – von den Enden die letzten – vor der Zeit – mit der Zeit – jeder früh – jeder in jedem bereit – jeder mit jedem entblößt – alle im Aufbruch – –: Eustache de Saint-Pierre kommt nicht?!

EIN GEWÄHLTER BÜRGER *schreiend.* Eustache de Saint-Pierre kommt nicht!

ANDERE GEWÄHLTE BÜRGER *ebenso.* Eustache de Saint-Pierre kommt nicht!

Der Schrei hallt hin.
Um den Markt wird mit stärkerer Entgegnung lauter – von den Stufen zeigen die Arme zur Mitte –: »Sechs!«
Neue Stille.

EIN GEWÄHLTER BÜRGER *außer sich.* Eustache de Saint-Pierre hat den äußersten Betrug gespielt! – *Überstürzt.* Rief nicht einer von diesen in der Halle – und zielte nach dem übermächtigen Reichtum, um den Eustache de Saint-Pierre sich sorgt! – Wer hat Speicher wie seine über dem Hafen? Wer seine Güter hoch unter Firsten? Wer seine Frachten in vielen Lastschiffen? – Lästerte der in der Halle – schalt er dreist? – Dieser schmähte schwach – dieser mäßigte sich milde! Was kannte er von List und List, mit der Eustache de Saint-Pierre dem Wurf auswich, der ihn zerschmettert? – Trat er nicht auf und stellte sich hin – zuerst und bereit für Calais? Wußte er nicht – was nützt einer? Sechs sind nötig – und wo sechs sich wagen, da übertreffen viele noch die Zahl! Sieben standen beisammen – einer zuviel! Wie glitt sein Witz aus der Gefahr – wie zog er aus diesem kleinsten Überfluß seinen Vorteil? – Wer vergißt noch die Geschichte des langen Tages gestern? Wie hielt er alle bis an den Nachmittag hin? Und wie versäumte er wieder die Entscheidung, die ihn bestimmen konnte zu sechs? – Täuschte er nicht dreist mit den Kugeln – und log plump mit den Losen? Vermied er die Wahl nicht und schickte alle aus dem Saal – und verwies sie auf den Morgen – und dieses Morgens Gang, mit dem er sich von ihnen schied – und vor dem Strang bewahrte – mit einem Witz? – – Er verschließt sich in seinem Hause und ist frei! – – Sind wir blind – dumm mit unserem Denken – durchschaute ein Kind nicht den Schwindel und lallt die feile Lösung? – – Jetzt sitzt Eustache de Saint-Pierre hinter seiner festen Tür und biegt die Schultern auf den Tisch und verlacht uns – die blöde glaubten und wie schielende Schafe folgten!

Von den Seiten und von den Stufen steigert sich der Lärm und schwillt zu kreischendem Schrei an: » – Sechs!«

EIN ANDERER GEWÄHLTER BÜRGER *nach rechts vorne laufend.* Stockt euch nicht der Hauch im Halse – füllt euch nicht Blut bis in den Mund – erstickt euch nicht die Scham? – Seid ihr Schwindler, die mit falschem Gelde kaufen – die mit blechernen Münzen klirren und auf dem Handel bestehen? Schüttelt ihr nicht den Betrug von euren Fingern und stampft ihn mit euren Füßen zum Kot? – Wartet ihr hier auf den Aufbruch – fordert ihr die Schändung? – Ist eins und jenes gleich bei euch – gilt der Verrat nichts mehr? – Ekelt euch nicht eure Zunge, die schreit – brennt nicht euer Gaumen, der hallt? – Sättigt ihr euch mit der Kost, die ihr stehlt – verschlingt ihr Kraut und Dung wie Würmer am Boden? – Seid ihr nicht müde mit eurer Begierde – mit euren Knien von der Hetzjagd in dieser Nacht durch Straßen und Gassen? Werdet ihr jetzt erst lüstern nach einem Spiel? Es ist euch verheißen – es ist vorbereitet auf das letzte –: nun sucht über den Markt – nun späht nach dem aus, der es erfand – ihr entdeckt ihn nicht – bei keinem Licht – bei keinem Dunkel! – Jetzt späht und sucht, wo euer Recht ist, mit dem ihr nach der Erfüllung schreit!

Ringsum hebt es an, ballt sich und löst sich schrill: » – Schickt sechs hinaus.«

EIN ANDERER GEWÄHLTER BÜRGER *nach vorne laufend.* Ich will nicht Bürger in Calais sein, das aus diesem Betrug aufgebaut ist! – Ich will nicht als Hehler hinter seinen Mauern sitzen – ich will nicht scheu in den Straßen schleichen! Ich will nicht Wucher mit diesem Verrat treiben – ich halte meine Hände hoch von diesen Malen, die sie zeichnen – ich dulde nicht diesen Makel auf meinem Leibe! – *Er steht mit starr gereckten Armen da.*

EIN ANDERER GEWÄHLTER BÜRGER *zu diesem laufend, seinen Arm anfassend und zur Tiefe aufrufend.* Wer fordert die Schändung der sechs? Wer lädt einem von diesen den Schlüssel auf? Wer stößt vor ihnen das Tor auf? Wer überliefert sie an diesem Morgen? – *Stark.* Wer steht unter uns hier, der teil an diesem Betruge hat?

Bei den Gewählten Bürgern entsteht eine unruhige Bewegung: einige sind auf dem Wege nach vorn – andere zögern hinten.
Drohend und stärker von den Seiten: »– Schickt sechs hinaus!«

EIN ANDERER GEWÄHLTER BÜRGER *laut.* Calais fällt nicht –!! – *In die verminderte Unruhe, eilig.* Wir sind nicht heute am Ende unserer Kräfte – nicht morgen! – Wir leiden keinen Hunger – es mangelt uns nichts! – Unsere Leiber tragen keine Wunden – wir bluten kräftig in unseren Adern – unsere Schultern sind fest – unsere Hände greifen hart um Lanzen – Schwert! – Wir stehen hinter den Mauern – wir füllen die Straßen – die Fahne Frankreichs flammt über der Stadt – der Hauptmann von Frankreich lenkt uns – – vor dem Hauptmann von Frankreich – – *Er stockt. Tiefe Stille.*
EIN ANDERER GEWÄHLTER BÜRGER *ausbrechend.* Dugueselins ist aus der Stadt!!
EIN ANDERER GEWÄHLTER BÜRGER. Eustache de Saint-Pierre hat den Hauptmann aus der Stadt geschickt!
EIN ANDERER GEWÄHLTER BÜRGER. Eustache de Saint-Pierre hat uns alle verraten!
EIN ANDERER GEWÄHLTER BÜRGER. Eustache de Saint-Pierre verbietet die Rettung der Stadt!
EIN ANDERER GEWÄHLTER BÜRGER. Eustache de Saint-Pierre hat von allem Anfang an den Verrat gesucht!!

Um den Markt erhebt sich von neuem das Geschrei: »Schickt sechs hinaus!!«

EIN GEWÄHLTER BÜRGER *die Arme über sich schwingend.* Wir holen Eustache de Saint-Pierre aus seinem Hause!
EIN ANDERER GEWÄHLTER BÜRGER. Wir zerren Eustache de Saint-Pierre von seinem Tisch!

EIN ANDERER GEWÄHLTER BÜRGER. Wir stoßen Eustache de Saint-Pierre vor uns auf den Markt!

Eine erste Gruppe der Gewählten Bürger stürmt nach rechts hin und wird von der dichten Menge aufgehalten.

EIN GEWÄHLTER BÜRGER *nach vorne.* Eustache de Saint-Pierre soll allein büßen!
EIN ANDERER GEWÄHLTER BÜRGER. Wir binden Eustache de Saint-Pierre den Schlüssel auf den Rücken!
EIN ANDERER GEWÄHLTER BÜRGER. Eustache de Saint-Pierre soll den Schlüssel auf seinen Knien hinausschleppen!

Ein neuer Trupp drängt nach rechts hinten.

EIN GEWÄHLTER BÜRGER *vorne.* Eustache de Saint-Pierre soll auf dem offenen Markte geschändet werden!
EIN ANDERER GEWÄHLTER BÜRGER. Wir richten vor diesen Eustache de Saint-Pierre!
EIN ANDERER GEWÄHLTER BÜRGER *aufreizend.* Sucht Eustache de Saint-Pierre!
VIELE GEWÄHLTE BÜRGER. Sucht Eustache de Saint-Pierre!

Rechts hinten dauert der Widerstand: jetzt gibt die Menge dem wuchtigen Sturme nach, die Gewählten Bürger dringen in die Gasse. Der Ruf schallt scharf: »Eustache de Saint-Pierre!!«

JEAN DE VIENNE *steht allein – müde, erschüttert.*

Von den Seiten drängt das Bürgervolk nach ihm – johlend: »Schicke sechs hinaus!!«
In der Gasse bricht der Lärm ab – langsam flutet die Schar der Gewählten Bürger zurück – einander betroffen Zeichen gebend.
Um den Markt legt sich der Aufruhr – die Vorgedrungenen weichen auf die Seiten.

JEAN DE VIENNE *tritt hastig fragend zu den Gewählten Bürgern.*

Diese bedeuten ihn gegen die Tiefe der Gasse; sie stehen

*stumm wartend – mit dem Bürgervolk der rechten Seite die
Gasse fast bis in die Mitte des Marktes verlängernd.*
*Hall langsamsten Schreitens nähert sich: – die beiden erdge-
bundenen Krüppel tragen eine Bahre, schwarz überhängt.
In kleinem Abstande folgt der Vater Eustache de Saint-
Pierres – hagerer überalter Greis, kahlhäuptig; ein dünner
Bart zittert um das Gesicht, das er aufwärts richtet nach
Blinder Art – ganz das Gefühl in das Tasten der Hände
versammelt. Ein schlanker Knabe führt ihn um die Hüfte.
Die Krüppel stellen in der Mitte die Bahre auf den Boden.
Die Gewählten Bürger umdrängen dicht die Sechs.*

DER VATER DES EUSTACHE DE SAINT-PIERRE *aus seinem unauf-
hörlich geheim redenden Munde Worte formend.* Ich bin ein
Becher – der überfließt – – *Von dem Knaben vor die Sechs
geleitet.* Stehen sie beisammen? – *Er streift des ersten Gewand und Seil.* Grobes Kleid und glatter Strick – einer! –
Vor dem nächsten ebenso. Rauh und gerüstet – du! – *Weiter.*
Du verschlossen in grober Haft –! – *Fortschreitend.* Du wie
diese vorbereitet –! – *Zu den beiden übrigen.* Mehr – mehr
– bei dir – der letzte! – *Kopfnickend.* Sechs, sagte er, sind
übrig – sie warten auf dem Markt – die Stunde ihres Auf-
bruchs ist da – schaffe mich zu ihnen auf den Markt. Sie
müssen sich eilen – wenn sie mir folgen wollen – ich bin
vorausgegangen! – *Er wendet sich um, sucht das Tuch über
der Bahre und streift es zur Seite.* Mein Sohn!

*Die Gewählten Bürger beugen sich über; von einigen her-
vorgestoßen:* »Eustache de Saint-Pierre!«

DER VATER EUSTACHE DE SAINT-PIERRES *ohne dessen zu achten.* Mein Mund ist gefüllt – es fließt von ihm aus – – Meine
Rede ist geschwunden – verdrängt von der Ausgießung dieser Nacht. Ich bin die Schelle, von einem Klöppel geschlagen.
Ich bin der Baum, ein anderer das Sausen. Ich liege hin-
gestreckt – der hier liegt, steht auf meinen Schultern und
über euren Schultern übereinander! – *An die Sechs gekehrt.*
Trifft euch die Stimme aus solcher Höhe – rieselt ihr heißer
Druck an euren Leibern – bloß in den Kutten? Raffen sich
eure haftenden Sohlen vom steinigen Boden und fliehen
durch die Öse eurer Schlingen aufwärts? – Fühlt ihr noch
Pein – und Dorn und Spitze einer Folter? – *Er bog sie*

stumpf – er heilte die Verletzung in eurem Fleisch vor dem Stich!

Die Sechs stehen allein nahe der Bahre.

DER VATER EUSTACHE DE SAINT-PIERRES. Ihr steht nahe bei ihm – er ist entrückt – und dicht wie keiner unter euch. Ihr seid, wo er rastet – euch winkt er mit lockendem Finger. Ist es nicht leicht zu gehen, wohin einer anruft? Blühen nicht die Ufer von einer Verheißung? Er jauchzt sie aus – er zieht den letzten von euch in den Kahn. Sechs Ruder schaufeln – gerade furcht die Bahn: – das Ziel lenkt genauer als das Steuer. Nun wartet er auf euch – ihr kommt später an! – Er ist euch vorausgeschritten – wer dreht das Gesicht noch zurück? Wem schaut ihr nach – wer geht von euch – und nimmt die Helle mit sich – und überläßt die andern dem Dunkel? Wer streift das Licht von eurer Tat – und macht sie finster um euch? – Ihr tut sie verhüllt und dumpf! – – – Hielt er euch nicht wach vor dieser Tat, um würdig zu sein? Scheuchte er nicht den Schlaf von euren Lidern mit Mühe und Mühe? Erfand er nicht Mittel und Mittel, mit dem er euch dicht und dicht schob? Hielt er euch nicht bis diesen Morgen hin? Ließ er euch einmal dem trägen Schlummer verfallen? Entzog er euch die kleinste Frist? Wachte er nicht über euch? Steht ihr jetzt nicht reif hier und seht mit klaren Augen eure Tat an? – – – *Er atmet tief.* Nun stieß er das letzte Tor vor euch auf. Nun hat er den Schatten von Grauen gelichtet, ihr wallt hindurch – stutzig mit keinem Schritt – tastend mit keinem Fuß. Mit reiner Flamme brennt um euch eure Tat. Kein Rauch verdüstert – keine Glut schwelt. Ihr dringt vor – hell umleuchtet und kühl bestrahlt. Fieber hetzt euch nicht, Frost lähmt euch nicht. Ihr schüttelt frei eure Glieder in euren Gewändern. Der Abschied trennt euch nicht: – wer scheidet sich von euch? Ist eure Zahl nicht rund und vollkommen eine Kugel, die ein Anfang ist und ein Ende ohne Unterscheidung? Wer ist der erste – wer der siebente – wo peinigt Ungeduld – wo stachelt Ungewißheit? – – Er schmolz sie zur runden Glätte – jetzt seid ihr eins und eng ohne Mal und Marke! – – *Einen Arm hoch gegen sie erhebend.* Sucht eure Tat – die Tat sucht euch: ihr seid berufen! – Das Tor ist offen – nun rollt die Woge eurer Tat hinaus. Trägt sie euch – tragt ihr sie? Wer schreit mit seinem

Namen – wer rafft den Ruhm an sich? Wer ist Täter dieser neuen Tat? Häuft ihr das Lob auf euch – wühlt diese Begierde in euch? – – Die neue Tat kennt euch nicht! – Die rollende Woge eurer Tat verschüttet euch. Wer seid ihr noch? Wo gleitet ihr mit euren Armen – Händen? – – Die Welle hebt sich auf – von euch gestützt – auf euch gewölbt. Wer wirft sich über sie hinaus – und zerstört das glatte Rund? Wer verwüstet das Werk? Wer schleudert sich höher und wütet am Ganzen? Wer scheidet Glied von Glied und stört in die Vollendung? Wer erschüttert das Werk, das auf allen liegt? Ist euer Finger mehr als die Hand, euer Schenkel mehr als der Leib? – Der Leib sucht den Dienst aller Glieder – eines Leibes Hände schaffen euer Werk. Durch euch rollt euer Werk – ihr seid Straße und Wanderer auf der Straße. Eins und keins – im größten die kleinsten – im kleinsten die wichtigsten. Teil mit eurer Schwäche an jedem – stark und mächtig im Schwung der Vereinigung! – *Seine Worte hallen über den Markt hin. Seherisch belebt.* Schreitet hinaus – in das Licht – aus dieser Nacht. Die hohe Helle ist angebrochen – das Dunkel ist verstreut. Von allem Tiefen schließt das siebenmal silberne Leuchten – der ungeheure Tag der Tage ist draußen! – *Eine Hand über die Bahre streckend.* Er kündigte von ihm – und pries von ihm – und harrte mit frohem Übermute der Glocke, die zu einem Fest schwang – – dann hob er den Becher mit seinen sicheren Händen vom Tisch und trank an ruhigen Lippen den Saft, der ihn verbrannte. – – – *Er zieht den Knaben dichter zu sich.* Ich komme aus dieser Nacht – und gehe in keine Nacht mehr. Meine Augen sind offen – ich schließe sie nicht mehr. Meine blinden Augen sind gut, um es nicht mehr zu verlieren: – ich habe den neuen Menschen gesehen – in dieser Nacht ist er geboren! – – Was ist es noch schwer – hinzugehen? Braust nicht schon neben mir der stoßende Strom der Ankommenden? Wogt nicht Gewühl, das wirkt – bei mir – über mich hinaus – wo ist ein Ende? Ins schaffende Gleiten bin ich gesetzt – lebe ich – schreite ich von heute und morgen – unermüdlich in allen – unvergänglich in allen – – – *Er wendet sich um, der Knabe führt ihn behutsam nach rechts, die Schritte hallen lange in der Gasse.*

Zwei Gewählte Bürger treten zu Jean de Vienne, der sich vor den anderen der Bahre genähert hatte. Einer legt ihm

*die Hand auf die Schulter; der andere zeigt hin, wie das
wachsende Licht nun fast die ganze Kirchentür erhellt.*

JEAN DE VIENNE *sieht fragend nach ihnen auf – dann rafft
er sich auf, weist auf Eustache de Saint-Pierres Leiche.* Einer
schritt vor euch hinaus – fällt es schwer auf einen von euch
ihm zu folgen? – *Stärker.* Schwankt einer von euch – wenn
ich die Last des Schlüssels auf seine Hände lege?

Die Sechs strecken die Arme nach ihm aus.

JEAN DE VIENNE *dem Nächsten den Schlüssel übergebend.*
Wer von euch ist der erste – der letzte? Wer unterscheidet
zwischen euch? Eines Leibes Hände greifen – tragen! – Der
Morgen ist hell – nun schicken wir sechs hinaus – der siebente
liegt hier: – wir stehen bei diesem aus eurer Schar – wie
unter euch an eurem Ziel! – vor diesem geduldig und still! –
Er streift das Tuch ganz von der Bahre.

*In der lautlosen Stille um den Markt brechen die Sechs auf
– leise klatschen die nackten Sohlen auf den Steinen.*
*Die Gasse links hat sich vor ihnen weit geöffnet; aus ihr
nähern sich schnell klirrende Schritte.*

DER ENGLISCHE OFFIZIER *prunkend gerüstet, von einem Sol-
ten gefolgt – tritt den Sechs entgegen und hebt seinen Arm
auf.* Jean de Vienne – der König von England schickt an
diesem Morgen!
JEAN DE VIENNE *ihm zurufend.* Die Frist ist nicht versäumt:
mit dem frühen Morgen sollen sechs aus den Gewählten
Bürgern von der Stadt aufbrechen und sich im Sande vor
Calais überliefern. Wir stehen am frühen Morgen hier!
DER ENGLISCHE OFFIZIER *zu den Sechs.* Verzögert den Aufbruch! – *Zu Jean de Vienne tretend.* Der König von England schickt an diesem Morgen diese Botschaft in die Stadt
Calais: – in dieser Nacht ist dem König von England im
Lager vor Calais ein Sohn geboren. Der König von England
will an diesem Morgen um des neuen Lebens willen kein
Leben vernichten. Calais und sein Hafen sind ohne Buße
von der Zerstörung gerettet!

Tiefes Schweigen herrscht.

DER ENGLISCHE OFFIZIER. Der König von England will an diesem Morgen in einer Kirche danken. Jean de Vienne – öffne die Türen – die Glocken sollen läuten vor dem König von England!

Aus der Gasse links dringt ein Strom englischer Soldaten – prächtig gepanzert, an den Lanzen Fahnenstreifen; sie bilden rasch eine Gasse, die über den Markt die Stufen auf nach der Kirchentür mündet.

JEAN DE VIENNE *richtet sich auf. Sein Blick schweift nach den Sechs, die inmitten der Gasse sich ihm genähert haben.* Hebt diesen auf und stellt ihn innen auf die höchste Stufe nieder: – der König von England soll – wenn er vor dem Altar betet – vor seinem Überwinder knien!

Die Sechs heben die Bahre auf und tragen Eustache de Saint-Pierre auf ihren steil gestreckten Armen – hoch über den Lanzen – über die Stufen in die weite Pforte, aus der Tuben dröhnen.
Glocken rauschen ohne Pause aus der Luft.
Das Bürgervolk steht stumm.
Aus der Nähe scharfe Trompeten.

DER ENGLISCHE OFFIZIER. Der König von England!
JEAN DE VIENNE und DIE GEWÄHLTEN BÜRGER *stehen erwartend.*

Das Licht flutet auf dem Giebelfeld über der Tür: in seinem unteren Teil stellt sich eine Niederlegung das; der schmale Körper des Gerichteten liegt schlaff auf den Tüchern – sechs stehen gebeugt an seinem Lager. – Der obere Teil zeigt die Erhebung des Getöteten: er steht frei und beschwerdelos in der Luft – die Köpfe von sechs sind mit erstaunter Drehung nach ihm gewendet.

[1912/13; 1913/14; 1923; 1923]

EUROPA

Spiel und Tanz in fünf Aufzügen

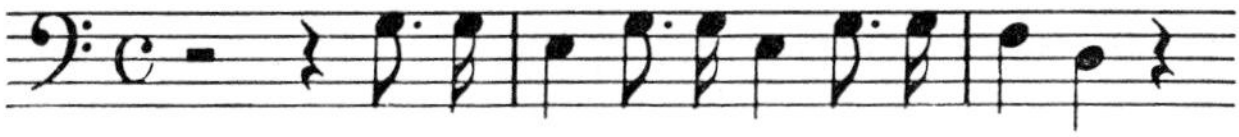

MENSCHEN UND GESTALTEN

KÖNIG AGENOR
EUROPA
DIE MÄNNER
DIE MÄDCHEN
ERSTER, ZWEITER TÜRHÜTER
DER ANFÜHRER DER FREMDEN KRIEGER
DIE FREMDEN KRIEGER
ZEUS
HERMES

DER ERSTE AUFZUG

Stille Meerbucht. Eine mächtige Wasserweide wölbt sich über dem blumigen Wiesengrund und blauen Flutspiegel. Hinten taucht ein weißer Wolkenball auf und fährt rasch mit Sausen und Singen heran. Schließlich steht er verklingend über dem Weidenwipfel.

STIMME *in der Wolke.* Land.
ANDRE STIMME *in der Wolke.* Ein günstiger Landungsplatz.
DIE ERSTE STIMME *in der Wolke.* Wir gehen nieder.

Die Wolke senkt sich auf die Weide.

DIE ERSTE STIMME *in der Wolke.* In welche Gestalt verdichten wir uns?
DIE ZWEITE STIMME *in der Wolke.* Die Gegend hat ein friedliches Aussehen.
DIE ERSTE STIMME *in der Wolke.* Wir wollen uns den Anschein von Fischern geben.

Der Wolkenhaufen schrumpft um einen festen Kern zusammen und ist ganz aufgezehrt: auf der Wipfelfläche sitzen Zeus und Hermes – beide mit rundrandigem Binsenhut und knappem Schurz.

HERMES *umschauend.* Ich glaube, daß wir uns auf den ungeeignetsten Fleck der Erde niedergelassen haben.
ZEUS. Ich bin für den Anfang zufrieden. *Er reckt und dehnt alle Glieder.*
HERMES. Eine strotzende Wiese, die als fette Weide für eine Herde Hornvieh nützlich ist.
ZEUS. Laß mich meine Verwandlung genießen.
HERMES. Du hättest besser als frischer Stier an den saftigen Grashalmen gerauft.
ZEUS. Mensch bin ich.

HERMES. In der armseligsten Verkörperung, die kalte Fische im Flachwasser greift.

ZEUS. Da bist nicht Gott genug –

HERMES *mit unterwürfiger Geste.* Hermes, der Götterbote.

ZEUS. Ich bin Zeus.

HERMES *wie vorher.* Du bist Zeus.

ZEUS. Ich weiß jedes, ich sehe jedes, ich durchschaue jedes. Für mich hat jedes kein Vorher und kein Nachher. Ich fahre als helle Wolke über Wolken am stetig klaren Himmel hin und her, starr in der Bewegung – und flüchtig weilend. Es ist die höchste Langeweile.

HERMES. Suchst du von diesem Weidengipfel ein unterhaltsames Abenteuer?

ZEUS. Es ist da, wie ich verwandelt bin. Der Mensch ist das süße Abenteuer. Er kostet das Geschehen. Er ist im Taumel der Stunden verfangen. Keine ist wie die andere. Die nächste schleudert einen Schwall von Wundern auf den Strand. Mit tappenden Händen greife ich hinein. Ich ziehe aus dem Schwarm das bunteste Stück hervor. Hier halte ich es. Ich staune – und bin von Menschenglück erschlagen.

HERMES. Meine Hoffnung ist geschwunden, hier wohnen keine Menschen.

ZEUS. Die Erwartung bebt in meinem Blut, das meine Haut von innen mit feurigen Hagelschauern peitscht. Ich brenne von Ungeduld, die mehr verheißt, als ich noch denken kann. Mir schwindelt. Wir können uns an den niederhängenden Zweigen dieser Weide bequem bis auf den Boden herablassen.

HERMES. Ich flechte Weidenkörbe für unsere Fische, die du so lange fischst.

ZEUS. Wir wollen rasch landeinwärts. *Er will abgleiten.*

HERMES *ihn unter den Achseln aufhaltend.* Ein Mensch kommt.

ZEUS. Woher?

HERMES. Er durchschreitet die Wiesensenkung. Da kommt er wieder.

ZEUS. Nieder hier oben mit uns. *Sie werfen sich flach aufs Wipfellaub.*

Der nun kommt, ist von seltsamer Kleidung und Haltung: den hageren Leib behängen weite honiggelbe und mildblaue Gewänder. Weichen Haars überlanges Vlies reicht tief, in

müder Trauer fällt der Kopf geneigt. Doch von einer ge-
messenen Tanzbehendigkeit sind die Glieder belebt: nach
Schritten aus hochgeworfenen Knien Stillstand, die gerundet
erhobenen Arme drehen die Schultern. In solchem Wechsel
von Rast und Regung erreicht er den Rand des Wassers. Hier
kniet er hin. Aus Gemurmel wächst unsäglichen Schmerzes
Wort: »*Europa!*« – *schwillt in redseligen Wiederholungen zu*
schärfsten Selbstpeinigungen an: »*Europa!*« – *zerfließt zu*
wollüstigem Flüstern: »*Europa!*« – *Dann richtet er sich lang-*
sam auf. Er starrt über das Wasser, seine Mienen gewinnen
Glanz, wie zum Umfangen sind seine Arme hinausgestreckt.
Mit Jubelruf bricht es von seinem Munde: »*Europa!*« – *Und*
ohne Pause den Ruf ausstoßend setzt er – doch leichter und
frohlockend jetzt – jenen Tanz fort, in dem er ankam, und
steigt in das Wasser. So entfernt er sich und wird von der
Flut höher und höher ergriffen.

HERMES *sich aufstützend.* War das ein Mann? Mit offenem
Hängehaar? In himmelblauen Röcken und honiggelben Un-
terröcken? Drehte er nicht Arme und Hüften wie ein ver-
liebtes Mädchen, das morgen seinen Bräutigam hat? Warum
steigt er in die Flut? Will er sich abkühlen?
ZEUS *starrt wortlos.*
HERMES *in die Hände klatschend.* Unser Fisch ist es. Die
Beute, die wir suchen. Wir haben den Golf der fabelhaften
Fischwesen gefunden. Wir halten unsere Entdeckung nur für
den höchsten Preis feil. Zittere, Zeus, du stehst an der
Schwelle deines Glücks. Ihm nach, daß er uns nicht unter
Wasser wegrudert.
ZEUS *verändert seine Haltung nicht.*
HERMES. Siehst du nicht, wie ihn das Wasser freut. Er plät-
schert mit Händen und Füßen. Jetzt faßt ihn die Welle un-
ter das Kinn. Seine Mähne schwimmt wie ein Floß hinter
ihm. Wenn sie sich vollgesogen hat, sinkt er unweigerlich
ganz unter.
ZEUS *ihn auf die Schulter schlagend.* Der Namen?
HERMES. Wir machen ihm einen durchschlagenden.
ZEUS. Der Namen – der Namen?
HERMES. Später. Es gilt ihn zu fragen.
ZEUS. Was meinte er? Was rief er an? Was hat es für eine
Bewandtnis mit ihm? Er weinte ihn – er lachte ihn – er
schrie ihn – er seufzte ihn. Er warf ihn ins Gras – er riß ihn

hoch – er treibt ihn ins Meer. Ist es ein Land – eine Insel – die einsam schön im Meer schwimmt?

HERMES. Ich sehe weit und breit nur Wasser.

ZEUS. Was ist das, das diesen Namen trägt, von dem ein Zauber funkelt, der ihn von Sinnen bringt. Hörst du ihn nicht?

HERMES. Jetzt ist er still.

ZEUS. In meinem Kopf gellt er. Er reißt an den Strängen meines Hirns. Er wühlt mich bereits maßlos auf. Er muß mir sagen, was es mit diesem Namen auf sich hat. Ich spüre, alles hängt daran.

HERMES. Da ist er verschwunden.

Wirklich ist die Stimme verstummt und die Gestalt im Meer untergegangen.

ZEUS *lebendig*. Wir müssen ihn retten. Wir ziehen ihn wieder hoch, ehe der Strom ihn aus der Bucht spült. Er soll mir die Erklärung geben, er darf sie nicht mit sich zu den stummen Muscheln loten. Wir sind fast nackt, wir schwimmen rüstig. *Er hängt schon in den Zweigen.*

HERMES *ihn schnell um den Leib packend*. Wieder herauf.

ZEUS. Rasch hinab.

HERMES. Willst du deine Verwandlung selbst Lügen strafen, indem du dich vor allen Augen aus der Höhe auf die Erde herabläßt?

ZEUS. Wer kommt?

HERMES. Zwanzig für einen.

ZEUS *aufwärts turnend*. Neue?

HERMES. Sie gleichen ihm wie ein Barsch dem andern.

ZEUS *im Wipfel*. Sie bringen mir die Antwort auf meine brennende Frage. *Sich langlegend*. Verwühl dich.

HERMES. Und der Tropf, der draußen zuviel Tropfen schluckt?

ZEUS. Wer?

HERMES. Du kannst schnell vergessen.

ZEUS. Ich bin ein Mensch, der vor Neugierde flammt.

HERMES. Da soll man Wasser von Feuer fernhalten. *Beide liegen wie zuvor.*

Paarweise geordnet mit jenem eigentümlichen Tanzschritt treten Männer in ungefährer Anzahl von zwanzig auf den Plan. Nur der letzte schreitet ohne Nebenmann. Sie sind übereinstimmend mit dem früheren Ankömmling gekleidet, auch wallt ihnen das ungeschnittene Haar in den Rücken. Doch ihr Alter und Wuchs sind von erheblicher Verschiedenheit. Es gibt unter ihnen lange und untersetzte, hagere und bäuchige, bläßliche und rotbäckige. Aber allen ist dieselbe trauervolle Niedergeschlagenheit gemeinsam. Im mittleren Wiesenraum schreiten sie ihren figurenarmen Tanz zu Ende und bilden schließlich einen Kreis. – Der letzte, der sich gleich im Anfang von allen trennte, lehnt abseits am Stamm der Weide.

EINER *hager.* Wie gelang die Ankunft?

EIN ZWEITER *gedrungen.* Ich schritt flüchtig, wie von heimlichen Winden unter mir gehoben.

DER DRITTE *bleich.* Ich stieg schwellend aus feurigem Kern.

DER VIERTE *wangenrot.* Ich fiel von Kräften und bin jetzt selig matt.

DER FÜNFTE *überlang.* Ich walle ungesehen weiter.

DER SECHSTE *kreuzbeinig.* Ich schwebte wie auf geraden Stelzen.

DER SIEBENTE *dünn.* Ich blähte mich zur runden Wolke auf.

DER ACHTE *dick.* Ich trieb als verlorene Feder, die hoch ein grüner Vogel aus dem Gefieder schüttelte.

DER NEUNTE *fahl.* Ich wucherte als rote Flamme, die von steiler Kerze züngelte.

DER ZEHNTE *schweißnaß.* Ich eilte mich nicht und doch sauste ich.

DIE ÜBRIGEN *schon zu jeder Äußerung eifrig kopfnickend, jetzt laut.* Unsere Ankunft gelang.

DER ERSTE *mit erhobener Stimme.* Wir sind würdig, wir dürfen ihn aussprechen.

ALLE *in dumpferem Murmeln.* Europa.

ZEUS *im Wipfel hochschnellend.* Der Namen!

HERMES *ihn packend.* Du verrätst uns.

ZEUS. Sie nennen ihn auch.

HERMES. So wissen sie mehr.

DER NEUNZEHNTE *am Stamm, mit halber Stimme.* Der Würdigste fehlt unter euch.

DER ELFTE *den nächsten um die Schulter fassend.* Seht doch, wo wir sind.

DER ZWÖLFTE *einen umschlungen mit sich führend.* Zu glattem Spiegel steht die Flut still.

DER DREIZEHNTE *ebenso mit einem.* Unter grünen Schatten ladet weite Wölbung dieser Weide ein.

DER VIERZEHNTE *ebenso.* Die Aue lacht.

DER FÜNFZEHNTE *niederstürzend.* Blumen.

DER SECHZEHNTE *ebenso.* Krokus.

DER SIEBZEHNTE *ebenso.* Hyazinthen.

DER ACHTZEHNTE *ebenso.* Veilchen.

DIE ÜBRIGEN *mit wachsender Entzückung.* Es ist hier schön.

DER ELFTE. Wir wollen uns lagern.

DER ERSTE. Wir winden Kränze.

ALLE. Kränze auf unser Haar. *Sie werfen sich in seligem Taumel nieder, pflücken Blumen und rinden sie zusammen.*

HERMES *im Wipfel zu Zeus.* Dein Atem stößt vernehmlich.

ZEUS. Es kann der Wind sein, der im Laub wühlt.

HERMES. Kein Lüftchen regt sich.

ZEUS. Ich bin erregt.

HERMES. Der ganze Baum wogt, er wird dich abschütteln.

ZEUS. So halte mich am Schurz.

Die Kränze sind gewunden und ums Haar gedrückt.

DER NEUNZEHNTE *am Stamm, ohne sich zu regen.* Die Blüten glühen nur auf dem Haupt des einen, der nicht da ist.

DER ERSTE *zu einem im Kreis* Wir liegen auf blumigem Gras und sind bunt bekränzt, sollen wir hier stumm bleiben?

DER ZWEITE. Wir reden nun in der Reihe.

DER DRITTE *die Stirn senkend.* Wartet kurz, ich denke noch an sie.

ZEUS *im Wipfel mit unterdrücktem Aufschrei.* Ein Weib!

HERMES. Bist du zufrieden?

ZEUS. Nein, um keinen Preis, ohne sie gesehen zu haben.

HERMES. Du wirst sie sehen.

ZEUS. Ich muß gleich hinunter.

HERMES. Das würde der dümmste Anfang sein.

ZEUS. Wann machen die hier ein Ende?

HERMES. Ruhe.

DER NEUNZEHNTE *am Stamm.* Schweigt doch, wenn der Beredteste seinen Mund nicht öffnet.

DER DRITTE *den Kopf hebend.* Europa ist kein Weib. Ist Duft, Form – Hauch, Gestalt? Europa ist Duft ohne Form – Europa ist Hauch ohne Gestalt. Faßt sie sich selbst? Fühlt sie sich selbst? Ist sie nicht mit jedem Glied sich selbst fremd?

Rühren sich ihre Finger, an derselben Hand verwurzelt, an? Streift, im Knoten verschlungen, Haar an Haar? Finger kennt Finger ihrer Hand nicht. Haar streift Haar im Knoten nicht. Europa ist kein Leib. Europa ist kühler Duft, der strömt. Europa ist dünner Hauch, der zerfließt.

Es herrscht Stille.

HERMES *im Wipfel, Zeus anstoßend.* Kennst du sie jetzt gründlich?
ZEUS *stößt ihn zurück.*
DER NEUNZEHNTE *am Stamm, schüttelt unwillig den Kopf.*
DER VIERTE *aufwärtsblickend.* Europa ist streng. Sie herrscht kühn und mächtig. Sie ist letzte Würde und stärkster Befehl. Sie sitzt fern auf hohem Thron. Kein Knie beugt sich vor ihr tief genug, um sie zu erreichen. Keine Arme reichen hoch genug, auf die sie sich neigt. Keine Stimme fleht laut genug, daß sich ihre Ohren füllen. Europa ist unnahbar.

Das gleiche Schweigen im Kreis.

HERMES *im Wipfel zu Zeus.* Hörst du genug?
ZEUS *schüttelt verweisend den Kopf.*
DER NEUNZEHNTE *tut Schritte vom Stamm weg, doch kehrt er wie unter einem müden Verzicht an den Stamm zurück.*
DER FÜNFTE. Europa ist weißer Schein – gefüllt in glasige Schale. Wer mit heftigem Finger anrührt, zerbricht die dünnen Wände. Vielleicht erwartet sie den Anstoß, mit dem der Inhalt ausgegossen wird. Dann kehrt er zurück zu seinem Ursprung. Der ruht auf einem Stern. Und Stern ist sie wieder und brennt mit mildem Feuer im blauen Himmel der Nacht – und stiller noch im blassen Himmel des Tags. Vielleicht kommt einer, der rührt mit solcher frevelnden Gebärde hart an. Der zerbricht die zarte Schale. Dann wird Europa aus ihrer gläsernen Haft befreit und strebt nach ihrem Stern. Ich hätte nicht den Mut zu diesem Frevel. Wer hat ihn? Wo ist er? Wann kommt er?
HERMES *im Wipfel.* Du schnaufst zu mächtig.
ZEUS. Es können Kühe sein, die hinterm Wiesenhang weiden.
HERMES. So faucht keine Melkkuh.
ZEUS. Dann grast ein Stier bei ihnen.

HERMES. Den will ich gelten lassen.

DER SECHSTE *will beginnen.* Europa –

DER NEUNZEHNTE *rasch zu ihnen tretend.* Genug von leerem Schall und blödem Schwall. *Sie blicken ihn erstaunt an.* Herunter die Kränze. Steht auf. *Einige richten sich betroffen halb auf.* Graust euch nicht vor eurem Gestammel? Grinst euch nicht die kahle Armut an? Liegt ihr hier nicht nackt und frierend? Ihr redet und rühmt und feiert. Wie öde sind euer Ruhm und Rede und Feier. *Die Arme erhebend.* Eumelos ist nicht da.

EINER. Der immer an deiner Seite mit uns ging?

DER NEUNZEHNTE. Begreift doch: Eumelos ist nicht da. Sein schlanker Leib blüht nicht im Gras – seine helle Stimme harft nicht die Luft – seine hohen Knie lenken nicht den Tanz. Schweigt doch, steht auf, steht auf, steht still. Sind wir würdig ohne Eumelos?

Alle schweigen betreten.

EINER. Wo ist Eumelos?

HERMES *im Wipfel, Zeus' Kopf nach der Bucht drehend.* Unser Fisch kehrt vom Meer zurück.

ZEUS. Er liegt merkwürdig steif oben auf dem Wasser.

HERMES. Er hat sich sattgeschluckt für alle Zeiten.

ZEUS. Sie sollen ihn aufs Land ziehen und hin und her wälzen.

HERMES. Sie sind zu sehr mit sich beschäftigt.

ZEUS. Ich gebe ihnen ein Zeichen.

HERMES. Es ist zu spät.

Auf dem Wasserspiegel still treibend landet die Leiche jenes ersten Ankömmlings.

DER NEUNZEHNTE *hinlaufend.* Hier liegt Eumelos tot. *Er stürzt wie leblos zusammen.*

Die andern treten hinzu.

EINER. Wie ist das geschehen?

EIN ANDERER. Ist er im Bad verunglückt?

EIN DRITTER. Nein, er trägt seine Kleider.

EINIGE *zustimmend.* Er trägt alle Kleider.

EIN VIERTER *mit stockender Frage.* Warum hat er sich –?

ANDERE *murmelnd*. Warum?
EIN FÜNFTER. Hebt ihn heraus.

Sie ziehen ihn aus dem Wasser und legen ihn inmitten der Wiese nieder.

HERMES *im Wipfel*. Den andern hat der Anblick eines Toten scheinbar erschlagen.
ZEUS. Er steht schon wieder auf.
DER NEUNZEHNTE *erhebt sich langsam und geht zur Gruppe in der Mitte. Auf den Toten schauend*. Eumelos tot. Diese Knie steif – diese Hüften lahm – dieser Mund still. Trauert – trauert. Der Verlust ist herber wie keiner. Eumelos steif – still. *Sich an die andern wendend*. Trauert tiefer – füllt euch mit Trauer. Wißt ihr, wer heute starb? Europa starb.
ZEUS *wirft sich im Wipfel hoch*. Das ist unmöglich!
HERMES. Warte noch ab.
DER NEUNZEHNTE *mit wachsender Klage*. Der hier liegt, durch ihn lebte Europa aus. Durch seiner Füße Tanz wandelte sie – durch seiner Worte glühenden Strom atmete sie. Er hob sie auf ihren Thron – er lobte sie zu den Sternen hinauf – er blies sie zu wehender Wolke über den Himmel hin. Er stellte sie nah dem silbernen Mond in blasser Nacht – unnahbar uns. *Nach einer Pause*. Eumelos tot. Wir stehen verlassen. Wer zeigt uns nun Europa? Durch seine Augen sahen wir Europa. Wer führt uns nun vor ihren Sitz mit würdigen Tanzschritten? Wer wirft uns nieder und lehrt uns Staunen? Wer enthüllt uns mit herrlicher Offenbarung Europas Fabel? *Nach neuer Pause*. Verwaist bleiben wir zurück. Er nahm unsere Schätze mit sich. Wir klingeln mit kupferner Münze. Der Klang ist arm – wir sind alle Bettler. *Aufblickend*. Eure stumme Frage forscht nach dem Grund? Warum ging er von uns weg? Warum faßte er diesen Entschluß? Warum schied er so früh vom Augenblick Europas? Warum machte er sich stumm und dürftig, wie Tote sind? *Fast jubelnd*. Er ist nicht dürftig – Eumelos ist der reichste. Er lacht jetzt im Glück. Er ist ganz selig. Fragt nicht hier – forscht nicht hier, ich will es euch sagen, wo ich es sagen will. Tragt diesen berstenden Schrein des Glücks auf euern Schultern und schreitet im kühnsten Tanzschritt. Eure Kränze auf ihn – und Blumen – mehr Blumen – alle Blumen über ihn.

Sie betten ihn auf ihre Schultern, legen die Kränze auf ihn und reißen Büschel von Blüten aus, die sie auf ihn häufen, bis er ganz verdeckt ist.

DER NEUNZEHNTE. Ich führe euch an, wohin ich euch führe – und tanzt schneller, tanzt freier.

Mit belebtem Tanzschritt entfernt sich der Zug.
Zeus und Hermes schwingen sich aus dem Wipfel.

ZEUS. Was ist das für ein Weib, vor dem die Männer zu Weibern werden?

HERMES. Nach deinem Geschmack wird diese Europa schwerlich sein.

ZEUS. Warum nicht?

HERMES. Weil du in deinen menschlichen Verwandlungen mehr für das Handfeste schwärmst.

ZEUS. Ist sie mir nicht in den verlockendsten Farben geschildert?

HERMES. Nach allem, was wir gehört haben, ist sie recht farblos.

ZEUS. Sie blüht mächtig in meinem Blut.

HERMES *achselzuckend*. Reiner Schein – Duft – Hauch – ich weiß nicht, es stellt dir bloß ein mattes Vergnügen in Aussicht.

ZEUS. Meine Glut kann einen Stein erhitzen.

HERMES. Vorausgesetzt, daß du weit genug vordringst, um zu wirken.

ZEUS. Bis ans Ziel.

HERMES. Ich fürchte, du wirst vorher an ihrer Unnahbarkeit erlahmen.

ZEUS *Hermes packend*. Erlahmen? Weil sie unnahbar ist?

HERMES. Du weißt es mit zwanzig Zeugen. Einer ging wohl deshalb ins Wasser.

ZEUS. Das ist es ja. Der himmlisch herrliche Widerstand dieses Weibes verheißt das schwindelnd Schönste. Was taugt ein Reiz, der sich feilbietet? Die Frau, die ich suche, muß unnahbar sein für alle – für alle, bis ich komme. Hinter zehnfacher Mauer muß sie sich verschanzen, dann lockt es mich, dann spornt es meine Künste. Ich lasse sie spielen, ich zertrümmere Widerstand auf Widerstand – sie sieht mich nahen – schrittweis – unwiderstehlich – es gibt kein Halten – ich vollführe den letzten Sprung – wir stehen Auge in

Auge – und aufjubelnd sinkt sie in meine Arme. Das ist die Lust, die ich brauche – das Spiel, in dem ich ganz auftaue. Und dann siege ich, wie ich will.

HERMES. Du besitzt einen hinreißenden Schwung der Rede.

ZEUS. Mache ich selbst dein zähes Ziegenleder mürbe?

HERMES. Ich bin dabei. Europa ist dein, oder –

ZEUS. Kein Oder. Komm, wir dürfen ihre Spur nicht verlieren.

HERMES. Du hältst dich hinter mir. Du könntest es in deiner Erregung an der nötigen Vorsicht fehlen lassen.

ZEUS. Du erforschst die Situation.

HERMES. Und du wirst Herr der Situation. *Sie schleichen in der Richtung des Zugs davon.*

DER ZWEITE AUFZUG

Im Rund ein Hof, von einer Marmormauer umzogen. Mitten ein kurzer Säulenstumpf – nach Art der Grabzeichen mit schräger Bruchstelle. Links und hinten Türen.

AGENOR *in schwerem Bauschgewand aus schwarz und gold – hält die Säule umfaßt.* Kadmos – ich stehe in deinem Hof, wie ich an jedem Tag zu dieser Stunde hier bin, um nach dir zu rufen. Kadmos – hörst du mich auch heute nicht? Gleitet mein Ruf am Schweigen des starren Himmels hin und versinkt ungehört im Meer? Kadmos – Kadmos, weilst du noch unter den Lebenden, die alle leben mit grauem Scheitel und trüben Gebrechen? Nur deine frische Jugend mußte sterben? Ich kann mich nicht mit allen Kräften meines Verzichts, über die das Alter in so reichem Maße verfügt, entschließen, daran zu glauben. Ich habe auch nicht den Willen, mich zu bescheiden. Wie du aus diesem Haus deiner glücklichen Kindheit gegangen bist – wer hatte sie wie du in diesem Haus? – so kommst du wieder: an einem Morgen stehst du in der Tür, und der Blick fällt von meinem Lager auf dich, und ich drehe mich auf die Seite und schlafe mich von schwerstem Traum aus. Ich belästige dich mit keinem Vorwurf – ich frage dich nicht nach diesem Wohin und Woher, wie Väter gern ihre erwachsenen Söhne quälen – dein Wiederdasein hat das Rätsel gelöst, und es ist verziehen und vergessen. *Mit ausbrechender Klage.* Warum bist du aus dem Haus gegangen? Habe ich dich erzürnt? Habe ich es an diesem oder jenem fehlen lassen? Ich weiß es ja nicht. Du wohntest bei mir gehegt und gepflegt. War es nicht genug? Ich will mit allen Mitteln auf Abhilfe sinnen. Ich verspreche es dir – ich gelobe es. Das ist nicht der Schwur eines Vaters, der schnell wankelmütig wird – es ist der Eid des Königs. *Nach einem Verstummen.* Ich habe diesen Totenhof gebaut, um einen Raum für meine Trauer zu haben. Ich habe diese Grabsäule errichtet – soll ich mich entschließen, deinen Namen in den Stein meißeln zu lassen? Dann gebe ich die Hoffnung hin und beraube mich der letzten Zuversicht. Dann wird es öde und grau und stumm überall. *Stark.* Ein Vater klagt um seinen Sohn. Müssen die Winde nicht aufwallen und über die Erde streifen und nicht rasten, bis sie mir Botschaft von Kadmos bringen?

Aus beiden Türen zwei langarmige bucklige Türhüter.

AGENOR *voll Zorn.* Wagt ihr es, hier einzudringen?
DER ZWEITE TÜRHÜTER *vom ersten durch Zeichen ermuntert.*
Wir suchten schon – *Er bedeutet den ersten zu sprechen.*
DER ERSTE TÜRHÜTER. Im ganzen Palast –
AGENOR. Könnt ihr nicht warten? Ist der Tag nicht leer und
lang?
DER ZWEITE TÜRHÜTER. Wir würden uns gedulden –
DER ERSTE TÜRHÜTER. Wir wollten uns gedulden –
AGENOR. Wer mäßigt seine Hast vor dieser Schwelle nicht?
BEIDE TÜRHÜTER. Der fremde Bote, der nach dir fragt.
AGENOR *staunend.* Ein Bote – und fremd – und fragt nach
mir? Kennt ihr ihn nicht? Ihr sagt ja – fremd. Fremd muß
er sein – sonst käme er ja unbeglaubigt. Fremder Bote –
kein Wort, das so von heimatlichem Klang zittert. Er
kommt, das Haus mit Dasein wieder zu füllen. Fremder
Bote – nächster Freund. *Zu den beiden.* Führt ihn hierher,
ich kenne ihn. Grüßt ihn von mir und achtet ihn hoch. Ich
empfange ihn hier aufrecht, ich bin kein König vor ihm –
ich bin nur noch Vater. Lauft und kehrt zurück.

Die beiden ab.

AGENOR *die Arme aufwärts hebend.* Winde – habt Dank.
Ströme der Luft – bedankt. Ruhm eurem Dienst. Ihr weht
nicht tot, ihr bindet das Lebende an das Lebende – und wo
es lebt, da wird es laut vom Ende zum Ende der Welt. Zum
letztenmal besuchte ich diesen Hof der Schmerzen – diese
Säule des väterlichen Grams, nun sprießt der Stein mit Wurzeln meiner Freude und breitet blühende Zweige des Glücks
über das ganze Haus. Kadmos lebt und schickt mir seinen
Boten.

DIE BEIDEN TÜRHÜTER *linkt mit Hermes.* Das ist der König
Agenor. *Beide ab.*

AGENOR *sich Hermes ungestüm nähernd.* Ich gehe dir entgegen. Lege jede Scheu ab. Ich entkleide mich vor dir meiner
Würde, die ich unter den Menschen habe. Was übrig ist, ist
deine Stimme, die mir ins Innerste dringen soll.
HERMES *bleibt verwundert stehen.*

AGENOR. Halte nicht Umschau. Wundere dich über nichts. Es ist ein Hof, wie eine Laune ihn baut. Auch würde die Erklärung von deinem Bericht überholt. Sprich ihn nun.

HERMES *sich sammelnd.* Mein Herr ist heute auf einer Wiese deines Landes gelandet.

AGENOR *in größter Freude.* Er ist schon hier?

HERMES. Er hält sich noch zurück.

AGENOR. Warum kommt er nicht?

HERMES. Er ist seines Empfangs nicht gewiß.

AGENOR. Ich nehme ihn in offene Arme.

HERMES. Sein Wunsch ist heikel und kühn.

AGENOR. Erfüllt, wie ich erfüllen kann.

HERMES. Er gab mir den Auftrag —

AGENOR. Mir seinen Befehl.

HERMES. Er bittet dich um die Hand deiner Tochter Europa.

AGENOR *weicht zurück. Kopfschüttelnd.* Der Bruder begehrt nicht seine Schwester. *Wieder an der Säule.* Schöne, im Keim erstickte Hoffnung. Sie wärmte mit raschem Feuer — um doppelt kalt diesen Stein zu fühlen. Kadmos — Kadmos, muß ich deinen Namen wirklich in die kühle Säule betten?

HERMES *pfeift in einiger Verlegenheit durch die Zähne.*

AGENOR *sich aufraffend.* Wer ist dein Herr?

HERMES *im Bestreben, seinen offensichtlichen Fehler gutzumachen.* Es ist nicht mehr von ihm die Rede. Eine Laune von ihm, wie du sagtest. Mein Herr ist lustig und guter Dinge. Aber du trägst einen Schmerz. Teile ihn mit, daß wir ihn mit dir teilen.

AGENOR *weil er angenehm berührt ist, abweisend.* Auch von ihm ist nicht die Rede. Er bleibt mein Eigentum. Laß uns Freuden teilen, die schnell unsere Freundschaft binden. Woher des Wegs auf meine grüne Wiese?

HERMES. Nein, jeder andere Gedanke wäre ein Frevel. Ich stehe ganz im Bann dieses — *Er blickt sich fragend um.*

AGENOR. Nun — ich hätte lieber geschwiegen, dennoch tut mir deine Neugierde wohl.

HERMES. Sie kommt aus ehrlichem Gemüt.

AGENOR. Ich könnte mit der Wendung, die allgemein zur Erleichterung von Auseinandersetzungen üblich ist, beginnen: Wisse denn — *Er stockt.* Aber wenn du weniger anspruchsvoll bist und meinem Kummer Rechnung trägst, der kunstvollere und persönlichere Bildungen hemmt — *Er sieht ihn an.*

HERMES *ermunternd*. Wisse denn –

AGENOR *nickt erleichtert zustimmend*. Ein Sohn wuchs mir auf. Eine so wundervolle Hinterlassenschaft meiner Frau, daß ich noch heute zu ihrer Grabstelle mit Jubel und Jauchzen walle. Tadellos geformt an Leib und Seele – in vollendeter Harmonie ein Mensch. Ich hegte ihn wie ein Jäger das junge Reh, das er in seinem Waldbezirk aufgriff. Siebzehn Jahre übte ich an ihm meine Sorge mit so schönem Erfolg, daß ich vor der Zukunft keine Befürchtungen hatte. Aber die Zeit spottet unserer Voraussicht. Am Tage, da er das achtzehnte Jahr begann – ich hatte eine Feier von größtem Umfang gerüstet, denn mit diesem Jahr werden die königlichen Söhne Thronerben – am Morgen dieses Tages fanden wir Kadmos nicht – und fanden ihn bis zum Abend nicht – und niemals. Er schickte keine Nachricht – obwohl ich stündlich auf einen Boten von ihm harre. Verzeih meine Aufwallung, mit der ich dich für einen anderen begrüßte – und dich wohl meine Enttäuschung fühlen ließ. *Auf Hermes ablehnende Geste.* Ich verfiel in meinen alten begreiflichen Fehler, ich sehe in jedem hochwillkommenen Gast einen Sendling. *Lebhafter fortfahrend.* In der Nacht vor seinem Geburtstag ist Kadmos auf und davongegangen – ohne Gruß und Abschied, ohne Erklärung und Gründe. Wir haben an diesem Rätsel uns wirr geraten und sind der Deutung um keinen Zoll nähergerückt. Er stellte uns vor die Tatsache, und die Tatsache ist von eisiger Kälte. Was du hier siehst, stellt den Ausdruck meiner Empfindungen dar. Ich betrauere meinen verschwundenen Sohn wie einen Toten. Eins, das mir zu tun übrig ist – *Er fährt mit der Hand über die Säulenfront.* Es wäre der letzte Liebesdienst, vor dem ich mich scheue.

HERMES *nähertretend*. Jetzt schäme ich mich, dir die Tochter rauben zu wollen.

AGENOR *überrascht aufblickend*. Warum?

HERMES. Sie blieb dein letzter lieblicher Trost.

AGENOR *wie vorher*. Europa?

HERMES. Sie ist nun dein einziges Kind.

AGENOR *mit schwingender Geste*. Sie ist nicht mein Kind.

HERMES. König Agenors Tochter ist nicht Europa?

AGENOR *heftig*. Europa ist keines Menschen Kind, Europa ist, was sie ist – ich weiß es nicht. Damit schweifen wir ins Finstere. Stoße mit deiner Stirn gegen diese Mauer, du erschütterst sie eher als ihren Starrsinn. Starrsinn, so nenne ich es – ich als Vater gebrauche diese Bezeichnung. Was andere denken, gilt mir gleich. Habe ich nicht als Vater zehnmal recht?

HERMES. Nur ein Vater kennt sein Kind.

AGENOR. Und darum bin ich nicht ihr Vater, ich – *Er bricht, sich umschauend, ab.*

HERMES *an ihn herantretend, gedämpft.* Deine Tochter ist schön wie milchiger Mondschein?

AGENOR *sieht ihn verwundert schräg an. Kopfnickend.* Sie ist es.

HERMES. Ihr Wesen wesenlos wie reiner Hauch?

AGENOR *immer erstaunter.* Ja.

HERMES. Ihr Kopf herrisch?

AGENOR. Ja, ja.

HERMES. Und stolz ist sie bis zur Unnahbarkeit.

AGENOR *einen Schritt zurücktretend.* Du weißt es?

HERMES. Du hörst es.

AGENOR. Und dennoch versucht dein Herr die Frage?

HERMES. Er kann vielleicht seine Ansprüche mehr als ein anderer begründen.

AGENOR. Mit Jugend – Witz – Lust – Feuer? Er wird sich irren. Es gibt nur eine Antwort aus ihrem Munde – wenn sie ihn einer Antwort würdigt: nein – nein – nein. Ich will ihm diese Kränkung ersparen und ihm bestellen: wenn er mit dieser Absicht jene Wiese betreten hat, so soll er eilen aufzubrechen. Er wird so unweigerlich eine Absage ernten, wie – *Mit rascher Geste.* Halte ihn auf seinem Wege hierher auf, es ist vergebliche Liebesmüh.

HERMES. Wenn er mir nur glauben wird.

AGENOR. Er wird daran glauben müssen.

HERMES. Warum muß er?

AGENOR. Ihm hilft das zwanzigfache Beispiel der besten Söhne meines Landes.

HERMES. Warum bemühen die sich vergeblich bei Europa?

AGENOR *verstummt.* – Das ist es ja, ich verstehe mein eigenes Kind nicht.

HERMES. Ich muß meinem Herrn einen klaren, eindeutigen Bescheid bringen.

AGENOR. Ich taste selbst in diesem Dunkel, wo nichts dem festen Griff standhält. *Er legt die Hand auf die Stirn.*

HERMES. Auch mein Herr ist jung und reich –

AGENOR *abwinkend.* Von einem Großvater –

HERMES *die Backen aufblasend.* Großvater –

AGENOR. Ich muß so weit ausholen, um dir ein rundes Bild aufzurollen. Mein Vater empfing das Reich, wie ich es heute unverändert beherrsche: ein Reich ungestörten Friedens. Zwei lange Menschenalter ist kein Streit über seine Grenzen gedrungen. Sagenhaft wurden die Kriege, in denen die Nachbarn niedergeworfen und ausgerottet wurden. Wir kennen keinen Feind in Nord und Ost und Süd und West. Die Waffen zehrte der Rost in den Kellern auf – ich weiß nicht, was ein Schwert ist, ein Speer, ein Schild. Bezeichnungen, die niemand mehr mit dem entsprechenden Gegenstand zu decken vermag. Gegen wen wollten wir Krieg führen? Die Luft befehdet man nicht. Und Blumenhäupter sind keine Gegner. Wir konnten uns also den segensreichen Friedenswerken hingeben. Den segensreichen Friedenswerken – ich habe sie gefördert, ich kann freimütig bekennen: ich habe sie königlich begünstigt. Ich habe auch Erfolge gezeitigt, du wirst auf Schritt und Tritt auf sie stoßen. Ich beziehe mich nicht auf Gebäude und die Inneneinrichtung – das ist ja alles selbstverständlich. Stärker kann ich schon die Umwandlung der ganzen Grundfläche meines Reichs in Gärten betonen. Die Wiese, die du erwähntest, trägt genau so künstlichen Blumenschmuck, wie jeder Baum der Gehölze mit planmäßiger Absicht gepflanzt ist. Wie herrlich steht die große wipfeldichte Weide da, die ich erst neulich mit unendlichen Mühen habe versetzen lassen. Nimm es als Beispiel für den Umfang unserer äußeren Arbeit. *Stark betonend.* Und sie wird von dem inneren Werk zurückgelassen, das wir an uns selbst geleistet haben. Jeder laute Ton ist verbannt. Jede ungefüge Gebärde gelähmt. Hast ist besänftigt und Lärm ist gedämpft. Wir sind die Frucht, die in zwei friedemilden Menschenaltern reifte. Hier wird dir der Anblick zum Erlebnis werden. Mir ist dies Erlebnis zum Besten meines geistigen Besitzes geworden. Allen – keiner kann sich entziehen –. *Er stockt.*

HERMES. Auch auf uns hat es seinen Eindruck nicht verfehlt.

AGENOR *eifrig.* Seid ihr unsern Männern begegnet?

HERMES. Wir genossen den Anblick auf der Wiese.

AGENOR. Sind sie nicht geschaffen, das Herz eines Mädchens zu erfreuen?

HERMES. Sie erschienen uns selbst wie feine Mädchen.

AGENOR. Haben sie nicht alles abgestreift, was grob – was roh ist?

HERMES. Sie schritten nicht mehr – sie tänzelten.

AGENOR. Der Tanz ist die letzte Stufe. Im Tanz ist unsere Rauheit bis auf den Kern gelöst. Der Tanz ist der Ausdruck für die vollkommene Mäßigung der Regungen. Wir sind so weit, es sollte der Gipfel sein –

HERMES. Er ist es.

AGENOR *kopfschüttelnd*. Europa bleibt kühl, ihr genügt es nicht.

HERMES. Was will sie noch?

AGENOR. Was verlangt sie noch? Ich frage mich, ich quäle mich, sie zu ergründen. Der leichteste Tänzer, der wie ein Lufthauch über den Boden schnellt – fast unirdisch – findet keine Gnade vor ihr. Der Mensch ist doch Mensch, und ein Rest von Schwere muß an ihm haften, sonst lebt er ja nicht. Sie kann sich doch nicht mit der Luft vermählen?

HERMES. Nein.

AGENOR *vertraulich*. Und das wird meine größte Sorge. Sie ist ein Kind und verlangt das Unmögliche. Wohin soll denn eine weitere Steigerung führen, wenn die milde Bewegung des Tanzes noch zu stark ist? Eine unendliche Ruhe bedeutet das Ende. Und wie mein Geschlecht welkt, so wird bald der letzte Mensch von den Gefilden meines Landes verschwunden sein. Meine Tochter gibt das Vorbild, und natürlich stehen alle hinter der Königstochter. Ich hatte meine ganze Hoffnung auf Europa gesetzt, sie sollte mir den Thronerben bescheren. Ich verlor den Sohn – nun muß ich auch auf den Enkel verzichten lernen. *Er schweigt.* Kadmos – Europa, es ist so: meine Kinder geben mir harte Rätsel auf.

HERMES *mit einem Entschluß*. Ich will mit meinem jungen Herrn sprechen.

AGENOR. Du siehst, es ist aussichtslos.

HERMES. Mein Herr tanzt wie ein Gott.

AGENOR. Und tanzte Gott wie dein Herr, er erschüttert Europa nicht.

HERMES. Gibst du deine väterliche Erlaubnis?

AGENOR. Er tut mir leid.

HERMES. Es kostet nur eine Probe.

AGENOR. Ich verhüte sie.

HERMES. Ganz unverbindlich.

AGENOR. Ich würde nur um eine bittere Erfahrung reicher werden.

HERMES. Heute übt – morgen zeigt er sich.

AGENOR. Und übte er sich durch zehn Jahre, es geschähe umsonst.

HERMES. Gilt es?

AGENOR. Erspare mir einen neuen Schmerz.

HERMES. Abgemacht. *Er dreht sich um: im Tanzschritt, der an Leichtigkeit und Figuren jenen Tanz auf der Wiese übertrifft, zur Tür links.*

AGENOR *hingerissen.* Schön – schön – wunderschön.

HERMES *einhaltend und auflachend sich umdrehend.* Wir halten Wort. *Ab.*

AGENOR *noch nachschauend.* Was war das? *Unwillkürlich in den Tanz gerissen, nähert er sich der Tür links. Als diese geöffnet wird, stutzt er.* Was ist das?

Der Zug, wie er früher die Wiese verlassen hat, zieht in den Hof ein.

DER NEUNZEHNTE. Wir bringen dir den glücklichsten der Gestorbenen.

AGENOR. Den – der –?

DER NEUNZEHNTE. Den lebend Toten – nun tot erst Lebenden.

AGENOR. Was heißt das?

DER NEUNZEHNTE *zu den andern.* Folgt mir weiter. *Vor der Säule.* Hier setzt ihn ab.

Sie tun es.

AGENOR. Ich sehe nur Blumen.

DER NEUNZEHNTE. Wir plünderten die Aue und schmückten ihn. Enthüllt ihn wieder. *Sie tun es.* Siehe ihn an.

AGENOR *bestürzt.* Eumelos? Ist es nicht Eumelos?

ALLE *murmelnd.* Eumelos ist es.

AGENOR. Eumelos in triefender Nässe. Haar und Kleider gebadet – Eumelos ertrank?

ALLE *schweigen.*

AGENOR. Ertrank er nicht? *Zögernd.* Ertränkte er sich?

ALLE *schweigen.*

AGENOR *den Nächsten anpackend.* Konnte ihn keiner retten? Geht ihr nicht immer zusammen?

EINER. Er lief heute voraus –

AGENOR. Und als ihr ankamt?

DERSELBE. Wir trafen ihn nicht.

AGENOR *langsam*. Und als ihr da wart?

DERSELBE. Trieb er still heran.

AGENOR *sein Haupt verhüllend*. Ich bin traurig. Ich bin von Schmerz zerrissen. Ich will die Helligkeit nicht mehr sehen. Eumelos stand mir nahe, ihr ahntet es nicht. Ich heftete Wünsche an ihn – ich hegte Hoffnungen, wie ein Vater sie hegt, der eine Tochter hat. Ich gestehe es, ihn wollte ich am liebsten mit Europa vermählen. Vernichtet – zerronnen. Warum das – warum? Warum tot – und warum mit eigenem Willen?

DER NEUNZEHNTE. Er hat sich jetzt mit ihr vermählt.

AGENOR. Der starr am Boden liegt?

DER NEUNZEHNTE. Auf die einzige Art, die Europas würdig ist.

AGENOR. Was weißt du?

DER NEUNZEHNTE. Ich weiß, ich sehe. Ich schaue durch die Wände seines Schweigens. Er spricht. Hört ihr nicht! So seht doch: blüht nicht um seinen Mund noch das Wort – Europa? Blick auf: streift Eumelos nicht in leichtestem Wirbel um uns? Ist Eumelos nicht Duft – Hauch? Wo blieb seine Schwere? Streifte er sie nicht von sich und ließ sie wie ein Kleid fallen, das lästig wurde? Das Kleid lastet hier – Eumelos stieg heraus – empor – frei – ledig. Nun ist er liebend glücklich – nun kann er sich vermählen. Jetzt kreist Duft in Duft – Hauch in Hauch: Eumelos und Europa sind vereint. In wesenslosem Bund sind beide glücklich, ihre Hochzeit verbreitet herrlichen Hauch. Atmet doch ein – grüßt sie ausatmend. Europa ist vermählt – Eumelos umfängt sie wehend. *Zu Agenor*. Nun ist auch dein Wunsch erfüllt. Der Vater legte seine Tochter in die Arme des leichtesten Mannes. *Zu den anderen*. Tanzt – tanzt doch einen frohen Hochzeitstanz.

AGENOR *sprachlos*. Ist es das?

DER NEUNZEHNTE. Wir tanzen am Hochzeitstag. *Sie beginnen ihren Tanz*.

AGENOR *laut*. Nein. Ich verbiete es. *Sie stehen still und sehen ihn an*. Hier gebiete ich halt. Hier ist die Grenze. Hier – *Er stockt*. Nehmt eure Traglast wieder auf – es ist tot, was tot ist. Darüber hinaus führt kein Steg. Laßt mich allein. Ich muß mich fassen – ich bin verwirrt. Bestattet den Toten –

und ruft mich zur Totenfeier. Ich will kundtun, daß wir einen bis auf den letzten Atemzug Gestorbenen begraben.

Sie haben den Toten von neuem geschultert und entfernen sich in ruhigem Schritt.

AGENOR *steht steif. Dann läuft er hin, reißt die Tür auf, besinnt sich und zieht die Tür ins Schloß. Bebend.* Das genügt – das ist die Grenze, die zu überschreiten ich nicht gestatte. Mit keiner Gnade – mit keiner Güte. Ich verhärte mich gegen mein eigenes Fleisch und Blut. Ist ihr der Mann im Tanz noch zu barsch – zu schwer, so darf sie sich bei mir nicht beschweren. Ich glaube als Vater den Wünschen eines Mädchens mehr als hinreichend entgegengekommen zu sein. Ich bin über das Ziel hinausgegangen. *Die Hände über sich zusammenschlagend.* Was habe ich gesehen? Hier lag einer, der ertränkte sich - um Europas würdig zu sein. Mir fallen Schuppen von den Augen. Dahin führt der Weg? Das ist ja der Anfang vom Ende – greifbar nahe gerückt. Morgen bringen sie den nächsten – übermorgen den dritten – an einem Tag den vierten, fünften – *Ausbrechend.* Was will Europa? Ist sie nicht von Fleisch und Blut – vom gesunden Fleisch von Vater und Mutter? – *Stark.* Europa will nicht – Europa soll. Das ist der Befehl des Königs. Meine Sorge hat ein ganzes Land zu überschatten. Ich muß die Volkskraft erhalten. Es ist nicht aller Tage Ende – das Volk hat ein Recht zu leben und glücklich und leicht zu leben, wie ich es ihm in meinem Reich ermögliche. Europa muß – das wird die Achse meines Handelns. Ich muß schnell handeln. Ich muß sie zwingen, sich zu entscheiden. Sie muß zufrieden sein. Sie darf mit ihren wolkenhohen Wünschen nicht alle zum Abgrund treiben. Ich werde mein Machtwort sprechen – ich habe ein ganzes Volk zu retten. Ich gebe ihr die letzte Bedenkzeit –

Hinter der Tür links die streitenden Stimmen des Türhüters und Hermes.

DER TÜRHÜTER. Es ist nicht erlaubt.
HERMES. Platz da.
DER TÜRHÜTER. Der Eintritt zum Totenhof ist streng untersagt.

HERMES. Ich war schon einmal drin. *Er reißt die Tür auf, stößt den Türhüter beiseite und tritt aufatmend ein.* Dieser Narr –

DER TÜRHÜTER. Dieser Mensch –

HERMES. Weißt du das so genau, daß ich deinesgleichen bin?

DER TÜRHÜTER *starrt ihn betroffen an.*

AGENOR. Laß mich allein mit ihm.

DER TÜRHÜTER *mit wegwerfender Geste zu Hermes, halblaut.* Meinesgleichen? Gauner. *Ab.*

AGENOR *rasch auf Hermes zutretend.* Kommt dein Herr?

HERMES. Nein.

AGENOR. Wo ist er?

HERMES. Auf der Wiese.

AGENOR. Warum zögert er?

HERMES. Er übt.

AGENOR. Was?

HERMES. Seinen Tanz.

AGENOR *aufjauchzend.* Seinen Tanz.

HERMES. Er ist ganz bei der Sache. Er braucht nicht Tage – Wochen, bis zum Abend ist er fertig. Heute abend tanzt er vor Europa – und wenn sie von ihm nicht zufriedengestellt wird –

AGENOR. Sie soll zufrieden sein.

HERMES. Du erlaubst ihm zu tanzen?

AGENOR. Ich bestimme es. Ich habe in deiner Abwesenheit schon mein Wort verpfändet.

HERMES. Hast du deine Tochter inzwischen vorbereitet?

AGENOR. Nein. Ich werde ihr keine Silbe sagen. Ich will ihr keine Zeit lassen – ich habe meine Entschlüsse gefaßt.

HERMES. Mein Herr wird siegen.

AGENOR. Ganz einerlei. Alle sollen tanzen. Heute abend. Ich veranstalte diesen Wettstreit. Wer als Sieger hervorgeht, gilt mir gleich. Ich fälle das Urteil.

HERMES. Deine Tochter wird nicht enttäuscht sein.

AGENOR. Ich mache es ihr leicht. Ich erlaube den Tanz noch einmal. Das bleibt das erste und letzte, was ich tun kann. Damit muß sie sich abfinden.

HERMES. Du bist der gütigste Vater.

AGENOR. Es ist wie eine Eingebung von oben.

HERMES. Du hast mehr Recht, als du ahnst.

AGENOR. Alle sollen tanzen. Ich werde alle vermählen. Der

Reihe nach sollen sie ihre Tänzer haben. Ich werde mich bemühen, gerecht zu sein.

HERMES. Es wird ein großer Abend.

AGENOR. Der schönste meines Lebens. Und ich habe das Bewußtsein, das beste zu tun und zugleich der Notwendigkeit zu gehorchen. Das ist ein angenehmes Gefühl.

HERMES. Jeder Zoll ein König.

AGENOR. Aber schweig. Ich verspreche mir alles von dieser Überraschung und nichts vom Verrat.

HERMES. Wir schweigen unter sieben Siegeln.

AGENOR. Dein Herr soll sich bis zum Abend verborgen halten –

HERMES. Im Weidenschatten.

AGENOR. Nun erfüllt die alte Weide noch ihren Zweck.

HERMES. Auch ein König handelt niemals ohne Sinn.

AGENOR. Der Abend soll es erst beweisen. *Er streckt ihm die Hand hin.*

HERMES *drückt sie.* Es ist so viel wie bewiesen.

AGENOR *durch die hintere Türe ab.*

HERMES *wartet noch, dann pfeift er kurz.*

ZEUS *erscheint auf der Mauer rechts.*

HERMES *hinlaufend.* Schnell.

ZEUS *steigt über Hermes' Schultern in den Hof.* Wo sind wir?

HERMES. Im Totenhof.

ZEUS. Wo ist sie?

HERMES. Vorsicht.

ZEUS. Wann sehe ich sie?

HERMES. Heute abend.

ZEUS. Unmöglich.

HERMES. Ich habe gelobt, vor Abend nicht weiter zu drängen.

ZEUS. Und dann?

HERMES. Darfst du tanzen.

ZEUS. Und dann?

HERMES. Du bist am Ziel.

ZEUS. Foltere mich nicht.

HERMES. Europa gehört dem leichtesten Tänzer.

ZEUS. Sagt sie das selbst?

HERMES *nach einem Zögern, fest.* Ja.

ZEUS *ausbrechend.* Europa gehört mir. Ich will sie von Sinnen tanzen – ich will wie der trunkene Dionysos selbst springen. *Er vollführt einige bockmäßige Sprünge.*

HERMES. Das ist das Schlimmste.

ZEUS *einhaltend*. Warum nicht?

HERMES. Du mußte dir einen Tanz von ganz anderer Art ausdenken. Einen Tanz, der kein Tanz ist. Einen Tanz, wie ihn die langhaarigen Wiesenbrüder schritten. Verstehst du – schritten?

ZEUS. Gefällt das Langsame Europa?

HERMES. Das Beherrschte. Darum warne ich dich. Du bist in deiner menschlichen Natur heftig und heiß – laß dich nicht vom Temperament hinreißen. Lege ihm Zügel an. Tanze feierlich – duftig – fast wesenlos. Mäßige dich.

ZEUS. Das werde ich nicht können.

HERMES. Am besten: sei Wolke. Kleine, leichte Federwolke, die sich dreht und einen dünnen Wirbelwind macht. Löse dich auf – sei ohne Kern, zuletzt ein weißer Schatten, durch den man mit dem Finger stoßen kann.

ZEUS *sich aufraffend*. Gut, ich muß nachdenken. Wie sagst du: wesenlos?

HERMES. Das ist der Weg zur Erfüllung. Was dann geschieht, das ist ja deine Sache.

ZEUS. Das laß meine Sache sein – und deine wird es, mich für die Gelegenheit vorzubereiten.

HERMES *schon nach rechts laufend*. Über die Mauer.

DER DRITTE AUFZUG

Der Saal von blauem Glanzstein. Aus einem tiefgelegenen Mittelstück heben sich stufenreiche Treppen nach umlaufender Plattform, die sich zur Tiefe erstreckt – von besterntem Nachthimmel begrenzt. Links oben ein einzelner Sessel, rechts oben eine Reihe Sessel. Den offenen Hintergrund des Mittelstücks verschließt ein Vorhang; an den Seiten Kandelaber mit Leuchtschalen, grün brennend.

Hinten am Rand der Plattform – abgewandt in den Nachthimmel aufschauend – bilden die Mädchen eine gerade Linie. In der Mitte Europa: die links bei ihr stehenden sind gelb gekleidet, ihr Haar – zur hohen Haube aufgebunden – blaufarbig; rechts ist Kleid blau und Haar gelb. Europa ist in Weiß, das goldbestäubte Haar lastet wie eine schwere Glocke auf dem reifen Nacken.

AGENOR *in Begleitung der Türhüter kommt unten durch den Vorhang.* Es ist nichts versäumt, um den Abend zu einem schönen Tanzabend zu machen. Die Reihenfolge, in der die Tänzer auftreten, ist bestimmt. Ihre Stimmung ist vorzüglich. Ihre Fähigkeiten werden sie im besten Licht zeigen. In dieser Hinsicht ist, wie ich schon sagte, nichts – *Abbrechend.* Was den neuen Tänzer anlangt, den ihr noch nicht gesehen habt – den ich selbst nicht gesehen habe – will ich euch empfehlen, ihm mit größter Aufmerksamkeit zu gehorchen. Falls er Wünsche äußert – Veränderungen, beispielsweise mit der Beleuchtung, begehrt – kurz und gut, steht ihm zur Seite. Ich erwarte Besonderes von seinem Auftreten – ja das Höchste, so weit ich es schon verraten darf. Ihr laßt mich instich, wenn ihr ihn instich laßt. Das Zeichen zum Beginn gebe ich mit drei Handschlägen. Nehmt eure Plätze ein.

Die beiden Türhüter hinter den Vorhang ab.

AGENOR *nun aufblickend.* Wir sind an einem schönen Abend im Tanzsaal versammelt – *Er stutzt, die Sessel leer gewahrend. Als er die Stimmen oben hört, ersteigt er schnell die Stufen.*

Die Mädchen fangen an, von links nach rechts abzuzählen: »eins – zwei – drei – vier – fünf« – usw.

EIN MÄDCHEN *aufjauchzend.* Dreizehn – mein Stern.

Wieder schauen sie stumm in den Himmel.

AGENOR *sieht ihnen verwundert zu.*

Neues Zählen.

EIN MÄDCHEN. Zwanzig – mein Stern.

Wieder Stille.

AGENOR *nähert sich ihnen.*

Neues Zählen.

EUROPA. Elf – mein Stern.

Schon neues Zählen.

EUROPA. Elf –
ALLE. Wieder elf –
EUROPA. Ein Doppelstern für mich.
ALLE. Ein Doppelstern für Europa. *Sie verstummen und ste-
hen wie vorher.*
AGENOR *hinter Europa tretend.* Was bedeutet das?
EUROPA. Nichts von Bedeutung. Wir vertreiben uns die Lang-
weile. Welche Bedeutung soll es denn haben?
AGENOR *kopfnickend.* Ich kenne sie.
EUROPA. Wir haben ein neues Spiel erfunden. Wir spielen mit
den Sternen. Wenn einer fällt, zählen wir ab, wie lange es
dauert, bis er verschwindet – und wessen Zahl in der Reihe
es ist, dem sein Stern ist es. Ich habe zwei herausgespielt.
AGENOR. Du täuschst mich –
EUROPA. Papa!
AGENOR. Oder täuschst mich nicht mit Absicht.
EUROPA. Wir sitzen hier im Saal und starren die Wände an,
da ist es doch anregender, in den besternten Nachthimmel zu
sehen.
AGENOR. Ich durchschaue euer Spiel.
EUROPA *verwundert zu den andern.* Denkt ihr euch was dabei?

AGENOR. Es ist nicht ohne Sinn.

EUROPA. So lange es unterhält – nein.

AGENOR *heftig*. Es unterhält euch – das unterhält euch!

EUROPA. Stößt dich das harmlose Vergnügen, das wir uns machen, ab?

AGENOR. Ich will dir meine Bewegung nicht verbergen. Ich erschrecke.

EUROPA. Weil wir Sternschnuppen zählen?

AGENOR. Das werden eure ausschweifenden Wünsche: Sternenbräute, Sternenbräute – nicht von dieser Erde, in fruchtloser Vermählung – Sternenbräute. Es ist sonnenklar – und es ist Zeit. Kommt.

EUROPA. Wir verstehen nicht, was heute abend noch sonnenklar ist.

AGENOR. Nicht erst heute abend – seit langem. Aber ich verschloß meine Augen. Ich wollte nicht sehen. Heute wurde ich hellsichtig, ein Blitzschlag beleuchtete den Abgrund, an dem wir wandeln. Ich wich entsetzt zurück. Ich weiß auch, wie dein Stern heißt: – Eumelos.

EUROPA *lachend*. Der gute Eumelos – das Sternchen.

AGENOR. Du sollst es nie erfahren. Ich habe es mir gelobt, daß auf deine Mädchenblüte kein Reif fällt. Heute kann ich es noch verhindern – du selbst sollst es verhindern. Forsche nicht: was war, ist tot – und was tot – ist gewesen. In die Zukunft wende deinen lachenden Blick – ihr alle sollt in eine lachende Zukunft blicken. Spannt eure Erwartung auf das höchste, sitzt still – ein Rest von Geduld wird sich überschwenglich lohnen. *Er ist aufmerksam auf die Türhüter geworden, die unten erregt herausgetreten sind*. Sitzt, indessen ich – *Er steigt rasch rechts hinunter*.

EUROPA *zu den Mädchen seufzend*. Sitzt.

Sie nehmen rechts oben ihre Plätze ein, falten die Hände im Schoß und starren geradeaus.

AGENOR *unten*. Was gibt es?

DER ERSTE TÜRHÜTER *atemlos*. Noch nichts.

DER ZWEITE TÜRHÜTER *ebenso*. Nein – noch nichts.

AGENOR. Woher eure Verwirrung?

DER ERSTE TÜRHÜTER *preßt die Zähne zusammen, schüttelt den Kopf, stellt sich steif links vom Vorhang auf*.

DER ZWEITE TÜRHÜTER *stellt sich rechts*.

AGENOR *ahnungsvoll*. Der fremde Tänzer?

BEIDE TÜRHÜTER *an Agenor heranlaufend, eifrig nickend*. Ja.

AGENOR. Habt ihr ihn gesehen?

BEIDE TÜRHÜTER *fast feierlich*. Wir haben ihn gesehen.

AGENOR. Ist er plump, häßlich – kann er nicht tanzen?

DER ERSTE TÜRHÜTER. Er ist –

DER ZWEITE TÜRHÜTER. Herrlich.

BEIDE TÜRHÜTER *hingerissen*. Herrlich – herrlich – herrlich.

AGENOR *befriedigt*. Herrlich. Ja, herrlich. Ich ahnte es. Es ist
etwas mit ihm, sonst hätte er sich mehr aufgedrängt. Er
kommt in letzter Stunde – ist da – tanzt – tanzt – und siegt.
Er sieht gut aus?

DER ERSTE TÜRHÜTER. Ich schildere ihn nicht.

DER ZWEITE TÜRHÜTER. Ihn sehen – heißt glücklich sein.

AGENOR. Ihr sollt mir nichts sagen. Ich will das Glück an seinem Quell trinken. Mich dürstet nach seinem Anblick. Reißt
er schon Blinde hin – eure Augen sind es vor unseren! – *Abbrechend*. Mäßigt eure Erregung – tut euren Dienst – gehorcht jedem Wink – und achtet auf mein Zeichen. Beruhigt
euch lieber draußen – hier habe ich noch einige einleitende
Worte zu sprechen.

Die Türhüter ab.

AGENOR *steigt zu seinem Sessel links oben und sitzt. Als sein
Blick auf die unbewegliche Europa fällt, wird er unsicher.
Schließlich sich aufraffend*. Ein schöner Abend.

EUROPA *sieht sogleich zur Tiefe weg*.

AGENOR *sammelt sich von neuem*. Der Nachthimmel ist das
schönste. Schnelle Sterne furchen in ihm goldene Bahnen.
Woher – wohin, eine Welt für sich. Der Nachthimmel ist unbeschreiblich schön. *Kopfschüttelnd*. Unbeschreiblich – es
übersteigt unsere Kräfte. Die Gedanken fliegen auf – unsere
Füße haften am Boden. Wir sind klug, wenn wir uns be-
schränken. *Kräftig*. Ein schöner Tanzabend.

EUROPA *dreht den Kopf nach ihm*. Ein –

AGENOR. Ja – ein Tanzabend.

EUROPA *sich zurücklehnend, langsam*. Ein –

ALLE *wie Europa hauchend*. Ein –

AGENOR *fest*. Ich habe diesen Tanzabend veranstaltet. Es war
mein Willen. Ich trage die Verantwortung für das, was kommen wird, allein.

EUROPA. Ich bin dir dankbar für die Abendunterhaltung. Meine Gespielinnen auch.

AGENOR. Ich sorge für deine Unterhaltung – für eure Unterhaltung habe ich getan, was ich nur tun konnte.

EUROPA. Du läßt Männer tanzen.

AGENOR *nach einer Pause.* Mein Mädchen Europa – liebe Mädchen meines Landes, mit väterlichen und königlichen Augen blicke ich zu euch hinüber. Ich sehe, daß ihr des Glückes Töchter seid. Ich bin froh, es mir gestehen zu dürfen. Ich pflücke mit diesem Eingeständnis die Frucht meines Lebens. Hilfreiche Umstände unterstützten mein Werk, ich werfe mich nicht zum Götzen meiner Erfolge auf – aber der Erfolg schüttet seine Kränze auf uns.

EUROPA *gedehnt.* Wann tanzen die Männer?

AGENOR. Sie tanzen, ja – das wurde das Ziel meiner Mühen. Und strömt mir von euch nicht Dank zu? Habe ich nicht herrlich für euch gesorgt? Für Mädchenherzen?

EUROPA *schaut über sich.*

Die andern auch.

AGENOR. Ich werde eure Gefühle schonen – ich achte die Scham als den schönsten Schatz eines Mädchens, sie ist mir unverletzlich – doch die Worte eines alten Manns –

EIN TÜRHÜTER *kommt durch den Vorhang und sucht verwirrt Agenor.*

AGENOR *ihn zu sich winkend, gedämpft.* Was geschieht?

DER TÜRHÜTER *läuft hoch – berichtet flüsternd.*

AGENOR *gedämpft, mit kurzer herrischer Geste.* Er soll – ich befehle.

DER TÜRHÜTER *hinunter, ab.*

EUROPA *nach einem Kometen, der hinten schimmernd niedergeht, zeigend.* Der schöne Stern.

EINIGE MÄDCHEN *schnell zählend.* Eins – zwei – drei – vier –

AGENOR *laut.* Ein Vater und König darf an die heimlichen Wünsche eines Mädchenherzens mit festem Finger rühren. Wir sitzen hier ohne Zeugen. Eure Wünsche – ihr kennt sie selbst nicht. Wie wollt ihr sie befriedigen? Ihr seid unzufrieden – ich rede nun frei heraus. Weil euch zuviel Wünsche erfüllt sind. *Eifrig.* Wovor erschreckt ein Mädchen? Was stößt es ab – was macht es scheu und schickt es in den Winkel, in dem es verschüchtert zittert? Der Mann ist der Mädchenschreck – wie er aus der Schöpfung hervorkommt. Wild – zottig – ungeschlacht – brüllend, so gebärdet er sich von Ursprung. *Da alle ihn anstarren.* Ich will kein Gespenst an die Wand malen. Denn wir haben es gebannt. In zwei Menschenaltern haben wir den Mann bewältigt. Die Umwälzung geschah gründlich. Was ich dir, Europa – und euch, liebe Mädchen, heute vorführe, das bedeutet den höchsten Grad der Bildung. Aber auch den letzten. Darüber hinaus führt keine Brücke für Menschenfüße. Ein Rest von Schwere haftet – muß haften, um zu bestehen. Ich beteuere euch mit allem Ernst – und gestützt auf Erfahrungen noch dieses Tages – wir stehen am Ziel. Es ist erreicht – und jetzt muß gehandelt werden.

EIN TÜRHÜTER *kommt und hetzt die Stufen zu ihm hoch.*
AGENOR *mit beiden Händen abwehrend.* Nichts – nichts von unten. Es gilt, was galt. Fort mit dir.
DER TÜRHÜTER *schnell hinab, ab.*

AGENOR. Die letzte Schwere – so weit sie sich verflüchtigen läßt – ist im Tanz bezwungen. Die Männer tanzen – und daher schöpft Vertrauen. Dir und euch versprechen sie eine leichte Ehe. Männer, die tanzen, sind keine schweren Gatten. Ihr könnt sie ohne seufzen ertragen. Ihr müßt sie ertragen.
EUROPA. Was hat das mit einem Tanzabend zu tun?
AGENOR. Es sind Betrachtungen, die mir einfielen, wie ich euch gereiht sitzen sehe. Ihr seid wirklich zu beneiden. Ich pries euch schon als Töchter des Glücks. Ich wiederhole und wiederhole es nur. Aufgewachsen in einem Land, das keinen Streit kennt – wo Männer keine Waffen schwingen – wo alle Männer einzig bemüht sind, sich den Mädchen des Landes erträglich zu machen –
EUROPA. Wird heute abend noch getanzt?
AGENOR. Wir wollen uns sehr an diesem Tanzabend freuen. Ich habe alles angeordnet. Sie sollen zeigen, was sie leisten. Sie schonen sich nicht, sie geben ihr Bestes her. Und du, Europa, und ihr sollt den bezeichnen, der in euren Augen es am weitesten gebracht hat. Den flüchtigsten, leichtesten Tänzer rufst du zuerst – ihr bestimmt den zweiten, den dritten, den vierten. Ihr zählt sie ab, wie ihr euch mit den Sternen geübt

habt – aber diese Sterne verschwinden nicht in Dunst und Luft, sie stehen da und halten stand. Ihr seid nicht müßige Zuschauer zu diesem Tanz, ihr werdet Richter.

EUROPA. Sie tanzen doch alle erträglich.

AGENOR. Es gibt Unterschiede. Es soll sie geben. Ihr werdet sie finden. Strengt euch an – seid wählerisch, aber wählt. Was ihr findet, wird für die Zukunft von einigem Gewicht sein. Ich hoffe, von sehr leichtem Gewicht. Ich wünsche euch die geringste Last – aber ohne Druck entsteht kein Leben. Ich denke an euer Vergnügen – das Vergnügen über allem! – dieser Abend schafft euch allerlei. Es ist ein schöner Abend, der schönste Abend meines Lebens, mit väterlichen und landesväterlichen Augen betrachtet. *Er lehnt sich aufatmend zurück.*

EIN MÄDCHEN *ganz hinten.* Und was wird mit einem, der plump tanzt?

AGENOR. Du bist die letzte in der Reihe, so wirst du dich mit ihm versöhnen.

DIE MÄDCHEN *durcheinander.* Was wird mit dem zweiten – was wird mit dem dritten – was wird mit dem vierten –?

AGENOR. Der zweite ist die zweite, der dritte ist die dritte, der vierte die vierte –

DIE MÄDCHEN. Der zweite ist die zweite – der dritte ist die dritte – der ist die – *Lachend.* Die Männer sind doch keine Mädchen.

AGENOR. Männer und Mädchen sind heute noch eins.

EUROPA. Weshalb soll einer der erste sein?

AGENOR. Weil du als die erste zwischen deinen Mädchen sitzst.

EUROPA. Weil ich –

AGENOR. Auf alle Fragen wird das Spiel die Antwort geben. Das Spiel beginnt. *Er klatscht dreimal in die Hände.*

Die Türhüter treten heraus und ziehen den Vorhang auf: eine Treppe führt in rötliche Helle hinab.

AGENOR *nickend.* Schön – sehr schön. Ein schöner Abend.

EUROPA. Ja, wieder ein Tanzabend.

AGENOR. Ein sehr schöner Abend. Der schönste Abend meines –

DER ERSTE TÄNZER *taucht auf – zögernd und mit Aufenthalt erreicht er den Tanzboden. Von neuem kostet es ihn Überwindung, daß er die Füße stellt und die Arme hebt. Doch verharrt er so, ohne den Tanz zu beginnen.*

AGENOR *verwundert.* Gut, mein Freund, nun weiter.

DER TÄNZER *versucht einen Tanzschritt – steht steif.*

EUROPA. Dieser gute Freund ist lahm.

DER TÄNZER *macht plötzlich eine jähe Wendung, stürzt zur Öffnung und verschwindet mit langen Sprüngen.*

AGENOR *blickt ihm betroffen nach.*

DIE TÜRHÜTER *heben beschwörend die Arme auf.*

EUROPA. Ein schöner Tanzabend.

AGENOR *gegen die Türhüter.* Habe ich einen Zweifel gelassen –? *Zu Europa.* Es handelt sich um ein beabsichtigtes Vorspiel, der Schluß wird uns seine Bedeutung lehren. Ein schöner Abend – *Abbrechend.* Jetzt wird es uns klarer werden.

DER ZWEITE TÄNZER *kommt herauf. Deutlich ist an ihm die Beherrschung wahrnehmbar, unter der er festen Fußes auftritt.*

AGENOR. Da seht ihr schon – Spiel und Gegenspiel. Der erste stellt sich lahm, um den nächsten um so behender erscheinen zu lassen. Ein hübscher Einfall, würdig dieser besonderen Veranstaltung. Ich schäme mich meines übereilten Tadels, er fällt auf mich selbst zurück. *Zuschauend.* Herrliche Drehung.

DER TÄNZER *stockt schon.*

EUROPA. Höchstens eine Halbdrehung, um das Lob auf sein wahres Maß zu verkürzen.

DER TÄNZER *fängt nun eiliger neuerdings an.*

AGENOR. Behender – behender, aus Langsamkeit schwingend – anschwellend, bis –

DER TÄNZER *hört auf, steht von heftigem Zittern befallen.*

EUROPA. Erschöpft.

AGENOR *mühsam an sich haltend.* Fahr fort.

DER TÄNZER *blickt flehend zu ihm auf.*

AGENOR *noch gemäßigt.* Fahr fort, Freund.

DER TÄNZER *über die Stufen zu ihm eilend und sich an seinen Sessel niederwerfend.* Ich kann nicht tanzen. Wir können nicht tanzen. *Hinunterschreiend.* Wir alle tanzen nicht – wir tanzen nicht – wir tanzen nicht!

AGENOR *ist aufgesprungen.*

Aus der Tiefe schlägt vielstimmig der Ruf herauf: »Wir tanzen nicht – wir tanzen nicht!«
Aus der Öffnung ergießt sich der Strom der Männer und flutet bis zu Agenor hoch.

ALLE MÄNNER *entschlossen*. Wir tanzen nicht.

DIE TÜRHÜTER *haben rasch den Vorhang zugezogen.*

AGENOR *nachdem Ruhe eingetreten ist*. Einer soll zu mir sprechen.

DER NEUZEHNTE *löst sich aus dem Knäuel.*

AGENOR *drohend*. Warum wollt ihr meinem Wunsch – und dem dringenden Wunsch Europas nicht gehorchen?

DER NEUNZEHNTE. König Agenor, du wirst deinen Befehl mildern.

AGENOR *aufstampfend*. Ich wünsche es noch.

DER NEUNZEHNTE. König Agenor, du wirst deinen Wunsch vergessen. König Agnor, du wirst in diesem Entzücken untersinken, in dem wir überwältigt sind.

AGENOR *sich vorbeugend*. Was heißt das?

DER NEUNZEHNTE. Du rufst nach Tänzern – wir sind keine. Wir scheuen uns hier aufzutreten. Von diesem Abend sind wir plump und müde und lahm – von diesem Abend, an dem du einen neuen Tänzer in dein Haus bestellt hast.

AGENOR *freudig*. Gab er euch schon eine Probe?

DER NEUNZEHNTE *kopfschüttelnd*. Seine Ankunft ist Tanz - sein Tanz muß seliger Schwindel sein.

AGENOR *nickend*. Die Türhüter waren erschüttert – ihr bestätigt mir den Eindruck. Meine Erwartungen gewinnen Gestalt. Ich entlasse euch. Tretet herauf, und genießt das Schauspiel. Ich glaube, einer wird für alle tanzen. Und ich werde die Stimmung, wenn sie am überschwenglichsten ist, benutzen. Dann will ich für euch alle sorgen. *Gegen Europa*. Keine Frage – jetzt Stille. *Zu den Türhütern*. Hinab und herauf mit diesem ersten und letzten Tänzer des Abends.

DIE TÜRHÜTER *ab*.

DIE MÄNNER *halten oben die mittlere Plattform besetzt.*

AGENOR *noch murmelnd*. Jetzt Stille – der schönste Abend meines –

DIE TÜRHÜTER *kommen wieder und streuen in die Leuchtschalen. Das Licht verändert sich mattgelb. Dann ziehen sie den Vorhang zurück.*

AGENOR *halblaut*. Ich dachte es mir – ungewöhnlich von Anfang an.

Ein langgezogener, mittelhoher Flötenton dringt herauf.

AGENOR. Tanzmusik.

HERMES *taucht auf. Er ist kurz und bunt gekleidet. Mit tänzelnden Schritten nimmt er im Zickzack die Stufen: angekommen, umläuft er noch mehrmals den Raum. Dann steht er still.*
EINIGE MÄDCHEN. Ist er der neue Tänzer?
HERMES *dahin*. Nein, ich bin es nicht. Ich bin nur der Vortänzer, der den Tanz, der aufgeführt wird, ansagt und ihn mit einigen gewählten Flötentönen begleitet. *Zu Agenor.* Mein junger Herr tanzt dreimal. Jedes Stück seines Tanzes steht in bedeutsamer Verbindung mit den anderen. Gelingt es ihm, sich einige Aufmerksamkeit zu verschaffen, so wird der besondere Sinn ohne weiteres klar werden. *Er bläst einen kurzen Triller, dessen Töne bald langsamer werden und den Saal mit wachsend mächtiger Musik erfüllen.*
AGENOR *staunend*. Bläst du das alles mit deiner Flöte?

ZEUS *taucht auf: ein blauer Mantel wallt weit und schwer an ihm, das Haar ist in ein stumpfgelbes Tuch gebunden. Sein Tanz: unter der Last des Mantels und von ihm in freier Bewegung gehindert, sind seine Tanzschritte langsame und spärliche. Mehrmals versucht er Knie und Arme behender zu heben. So nähert er sich der Seite, wo oben Europa sitzt. Er will den Fuß auf die unterste Stufe setzen – der Widerstand seines Gewandes ist zu mächtig. Mit Gesten trauriger Verzichts wendet er sich ab und schleppt sich zur Öffnung und verschwindet.*

HERMES *hört mit einem hinhallenden Klageton auf. Er folgt, den Türhütern ein Zeichen gebend. Diese schließen den Vorhang ab.*

AGENOR *gegen die Männer*. Das war deutlich. Mir ist es klar. Nicht mehr als das Spiel mit einem langen Mantel, und doch – *Eifrig*. Er muß diesen Mantel abwerfen, um sich zu entlasten. Ich möchte ihm selbst den Rat geben. Ich empfinde den lebhaften Wunsch, ihm zu helfen. Ich möchte es ihm leicht machen. Wer –
DER NEUNZEHNTE *oben am Rand, schon aufgeregt gestikulierend*. Er trägt den blauen Mantel – unsern blauen Mantel. Er verhüllt ihn von Schultern bis zu Sohlen. Der blaue Man-

tel ist unser äußerstes Gewand – es war ihm zu schwer, um sich frei zu regen. Mit unserm äußern Mantel am Leibe sind wir schwerfällig, er gibt uns die Lehre. Wir müssen noch mehr von unserer Schwere abstreifen, um würdig zu sein. Er wird diesen blauen Mantel abwerfen – er wird ohne den blauen Mantel kommen.

EIN ANDERER. Schon stieß gelb das Haupt über schweres Blau.

EIN DRITTER. Im leichteren gelben Mantel wird er wiederkommen.

EIN VIERTER. Wir müssen alle unsere dichten äußeren Mäntel abwerfen.

VIELE. Er gibt uns die Lehre.

AGENOR *gegen Europa.* Mir ist von Hoffnungen heiß, meine Tochter.

EUROPA *ihr Kleid enger um sich sammelnd.* Der Abend kühlt sich rasch ab.

AGENOR. Musik.

DIE TÜRHÜTER *kommen und streuen auf die Schalen: blaues Licht verbreitet sich.*

HERMES *mit seinen Sprüngen – die Flöte heller und schneller blasend.*

AGENOR *über die Tonfülle staunend.* Nur eine Flöte singt. Auch ich lerne, es kommt auf den Flötenspieler an.

ZEUS *im gelben Gewand, doch kürzer und von weicherem Stoff – Haar und Stirn nun blau umwunden – tritt mit behenden Schritten auf. Sein Tanz ist wechselnd frohlockend und schwermütig. Einmal erklimmt er zu halber Höhe die Stufen, die zu Europa führen – doch kehrt er kopfschüttelnd um. Er strebt von neuem anlaufend zu Europa empor – wieder folgt die Umkehr. Er zerrt unmutig am Mantel, der ihn vorzeitig ermüdet – und zieht sich zurück.*

HERMES *mit letzten Flötentönen – folgt.*

DIE TÜRHÜTER *ab.*

AGENOR. Klar – klar – klar, mit Händen greifbar. Ich habe eine solche Darstellung innerer Vorgänge noch nicht gesehen. Das ist Tanz und Seele – Seele als Tanz – Tanz als Seelen·

sprache. Ich habe diese deutliche Aussprache noch nicht vernommen. Ich zweifle, ob ich nicht mit den Augen höre.

DER NEUNZEHNTE. Ich kündete ihn an: im gelben Mantel kommt er wieder.

EIN ANDERER. Es ist unser gelber Mantel, den wir leicht tragen.

EIN DRITTER. Es ist kein leichter Mantel.

EIN VIERTER. Wir glaubten, in unsern Kleidern so leichte Tänzer zu sein – jetzt zieht ihn unser unterer Mantel zu Boden.

EIN FÜNFTER. Wir schleppen Last über Last auf uns.

EIN SECHSTER. Blau ist Gewicht – und Gelb ist Gewicht.

EIN SIEBENTER. Blau drückt noch über seinem Haupt.

EIN ACHTER. Gelb fesselt Knie an Knie.

VIELE. Wir können nicht tanzen – wir konnten nicht tanzen, König Agenor.

AGENOR *ihnen winkend*. Dreimal hieß er uns, ihn zu erwarten. Was ereignet sich jetzt? *Gegen Europa*. Was erwartest du dir jetzt, meine einzige Tochter Europa?

EUROPA *sehr ruhig*. Wir warten.

AGENOR. Und nicht vergeblich

DIE TÜRHÜTER *kommen rasch und füllen die Schalen. Es wird dunkel*.

AGENOR. Die Spannung hat den Gipfel erklommen.

Musik setzt hell ein und hält in gleicher Höhe mit wenigen Tönen schwirrend.
Mit einem Schlage tut sich schneeweißes Licht auf.

ZEUS *weiß und eng gekleidet – das Haar gold – steht da.*

Hinten musiziert Hermes.

AGENOR. Mich blendet's.

EINER. Steht er mit Füßen fest?

EIN ANDERER. Er hängt aus der Luft.

EIN DRITTER. Einer weißen Glocke Klöppel schwingt.

EIN VIERTER. Er schwingt sich.

ZEUS *umtanzt flüchtig – seiner eigenen Leichtigkeit froh – den unteren Raum.*

AGENOR. Ich weiß es: eine weiße Feder mit goldenem Kiel flattert hier.

EINER. Du irrst, König Agenor, wenn du irren kannst: eine Wolke bläst tagvergessen aus der Nacht ins Haus.

EIN ZWEITER. Du irrst, König Agenor, wenn du irren kannst: ein Duft meerferner Inseln glimmt dünn.

DER NEUNZEHNTE *ausbrechend.* Wir sind keine Tänzer.

EIN ANDERER. Wir sind nicht weiß.

EIN DRITTER. Wir sind nicht gold.

EIN VIERTER. Keiner von uns ist würdig.

EIN FÜNFTER. Dieser ist Duft und Wolke und Hauch.

VIELE. Dieser ist würdig.

ZEUS *hat die Stufen zu Europa mit flinken Sprüngen genommen und wirft sich nun mit verlangenden Armen vor ihr nieder.*

AGENOR *ist aufgesprungen, zu den Männern.* Sagt ihr es, seid ihr einig? Das gilt. Jetzt löse ich mein königliches Wort ein. *Zu Europa.* Europa – fülle diese offenen Arme, dein Mädchenschicksal ist besiegelt. In dieser Nacht hältst du Hochzeit.

ZEUS *inbrünstig stammelnd.* Mädchen – schön, schön bist du – du bist eines Gottes würdig.

EUROPA *ist aufgestanden, blickt auf Zeus – zu Agenor.*

AGENOR *die Stufen herunterkommend.* Ich werde euch einander näherbringen.

ZEUS. Machst du mich wieder zum Gott?

EUROPA *will sprechen – dann stimmt sie ein helles Gelächter an. Sie krümmt sich am Stuhl und endet ihren Lachausbruch nicht.*

ZEUS *stutzt, richtet sich auf.*

AGENOR *steht verblüfft. Endlich laut.* Schweig. Schweig.

EUROPA *lacht und steckt die andern Mädchen an.*

Ein Sturm von Gelächter erschüttert den Saal.

ZEUS *macht eine sehr verlegene Miene – wird dunkelrot.*

EUROPA *schiefe Blicke auf ihn werfend, lacht.*

AGENOR *zu Zeus.* Sie ist lustig an ihrem Hochzeitsabend.

Neuer Lachsturm.

ZEUS *hat sich mit unsicheren Schritten zurückgezogen.*

AGENOR *zu ihm unten.* Am Ende kam es doch zu überraschend.

Lachwoge.

ZEUS *wartet noch, dann stürzt er Hals über Kopf davon.*

AGENOR *zu Hermes.* Kränkt deinen Herrn – die frohe Stimmung?
HERMES *wendet sich kurz um, ab.*

AGENOR *zu den Männern.* Lauft nach ihm – haltet ihn zurück, um keinen Preis lasse ich ihn aus dem Hause laufen. Unten gibt es keinen Ausgang.
DIE MÄNNER *von oben nach unten ab.*

AGENOR *sieht Europa kopfschüttelnd an.*
EUROPA *beherrscht sich mühsam.*
AGENOR. Du weißt nicht was du willst. Was willst du denn? Wann bist du zufrieden? Beantworte mir die einzige Frage, die ich noch an dich habe. Wann – wann bist du zufrieden?
EUROPA *sieht ihn an, will sprechen – und lacht überwältigt.*
AGENOR. Ich bleibe unerbittlich. Jetzt kommt er zurück – jetzt sollst du ihm die Hand geben. Beherrsche dich, sie führen ihn herauf.
EUROPA *bezwingt den neuen Lachausbruch nicht mehr – schwankend erreicht sie das Ende der Plattform. Mit den Mädchen ab.*

DIE MÄNNER *kehren langsam zurück.*
AGENOR. Wo ist er? *Schweigen.* Ich habe euch befohlen – *Stockend.* Er kann doch nicht durch dicke – dicke Wände entwischen.

Eine kleine, mondbestrahlte Wolke fährt hinten zum Nacht-himmel.

DER VIERTE AUFZUG

Die stille Meerbucht.
Im Gras liegt Zeus – wieder als Fischer – lang auf dem Rük-
ken; von Zeit zu Zeit schleudert er ein Bein – ächzt.
Hermes sitzt gegen den Stamm der Weide gelehnt und ver-
sucht eine quäkende Weidenflöte.

ZEUS. Flöte nicht.
HERMES. Du hast recht, das frische Flötenholz ist noch nicht
geschmeidig. *Er klopft sie mit den Handknöcheln und bläst*
von neuem.
ZEUS *drohend.* Ich sage dir, flöte noch einmal –
HERMES. Warte. *Er quirlt die Flöte zwischen den Hand-*
flächen. Der Saft stockt unter dem Bast und erstickt den
freien Ton. *Er setzt an und entlockt dem Holz eine*
stockende Folge scharfer Töne.
ZEUS *springt auf, geht zu Hermes, reißt ihm die Flöte vom*
Mund weg und schleudert sie aufs Wasser. Wenn du nicht
hören willst –
HERMES. Du willst nicht hören.
ZEUS. Plappere – brülle – heule, der dünnste Ton deiner
Flöte macht mich rasend.
HERMES. Eine harmlose Flöte, die ich mir aus dem Zweig
dieser Weide schnitzte.
ZEUS *ihn schüttelnd.* Um mich auszupfeifen. Ich sehe dir auf
den Grund deiner Spitzbubenseele. Du bist der erste nicht,
der pfeift. Aber ich warne dich: der erste war auch der letzte.
Mit dir springe ich um, wie es mich gelüstet. Wie es mich ge-
lüstet – hast du mich verstanden?
HERMES *läuft plötzlich an ihm vorbei mit erhobenen Ar-*
men ins Wasser. Europa!

ZEUS *mit geschwungenen Fäusten ihm nach.* Kehre nicht um.

HERMES *kommt mit der Flöte zurück.*
ZEUS. Willst du doch –
HERMES *schon die Flöte am Mund, macht eine abwehrende*
Geste.
ZEUS. Was willst du?
HERMES. Ich will pfeifen – um nicht zu lachen. *Er bläst*
rasch.

ZEUS *dreht sich um, fängt an auf der Wiese auf und ab zu gehen. Dann hält er vor Hermes an und zieht ihm sanft die Flöte von den Lippen.* Was rätst du mir?

HERMES. Abfahren.

ZEUS *aufwallend*. Mich geschlagen geben – von einer Puppe?

HERMES. Weil sie ein Püppchen ist.

ZEUS. Weißt du es?

HERMES. Sagst du es nicht?

ZEUS *nach einigen hastigen Schritten*. Habe ich mich so dumm angestellt? Bin ich nicht deinen Weisungen gefolgt und habe mein inwendiges Feuer verdeckt, obwohl es mir in allen Adern kochte? Wurde ich ausfallend mit einem Finger oder zudringlich mit einem Knie? War das Bild der Mäßigung eines verliebten Manns, das ich bot, noch zu überbieten? Nein, – ich habe den Beweis zwanzigfach: keiner der andern Männer wollte neben mir auftreten. Ich setzte sie alle matt. Sie verzichteten vor dem Versuch. Ich beherrschte das Feld. Ich wurde Sieger ohne Kampf. Ich gewann in überlegener Form. Und trotzdem!

HERMES. Sie lachte.

ZEUS *aufstampfend*. Warum? Habe ich ihr den geringsten Zweifel an meinem Ernst gelassen? Habe ich mich nicht offensichtlich ungeheuer angestrengt? Fühle, meine Knie flattern heute morgen noch wie zwei aufgescheuchte Vögel. Es ist nicht einfach, Mensch zu sein und einen Gott zu spielen.

HERMES. Sie hat es dir schwer gemacht.

ZEUS. Habe ich mich nicht leicht gemacht, wie es eben noch anging, um nicht völlig zu verduften? Ich sage dir, ich bewegte mich auf der alleräußersten Grenze. Um ein Viertel eines Pfundes weniger gewichtig – und ich verlor mich als Wolke zwischen den Säulen im Saal.

HERMES. Dann hättest du sie von oben beschatten können.

ZEUS *die Fäuste ballend*. Ich hätte –

HERMES. Wir hätten längst verduften sollen. *Er flötet kläglich.*

ZEUS. Ich bin wütend. Mich auszulachen – ihr Gelächter mir ins Gesicht zu peitschen. Meine Backen brennen, wenn ich dran denke. Die erste, die mich abfallen läßt wie einen zu weiten Schuh. Die erste, die mich zum dummen Hans macht, der vor einer Schürze wegläuft, knallrot bis hinter die Ohren. Ich könnte mich ohrfeigen für meine eigene Feigheit.

HERMES. Mit einem mutigen Angriff hättest du noch weniger erreicht.

ZEUS. Das wäre weniger als nichts.

HERMES. So gib dich mit nichts zufrieden, das ist das meiste, das du hier gewinnen kannst.

ZEUS. Noch nicht. Ich habe die Lust nicht verloren.

HERMES. Wie denkst du dir einen weiteren Aufenthalt?

ZEUS. Ich bleibe. Das steht fest. Ich bin mit Europa noch nicht fertig.

HERMES. Nein, du bist es nicht.

ZEUS. Mit dieser Niederlage im Rücken wage ich nicht, mich in einen Gott wieder zu verwandeln. Ich ertrüge schon deine grinsende Larve nicht. Wir richten uns ein, die Weide ist unser luftiges Zelt. Fang Fische. Ich will Fische essen – ich brauche dünnes Blut, um bei Sinnen zu bleiben.

HERMES *legt die Flöte hin und duckt sich gehorsam zum Wasser.* ZEUS *tritt an ihn heran und legt ihm zögernd die Hand auf den Nacken.* Ich habe doch alle Bedingungen erfüllt, die aufgegeben waren – warum hat sie gelacht?

HERMES *sieht zur Seite.* Frage sie –

ZEUS. Europa?

HERMES. Sie kommt im Schwarm ihrer Gespielinnen.

ZEUS *Hermes vor sich schiebend.* Sie kommt hierher.

HERMES *ihn hervorholend.* Du hast Glück. Verlange jetzt freimütig eine Erklärung von ihr.

ZEUS. Später. Ich bin nicht vorbereitet. Das will überlegt sein – fünfmal, zehnmal, zwanzigmal.

HERMES. Wir sind entdeckt.

ZEUS. Noch nicht. Nieder – hart am Boden hinter den Baum – und ins Zelt – ins Zelt. *Sie haben auf allen Vieren kriechend die Weide erreicht.*

HERMES *noch seine Flöte aufraffend.* Meine Flöte. *Sie klimmen in das schützende Dickicht.*

In raschem Lauf kommen Europa und die Mädchen: sie halten sich an den Händen gefaßt und bilden eine Kette. Ihre dünnen sommerhellen Kleider haben sie zu Wulsten über die Knie gerafft, das Haar – in natürlichem Blond und Braun – hat sich gelöst. Europa hält in Wiesenmitte jäh an und stemmt sich wuchtig in den Grasboden: die Kette schleudert mit wirbelndem Schwunge im Kreis, schließlich lassen alle los, die letzte kollert auf die Erde.

EINIGE *hoch aufatmend*. Ich kann nicht mehr – Luft – es dreht sich noch um mich – ich muß mich hinsetzen.

DIE LIEGENDE. Ich stehe nicht wieder auf.

EINE *jauchzend*. Das war schön.

EUROPA *die Hände verschränkend*. Mädchen, wenn uns die Männer zugesehen hätten!

EINE *ihre Knie mit den flachen Händen bedeckend*. Meine Beine.

EINE ANDERE *sich ins Haar greifend*. Mein wüster Wust.

DIE DRITTE. Ich schwitze.

EUROPA. Ihr seht aus –!

DIE MÄDCHEN. Du siehst aus, Europa –!

EUROPA. Jetzt schämen wir uns. *Sie spreizt die Finger auf das Gesicht.*

DIE MÄDCHEN *tun ebenso*.

EUROPA. Ich muß doch rot werden – an meinem Hochzeitsmorgen.

ALLE *lachend*. Heute ist Europas Hochzeitsmorgen.

EINE *sich ihr nähernd und sich verneigend*. Bist du glücklich?

EUROPA. Im Himmel, Mädchen.

DIE ZWEITE. Hast du deine Freude gefunden?

EUROPA. In Wolken, Mädchen.

DIE DRITTE. Bist du zufrieden?

EUROPA. Mädchen – tanzt!

DIE MÄDCHEN. Wir haben dir noch keinen Hochzeitstanz getanzt.

EUROPA. Mein Schatz und ich hatten gestern nacht begreiflicherweise Eile.

DIE MÄDCHEN. Kommt, wir wollen tanzen. *Sie lassen schnell ihre Röcke herunter und beginnen – jede für sich und einander überbietend – in den langsamen Figuren des Männertanzes sich zu drehen.*

EUROPA *die Hände zusammenschlagend*. Wie führt ihr euch auf? Ist das euer würdiger Tanz? Habt ihr gestern nichts gelernt? Ihr seid schwerfällig und ihr seid zarte Mädchen. Mein Mann kann euch ja lehren.

DIE MÄDCHEN *Europa bedrängend*. Wie tanzt er? Zeig uns, wie er tanzt. Tanze, Europa!

EUROPA *abwehrend*. Das kann ich nicht.

DIE MÄDCHEN. Du willst nicht.

EUROPA. Ich bin keine weiße Feder mit goldenem Kiel. Ich trage keine drei Gewänder auf dem Leib, die ich nacheinander abwerfe.

DIE MÄDCHEN. Du tanzest, wie du willst.

EUROPA. Ich will tanzen.

DIE MÄDCHEN *jubelnd.* Tanze, Europa!

EUROPA. Lagert euch – schweigt.

DIE MÄDCHEN *werfen sich seitlich ins Gras und klatschen in die Hände.* Wir liegen.

EUROPA *nach einem Besinnen.* Ich will meine Antwort tanzen. *Sich gegen die Mädchen verbeugend.* Ich tanze auch dreimal. Jeder Teil steht in bedeutsamer Verbindung mit dem andern. Gelingt es mir einige Aufmerksamkeit zu verschaffen, so wird der besondere Sinn ohne weiteres klar werden.

EINE. Der Flötenjunge sagt den Tanz an.

EUROPA. Die Person, der meine Antwort gilt, vertritt der Weidenbaum.

EINE. Der runzlige, steife Baumstamm.

EUROPA *stockt.* Die wichtigste Hilfe bei meinem Tanz fehlt.

EINIGE. Was?

EUROPA. Die schmachtende Flöte.

EINIGE. Wie schade.

Im Weidendickicht quäkt die Flöte.

EUROPA. Ein Vögelchen hilft mir.

DIE MÄDCHEN *halten sich die Ohren zu und stoßen klägliche Rufe aus.*

Im Weidendickicht entsteht heftige Bewegung, als finde dort ein Streit statt – doch setzt sich die Flöte durch.

EUROPA. Rasch, so lange das süße Tierchen pfeift. *Sie nähert sich mit wackelnden Schritten dem Stamm, entfernt sich von ihm – dreht verschämt den Kopf, dringt mit lockendem Ungestüm von neuem auf ihn ein – nickt einladend und weist ihm mit kräftiger Wendung den Rücken.*

Die Flöte bricht mißtönend ab.

EINE. Abgeblitzt.

EINE ANDERE. Der Vogel kreischt greulich.

DIE DRITTE. Es muß ein Kropfhals sein.

DIE VIERTE. Wenn er wieder schreit, werde ich taub.

Die Flöte setzt ein.

EUROPA *gegen den Baum.* Ich gehorche. *Sie wiederholt mit einiger Steigerung ihr Kommen und Entweichen. Doch kniet sie diesmal vor dem Stamm hin und streckt die Arme gegen ihn. Dann entläuft sie um den Stamm.*

Die Flöte vergeht mit einem klagenden Triller.

EINE. Das war deutlich.

EINE ANDERE *nach dem Stamm zeigend.* Er steht noch ganz starr.

EINE DRITTE. Vor Schreck ist er zu Holz geworden.

EINE VIERTE. Da steht er von gestern abend.

EINE FÜNFTE. Im Baum steckt er.

EUROPA *sich merkwürdig rasch hinwendend.* Wo?

EINE SECHSTE. Das Gesicht ist der Borkenwulst, auf dem die Zweige wie Haare zu Berge stehen.

EINE SIEBENTE. Weidenbäume sind immer Menschen, die sich sehr erschrocken haben.

EINE ACHTE. Im Dunkel wandern sie.

EINE NEUNTE. Sie kommen abends in die Häuser.

EINE ZEHNTE. Und tanzen, weil sie sich den ganzen Tag geruht haben.

DIE MÄDCHEN. Tanze heute abend wieder bei uns. Wir wollen lachen. Wir wollen dich auslachen.

EUROPA *zaghaft.* Beinahe hätte er mich gefaßt.

DIE MÄDCHEN. Wer?

EUROPA. Ich verwirrte mich mit einem Fuß in Wurzeln – oder war es keine Wurzel. Es wurde mir mit einemmal schwer, rasch genug aufzustehen, sonst griff er nach mir.

DIE MÄDCHEN *lachend.* Du bist lustig an deinem Hochzeitsmorgen. Du bist uns den dritten Tanz schuldig. Der Baum wartet. Der Baum will seine Antwort.

EUROPA. Ich will tanzen, wenn der Vogel zum drittenmal pfeift. *Sie horcht.*

Flötenstöße.

EUROPA *hastig.* Er pfeift mir.

DIE MÄDCHEN. Das schlechte Tier. Der grausame Kropfhals. Ich verscheuche ihn. Schleudert Kiesel nach ihm.

EIN MÄDCHEN. Seht hin – Europa tanzt wieder.

EUROPA *macht kurze Tanzschritte nach dem Baum und bleibt, sich nur noch in den Hüften wiegend, stillstehen. Mit dünner Stimme.* Ich warte hier. Ich laufe nicht weg. Ich bin nicht feige. Ich fliehe nicht blutübergossen in den Keller. Ich halte hier stand. *Sich stärker wiegend.* Warum greifst du mich nicht? Beiße ich, kratze ich? Mit diesen Fingerchen? Mit diesen Zähnchen? Wehre ich mich mit diesen Ärmchen? Laufe ich flink genug mit diesen Beinchen? Warum hast du also nicht Mut? Oder bin ich nicht schön? *Dem Baum einen leichten Schlag versetzend.* Dummer Baum, ich bin schön. Ich sage es dir selbst, ich bin schön. *Plötzlich die Arme um den Stamm schlingend und ihre Wange anlegend.* Du glaubst mir doch, wenn ich es dir verrate. *Loslassend und aufstampfend.* Du bist ein stocksteifer – ein steifer fauler Stock bist du, wie du dastehst und stehen sollst, bis du von kaltem Wasser faulst. *Zu den Mädchen gehend.* Ich bin fertig mit ihm. Kommt.

Flötenfinale.

DIE MÄDCHEN. Das gilt nicht. Der dritte Tanz muß länger dauern. Du mußt zuletzt lang auf der Erde liegen. Du hast die Antwort noch nicht ganz gegeben. Europa muß noch einmal tanzen. Wir stehen nicht auf.

EUROPA *rasch.* Ich will mich mit Blumen schmücken. Hier blühen häßliche. Verstreut euch – wir suchen die buntesten. Ich brauche bunte Blumen jetzt – wer sammelt die schönsten? *Sie läuft voran.*

DIE MÄDCHEN. Hier treffen wir uns wieder. Kommt. *Sie jagen ihr nach.*

ZEUS *vom Baum. Er stürmt nach links, hält an – wölbt die Hände um den Mund und ruft.* Lauft nur – ich komme nach – ins Haus – heute nacht – im Dunkel – wenn die Weidenbäume wandern. Wartet auf mich. *Er schüttelt die Arme.*

HERMES *verläßt gemächlich den Baum.* Ich begleite dich, um mir meinen Spiellohn zu holen.

ZEUS *auf ihn eindringend, ihm die Flöte entreißend und zerbrechend.* Ich werde dir ihn zahlen. Du wagst die Verhöhnung, die ich mir im schwankenden Baum gefallen las-

sen muß, zu unterstützen. Ich will dir dein elendes Flöten-
rohr entreißen – und du setzt dich zur Wehr. Bist du dreist
genug zu vergessen, wer ich bin und wer du bist?

HERMES. Wir sind zwei armselige Fischer.

ZEUS. Ich bin der Gott, der Macht über alle hat.

HERMES. Das hatte ich vergessen.

ZEUS. Weil dieser Schnickschnack von einem Mädchen mir
auftrumpft?

HERMES. Es ist besser, jetzt abzufahren.

ZEUS. Warum?

HERMES. Ich meine – um des allgemeinen Ansehens willen,
das ein höherer Gott bei uns oben genießt.

ZEUS *nach einem Kampf mit sich.* Ich räume das Feld.
Denke nicht, daß ich mich besiegt erkläre. Ich schone meine
Würde. Man sieht, es gibt Geschöpfe, die unser überlegenes
Wesen nicht ahnen – geschweige begreifen.

HERMES. Man sieht. Fliegen wir auf.

ZEUS. Noch nicht.

HERMES. Europa kommt zurück. Du regst dich unwürdig auf.

ZEUS. Ich erwarte sie. Ich werde ihr einen Empfang bereiten.

HERMES. Was willst du anstellen?

ZEUS. Sie soll wieder tanzen – dann werde ich ihr einen
Tanz aufführen, wie sie noch keinen gesehen hat. Nichts
mehr von Schweben – Schreiten – Wiegen und Schöntun.
Sie soll Augen machen – das Lachen wird ihr vergehen. Ich
springe in ihren Tanz – *Er stockt.*

HERMES. Dein Anblick ist nicht schrecklich. Im Gegenteil,
du bist ein reizender Junge.

ZEUS *aufleuchtend.* Ich nehme die Gestalt eines Büffels an –
eines mächtigen – grobschlächtigen Stiers. Ein Schädel – so
dick, Hörner wie Bäume, der Bug wie ein Berg, Wampen
wie Säcke, der Schweif wie ein Tau – und dann pflanze ich
mich auf – so – *Er stellt die Beine voneinander.*

HERMES. Zu welchem besonderen Zweck?

ZEUS – und verliere einen gewaltigen – *Gegen das ausver-
kaufte Haus gewendet.* – mit Erlaubnis zu sagen –: Fladen.

HERMES *seine Flöte aufnehmend.* Das läßt kein Mißver-
ständnis offen – wir pfeifen auf die Tanzerei. *Er bläst aus
der zerknickten Flöte bedeutend gräßliche Töne.*

ZEUS. Diesmal schlage ich sie in die Flucht.

HERMES. Sie werden es nicht bis zum letzten kommen lassen, von dem du sprachst.

ZEUS. Wir erleben einen Wettlauf, ich verspreche ihn dir. Europa an der Spitze, mit gellenden Rufen flüchtend – ich mit einigen weiten Sätzen ihr auf den Fersen –

HERMES. Du wirst sie gründlich verscheuchen.

ZEUS. Einen Fetzen ihres Rockes spieße ich mit einem Horn –

HERMES. So reist du nicht mit ganz leeren Händen – Hörnern ab.

ZEUS. Dann stehe ich schweifschlagend still –

HERMES. Das hattest du schon erwähnt.

ZEUS. Und wiehere ein Lachen, wie nur ein Stier lachen kann.

HERMES. Ich blase lustig die Schalmei.

ZEUS. Jetzt darfst du flöten. Entlocke dem Holz, was es spendet. Ein Stier ist nicht verwöhnt. Was zögerst du?

HERMES. Übst du nicht zu grausame Rache? Bedenke, es sind Mädchen – und ein Stier – was dabei nicht zu übersehen ist! – ist ein Stier.

ZEUS. Ich gehe ihnen nicht zu Leibe.

HERMES. Gelobe es mir.

ZEUS. Aber an ihrer Flucht Hals über Kopf will ich mich weiden. Da steht Spiel gegen Spiel. Und ich habe meinen Ruf gerettet.

HERMES. Hetze sie – scheuche sie, es ist nur gerechte Vergeltung.

ZEUS. Mein Blut braust bereits mächtiger, ich muß ihm größeren Kreislauf schaffen. *Er will nach rechts.*

HERMES. Ich beherrsche das Feld von meinem luftigen Sitz. *Ihn anrufend.* Du.

ZEUS. Was?

HERMES. Es bleibt dabei: nicht zu Leibe.

ZEUS. Nur jagen.

HERMES *einen hohen Ton blasend.* Mit diesem Ton mahne ich dich an dein Wort.

ZEUS. Unnötig. *Er läuft rasch hinter die Weide.*

HERMES *bläst.*

ZEUS *vorkommend.* Was?

HERMES. Langsam.

ZEUS. Ich bin ein edler Stier. *Ab.*

HERMES *in die Weide kletternd.* Es gibt der Jungfrau einen heillosen Schrecken. *Er verschwindet. Nach einer Pause flötet er den einen Ton. Ein Brummen antwortet.* Fertig?

Brummen. Kein Horn vergessen? *Brummen. Neuer Flöten-ton. Brummen.* Kaue etwas Gras, es besänftigt. *Brummen.* Ruhig, Vieh. *Beide verhalten sich still.*

Rufe schallen: »Europa.« *Gegenrufe:* »Ist sie nicht bei euch?« *Aus der ersten Richtung:* »Bei uns ist sie nicht.« *Aus der andern Richtung:* »Bei uns ist sie nicht.« *Aus der ersten Rich-tung:* »Wir haben die Arme voll Blumen.« *Aus der andern Richtung:* »Wir auch.« *Aus der ersten Richtung:* »Wir wollen Europa schmücken.« *Aus der andern Richtung:* »Europa – wo bist du?« *Überall zugleich:* »Europa – wo bist du?«

EUROPAS Stimme *mit hellem Echo.* Europa – wo bist du?
ALLE *aufjauchzend.* Europa!
DIE MÄDCHEN *führen Europa in ihrem Kreis, den sie mit Blumenketten abschließen.*
EINE. Uns schickst du nach Blumen, und du kommst mit leeren Händen.
EUROPA. Ich warf mich ins Gras. Ich wurde plötzlich müde. Es ist schwül.
EINE ANDERE. Am Wasser ist es kühl.
EUROPA. Hier drückt die Luft.
EINE DRITTE. Ein dünner Wind weht vom Meer.
EUROPA. Ich habe die Lust verloren. Ich weiß nicht – Laßt mich stehen.
MEHRERE. Du hast den dritten Tanz versprochen. Du mußt dreimal tanzen. Du bist noch die letzte Antwort schuldig. Wir sind begierig, wie du erwiderst. Wir wollen lachen. Wir schmücken dich mit unsern Blumen.
EUROPA. Werft eure Blumen auf mich – verhüllt mich mit Blumen. Die duften.
DIE MÄDCHEN *winden die Kette rings um sie.*
EUROPA. Ihr sollt mit mir tanzen.
DIE MÄDCHEN. Wir tanzen mit Europa.
EUROPA. Lacht hell – lacht uns die Musik zum Reigen.
DIE MÄDCHEN *fassen sich bei den Händen.*
EUROPA. Seid ihr bereit?
DIE MÄDCHEN *lachen frohlaut.*
EUROPA. Schwingt euch im Kreis. *Sie wirft die Arme hoch und wirbelt sich auf Fußspitzen.* Dreht schneller.
DIE MÄDCHEN *kreisen um sie mit immer wilder werdendem Schwung.*

EUROPA. So tanzen wir, ohne Schwindel – ohne Ende --

Der Stier – den Ankündigungen entsprechend, ein gewaltiges scheckiges Ungetüm – bricht hinter der Weide hervor. Mit wenigen hohen Sätzen erreicht er den Kreis der Mädchen und steht nun mit gesenkten Hörnern und rollenden Augen, große Schaumflocken vom Maul schleudernd – aufbrüllend – die bebenden Flanken mit dem schweren Schweif peitschend.

DIE MÄDCHEN *erstarren bei seinem Anblick.*

Der Stier macht einige neue furchteinflößende Sätze gegen die Mädchen.

DIE MÄDCHEN *lassen sich schreiend los und fliehen nach allen Seiten.*

Der Stier verfolgt welche bis an den Rand der Wiese, kehrt um und verjagt andere vom Ufer – schließlich verscheucht er die letzte, die hinter dem Weidenstamm Schutz gesucht hatte.

EUROPA *rührt sich nicht vom Fleck.*
DER STIER *richtet seine Angriffe gegen Europa – bockt um sie herum, schäumend – fauchend.*
EUROPA *dreht nur den Kopf nach ihm.*
DER STIER *dringt wütender auf sie ein.*
EUROPA *hält unbewegt stand.*
DER STIER *weicht zurück und will anlaufend sie überrennen.*

Die Flöte quarrt hoch.

DER STIER *stockt dicht vor Europa.*
EUROPA *legt ihre Hand in die Wolle seiner Stirn.* Da hörst du, du erschreckst bloß das Vögelchen im Baum. Ist das mutig: ein großer Stier, der eine kleine Singdrossel verscheucht?
DER STIER *steht mit allen Zeichen einer tierischen Verdutztheit starr.*
EUROPA. Warum brüllst du so fürchterlich? Fürchtest du dich? Vor meinen Gespielinnen? Es will dir keine zu Leibe.

DER STIER *duckt sich unter der kraulenden Hand.*

EUROPA. Glaubst du mir jetzt? Das ist vernünftig. Warte, ich wische dir die Flocken vom Mäulchen. Das ist häßlich. *Sie streift mit ihren Blumen ihm den Schaum weg.* Springe langsam. Achte aber auf deine Hörner. Sie sind lang und spitz. Du kannst mich stoßen.

Die Flöte quäkt eine heitere Weise.

EUROPA. Auch der Vogel ist beruhigt. Ich sehe, du bist ein verständiger Stier. Nun zeige, was du kannst.

DER STIER *streicht, das Haupt heftig werfend, in weitem Bogen um Europa.*

EUROPA. So gefällst du mir. Rolle die Augäpfel nicht. Du hast so schöne, braune Augensterne, die dir besser stehen als das tote Augenweiß.

DER STIER *verfällt neuerdings in bockige Sätze, brüllt.*

EUROPA. Das verdirbt alles.

Die Flöte bricht mit ihrem grellen Ton ab.

DER STIER *schüttelt erbost die Hörner gegen den Baum.*

EUROPA *hält ihm die Hörner fest.* Bedrohst du den kleinen Vogel? Schäme dich. *Sie schlägt ihn leicht zwischen die Ohren.* Da hast du die Strafe. Wenn du dich nicht besserst, laufe ich auch weg. Dann stehst du hier ganz allein. Soll ich ernst machen?

DER STIER *bewegt das Haupt.*

EUROPA. Ich habe dich zum letztenmal gewarnt. Ich bin sehr unzufrieden. Das ist keine Aufführung, die sich vor einem jungen Mädchen schickt: fauchen – schäumen – bocken. Ich bin sehr verwöhnt, weißt du das? Soll ich dir etwas davon erzählen? Mir naht man sich nur tänzelnd. Und ich bin eine strenge Richterin. Ich habe gestern nacht erst einen Tänzer abfallen lassen. Er mußte vor Scham in den Boden sinken – ich sage dir, er ist wirklich in den Boden gesunken, denn ihn hat keiner wieder gesehen. *Verändert.* Weshalb tanzte er nicht wie du? *Lachend.* Deine Sätze machen mir Spaß. Tolle dich.

Die Flöte quarrt.

DER STIER *umkreist wieder mit erhobenem Haupt Europa,*

sich ihr mehr und mehr nähernd – schließlich an ihren Blu-
men im Haar schnuppernd.

Die Flöte gellt.

DER STIER *erzittert und stürmt mit einigen Sätzen gegen den*
Baum.
EUROPA. Was will der dumme Vogel? Laß ihn pfeifen.
Komm, ich füttere dich.
DER STIER *kehrt langsam, wogend zu ihr zurück und schiebt*
sich dicht an sie.
EUROPA. Das ist ein alberner Vogel, der dich immer stört.
Friß, Stierchen, meine Blumen.
DER STIER *reibt das Maul an den dargereichten Blumen.*
EUROPA. Du achtest die Blumen, weil es bunte Blumen sind
– oder weil ich sie dir reiche? Ich will sie dir dennoch schen-
ken, ich bekränze dich mit meinen Blumenketten. *Sie windet*
sie um die Hörner. Wie stolz trägst du deine Hörner von
durchsichtigem, gelbem Bernstein. Hast du den aus dem
Meer? Kannst du rudern – schwimmen – tauchen? Ich ver-
mute es, du kannst es. Weil du der mächtigste Stier bist.
Sie hängt Ketten um seinen Bug. Deine Wolle ist fest und
straff, meine Fingerspitzen verwickeln sich in den steifen
Strähnen. *Sie legt Ketten über den Rücken.* Dein rauhes
Fell riecht bitter nach Fett. Der Dampf beizt in meiner
Nase. *Ihm die Flanken klopfend.* Diese Stärke – du bist ein
Kerl. *Sie schlingt die Ketten durch die Vorderbeine und*
knüpft sie unter dem Bug. Ich habe dich gefesselt. *In die*
Hände klatschend. Europa hat den wildesten Stier bezwun-
gen. *Ihn an der Blumenkette wie am Leitseil hinter sich*
führend, geht sie auf der Wiese hin und her.
DER STIER *hält an, kniet sich in die Vorderbeine.*
EUROPA. Bist du schon müde? Schön, setz dich – leg dich!
DER STIER *verharrt in dieser Stellung.*
EUROPA *sich zwischen seine Hörner auf die Ellbogen stüt-*
zend und über den Stierrücken blickend. Mit dir kann man
gut plaudern.

Die Flöte stößt den mahnenden Ton aus.

DER STIER *zuckt.*
EUROPA. Ärgere dich nicht. *Mit seinen Ohrlappen spielend.*

In deine Ohren geht viel hinein und nichts heraus, du bist ein guter Zuhörer. Ja, Stier, ich hatte gestern nacht ein Erlebnis – ich erzählte dir schon. Ich frage mich noch: warum tanzte er? Alle tanzen doch – warum tanzte er nicht? Ich weiß ja, alle tanzen um meinetwillen – und das ist gut und schön, sie machen sich leicht – und sind leicht – ich ärgere mich aber. Warum ärgere ich mich? Weil sie so leicht tanzen? König Agenor ist sehr zufrieden – ich soll es auch sein. Ich bin es nicht. Ich will nicht – ich danke, König Agenor. *Erklärend*. Das ist mein Vater. *Heftig*. Aber mein Vater ist nicht Europa – und Europa bin ich – und ich weiß nicht, was ich will. *Sie streckt sich mit der Brust über den Stierrücken*. Warum sprang er nicht wenigstens wie du – so toll und dreist?

Die hohe Flöte.

DER STIER *zuckt*.
EUROPA. Rühr dich nicht. Ich liege so bequem auf deinem Pelz. Wenn man auf diesem scharfduftenden Teppich ruht, dann kommen einem die besten Gedanken. – Gestern kam einer – ein anderer – er gefiel mir nicht – er gefiel mir – er – *Sie rupft von einer Blume die Blätter und zählt ab*. Er gefiel mir nicht – er gefiel – nicht – gefiel – nicht – gefiel –

Die Flöte.

DER STIER *rührt sich nicht mehr*.
EUROPA *mit dem letzten Blättchen*. Nicht. Ja, gefiel er mir nicht? Gefiel er mir nicht, weil er tanzte? Warum tanzte er? Warum tanzte einer einmal nicht – und wollte mir gar nicht gefallen? Und er gefiel mir doch –? Wie ist das? *Sie hat sich zwischen die Hörner hindurchgeschoben und liegt nun längelang auf dem Stierrücken*.

Die Flöte.

EUROPA. Still, Vogel, ich muß nachdenken. *Sie drückt die Stirn in das Fell*. Ich muß es finden – ich finde es hier – hinterher bin ich –
DER STIER *hat sich vorsichtig auf alle vier erhoben*.
EUROPA. Mir wurde vom Nachdenken schon schwindlig.

DER STIER *bläst die Nüstern, streckt den Hals steif auf.*

Die Flöte schnell hintereinander grell.

EUROPA. Bläh dich, Vogel, ich finde es doch.
DER STIER *hat nach allen Seiten lugend nun den Uferrand als Ziel genommen. Nun stößt er, schon die Vorderhufe in die Flut setzend, ein gewaltiges, triumphierendes Brüllen aus. Zugleich peitscht der Schweif die Luft.*
EUROPA *das Gesicht erschreckt aufhebend und mit einer Hand nach dem Schweif greifend.* Du schlägst mich. Bist du toll geworden? *Das Wasser unter sich gewahrend.* Wohin rennst du? Du stürmst ja ins Wasser. Ich bin noch auf deinem Rücken. Ich will erst abspringen. *Der Stier rudert bereits.* Ich falle ja ins Meer. Ich falle ins Meer, wenn ich abspringe. Wohin schwimmst du mit mir? *Mit ihren kleinen Fäusten auf das Rückenende trommelnd.* Du schlechtes – schlechtes – schlechtes – Tier – –

Der Stier entfernt sich rasch.

HERMES. *Springt aus dem Baum, läuft zum Ufer und bläst aus allen Kräften die schrillen Töne. Dann läßt er atemlos die Flöte sinken. Er steht nachdenklich, dann langsam.* Er hatte sein Wort nur für den Stier gegeben – für Menschlichkeiten hatte er sich nicht weiter verpflichtet. *Er blickt die Flöte an.* Was die Flöte anbelangt, so hat diese ihre Aufgabe erfüllt. *Er läßt sie fallen.* Ich bleibe unschlüssig, in welcher Weise ich mich ferner nützlich machen kann. *Er geht unter die Weide und legt sich ins Gras.* Das Vernünftigste wird sein – vorläufig nicht zu stören. *Er schläft ein.*

DER LETZTE AUFZUG

Der Saal.
In seinem Sessel links oben sitzt Agenor. Die Türhüter stehen neben ihm. Vor ihm und auf den Stufen die Mädchen.

AGENOR. Eure Erzählung klingt so wunderbar – ich weiß nicht, ob sie mehr mein Staunen oder meinen Schmerz aufrüttelt. Ihr sprecht von einem Ungetüm –

DIE MÄDCHEN *durcheinander.* Ein Stier – mit armlangen Hörnern – mit blutroten Nüstern – mit kochheißem Atmen.

AGENOR. Eine antwortet auf meine Fragen.

DIE MÄDCHEN. Wir waren alle dabei. *Einige sich vordrängend.* Ich erblickte ihn als erste. Nach mir sprang er gleich. Mich stieß er.

ANDERE. Du liefst als erste, was du laufen konntest. Du hieltest dir die Hände auf die Augen. Du sahst nichts von ihm.

EIN MÄDCHEN. Ich suchte mir mein Versteck hinter der dicken Weide – mich entdeckte er zuletzt.

AGENOR *zu dieser.* Du sprichst. Wo befandet ihr euch, als dieser –

DAS MÄDCHEN. Wir –

AGENOR. Wer?

DAS MÄDCHEN. Europa mit uns. Als wir tanzten –

AGENOR. Europa tanzte?

DAS MÄDCHEN. Wir hatten Blumen auf der Wiese gesammelt und Europa ausgeschmückt –

AGENOR *immer erstaunter.* Wiesenblumen?

DAS MÄDCHEN. Und da –

AGENOR. Trat der Stier auf?

DAS MÄDCHEN. Er schoß gegen uns – brüllte – stampfte – schäumte –

AGENOR. Ihr floht nach allen Seiten?

DAS MÄDCHEN. Wir stoben, wohin wir konnten, wir liefen uns in den Weg – der Stier verfolgte jede, bis die letzte vom Platz verscheucht war.

AGENOR. Und du warst die letzte?

DAS MÄDCHEN. Nein –

AGENOR. Du sagtest doch, dich vertrieb er zuletzt hinter dem dicken Baum?

DAS MÄDCHEN. Europa stand noch da.

AGENOR. Und der Stier?

DAS MÄDCHEN. Ich drehte mich nicht mehr um.

AGENOR *nickt*. Ich muß glauben – die Wiederholung deckt sich mit eurem Bericht. Ich weiß zwar nichts von einem Stier, der in den befriedeten Bezirken meines Reichs wildert. Ich werde bei den Tierhaltern nachforschen, obwohl die Mühe vergeblich ist. Über unsere Triften weiden nur Lämmer – und auch die wenigen Stiere, die nicht entbehrlich sind, sind sanfte Lämmer und schäumen und stampfen nicht auf diese Art. Sie gehen keinem Menschen zu Leibe – geschweige Mädchen. *Mit einem Entschluß*. Ich will Männer aussenden, die dies Scheusal jagen mit Lanzen und Schwertern. *Zu den Türhütern*. Überbringt meinen Befehl.

DIE TÜRHÜTER *rühren sich nicht*.

AGENOR *schlägt mit der flachen Hand auf seine Stirn*. Männer – Waffen, ich schicke meine Wünsche in den Wind. *Zusammensinkend*. Europa stand noch da – von Entsetzen gelähmt beim bloßen Anblick dieses unflätigen Gebildes aus Horn und Fell. Ein Stier – und die Jungfrau, es gibt keinen heftigeren Gegensatz. Und vor Europa muß er sich darstellen. *Gegen die Mädchen*. Warum habt ihr mir euer Abenteuer nicht gestern erzählt?

DAS MÄDCHEN. Wir dachten doch, Europa hat sich in den Palast gerettet wie die andern, und erst, als du heute morgen nach ihr fragtest, ahnten wir, daß sie nicht nach Haus gekommen ist.

AGENOR. Meine Tochter eine Nacht – Europa eine ganze, lange, dunkle Nacht nicht im Hause, es ist nichts Schwärzeres unter den Sternen auszudenken als solche Nacht. *Ihnen winkend*. Geht – füllt ihr leeres Gemach, drängt euch dicht darin – laßt diese ungeheure Leere sich nicht ausbreiten. Sie wuchert über Haus und Höfe – sie senkt sich in meinen Kopf. Stört mich nicht, ich muß denken – denken, um nicht zu versinken.

DIE MÄDCHEN *entfernen sich über die Plattform. Ab.*

AGENOR *die beiden Türhüter flüchtig anfassend*. Zwei Kinder, ein Geschenk des Glücks – zwei Kinder, zwei todestraurige Gräber. Gabe und Raub in jähem Wandel – wer nimmt, der wagt den Verlust. Ich griff hastig auf – und bette meinen Raub in den Boden. Das wurde mein Glück: Gräber. Gräber? Nicht einmal das ist mir gelassen. Nicht die Scholle

Erde, in die ich meine Tränen gießen kann. Nun strömen sie an meinem Leib herab und werden unter dem Frost meines Alters zu Eis, in dem ich ersticke. Noch klagt der Mund – mit lauter Anklage erschüttere ich diese Wände. Wo trifft mich ein Vorwurf? Wo bin ich schuldig? Wann vermaß ich mich mehr als ein Vater, der sich seiner Kinder freut? Erfüllte ich nicht meine Vaterpflicht an Sohn und Tochter? Hütete ich sie nicht – hütete ich sie nicht mehr, als je ein Vater konnte – als je ein König konnte? Werde ich darum gestraft? – Ich schweige nicht – ich trotze mit meinen gellenden Rufen. Ihr Kinder, wo seid ihr? Sohn, der verschwand – ein Zeichen von dir: Kadmos – Kadmos. Tochter – dein Schicksal von namenloser Fremdheit künde mir an! Ein Zeichen von dir: Europa – Europa. Atmest du – liegst du entseelt? Haben die harten Hufe dich zerstampft – das schäumende Maul das Goldhaar zerrauft – die scharfen Hörner dich hierhin und dorthin geschleudert? Hängst du im Geäst – flutest du mit dem Meer? *Die Arme verschränkend.* Zwei Kinder – ich will vergessen, daß doppelte Stützen mein Alter trugen. Kadmos – Europa, schon eins von euch ist überschwenglicher Besitz. Von einem fordere ich Antwort und Gruß – wer naht sich in dieser Stunde: Europa, bist du es – Kadmos, bist du es?

Schon vorher sind hinten auf der Plattform Männer aufgetaucht, die ratlos und mit runden Gesten zurückweisen.

AGENOR *mit halber Aufmerksamkeit zu einem Türhüter.* Bedeutet es mehr?

DER TÜRHÜTER *geht hin.*

AGENOR *zum andern Türhüter.* Von Bedeutung wird künftig nur noch eins –

DER ERSTE TÜRHÜTER *stürzt zu Agenor zurück und bricht vor ihm in die Knie.* Boten von Kadmos.

AGENOR *springt auf.* Warum laufen nicht diese –

EINIGE MÄNNER *vorn an die Plattform kommend.* Boten sind gekommen – sie bringen Nachricht von Kadmos.

AGENOR *fast sprachlos.* Ihr wißt es schon – und laßt mich warten?

EINER. Sie stehen im Hof –

AGENOR. Im Hof? Die von meinem Sohn kommen, stehen im Hof? Seid ihr –? Folgt mir alle in den Hof.

DERSELBE *heftig abwehrend.* Du kannst nicht zu diesen gehen.
AGENOR *stutzend.* Nein – ich will sie in der Pracht dieses Saals empfangen. Geleitet sie herauf.
DERSELBE. Unmöglich.
AGENOR. Was heißt das: unmöglich? Kadmos lebt, er schickt zu mir – es sind Gestalten, die mir vom Himmel niedersteigen. Du hast recht, dieser Raum ist nicht würdig. Entschuldigt vor ihnen meine Dürftigkeit, ich bin nur ein König, der sie ladet – aber mein wogendes Vaterblut umfängt ihre Botschaft mit purpurnem Glanz. Zögert ihr noch?
DIE MÄNNER *schütteln die Köpfe gegeneinander.*
AGENOR *sich hoch aufrichtend.* Ich, König Agenor, befehle, die hehren Gesandten des Königsohns Kadmos in den Saal zu führen.
DIE MÄNNER *mit Zeichen der Bestürzung ab.*

AGENOR. Ich bin aufgeregt. Meine Stimme ist rauh. Ich werde nicht leicht sprechen können. Es macht einen schlechten Eindruck, wenn ich die Gewalt über mich verloren habe. Ein Herrscher, der sich nicht beherrscht – sie werden meinen harten Ton mit Widerwillen ertragen, wenn ich sie anrede. Ich will besser schweigen. Ist mein Mantel in Ordnung? Ordnet den glatten Fall meines Mantels. Wie ist die Luft im Saal? Was schwelt in den Rauchpfannen? Ich fürchte sie irgendwie mit scharfen Gerüchen zu beleidigen: es sind Boten des sanftesten Sohns der Welt. *Lauschend.* Braust mein Blutstrom in den Ohren? Hört ihr das?

Wachsender Lärm dringt hinten zur Plattform herauf: barsche Stimmen sind es, die das Rasseln von Waffen übertönen.
Die Männer kommen wieder und strecken beschwörend die Arme gegen Agenor.

AGENOR *staunend.* Sind das –?

Nun erscheint ein Trupp fremder Krieger: mächtige Gestalten, bärtig, gelber dickgewickelter Haarschopf – Felle auf der nackten Brust – rauhe Beine – und Waffen.

DER ANFÜHRER. Wo ist er? *Auf Agenor zeigend.* Der ist es. Das Gesicht ist wie sein Gesicht. Das ist der Vater von König Kadmos. *Sie brechen in wilde Rufe aus und hämmern die Waffen aufeinander. Dann steigen sie rechts hinunter.*

AGENOR *stammelnd.* Seid ihr –?

DER ANFÜHRER. Wir sind seine Sprossen.

AGENOR. Ist mein Sohn König?

DER ANFÜHRER *sein Schwert reckend.* Unser König Kadmos.

Alle rufen es.

AGENOR. In welchem Reich ist er König?

DER ANFÜHRER. In seinem Reich.

AGENOR. Wo liegt das?

DER ANFÜHRER. Woher wir kommen.

AGENOR *fährt sich mit der Hand über die Stirn.* Ihr müßt mir Zeit lassen –

DER ANFÜHRER. Wir haben keine Zeit.

AGENOR. Mein Sohn heißt Kadmos. Kadmos ist ein Name, der sich wiederholen kann. Ein Irrtum scheint möglich – ihr fallt einem Irrtum zum Opfer. Ich bin nicht der Vater – dieses Kadmos, der euer König ist.

DER ANFÜHRER *sieht seine Gefährten an, weist auf Agenor – und lacht.*

AGENOR. Ich sage es euch. Ich könnte es euch erklären, aber ihr würdet es nicht verstehen. Mein Sohn Kadmos ist ein – nennt ihr euch nicht Sprossen eures Königs Kadmos?

DER ANFÜHRER. Mit Haut und Haar.

AGENOR. So ist es klar. Mein Sohn ist ein halber Knabe. Ihr seht, es ist unmöglich.

DER ANFÜHRER *mit dem Schwert gegen ihn eindringend.* Wer lügt?

DIE KRIEGER *sich um ihn scharend.* Schilt einer dich Lügner?

DER ANFÜHRER. Wer lügt?

AGENOR. Jeder spricht die Wahrheit. Die Wahrheit ist so vielgestaltig. – Ich habe meinen Sohn Kadmos so lange aus den Augen verloren – es geschahen unerklärliche Vorgänge. *Schnell.* Kennt ihr sie?

DER ANFÜHRER. Wir sollen dir alles erklären, warum Kadmos so kurzen Abschied von dir nahm.

AGENOR *überstürzt.* Ja, ja, er war eines Morgens verschwunden – vor seinem Geburtstag, an dem er Mann wurde.

DER ANFÜHRER. Er wollte ein Mann sein. Der ist er geworden.

Waffenklirren.

AGENOR *zweifelnd*. Er wurde doch männlichen Geschlechts von seiner Mutter geboren?

DER ANFÜHRER. Wo sind deine Männer? *Aufschauend*. Da stehen sie. *Gelächter der Krieger*. Von denen hat er uns erzählt. Schleifende, blaue Mäntel – gelbe Mäntel, weiche Haare bis auf den H . . . – bis auf die Hüften. *Lachend*. Männer!

AGENOR. Es stimmt – alles stimmt, nur weiter von Kadmos.

DER ANFÜHRER. Er läßt dir bestellen: dein Reich ist nicht sein Reich. Die Herrschaft über diese da tritt er nicht an. Ein König, dem keine Waffen von Männerhänden geschüttelt klirren, ist kein König. Er hat als Königssohn das Recht auf ein Königreich. Er suchte sich eins und schuf sich eins – mit Männern in Waffen.

DIE KRIEGER. Männer in Waffen.

AGENOR *die Hände erhebend, freudig*. Es ist mein Blut – das Blut von Königen und Königen meines Bluts. Kadmos – neuer König in Waffen. *Zu den Kriegern*. Ist er so stark, daß er euch gewaltige Krieger in eurem Land unterjochte?

DER ANFÜHRER. Uns zähmt niemand.

AGENOR. Wie wurde er dennoch euer Herr?

DER ANFÜHRER. Ein ödes Land betrat er, da säte er Drachenzähne in die Furchen der Äcker – und wir sproßten fertig mit Schwertern und Speeren empor.

AGENOR. Drachenzähne?

DER ANFÜHRER. Die blanken Zähne seines drachenstarken Willens. Wir sind Kinder seiner Taten.

AGENOR. Warum kommt er nicht selbst?

DER ANFÜHRER. Soll er die Fliegen von der Wand in deinem Palast wedeln?

AGENOR. Kehrt ihr zu ihm zurück?

DER ANFÜHRER. Wir kehren zurück.

AGENOR. Habt ihr Befehl zur Eile? Ich möchte euch bewirten, euch ein Fest in diesem Saale geben – *Sich rasch verbessernd*. Nein, kein Fest geben. Es wird mir noch etwas einfallen. Wünscht euch.

DER ANFÜHRER *sieht seine Gefährten an*. Wir sollen uns wünschen –

AGENOR. So hoch ihr wollt.

DIE KRIEGER *schicken ihre Blicke herum, steigen auf die Stufen und übersehen die Plattform.*

AGENOR. Was ist es? Sucht ihr was?

DER ANFÜHRER. Wir sehen hier nichts.

AGENOR. Mein Haus ist weit.

DER ANFÜHRER. Wir sollen nicht allein zu König Kadmos kommen –

AGENOR. Mit Schätzen belade ich jeden.

DER ANFÜHRER *lacht*. Mit Schätzen –

AGENOR. So wählt doch.

DER ANFÜHRER. König Agenor – es ist dies: König Kadmos hat uns noch einen Auftrag mitgegeben –

AGENOR. Ich bin begierig, ihm gehorsam zu sein.

DER ANFÜHRER. Du kennst die Geschichte unserer Entstehung. Wir sind nicht von Weibern geboren. Wir haben keine Weiber in unserem Land. Weiber müssen sein, wo Männer wachsen sollen. Gib uns Weiber mit.

AGENOR *tritt zurück*. Euch –

Hinten auf der Plattform tauchen Mädchen auf, laufen bis zur Mitte und stehen keuchend still.

AGENOR. Was ist?

EIN MÄDCHEN *atemlos*. Europa –

AGENOR *laut*. Nein.

ANDERE MÄDCHEN *kommen*. Europa ist –

AGENOR *bebend*. Nein – nicht. *Sich beherrschend*. Nicht jetzt. *Zu den Männern*. Sorgt für Ruhe. Ich stehe in Unterhandlung mit diesen Kriegern.

DIE MÄNNER *führen die Mädchen von der Plattform weg*.

AGENOR *zu den Kriegern, die nichts sahen*. Euer Begehren ist berechtigt – ich erkenne es, selbst ein Mann, an. Süß sind Frauen – und ganz unentbehrlich –

DER ANFÜHRER. Wir weichen nicht.

AGENOR *rasch*. Frauen und Frauen, es gibt Unterschiede – ja Unterschiede, mit denen man rechnen muß.

DER ANFÜHRER. Wir wollen unsere Weiber.

AGENOR. Eure Weiber sind eure Weiber, darum streite ich ja nicht mit euch –

DER ANFÜHRER. Wir fürchten den Streit nicht.

AGENOR. Ich muß nur auf euch vorbereiten. *Zu den Türhütern*. Führt diese fremden Krieger hinab. Es wird sich geben. Geduld – Geduld –

DIE TÜRHÜTER *führen die Krieger hinab.*

AGENOR. Schließt den Vorhang – dicht, dicht. *Stammelnd.* Ja, was wird sich geben? – Europa in diesem Augenblick! Meine Tochter ist mir willkommen, sie ist wieder zu Hause, sie soll in ihrer Kammer sich ausschlafen – sie hat sicher eine durchwachte Nacht hinter sich. Ich werde sie in ihrer Kammer aufsuchen. Europa kann doch das hier nicht erleben!

Die Mädchen kehren auf die Plattform zurück und drängen die Männer vor sich her.

DIE MÄDCHEN. Gebt den Weg frei.

DIE MÄNNER *die Mädchen bestürmend.* Was sagt ihr? Ist es wahr? Ein Stier?

EIN MÄDCHEN *gegen einen anlaufend.* Mit Hörnern.

EIN ANDERES MÄDCHEN. Mit einem Maul.

EIN DRITTES MÄDCHEN. Mit einem Schweif.

DIE MÄDCHEN. Europa kommt.

EUROPA *geht langsam durch die Reihen der Mädchen und Männer.*

AGENOR *mit raschen Schritten zu ihr.* Da bist du ja. Ich habe dein gefährliches Abenteuer gehört. Kehrst du unversehrt zurück? Hat dir der Schrecken nicht zu heftig zugesetzt? Ich sehe dich an – nein, du stehst heil vor mir. Du blühst förmlich. Du kannst dir meine Angst und Sorge denken. Ich bin um Jahre gealtert. Jetzt verjünge ich mich wieder. Ich bin zufrieden – ich bin glücklich.

EUROPA *hört ihm nur wenig zu; sie zieht die Luft im Saal prüfend ein.*

AGENOR *eifrig.* Es ist nicht die Zeit, zu erzählen – zu berichten. Ich kenne auch alles – ich ahne alles: wie du dich im Schilf verborgen, wie das Tier nach seiner Beute gestöbert, wie du still gesessen bist und den Feind getäuscht hast. Später, wenn du frisch bist, schütte dein Herz aus – jetzt schlafe dich aus.

EUROPA *tut einige Schritte nach vorn.*

AGENOR *sie aufhaltend.* Ich bin nicht neugierig – ich verlange jetzt kein Wort von dir, ich rate dir zur Schonung. Du bedarfst ihrer dringend. Hinter dir liegen Anstrengungen – hier finde ich deutliche Spuren: eine entblätterte Rose. Die

Blüte verlorst du in deinem gefährlichen Versteck. Geh zu Bett.

EUROPA. Wie riecht es hier?

AGENOR. Hier?

EUROPA. Scharf – bitter nach Fett.

AGENOR. Nach –

EUROPA *will an den Rand vortreten.* Riecht ihr es nicht?

AGENOR *begreifend.* Ich rieche – Es ist nichts. Die Räucherpfannen sind nicht gereinigt. Es ist noch früher Morgen. Die Mägde säubern zuletzt im Saal. Das ist ein unerfreulicher Anblick – wie du sagst, ein bitterer Geruch. Ich schicke die Mägde – und wir freuen uns der freien Luft. *Er will sie mit sich führen.*

EUROPA *sich überbeugend.* Es steigt nicht von den Pfannen – es kommt tiefer herauf. *Zu den Türhütern.* Öffnet den Vorhang.

AGENOR *zu den Türhütern.* Haltet den Vorhang zu. *Zu Europa.* Es ist kein Grund vorhanden, hier nach Dämpfen – Gerüchen zu forschen. *Wieder hinabrufend.* Haltet zu.

EUROPA. Es beizt mich –

AGENOR *will sprechen und hüstelt.* Es beizt mich auch. Haltet zu.

EUROPA. Warum befiehlst du immer den Vorhang zu schließen?

AGENOR. Ich befahl nichts –

Hinter dem Vorhang nähern sich stampfende Schritte und Waffenklirren.

EUROPA *sieht Agenor fragend an.*

AGENOR *verzweifelt.* Ich weiß nichts.

Die Krieger sprengen den Vorhang und stürmen heraus.

DER ANFÜHRER *Europa gewahrend und alle Mädchen, die an den Rand getreten sind.* Wir witterten durch die Wände. Da stehen sie.

DIE KRIEGER. Unsere Weiber.

AGENOR *stellt sich schnell vor Europa und breitet den Mantel vor ihr.* Fliehe, meine Tochter.

EUROPA *schiebt den Mantel beiseite. Die Krieger aufmerksam musternd.* Wer seid denn ihr?

DER ANFÜHRER. Eure Männer.
DIE KRIEGER. Eure Männer.
EUROPA. Woher kommt ihr?
DER ANFÜHRER. Von König Kadmos.
EUROPA. Von meinem Bruder?
DER ANFÜHRER *erstaunt*. Hat unser König eine Schwester?
EUROPA. Ich bin seine Schwester. Hat er Europa nie genannt?
Lebt er?
AGENOR *sich sammelnd*. Diese Männer schickt dein Bruder
Kadmos. Jäger sind es. Sie kommen zu rechter Stunde. *Zu
den Kriegern*. Ich will euch ein Vergnügen bereiten. Ihr sollt
zufrieden sein. Ihr sollt einen Stier erlegen, der in mein Ge-
hege eingebrochen ist. Ich gebe euch die Jagd frei.
EUROPA *ihm die Hand auf den Arm legend*. Es ist zu spät.
AGENOR *gedämpft zu ihr*. Ich will sie beschäftigen. Wir gewin-
nen Zeit. Fliehe.
EUROPA. Der Stier ist schon außer Landes. *Zu den Kriegern*.
Ihr werdet diesem Stier vergeblich nachjagen. Spart euch die
Mühe – und bleibt hier.
AGENOR *in maßlosem Staunen*. Du ladest sie ein, du flüchtest
nicht vor diesen –
EUROPA. Kommt herauf.
DIE KRIEGER *zögern*.
EUROPA. Warum steht ihr jetzt stocksteif?
DER ANFÜHRER *scheu*. Du bist die Schwester unseres Königs.
EUROPA. Ich soll nicht bitten – so befehle ich euch.
DER ANFÜHRER. Dir gehorchen wir.

Die Krieger steigen herauf.
Agenor und die Männer weichen im weiten Bogen vor ihnen aus.

EUROPA *die Krieger aufmerksam betrachtend*. Sind alle Män-
ner im Lande meines Bruders Krieger, wie ihr seid?
DER ANFÜHRER. Wir sprossen vom gleichen Samen.
EUROPA *nach einem Besinnen*. Ich habe Lust, meinen Bruder
in seinem Land zu besuchen.
AGENOR *fährt zusammen. Dann zu den Kriegern tretend*.
Meine Tochter weiß nicht, was sie redet. Sie hat diesen
Wunsch nicht.
EUROPA *verwundert*. Habt ihr schöne Frauen bei euch?
Sprecht frei, ihr beleidigt mich nicht.
AGENOR *zu Europa*. Nein, fordere sie nicht auf, es zu sagen.

EUROPA. Ich frage, was ich fragen will.

AGENOR. Es wird dich über alle Maßen verwirren.

EUROPA. Ich kann es hören.

AGENOR. Jetzt stürzen die Säulen über diesen Saal. *Er verhüllt sein Haupt.*

EUROPA *unsicher.* Sind eure Frauen – sehr reizend?

DER ANFÜHRER *greift sich an den Hals, würgt an Worten.*

EUROPA *tastend.* Hat jeder von euch – viele Frauen?

DER ANFÜHRER *ausbrechend.* In unserm neuen Land gibt es keine Weiber. Sie fehlen uns – wir suchen sie. König Kadmos hat uns geschickt. Wir wollen Weiber!

AGENOR. Flieh, meine Tochter, rette dich – ich kann dich nicht vor ihrem Willen schützen.

DIE KRIEGER *die Arme schüttelnd.* Wir wollen Weiber.

DER ANFÜHRER *zu Agenor.* Wir haben dir Botschaft von Kadmos gebracht, wir fordern unsern Lohn.

DIE KRIEGER. Wir fordern unsere Weiber.

AGENOR. Ich kann euch keine geben.

DIE KRIEGER *auf ihn eindringend.* Du bist hier König – du gibst uns Weiber.

AGENOR. Ich töte sie, wenn ich sie euch hingebe.

DIE KRIEGER *stutzen.*

AGENOR. Fragt eine – fragt diese oder jene – ich frage selbst. *Sich an die Mädchen wendend.* Ist eine von euch bereit – mit einem dieser Krieger wegzugehen? Wer will antworten – wer kann antworten?

Es herrscht Stille.

AGENOR *zu den Kriegern.* Ihr seht es mit Augen – ihr hört keine Silbe aus einem Munde.

EUROPA *zu den Mädchen.* Besinnt ihr euch denn lange? Das erste Wort will keine wagen? Ich will euch Mut machen. *Vor die Krieger tretend.* Wählt ihr – oder wählen wir?

DIE KRIEGER *stehen stumm.*

EUROPA *sich vor den mächtigen Anführer stellend.* Europa hat ihre Wahl getroffen.

AGENOR *starr.* Ich glaube an Täuschung, die mir wirr vorspielt.

EUROPA *ihre Wange auf die Brust des Anführers bettend und mit den Händen über das Fell streichend.* Es ist alles so wahr.

AGENOR. Es ist wahr – du sinkst nicht nieder. Der scharfe und bittere Dunst bringt dich nicht von Sinnen, der von diesen

Fellen strömt. Du atmest noch an der offenen Brust des schwersten Kriegers. Bist du es noch, Europa, die mit dem leichtesten Tänzer nicht zufrieden war? An der sich meine milden Männer quälten und plagten? Jetzt drängst du dich an ein rauhes Fell?

EUROPA. Mich juckt es nicht.

AGENOR. Dich –?

EUROPA *sich nach den Mädchen drehend.* Wollt ihr mich allein gehen lassen?

DIE MÄDCHEN *zögern.*

EUROPA. Nein, ich locke euch nicht. *Sich in die Fellbrust vergrabend.* Komm, wir gehen.

DIE MÄDCHEN *stürmen zu den Kriegern.* Wir gehen ja mit dir. *Sie stoßen sich hin und her: schließlich stehen alle zu Paaren.*

EUROPA *lächelnd.* Begleitet ihr eure Herrin?

DIE MÄDCHEN. Wir folgen unseren Männern.

EUROPA *zu Agenor.* Bist du mit uns zufrieden?

AGENOR *mit wachsender Freude.* Ich bin es. Ich bin es mit dir – mit euch allen. Ihr stürzt mich in einen Glückstaumel. Ich sage – was soll ich sagen? Es ist ein schöner Tag – der schönste Tag meines Lebens.

EUROPA. Der schönste Tag unseres Lebens.

AGENOR. Auch für euch ein schöner Tag. Aber – *Er zieht Europa auf die Seite.* Wie ist das geschehen? Du bist verwandelt – gleichsam über Nacht?

EUROPA *nickt.* Über Nacht.

AGENOR. Ja – über Nacht?

EUROPA *sieht ihn an.* Über diese Nacht.

AGENOR. Ich stehe vor einem Rätsel –

EUROPA. Beruhige dich mit dieser Lösung. *Beim Anführer.* Wann ziehen wir in das Land meines Bruders?

DER ANFÜHRER. Wir kehren nicht zu König Kadmos zurück.

AGENOR *betroffen.* Was heißt das?

DER ANFÜHRER. Die Schwester des Königs kann nur als Königin herrschen. Wir suchen uns ein neues Land.

AGENOR *unruhig.* Wo liegt das?

DER ANFÜHRER. Wir wissen es nicht.

AGENOR. Ihr müßt es mir nennen.

DER ANFÜHRER *Europa ansehend.* Von seiner Königin soll es seinen Namen haben: Europa.

DIE KRIEGER *wild.* Europa!

AGENOR. Und kommt ihr aus diesem Europa wieder?

DER ANFÜHRER. Wir kommen nicht.

AGENOR. Dem Himmel sei Dank.

DER ANFÜHRER. Aber unsere Söhne werden über die Grenzen fluten. Die klopfen an deine Tür. Es wird stürmisch Einlaß begehrt.

AGENOR *bedeckt sich die Augen*. Ich weiß es. Ich sehe sie kommen. Es sind Männer mit Waffen, die nach großen Taten dürsten.

DER ANFÜHRER. Sie suchen die Männer in deinem Land.

AGENOR. Meine Männer? *Die Männer ansehend*. Dann werden sie nur kahle Greise finden.

DER ANFÜHRER *Europa an sich drückend*. Wir schaffen kräftiges Leben.

AGENOR *zu den Männern*. Soll unser Namen untergehen? Soll dies fruchtbare Leben, das auch in unserem Leib blutet, versickern? Wollen wir uns am Leben versündigen mit unserer Trägheit? Ich wende mich an euch. Ich rufe nach euch. Ich bin euer König. Schafft mir Männer. Männer, die Waffen schwingen und dies Leben verteidigen, das unseren Schutz verlangt.

DIE MÄNNER *sehen sich an. Plötzlich laufen sie über die Plattform weg.*

DER ANFÜHRER *lachend*. Du hast zu laut gerufen – die kommen nicht wieder.

AGENOR *auf seinen Thronsessel niedersinkend*. Ich bin nicht mehr König. Meine Stimme dringt nicht mehr in ihr Blut. Ich habe die Macht über Männer verloren.

DIE TÜRHÜTER. Sie kommen wieder.

DIE MÄNNER *dringen auf die Plattform. Sie haben die Röcke kniehoch geschürzt und die Haare aufgebunden. Jeder führt eine kräftige Magd mit sich, die sich in seinen Armen wehrt.*

AGENOR. Wer sind diese?

DIE TÜRHÜTER. Die Mägde aus dem Hof.

DIE MÄNNER *im Ringen keuchend*. Unsere Weiber!

AGENOR *staunend*. Lebe ich auf der Erde? Sie suchen sich die starken Mägde aus den Höfen. Wie geschieht nun das?

EUROPA. Weil Europa kein ferner Stern ist – und wir alle auf der grünen bunten Erde leben.

AGENOR *zu den Männern*. Bezwangt ihr sie denn?

DER NEUNZEHNTE *die nun nachgebende Magd vorführend.* Die soll dir Männer geben.

DIE MÄNNER *mit den anderen Mägden.* Die Erde blüht – weil Europa endlich glüht.

AGENOR *die Arme gegen sie ausbreitend.* Ich sehe eure Söhne. Flutendes Leben quillt auch hier. *Zu den Kriegern.* Kommt später und meßt euch mit diesem neuen Geschlecht. Kämpft um das Leben, das allein besteht: echtes Leben ist starkes Leben – und das stärkste ist das beste.

DIE KRIEGER. Wir kommen zu euch.

DIE MÄNNER. Wir warten auf euch.

AGENOR. Die Zeit bringt alles, was sie bringen muß. Stört sie nicht im Lauf. Tut, was der Augenblick heischt – und ihr tut das Rechte. Dies ist unsere nächste Aufgabe: entzündet die Hochzeitsfackeln – eilt euch! – daß wir sie bald verlöschen können.

Schon Musik und Ende.

1914/15; [1915]

DIE KORALLE

Schauspiel in fünf Akten

PERSONEN

MILLIARDÄR

SOHN

TOCHTER

SEKRETÄR

MUSEUMSDIREKTOR

ARZT

KAPITÄN

SÄNGERIN

DER HERR IN GRAU

DER HERR IN BLAU

DIE DAME IN SCHWARZ

DIE TOCHTER IN SCHWARZ

DAS FRÄULEIN IN TAFFET

DER ERSTE RICHTER

DER ZWEITE RICHTER

DER GEISTLICHE

DIE BEIDEN DIENER

DER SCHREIBER

DIE BEIDEN WÄRTER

DER GELBE HEIZER

DER FARBIGE DIENER

MATROSEN

ERSTER AKT

Ein ovaler Raum: »das heiße Herz der Erde«. In sehr heller Wandtäfelung liegen die Türen unsichtbar: zwei hinten, eine links. Nur zwei runde Sessel aus weißem Elefantenleder stehen mitten in großem Abstand gegenüber; der rechte mit einem Signalapparat an der äußeren Wange.

In diesem Sessel sitzt der Sekretär: das Profil ist auf eine unbestimmte Art von scheuer Energie. Straffes rötliches Haar steigt in schmalem Streifen bis gegen das Kinn nieder. Der Körper im Anzug von gröbstem Stoff ist klein; doch holt er aus irgendeiner fortwährenden angreiferischen Bereitschaft, die mit Anstrengung gebändigt wird, Wucht und Bedeutung.

Im andern Sessel das Fräulein in Taffet.

SEKRETÄR. Würden Sie nun –

DAS FRÄULEIN IN TAFFET. Oh, ich verstehe Sie: – mich kurz fassen. Ich bin nicht die einzige, die angehört sein will. Im Vorzimmer drängen sich die Menschen – und vielleicht sind ihre Wünsche berechtigter. Wer will das wissen? Es gibt Elend an allen Ecken der Erde. Ob meine Ecke, an die das Schicksal mich zu stellen für passend befunden hat, eine besonders windige ist –

SEKRETÄR. Um das zu beurteilen, muß ich Ihr Schicksal kennen.

DAS FRÄULEIN IN TAFFET. Die Hölle, mein Herr! – Jawohl, die Hölle. Ich verwende keinen extremen Ausdruck. Das ist meine Art nicht. Oder kann man das besser bezeichnen, wenn – – Man ist Mensch – man hat eine Mutter – an Gott glaubt man – – Nein, mein Herr, diese Fähigkeit ist mir nicht abhanden gekommen – im großen und ganzen nicht! – – und – ich kann es nicht laut sagen –: kaufe mir mein Brot mit meinem Leib!

SEKRETÄR. Suchen Sie Aufnahme in ein Asyl?

DAS FRÄULEIN IN TAFFET. Wo Blumenstöcke hinter den Fenstern leuchten –!

SEKRETÄR *zieht einen Schreibblock aus der Tasche und*

schreibt. Sie haben zwei Jahre Zeit, um über die Grundlage einer neuen Existenz nachzudenken.

DAS FRÄULEIN IN TAFFET. Zwei – –

SEKRETÄR *gibt ihr das Papier*. Jedes Magdalenenheim steht Ihnen heute offen.

DAS FRÄULEIN IN TAFFET *zugleich seine Hand fassend und küssend – hysterisch*. Ich hatte meinen Kinderglauben nicht verkauft – Gott war mir nicht feil – nun sucht er mich mit seinem Boten – meines Gottes Bote – ich grüße Sie – kniend nehmen Sie meinen glühenden Dank. Mehr – mehr, Gott selbst geht wieder unter uns – wir sind alle gerettet – halleluja amen!

SEKRETÄR *drückt auf das Signalbrett*.

Sofort kommen von links zwei Diener – herkulische Figuren – in gelber Livrée. Sie heben das Fräulein in Taffet auf und führen es nach der Tür zurück.

DAS FRÄULEIN IN TAFFET *ekstatisch*. In ein Magdalenenheim – ich werde ein neuer Mensch – ein neuer Mensch – –! *Die drei ab.*

Der Mann in Blau wird von den Dienern eingelassen und in den Sessel geführt.
Diener ab.

SEKRETÄR. Würden Sie –

DER MANN IN BLAU *mit stoßender Sprechweise*. Die Brust –

SEKRETÄR. Suchen Sie Aufnahme in eine Heilanstalt?

DER MANN IN BLAU *den Kopf in die Hände vergrabend*. Weggeschickt bin ich, nachdem ich mich von Kräften gearbeitet habe! – Bin ich ein alter Mann? Ich stehe in den besten Jahren – und sehe wie ein Greis aus. Der Anzug schlottert um mich, den ich einmal ausfüllte bis in die Nähte. Das System hat mich ruiniert –

SEKRETÄR. Sie sind Arbeiter?

DER MANN IN BLAU. Jeden ruiniert das System – die unmenschliche Ausnützung der Leistungsfähigkeit. Der Andrang ist ja groß genug – darum muß man schnell verbraucht werden, um Platz zu schaffen.

SEKRETÄR. Sie finden keine Beschäftigung in Fabriken?

DER MANN IN BLAU. Schon am Fabriktor werde ich abgewiesen. Seit zwei Wochen irre ich in den Straßen herum und habe das Letzte aufgezehrt, was ich hatte. Jetzt –

SEKRETÄR. Wir haben Landkolonien.

DER MANN IN BLAU. Die haben wir – ja. Die liegen drin im Land. Ich kann nicht so weit wandern.

SEKRETÄR. Die Kolonien sind mit der Bahn zu erreichen.

DER MANN IN BLAU. Ich – habe das Fahrgeld nicht!

SEKRETÄR *zieht den Schreibblock und schreibt. Ihm das Blatt gebend.* Zeigen Sie draußen die Anweisung.

DER MANN IN BLAU *liest – sieht auf.* Das ist mehr – als das Fahrgeld! *Stammelnd.* Ich habe Frau und Kinder – – ich kann sie mit mir nehmen – – ich wollte sie verlassen!

SEKRETÄR *drückt auf das Signalbrett.*

Die beiden Diener kommen.

DER MANN IN BLAU *schon nach links laufend.* Meine Frau – – meine Kinder! *Ab.*

Die Diener schließen hinter ihm die Tür – öffnen und lassen die Dame in Schwarz mit der Tochter ein. Die Tochter trägt einen Violinkasten.

DIE DAME IN SCHWARZ *zu den Dienern.* Danke – ich stehe.

Die Diener ab.

SEKRETÄR *steht auf.* Würden Sie –

DIE DAME IN SCHWARZ *ruhig.* Ich entschloß mich zu diesem Gang als Mutter meiner Tochter. Vor einigen Monaten verlor ich meinen Mann. Er hinterließ mir so gut wie nichts. Es ist mir gelungen, eine Stellung zu finden, die mich ernährt. Allerdings würde ich niemals hinreichend verdienen, um für die Ausbildung meiner Tochter zu sorgen. Ich habe Grund zu der Annahme, daß das Talent meiner Tochter ihr eine Zukunft sichert. Ich habe davon abgesehen, mir Atteste und Gutachten zu verschaffen. Das beste Zeugnis ihrer Befähigung ist ihr Spiel. Darf sie spielen?

SEKRETÄR. Ich denke, daß es auch Ihrer Tochter noch größeres Vergnügen nach vollendeter Ausbildung bereitet.

DIE DAME IN SCHWARZ. Darf ich aus diesen Worten –

SEKRETÄR *schreibt.*

DIE DAME IN SCHWARZ *zur Tochter*. Küsse die Hand.

SEKRETÄR *gibt der Dame in Schwarz das Blatt*. Erheben Sie das monatlich bis zum Schluß des Studiums.

DIE DAME IN SCHWARZ *ohne zu lesen*. Dank wird Ihnen lästig sein, Sie hören ihn zu oft. Die Menschen müssen Ihnen erbärmlich erscheinen, Sie machen zu viele glücklich. Uns bleibt nur das Staunen vor dem Wunder: daß es jemanden gibt, der sich nicht vor uns verschließt, wenn wir mit unserm Kummer zu ihm kommen. Uns alle anzuhören, daß ist größerer Mut – als die Erfüllung unserer Bitten schon unsagbare Güte ist!

SEKRETÄR *drückt auf das Signalbrett*.

Die Diener kommen und führen die Dame in Schwarz mit der Tochter weg.
Auf dem Signalbrett schnarrt eine Schelle.

SEKRETÄR *drückt sofort nochmals auf einen anderen Taster*.

Nur ein Diener von links.

SEKRETÄR *zu ihm*. Warten!

Der Diener ab.
Aus der Tür rechts hinten, die eine dichte Innenpolsterung zeigt, tritt rasch der Milliardär ein. Jene früher gegebene ausführliche Beschreibung des Sekretärs zielte nach dem Milliardär: der Sekretär ist bis auf die geringste Einzelheit nur sein Widerspiel. Noch in Sprache und Geste ist die Übereinstimmung vollkommen.

MILLIARDÄR. Die Bordliste der *Meeresfreiheit*. Nach der Ausfahrt gestern aufgenommen und heute morgen mit Funkspruch hier gemeldet. Mein Sohn ist nicht unter den Passagieren genannt.

SEKRETÄR *liest das Blatt*. Nur sein Begleiter.

MILLIARDÄR. Die Liste ist unvollständig!

SEKRETÄR. Die Bordmeldungen pflegen genau zu stimmen.

MILLIARDÄR. Wo ist mein Sohn, wenn sein Begleiter auf dem Dampfer ist? Er muß mit der *Meeresfreiheit* reisen. Ich habe es gewünscht. Die Zeitungen hatten die Namen der Passagiere, die die erste Klasse belegt haben, gebracht, meinen Sohn an erster Stelle!

SEKRETÄR. Ich glaube nicht an einen Irrtum.

MILLIARDÄR. Er muß an Bord sein. Es gibt nur dies Schiff, auf dem er reisen kann. Es war mein ausdrücklicher Auftrag, den ich dem Begleiter schickte, diesen schnellsten und schönsten Dampfer zu benutzen! Die Meldung ist fehlerhaft. Setzen Sie sich mit dem Schiffahrtskontor in Verbindung. Fragen Sie an, wo der Fehler gemacht ist. Ob an Bord – oder bei der Herstellung der Liste!

SEKRETÄR *zögert.*

MILLIARDÄR. Warten Sie am Telephon auf die Antwort.

SEKRETÄR. Es wird mich aufhalten –

MILIARDÄR. Worin?

SEKRETÄR. Es ist heute der *offene Donnerstag* – –

MILLIARDÄR *nachdenkend.* Der *offene Donnerstag* – –

SEKRETÄR *wartet.*

MILLIARDÄR *kurz.* Fragen Sie an. Ich werde so lange hier sein.

SEKRETÄR *gibt ihm noch den Schreibblock.*

MILLIARDÄR. Machen Sie die Auskunft dringend und kommen Sie gleich mit dem Bescheid.

SEKRETÄR *durch die Tür links hinten ab.*

MILLIARDÄR *setzt sich in den Sessel, drückt auf das Signalbrett.*

Die Diener lassen den Herrn in Grau ein: von mächtigem Wuchs, in weitem hellgrauen Anzug, dessen Taschen mit Zeitungen und Broschüren vollgestopft sind. Runder roter Kopf, das Haar weggeschoren. Sandalen.

DER HERR IN GRAU *nach den Dienern, die ihn in den Sessel weiterführen wollen, mit der Reisemütze schlagend.* Langsam. Pause. Atem holen. *Da die Diener warten.* Sorgen Sie draußen für Ruhe – ich nehme mir hier Zeit. *Gegen den Milliardär.* Sie wird mir bewilligt werden. Mit drei Worten halte ich Ihre Aufmerksamkeit gebannt. *Zu den Dienern.* Ich bin kein Raubtier.

Die Diener auf einen bezeichnenden Wink des Milliardärs ab.

MILLIARDÄR. Würden Sie –

DER HERR IN GRAU *sich umblickend.* Also dies ist der gelobte Raum – die Quelle des großen Mitleids – das Heiligtum, von dem Liebe und Hilfe ausgehen – *Mit beschreibender Gebärde.* Geschwungenes Rund – bedeutsame Form – *das heiße Herz der Erde*!

MILLIARDÄR. Äußern Sie jetzt –

DER HERR IN GRAU. Eindrucksvoll die Kahlheit: zwei Sessel – und Platz für Klagen und Jammerworte. Wunderlich, daß die Täfelung nicht nachgedunkelt ist von den Notschreien, die gegen sie anprallen.

MILLIARDÄR *tastet nach dem Signalbrett.*

DER HERR IN GRAU *bemerkt es.* Schellen Sie nicht nach den Dienern. Ich weiß es: dieser *offene Donnerstag* ist kostbar für alle, die warten. Jede vergeudete Minute besiegelt ein Menschenschicksal.

MILLIARDÄR. Wobei suchen Sie meine Hilfe?

DER HERR IN GRAU. Ich – *Sich weit vorlehnend.* – will Ihnen helfen!

MILLIARDÄR *greift unwillkürlich nach dem Taster.*

DER HERR IN GRAU. Kein Signal. Ich bin gesund – und was ich sage, ist lange überlegt. Ich habe den Stoff studiert – verarbeitet – und bin zu Ergebnissen gekommen – zu einer Lösung von lächerlicher Einfachheit. Der ganze Streit – dieser gigantische Kampf, der mit einem ungeheuren Aufwand von Mitteln und Gegenmitteln geführt wird – fällt hin – verrinnt – ist weg!

MILLIARDÄR. Was für ein Streit?

DER HERR IN GRAU. Der einzige, der dauernd tobt: zwischen arm und reich!

MILLIARDÄR. Den –

DER HERR IN GRAU. – will ich schlichten!

MILLIARDÄR *sieht ihn mit aufblitzendem Interesse forschend an.* Warum kommen Sie zu mir?

DER HERR IN GRAU. Es hat Sie überrascht. Aber ich mußte Sie im ersten Augenblick fesseln. Sonst ging die Gelegenheit verloren. Ein zweites Mal hätten mich Ihre Diener nicht vorgelassen. Mit den beiden ist nicht zu spaßen. *Zeitungen und Zeitschriften aus den Taschen wühlend.* Jetzt will ich das, was ich vorhin auf den kürzesten Ausdruck gebracht hatte, entwickeln. Das ist das Material, das die erschöpfende Feststellung verschafft. Sozialistische Zeitungen, Zeitschriften, Broschüren – das ganze Arsenal des kämpfenden Proletariats. Aufrufe – Anpreisungen von Mitteln, die den Erfolg verheißen – Tarife – Tabellen – Statistik: eine Sintflut von Literatur. Literatur – weiter nichts. Es bringt keinen Schritt weiter – die Kluft klafft nur immer breiter, denn auf die Feindschaft bis aufs Messer ist es aufgebaut. *Alles wieder in die Taschen schiebend.* Schade um die Mühe. Zwecklose Wanderungen in Sackgassen. So wird das nichts. Verstehen Sie es?

MILLIARDÄR. Ich verstehe Sie nicht.

DER HERR IN GRAU. Was tun Sie hier? Sie schenken mit beiden Händen. Wer bittet, wird befriedigt. Im großen und im kleinen. Ihr Milliardenreichtum gestattet es. Sie machen diesen *offenen Donnerstag.* Jeder kommt und empfängt. Das Elend kriecht über diese Schwelle und tanzt als Glück hinaus. Dieser ovale Raum wird im Mund der Bedrückten zum Paradies: hier pocht das Herz der Erde – heiß und erbarmend. Keine Minute stockt der Pulsschlag – er spendet und spendet. Warum tun Sie das?

MILLIARDÄR. Mein Milliardenreichtum –

DER HERR IN GRAU. Nein!

MILLIARDÄR. Sondern?

DER HERR IN GRAU. Ihr Reichtum ekelt Sie an!

MILLIARDÄR *hebt eine Hand auf.*

DER HERR IN GRAU. Nicht, daß es Ihnen so bewußt wäre – aber es gibt für mich keine andere Erklärung. Nehmen Sie sie von mir an. Ich habe das nicht von gestern auf heute gefunden. Ich bin in allen Sackgassen mühselig gelaufen – bis ich hier die offene Straße entdeckte, die allein zum Ziel führt.

MILLIARDÄR. Was für ein Ziel ist das?

DER HERR IN GRAU. Das Ende des Kampfes zwischen reich und arm. Was keine Partei – keine Parole zuwege bringt, das machen Sie mit einem Federstrich wirklich. Alles andere wird dadurch überflüssig: Ihr *offener Donnerstag* – das *heiße Herz der Erde* – die Versammlung des Elends im Vorzimmer. Es bleiben ja doch nur Tropfen, die Sie in das Meer von Jammer schütten. Aber mit diesem Federstrich künden Sie den ewigen Frieden an. Unterschreiben Sie diese Erklärung!

MILIARDÄR *nimmt das Papier nicht.* Was soll ich erklären?

DER HERR IN GRAU. Daß Sie die Bereicherung des einzelnen für die unerhörteste Schmach ansehen!

MILLIARDÄR. Daß ich –

DER HERR IN GRAU. Sie müssen es sagen. Sie – der Milliardär der Milliardäre. In Ihrem Munde erhält es Gewicht. Das beleuchtet blitzklar das Schlachtfeld, auf dem sich die Parteien

bis an die Zähne bewaffnet gegenüberstehen. Das ist die weiße Parlamentärflagge, die hochgeht. Verhandlung – Verständigung. Der Kampf wird überflüssig, der Kriegsgrund ist beseitigt: Sie wollten nicht reich sein – Sie sind nur durch die
Umstände gezwungen, reich zu werden. Jetzt kann man über
die Abänderung dieser Zustände beraten – man findet die
Lösung, weil man sie brüderlich sucht!

MILLIARDÄR. Ich bin schwerlich –

DER HERR IN GRAU. Sie allein sind es! – Sie wollen schenken,
weil Sie müssen. Etwas in Ihnen zwingt Sie dazu. Jetzt tun
Sie es im kleinen – nun kennen Sie das größere: jetzt werden
Sie mit Freuden unterschreiben!

MILLIARDÄR *steht auf*.

DER HERR IN GRAU. Sie werden doch nicht die Diener rufen?

MILLIARDÄR. Ich – *Er steht nachdenkend hinter dem Sessel.*

DER HERR IN GRAU. Ich wußte es doch!

MILLIARDÄR. – will Ihnen eine Erklärung geben.

DER HERR IN GRAU. Ihre Unterschrift!

MILLIARDÄR *wehrt wieder ab*. Und Sie sollen mir sagen, ob
ich unterschreiben kann.

DER HERR IN GRAU. Sie müssen es ja!

MILLIARDÄR *kommt in den Sessel zurück*. Da Sie ja so etwas
wie die Weltordnung umstürzen wollen, muß ich meine
Weltordnung vor Ihnen aufzubauen suchen. Kennen Sie meine Anfänge?

DER HERR IN GRAU. Aus eigener Kraft!

MILLIARDÄR. Aus eigener Schwäche!

DER HERR IN GRAU *sieht ihn verdutzt an*.

MILLIARDÄR. Oder sagen wir: Furcht – Angst. Schwäche und
Furcht bedingen sich ja. Aber Sie werden es mit zwei, drei
Worten nicht verstehen können. Mein Werdegang – so sagt
man ja wohl – ist bereits in die Schulbücher übergegangen.
Ich wiederhole also nur eine bekannte Erzählung. Ich gebe
dieselben Daten – nur sind meine Deutungen anderer Natur.
Mein Vater war Arbeiter in demselben Werk, das mir jetzt
gehört. Ob er einen Kessel geheizt hat oder Lastträger war,
weiß ich nicht. Viel Geld hat er wohl nicht verdient, denn wir
existierten erbärmlich. An einem Montag – am Lohntage –
kam er nicht nach Hause. Er war gekündigt, weil er verbraucht war – und hatte sich mit dem letzten Geld auf den
Weg gemacht. Uns hätte er ja nicht mehr ernähren können.
An diesem Abend nahm sich meine Mutter das Leben. Ich

hörte irgendwo im Hause einen Schrei – ich lief nicht hin – ich wußte alles – ich war acht Jahre alt. In dieser Minute pflanzte sich mir das Entsetzen ein. Es stand vor mir wie eine graue Wand, über die ich hinweg mußte, um vor dem Furchtbaren zu fliehen. Das Furchtbare, das aus dem Ausbleiben des Vaters mit der Löhnung und dem Schrei der Mutter zusammenfloß, das brachte mich auf den Weg – das trieb mich zur Flucht. Es stand hinter mir, wenn ich arbeitete – ich fand Arbeit beim Werk! – Es ließ mich keine Sekunde los – ich floh und floh – – – – und fliehe, weil es heute noch irgendwo hinter mir dasteht!

DER HERR IN GRAU. Sie haben sich verblüffend schnell hinaufgearbeitet.

MILLIARDÄR. Rastloser Fleiß – rastlose Flucht. Mehr nicht. Immer weiter mußte ich, um den Abstand zwischen dem Furchtbaren und mir zu verlängern. Es gab keine Gnade, das hatte ich gesehen. Es hetzte mich vorwärts. Die Angst, die mir in den Gliedern fror, machte mich erfinderisch. Da stehen Maschinen, die haben meinen Vater ausgesaugt – die haben meine Mutter an den Türhaken geschnürt – die werden mich zermalmen, wenn ich sie nicht unter mich zwinge. Das Werk – mit seinen Maschinen – mit seinen Menschen zwischen mich und das Furchtbare gestellt – das hat mir die erste Ruhe gegeben!

DER HERR IN GRAU *fährt sich über die Stirn.* Was wollen Sie denn damit – – Ein Erlebnis, wie hundertmal täglich es vorkommt – der Vater verschwindet – die Mutter – –

MILLIARDÄR. Mich schlug es nieder, weil ich besonders schwächlich war. Ich mußte es sein, sonst hätte ich besser standgehalten. Aber ich lief davon, was ich laufen konnte. Sagt Ihnen das genug?

DER HERR IN GRAU *verwirrt.* Ich sträube mich –

MILLIARDÄR. Gegen den Schwächling vor Ihnen?

DER HERR IN GRAU. Sie müssen ja erbarmungslos gegen Ihre Mitmenschen sein!

MILLIARDÄR. Wer flieht, will nicht sehen, über wen er tritt!

DER HERR IN GRAU *sieht ihn an – froh.* Und widerlegen sich selbst: – das *heiße Herz der Erde*!

MILLIARDÄR. Ja – ich will von dem Elend nichts hören, das mich an das Furchtbare zu stark erinnern kann. Deshalb habe ich einen Tag im Monat bestimmt: den *offenen Donnerstag*. So weiß ich, wann ich mich zu verstecken habe.

DER HERR IN GRAU. Sie sitzen doch selbst hier und hören alles an!

MILLIARDÄR. Irrtum –: mein Sekretär sitzt hier.

DER HERR IN GRAU *nach einer Pause – scharf.* Ist das Ihre Weltordnung?

MILLIARDÄR. Nicht meine – es ist *die* Weltordnung.

DER HERR IN GRAU. Die Klassen sind kürzer oder weiter vorgekommene Flüchtlinge?

MILLIARDÄR. Alle sind auf der Flucht.

DER HERR IN GRAU. Und die am raschesten Fliehenden – die –

MILLIARDÄR. Die verstörtesten Feiglinge –

DER HERR IN GRAU. Triumphieren!

MILLIARDÄR. Wie meinesgleichen!

DER HERR IN GRAU *stöhnt. Dann ironisch.* So muß ich erst auf eine Menschheit hoffen, die keine Feiglinge mehr unter sich zählt.

MILLIARDÄR. Es werden immer wieder Menschen geboren, die sich tiefer erschrecken. Es kommt auf den Anlaß nicht mehr an. Es ist immer der Hebel gewesen, der sich selbst ansetzte. Fortschritt – es gilt nicht: wohin – sondern: fort wovon! – –Wird Ihnen jetzt mehr verdächtig? Ich spreche Ihre Vermutungen unumwunden aus. Mir sind diese Gedankengänge ja geläufiger. Woher stammen die Großen, die eine Welt erobern? Aus dem Dunkel steigen sie herauf, weil sie aus dem Dunkel kommen. Dort erlebten sie das Furchtbare – auf diese oder jene Weise. Schaurige Meteore sind sie, die grell aufflammen – und fallen!

DER HERR IN GRAU *spöttisch.* Und wann – fallen Sie?

MILLIARDÄR *schüttelt lächelnd den Kopf.*

DER HERR IN GRAU. Wie haben Sie sich gegen das Meteorschicksal versichert?

MILLIARDÄR. Ich habe einen Sohn.

Der Sekretär kommt zurück.

MILLIARDÄR *aus dem Sessel – dem Sekretär entgegen.* Ist jetzt der Irrtum berichtigt?

SEKRETÄR. Das Verzeichnis war vollständig.

MILLIARDÄR. Ohne meinen Sohn?

SEKRETÄR. Er befindet sich nicht auf der *Meeresfreiheit.*

MILLIARDÄR. Aber sein Begleiter reist doch mit der *Meeresfreiheit*!

SEKRETÄR. Er muß sich von ihm getrennt haben.

MILLIARDÄR. Der keinen Schritt von seiner Seite weichen durfte?

SEKRETÄR *schweigt.*

MILLIARDÄR. Ich will Aufklärung. Ich weiß ja in dieser Stunde nicht, wo mein Sohn ist! – Setzen Sie sich mit seinem Begleiter durch Funkspruch in Verbindung. Er soll berichten, was vorgefallen ist. Es muß doch etwas vorgefallen sein. Ich begreife nicht, wie er ohne meinen Sohn reisen konnte!

SEKRETÄR. Ihr Sohn ist jung –

MILLIARDÄR *lächelnd.* Zarte Fesseln, die ihn –? Wir werden den Grund bald kennen.

SEKRETÄR *wieder ab.*

MILLIARDÄR *in den Sessel zurückkehrend.* Habe ich Sie vorhin so stark erschüttert?

DER HERR IN GRAU *war beim Eintritt des Sekretärs aufgesprungen. Er starrt noch nach der Tür, durch die der Sekretär weggegangen ist. Dann wendet er sich zum Milliardär.* Bin ich doppelsichtig? Sitzen Sie hier? Sind Sie nicht eben da aus der Tür? Haben Sie mit sich selbst gesprochen?

MILLIARDÄR. Nein, ich habe mit meinem Sekretär verhandelt.

DER HERR IN GRAU. Der Sekretär –! Sind Sie Brüder? Aber es wäre auch das –

MILLIARDÄR. Sie sehen, es ist möglich.

DER HERR IN GRAU *sich in den Sessel fallen lassend.* Grauenhaft!

MILLIARDÄR. Ein Scherz, den sich die Natur vielfach leistet. Sie werden für jeden Menschen eine Wiederholung finden. Wenn Sie suchen, heißt es. Ich habe suchen lassen – und ich gebe zu, daß ich vom Glück begünstigt wurde.

DER HERR IN GRAU. Vom Glück –?

MILLIARDÄR. Es verschafft mir große Annehmlichkeiten. Ich kann da und dort sein, ohne mich selbst zu bemühen. Und auch an diesem *offenen Donnerstag* bin ich mit meiner gutbekannten Gestalt hier – und angle vielleicht zu meiner Erholung an einem entfernten Gewässer.

DER HERR IN GRAU. Wissen Sie denn selbst noch, wer Sie sind?

MILLIARDÄR. Ich denke doch.

DER HERR IN GRAU. Und sonst nimmt jeder den Sekretär für Sie?

MILLIARDÄR. Bis auf die beiden Diener, die über meine persönliche Sicherheit wachen.

DER HERR IN GRAU. Kein Mensch könnte den Unterschied entdecken?

MILLIARDÄR. Deshalb ist auch ein kleines unauffälliges Abzeichen angebracht. Eine Koralle, die der Sekretär an seiner Uhrkette trägt. Wer die Koralle hat, ist der Sekretär.

DER HERR IN GRAU. Und nur die Diener wissen es?

MILLIARDÄR. Es sind Detektivs.

DER HERR IN GRAU. Und wenn ich Ihr Geheimnis verrate?

MILLIARDÄR. Wer wird Ihnen glauben? Ein Märchen mehr über mich.

DER HERR IN GRAU *schüttelt heftig den Kopf*. Sie haben die Koralle nicht an der Kette – oder, ich habe nicht darauf geachtet, trugen Sie vorhin –

MILLIARDÄR. Nein, ich habe Ihnen von Anfang an Rede gestanden. Und wenn Sie noch den Schluß hören wollen –

DER HERR IN GRAU *lachend*. Das Ende Ihrer Flucht Hals über Kopf vor dem Furchtbaren? Oder gibt es keins?

MILLIARDÄR. In meinem Sohn. Ich habe auch eine Tochter, aber zum Sohn hat man die tiefere Beziehung. Haben Sie Kinder? Nein. Dann müssen Sie mir schon glauben. Im Sohn findet man seine Fortsetzung – während er selbst ein Anfang ist. Das ist ein Gesetz, das im Blut liegt. Ich weiß mit stärkster Gewißheit, daß es besteht! – Es wünscht doch jeder Vater: mein Sohn soll es einmal besser haben. Das ist so der landläufige Ausdruck.

DER HERR IN GRAU. Er soll das Furchtbare, wie Sie es nennen, nicht kennen.

MILLIARDÄR. Soll ich noch mehr sagen? Das ist ja alles so verständlich.

DER HERR IN GRAU. Und Sie haben ihn bewahrt?

MILLIARDÄR. Ich lasse ihn ein helles Leben leben. Er hat keine Berührung mit dem, was in Ihren Broschüren schreit und jammert. Ich habe ihn abseits geführt.

DER HERR IN GRAU. Wo halten Sie ihn versteckt?

MILLIARDÄR. Ich halte ihn nicht verborgen. Die Erde hat so viele sonnige Küsten!

DER HERR IN GRAU. Wo man das Furchtbare verträumt!

MILLIARDÄR. Wo man sich eine glücklichere Vergangenheit schafft.

DER HERR IN GRAU. Von der Flucht in seligem Frieden rastet!

MILLIARDÄR. Im Paradies!

DER HERR IN GRAU. Sie haben den äußeren Doppelgänger gefunden – den Sekretär.

MILLIARDÄR. Erregt es Sie noch?

DER HERR IN GRAU. Nein, es ist Methode darin.

MILLIARDÄR. Inwiefern?

DER HERR IN GRAU. Jetzt formen Sie sich noch den inneren Doppelgänger – Ihren Sohn.

MILLIARDÄR. Vielleicht ist es meine Leidenschaft mich auszutauschen.

DER HERR IN GRAU. Wenn man so triftige Gründe hat.

MILLIARDÄR. So furchtsam ist.

DER HERR IN GRAU. Und so mächtig!

MILLIARDÄR. Wollen Sie mir jetzt noch helfen? Mit Ihrer Erklärung, die ich unterschreiben soll?

DER HERR IN GRAU *stößt seine Zeitungen usw. noch tiefer in die Taschen, atmend.* Sie haben mich verwirrt gemacht. Die Luft ist hier dick. Es preßt einem den Schweiß durch die Poren.

MILLIARDÄR. Überdenken Sie es in Ruhe.

DER HERR IN GRAU. Es ist zu toll: das *heiße Herz der Erde* – – der *offene Donnerstag* – – – Die Konsequenzen!

MILLIARDÄR. Welche Konsequenzen?

DER HERR IN GRAU. Das Chaos tut sich auf!

MILLIARDÄR. Es ist aufgetan – darum rette sich auf einen festen Fleck, wer kann.

DER HERR IN GRAU *fast schreiend.* Sie retten sich nicht!

MILLIARDÄR. Ich habe einen Sohn.

DER HERR IN GRAU. Lassen Sie mich weg. Schellen Sie nach Ihren Dienern. Ich sehe die Tür nicht. Schellen Sie doch!

MILLIARDÄR *drückt den Taster.*

Die beiden Diener kommen.

DER HERR IN GRAU *mit drohender Gebärde nach dem Milliardär.* Sie haben meine Welt zertrümmert – noch unter dem Schutt begraben verfluche ich Sie – –verfluche ich Sie!

Die Diener packen ihn hart an und führen ihn hinaus.

SEKRETÄR *tritt wieder ein.* Ein Funkspruch von Ihrem Sohn.

MILLIARDÄR. Vom Kontinent?

SEKRETÄR. Nein – von Bord.

MILLIARDÄR. Reist er –

SEKRETÄR *liest*. So eben abgefahren –

MILLIARDÄR. Doch mit der *Meeresfreiheit*?

SEKRETÄR *schüttelt den Kopf*.

MILLIARDÄR. Verkehrt denn ein Schwesterschiff, das Luxus-kabinen wie die *Meeresfreiheit* hat?

SEKRETÄR *liest weiter*. Auf dem *Albatros*.

MILLIARDÄR. *Albatros*? – Was ist das für ein Schiff?

SEKRETÄR. Ein – Kohlendamper.

MILLIARDÄR. Ein – – Kohlendampfer – –? Gibt er eine Erklä-rung?

SEKRETÄR *zögert – reicht ihm das Telegramm*.

MILLIARDÄR *liest zu Ende*. – – Als Heizer! – – *Gegen den Ses-sel taumelnd*. Was bedeutet das: mein Sohn – – auf einem Kohlendampfer – – Heizer?!

ZWEITER AKT

Unter dem Sonnensegel auf der Milliardärsjacht. Hinten ein Stück der Reling. Heißflimmernde Meeresstille.
In weiß lakierten Rohrsesseln: Milliardär, die Tochter, der Museumsdirektor, der Arzt, der Kapitän – alle in Weiß.
Ein Neger stellt Eisgetränke hin.
Die Stimme der Sängerin in einiger Entfernung.

SÄNGERIN *den letzten Ton der Arie aushaltend und dämpfend kommt hinten und richtet ihren Kodak auf die Gruppe. Aufhörend und zugleich knipsend.* Danke. *Die anderen sehen nun erstaunt auf.* Für Reklamezwecke. Auf hoher See – an Bord der glänzendsten Jacht der Welt – und dies Publikum: das mußte ich auf die Platte bringen. Sämtliche Opernhäuser der Erde überbieten sich mit Verträgen. *Sich in einen Sessel neben den Milliardär niederlassend.* Wenn *Sie* mir hingerissen zugehört haben – oder täusche ich mich? Sagen Sie doch die Wahrheit. Das Bild habe ich ja im Apparat!

MILLIARDÄR *etwas verlegen.* Nein, nein, wirklich außerordentlich –

Die anderen klatschen Beifall.

SÄNGERIN *photographiert schnell.* Aufnahme zwei: der Applaus. *Dem Neger das Glas zurückgebend.* Heiße Limonade.
ARZT. Das wollte ich Ihnen eben empfehlen.
SÄNGERIN. Sehen Sie, Doktor, ich bin alles in einem: Sängerin, Impresario, Leibarzt.
MUSEUMSDIREKTOR. Damit machen Sie zwei Menschen brotlos.
SÄNGERIN. Ist das nicht überhaupt das Geheimnis des Aufstieges?
MUSEUMSDIREKTOR. Sie haben gesunde Nerven!
SÄNGERIN. Die schlechtesten!
ARZT. Wollen Sie mir, als Arzt, das einmal näher erklären?
SÄNGERIN. Ich sehe Gespenster.
ARZT. Was für Gespenster?
SÄNGERIN. Gespenster!
ARZT. Ja, ich habe noch keine gesehen.
SÄNGERIN. Weil Sie keine erregbare Natur sind. Und Künstler sind erregbare Naturen – und da sehen sie Gespenster.

ARZT. Also nur Künstler sehen Gespenster.

SÄNGERIN. Wir können ja eine Umfrage veranstalten. Das ist ein unterhaltsames Spiel auf See. Der Reihe nach. *Zum Milliardär.* Sehen Sie Gespenster?

MILLIARDÄR. Ich glaube, wir haben nicht die Zeit mehr – *Zum Kapitän.* Müßte jetzt nicht der *Albatros* gesichtet sein, Kapitän?

KAPITÄN. Diese Dampfer halten keine gleichmäßige Fahrt.

MILLIARDÄR. Bitte.

KAPITÄN *ab.*

ARZT. Was für ein Schiff ist eigentlich dieser *Albatros*?

MILLIARDÄR. Mein Sohn hat ihn entdeckt. Er muß besondere Vorzüge haben. Vielleicht die Jacht eines Freundes, die er sich auf seiner Reise erworben hat.

TOCHTER. Wir arrangieren mit dem *Albatros* eine Wettfahrt.

SÄNGERIN. Fabelhaft aufregend. So viel Films habe ich gar nicht.

TOCHTER. Wer verliert, wird gerammt.

ARZT. Mit der Besatzung?

TOCHTER. Fünf Minuten sind zum Einsteigen in die Motorbarkasse bewilligt. *Zum Milliardär.* Soll ich den Kapitän instruieren, daß er sich auf das Rennen vorbereitet?

MUSEUMSDIREKTOR. Und wenn wir dem unbekannten *Albatros* unterliegen?

TOCHTER. Ich bleibe auf der Brücke. Ich gebe die Befehle zur Maschine hinunter. Es wird Dampf aufgesetzt bis zum äußersten.

ARZT. Bei dieser Temperatur.

TOCHTER. Auf der Brücke pfeift der Luftzug, in dem wir jagen.

ARZT. Ich dachte an den Maschinenraum.

TOCHTER *aufstampfend.* Ich kenne nur das Verdeck!

MILLIARDÄR. Ich glaube nicht, daß der *Albatros* schneller ist als wir. Damit verliert der Kampf seinen Reiz.

TOCHTER. Wenn mein Bruder mit ihm reist?

MILLIARDÄR. Wir wollen es ihn entscheiden lassen, er kennt ja den *Albatros* und uns.

KAPITÄN *kommt zurück.*

MILLIARDÄR. Gesichtet?

KAPITÄN. Noch nicht.

MILLIARDÄR *zur Tochter.* Du siehst, er läuft langsam. *Zu den andern.* Vertreiben wir uns wieder die Zeit.

SÄNGERIN. Also das Gespensterspiel.

MILLIARDÄR *lebhaft zum Museumsdirektor.* Hat der Tintoretto wirklich keine Qualitäten?

MUSEUMSDIREKTOR. Große – größte.

MILLIARDÄR. Sie lehnten meine Schenkung ab.

MUSEUMSDIREKTOR *nickt.* Die Kreuztragung.

SÄNGERIN. Stoßen Sie sich an dem Gegenstand?

MUSEUMSDIREKTOR. Wenn ich ihn zum Prinzip erweitere – ja.

ARZT. Dann werden Sie aus der Galerie ungefähr die ganze alte Kunst auszuschalten haben.

SÄNGERIN. Dozieren Sie, Direktor, ich knipse auf dem Höhepunkt Ihres Vortrages Ihr Publikum.

MUSEUMSDIREKTOR. In diesem neuen Museum, das ich leiten soll, propagiere ich den Bruch mit jeder Vergangenheit.

ARZT. Und was bleibt übrig?

SÄNGERIN. Leere Wände.

MUSEUMSDIREKTOR. Leere Wände, für deren Bedeckung ich so gut wie nichts habe.

ARZT. Ein originelles Museum.

TOCHTER. Tennishallen.

MUSEUMSDIREKTOR. Es soll eine Verlockung zur neuen Leistung werden. Ein betonter Anfang. Das bedeutet durchaus keine abfällige Kritik des vorhergegangenen – die Anerkennung ist sogar maßlos. Wir sitzen alle noch in seinem Schatten. Das quält uns irgendwie. Wir müssen wieder in das volle Licht hinein – und abschütteln diese Kreuztragung. So stellt es sich mir dar. Wie eine Kreuztragung lastet das auf uns – diese Masse der Vergangenheit, von der wir nicht wegkommen ohne Gewalt und Verbrechen – wenn es sein muß!

ARZT. Ist das möglich – ohne Selbstbetrug?

MUSEUMSDIREKTOR. Das weiß ich nicht.

ARZT. Ich fürchte, die Kreuztragung ist unabwendbar.

MUSEUMSDIREKTOR. Man muß die Zukunft fest wollen.

ARZT. In Ihrer Galerie mag es gelingen.

MUSEUMSDIREKTOR. Weiter setze ich auch meine Ansprüche nicht.

ARZT. Im Leben, denke ich, wird niemand über seinen Schatten springen können.

Ein Matrose kommt und macht dem Kapitän Meldung. Ab.

KAPITÄN *steht auf; zum Milliardär.* Der *Albatros* ist dicht auf von Steuerbord.

MILLIARDÄR *erregt.* Schicken Sie das Motorboot hinüber!

Kapitän ab.

ARZT. Da wird sich ja gleich zeigen, was an dem Märchenschiffe ist.

SÄNGERIN. Der Matador.

MUSEUMSDIREKTOR. Meine Neugierde ist auf das höchste gespannt.

TOCHTER. Ich funke ihm die Aufforderung zum Rennen.

MILLIARDÄR *hält sie zurück. Zu den andern.* Gehen Sie voran, wir folgen Ihnen nach.

Sängerin, Museumsdirektor und Arzt ab.

MILLIARDÄR. Ich habe mit dir etwas zu besprechen.

TOCHTER. Jetzt?

MILLIARDÄR. Nur eine Frage, die ich an dich richten will.

TOCHTER. Was denn?

MILLIARDÄR. Würdest du dich entschließen – den Museumsdirektor zu heiraten?

TOCHTER. Das – weiß ich nicht!

MILLIARDÄR. Ich dränge auf deine Entscheidung, weil –

TOCHTER. Ich kenne ihn doch kaum.

MILLIARDÄR. Ich selbst –

TOCHTER. Wie kannst du mir dann zureden?

MILLIARDÄR. Als er vorhin sprach, machte er mir Eindruck, wie ich ihn noch nicht von einem Menschen hatte.

TOCHTER. Er wies die Schenkung zurück. Hat dir das imponiert?

MILLIARDÄR. Seine Anschauungen haben mir gefallen. Diese innere Unabhängigkeit, die er hat – daß es für ihn nur die Zukunft gibt – die die Vergangenheit auslöscht –

TOCHTER. Ich habe ihm nicht zugehört.

MILLIARDÄR. Du würdest mir eine Freude –

TOCHTER. Das macht meine Überlegung überflüssig!

MILLIARDÄR *schüttelt ihre Hände.* Jetzt wollen wir deinen Bruder erwarten. *Beide ab.*

Schiffsglocke und hohe Sirene. Matrosen öffnen hinten die Reling und winden die Schiffstreppe hinab.
Alle kommen zurück, sich über die Reling beugend: Tücher-schwenken und Hallorufe.

ARZT *unter das Sonnensegel tretend.* Das ist ja ein ganz schwerfälliger Kasten.

MUSEUMSDIREKTOR *ihm folgend.* Er macht eben seinem Namen *Albatros* Ehre.

ARZT. Haben Sie sonst noch Passagiere drüben entdecken können?

MUSEUMSDIREKTOR. Das ist vielleicht der Reiz der Reise gewesen.

ARZT. Ich danke.

SÄNGERIN *tritt zu ihnen, den Kodak im Rücken haltend.* Diskretion – Familienszene!

Sohn – in einem grauen Anzug – steigt die Schiffstreppe empor und wird von der Tochter stürmisch begrüßt. Kapitän steht salutierend.

SOHN. Ihr habt mir aufgelauert?

TOCHTER. Seit zwei Tagen kreuzen wir auf dieser Stelle. Die Langweile war fabelhaft.

MILLIARDÄR. Ich wollte dich überraschen.

SOHN. Das ist dir vollständig gelungen. Deine Gäste?

MILLIARDÄR. Nur der engste Kreis.

SOHN *geht von einem zum andern, begrüßt wortlos. Dann steht er bei einem Sessel.*

Es herrscht eine verlegene Stille.

TOCHTER *wirft sich in einen Sessel.* Mir ist das zu feierlich.

MILLIARDÄR *auf die Sessel einladend.* Bitte.

Alle setzen sich – Sohn folgt zögernd.

KAPITÄN *kommt und setzt sich.*

SOHN *verwundert zu ihm.* Fahren wir denn nicht?

MILLIARDÄR. Ich habe gedacht, daß wir noch drei, vier Tage auf See bleiben.

SOHN. Wenn es dein Wunsch war –

MILLIARDÄR. Deinetwegen.

SOHN. Warum?

MILLIARDÄR. Nach dieser Reise –

TOCHTER. Der *Albatros* – ich habe ihn in der Aufregung nicht gesehen. Ist er große Klasse? Wieviel Meilen?

Museumsdirektor und Arzt lachen.

SOHN. Was gibt es denn mit dem *Albatros*?

TOCHTER. Wir wollten ihn nämlich herausfordern. War er ein scharfer Gegner?

SOHN. Darüber lachen Sie. – Nein, Schwester, ein Gegner in diesem Sinne ist der *Albatros* nicht.

TOCHTER *erstaunt*. Warum reist du denn nicht auf der *Meeresfreiheit*?

MILLIARDÄR *unruhig, ablenkend*. Von deinen Eindrücken in den großen Städten der Erde –

SÄNGERIN. Haben Sie überall die Oper besucht?

SOHN. Wir können doch den Charakter des *Albatros* feststellen: er ist ein Kohlendampfer! – Kapitän, Sie müssen doch die Schiffe kennen, die verkehren?

KAPITÄN. Auf diesen *Albatros* hätte ich nicht geraten.

SOHN. Weshalb nicht?

KAPITÄN *lächelt*.

SOHN *an die andern*. Ist das so wunderbar? Fahren nicht andere Menschen auf solchen Schiffen?

KAPITÄN. Für Passagiere sind sie nicht eingerichtet.

SOHN. Für die nicht – aber die Matrosen, Heizer sind doch Menschen?

MUSEUMSDIREKTOR *nach einer Stille*. Sie verstehen sich die Genüsse mit einigem Raffinement zu verschaffen.

SOHN. Welche Genüsse?

MUSEUMSDIREKTOR. In diesem Gegensatz von Kohlendampfer und dieser Jacht bietet sich erst die rechte Möglichkeit, ihren Luxus zu genießen.

SOHN. Oder zu – – *Abbrechend und sich an den Milliardär wendend*. Hat dir mein Begleiter berichtet?

MILLIARDÄR. Ich habe nicht mit ihm gesprochen.

SOHN. Er muß doch seit zwei Tagen angekommen sein?

MILLIARDÄR. Zwei Tage liege ich hier draußen.

SOHN. Bist du mit ihm unzufrieden? Die Schuld trage ich. Er hat sich gewiß jede Mühe gegeben.

MILLIARDÄR *ausweichend*. Willst du dich jetzt nicht umkleiden?

TOCHTER. Du trägst ja einen Straßenanzug.

SOHN. Er schützt besser gegen Kohlenstaub, der wirbelte. Außerdem war er weniger auffällig – und klugerweise paßt man sich an.

MILLIARDÄR. So passe dich uns an – und stecke dich von Füßen bis zum Hals in Weiß.

SOHN. Du mußt mir schon mein Vergnügen lassen.

SÄNGERIN *mit dem Kodak*. Sehr interessante Bildwirkung.

SOHN. Weiter ist das für Sie nichts?

ARZT. Bei dieser überstiegenen Temperatur empfiehlt sich weiße Bekleidung aus gesundheitlichen Rücksichten.

MILLIARDÄR. Da hörst du unsern besorgten Doktor.

SOHN *mit unterdrückter Schärfe*. Würden Sie Ihrem ärztlichen Rat auch im Maschinenraum Geltung verschaffen?

ARZT. Schwerlich.

SOHN. Weil Sie damit nicht durchdringen. Aus Gründen der Beschäftigung mit schwarzer Kohle.

ARZT. Gewiß.

SOHN. Also darf die Gesundheit dort unten leiden – und hier oben sich pflegen?

MUSEUMSDIREKTOR. Sie haben wohl mehr auf Ihrer Reise gesehen, als Sie –

SOHN. Wenn man zum erstenmal unterwegs ist, sperrt man die Augen weiter auf.

TOCHTER. Bist du mit Fürsten zusammengetroffen?

SÄNGERIN. Erzählen Sie doch.

SOHN. Täglich.

TOCHTER. Hast du Freundschaft geschlossen? Besucht dich wer?

SOHN. Auf meinem Kohlendampfer könnte ich dir fünf, zehn vorstellen. Komm das nächste Mal mit.

MUSEUMSDIREKTOR. Wollen Sie noch mal –

SOHN. Genüsse mir raffinieren?

Ein Matrose kommt, meldet dem Kapitän.
Der Kapitän geht zum Arzt und flüstert mit ihm.
Die drei ab.

SOHN. Fahren wir doch?

MILLIARDÄR. Ich habe nichts angeordnet.

SOHN. Warum ging der Arzt mit dem Kapitän?

SÄNGERIN. Vielleicht ein Unfall unter der Mannschaft.

SOHN. Wollen Sie nicht eine Aufnahme machen?

TOCHTER. Wir könnten wirklich fahren, um Luft zu bekommen. Die Hitze drückt unerträglich.

SOHN. Und wir wohnen auf dem Verdeck!

SÄNGERIN. Ist es anderswo kühler?

SOHN. Nein – aber heißer.

SÄNGERIN. Gibt es das?

SOHN. Steigen Sie zu den Heizern hinunter!

MILLIARDÄR. Jetzt werde ich veranlassen, daß wir fahren!

MUSEUMSDIREKTOR *ironisch*. Schonen Sie doch die Heizer.

SOHN. Wissen Sie, was es heißt, vor den Feuern stehen?

MUSEUMSDIREKTOR. Ich habe die Gelegenheit nicht gesucht.

SOHN. Und für eine Schilderung bringen Sie kein Interesse auf?

MUSEUMSDIREKTOR. Durch einen Fachmann anschaulich gemacht –

SOHN. Ich bin Fachmann!

MILLIARDÄR *zur Tochter*. Sage doch dem Kapitän –

TOCHTER. Volle Fahrt!

SÄNGERIN. Die Damen übernehmen das Kommando!

TOCHTER. Wir stellen einen neuen Rekord auf. Heute abend wird er an die Zeitungen gefunkt und die Welt platzt morgen vor Neid! *Mit der Sängerin ab.*

SOHN. Verhinderst du nicht den Unfug?

MILLIARDÄR. Die Jacht hat ihre volle Schnelligkeit noch nicht gezeigt.

SOHN. Dann bitte ich dich, mich vorher von Bord zu lassen.

MUSEUMSDIREKTOR. Sie sind an Schnelligkeit seit dem Kohlendampfer nicht mehr gewöhnt.

SOHN. An Leichtsinn!

MILLIARDÄR. Du hast immer Gefallen an solchen Spielen gefunden.

SOHN. Ich schäme mich, so spät zur Besinnung gekommen zu sein.

MILLIARDÄR. Was heißt das?

SOHN. Daß ich – – *Nachdrücklich*. Ich kann diese Rekordfahrt nur vor den Kesseln mitmachen!

MILLIARDÄR *zum Museumsdirektor*. Lassen Sie die Damen nicht auf der Brücke warten.

MUSEUMSDIREKTOR *Ab.*

MILLIARDÄR *langsam.* Bist du wirklich auf jenem Dampfer als Heizer gefahren?

SOHN. Ich war nicht ausdauernd genug – und mußte Passagier bleiben.

MILLIARDÄR. Hat es dich gereizt –

SOHN. Der Dampfer ist ja das Unwichtigste.

MILLIARDÄR. Du hast dich auf deiner Reise über manches gewundert?

SOHN. Wie Schuppen ist es mir von den Augen gefallen. Das ganze Unrecht, das wir begehen, wurde mir offenbar. Wir Reichen – und die andern, die ersticken in Qualm und Qual – und Menschen sind, wie wir. Mit keinem Funken Recht dürfen wir das – weshalb tun wir es? Ich frage dich, warum? Sage mir eine Antwort, die dich und mich entschuldigt?

MILLIARDÄR *starrt ihn an.* Das fragst du?

SOHN. Ich frage dich – und höre nicht wieder auf zu fragen. Ich bin dir heute wie noch nie in meinem Leben dankbar. Du hast mir diese Reise geschenkt – ohne die ich blind geblieben wäre.

MILLIARDÄR. Du wirst wieder vergessen.

SOHN. Was in mir ist – mich erfüllt durch und durch? Erst müßte ich mich selbst auslöschen.

MILLIARDÄR. Was – ist in dir?

SOHN. Das Grauen vor diesem Leben mit seiner Peinigung und Unterdrückung.

MILLIARDÄR. Deine Reiseerlebnisse genügen nicht –

SOHN. Genügen nicht?

MILLIARDÄR. Du übertreibst flüchtige Erfahrungen.

SOHN. Im Blute brennen sie mir! Nach allem andern das schlagendste Bild: Da am Kai liegt die *Meeresfreiheit.* Bewimpelt, Musik. Auf Deck spazieren die Passagiere in hellen Kleidern, schwatzen – sind lustig. Wenige Meter tiefer die Hölle. Da verbrennen Menschen zuckenden Leibes in heißen Schächten vor fauchenden Feuerlöchern. Damit wir eine schnelle und flotte Fahrt haben! – Ich hatte meinen Fuß schon auf die *Meeresfreiheit* gesetzt – aber ich mußte umkehren – und erst auf diesem *Albatros* schlug mein Gewissen ruhiger!

MILLIARDÄR. Und jetzt hast du diese Erschütterungen überwunden?

SOHN. Hier erhalten sie die äußerste Steigerung! Hier – auf deiner Luxusjacht! Scham preßt mir das Blut unter die Stirn! In Sesseln liegen wir träge – und jammern über die Hitze, die von der Sonne kommt. Eiswasser schlürfen wir und sind von keinem Staube im Halse gereizt! – Hier unter den weichen Sohlen deiner weißen Schuhe brodelt das Fieber. Halbe Dunkelheit herrscht! – Reiße diese Wand von Holzplanken auf – die so dünn ist und so grauenhaft trennt! – und sieh hinab – seht alle hinab – und erlebt es auch: daß euch das Wort im Munde stockt, mit dem ihr euch vor einem da unten brüsten wollt!

Arzt schlendert herein.

SOHN *rasch zu ihm.* Was hat es gegeben, Doktor?
ARZT. Ein gelber Heizer ist zusammengebrochen.
SOHN. Tot?
ARZT *schüttelt den Kopf.* Hitzschlag.
SOHN. Wohin haben Sie ihn gebracht?
ARZT. Ich habe ihn vor den Luftschacht unten legen lassen.
SOHN. Nicht auf das Verdeck geschafft?
ARZT. Nein.
SOHN *kurz.* Warten Sie hier. *Ab.*

ARZT *läßt sich in einen Sessel fallen – zum Neger.* Eiswasser. *Zum Milliardär.* Ich finde, daß sich die Nerven außerordentlich bei diesem längeren Stilliegen auf See beruhigen. Ich möchte Ihnen das zweimonatlich je fünf Tage verordnen.
MILLIARDÄR *steht unbeweglich.*
ARZT. Ich verspreche mir gute Erfolge für Sie von dieser Diät.
MILLIARDÄR *stumm.*
ARZT. Allerdings wird der besondere Reiz, Ihren Sohn zu erwarten, später fehlen, aber Ihre Tochter wird sich erfinderisch in Überraschungen gemäßigterer Art zeigen. Ich werde mit ihr in diesem Sinne sprechen.

Stimmen und Schritte nähern sich.

ARZT *stellt das Glas hin.* Ein Bordspiel im Gange?

Matrosen bringen den halbnackten gelben Heizer.

SOHN. Hierhinein!

ARZT *aufstehend.* Was ist das?

SOHN. Sessel zusammenrücken. Doktor, fassen Sie an. Es geht um ein Leben. *Zu den Matrosen.* Niederlegen. *Zum Neger.* Eiswasser. *Zum Arzt.* Vorwärts, Doktor, Sie verstehen das besser als ich. Waschen Sie die Brust ab. *Zum Milliardär.* Du erlaubst doch, daß dein Leibarzt hier Hand anlegt? *Zum Arzt.* Besteht Gefahr?

KAPITÄN *kommt – gedämpft zum Milliardär.* Ich habe nichts verhindern können.

MILLIARDÄR *schüttelt heftig den Kopf.*

Tochter und Sängerin kommen.

SOHN *zur Tochter.* Willst du uns nicht helfen, Schwester? Ein Mensch kann hier sterben!

TOCHTER *tritt heran.*

SOHN. Tauche deine Hände in das Eiswasser und lege sie ihm auf die heiße Brust. Es ist deine Pflicht, zu der ich dich aufrufe!

TOCHTER *tut es.*

SOHN *außer sich zum Arzt.* Doktor, Sie müssen ihn retten – sonst bin ich ein Mörder!

MILLIARDÄR *starrt auf die Gruppe – bewegt den Mund – murmelt endlich.* Das Furchtbare!

SÄNGERIN *stellt den Kodak ein – zum Museumsdirektor.* Solche Aufnahme habe ich noch nicht gemacht. *Sie knipst.*

DRITTER AKT

Quadratischer Raum, dessen Hinterwand Glas ist: Arbeits-
zimmer des Milliardärs. Rechts und links auf den Wänden,
vom Fußboden bis an die Decke hoch, mächtige brauntonige
Photographien, Fabrikanlagen darstellend. Breiter Schreib-
tisch mit Rohrsessel; ein zweiter Sessel seitlich.
Draußen Schornsteine dicht und steil wie erstarrte Lavasäu-
len, Rauchwolkengebirge stützend.

MILLIARDÄR *vorm Schreibtisch*. Wieviel Tote?

SEKRETÄR *neben dem Schreibtisch stehend*. Die genaue Zahl
der Opfer ließ sich nicht feststellen, da die Geretteten, zu
Tage gebracht, davonliefen und sich bis gestern nicht
meldeten.

MILLIARDÄR. Warum entfernten sie sich?

SEKRETÄR. Sie müssen in der dreitägigen Eingeschlossenheit
unter der Erde Entsetzliches erlebt haben.

MILLIARDÄR. Vor dem sie weiter und weiter fliehen?

SEKRETÄR. Sie kamen wie aus Gräbern verstört herauf, mit
Schreien und Schütteln.

MILLIARDÄR. Wer bis übermorgen sich an der Arbeitsstelle
nicht einfindet, wird nicht wieder angenommen.

SEKRETÄR *Notizen machend*. Bis übermorgen.

MILLIARDÄR. Wie verlief die Versammlung? Wurde ich mit
Widerspruch gesehen? Ließ man mich ungestört sprechen?

SEKRETÄR. Nein.

MILLIARDÄR. War ich in Lebensgefahr?

SEKRETÄR. Allerdings.

MILLIARDÄR. Wie schützte ich mich?

SEKRETÄR. Ich hatte Militär requiriert, das schußbereit sich
vor mir aufstellte.

MILLIARDÄR. Kam es zu Zwischenfällen?

SEKRETÄR. Ein einzelner machte stärkere Zwischenrufe.

MILLIARDÄR. Was sagte er?

SEKRETÄR. Mörder.

MILLIARDÄR. War er nicht zu finden?

SEKRETÄR. Die Menge deckte ihn.

MILLIARDÄR. Er muß festgestellt werden. Drohen Sie mit
Maßnahmen, falls er nicht ausgeliefert wird.

SEKRETÄR *notiert*.

MILLIARDÄR. Herrscht jetzt Ruhe?

SEKRETÄR. Der Schacht ist heute wieder befahren.

MILLIARDÄR. Welches Mittel wendete ich an?

SEKRETÄR. Ich kündigte die Stillegung des ganzen Betriebes an.

MILLIARDÄR. Danke. *Eine grüne Lampe brennt auf dem Schreibtisch auf. Milliardär nimmt den Hörer. Erstaunt.* Wer? – Meine Tochter? – Hier? – Ja, ich erwarte sie. *Zum Sekretär.* Vertreten Sie mich in der vierundzwanzigsten Fabrik. Es hat eine Explosion stattgefunden, ich habe mich für den Nachmittag angemeldet.

SEKRETÄR *notiert.*

MILLIARDÄR. Danke.

SEKRETÄR *links durch eine in der Photographie unsichtbare Tür ab.*

MILLIARDÄR *steht auf, tut einige rasche Schritte gegen die Wand rechts, besinnt sich – kehrt auf seinen Sessel zurück und vertieft sich in Arbeit.*

Einer der Diener öffnet rechts eine unsichtbare gepolsterte Tür.
Tochter tritt ein.
Diener ab.

MILLIARDÄR *sich umsehend.* Dein erster Besuch im väterlichen Geschäftshaus.

TOCHTER *sich umsehend.* Ja – zum ersten Male sehe ich das.

MILLIARDÄR. Eine fremde Welt! – Ist es so dringend, daß du es dir nicht bis zum Abend vor dem Kamin aufsparen willst?

TOCHTER. Ich kann es dir nur hier erklären.

MILLIARDÄR. Soll ich mich auf die froheste Nachricht vorbereiten?

TOCHTER. Welche ist das?

MILLIARDÄR. Ich bat dich damals um etwas, als wir deinen Bruder erwarteten. Auf der Jacht.

TOCHTER *kopfschüttelnd.* An das habe ich nicht mehr gedacht.

MILLIARDÄR *seine Unruhe unterdrückend – heiter.* Wirklich nicht?

TOCHTER. Auf der Jacht gab es mir den Anstoß.

MILLIARDÄR. Zu deinem hellsten Glück?

TOCHTER. Zu meiner unabweisbaren Pflicht!

MILLIARDÄR *hebt abwehrend eine Hand gegen sie hoch.*
Nein – – nicht das!

TOCHTER *ruhig.* Als ich meine Hände von der kochenden
Brust des gelben Heizers aufhob, waren sie gezeichnet. Das
Mal ist in meinem Blut bis zum Herzen zurückgesunken. Ich
habe nicht mehr eine Wahl. Ich fühle die Bestimmung. Ich
unterwerfe mich auch willig. Den Platz sollst du mir anweisen, wo ich es erfülle.

MILLIARDÄR. Was willst du tun?

TOCHTER. Schicke mich zu den Elendesten, die krank liegen.
Die in deinen Fabriken verunglückten. Ich will sie pflegen.

MILLIARDÄR. Du weißt nicht, was du sagst.

TOCHTER. Ja, du kannst erst meiner Tat Glauben schenken.
Ich will zum Schacht, in dem sich die Katastrophe ereignete.

MILLIARDÄR. Was ist das für eine Katastrophe?

TOCHTER. Du hast den Aufruhr selbst beschwichtigt.

MILLIARDÄR. Wer trägt dir das zu?

TOCHTER. Berichte in Zeitungen sind unterdrückt. Du bist ja
mächtig.

MILLIARDÄR *starrt sie an. – Nach einer Pause.* Laß es. *Er
steht auf, tritt dicht vor sie.* Mit Worten will ich dich nicht
bitten. Du hast hundert Worte gegen meine. Es ist ein un-
gleicher Streit. Vater und Tochter – damit ist der Ausgang
entschieden. *Er nimmt ihre Hände, betrachtet sie.* Nein –
nein. So schmal – so schwach. *Ihrer Widerrede kopfschüttelnd begegnend.* Ja, ja – stark und hart, ich weiß allein,
wozu: – einen Turm zu stürzen – Trümmer zu häufen –
Opfer zu verschütten. Soll ich dir sagen, wer das Opfer ist?

TOCHTER. Ich verstehe dich jetzt nicht.

MILLIARDÄR. Willst du mich opfern?

TOCHTER *sieht verwundert zu ihm auf.*

MILLIARDÄR. So kehre um. Du findest deine Aufgabe, die
dir näher liegt. Erscheint sie dir gering – mich dünkt sie
wichtig, weil sie deinem Vater gilt.

TOCHTER *entzieht ihm ihre Hände.* Ich habe kein Recht,
während andere –

MILLIARDÄR. Vater und Tochter – nicht den Streit! Nur
Bitte um Bitte!

TOCHTER. Ich danke dir heute für Jahre heller Jugend –

MILLIARDÄR. Mit heller Zukunft!

TOCHTER *stark.* Die in meiner neuen Pflicht leuchtet! *Sie steht
auf, reicht ihm die Hand.* Mein Entschluß ist mir so leicht

geworden. Willst du es mir schwer machen, wenn ich ihn ändern soll?

MILLIARDÄR *nimmt ihre Hand nicht.* Wohin gehst du jetzt?

TOCHTER. Zu meinen Schwestern und Brüdern.

MILLIARDÄR *tonlos.* Dahin gehst du – –

TOCHTER. Wirst du mich bei den Ärmsten der Armen kennen?

MILLIARDÄR *gegen den Schreibtisch gestützt.* Dahin – –

TOCHTER *zögert noch – wendet sich zur Tür.*

Der Diener öffnet.
Tochter ab.

MILLIARDÄR *stockend – mit scheuer Geste.* Dahin – – dahin – – dahin – – – – *Dann rafft er sich auf – klingelt.*

SEKRETÄR *tritt ein.*

MILLIARDÄR. Der Schacht soll geschlossen werden!

SEKRETÄR *notiert.*

MILLIARDÄR. Nein! *Sich an die Stirn greifend.* Hier oder da – man kann es nicht wegblasen – die Macht hat keiner! *Fest zum Sekretär.* Meine Tochter wird sich Samariterdiensten widmen. Sie werden ihr auf dem Schacht begegnen und überall, wo es in meinen Fabriken Unfälle gab. Verleugnen Sie sie – ich kenne meine Tochter nicht!

SEKRETÄR. Ist Ihre Tochter von der Koralle unterrichtet?

MILLIARDÄR. Nein, außer den beiden Dienern niemand. *Sachlich.* Wir hatten vorhin unterbrochen.

SEKRETÄR *liest von seinem Notizblock.* Am Nachmittag vertrete ich Sie in der vierundzwanzigsten Fabrik.

MILLIARDÄR. Morgen Mittag nehme ich an der Versammlung der Missionsgesellschaft in der ersten Hälfte selbst teil, in der man mich zum Ehrenpräsidenten ernennt. Sie kommen um zwei Uhr im Automobil. Ich werde unter dem Vorwande, eine Mappe zu holen, die Sitzung verlassen. Sie kehren dann für mich zurück und verlesen die Stiftungen, die ich mache. Ich gebe Ihnen die Mappe. *Er sucht sie in einer Schreibtischlade.*

Die grüne Lampe flammt auf.

SEKRETÄR. Ein Anruf.

MILLIARDÄR *rasch hoch – starrt auf die Lampe.*

SEKRETÄR. Soll ich die Mappe nachher –

MILLIARDÄR *heftig.* Bleiben Sie hier! – Gehen Sie. Ja – später.

SEKRETÄR *ab.*

MILLIARDÄR *nimmt langsam den Hörer auf. – –* Wer? – – *– – Er läßt ihn aus lockeren Fingern auf die Tischplatte fallen. Mit unsicherem Munde.* Mein Sohn.

Der Diener läßt rechts den Sohn ein. Diener ab.

MILLIARDÄR *richtet sich straff auf und geht ihm entgegen.* Ich habe dich in den letzten Tagen nicht gesehen.

SOHN. Seit –

MILLIARDÄR. Ich frage nicht, wo du dich aufhältst. Die Zeit ist vorbei, wo ich dich beaufsichtige. Rechtfertige dich vor dir selbst in jedem, was du tust. Du bist erwachsen.

SOHN. Du machst es mir leicht –

MILLIARDÄR. Vielleicht war es wichtig, dir das zu sagen. Kommst du deshalb?

SOHN. Der Anlaß –

MILLIARDÄR. So will ich auch hier nicht in dich dringen. Setze dich. Es ist in diesem werktagstrengen Raum –

SOHN. Von dem du mich eifersüchtig ferngehalten hast.

MILLIARDÄR. Reizt es dich, meinen Platz einzunehmen?

SOHN. Nicht deinen –!

MILLIARDÄR. Ich biete ihn dir an. Ich bin noch nicht müde. Die Fäden liegen straff in meinen Fingern. Ich will – ich kann arbeiten. Der Nachfolger meldet sich zu früh. Du wirst mich heute und morgen nicht entthronen.

SOHN. Die Absicht bringe ich nicht mit.

MILLIARDÄR. Aber es wird dir helfen, dir dein Leben einzurichten.

SOHN. Du engst mir das Gebiet ein.

MILLIARDÄR. Es bleibt dir nur diese Möglichkeit. Die Arbeit ist mein Teil.

SOHN. Ich weiß, wie du fortfahren willst.

MILLIARDÄR. Du siehst, die Tore sind fest verrammelt.

SOHN. Und weil ich gezwungen bin, beruhige ich mein Gewissen?

MILLIARDÄR. Auch dir ist ein Zwang auferlegt!

SOHN *nach einer Pause.* Willst du mir auf Fragen, die mich brennen, antworten?

MILLIARDÄR. Nachdem wir eben unsere Grenzen scharf gezogen haben – ja.

SOHN. So tiefe Widersprüche klaffen in deinem Handeln.

MILLIARDÄR. Mit mir hast du dich beschäftigt?

SOHN. Ich kann mich nur noch mit dir beschäftigen.

MILLIARDÄR. Wodurch wurde ich dir unversehens interessant?

SOHN. Dieser ungeheure Reichtum, den du angesammelt hast –

MILLIARDÄR. Ich erwähnte schon meine Arbeitskraft.

SOHN. Das ist nicht Arbeitskraft, das ist –

MILLIARDÄR. Wo liegt da das Rätsel?

SOHN. Hier die rücksichtslose Ausbeutung – und dort die unbeschränkte Mildtätigkeit, die du übst. Das *heiße Herz der Erde* – – und dieser Stein, den du in deinem Innern tragen mußt!

MILLIARDÄR. Das Rätsel möchte ich dir nicht lösen.

SOHN. Weil dich die Scham abhält, es dir einzugestehen!

MILLIARDÄR. Es soll mein Geheimnis bleiben.

SOHN. Ich zerre an dem Schleier, hinter dem du dich versteckst. Du kennst den Frevel deines Reichseins und betäubst dich mit diesem *offenen Donnerstag!*

MILLIARDÄR. Die Erklärung würde nicht genügen.

SOHN. Nein, diese Gaben sind lächerlich, die du austeilst. Du bezahlst damit nicht das Blut –

MILLIARDÄR. Vergieße ich das?

SOHN. Nein, das sind Unglücksfälle. Aber du drohst mit Blutvergießen, wenn sie einmal aufschreien!

MILLIARDÄR. Sahst du das?

SOHN. Jetzt muß ich dir bekennen, wozu es mich gestern fast hingerissen hat!

MILLIARDÄR. Was war gestern?

SOHN. Ich war im Hof am Schacht, als du sprachst. Du mußtest ja selbst auftreten, um den Aufruhr zu unterdrücken. Ich war unten in der fahlen Menge – und sah dich oben hinter den drohenden Gewehren dastehen. So kalt und fern. Deine Worte klatschten wie Eisstücke auf die Versammlung nieder. Keiner wagte mehr einen Ausruf. Bis du die Schließung des Betriebs androhtest, die Tausende – Frauen und Kinder – dem Hunger auslieferte. Da tat einer den Mund auf!

MILLIARDÄR Du warst es, der –

SOHN. Der Mörder rief! – Das ist noch nicht das letzte.

MILLIARDÄR. Ich hörte nichts weiter.

SOHN. Hätte ich vergessen können, daß du da oben mein Vater stand – *Er greift in die Tasche und legt einen Revolver auf den Tisch.* Ich will mich nicht zum zweitenmal versuchen lassen.

MILLIARDÄR *schiebt den Revolver beiseite.* Du hättest mich nicht getroffen.

SOHN. Ich wollte treffen.

MILLIARDÄR *kopfschüttelnd lächelnd.* Mich nicht. So kann dies nicht als Schatten zwischen uns stehen. *Er streckt ihm die Hand hin.* Es braucht dich nicht zu quälen.

SOHN *starrt ihn an.* Bläst du das fort wie ein Staubkorn, das auf deinen Rock wehte?

MILLIARDÄR. Nicht auf meinen Rock.

SOHN. Vergessen und vergeben?

MILLIARDÄR. So habe ich dir auch nichts zu vergeben.

SOHN. Nein, du nicht. Das kann ja auch ein anderer nicht. Das nicht. Die Buße wählt man sich selbst. Ich will sie mir so schwer machen, daß ich am letzten Tage vielleicht die Augen wieder aufschlagen kann.

MILLIARDÄR. Zu mir?

SOHN. Nein. Du nimmst mich heute schon auf. Du willst keine Zeit verlieren.

MILLIARDÄR. Wen setzt du dir zum Richter?

SOHN. Den letzten deiner Arbeiter.

MILLIARDÄR. Was soll das heißen?

SOHN. Bis noch einer durch Not schuldig werden kann, stehe ich da unten!

MILLIARDÄR. Im Aufruhr?

SOHN. Im Frieden, der sich ausbreitet, wenn ich nicht mehr sein will als andere!

MILLIARDÄR *schiebt ihm den Revolver hin.* Jetzt ist es Zeit! *Er dreht das Gesicht von ihm weg.*

SOHN *springt auf und läuft zu ihm.* Sage mir doch, warum alles so ist! – – Sage es mir doch!

MILLIARDÄR. Komm mit. *Er führt ihn vor die Photographien.* Siehst du das? Graue Fabriken. Enge Höfe! *Zum großen Fenster hinten tretend.* Siehst du das? Schlote – Schlote. Wo ist Erde – Grashalme – Gesträuch? – – Daher komme ich! – – Kennst du mein Leben? – – Ich habe es dir unterschlagen. In den Schulen wird es gelesen. – Ich habe dir ein anderes Leben gegeben. Ich habe dich in allem ein anderes Leben leben lassen. Nicht meins! – – Aus nichts bin ich geworden, so schreiben sie in den Büchern! – Aus jeder Not habe ich mich aufgeschwungen, so erzähle ich dir jetzt. Ich habe es nicht vergessen. Ich habe mich keine Stunde einschläfern lassen. Mit diesen Bildern habe ich mich umstellt – diese Wand habe ich offen gehalten, damit es sich nicht verdunkeln kann –: es soll mich aufscheuchen aus Ermüdung und Rast. Das gellt mir Mahnung und Warnung ins Blut: nur nicht dahinab – – nicht dahinab!

SOHN *von ihm zurücktretend.* Du – –

MILLIARDÄR. Ich kann dich warnen. Mir wirst du glauben. Mir hat es Vater und Mutter verschlungen – nach mir wollte es greifen – – ich bin entlaufen!

SOHN. Du kennst – –

MILLIARDÄR. Dich hat ein Augenblick verstört – mich hat es ein Leben lang geschüttelt. So furchtbar ist das Leben! – – Willst du dahinab?

SOHN. Das letzte reißt du mir aus den Händen –

MILLIARDÄR. Was ist das?

SOHN. Was dich entschuldigt: die Qual der anderen wäre dir fremd!

MILLIARDÄR. Den Schrei trage ich in meiner Brust!

SOHN. Bist du – ein Tiger?! Mehr –: der weiß nicht, was er tut. Du kennst die Qual deiner Opfer – – und – – – – *Er faßt den Revolver – legt ihn wieder hin.*

MILLIARDÄR. Ich oder ein anderer –

SOHN. Jeder ist –

MILLIARDÄR. Sei mir dankbar.

SOHN. Für die Täuschung?

MILLIARDÄR. Daß du nicht werden mußt, wer ich bin!

SOHN *ruhig.* Dein Blut ist meins –

MILLIARDÄR. Fühlst du es auch?

SOHN. Es macht die Aufgabe lohnend.

MILLIARDÄR. Mich vor dem Furchtbaren zu retten!

SOHN. Die furchtbare Begierde zu unterdrücken – und neben dem niedrigsten deiner Arbeiter auszuharren!

MILLIARDÄR *steht steif.*

SOHN. Du kannst mich abweisen lassen. Ich nehme Arbeit, wo ich sie sonst finde.

MILLIARDÄR *bricht an ihm zusammen.* Erbarmen – – Erbarmen!!

SOHN *kalt.* Mit wem?

MILLIARDÄR. Erbarmen – –!!

SOHN. Vielleicht wird es mein Schrei zu dir, wenn du mir und meinen Kameraden einmal das Brot verweigerst! *Er geht nach rechts. Ehe der Diener die Tür ganz öffnen kann, ab.*

MILLIARDÄR *endlich sprunghaft auf. Er sucht den Revolver – stößt ihn in die Tasche.* Hier nicht! – – Im Walddickicht! – – Brechendes Auge sieht grünes Gezweig – – Stück blauen Himmels flutet herab – – kleiner Vogel klingt! *Mit schrägen Blicken nach den Wänden.* Gestellt? – – Abgeschnitten? – – Die Flucht mißlungen? – – Eingeholt? – – *Die Arme schwenkend.* Laßt mich los – – faßt nicht nach mir – – ich fürchte mich doch vor euch wie ein Kind!! *Keuchend an den Photographien entlang laufend und mit den Händen anschlagend.* Ein Ausweg – – ein Ausweg – – *Schreiend.* Ein Ausweg!!

SEKRETÄR *von links – fragend.*
MILLIARDÄR *sieht ihn an.*
SEKRETÄR *verlegen.* Die – Mappe?
MILLIARDÄR *stumm.*
SEKRETÄR. Sie wollten mir noch eine Mappe aushändigen.
MILLIARDÄR *an den Schreibtisch wankend und in den Sessel zusammenbrechend.* Tochter und Sohn – – hinab – – hinab – – – – Mich haben meine Kinder verlassen!!
SEKRETÄR *schweigt.*
MILLIARDÄR *zu ihm aufblickend.* Verstehen Sie das, was es heißt: ein Leben lang für seine Kinder arbeiten – und sie treten vor ihren Vater hin und schlagen ihm den Gewinn von der Hand?
SEKRETÄR. Ihr Sohn –?
MILLIARDÄR *aufschreiend.* Wer deckt jetzt zu, woher ich keuchend komme?! Wer hilft jetzt Berge in Abgründe stürzen – um *das* zu verdecken?!
SEKRETÄR *sieht ihn fragend an.*
MILLIARDÄR. Holt mich keiner – aus dem Dunkel meiner Vergangenheit?!
SEKRETÄR. Weil Ihre Leistung so riesenhaft ist, braucht man Ihre Vergangenheit nicht zu beschönigen!
MILLIARDÄR. Nicht zu – –?!
SEKRETÄR. Ihr Werk steht nur größer da!
MILLIARDÄR. Ich gebe es hin – – ich zahle mit meinem Reichtum – – ich verschenke mein Leben für ein anderes Leben!!

Inbrünstig. Wer leiht mir seins, das hell ist vom ersten Tage an?! – – Im Sohn finde ich es nicht mehr – hinab! – – – – Wo winkt nun der Tausch, um den ich buhlte – im Fieber der Arbeit – in der Wut des Erwerbs – auf dem Berg meines unzählbaren Goldes?! – – – – In wen gehe ich unter – und verliere diese Angst und tosenden Aufruhr?! – – – – Wer hat ein Leben – glatt und gut – für meines?!!

SEKRETÄR *mit wachsender Ergriffenheit auf ihn niederblickend.* Ihr Sohn geht andere Wege. Die Enttäuschung ist bitter wie keine. Aber da es sich so tausendfach wiederholt, mutet es fast wie ein Gesetz an. Vater und Sohn streben voneinander weg. Es ist immer ein Kampf auf Leben und Tod. – – – – *Nach einer Pause.* Ich habe mich auch gegen meinen Vater aufgelehnt. Und obwohl ich fühlte, wie ich ihm wehe tat, mußte ich ihn verletzen. – – – – *Wieder nach einem Warten.* Ich erkenne jetzt noch nicht, was mich trieb. Ich wollte mein Leben selbst versuchen – das wird schließlich wohl der Anlaß. Der Drang nach Unabhängigkeit wirkt stärker als alles andere. *Nun lebhafter fortfahrend.* Ich hatte ein Elternhaus, wie es selten zu finden ist. An eine wundervolle Jugend kann ich zurückdenken. Ich war einziger Sohn. Mutter und Vater teilten mir aus ihrem unendlichen Schatz von Liebe schrankenlos mit. In ihrer Hut sah und hörte ich nichts von den Widerwärtigkeiten eines groben Alltags. Es lag immer ein Lichtschein von Sonne in den stillen Stuben. Auch der Tod trat nicht zu uns. Die Eltern – für mich leben sie heute noch. Dann zog ich auf die kleine Universität – und der Trieb zur Selbständigkeit fing an, über mich Gewalt zu gewinnen. Ich löste mich los und ging in die Welt. – – Manche dunkle Stunde habe ich erlebt – es warf mich hierhin und dorthin – aber im Grunde konnte mich nichts erschüttern. Ich besaß ja das größte Gut, von dem man ohne Maß zehren kann: die lebendige Erinnerung an eine glückliche Jugend. Was später kam, wurden nur Wellen, die über einen See streichen, der klar den blauen Himmel spiegelt. So glatt und ungetrübt liegt meine reine Vergangenheit in mir ausgebreitet!

MILLIARDÄR *hat das Gesicht gegen ihn gehoben. Mit stärkster Gespanntheit hört er ihm zu.*

SEKRETÄR *blickt vor sich hin.*

MILLIARDÄR *sucht auf dem Tisch.* Die – – Mappe. *Er gibt sie ihm. Hervorstoßend.* Gehen Sie!

SEKRETÄR *nimmt die Mappe – wendet sich zur Tür.*

MILLIARDÄR *zieht den Revolver aus der Tasche und drückt ab.*

SEKRETÄR *in den Rücken getroffen – fällt.*

MILLIARDÄR *steht unbeweglich.* – – – – Mein Leben – – für ein anderes Leben – – das hell ist – – vom ersten Tage an – – – – *Langsam geht er hin, bückt sich zum Liegenden – – und streift die Koralle von der Uhrkette. Er hält sie auf der offenen Hand vor sich.* -- – – – Dieses Leben – – nach dem ich dürste – –! – – jeder Tag dieses Lebens – – um das ich buhle – –! *Tief den Kopf im Nacken.* Sie sollen mich zu meinem Glücke zwingen – – *Er streift die Koralle auf seine Kette.* – – – *Dann reißt er rechts die Tür auf und schießt nochmal in die Luft.*

Die beiden Diener stürzen herein. Einer bleibt in der Tür – der andere beugt sich über den Sekretär.

DER ERSTE DIENER *in der Tür.* Die Koralle?

DER ZWEITE DIENER *richtet sich auf, schüttelt den Kopf.* Nehmen Sie den Sekretär fest!

VIERTER AKT

*Untersuchungsraum: blaues Viereck mit vielen Zugängen,
die Türen von Eisenstäben haben, hinter denen sich enge
Gänge verlieren. Eine Bogenlampe in klarem Glas beleuchtet
überall. Nur ein kleiner eiserner Tisch, an dem der Schreiber
– mit Augenschirm – sitzt.*
Der erste Richter steht nachdenklich.
Die beiden Diener links.
Wärter kommt von rechts.

DER ERSTE RICHTER *zu ihm.* Schalten Sie aus.
WÄRTER *hantiert am Schaltbrett; die Bogenlampe verlöscht.
In den Ecken glühen matte Lampen auf.*
DER ERSTE RICHTER *tritt an den Tisch, nimmt den Hörer auf.*
Ich bitte um Ablösung. *Zu den beiden Dienern.* Sie können
jetzt – *Sich besinnend.* Oder warten Sie noch. *Er läßt sich
vom Schreiber das Protokoll geben, liest – schüttelt den
Kopf. Zu den Dienern.* Niemals hat der Sekretär die Koralle
– *Rasch.* Es könnte doch sein, daß auch die Koralle gelegent-
lich ausgetauscht wurde, um –

Der zweite Richter kommt hinten.

DER ZWEITE RICHTER. Kein Resultat?
DER ERSTE RICHTER *gibt ihm das Protokoll.* Höchstens das,
daß mir Zweifel kommen.
DER ZWEITE RICHTER. Diese Verhüllung seiner Person mit solcher Konsequenz hat etwas Geniales.
DER ERSTE RICHTER. Konsequent ist er allerdings im Schwei-
gen!
DER ZWEITE RICHTER. Selbstverständliche Erkundigungen
nach seinem früheren Leben – die Grundlage jeder Unter-
suchung! – läßt er offen, als wüßte er selbst nichts. Wir
haben uns die Daten verschaffen müssen.
DER ERSTE RICHTER. Wirklich, das scheint ihm so unbekannt,
als hörte er heute zum erstenmal von seinem eigenen Leben!
DER ZWEITE RICHTER. – – Will er uns aufs Glatteis führen?
DER ERSTE RICHTER. Was meinen Sie damit?
DER ZWEITE RICHTER. Sollen wir ihm seine Vergangenheit
predigen?
DER ERSTE RICHTER. Zu welchem Zweck?

DER ZWEITE RICHTER. Um uns zu ermüden.

DER ERSTE RICHTER. Bald hat er mich so weit.

DER ZWEITE RICHTER *liest – läßt das Blatt sinken*. Er bestreitet doch nicht, daß die Koralle bei ihm gefunden ist.

DER ERSTE RICHTER. Aber er will nicht der Sekretär sein.

DER ZWEITE RICHTER. Wie erklärt er denn die Koralle an seiner Kette? *Lesend*. Auf die wiederholt gestellte Frage läßt der Vernommene jedesmal die Antwort aus.

DER ERSTE RICHTER *zu den beiden Dienern*. Sollte nicht zu einem besonderen Zweck auch Ihre Irreführung geplant gewesen sein?

DER ERSTE DIENER. Nein. Es wäre damit unsere Aufgabe unmöglich geworden.

DER ZWEITE DIENER. An der Bewachung seiner Person lag dem Getöteten viel.

DER ZWEITE RICHTER. Es ist ja durchsichtig. Natürlich, es geht um Kopf und Kragen. Da sträubt man sich ein bißchen. Aber wir haben ja die Aussage, die der Sohn gemacht hat. In der Unterredung, die zwischen Vater und Sohn kurz vorher stattgefunden hatte, entsagte der Sohn dem väterlichen Reichtum. Auch die Tochter hatte verzichtet. Der Sekretär hat das erregte Gespräch nebenan gehört und konnte der Versuchung nicht widerstehen, sich zum Nachfolger zu setzen. Da drückte er kurzerhand los. Nur die Koralle konnte er nicht mehr austauschen. Das hätte er vielleicht noch gern getan. *Zu den Dienern*. Aber auf den Schuß kamen Sie schon hinzu.

DER ZWEITE DIENER. Ich nahm ihn fest, als er aus der Tür wollte.

DER ZWEITE RICHTER. Wollte er flüchten?

DER ERSTE DIENER. Nicht wir, sondern er hatte die Tür aufgemacht.

DER ERSTE RICHTER. Warum läuft er davon, wenn er sich für den ausgibt, auf den ein Angriff unternommen ist?

DER ZWEITE RICHTER *legt das Protokoll hin*. Schon dieser Fluchtversuch beweist. Die Detonation, die der Schuß verursachte, war zu kräftig, damit hatte er nicht gerechnet. In der Verwirrung hoffte er zu entkommen, doch an der Umsicht der Diener scheiterte die Absicht. Jetzt besinnt er sich wieder auf die Rolle, die er spielen wollte.

DER ERSTE RICHTER. Die Ähnlichkeit ist allerdings fabelhaft. Ich habe einen solchen Fall von Doppelgängertum noch nicht erlebt.

DER ZWEITE RICHTER. Ja, wenn wir die Koralle nicht hätten, müßten wir unrettbar im Dunkeln tasten! *Nach dem Protokoll greifend.* Übrigens dieser Angriff, der vom vermeintlichen Sekretär verursacht sein soll, wie begründet er den?

DER ERSTE RICHTER. Er schweigt.

DER ZWEITE RICHTER. Weil er nicht stattgefunden hat.

DER ERSTE RICHTER. Sie sagten doch, daß er sich an die Stelle des Getöteten setzen wollte?

DER ZWEITE RICHTER *stutzt.*

DER ERSTE RICHTER. So findet sich doch eine Begründung?

DER ZWEITE RICHTER. Die ihn zur Tötung angestiftet hat!

DER ERSTE RICHTER. Er handelte also in Notwehr!

DER ZWEITE RICHTER *erregt.* Aber er ist doch der Sekretär!

DER ERSTE RICHTER *sich die Augen reibend.* Ich bin wirklich abgespannt. Das scharfe Licht – die Gelassenheit des Mannes, der sich kaum verteidigt –

DER ZWEITE RICHTER. Ich denke Mittel anzuwenden, die ihn beweglicher machen. Fruchtet die Vorlegung der Koralle nicht – *Er nimmt sie vom Tisch auf.* Wie ein Blutstropfen sieht das Ding aus, der am Täter hängen blieb –! *Er legt sie hin. Zu den Dienern.* Ich brauche Sie nicht mehr.

DER ERSTE DIENER. Wann morgen?

DER ZWEITE RICHTER. Hoffentlich war es genug. Zehnmal dieselbe Litanei. Ich lasse Sie sonst bestellen.

Die beiden Diener ab.

DER ERSTE RICHTER. Versprechen Sie sich in dieser Nacht besseren Erfolg?

DER ZWEITE RICHTER. Nicht mehr als ein volles Geständnis!

DER ERSTE RICHTER *verblüfft.* Wie wollen Sie ihn dazu bringen?

DER ZWEITE RICHTER. Er will der Milliardär sein. Gut, so führe ich ihm seine Kinder vor. Jetzt soll die Natur Richter spielen. Stutzt er eine Sekunde, sich ihnen zu nähern, die der Vater nach der Bekundung von Sohn und Tochter über alles liebte, so hat er so viel wie gestanden. Vor der Koralle kann er sich sträuben, das ist ein toter Gegenstand – – aber vor der Wucht des Anblicks von Sohn und Tochter seines Opfers wird sich kein Individuum behaupten. Und da er kein berufsmäßiger Verbrecher ist, bricht er mir in beide Knie!

DER ERSTE RICHTER. Tatsächlich bin ich ausgepumpt.

DER ZWEITE RICHTER. Strecken Sie sich auf dem Sofa aus und schlafen Sie gut. Wenn ich Sie stören darf, rufe ich Ihnen unsere Erlösung von der Marter dieser vierzehn Nächte hinüber!

DER ERSTE RICHTER. Ich fahre dann gleich eine Woche aufs Land.

DER ZWEITE RICHTER. Und ich schreibe ein Buch für Massenauflage über den Fall!

DER ERSTE RICHTER *hinten ab.*

DER ZWEITE RICHTER *geht nach links und drückt auf eine Klingel neben einer Tür.*

Von einem Wärter geleitet, Sohn und Tochter – in Schwarz – von links.

DER ZWEITE RICHTER. Es wird nun doch notwendig, daß ich die Gegenüberstellung ausführe. So gern ich Ihnen diese Peinlichkeit erspart hätte, das hartnäckige Ableugnen, von dem ihn mein Kollege nicht abbringen konnte, zwingt zu dieser Maßnahme. Ich sehe keinen anderen Weg mehr, um ein Geständnis zu erhalten. Und das Geständnis brauchen wir unbedingt!

SOHN. Geben Sie uns Anweisungen, wie wir uns verhalten.

DER ZWEITE RICHTER. Ich bestätige, einen überraschenden Schlag zu tun. Zu einer Überlegung darf ihm nicht die mindeste Zeit gelassen werden. Ich bitte Sie, vollständig geräuschlos zu kommen und Ihre Anwesenheit hier nicht zu verraten. Vorläufig halten Sie sich dort im Hintergrund des Ganges auf, der Wärter bleibt in der Nähe der Tür. Das ist unauffällig. *Zum Wärter.* Ich werde es im Verlauf des Verhörs einrichten, daß ich auf diese Seite trete, so daß der Vernommene Ihre Tür im Rücken hat. So bald ich mein Taschentuch hervorziehe, lassen Sie die Dame und den Herrn ein.

SOHN. Mit dieser Konfrontierung ist unsere Aufgabe erfüllt?

DER ZWEITE RICHTER. Selbstverständlich beschränke ich auch diese auf die kürzeste Dauer. Versuchen Sie jedoch, ihn fest anzusehen. Das ist wichtig. Besonders Sie, gnädiges Fräulein, möchte ich darauf aufmerksam machen. Halten Sie sich aufrecht. Sie erleben vielleicht das Grauenhafteste, was einem widerfahren kann. Sie werden Ihren Vater zu erblicken glauben, der tot ist.

SOHN. Eine Unterscheidung muß doch möglich sein!

DER ZWEITE RICHTER. Dann hätten wir leichtes Spiel gehabt. Die Übereinstimmung ist vollkommen. Ein körperliches Merkmal existiert nicht. Die Natur spielt uns schon den Streich.

SOHN. Nur diese Koralle gibt Aufschluß?

DER ZWEITE RICHTER. Den unumstößlichen. Darum vergessen Sie nicht, daß sie den Sekretär vor sich haben!

Sohn und Tochter mit dem Wärter links ab.
Der Wärter kehrt hinter die Türstäbe zurück.

DER ZWEITE RICHTER *zum ersten Wärter.* Führen Sie vor.

Der Wärter schaltet wieder die Bogenlampe ein. Rechts ab.

DER ZWEITE RICHTER *setzt sich eine Brille mit blauen Gläsern auf.*

Wärter läßt den Milliardär vor sich eintreten und bleibt an der Tür.

MILLIARDÄR *Seine Hände sind nach vorn mit dünnem Stahlseil geschlossen. Er stellt sich auf, wie er nun schon gewohnt ist, dazustehen – ohne Zeichen von Erregung.*

DER ZWEITE RICHTER *beachtet ihn vorläufig nicht. Dann nimmt er den Revolver vom Tisch und tritt – nur für die Waffe interessiert – zum Milliardär.* Wo kauft man denn diese Marke?

MILLIARDÄR *schweigt.*

DER ZWEITE RICHTER. Das Modell hätte ich gern. Aber ich kann mir doch nicht ein vom Gericht beschlagnahmtes Objekt zustecken.

MILLIARDÄR *lächelt dünn.*

DER ZWEITE RICHTER *sieht ihn an.* Ein streng gehütetes Geheimnis?

MILLIARDÄR. Ein Geschenk.

DER ZWEITE RICHTER. Von wem denn?

MILLIARDÄR *schüttelt den Kopf.*

DER ZWEITE RICHTER. Von zarter Hand doch nicht?

MILLIARDÄR. Von zartester.

DER ZWEITE RICHTER. Ach was, das ist ja unnatürlich.

MILLIARDÄR. Ja – unnatürlich war das.

DER ZWEITE RICHTER. Sollten Sie sich selbst bedienen? Wenn Sie untreu werden?

MILLIARDÄR. Ich war das Ziel.

DER ZWEITE RICHTER. Wer wollte denn auf Sie schießen?

MILLIARDÄR *nickt langsam.*

DER ZWEITE RICHTER. Rissen Sie ihm die Waffe aus der Hand?

MILLIARDÄR. Er legte sie auf die Schreibtischplatte nieder.

DER ZWEITE RICHTER *rasch*. Der Milliardär?

MILLIARDÄR *schweigt.*

DER ZWEITE RICHTER *nickt befriedigt und stellt sich rechts auf*. Nun wollen wir die Situation rekonstruieren. Drehen Sie sich nach mir.

MILLIARDÄR *tut es.*

DER ZWEITE RICHTER. Warten Sie mal. Das Metall ist angelaufen, damals blinkte es jedenfalls. *Er zieht sein Taschentuch heraus und reibt die Waffe.*

Der Wärter links zieht sich von der Tür zurück.

DER ZWEITE RICHTER. Daß das Schießzeug auf dem Tisch herumgelegen hat, ist natürlich Humbug. Ihre Erzählung ist ja auch reichlich verworren, es lohnt nicht da nachzutasten. Der Vorgang ist einfach der: unter irgendeinem Vorwand machen Sie sich hinter Ihrem Opfer zu schaffen – ziehen die Waffe aus der Hosentasche – genau so, wie ich hier, standen Sie bereit – die Distanz ist dieselbe –

Der Wärter ist mit Sohn und Tochter gekommen: die beiden stehen unbeweglich.

DER ZWEITE RICHTER. – und jetzt zeigen Sie mir auch Ihren Rücken!

MILLIARDÄR *dreht sich um: ohne zu stocken, geht er auf Sohn und Tochter zu*. Kinder – in Schwarz? Ist ein Trauerfall, der uns nahegeht? – – Wundert ihr euch, daß ich nichts davon weiß? Ja, ich habe keine Verbindung mit euch. Ich werde vorläufig streng abgeschlossen gehalten. Ein unleidlicher Irrtum, der sich erst aufklären muß. Ich gebe mir alle erdenkliche Mühe, diesen schweren Verdacht zu zerstreuen. Aber die Gerichte sind peinlich. Jede Kleinigkeit erhält Gewicht. Eine Koralle, die bei mir gefunden ist – der Revolver da, den ich bei mir getragen haben soll. *Zum Sohn.* Willst du nicht seine Herkunft mit einem Wort feststellen?

SOHN *seine Erschütterungen beherrschend.* Herr Richter, die Waffe ist mein Eigentum.

DER ZWEITE RICHTER. Wie gelangt sie in den Besitz des Sekretärs?

SOHN. Ich legte sie vor meinen Vater auf die Tischplatte.

DER ZWEITE RICHTER. Das ist immerhin wertvoll. Der offen daliegende Revolver stiftete zur Tat an. Warum überließen Sie Ihrem Vater ihn?

SOHN. Darauf – kann ich nicht antworten.

MILLIARDÄR. Ich habe dich auch nicht verraten.

SOHN *scharf.* Weil Sie nichts wissen können!

MILLIARDÄR. Kein du? Bin ich euch fremd geworden, weil ich verdächtigt wurde? *Mit eigentümlich lauerndem Ausdruck.* Glaubt ihr denn, daß ich der Sekretär bin? Ihr – meine eigenen Kinder – seht mich für den Sekretär an?

SOHN *mühsam.* Herr Richter, brauchen Sie meine Schwester und mich hier noch?

TOCHTER *schreit auf – schlägt die Hände aufs Gesicht.*

DER ZWEITE RICHTER. Ich danke.

Sohn – die Tochter stützend – links ab.

DER ZWEITE RICHTER *hin und her gehend.* Das ist unerhört. Das ist der Gipfel der Verstocktheit! -- Schämen Sie sich nicht? *Verblüfft.* Lächeln Sie?

MILLIARDÄR. Ich habe meine Kinder gesehen –

DER ZWEITE RICHTER. Stimmt Sie die Qual anderer vergnügt?

MILLIARDÄR. – meine Kinder haben mich nicht gesehen!

DER ZWEITE RICHTER. Den Mörder ihres Vaters haben sie gesehen. Der sind Sie. Sie – sein Sekretär. Tischen Sie uns das alberne Märchen nicht nochmals auf. Und hätte die Koralle nicht die mächtige Beweiskraft, die sie hat, dies entlarvt Sie: die Sie mit so dreister Stirn für Ihre Kinder ausgeben, die stoßen Sie als einen Fremden zurück!

MILLIARDÄR *undurchdringlich.* Das – genügt nicht.

DER ZWEITE RICHTER. Wissen Sie das sicher? Weil Sie kein Geständnis ablegen? Das erlassen wir Ihnen jetzt. Hüllen

Sie sich weiter in Ihr monumentales Schweigen. Jetzt werden wir gesprächig! *Er winkt dem Wärter.*

Wärter führt den Milliardär rechts ab.

DER ZWEITE RICHTER *telefoniert.* Ich bitte um Ablösung. *Laut.* Jawohl – Ablösung! *Aufgeregt auf und ab. Aufstampfend.* Das ist doch –!

DER ERSTE RICHTER *rasch von hinten.*
DER ZWEITE RICHTER. Sie glaubten wohl, sich verhört zu haben? Nein, es geht so weiter. Dem Mann ist nicht beizukommen. Ohne Zucken erträgt er die Gegenüberstellung – und beklagt sich noch, daß man ihm das Du verweigert!
DER ERSTE RICHTER *liest im Protokoll.*
DER ZWEITE RICHTER. Ich denke, wir sind fertig!
DER ERSTE RICHTER. Nein! – Das lockt mich. Ich rücke ihm auf den Leib. *Sich vor die Stirn schlagend.* Das ist ja auch ganz einfach!
DER ZWEITE RICHTER. Wurden Sie im Schlaf erleuchtet?
DER ERSTE RICHTER. Wütend bin ich!
DER ZWEITE RICHTER. Erfinderisch macht dieser Zustand schwerlich.
DER ERSTE RICHTER. In den Milliardär hat er sich eingelebt.
DER ZWEITE RICHTER. Das steht fest.
DER ERSTE RICHTER. Also muß er aus dem Milliardär wieder heraus –
DER ZWEITE RICHTER. Hokuspokus, eins, zwei, drei.
DER ERSTE RICHTER. – und in den Sekretär hinein!
DER ZWEITE RICHTER. Der Kunstgriff, den Sie dazu anwenden?

Wärter kommt von rechts und schaltet die Bogenlampe aus.

DER ERSTE RICHTER. Er muß ganz neu geboren werden! – Ja, ja, ich lege ihn wieder in die Wiege und lasse ihn vergnügt strampeln und krähen. Der Milliardär ist noch gar nicht in seine Existenz getreten – das ist ein späteres Kapitel, das ich mit keiner Silbe erwähne. Ich baue ihm sein Leben bis zu diesem Punkte lückenlos auf und wickle ihn in Jugenderinnerungen so sanft und allmählich ein, daß er ganz vergißt, warum er hier steht. *Nach einem Schriftstück greifend.* Das

Material haben wir da – es ist bis in Kleinigkeiten zusammengetragen. Seine Vergangenheit bietet ein auffallend helles Bild – so ist auch der Kern nicht verhärtet. Der Mann wird windelweich, wenn ich ihm das Buch seiner guten Zeiten aufschlage!

DER ZWEITE RICHTER. Er hat sich vor den Kindern seines Opfers nicht gescheut –

DER ERSTE RICHTER. Kinder stehen außerhalb. Zuletzt lebt man nur sich selbst.

DER ZWEITE RICHTER. Ich würde ja auch ungern das Protokoll ohne Ergebnis abliefern.

DER ERSTE RICHTER. Mein Versuch kann, wie jeder andere bisher, scheitern – aber in solchem Zurückgreifen liegt eine suggestive Kraft.

DER ZWEITE RICHTER. Wollen Sie die Brille?

DER ERSTE RICHTER. Diesmal bei gedämpftem Licht. *Zum Wärter.* Schalten Sie nicht ein. Bringen Sie ihn. *Wärter rechts ab.* Schon das wird ihm eine Wohltat sein. Und für das andere finde ich den rechten Großmuttermärchenton.

DER ZWEITE RICHTER. Und der böse Wolf kommt zum Schluß.

DER ERSTE RICHTER. Der muß den Mörder packen!

DER ZWEITE RICHTER *hinten ab.*

Wärter führt den Milliardär ein.

DER ERSTE RICHTER *in das Schriftstück vertieft.* Diese Tierliebhaberei ist köstlich. *Aufblickend zum Milliardär.* Hatte es denn das schwarze Fleckchen mitten auf der Stirn?

MILLIARDÄR *hebt horchend den Kopf.*

DER ERSTE RICHTER. Das Hündchen, das Sie vom Ersaufen gerettet haben?

MILLIARDÄR *biegt sich auf.*

DER ERSTE RICHTER. War der Fluß an dieser Stelle seicht? Mit zehn Jahren wagt man sich doch nicht weit ins Wasser.

MILLIARDÄR *atmet rauschend.*

DER ERSTE RICHTER. Das Flüßchen wird wohl keine reißende Strömung gehabt haben, das am Städtchen vorübertreibt. Oder gab es im Frühling Hochwasser?

MILLIARDÄR *wiegt eigentümlich den Oberkörper.*

DER ERSTE RICHTER. Dann schossen die Fluten mit allerlei Fracht von entwurzeltem Gesträuch und Grasbüscheln dahin. Manchmal traten sie über die Ufer und drangen in die

Keller. Da hieß es die Vorräte bergen. Das gab immer ein lustiges Rettungswerk. Was da alles zum Vorschein kam! Vater und Mutter griffen zu und der Sohn leistete natürlich die wichtigste Hilfe. Er stand überall im Wege! Aber von Ihrer Unentbehrlichkeit waren Sie fest überzeugt?

MILLIARDÄR *nickt langsam.*

DER ERSTE RICHTER. Ja – solch ein kleines Städtchen hat seine Katastrophen. Jeden Tag etwas anderes. Der Wind reißt einem die Mütze weg und fährt damit um die Ecke. – *Rasch.* Hatten Sie grüne Schulmützen?

MILLIARDÄR *mit rieselndem Lächeln.* Ich – –

DER ERSTE RICHTER. Erinnern Sie sich nicht mehr deutlich an die Farbe?

MILLIARDÄR. – – habe so viel vergessen!

DER ERSTE RICHTER *beobachtet ihn scharf. – Nach einer Pause.* Dauert Sie das nicht? Ich meine, man denkt doch gern an freundliche Eindrücke, die man einmal gehabt hat. Die sind doch schließlich unverwüstlicher Besitz. Und gerade Sie haben doch allen Grund, sich an hellen Bildern der Vergangenheit zu erquicken. Ja, Sie haben eine beneidenswerte Jugend genossen. *Das Schriftstück aufblätternd.* Da liest man mit Vergnügen!

MILLIARDÄR *sieht hin.*

DER ERSTE RICHTER. Da ist alles Licht – Sonne, Sonne – Licht. Kein Schatten richtet sich auf. *Aufblickend.* Sie müssen doch Ihren Eltern unaussprechlich dankbar sein?

MILLIARDÄR *mit fast singender Stimme.* Meine Eltern – –

DER ERSTE RICHTER. Die breiteten ihre Hände über ihr einziges Kind! Haben Sie jemals einen Schlag erhalten?

MILLIARDÄR. Habe ich – – niemals einen Schlag erhalten?

DER ERSTE RICHTER. Ja, das müssen Sie mir sagen!

MILLIARDÄR. Ja – – Sie müssen es mir sagen!

DER ERSTE RICHTER *sieht ihn erstaunt an. Dann humoristisch.* Schlagen wir also das Buch der Vergangenheit auf. Kapitel eins: Elternhaus. Freundliche Kleinstadt – in Grün gebettet. Vater – Pfarrer. Sehen Sie ihn vor sich?

MILLIARDÄR *vor sich hintastend.* – in Grün gebettet – – Vater – – Pfarrer –

DER ERSTE RICHTER. Kapitel zwei: der Sohn wird geboren und ist Mittelpunkt des pfarrhäuslichen Lebens. Mit jeder Sorge ist man um ihn bemüht. Er gedeiht gesund. – An diese früheste Kindheit werden Sie sich kaum erinnern?

MILLIARDÄR. Jetzt – – kenne ich sie!

DER ERSTE RICHTER. Aber mit dem nächsten Abschnitt kommen Sie ins Fahrwasser. Die Schulzeit. Das Gymnasium ist nicht groß – wenige Schüler, unter denen Sie der beste sind. Das Lernen fällt Ihnen leicht – Sie stoßen nicht auf Widerstände – und so hat auch diese Epoche keinen Stachel für Sie. – Oder gibt es eine dunkle Wolke?

MILLIARDÄR. Wenn – – Sie es nicht wissen!

DER ERSTE RICHTER. Schön, es gibt also keine. Weiter. Damit war der Rahmen gezeichnet, in dem Sie sich damals bewegten. Es wurde Ihnen von Hause aus wie selten einem jungen Menschen leicht gemacht – und Ihre Anlagen kamen den Absichten Ihrer Eltern auf halbem Wege entgegen. Sie entwickelten in selten hohem Maße die Fähigkeit, ein glücklicher Mensch zu sein. Kein schöneres Bild, als diese vollkommene Übereinstimmung von Mensch und Umgebung. Da gibt es kein erschütterndes Erlebnis, das das Blut vergiftet. Tag reiht sich an Tag wie die Blumenkette, die Kinder binden! – *Eindringlich.* Flutet es nicht warm über Ihr Herz, wenn Sie dies Evangelium Ihrer Vergangenheit von mir erzählen hören? Es muß doch ein sehnsüchtiges Verlangen in Ihnen wach werden – nach diesem Paradiese, in dem Sie – bevorzugt vor so vielen – wandeln durften? Behütet und geliebt – vor jedem Stoß, den andere schon in diesem Alter erleiden, bewahrt. Blicken Sie nicht in einen kristallklaren See, dem man bis auf den Grund sieht – und auch da nichts findet als runde und blanke Kiesel? – Sagen Sie zu Ihrer glücklichen Vergangenheit ja – und retten Sie sich das Beste, was man besitzen kann!

MILLIARDÄR *wie unter Schauern von Glück zitternd.* – – das Beste – – was man besitzen kann –

DER ERSTE RICHTER *in Erregung geratend.* Sagen Sie ja zu dieser Vergangenheit?

MILLIARDÄR *hinhauchend.* – – ja – – ja – – ja – –!

DER ERSTE RICHTER. Jetzt unterschreiben Sie Ihre Bekundung!

MILLIARDÄR *schon die Hände aufhebend.* Ja!

DER ERSTE RICHTER *zum Wärter.* Befreien Sie die Hand! *Zum Milliardär.* Ihre Zustimmung hat Sie überführt, diese Vergangenheit gehört dem Sekretär. Sie sind der Sekretär. *Da der Milliardär zögert.* Ich sage Ihnen das, damit Sie die richtige Unterschrift leisten: die des Sekretärs!

MILLIARDÄR *schreibt in die Luft.*

DER ERSTE RICHTER. Was machen Sie denn? Sind Ihnen Ihre eigenen Schriftzüge nicht mehr erinnerlich?

MILLIARDÄR *unterschreibt.*

DER ERSTE RICHTER. Die Untersuchung ist abgeschlossen. Ich hoffe, daß Sie zu dem früheren Ableugnen Ihrer Person nicht wieder zurückkehren. Es wäre von jetzt an zwecklos! *Er gibt dem Wärter ein Zeichen.*

MILLIARDÄR *vom Wärter nach rechts geführt.* – – das Beste – – das Beste – – *Ab.*

DER ERSTE RICHTER *steht noch nachdenklich. Dann telephonierend.* Umfassendes Geständnis!

DER ZWEITE RICHTER *kommt hinten.* Das klingt wirklich wie ein Märchen! *Er liest im Protokoll.* Das ist ja glatt gegangen. Hatte er denn die Falle nicht gesehen, in die Sie ihn lockten?

DER ERSTE RICHTER *grübelnd.* Finden Sie nicht, daß das merkwürdig ist?

DER ZWEITE RICHTER. Er war übermüdet.

DER ERSTE RICHTER. Den Eindruck hatte ich nicht: er lebte förmlich auf, als ich ihm seine Vergangenheit erzählte!

Wärter kommt rechts.

DER ERSTE RICHTER *rasch.* Hat er mir eine Mitteilung zu machen?

DER ZWEITE RICHTER. Will er nicht schon wieder der andere sein?

WÄRTER. Nein.

DER ZWEITE RICHTER. Ist er zusammengeklappt?

WÄRTER. Er steht aufrecht und sieht nach oben und murmelt etwas.

DER ERSTE RICHTER. Wie er hier stand – – im Traum – –

DER ZWEITE RICHTER *nach einem Schweigen.* Jedenfalls wird es für ihn ein scheußliches Erwachen geben!

FÜNFTER AKT

Kleines Hofgeviert: auf den Schachtgrund umstehender Ge-
fängnismauern gesenkt. Karge Grasnarbe mit fester Eisen-
bank in der Mitte. Eine niedrige Tür links und eine schmale
hohe Tür hinten.
Wärter führt den Milliardär – nun Sträfling in schwarzem
Leinenkittel mit rotem Halsrand – von links ein.

MILLIARDÄR. Der Vorhof des Todes?
WÄRTER. Sie haben hier noch eine Stunde.
MILLIARDÄR *nickt.* Das letzte Stündlein hat geschlagen. *Sich*
umsehend. Milde Gepflogenheit – – über Grün tappen die
Füße – – und oben strömt Himmels Blau! Erst schwerste
Strafe öffnet Beglückung. *Er steht reglos.*
WÄRTER. Sollen Besucher kommen?
MILLIARDÄR. Sind Neugierige da? Ich sträube mich nicht.
WÄRTER *links ab.*

MILLIARDÄR *setzt sich auf die Bank.*

WÄRTER *läßt den Herrn in Grau ein. Wärter ab.*

DER HERR IN GRAU *hat eine offensichtliche Wandlung*
durchgemacht: sein Anzug – in Farbe wie früher – ist von
tadellosem Schnitt; helle Gamaschen über Lackstiefeln,
grauer stumpfer Zylinder, weiße Glacés mit schwarzen
Raupen. – Rasch auf den Milliardär zugehend und ihm die
Hand hinstreckend. Noch nicht zu spät. Das ist ein wahres
Glück. Ich wäre gern früher erschienen, aber die Geschäfte –!
Schwefelgrube – wuchtige Sache. Ausbeute jährlich – – Von
Rentabilität und Dividende sind Sie ja wohl augenblicklich
einigermaßen entfernt. Das ist auch nicht der Gegenstand,
von dem ich Sie zu unterhalten beabsichtige – ich wollte Ih-
nen danken!
MILLIARDÄR. Ich wüßte nicht –
DER HERR IN GRAU. Sie gestatten, daß ich neben Ihnen Platz
nehme – auf dem Armesünderbänkchen. Man hat doch we-
nigstens einmal ein ruhiges Viertelstündchen. Also von ganzem Herzen Dank – Dank – und Dank!
MILLIARDÄR. Wenn Sie mir sagen würden –
DER HERR IN GRAU. Ich bin der Herr in Grau, dem Sie da-

mals die Unterschrift verweigerten unter ein Manifest, das mit einem Schlage der Welt die Harmonie schenken sollte. Sie ließen sich herbei – daß Sie sich die Zeit nahmen, bewundere ich heute am meisten – ich hätte sie nicht! – mir die Aussichtslosigkeit meines beglückenden Projektes zu demonstrieren. Ihre Argumente trafen mich wie Keulenhiebe – und ich verließ das *heiße Herz der Erde,* einen Fluch nach Ihnen schleudernd, kräftig genug, um einen Stier zu fällen. Dämmert es?

MILLIARDÄR *mit dünnem Lächeln.* Sie irren sich.

DER HERR IN GRAU. Ich verwünschte Sie schnurstracks in den Höllenpfuhl!

MILLIARDÄR. Mich nicht –

DER HERR IN GRAU. Fühlten Sie sich nicht getroffen?

MILLIARDÄR. Weil Sie jene Unterredung mit dem Milliardär hatten.

DER HERR IN GRAU *lacht unbändig.* Vor mir brauchen Sie Ihre Rolle nicht zu spielen. Stecken Sie den Sekretär in die Tasche. Oder haben Sie keine in diesem Schlafrock für die ewige Nacht? *Ihm auf die Schulter klopfend.* Sie bleiben mein Mann auf der Flucht vor dem Furchtbaren!

MILLIARDÄR *erschrocken.* Sprechen Sie leise!

DER HERR IN GRAU. Keine Angst, ich will Sie weder verraten noch befreien. Zu solcher Undankbarkeit hätte ich nicht den mindesten Anlaß. Sind Sie mit mir zufrieden?

MILLIARDÄR. Sie sind der einzige –

DER HERR IN GRAU. Ihr Prozeß hat mir Vergnügen gemacht. Um keinen Preis hätte ich Sie gestört. Das war ein Geniestreich, sich in den Sekretär bugsieren zu lassen und den süßen Teller seiner blanken Vergangenheit zu schlecken. Ich habe Sie ordentlich schmatzen hören, als man Ihnen endlich die herrliche Mahlzeit einflößte. Ist Ihnen jetzt wohl im Magen?

MILLIARDÄR. Es war die Rettung.

DER HERR IN GRAU. Als der Sohn – diese erhoffte schönere Wiedergeburt in Friede und Freude – sich abwärts bewegte!

MILLIARDÄR. Still davon!

DER HERR IN GRAU. Aber Sie haben doch nichts mehr zu fürchten. Und vom festen Ufer blickt man doch mit einer gesunden Schadenfreude auf das tobende Meer unter sich zurück. Sie haben sich geborgen – und in wenigen Minuten kann es Sie den Kopf nicht mehr kosten. Davor sind Sie ganz sicher!

MILLIARDÄR. Weshalb danken Sie mir?

DER HERR IN GRAU. Sagt Ihnen das ein flüchtiger Blick auf meinen äußeren Menschen nicht?

MILLIARDÄR. Sie sind mit einiger herausfordernden Feinheit gekleidet.

DER HERR IN GRAU. Nur zur Illustrierung inneren Aufbaus. Ich bin auf der Flucht.

MILLIARDÄR. Wovor – Sie?

DER HERR IN GRAU. Vor Ihrer Weltordnung!

MILLIARDÄR. Wollen Sie mich nicht wieder verwünschen?

DER HERR IN GRAU. Ich segne Sie. Aus rosenroten Wolken haben Sie mich auf die platte Erde gestellt. Auf beiden Füßen wuchte ich kerzengerade. Ihr Gesetz herrscht: wir fliehen! Wehe dem, der strauchelt. Zertreten wird er – und über ihn weg tobt die Flucht. Da gibt es keine Gnade und Erbarmen. Voran – voran! – hinter uns das Chaos!

MILLIARDÄR. Und erreichten Sie schon einen Vorsprung?

DER HERR IN GRAU. Ein folgsamer Schüler war ich. Reichtum häufe ich und stelle diesen blinkenden Berg zwischen mich und die anderen. Ungeheure Energien sind entwickelt, wenn man das Gesetz weiß. Man rennt noch im Schlafe und mit fertigen Projekten springt man morgens vom Bett. Es ist die wilde Jagd. Gott sei Dank, daß Sie Ihr Geheimnis nicht mit hinübernehmen – jetzt kann ich der Menschheit das wahre Heil verkünden!

MILLIARDÄR. Wollen Sie das tun?

DER HERR IN GRAU. Es ist geschehen. Mein Abfall wirkt aufrüttelnd. Alle Verbände sind gesprengt, der Kampf wütet auf der ganzen Linie. Jeder gegen jeden schonungslos!

MILLIARDÄR. Und sehen Sie ein Ziel, nach dem Sie stürmen?

DER HERR IN GRAU. Lächerlich, es gibt keins!

MILLIARDÄR. Es gibt schon eins.

DER HERR IN GRAU *sieht ihn verblüfft an.* Foltern Sie mich nicht!

MILLIARDÄR. Das liegt am Anfang!

DER HERR IN GRAU *lacht dröhnend.* Ja – Sie sind ein Glückspilz. Sie können sich über uns lustig machen. Sie haben allerdings die Ursache beseitigt, die zum Rennen aufscheucht. Aber es bleibt ein Einzelfall: so komplette Doppelgänger können sich nicht alle leisten! – Außerdem, ich will Ihnen etwas verraten. *Eine Geste rund um den Hals vollführend.* Die meisten würden auch die Kosten scheuen!

MILLIARDÄR. Nennen Sie diesen Preis hoch?

DER HERR IN GRAU *aufstehend*. Das veranschlagen Sie wohl am besten nach eigenem Ermessen. Zimperlich sind Sie ja nie gewesen, wenn man Ihnen eine Rechnung präsentierte! – Ich würde mich gern länger aufhalten, aber – auch Ihre Zeit ist beschränkt. Jedenfalls macht es Ihnen eine kleine Freude, daß Ihre große Entdeckung nicht mit Ihnen verschwindet. *Er streckt ihm beide Hände hin*. Also Kopf hoch!

MILLIARDÄR. So lange es dauert.

DER HERR IN GRAU *lacht – seinen Hut schwenkend*. Auf Wiedersehen!

MILLIARDÄR. Wo?

DER HERR IN GRAU. Allerdings – für diesen Fall hat man die Grußformel nicht gleich zur Hand!

Wärter öffnet hinten, Herr in Grau ab.

MILLIARDÄR *sitzt unbeweglich – das Kinn auf den Handrücken*.

Wärter läßt den Sohn ein. Wärter ab.

SOHN *zögert – geht dann rasch zum Milliardär, streckt ihm die Hand hin*. Ich bin gekommen – um Ihnen zu verzeihen.

MILLIARDÄR *sieht langsam zu ihm auf*.

SOHN. Erkennen Sie mich nicht?

MILLIARDÄR. – Doch.

SOHN. Mein Entschluß überrascht Sie. Vielleicht ist es sonderbar, daß ein Sohn das tut. Es ist das geringste. Ich will Sie retten.

MILLIARDÄR. Halten Sie Strickleiter und Steigeisen bereit?

SOHN. Ich will Sie als meinen Vater anerkennen!

MILLIARDÄR *steht auf und geht hinter die Bank*.

SOHN. Machen Sie es mir nicht schwerer, als es mich schon drückt. Ich bin schuldig wie Sie. Weil ich die Waffe auf ihn gerichtet hatte. Die Kugel hatte ich für ihn bestimmt. Wer abdrückte, blieb gleich.

MILLIARDÄR. Das ist mir unverständlich.

SOHN. Glauben Sie an meine Schuld – und lassen Sie mich nicht in diesen gräßlichen Dingen wühlen.

MILLIARDÄR. Haben Sie einmal gedacht – was ich getan habe?

SOHN. Was jeder tun muß, wenn er den Wahnsinn in Macht tanzen sieht.

MILLIARDÄR. War Ihr Vater wahnsinnig?

SOHN. Macht ist Wahnsinn!

MILLIARDÄR. Ja – er war mächtig.

SOHN. Und schuldig! Hinter Ihrer Schuld steht seine – riesengroß und unauslöschlich. Sie sind sein Opfer, wie ich es bin – wie alle mit irgendeinem Gedanken!

MILLIARDÄR. Wollen alle töten?

SOHN. Sie müssen es, der Zwang ist unabweislich. Die Versuchung ist von denen, die sich emporwerfen, geschaffen. Mit Gewalt erheben sie sich – mit Gewalt werden sie heruntergerissen!

MILLIARDÄR. Sie machen es sich leicht –

SOHN. Empfing ich nicht die letzte Bestätigung von Ihnen? Ich kenne Ihr Leben – ich habe atemlos die Berichte gelesen. Die reinste Kindheit und das freundlichste Jünglingsalter haben Sie gelebt – wo zeigt sich eine Anlage zur Gewalttätigkeit?

MILLIARDÄR. Auch Sie haben die reinste Kindheit –

SOHN. Und griff zur Waffe. Ich wollte aus aufwallendem Gerechtigkeitsgefühl strafen – Sie sich bereichern. Erst der Anblick von Gewalt riß Sie hin. Das Beispiel hatte Ihnen mein Vater, der immer rücksichtslos handelte, gegeben – und so lange es solche Beispiele gibt, werden wir versucht!

MILLIARDÄR. Wollen Sie die bösen Beispiele ausrotten?

SOHN. Mit Ihrer Hilfe!

MILLIARDÄR. Was kann ich dazu tun?

SOHN. Sie sollen auf Ihren Platz, der Sie über andere stellt, verzichten und zu uns herabsteigen!

MILLIARDÄR. Dazu müßte Ihr Vater leben.

SOHN. Ich werde zum Richter gehen und erklären, daß ich Sie nach dieser Unterredung als meinen Vater erkannt habe!

MILLIARDÄR. Und die Koralle?

SOHN. Nichts darf im Wege stehen. Die Aufgabe ist ungeheuer. Es gibt kein Bedenken. Es dreht sich um das Schicksal der Menschheit. Wir vereinen uns in heißer Arbeit – und in unserem unermüdlichen Eifer sind wir verbunden wie Vater und Sohn!

MILLIARDÄR *schüttelt den Kopf*. Nein – so kann ich mich nicht verleugnen.

SOHN. Wenn es um Ihr Leben geht?

MILLIARDÄR. Weil es um das Leben geht, das Sie mir anbieten!

SOHN. Überwindung fordert es. Mich hat es Kämpfe gekostet, Sie aufzusuchen. Ich ging um der hohen Sache willen. Den Schatten meines Vaters, der hinter Ihnen steht, bannen Sie, wenn Sie diesem Werk dienen!

MILLIARDÄR. So gelingt das nicht.

SOHN. Ich gelobe es Ihnen –

MILLIARDÄR. Was?

SOHN. Ihnen Sohn zu sein, der seinen Vater nicht verlor!

MILLIARDÄR *tritt nahe vor ihn.* Soll ich Ihnen meine Bedingung stellen?

SOHN. Jede!

MILLIARDÄR. Wollen Sie mir der Sohn sein, den Ihr Vater sich wünschte?

SOHN. Was heißt das?

MILLIARDÄR. Richte du dich wieder auf dem sonnigen Ufer ein – dann könnte ich mich deinem Wunsche fügen!

SOHN *starrt ihn an.*

MILLIARDÄR. Sonst läßt sich der Schatten – der hinter mir steht! – nicht bannen!

SOHN. Wie sprechen Sie?

MILLIARDÄR. Wie Ihr Vater. Erschüttert Sie die erste Probe?

SOHN *betrachtet ihn mit scheuen Blicken.*

MILLIARDÄR *legt ihm die Hände auf die Schultern.* Es ist schön, daß Sie noch einmal gekommen sind. Gern ruht das Auge auf Menschen, die jung sind. Haben Sie nicht eine Schwester? Wollte sie mich auch als Vater annehmen? – Lockvögel seid ihr, aber dahin springen keine Brücken mehr. Sie haben mich nur fester überzeugt. Lassen Sie mich in meinem Hof. Grünt es hier nicht? – Suchen Sie Ihr Schlachtfeld. Der Frieden verleitet vielleicht zum Krieg – aber wer aus dem Blutbad auftaucht, der sucht sich zu retten. Sie wollten mir nicht helfen – da nahm ich mein Schicksal selbst in die Hand. Dürfen Sie mir nun zürnen, wenn ich Ihnen die Unterstützung verweigere? *Er führt ihn nach links.* Schelten Sie mich in keiner Stunde Ihres tatenreichen Lebens – Sie haben ja kühne Pläne – und mißlingt Ihnen das eine oder das andere – und am Ende alles! – opfern Sie dem Andenken Ihres Vaters nicht mit Zorn und Vorwürfen: er hätte Sie vor Enttäuschungen bewahrt – – aus Gründen, die zu enthüllen begreiflicherweise hier zu weit führen würde. *Da der Geist-*

liche kommt, zum Sohn. Da sehen Sie, es fehlt uns am nötigsten: Zeit!

SOHN *ab.*

MILLIARDÄR *sieht ihm noch nach.*

Geistlicher ist zur Bank getreten und betrachtet den Milliardär.

MILLIARDÄR *kehrt sich zu ihm.* Der dritte und letzte Gast?

GEISTLICHER. Nach dem Anblick, der sich mir bot, ist meine Aufgabe schwer. Sie erhielten die beste Tröstung, die von Menschen zu vergeben ist: die Versöhnung mit dem Sohn des unglücklichen Vaters.

MILLIARDÄR. Nein, Sie irren: wir sind im Streit auseinander gegangen. Und wenn ich ihn zur Tür geleitete, so geschah es, weil ich der Kräftigere war. Ich stützte den Unterlegenen.

GEISTLICHER. Suchte er Sie nicht auf?

MILLIARDÄR. Er legte mir eine Schlinge, in die ich mich verfangen sollte. Aber ich war auf der Hut.

GEISTLICHER. Er hat Ihnen vergeben?

MILLIARDÄR. Hatte er dazu Anlaß?

GEISTLICHER. Sie nahmen ihm seinen Vater!

MILLIARDÄR *setzt sich.* Glauben Sie an das Recht der Vergeltung?

GEISTLICHER. Der irdischen muß ihr Lauf gelassen werden.

MILLIARDÄR. Ich habe nur Vergeltung geübt.

GEISTLICHER. Womit hatte er Sie beleidigt?

MILLIARDÄR. Die Wahl fällt schließlich blindlings. Dieser oder ein anderer. Man hat mir Mutter und Vater getötet.

GEISTLICHER *zuckt die Achseln.* Das Leben Ihrer Eltern beschloß ein friedlicher Tod.

MILLIARDÄR. Warum hatte ich dann Grund zu töten?

GEISTLICHER. In unbegreiflicher Verwirrung streckten Sie die Hand nach fremdem Reichtum.

MILLIARDÄR *nickt.* In unbegreiflicher Verwirrung – das stempelt eure Weisheit. Ich lehne mich nicht mehr auf. Ihr wölbt den Himmel über mich, unter dem ich freudig atmen soll. Überreich beschenkt ihr mich!

GEISTLICHER *nach einer Pause.* Sie haben den Wunsch nach der Koralle geäußert, ich bringe sie Ihnen.

MILLIARDÄR *nimmt und betrachtet sie.*

GEISTLICHER. Sie können mich abweisen – oder Ihr Ohr meinen Worten verschließen.

MILLIARDÄR. Sprechen Sie.

GEISTLICHER *setzt sich zu ihm*. Von der Zuflucht, die uns geöffnet ist, wenn wir aus diesem Leben, das wie ein Haus mit schwarzen Fenstern ist, treten –

MILLIARDÄR. Erzählen Sie von diesem Haus mit schwarzen Fenstern.

GEISTLICHER. Könnte das Licht breiteren Einlaß finden –

MILLIARDÄR *nickt*. Das ist es.

GEISTLICHER. Aber es gibt kein Zuspät. In einer Sekunde kann der unendliche Schatz erworben werden!

MILLIARDÄR. Was ist das für ein Schatz?

GEISTLICHER. Das neue Sein hinter dieser Frist!

MILLIARDÄR. Liegt es in der Zukunft?

GEISTLICHER. Die aufnimmt, wer mit demütigem Finger klopft!

MILLIARDÄR *kopfschüttelnd*. Es bleibt der alte Irrtum.

GEISTLICHER. Gültige Verheißungen sind uns gegeben!

MILLIARDÄR. Flucht in das Himmelreich. Das wird keine Erlösung von Kreuz und Essig. Am Ende findet man es nicht – im Anfang steht es da: das Paradies!

GEISTLICHER. Wir sind vertrieben –

MILLIARDÄR. Verdunkelt das die Erkenntnis? – – Ich will Sie nicht erschüttern und Ihnen Ihr Werkzeug aus den Händen schlagen. Aber die tiefste Wahrheit wird nicht von Ihnen und den Tausenden Ihresgleichen verkündet – die findet immer nur ein einzelner. Dann ist sie so ungeheuer, daß sie ohnmächtig zu jeder Wirkung wird! – Sie suchen eine Zuflucht – ich könnte Ihnen sagen, daß Sie einen falschen Weg einschlagen. Das Ziel überspringt Sie hundertmal – und jedesmal versetzt es Ihnen einen Keulenschlag in den Rükken. Weiter rast Ihre Flucht zur Zuflucht. Sie kommen niemals an. Dahinaus nicht – dahinaus nicht!

GEISTLICHER. So sprechen Sie zu mir: was gibt Ihnen – ich muß es ja so ausdrücken – diese feierliche Ruhe?

MILLIARDÄR. Ich habe das Paradies, das hinter uns liegt, wieder erreicht. Ich bin durch seine Pforte mit einem Gewaltstreich – denn die Engel zu beiden Seiten tragen auch Flammenschwerter! – geschritten und stehe mitten auf holdestem Wiesengrün. Oben strömt Himmelsblau.

GEISTLICHER. Denken Sie jetzt an Ihre freundliche Kindheit?

MILLIARDÄR. Ist es nicht einfach zu finden? Deckt es sich nicht mit schon gesagten Worten: Werdet wie die Kinder? Zur Weisheit braucht es ja nur ein Wortspiel.

GEISTLICHER. Warum können wir Menschen nicht Kinder bleiben?

MILLIARDÄR. Das Rätsel lösen Sie heute und morgen nicht!

GEISTLICHER *blickt vor sich hin.*

MILLIARDÄR. – – – – Sehen Sie das?

GEISTLICHER. Die Koralle, nach der Sie zuletzt verlangten.

MILLIARDÄR. Wissen Sie, wie das vom Boden des Meeres wächst? Bis an die Fläche des Wassers – höher reckt sie sich nicht. Da steht sie, von Strömen umspült – geformt und immer verbunden in Dichtigkeit des Meeres. Fische sind kleine Ereignisse, die milde toben. Lockt das nicht?

GEISTLICHER. Was meinen Sie?

MILLIARDÄR. Ein wenig die Kapsel lüften, die das Rätsel verschließt. Was wird das beste? Nicht aufzutauchen und in den Sturm verschleppt zu werden, der an die Küsten fährt. Da brüllt Tumult und zerrt uns in die Raserei des Lebens. Angetriebene sind wir alle – Ausgetriebene von unserm Paradies der Stille. Losgebrochene Stücke vom dämmernden Korallenbaum – mit einer Wunde vom ersten Tag an. Die schließt sich nicht – die brennt uns – unser fürchterlicher Schmerz hetzt uns die Laufbahn! – – – – Was halten Sie in der Hand? *Er hebt die Hand des Geistlichen mit dem schwarzen Kreuz hoch.* Das betäubt nur den Schmerz. *Er hält die rote Koralle in seinen beiden Händen vor seine Brust.* Das befreit vom Leid!

Die hohe schmale Tür wird hinten geöffnet.

MILLIARDÄR *steht auf.*

GEISTLICHER. Ich – kann Sie nicht begleiten!

MILLIARDÄR *geht sicheren Schrittes auf die Tür zu.*

[1916/17]

DER BRAND IM OPERNHAUS

Ein Nachtstück in drei Aufzügen

PERSONEN

HERR VON *₌*
SYLVETTE
DER OPERNSÄNGER
DER ALTE HERR
LOGENSCHLIESSER
DIENER
PRIESTER
LAIENBRÜDER

1763 brannte die Pariser Oper.

ERSTER AUFZUG

In einem hohen Zimmer.
Der alte Herr von links, am Stock gehend und von einem
Diener gestützt. Er zeigt mit dem Stock nach einem Sessel.
Hingeführt läßt er sich kurzatmend nieder.
Der Diener ab.
Herr von *** tritt rechts heraus – noch in ein Buch vertieft.
Mit gemachter Überraschung schließt er es, als er den alten
Herrn erblickt.

HERR VON ***. Schon die Runde beendet?

DER ALTE HERR. Das Karussell wieder einmal gedreht. Mit
baumelnden Fähnchen und in den lackierten Kutschen –
Lautlos lachend. Gesellschaft!

HERR VON ***. Wirklich ein witziger Vergleich, der Ihnen
gelungen ist.

DER ALTE HERR. So ist das: ich öffne ein Zimmer – so viel es
mir erlaubt ist! –

HERR VON ***. Sie machen nur von einem Rechte Gebrauch,
das Sie sich beim Verkauf Ihres Hauses vom Nachfolger
ausbedungen haben.

DER ALTE HERR. Eine ungeschriebene Klausel, die mir Ihre
Liebenswürdigkeit einräumt.

HERR VON *** *rasch.* Zu der Sie mich nicht verpflichten?

DER ALTE HERR. Machen Sie mich Ihnen nicht aufdringlich.

HERR VON *** *sich setzend.* Sie öffnen eins der Zimmer –

DER ALTE HERR. Gleich wird es lebendig in den Nischen und
hinter den Wandschirmen. Es kichert und küßt –

HERR VON ***. Das Karussell Ihrer Anekdoten kommt in Bewegung, und eine hetzt die andere in endlosem Kreis.

DER ALTE HERR. Manchmal überstürzen sie sich auch und
kollern paarweise auf den Fußboden.

HERR VON ***. Jedesmal der Höhepunkt!

DER ALTE HERR. Die unentbehrliche Pointe! *Er lacht lautlos*
und wischt sich Tränen.

HERR VON **. War es so amüsant?

DER ALTE HERR. Heute habe ich mich im runden grünen Kabinett niedergelassen. Das hat eine köstliche Geschichte gesehen. Das Fräulein von –

HERR VON **. Auch Namen?

DER ALTE HERR. Tadeln Sie das? Ich wäre glücklich, wenn ich mit einem Zötchen auf die Nachwelt käme. Ich verabscheue die Diskretion, die mir meine Unsterblichkeit unterschlägt! – – Rund wie eine Made und verliebt wie ein Hornkäfer war das Persönchen. Wenn sie zwei Beine sah, geriet sie in Verzückung. Sie miaute förmlich mit den Augäpfeln. Sie verfolgte ihre Unschuld, wie sich Frau von – *Er legt zwei Finger auf den Mund.* einmal ausdrückte. Aber sie überrumpelte sie nicht. Gern hätte sie sich Unterstützung bei Herrn von – *Wieder Finger am Mund.* verschafft. Der schönste Mann im Salon. Bei seinem Anblick steigerte sich ihr Miaunieren jedesmal zum Konzert. Doch Herr von – war unmusikalisch. Eine Katastrophe für die Kleine! – Wir fürchteten für ihren Verstand und beschlossen, sie zu heilen. Herr von – mußte ihr ein Briefchen schreiben, das sie in das grüne Kabinettchen lud – während wir im Vorgarten ein Feuerwerk abbrannten. Natürlich wußte jeder um den Streich. Herr von – hatte sich beizeiten hinter ein Gebüsch versteckt – und zur angegebenen Stunde verschwindet denn auch unsere Freundin vom Rasen und huscht hier ins Haus! – Raten Sie, wer auf sie im Kabinettchen wartete? – Die dressierte Dogge des Herrn von –!

HERR VON ** *ruhig.* Und?

DER ALTE HERR. Was – und?

HERR VON **. Die Pointe!

DER ALTE HERR. Die fehlt Ihnen?

HERR VON **. Soll ich den Witz bringen?

DER ALTE HERR. Ich bin neugierig.

HERR VON **. Die verliebte Kleine kehrt in den Vorgarten zurück und tritt inmitten der Gesellschaft auf Herrn von –, den das Feuerwerk beleuchtet, zu mit diesen Worten: Mein Herr, ich wußte bisher nicht – daß Sie ein Hund sind!

DER ALTE HERR *lachend.* Das wäre zum mindesten doppelsinnig gewesen!

HERR VON **. Wie alle Tiergeschichten!

DER ALTE HERR. Mit einer Ausnahme! Die spielt in diesem Zimmer. Die Urheberin war die dürre Frau von – *Er schlägt sich auf den Mund.* Gepriesen sei ihr Andenken dafür! –

Man hätte an ihr nach Reizen gesucht wie in einer Schachtel Nadeln nach einem Wollknäuel. Sie hätten sich die Finger geritzt an den Kanten ihres spitzen Skeletts! – Mit anzüglichen Bemerkungen wurde sie bei jeder Gelegenheit bombardiert. Wir juckten uns schon, wenn sich Frau von – im Nebenzimmer aufhielt! Sie hatte sich eine beträchtliche Anzahl Flöhe gefangen – oder einfangen lassen, wie ich zugeben muß, da die Kreatur an ihrem Leder wohl vergeblich nach Quellen gebohrt hätte! – und die blutgierigen Tierchen mehrere Tage ohne Nahrung eingesperrt! Ich hatte damals eine ziemlich zahlreiche Gesellschaft schöner Damen und Herren hier versammelt. Bei gutem Moment erhebt sich Frau von – aus ihrem Sessel und stellt ein goldenes Döschen dort auf das Kaminsims – und ich vernehme die Mechanik des Sprungdeckels. Danach entschuldigt sie sich mit plötzlicher Unpäßlichkeit, die sie zum frühzeitigen Aufsuchen des Betts zwingt. *Er lacht in sich hinein.*

HERR VON ***. Verging Ihnen gründlich die Lust zu weiteren Sticheleien?

DER ALTE HERR. Das Gegenteil war die Wirkung! – Wie die ersten Anzeichen der Invasion zu spüren waren, entstand eine kleine Unruhe. Der eine scheuerte sich unauffällig, der andere rückte die Schulter – zuletzt ließ es sich nicht mehr verbergen. Unsere Vermutung bestätigte sich, als sich im Döschen auf dem Kamin ein verreckter Vertreter dieser Spießträger fand. Frau von – hatte uns Flöhe angesetzt! – Die Situation wurde rasch unerträglich. Wir hätten zehn Hände haben müssen, um uns zu schaben. Auch war es bald nötig, sich Hilfe bei seinem Nachbar zu erbitten, weil man die hinterlistigeren Stiche nicht selbst erreichen konnte. Zuletzt gab es kein Halten mehr. Die Pusteln lohten wie Brand. Man mußte jucken oder sterben. Das Licht wurde ausgelöscht – und nun konnte man ohne Scheu einander helfen. Und man ließ sich helfen! – Hell habe ich an dem Abend hier nicht mehr gemacht!

HERR VON *** *steht auf – geht vom Tisch weg.*

DER ALTE HERR. Ganz Paris beneidete uns später um die Flöhe der Frau von –. Man stürmte wochenlang dies Zimmer, um den Schauplatz der Flohhatz wenigstens gesehen zu haben. Die tolle Nacht wurde legendär, und wo man zwei Verliebte beobachtete, pflegte man bald zu sagen: sie fangen Flöhe aus dem Döschen der Frau von –!

HERR VON *.* *nach einigen Schritten zum Tisch – kehrt um.*
An einem Fenster, die Scheibe trommelnd.

DER ALTE HERR *nach langem lautlosen Lachen.* Wo sieht
man sich heute? Hat man seinen erklärten Mittelpunkt?
Berichten Sie mir. Ich bin draußen in meinem Waldschlöß-
chen auf knappe Kost gesetzt!

HERR VON *.*. Man bevorzugt die Oper.

DER ALTE HERR. Gibt es ein glänzendes Ballett?

HERR VON *.*. Alles tanzt – vom König bis zum Friseur!

DER ALTE HERR. Wie? Was? Man tanzt in der Oper? Was ist
das für ein Einfall?

HERR VON *.*. Die Majestät hat sich in die Beine einer Tänzerin vergafft – und nun regiert dies frohe Beinpaar!

DER ALTE HERR. Liebt sie der König? Liebt sie ihn wieder?

HERR VON *.*. Sicher liebt sie auch ihn!

DER ALTE HERR. Aber es ist nicht weit vom Skandal? Sie be-
trügt die Majestät bereits?

HERR VON *.*. Nicht mehr als jeden anderen!

DER ALTE HERR. Ist es heraus – oder Gerücht?

HERR VON *.*. Ein Singsang auf der Gasse!

DER ALTE HERR. Und man läßt sie nicht fallen?

HERR VON *.*. Ein Reiz mehr! Denken Sie doch: die Brünstig-
keit lodert geiler, wenn sie sich der Gemeinheit vermischt!
Mittags der König – nachts der Friseur!

DER ALTE HERR. Trällert man ein gepfeffertes Liedchen?

HERR VON *.*. Nicht kräftiger, als der majestätische Liebhaber den Ton bestimmt!

DER ALTE HERR. Was gibt er an?

HERR VON *.*. Er verehrt seiner Freundin einen Ring mit
einem geschnittenen Stein – dessen Gegenstand nicht zu erzählen ist!

DER ALTE HERR. Aber auf jedermanns Lippen zischelt?

HERR VON *.*. Schon die Unmündigen lallen den Reim!

DER ALTE HERR. Ein untrüglicher Beweis –

HERR VON *.*. Am Ring, welche Dirne man unterm Dache
hat!

DER ALTE HERR. Außerordentlich!

HERR VON *.*. Übertreffen wir jetzt Ihre Dogge und Flöhe?

DER ALTE HERR. Wann tanzt man in der Oper?

HERR VON *.*. Montags.

DER ALTE HERR. Heute! – Wie erscheint der König?

HERR VON *.*. Kostümierte Bälle sind seine Erfindung!

DER ALTE HERR. Was stellt man vor?

HERR VON ***. Heute abend sind sie Chinesen!

DER ALTE HERR. Chinesen – unsere Damen in knappen Röckchen?

HERR VON ***. Wenn eine Tänzerin kommandiert, läßt man die Beine sehen!

DER ALTE HERR. Damit haben Sie uns übertrumpft! – Jung sein – jetzt jung sein –! Man hat doch immer seine Zeit versäumt, und lebte man bis zum jüngsten Tage! *Ans Fenster gekommen.* Das große Opernhaus voll! Chinesen. Und die Majestät stößt sich die Ellbogen im Gedränge! – Sehen Sie hin, ich bezeichne Ihnen jedes Haus von hier aus –: das breite schwarze Dach – das mit schrägen Flächen wie ein Sargdeckel aufliegt – das ist die Oper! – Still! – – Hört man nicht auch die Ballmusik? – Helles Kreischen von Frauenstimmen? – – Ganz Paris tobt dort im Ballett von tausend Tänzern – – Das ist Triumph: – Ball im Opernhaus!

HERR VON *** *links.* Licht!

Der Diener kommt und entzündet auf dem Kamin. Dann schließt er die Gardinen vor Fenstern und Glastür der Hinterwand.

DER ALTE HERR. Gut – Vorhang auf das Panorama. Die Beziehungen sind einigermaßen erkaltet – von meiner Seite höchst unfreiwilligerweise. Eine Zeitlang bleibt es noch Panorama – zuletzt wird es finster. Dann halten die Würmer ihren Ball im Haus von knöchernen Säulen. Ein lüsternes Völkchen!

Der Diener ab.

HERR VON *** *am Tisch stehend.* Sagten Sie nicht vorhin –: Sie würden mich von einer Verpflichtung – – Halten Sie mich nicht für unhöflich!

DER ALTE HERR *setzt sich wieder hin.* Sie würden mir keine Veranlassung geben.

HERR VON ***. Als Sie den Wunsch äußerten, trug ich kein Bedenken: Sie kommen alle zwei, drei Monate nach Paris – um Erinnerungen zu beleben.

DER ALTE HERR *blickt belustigt aufmerksam zu ihm auf.* Auf diesen Punkt unseres Handels bestehe ich!

HERR VON *⁎* *kurz aufbrausend*. Nachträglich sträube ich mich!

DER ALTE HERR. Aber darüber fordere ich nichts!

HERR VON *⁎* *sieht ihn an*.

DER ALTE HERR *klopft seinen Arm*. Ich unterhalte mich hier vortrefflich mit meinem Karussell. Vollziehen Sie Ihre Metamorphose zum Chinsesen!

HERR VON *⁎*. Was soll das?

DER ALTE HERR. Daß ich auf Ihre Gesellschaft keinen Anspruch erheben darf – wenn in der Oper Ball ist!

HERR VON *⁎* *ironisch*. Sie übertreiben die Rücksicht.

DER ALTE HERR. Um eine kostbare Viertelstunde habe ich Sie schon gebracht. Ein Herr unseres Standes und nicht schon zu Anfang auf dem Ball. Die Damen werden Sie sticheln: hat der Herr ein Liebchen in der Vorstadt, daß er sich verspätet? Riecht es nicht nach muffigem Bettzeug um ihn? Die Schmach ist unauslöschlich. Sie werden sie nur auf hundert Sofas tilgen können. Eine Arbeit, mein Lieber, eine verteufelt anstrengende Buße!

HERR VON *⁎* *beherrscht*. Würden Sie nicht vorziehen, ein Haus zu meiden – in das ich mein Liebchen aus der Vorstadt gebracht habe?

DER ALTE HERR. Vorübergehend – bis die Zimmer gut gelüftet sind, wie ich damals wegen der Flöhe für einige Zeit mich ausquartierte!

HERR VON *⁎*. Und wenn das Liebchen im Hause bleibt?

DER ALTE HERR. Äffen Sie mich?

HERR VON *⁎*. Heute kann ich Ihren alten Geschichten eine neue folgen lassen. Nur geraten Sie dabei in Nachteil – denn ich bringe eine Nutzanwendung! – Hörten Sie vom Salon der Frau von – Keinen Namen auch von mir!

DER ALTE HERR. Leider hörte ich nur von sehr originellen Launen einer –

HERR VON *⁎*. Sie sind wert niedergeschrieben zu werden. Eine vor allen anderen!

DER ALTE HERR. Foltern Sie nicht meine schwache Geduld!

HERR VON *⁎*. So neugierig erwarteten auch wir das Fest, zu dem Frau von – eingeladen hatte. Nur Herren. Und mit peinlicher Auslese. Sie trommelte sich die frechsten Gecken zusammen. Man versprach sich einen Abend unerhörter Ausschweifung. Die Vermutungen machten uns die Köpfe heiß – wir lebten die Tage vorher bereits in einem wüsten Fieber!

DER ALTE HERR. Waren auch Sie unter diesen Bevorzugten?

HERR VON ☆. Konnten Sie zweifeln? Mein Ruf stand in Blüte – ich hatte Bewunderer noch unter meinesgleichen!

DER ALTE HERR *applaudiert leise.*

HERR VON ☆. Wir kommen zu Frau von – ich will sagen: wir brechen ein wie ein Rudel tollster Bestien – – und haben vor uns eine Schar Mädchen – gleichförmig alle auf die schlichteste Art gekleidet. *Meine Herren* – mit vollendeter Harmlosigkeit vermittelt Frau von – die Bekanntschaft – *ich habe mir die Töchter des Waisenhauses für diesen Abend ausgebeten, unterhalten Sie die jungen Damen und verbreiten Sie den Ruhm Ihrer guten Manieren!* – – Ich gestehe Ihnen, wir gerieten in tödliche Verlegenheit. Wie die Klötze hockten wir auf unseren Stühlen – und stotterten mit den Worten wie die Schulbuben. Hier gab es kein Echo für unsere Anzüglichkeiten – hier verstand man nicht den Doppelsinn von Phrasen, die uns so geläufig wie sie schlüpfrig sind. Die Gemeinheit konnte sich nicht reiben – da zerknitterten wir zu losem Zunder! Leichen saßen da – der Anblick schlug mir grausend ins Blut. Das waren ausgeleerte Flaschen – Schläuche – Säcke, nicht Menschen, die atmen und aus dem Wunder der Geburt gewachsen sind. Fahle Fratzen bloß, die sich zur Grimasse eines menschlichen Gesichts knifften – eine schamlose Parodie auf die Schöpfung Mensch!

DER ALTE HERR *mißbilligend.* Frau von – überschritt die Grenze.

HERR VON ☆. Stürzten nicht Mauern – Türme um, die den Blick versperrten?!

DER ALTE HERR. Zog man sich sehr bald verstimmt zurück?

HERR VON ☆. Was weiß ich von den Leichen! Ich wurde wiedergeboren und lebe kräftiger an jedem neuen Morgen – mit meiner Frau!

DER ALTE HERR *verblüfft.* Sie haben geheiratet?

HERR VON ☆. Von jenem Abend auf den andern!

DER ALTE HERR. Doch nicht –? – – Das hat es noch nicht gegeben!

HERR VON ☆. Kein besseres Kompliment für meine Heirat!

DER ALTE HERR. Sie erschrecken mich –

HERR VON ☆. Am nächsten Morgen fuhr ich nach dem Waisenhaus – irgendwo liegt es! – ließ die Pflegemutter an den Wagen herausrufen und erklärte, wie ich konnte, mein Vorhaben. Sie mußte die Pfleglinge zusammenrufen und herumfragen. Ich wartete so lange am Tor. Nach wenigen Minuten kam sie mit einem Mädchen – ich riß meine Beute förmlich in den Wagen und jagte nach Haus!

DER ALTE HERR. – – – Sind alle Waisentöchter himmlisch schön?

HERR VON *₊*. Wie fragen Sie?

DER ALTE HERR. Sie griffen ziemlich blindlings zu.

HERR VON *₊*. Keusch sind sie!!

DER ALTE HERR. Eine Eigenschaft, die das Waisenhaus notwendig unterstützt!

HERR VON *₊*. So muß ich sie jetzt hier schützen! – Nun die Nutzanwendung meiner Geschichte. Sie richtet sich gegen Sie! – Dieses Zimmer hat einen neuen Bewohner: mich! – Alles an mir ist verwandelt. Ich habe mich – mitten unter euch – meilenweit von euch entfernt. Ich bin an dieser Insel gelandet, wohin mir keiner folgen soll. Die Luft weht hier rein und frisch – kein fauler Geruch steigt hier herein. Dies Haus wird euch verboten – ich schloß die Tür – und stieß euch von der Schwelle!

DER ALTE HERR. Könnte ich noch Verwüstungen anrichten?

HERR VON *₊* *gedämpft*. Sie sitzen in allen Zimmern – im grünen Kabinett – hier im Zimmer – und von Ihren Erinnerungen, die Sie scharenweise aufbringen, wird es lebendig. Kein Winkel ist mehr stumm. Das flüstert und zischelt wieder, wie Sie hier ankommen. Sie wühlen das auf – was nicht mehr da sein soll!!

DER ALTE HERR. – – Verabschieden Sie mich morgen schon zeitig?

HERR VON *₊*. Heut abend!

DER ALTE HERR. – – Lassen Sie Ihrem Hund pfeifen? *Schall von scharfen Pfiffen.* Der Köter wird mich doch nicht im Vorgarten stellen! *Er ist aufgestanden – schlägt die Gardine der Glastür spaltbreit zurück.* Verdammte Finsternis! *Seine Aufmerksamkeit wird gefesselt.*

HERR VON *₊* *links – winkt.*

Der Diener bringt Mantel und Hut des alten Herrn.

DER ALTE HERR. Illuminiert man – – die Oper? *Zu Herrn von* *₊*. Gehört das zum Programm Montags? – Was pfeifen sie nur? – Das rennt in der Straße –! *Die Gardine zufallen lassend.* Wird mir der Vorzug eines Handkusses gegönnt?

HERR VON *.*. Meine Frau – schläft!

DER ALTE HERR. Haben Sie mich sehr verleumdet?

HERR VON *.* *sieht ihn an.*

DER ALTE HERR *nickt.* Das Karussell – mit baumelnden Fähnchen und in den lackierten Kutschen – Gesellschaft! *Er gibt Herr von *.* die Hand.* Jetzt haben Sie hier Ruhe davor – und reine Luft! *Er hat Hut und Mantel.*

Der Diener öffnet vor ihm die Gardine.

DER ALTE HERR. Teufel – das macht sich mächtiger!

Ein hoher Feuerschein ist draußen ausgebrochen: er flackert auf und fällt zusammen. Immer Pfeifengellen.

DER ALTE HERR. Das ist doch – Feuer!

HERR VON *.*. Brennt es in der Stadt?

DER ALTE HERR. Warten Sie doch – – ich unterscheide jedes Gebäude von hier aus – –

HERR VON *.* *tritt näher.*

DER ALTE HERR *erregt.* Links der stumpfe Kirchturm – – rechts das Schornsteingewirr – – das sind meine sichern Merkmale! – mitten die breite schwarze Fläche – – wie ein Sargdeckel – – In der Oper ist der Ball?!

HERR VON *.*. Sie täuschen sich.

Eine scharfe Trompete.

DER ALTE HERR. Alarm!! – – Die Oper brennt!! – – und tausend Tänzer auf dem Ball!!

HERR VON *.*. Ein unbeabsichtigtes Finale.

DER ALTE HERR. Ein Feuerwerk, das mir Paris zu meinem endgültigen Aufbruch spendet. So muß es sein!

HERR VON *.*. Sind Sie nicht zu anspruchsvoll?

DER ALTE HERR. Paris läßt seine Freunde nicht instich. Kann es mich die letzte Nacht den Wanzen eines Hotelbetts ausliefern? – Vorwärts, es ist für Unterhaltung gesorgt: jetzt springen mir die Chinesen auf dem Straßenpflaster zu! *Der Diener begleitet ihn – ab.*

Herr von *.* verharrt in Beobachtung des Feuerschauspiels. Der Diener kommt zurück.

HERR VON *•*. Schließe wieder. *Er tritt zum Tisch. – Der Die-*
ner zieht die Gardine vor die Glastür. Stelle Licht her. *Der*
Diener trägt einen Leuchter auf den Tisch. Mit einem Wink
nach dem anderen Leuchter auf dem Kamin. Lösche aus.

Diener tut.
Diener links ab.
*Herr von *•* setzt sich und vertieft sich in das Buch.*
Draußen hat sich der Feuerlärm gesteigert: Trompetensig-
nale aus allen Richtungen. Pfeifen schrillen ununterbrochen.
Bald Trommelwirbel. Noch Glocken.

HERR VON *•* *winkt nach links. Der Diener kommt.* Im Hause
soll sich alles still verhalten. Wer Neugierde zeigt und mit
einem Fenster klappt, ist entlassen. Ist einer von euch heut
abend draußen? *Der Diener schüttelt den Kopf.* So sichre
die Tür in den Vorgarten.

Der Diener öffnet die Gardine – durch die Glastür ab –
kommt wieder – zieht die Gardine vor – links ab.

HERR VON *•* *wieder am Tisch – lesend.*

Der Klopfer dröhnt auf die Vorgartentür.
Der Diener tritt links ein.

HERR VON *•* *nach ihm aufblickend.* Es läuft jemand zu, den
es reizt, von dem Ausbruch des Brandes zu berichten. Laß
ihn klopfen.

Der Diener ab.
Schneller und stärker werden die Schläge.

HERR VON *•* *steht auf. – Der Diener von links.* Es könnte
meine Frau wecken. Schick' den Menschen weiter.

Der Diener reißt die Gardine auf – hastet hinaus.

HERR VON *•* *vor dem gewaltigen Feuerschein, der jetzt den*
Himmel bedeckt, steht betroffen. Dann geht er hin, schließt
die Glastür, die der Diener offen ließ – will zum Tisch.

Hinter der Glastür wird der Logenschließer sichtbar – deutlich sucht er nach der Klinke.

HERR VON ✱ *dreht sich um – mit raschen Schritten zur Tür, macht auf.* Bursche, bist du einfältig?

LOGENSCHLIESSER *taumelt herein. – Seine überladene Livree ist verwüstet und zeigt Spuren von Wasser. – Er will sprechen – keucht.*

HERR VON ✱ *zum Diener, der auftaucht.* Schwatze mit deiner Sippe an der Straßenecke!

DIENER. Ich kenne den nicht!

LOGENSCHLIESSER. Ich bin – Logenschließer – – in der Oper –!

HERR VON ✱. Willst du mir Unrat durch die Tür schleppen?

LOGENSCHLIESSER. Die chinesischen Lampions – – von Papier – – fingen Feuer – – an den Schnüren lief es hin – –!

HERR VON ✱. Schlägst du schon Kapital aus der Katastrophe und trägst den Bericht auf Bezahlung herum?

LOGENSCHLIESSER. Ich bin bezahlt – – wenn ich laufe – –!

HERR VON ✱. Geschont hast du dich nicht – dein Affenputz lottert erbärmlich! – nur hast du dich im Haus geirrt!

LOGENSCHLIESSER. Sie – – – lebt!!

HERR VON ✱. – –? Ich habe keine Geliebte auf dem Chinesenball.

LOGENSCHLIESSER. Alle andern in den Logen brennen – – weil sie die Türen gleich eindrückten – – und die Flamme nachschlug – –!

HERR VON ✱. Ich bin nicht Liebhaber deiner davongekommenen Dirne.

LOGENSCHLIESSER. In ihrer Loge war die Gardine vorgezogen – – die hielt den Luftstrom zurück – – das war ihre Rettung! – – Über die Schauspielertreppe führte ich sie hinunter – – auf der Straße brach sie zusammen! – – Sie erholt sich – – ich habe mich bereden lassen – – und bin hergerannt – –: Ihre Frau ist aus dem Flammenmeer geborgen – – und kommt – kommt mir nach!!

HERR VON ✱. Bist du noch nicht nüchtern von genaschten Flaschen – oder schon irrsinnig vor Schreck?

LOGENSCHLIESSER *nach draußen.* Gott sei uns gnädig, da bleibt kein Stein auf dem andern – und zermalmt noch, was schon verkohlt ist!! *Er sieht noch nach Herr von ✱, ab.*

Der Diener folgt ihm.

HERR VON ⁎⁎⁎ *steht unbeweglich.*

Der Diener kommt zurück.

DIENER. Soll ich – – die Vorgartentür riegeln?
HERR VON ⁎⁎⁎ *stumm.*
DIENER *wartet – dann links ab.*

HERR VON ⁎⁎⁎ *bleibt steif und starrt auf die Glastür, die offen
steht.*

*Der Brandlärm ist zu ungeheurem Getöse angeschwollen.
Jetzt laufen auch Menschen in der Straße – schreien sich zu.
Donnerndes Fuhrwerk über das Pflaster.*
*In der Chinesentracht gelb – wie ein Streifen Flamme, mit
den erregten Gliedern züngelnd – Sylvette unter der Tür.*

SYLVETTE *mit einem Schrei – aus Entsetzen und Jubel geformt.* Ich – – lebe!!!
HERR VON ⁎⁎⁎ *rührt sich nicht.*
SYLVETTE. Lief der Schließer zu dir? – Erst wollte er den Weg
nicht machen – ich bettelte und küßte seine Hände – ich ließ
seinen Hals nicht los – meine Ringe verschenkte ich ihm – –:
weil ich lebe!!
HERR VON ⁎⁎⁎ *ist an den Tisch zurückgewichen – mit der
Handfläche drückt er ein paar Kerzen aus.*
SYLVETTE *taumeligen Ganges zu ihm hin.* Nein – dem hast du
das nicht geglaubt – der sagte das nur – es lärmt mit Worten
und fängt den Sinn nicht: ich – – lebe!! *Sie umfaßt seine
Brust.*
HERR VON ⁎⁎⁎ *stemmt sich gegen den Tisch.*
SYLVETTE. Sie brennen unten im Saal – auf der Bühne – rundum in den Logen –! In den Gängen stehen sie gedrängt und
sinken nicht um – das Feuer tanzt über sie – ihre Gesichter
platzen und können nicht mehr schreien! – Keiner kommt
mehr heraus – – nur ich lebe!!
HERR VON ⁎⁎⁎ *biegt sich weit von ihr weg.*
SYLVETTE. Wo sind deine Arme? Fürchtest du dich? *Aufge-
peitscht.* Habe ich Funken im Haar? – Wo? – Knistert es im
Rücken? – Schlage doch die feurigen Körner weg – sie reg-

nen überall in der Luft! *Sich vor ihm drehend – schreit sie auf und läuft nach der Glastür, die sie zuschlägt. Mit Mühe zieht sie auch die Gardine vor.* Hilf mir doch – – wo sind die Leute? – die schwere Gardine – – die ist dicht – – die läßt nicht durch – – das Brennen – – und Schreien! *Atmend lehnt sie sich an den Vorhang.* Jetzt ist es hier still – und dunkel geworden.

HERR VON *.* – – Wer – –

SYLVETTE *lauscht auf.*

HERR VON *.*. Wer – –

SYLVETTE *bei ihm – in sein Gesicht küssend.* Ich bin entkommen – – aus der Hitze – – aus dem Brand – – ich lebe!!

HERR VON *.* *mechanisch.* Wer – –

SYLVETTE. Sie tanzten noch, als sie schon brannten. Die Flamme griff immer beide und stand auf ihnen wie ein Turm, der von den Schuhen nach den Haaren wuchs und über sich schoß. Gräßlich drehte sich die Feuersäule mit!

HERR VON *.*. Wer – –

SYLVETTE. Das Orchester grölte noch – da brannten die Flöten vorm Munde – Geigen explodierten am Kinn. Durch jähe Stille rauschte das Feuer und herrschte nur noch im Raum!

HERR VON *.*. Wer – – –

SYLVETTE. Wir tanzten nicht beim Ausbruch des Brandes. Wir hatten unsere Loge aufgesucht, die bestellt war. Wir wollten essen – und ausruhen. Ich war müde geworden und wir gingen hinauf. Wir hatten den Vorhang nach dem Saal zugezogen –

HERR VON *.* Wer – –

SYLVETTE. Da stach die Flamme nicht gleich herein. Ich schrie – und der Schließer stieß die Tür ein – und riß mich in den Gang – über Treppen hinab – ich sah nicht mehr hinter mich –

HERR VON *.*. Ob einer in der Loge verbrannte?!

SYLVETTE. Ich war gerettet!!

HERR VON *.*. Wer – hat – dich –

SYLVETTE *starrt ihn mit vollem Staunen an.*

HERR VON *.*. Wer hat dich – – aus meinem Haus – – in die Oper – – auf den Ball – – in die Loge – –

SYLVETTE *sieht ihn unverwandt an.*

HERR VON *.*. Wer ist – – der dich – – *Mit fast erwürgendem Schrei.* – – gebracht hat?!!

SYLVETTE. Willst du das – – jetzt fragen?

HERR VON *. Das frage ich nicht – – das plärrt sich – –

SYLVETTE. Ich lebe – – und du fragst danach?!

HERR VON *. Das sperrt sich im Munde – – das beult die Backen – – mit der Zunge pendelt es – – die kollert gedunsen – – heraus rollt die Frage – – die ins Haus poltert – – und von den Wänden hallt! – – Ich will nicht fragen! Ich will nicht! Ich will mit dieser Frage nicht die Zimmer bevölkern! Es zischelt wieder in den Winkeln – die Tapeten kichern – der schwüle Wind bläst herein! – Ich wehre mich gegen den wüsten Einbruch. Ich schlug die Türen vor ihm zu – jetzt schleift er durch Spalten und Ritzen – und ballt sich zur Wucht mitten im Haus! *Er steht dicht vor ihr.*

SYLVETTE *wirft die Arme an seinen Hals*. Ich lebe, Liebster. Fasse nach mir – nicht die Spitzen meiner Finger sind versehrt – kein Fleck zerstört die Haut – du mußt mich sehen, wie ich unverändert bin!

HERR VON * *sich losmachend*. Ich will atmen – –

SYLVETTE. Uns küssen!

HERR VON *. Der Dunst um dich entzündet die Luft –

SYLVETTE. Ich komme aus Qualm, der beizt!

HERR VON *. Das dringt nach mir –

SYLVETTE. Ich lebe dir nackt!

HERR VON * *verstummt.*

SYLVETTE *an ihn geschlungen*. Sprang ich nicht aus Feuer, das nach allen griff? Der Tod ist heiß, den tausend jetzt sterben. Die liegen schwarz und fremd! *Hingerissen.* Ich hungere nach Leben – das Blut bläht in mir – ich bin gefüllt mit allen tausend Leben, die verbrennen – und Leben verlangen mit brünstiger Begehrlichkeit! – – Ich habe noch nicht gelebt, jetzt lebe ich erst!

HERR VON * *aufgerüttelt*. Nein!!

SYLVETTE *nach ihm greifend*. Deine Arme auf mir!

HERR VON *. Nein!!

SYLVETTE. Deine Hände nach meinem Nacken!

HERR VON *. Die tasten nichts – – die fassen ins Leere!

SYLVETTE. Findest du mich nicht?

HERR VON *. Durch Luft tappt der Griff – und stößt an nichts Dichtes!

SYLVETTE *Leib an Leib*. Hier bin ich!

HERR VON *. Wo? – Ich gehe – und gehe durch dich. Kein Hemmnis!

SYLVETTE. Deine Lippen an meine!

HERR VON ***. Sie saugen Wind und schmecken nichts!

SYLVETTE. Dein Mund ruft dich!

HERR VON ***. Kein Hauch formt Stimme hier! – Der Brandlärm tost. Da triumphiert das Verderben. Verloren bleibt, wer in der Hölle tanzte. Kein Leben ist zu retten – laßt uns die Toten bergen! *Er läuft nach links, klatscht in die Hände.* Holla – aufgewacht. Kann einer beim Weltuntergang schnarchen? *Der Diener kommt.* Mensch, bist du ein Eisklotz, der sich am Feuer nicht hitzt? Hüte – Mäntel, wir kommen verspätet an und stöbern in Zunder! *Er zieht von Fenstern und Türen die Gardinen zurück.* Mächtiges Feuerwerk – Ausblick hinaus – Brand über die Menschheit gegossen, die jubilierte. Hitziges Strafgericht – ausgebrochen vorm jüngsten Tag. Tausend für diesmal – diesmal die schlimmsten tausend. Das lebte wüstestes Leben!

SYLVETTE *sich an ihn drängend.* Tot sind die –

HERR VON ***. Ausgeglüht in Flamme und Hitze – feurig geläutert vom Sudel des Balls!

SYLVETTE. Ich lebe –

HERR VON ***. Wer noch lebt – verlor mehr als das Leben. Ich will ihn vor dieser Hölle bewahren!

SYLVETTE. Verbrannt sind tausend, die tanzten –

HERR VON ***. So brauch' ich nicht viel im Fegefeuer zu suchen!

Der Diener mit Hüten und Mänteln von links.

HERR VON ***. Du mit. Vorwärts. Und einem Karren gepfiffen – und Fuhrlohn ausbedungen, daß sich der Kutscher nicht sträubt, wenn ihm die Fracht ungeheuerlich vorkommt, die ich ihm in die Kissen bette! *Beide durch die Mitteltür ab.*

SYLVETTE *in der Tür – mit hohen Armen.* Ich lebe!!

Zu äußersten Getöse hat sich der Brand erhoben. Der Tumult von Glocken und Signalen orgelt durch die Luft. Schein und Schallen füllen das Zimmer.

ZWEITER AUFZUG

Sylvette in selber Stellung – starrend zur Tür. Brandschein und Feuerlärm unvermindert dauernd. Rattern eines Wagens. Torschlagen. Stimmen.

HERR VON ٭٭ *in der Tür – zurücksprechend.* Her ihr – wo ich bin! – Bleibt auf dem Kies – das Gesträuch hat Dornen und faßt den Mantel – da enthüllt sich Gräßliches!

Diener und Kutscher tauchen auf – zwischen sich tragen sie in den Mantel des Herr von ٭٭ gewickelt von der Länge eines Menschen.

HERR VON ٭٭. Weiter. In die Bibliothek. Da herrscht im halben Dunkel Feierlichkeit! – Mit Vorsicht, Leute – das zerbricht, tretet ihr fehl! – Da sind wir am Ziel! *Rechts hinein.*

Diener und Kutscher folgen.

HERR VON ٭٭ *drinnen.* Auf den Tisch – hebt auf – und langsam nieder! – So – so! – Das spürt die Härte des Holzes nicht mehr – das ruht wie auf seinem Bett!

Kutscher kehrt schnell zurück und wartet an der Tür hinten.

HERR VON ٭٭ *kommt.* Wo ist der Kutscher? – Kerl, du läufst ohne Lohn weg?
KUTSCHER *macht eine zitternde Geste.*
HERR VON ٭٭. Schüttelt's dich? Hast du die Beherrschung verloren? Ein Baumstamm von Mensch, wie du bist? Hast du das in deiner Kutsche noch nicht gefahren? Ein stummes Liebchen – was? Und der Liebhaber von wilder Geschwätzigkeit?
KUTSCHER. Bezahlen Sie mich jetzt!
HERR VON ٭٭. Hand auf – da. Andere Hand auf – da! Und findet sich Asche in den Polstern – neue Polster kaufe dir auf meine Rechnung. Ich vergüte, wo ich verunreinige.

Kutscher ab.
Diener von rechts.

HERR VON ※ *zu ihm.* Lichter hinein. Die müssen daneben stehen. *Er nimmt einen Leuchter vom Kamin, entzündet die Kerzen am Leuchter auf dem Tisch – gibt den brennenden Leuchter dem Diener.* Trag weg!

DIENER *will den Leuchter nehmen – stößt ihn fast um.*

HERR VON ※ *zufassend.* Willst du hier Brand entfachen? Lodert es draußen nicht kräftig genug?

DIENER *stützt sich gegen den Tisch.* Sie mußten verbrennen –

HERR VON ※. Als ich hineinlief in den Hexenkessel?

DIENER. Die Flammen schienen nach Ihnen zu fassen –

HERR VON ※. Lähmt dich der Schrecken nachträglich? Du siehst mich – mir sengte es kein Haar.

DIENER. Neben mir – hinter mir schrien sie.

HERR VON ※. Sie heulten gewaltig auf – die Gaffer! – mir prallte der Tumult in den Rücken.

DIENER. Alle gaben Sie verloren –

HERR VON ※. Und ich kam wieder heraus – mit meiner Last vor dem Leibe!

DIENER. Wir glaubten dem Anblick nicht –

HERR VON ※. Ein Schrei von tausend Kehlen johlte los. Ich stiftete ein Schauspiel. Man applaudierte dem Stück – mit glücklichem Ausgang. Ich hatte gefunden, was ich suchte! *Er hat noch einen Leuchter angesteckt.* Komm' mit dem andern! *Mit dem Diener rechts hinein. Drinnen.* Stell' links beim Kopf. Oder unterscheidest du nicht, wo Kopf und Füße sind? Das ist wohl schwierig. Ich helfe dir. – Da ist Kopfende! – Wie klein ein Kopf werden kann – wunderlich, was? – wie ein Ei! Würdig aufgebahrt – ich habe meine Schuldigkeit getan! *Wieder in die Tür – mit dem Diener – tretend.* Schön – der flackernde Schimmer der Flämmchen – hin zueinander – wegzüngelnd. Ein sonderbares Spiel von Suchen und Trennen – im Verbrennen! – –

DIENER *scheu.* Wer ist das?

HERR VON ※. Wer das ist? Für wen springe ich ins Flammenmeer – in den Einsturz von Wänden und Balken? Für einen Knopf, der mir von der Tasche sprang? Für ein Taschentuch, das ausflatterte? Du zweifelst?

DIENER. Ich – weiß nicht!

HERR VON ※. Mein Weib holte ich heim – zu mir – ins Haus – in den Schutz meines Dachs! – Wen sonst?

DIENER *wirft den Blick nach Sylvette – stammelnd.* Da – –!

HERR VON ※. Siehst du Gespenster? Bist du blöde im Anblick des großen Feuers geworden? Fliegen dir noch Funken vor Augen? Hat sich dein Gesicht verdoppelt? Siehst du etwas?

DIENER *mit vager Geste.* Da – –!

HERR VON *** *sich schroff umwendend.* Wo?

DIENER. Da doch – –!

HERR VON ***. Reib dir die Wimpern. Hier ist nichts! Ich müßte doch auch deine Wahrnehmung machen, wenn sie bestünde!

DIENER *stützt sich auf die Wand.*

HERR VON ***. Dir fallen die Knie weg. Was ist denn da? Ich will dir helfen und dich von deinem Traum heilen! Folge mir mit den Blicken! *An Sylvette vorbeigehend – irgendwo stillstehend, zum Diener.* Ist es hier? – – *Einen Sessel rüttelnd.* Ist es hier? – – Ist es hier? *Diener schüttelt den Kopf.* Also was kann dich äffen? Hier spuken nur Schatten, wenn der alte Herr herumstreift – da wachsen sie auf, die lüsternen Lärvchen hinter den Wandschirmen und Tapeten! – Jetzt herrscht hier Grabesruhe! – Leg' dich schlafen – mach' dunkel in deiner Kammer und freue dich deines Schnarchens. Ich sitze zur Wache drin – und da ist nach weiterem Dienst kein Begehr! – Warte: schließe alle Gardinen – was draußen vorgeht, daran nehmen wir hier keinen Anteil mehr!

Diener macht die Türen hinten zu – zieht die schweren Gardinen vor Tür und Fenster. Links ab.

HERR VON *** *geht mit festen Schritten an den Tisch – fängt an, die Kerzen des Leuchters auszublasen.*

SYLVETTE *zum Tisch – reißt den Leuchter zurück.* Nein!

HERR VON ***. Narrt mich jetzt der Spuk? – Der Leuchter wandert auf dem Tisch? – Mein Blut brüllt in den Ohren? Mich soll die Leiche vor mir selber schützen! *Er will rechts hinein.*

SYLVETTE *vor ihn hin.* Ich lebe! – du lügst: – ich lebe!

HERR VON ***. Tanzen noch gelbe Flammen – bin ich noch geblendet? Der Schein war allerdings übermächtig!

SYLVETTE *überstürzt.* Ich bin entlaufen – einmal – zehnmal – hundertmal! – Ich log, was ich dir sagte, wohin ich ging. Ich besuchte nicht meine Waisenschwestern – nicht die Waisenmutter – nicht das Waisenhaus – – Ich lief zum Liebhaber – – täglich und täglich und täglich! – Ich bin unwahr bis in die letzte Falte meines Denkens – – ich bin eine Dirne bei dir gewesen – vom zehnten – fünften – dritten Tage an!

HERR VON ☆ *auflachend.* Wahrhaftig: das Karussell des alten Herrn dreht sich!

SYLVETTE. Wer das ist, der mich nahm – ganz gleich. Einer wie du – aus eurer funkelnden Welt einer wie du. Sein Wink war wie deiner, dem ich gehorchte. Du schicktest an einem Morgen die Waisenmutter zu uns allen herein, und wer zu dir an den Wagen herauskam – es galt dir gleich. Ein Ding zum Spiel dir – ein Ding zum Spiel jedem, der will – wie du!

HERR VON ☆. Gesellschaft – die wieder umgeht!

SYLVETTE. Ich wußte nicht – ich wußte nichts von dir – von mir! – Du holtest mich in deine Zimmer mit Tapeten und hohen Fenstern. Strahlendes Licht war drin von vieler Sonne, und abends entbrannten die Lüster. Ich war immer mit der Dunkelheit von der Pflegemutter in mein enges Bett gewiesen. Hier blieb die Nacht hell wie der Tag! – Der Tisch trug Teller, die glänzten – Wein war in blanken Gläsern. Ich hatte nur immer einen Blechbecher mit Wasser gehabt! – Mein rauhes Kleid verwandelte sich zu Seide – und ich steckte Ringe mit weißen Steinen an die Finger – –: das Leben wurde zum Traum, in dem man lag und glühte – – und nichts begreift!

HERR VON ☆. Wispern neue Zötchen von den Tapeten?

SYLVETTE. Ich wußte nicht – – daß du mich liebst! – Ich konnte nicht alles lernen in einer Zeit. Ich sah nur den Glanz, in dem ich stand und staunte. Du warst nicht da – der Schein war da, der mich überflutete! – Ich wußte noch nicht – daß du mich liebst!

HERR VON ☆ *über sie hinwegsprechend.* Tote zwischen den Kerzen – mahlt dein trockner Mund Geräusche?

SYLVETTE. Ich wußte nicht – daß du mich liebst! Jetzt lebe ich erst – jetzt bin ich von dir zum Leben geweckt! – Jetzt verliert der Glanz seine Macht – jetzt steht der Taumel still – jetzt bist du zu mir gekommen! Jetzt traf mich deine Wahl aus allen – ich bin es – die du wählst! Ich allein – aus der Schar aller – mich riefst du heraus aus dem Schwarm – mich allein hast du gesucht! – Ich bin dein Leben!

HERR VON ☆. Tote –

SYLVETTE. Keiner lebte vorher. Nicht du, bis ich komme – ich lebte nicht ohne dies Wunder – du lebtest nicht vor dem glänzenden Brand!

HERR VON ※※. Es wird zu früh zur Auferstehung!

SYLVETTE. Du rufst mich – und bist nicht tot. Dein Leben ist in meinem – und in deinem will ich leben! Rufe mich an – mit deiner Stimme, die schilt – die lästert. Aus deinem Rufe steige ich glühend empor – zu dir – zum Leben, das gut und lang ist!

HERR VON ※※. Der jüngste Tag dauert noch ein wenig!

SYLVETTE. Du mußt mich rufen! Du liefst ins Feuer nach mir – weil ich dein Leben bin. Ohne Grenzen verrietst du dich. Ich will dich zwingen zu deinem Leben – zu meinem Leben. Ich locke dir den Ruf auf die Lippen, die ich sprenge – wie ich dich entzünde mit meinem Leben!

HERR VON ※※ *macht sich kräftig los*. Streifen hier Katzen nachts, die mich anspringen? Klopfpeitsche für das Gelichter? *Er tut Schritte nach links – stillstehend*. Wieder Ruhe? Oder sind es Mäuse, die das verbrannte Fleisch wittern? Die werden sich doch nicht zwischen den Leuchtern zu schaffen machen? *Er will rechts hinein – an Sylvette vorbei*.

SYLVETTE *die Arme in der Tür ausbreitend*. Ich – bin nicht tot!

HERR VON ※※. Tote – ich komme und verscheuche die Nager!

SYLVETTE. Ich lebe! – ich will leben! – ich will bei dir leben – morgen und morgen und immer!

HERR VON ※※. Das Gezücht macht sich zudringlich!

SYLVETTE. Gestern lebte ich nicht – heute lebte ich nicht – – ein Strudel riß mich – – ich weiß nicht mehr, woher, wohin – – das weiß ich alles nicht mehr – – ich will noch leben – – leben – – leben!!

HERR VON ※※ *läuft nach der Mitteltür, zieht die Gardine auf – stößt die Tür zurück*. Da ist Auslauf!

SYLVETTE. Mein Leben will ich von dir – der es weckte und verbrannte!

HERR VON ※※ *mitten im Zimmer – mit Händeklatschen scheuchend*. Gesindel – fort! Gesindel – fort!

SYLVETTE *außer sich*. Bis mich dein Schrei in dein Leben reißt – will ich leben!!

HERR VON ※※. Das Tor aus dem Garten ist versperrt – und in die Gasse will es – in die Gosse! Ich mache den Weg frei für den Heimweg! *Er stürmt hinaus*.

SYLVETTE *beugt sich weit nach der Mitteltür vor. Dann – in Flucht sie vermeidend – läuft sie nach links hinüber – wartet*.

Dann, als Stimmen draußen laut werden, schiebt sie sich dicht um den Türpfosten links hinein.

HERR VON *** *in die Mitteltür tretend.* Was mache ich da für einen Fischzug aus dem Brodem der Nacht? Ich traue meinen Ohren nicht! Treten Sie ins Licht. Ich werde Sie sehen und wissen, daß die Koryphäe der Oper mir den seltensten Vorzug eines Besuchs gibt. Und noch zu dieser unwahrscheinlichsten Stunde. Ich versinke in Staunen. Verzeihen Sie, wenn ich den Rest von Haltung verliere und ganz verstumme!

Opernsänger – in gelbem Chinesenkostüm – folgt ihm.

HERR VON ***. Oder kommen Sie mir Vorwürfe zu machen? Ich habe den Besuch der Oper in letzter Zeit vernachlässigt. Meine Loge wird eine klaffende Lücke im dichtbesetzten Rang gegeben haben. Das hat Sie unbedingt beleidigen müssen. Fordern Sie jetzt Rechenschaft von mir?
OPERNSÄNGER *überfliegt den Raum – sein Blick ist gebannt in das Zimmer rechts.*
HERR VON ***. Aber ich will Ihnen Aufklärungen geben. Sie können sie von mir verlangen. Dann werden Sie mir Ihre Bedingungen stellen. Ich nehme sie im vornherein an!
OPERNSÄNGER *schüttelt heftig den Kopf.* Nicht Sie –
HERR VON ***. Mit aller Einfachheit: ich war verliebt. Unbändig verschossen – erlassen Sie mir die Einzelheiten, Sie werden sich mit einiger Phantasie ausmalen, wie mich meine Beschäftigung in Anspruch nahm. Jedenfalls schlug mir der Liebestaumel über dem Kopf zusammen. Daß ich mich Ihnen gegenüber ins Unrecht setzte – selbst das entfiel mir. Sie konnten – der Gott der Oper! – immer Beachtung verlangen. Ich habe mich schwerster Unterlassungssünde schuldig gemacht – verfügen Sie über mich!
OPERNSÄNGER. Lassen Sie mich Erklärungen geben.
HERR VON ***. Ich bin begierig, die Stimme von erhabenstem Wohlklang nur reden zu hören!
OPERNSÄNGER. Ihr gefährliches Wagnis, in das brennende Opernhaus zu dringen, habe ich angesehen. Es wurde die unerhörteste Kühnheit, mit der jemals ein Mensch sein Leben aufs Spiel setzte. Mir stockte der Puls! – Sie kamen heraus – nicht durch ein Wunder heil – das reicht nicht aus! – ich

fasse es nur mit einer andern Deutung: wie müssen Sie diese Frau geliebt haben!

HERR VON ※ *schlägt sich an die Stirn.* Jetzt begreife ich! Das hat Sie gepackt. Das war eine Szene, die man nicht umwerfen darf. Das muß durchgespielt werden bis zur schlagenden Pointe. Sie sind ein Genie des Arrangements. Wollen Sie hier singen – oder drin bei der Toten? – Brauchen Sie Publikum? Ein Orchester? – Alles wird beschafft – befehlen Sie nur!

OPERNSÄNGER. Ihr Spott verrät zu sehr, daß Sie kennen – was ich nicht mehr zu enthüllen brauche!

HERR VON ※. Sie intonieren selbstverständlich a capella – ich beleidige Sie unausgesetzt!

OPERNSÄNGER. Die Beleidigung erfuhren Sie von mir. – Ich bin hier, um Ihnen Genugtuung anzubieten!

HERR VON ※. Was soll das?

OPERNSÄNGER. Die Bewunderung Ihrer Tat reißt mir das Geständnis von den Lippen: – ich bin der Liebhaber!

HERR VON ※ *sieht ihn an.*

OPERNSÄNGER. Das Spiel ist ernst geworden. Sie setzen Ihr Leben noch hinterdrein ein – ich will nicht billiger gespielt haben.

HERR VON ※ *schüttelt den Kopf – führt ihn in einen Sessel und läßt sich im andern nieder.* Was war sie Ihnen?

OPERNSÄNGER. Verwirren Sie mich nicht!

HERR VON ※. Eines Opernsängers Liebchen! Ein bißchen vom tosenden Beifall der begeisterten Abende. Ein Fünkchen des Lichtozeans im Theater. Ein lockeres Blümchen auf umrankter Bühne Ihrer märchenhaften Triumphe! – Übertreiben Sie nicht, wenn Sie mir antworten!

OPERNSÄNGER. Sie haben mich erschüttert, als Sie hineinliefen, wo alles verbrannte!

HERR VON ※. Sind also von ihr viel Worte zu machen? Sie halten sich bei der Wahrheit. Das ist gut. Das flößt mir Vertrauen ein – zu Vertraulichkeiten vor Ihnen.

OPERNSÄNGER. Sie verachten mich grauenhaft.

HERR VON ※. Sie werden meiner Aufrichtigkeit Glauben schenken – später nach diesem! – Es müßte sie langweilen, wollte ich ein Gemälde entwerfen, das Sie zu gut kennen. Ihr Umgang mit uns – mit den Kavalieren, die die Logen bevölkern – und verzeihen Sie diese Geringschätzung Ihrer Kunst, sie ist nur zu echt! – nach den Beinen der Tänzerinnen eifriger ausschauen, als Ihrem Gesang ein halbes Ohr öffnen! – Es ermüdet Sie und enttäuscht Sie auch, denn es läßt sich nicht schildern. Sie haben es erlebt und erleben es weiter – es werden wohl auch täglich stärkere Sensationen erfunden, die sich meiner Kenntnis entziehen, da ich – – Stört Sie etwas?

OPERNSÄNGER *hat den Kopf nach links gewendet.* Sind wir nicht allein?

HERR VON *٭٭*. Es ist nichts! *Er steht auf – schließt die Mittel-tür, zieht die Gardinen zusammen.* Der Luftzug zischt in den Kerzen! *Er kehrt an den Tisch zurück.* Aber Sie werden mich rascher verstehen, wenn ich mit einem Bilde meine Beichte unterstütze. Sie kennen das Gefühl – Sie verbringen Ihre Sommer an der Küste: am schwülen Sommertag das Bad im Meer. Es gibt uns einen Schauder, der nicht nur unsere Haut reizt – bis ins Mark scheinen die Waschungen zu dringen, um uns vollkommen zu reinigen. Wir gehen hervor wie mit einer Läuterung!

OPERNSÄNGER. Sie bestätigen nur, was mir auf dem Opern-platz aufblitzte!

HERR VON *٭٭*. Nun teilt sich Ihnen das andere leicht mit. Mich durchzuckte der Blitz an einem Abend. In seltsamster Umgebung thronte ein Mädchen. Überspringen wir, wo das war! Im Spiegel ihres Antlitzes – von Reinheit offen – grinste mir mein verzerrtes Gesicht entgegen. Es war ein widerliches Erkennen. In jeder Runzel wucherte Scheußlichkeit. Gemein-heit machte sich plump und breit. Der Aussatz war auf mir – der bösere, der aus der Gesinnung keimt! – Ich ging nachher zuhaus hier wie im Fieber herum – und riß mit meiner Unge-duld die Stunden zum Morgen vorwärts – da holte ich mir die Ärztin!

OPERNSÄNGER. Sie wurden nicht ernüchtert?

HERR VON *٭٭*. Ein Engel kam! Segnungen brachen über mich herein – der Unwürdigste wurde emporgetragen zum Him-mel. Ich tauchte auf zu reicherer Geburt. Ich wurde reich – mit einemmal hauste ich mit Schätzen – und begriff nicht mehr, wie ich meine frühere Armut ertragen konnte! – Ich schlug zum erstenmal die Augen auf – und war gut! Hier – hinter meiner Brust – perlte im Kristall heller Kern! Ich war – wie sie, die rein war! Wie sie – ein Kind. – Ein Kind – nicht wahr? – Sie sind ja unterrichtet. Eine kleine Körperlichkeit mit scheuer Hingebung. Aber hingegeben von letzter Er-schließung. Kannte sie Künste? War eine Regung Verstellung an ihr? List oder Lockung? Beschönigen Sie nichts – ernüch-tern Sie mich nachträglich.

OPERNSÄNGER. Wieviel muß ich Ihnen vernichtet haben!

HERR VON °°° *mit vollem Erstaunen.* Nichts – da sie tot ist! – Was haftet an ihr – da sie verbrannte? – Weil sie sich Ihnen hingab? Ihnen noch – neben mir? – Ist ihr Leib nicht Zunder? – Was rührt er noch Begierde auf? – Wollen wir die scheußlichste Schändung vollführen – an einer Leiche?

OPERNSÄNGER. Der Sturz aus Ihrer Gläubigkeit muß Ihnen die Erinnerung vergiften!

HERR VON °°°. Das bleibt der Triumph des Todes, der fest errichtet ist. Rütteln Sie nicht an seiner Majestät. Jede Verdächtigung rächt sich furchtbar. Wir werden zu Hunden und ersticken am eignen Geifer! – Besitzen die Toten nicht die gewaltigste Macht in ihrer Wehrlosigkeit? Stoßen sie nicht unsern Angriff zurück – verächtlich reglos? Ducken wir nicht vor der herrlichen Tyrannei der Schweigenden? Werden wir nicht die Verlierenden mit Rede ohne Widerrede? – Lästern Sie den Tod nicht. Was das Leben versucht – das bringt der Tod in Erfüllung. Sehen Sie mich: mir schien das Vollkommene nahe zu sein – jetzt merke ich erst den klaffenden Abstand! *Nach rechts zeigend.* Sehen Sie die: wo ist noch eine Spur von Makel – von Gemeinheit an ihr? – Der Tod ist so groß – wie dieser blanke Tisch, auf dem Sie den Staub nicht erkennen – und der dennoch millionenfach Staubkörner trägt! – Biegen Sie die Knie immer vor jedem Toten, wo Sie ihn antreffen – er hat sich mit grenzenlosem Stolz umkleidet! – Aber die Toten sind notwendig – tot daliegen ist der Zwang, dem sich dann keiner entziehen soll! – – Ich bin mit der Toten hier glücklich! Ich verschließe dichter dies Haus – und bevölkere die Zimmer mit der großen Vision ihres Todes. Kein Tumult von euch dringt herein – jetzt übe ich die unumschränkte Herrschaft über mein Haus mit letztem Erfolg: die Tote weist euch alle zurück! – – Ist das nicht wundervoll: solche Stille im Haus? Solche Reinlichkeit der Schwelle? Muß man nicht Tote bald mehr lieben als Lebende?! – – *Er führt ihn am Arm.* Kommen Sie mit –: vor hoher Feierlichkeit wird uns der erste Beweis der Macht dieser Toten: – wir können nicht Feinde an ihrer Bahre sein!! *Er führt den wenig Widerstrebenden mit sich rechts hinein.*

Sylvette tritt links heraus: in Atemstößen bäumt sich ihr Leib. Sie bleibt am Türpfosten.

HERR VON ☾☀ *auf der Schwelle rechts.* Beschließen Sie Ihre Andacht. Wir wollen – *Er gewahrt Sylvette* – *geht wieder hinein und führt den Opernsänger mit sich in einen Sessel, mit dem Rücken gegen Sylvette.* Geben Sie mir nun recht? Liegt nicht hier auf den Tisch gestreckt die kostbarste Beute, die sich des gefährlichsten Unternehmens lohnt?

OPERNSÄNGER. Ihr Bild ist ganz in mir erloschen.

HERR VON ☾☀. Wird der Sieg des Sterbens nicht vollständig? Fällt mein Eigentum nicht in meine Hände zurück zu meinem einzigen Besitz? – Stimmen Sie morgen in Notre-Dame eine Kantate zum Lob der Toten an, die massenhaft unter dem glimmenden Schutt des Opernhauses verkohlen! – Was verdrießt Sie? Kränkt Sie der Vorschlag? Warum wollen Sie die Herzen nicht erheben?

OPERNSÄNGER. Weil Ihre schöne Tat jetzt befleckt wird!

HERR VON ☾☀. Reißt man Witze über mich?

OPERNSÄNGER. Schlimmer. Man ahmt Ihrem Beispiel nach!

HERR VON ☾☀. Das weckt nicht Ihre begeisterte Zustimmung?

OPERNSÄNGER. Die Selbstverleugnung wird mit Geld gestachelt – und es geht um das feilste Dirnchen von Paris! Der König hat einen Preis auf die Bergung der Leiche seiner Mätresse gesetzt!

HERR VON ☾☀. Ist es nicht echte Leidenschaft auch bei ihm?

OPERNSÄNGER. Dann stürzte er sich, wie Sie, in den Brand!

HERR VON ☾☀. Seine Spürhunde werden kein Glück haben. Ich sage Ihnen, es häufen sich dort die Kadaver. Einer gleicht dem andern. Schwarz sind alle!

OPERNSÄNGER. Man weiß das Kennzeichen!

HERR VON ☾☀. Untrüglich?

OPERNSÄNGER. Dieser Ring mit dem wüstgeschnittenen Stein!

HERR VON ☾☀. Der Ruß schwärzte ihn – wie alles, was funkelte!

OPERNSÄNGER *sieht ihn an.* Wie gelang Ihnen die Feststellung?

HERR VON ☾☀. Man muß mit den Augen der Liebe suchen!

OPERNSÄNGER. Die Möglichkeit eines Irrtums verwirrt Sie nicht?

HERR VON ☾☀. Sie erschrecken mich nicht!

OPERNSÄNGER. Solche Nacht ist voll blinder Zufälle!

HERR VON ☾☀. Wäre der Mißgriff erschütternd?

OPERNSÄNGER *starrt ihn an*. Sie sträuben sich kaum gegen diesen ungeheuren Gedanken?

HERR VON *.*. Die Toten sind rein!

OPERNSÄNGER. Es erregt Sie nicht –

HERR VON *.*. Bleiben sie unbelehrbar?

OPERNSÄNGER *steht auf*. Sie glauben fast an einen Tausch –

HERR VON *.*. Ich habe nicht den mindesten Anlaß.

OPERNSÄNGER. Ihre Gelassenheit soll mich nicht überrumpeln – *Er wendet sich zur Tür und sieht Sylvette, die bis in die Mitte des Zimmers gekommen ist*.

HERR VON *.* *aufspringend*. Wollen Sie fort?

OPERNSÄNGER *steht beim Anblick Sylvettes steif*.

HERR VON *.*. Was zögern Sie? Finden Sie den Ausgang nicht? Es sind Gardinen, die verhüllen. Ich will Ihnen öffnen! *Er zieht die Gardine auf und stößt die Tür zurück*. Laufen Sie, widerstehen Sie der Lockung nicht – raufen Sie sich um den Bettel: es kann ein Erfolg noch über Ihren Tenor von seltenster Größe werden und Sie in der Gnade des Königs zu schwindelnder Höhe schieben: holen Sie ihm das Liebchen aus dem Brand! Es gelingt – Sie haben es von mir erfahren!

OPERNSÄNGER *regt sich nicht*.

HERR VON *.*. Ich vergaß: Sie brauchen ein Tuch, um das Juwel Ihrer Kehle zu schützen. Ich bediene Sie mit Vorliebe! *Links ab*.

OPERNSÄNGER *mühsam*. Kamst du schon, wie er – –?

SYLVETTE *langsam*. Ich kam noch nicht zu ihm –

OPERNSÄNGER. Sah er dich nicht jetzt – –?

SYLVETTE. Er sah mich noch nicht –

OPERNSÄNGER. Trübte sich nicht das Gesicht vom Brand – –?

SYLVETTE. Bin ich nicht verbrannt?

OPERNSÄNGER. Du stehst vor mir –!

SYLVETTE. Atme ich? Lache ich?

OPERNSÄNGER. Schöner dünkst du mich –?

SYLVETTE. Lockt mein Leben?

OPERNSÄNGER *schwer*. Daß du gerettet bist –!

SYLVETTE. Noch brauche ich Hilfe für den letzten Sprung in das Leben!

HERR VON *.* *mit dem Schal zurück*. In der Farbe ein Widerspruch zu Ihrer Kostümierung. Doch drapieren Sie ihn mit Geschick und machen aus dem Unmöglichen noch einen zündenden Auftritt!

SYLVETTE *entreißt ihm das Tuch, windet es dem Opernsänger um den Hals – sich an ihn drängend.* Freund – du bist es! Dein Haar – – deine Hände – – und dein Mund! Dein geliebter Mund kann mich küssen! Hast du mich gesucht – mich? – mich? Überall schon – bei den Verletzten, die auf den Platz getragen werden – mich? – mich? – Zwischen allen, die in den Straßen flüchten – mich? – mich? Bist du mir nachgelaufen – ohne Furcht in mein Haus? – Freund! – mußt du es wissen: – – ich lebe? – – ich lebe?!

HERR VON *** *zurücktretend.* Ah – ich erkenne, Sie sind nicht mehr allein!

SYLVETTE. Zu mir bist du gekommen – um mein Leben verschenkst du dein Leben – um mein Leben!

HERR VON ***. Ich ziehe mich zurück und gehorche den Gesetzen der Diskretion.

OPERNSÄNGER. Bleiben Sie doch –

HERR VON ***. Zeuge bei einer Schäferstunde? Aber wie Sie es wünschen. Nur bringen Sie sich um schöne Möglichkeiten in Gesellschaft dritter. *Lächelnd.* Ich warne Sie.

OPERNSÄNGER. Erklären Sie mir –

HERR VON ***. Daß ich den Spaß nicht verderbe? Ich habe meine Freude an Liebschaften. Besonders nach solchem Ereignis. Ein Wiedersehen aus Todesgefahr. Das kann hinreißend sein. Und wenn es auch nur ein Dirnchen ist, das Ihnen nachstürmte und in meiner kurzen Abwesenheit durch die offene Tür hereinwehte – das verringert meine Anteilnahme nicht. Sie werden sich manches zu sagen haben – und wenn ich mein Ohr nicht verschließen soll, höre ich mit Vergnügen zu! *Er läßt sich in einen Sessel nieder.*

SYLVETTE *zieht den Opernsänger nach einem Sessel.* Setz' dich doch – du bist müde – du mußt dich ruhen! *Sich auf seine Knie schwingend.* Nein – das war Schwindel von mir – ich habe kein Mitleid mit dir – ich will nur auf deinen Knien hocken. Du sollst mich besser fühlen – – wie ich atme und lache und küsse!

OPERNSÄNGER *zu Herrn von ***.* Geben Sie mir ein Wort –

HERR VON ***. Unterbrechen Sie nicht! – Ein heißes Liebchen. Ich beglückwünsche Sie.

SYLVETTE. Alles ist Schwindel, was ich tue. Kann ich nicht

wunderbar lügen? Bin ich nicht mit Einfällen begnadet? Oder gilt das nichts? Wenn der andre mir immer und immer glaubt? Bin ich dumm? – Bin ich schlau? – Bin ich hübsch? – Bin ich weiß? – Bin ich süß?

OPERNSÄNGER *zu Herrn von* ***. Spielen Sie mit mir –

HERR VON ***. Lassen Sie die Kleine nicht leiden. Sie schnappt nach Ihnen wie ein Schlei nach dem Hamen!

SYLVETTE. Denk' nicht an das Feuer heut abend. Es hat uns kein Härchen versengt – nicht dir – nicht mir! Sind viele verbrannt? Die Armen – alle liebten sich. Aber sie liebten sich zu wenig, darum mußten sie sterben. Nur das Feuer ist stärker als das Feuer, wenn man sich grenzenlos liebt! – Glaubst du mir nicht? Meinen tausend Küssen und Schwüren nicht? Meiner tollen Hingabe an jedem Morgen – in der kleinen Loge, wenn du von der Probe zu mir heraufkamst? Sprang ich dir da nicht schon nackt entgegen und riß dich auf die Polster? Heiß warst du vom Singen – ich glühend vor Erwartung? Die Loge wurde unser Himmel!

OPERNSÄNGER. Es ist Wahnsinn –!

HERR VON ***. Man verwöhnt die Sänger der Oper schon auf den Proben, das wußte ich nicht!

SYLVETTE. Wir liebten uns vom ersten Witzwort an. Wie willst du es vergessen? Ich ließ den Wagen am Opernhaus halten und wollte gern einmal in das große Haus hineinsehen. Nur hineinsehen, bettelte ich zu meinem Mann, der blieb im Wagen. Du hattest das gehört, und von den Treppen, die mich beim Anblick schwindeln machten – die du schon hinanstiegst, lachtest du mich aus. Was riefst du mir zu? Was war es? – *Kommen Sie in die Probe vormittags – wenn Sie abends artig zuhause sitzen müssen!* – War ich nicht pünktlich am nächsten Morgen?

OPERNSÄNGER *will aufstehen.*

HERR VON ***. Das Stichwort, Sänger! Ich kenne den Text nicht, sonst würde ich soufflieren!

SYLVETTE. Zuletzt war Alceste. Das Orchester wölbte den Saal in die Wolken. Ich stand wie gebadet in Glück – nackt und ohne Scheu an der Brüstung der Loge. Keiner sah nach mir – du mußtest jetzt aus der Kulisse treten, die Spannung war unendlich. Erst kamst du nicht – nur deine Stimme tönte herein. Die Chöre erloschen fast, um deinen Gesang zu hören. Ich wollte vor Seligkeit sterben. Wie Alceste, die für Admet starb. Wie war ich neidisch auf Alceste, die Admet retten durfte. Der Tod dünkte mich süß – ich hätte ihn ohne Seufzen erlitten! – – Aber dann kam mein Admet zu mir in die Loge – und belohnte mich für mein halbes Sterben mit Liebe – und Alceste war bereit! – Bin ich Alceste – wieder lebend?!

OPERNSÄNGER *steht auf – schiebt Sylvette von sich. Zu Herrn von ***. Sie sind im Irrtum, Herr von ** –

HERR VON **. Was habe ich gegen jede Absicht versehen? Sie machen mich untröstlich!

OPERNSÄNGER. Der Brand hat Sie nicht beraubt –

HERR VON ** *nach der Tür rechts weisend*. Ich habe mein Teil gerettet!

OPERNSÄNGER. Sie müssen verwirrt sein –

HERR VON **. Woher der Verdacht?

OPERNSÄNGER. Sehen Sie denn nicht –?

HERR VON **. Eine Chinesin, die gelb ist, wie alle an diesem Abend! – Unterliegen Sie einer Täuschung, die zu billig ist, als daß sie erklärt werden müßte? Ihnen trübt außerdem der Rausch des kürzlich genossenen Weins die feinere Unterscheidung. Sie haben das Bild Ihrer Kurtisane im Kopf, mit der Sie zuletzt soupierten. Da nehmen Sie jede, die zuläuft, für die andere. Ein Farbenspiel – in Gelb – Chinesinnen – nichts weiter!

OPERNSÄNGER *sprachlos*. – – Sie verleugnen –

HERR VON **. Mich selbst, wie Sie rügten, als ich ins Feuer sprang. *In der Tür rechts*. Doch übertreiben Sie nicht mein Verdienst: es hat seinen Dank gewonnen!

OPERNSÄNGER. Sie werden sich besinnen müssen! *Er will zur Mitteltür.*

SYLVETTE *hält ihn auf*. Bleib – bleib! Du gehst nicht aus dem Haus. Jetzt haben wir ein Haus. Jetzt bist du zu mir gekommen – und kommst wieder und wieder! Die Loge war klein – hier jagen wir uns durch Zimmer und Zimmer – und im Garten hinter Büschen fallen wir hin! – Diese Nacht beschließen wir hier. Fing sie nicht lustig an? Mit Maskerade und Ball? Und das Essen in der Loge? Schnell zogen wir den Vorhang zu – und ich lag an deinem Halse. Ich trank neben deinem Munde vom Glas – und Wein und Küsse verschmolzen am Mund! – Der Durst war unendlich – und von keiner Trunkenheit noch gestillt! – Die bösen Flammen störten uns – sie rissen an der Gardine – und wollten uns verraten. Aber wir ließen uns nicht ertappen – und trennten uns geschwinde.

Wer hat uns gesehen? Wer kennt unser Geheimnis? Wir haben Glück – wir haben so viel Glück, jetzt sind wir schon wieder zusammen. Wer gierig liebt, hat maßloses Glück! – Hier ist ein Haus – da sind Wände von Stein – die lassen kein Feuer durch. Hier sind wir geborgen – hier erst sind wir in Stille und Sicherheit vor Musik und Lebensgefahr! Hier leben wir – Liebster – mein Leben! Trage mich auf mein Bett – schüttle mich aus dem Flitter – mach' mich nackt – *Fast vergehend.* – entzünde Alceste!

OPERNSÄNGER *hält sie an sich aufrecht – starrt auf Herrn von *.**

HERR VON *.* *an den Türpfosten gedrückt – steht steif. Endlich mit ungeheurer Anstrengung die Stimme laut machend.* Der Dunst wird quälend. Er umnebelt die Sinne. Es gaukelt mit Stimmen und Formen in der Luft. Gelbe Figuren flirren. Der Raum wird trächtig in Ausgeburten des Fegefeuers! – Es raucht vom Tisch mit der Toten – die Gifte gasen aus der Verbrennung – *Links – in die Hände klatschend.* Holla – kein Schlaf vor dem letzten Dienst – es war zu früh für die Betten!

DIENER *schon auf der Schwelle.* Ich schlafe nicht!

HERR VON *.*. Um so rascher bist du wach für den Auftrag: laufe, wo du ihn zuerst findest – und komme mit dem Priester zurück! – Ich habe eine andere Bestellung zu tun, die dringend wurde! *Er nimmt seinen Hut – durch die Mitteltür ab.*

Diener holt noch Mantel und Hut – hinten ab.

SYLVETTE *hat sich vom Opernsänger entfernt.*

OPERNSÄNGER *mühsam.* Sylvette – –!

SYLVETTE *regungslos.*

OPERNSÄNGER *sich ihr nähernd.* Wir entkamen dem Brand – wir treffen uns hier – wir leben – wir werden uns lieben wie in keiner Stunde vorher!

SYLVETTE *mit rascher Wendung nach ihm.* Schenken Sie mir das Leben?

OPERNSÄNGER. Meins, das dich neu begehrt – Sylvette!

SYLVETTE *sieht ihn an.* Begriffen Sie nichts?

OPERNSÄNGER. Du liebst – mit deinen Küssen an meinem Mund!

SYLVETTE. Sie sind lächerlich in Ihrer Arglosigkeit, mit der Sie ein Spiel, das ich auf Ihren Knien aufführte, mißverstanden. Ein Diener des Hauses hätte mir genützt wie Sie. Sie liefen herein – und ich hatte den Partner für meine große Szene – – die den einzigen Zuschauer kalt ließ. Sie hätten singen müssen, um uns seine Zustimmung zu erwerben. Aber der Ton stockte in Ihrer Kehle – jetzt macht Sie der Vorhang überflüssig.

OPERNSÄNGER. Tot bist du für ihn – in meinen Armen lebst du glühend!

SYLVETTE. So vermählen Sie sich mit der Leiche, die nebenan ruht. Die bin ich für euch – für euren lüsternen Schwindel. Lockt Sie das?

OPERNSÄNGER. – – Worauf willst du warten?

SYLVETTE. Auf seinen Schrei, der mich anruft – mit meinem Namen, der wieder lebendig tobt – und seinen Mund füllt mit Atem, der Leben in Asche bläst, die aufersteht zu wirklichem Leben!!!!

OPERNSÄNGER *nach kurzem Zögern – hinten ab.*

SYLVETTE *führt langsam die Hände nach dem Gesicht hoch – dreht es in den Händen nach rechts – und wird vom Anblick mehr und mehr gefesselt. Mit kleinen Schritten nähert sie sich der Tür – und überschreitet die Schwelle. – – Nach einer Weile kommt sie zurück – – Ihr Gesicht biegt sie tief auf ihre Hände, die sie wie um einen Gegenstand festgeschlossen hat – – und mit einem schweren dunklen Lachen in der Stimme sagt sie: – – – – Der Ring!*

DRITTER AUFZUG

Sylvette kommt rechts heraus: sie bringt einen Leuchter, trägt ihn auf den Kamin und bläst die Kerzen aus. Dann geht sie wieder rechts hinein – kehrt mit dem anderen Leuchter zurück und löscht auch diesen.

Das Gartentor schlägt: die Stimme des Herrn von ** wird laut.

Laternen bewegen sich draußen – Geräte klirren.

HERR VON ** *Stimme.* Her hier – mit Laternen! Deckt die Narbe ab – schont die Rasenschollen – Gras soll schon wieder in den Morgen wachsen! – Los, Leute, ihr seid mir gerühmt – macht die Empfehlung nicht zum Schwindel – und prellt euch nicht um den Lohn, der mit der kürzesten Frist schwillt! – Da fangt ihr schon an. Stecht eine Grube aus – lang wie ein Mensch von mittlerem Maße – und grabt tief unter die fette Krume, bis dürrer Sand rinnt, der spurlos verschüttet. Ihr wißt Bescheid!

Herr von ** tritt rasch ein.

HERR VON ** *sich umblickend.* Der Priester? Noch nicht? *Das dunkle Zimmer rechts gewahrend.* Plündert man den Katafalk? – Die Dochte dauern nicht? Sie sind nicht zur Hälfte verzehrt, bis die Zeremonie beendet ist! *Er holt beide Leuchter vom Kamin, beginnt sie zugleich anzuzünden.*

SYLVETTE *geht hin, schließt die Mitteltür und die Gardine.*

HERR VON ** *sich hindrehend.* Wer kommt? Ding, warst du auch auf dem Ball? In gelben Fetzen? Ein Affe deiner gnädigen Frau? Weil man in der Maskerade nicht unterscheidet, welche die Dame und welche die Zofe?

SYLVETTE *tritt ihm gegenüber. Sehr ruhig.* Sie unterschätzen Ihre Verpflichtung, Herr von **

HERR VON **. Spute dich – hol' von eurem Küchenwein und lass' die Leute was trinken, die draußen rackern. Du machst dir Freunde – und die Büsche geben gefälligen Schatten. Da klingen Schaufeln und Gläser!

SYLVETTE. Sie verfahren zu billig mit Ihrer Veranstaltung hier und im Garten, Herr von **

HERR VON **. Haben Kerzen keinen Preis – doppelt, wenn ich sie selbst anzünde? Verstreue ich nicht Schätze an diese

Leute im Vorgarten, um sie lustig zur Arbeit in Mitternacht zu machen?

SYLVETTE. Nicht mit allen Lampen Ihres Hauses wird genug getan, Herr von *.*.

HERR VON *.*. Aufbewahrung in der Bibliothek nicht äußerster Rang von Gepränge, das ich leiste?

SYLVETTE. Ihre Zimmer sind zu eng und zu dürftig – Ihr Park zwischen allen Mauern reicht nicht zum Totenhain, Herr von *.* –

HERR VON *.*. Ich spare nicht Geld – nicht Zeit: die Arbeit fiebert. Schaff' Wein für die Maulwürfe!

SYLVETTE. Ihre Bemühung bleibt immer hinter dem Anspruch – den die Tote in Ihrer Bibliothek an ihre Bestattung stellen muß, Herr von *.*.

HERR VON *.*. So soll sie bei Gottvater mich schmälen! *Er will mit den brennenden Leuchtern rechts hinein.*

SYLVETTE *den Weg vertretend.* Beleidigen Sie nicht mit Ihrem erbärmlichen Pomp – die erhabene Leidenschaft eines Königs!

HERR VON *.*. Was flunkerst du von König und –? Weg in die Küche!

SYLVETTE. Sie haben kein Recht – – das Liebchen der Majestät flink und finster zu verscharren!

HERR VON *.*. Bin ich schon Totengräber für alle Welt? Weil ich hier emsige Arbeit leiste? Es plage sich jeder auf seine Kosten. Ob König ob Bettler. Im Schweiße sind alle was wert!

SYLVETTE. So überlassen Sie dem König, was dem König gehört!

HERR VON *.*. Was hier in meinem Haus?

SYLVETTE. Die Tote in diesem Zimmer!

HERR VON *.* *stockt – dann lachend.* Wer weist sie aus? Wer enträtselt das Gebein? Wer bläst verschrumpfte Lieblichkeit zu prallem Fleisch? Morsch rinnt der Zunder durch die Finger, die prüfen wollen. Kein Witz verfängt hier – die Grube wartet, laßt mich die dürftige Leiche bestatten! *Er hebt die Leuchter hoch und will rechts hinein.*

SYLVETTE. Leuchten Sie hell – mit allen Flammen nach diesem Zeichen, das Ihren Raub verrät – – ich habe den Ring!!

HERR VON *.* *starrt hin.*

SYLVETTE. Erkennen Sie ihn? Der wüst geschnittene Stein?

HERR VON *.* *weicht zurück – stellt die Leuchter auf den*

Tisch – wankt auf Sylvette zu. Auf den Grund der Grube der Unflat!!

SYLVETTE. Wollen Sie mich bestehlen?

HERR VON ❊. Blöcke darüber – Gebirge von Druck, die das Mißbild in die Mitte der Erde drängen!!

SYLVETTE. Nützt Ihnen das? Man schachtet ihn wieder aus!

HERR VON ❊. Die Erde birgt stumm ihren Besitz. Riesiges Siegel brennt der Mond in ewiger Nacht!!

SYLVETTE. Ich laufe hin – ich schreie über den Opernplatz: sucht nicht mehr – man fand schon die kostbare Tote – der Retter erwartet seinen königlichen Lohn!! *Sie steht in der Mitteltür.*

HERR VON ❊ *starrt hin – will den Schrei mit der Faust vorm Mund aufhalten – schreit.* – – – – – – – Sylvette!!!!!

SYLVETTE *mit beinahe kindlicher Neugierde.* – – – – – – – du – – – rufst??

HERR VON ❊ – – dich – – Sylvette!!

SYLVETTE. Mit meinem Namen?

HERR VON ❊. Du lebst – – Sylvette!!

SYLVETTE. Lebe – – ich?

HERR VON ❊. Kein Tod erschüttert das Dasein, das du lebst. Ich schließe die Augen nicht mehr. Du wirst leben – über allen Gräbern wirst du tanzen und auf Leichensteinen liegen. Unvergänglich bist du. Es gibt kein Entrinnen – ich muß dich zitternd küssen!

SYLVETTE *dicht vor ihm.* – – – – – Fürchtest du den Ring?

HERR VON ❊. Streif' ihn an deinen spitzen Finger.

SYLVETTE. Ich tue es.

HERR VON ❊. Ich betrachte ihn demütig und beuge mich seiner Herrschaft. Ich biege die Knie vor ihm und berühre ihn mit sanften Lippen!

SYLVETTE. – – Soll ich ihn tragen?

HERR VON ❊. Immer, Sylvette. Er strömt mit magischer Kraft sein Licht hinter meine Brust. Ich darf mich nicht verschließen. Groß ist dein Triumph über meinen Traum, Sylvette. Verführung ist mächtig – Liebe ist arm. Fange mich ein mit deinem Gezweig von Gliedern!

SYLVETTE *ausbrechend.* Lebe ich noch??

HERR VON ❊. Du lebst! – Da Kuß, – der weckt! – da Kuß, der bestätigt! –: Mit allen Wundern deines Lebens lebst du!!

SYLVETTE. Fühlst du mein Leben?!

HERR VON ❊. Das ist Gerank – ein Griff, der hält!

SYLVETTE. Dich – mich!!

HERR VON ❋ *ablassend.* Von Zauber triefend glänzest du – Sylvette! In Lüsten glimmend blühst du – Sylvette! Kein Kavalier von uns genügt dem Prunk deines Lebens: – – des Königs Liebchen läuft aus meinem Haus – da ziehst du in das Reich deiner Herrschaft! Du hast den Ring, der dich empfiehlt! Erfinde eine Fabel: du griffst im Brand den Ring von der Brennenden – und gleich mit dem Ring bringt sich das neue Liebchen. Kein Verlust von Ring und Lust für den Lüsternen. Doppelt erhöht sich dein Lohn: die Majestät wird sich dir grenzenlos neigen!!

SYLVETTE. Ich würde lügen –

HERR VON ❋. Ich entdecke nichts. Stumm die Legende meiner Rettung der Dirne. Bei mir die Tote, die schweigt. Ein Hügel überbettet den Mißgriff. Kein Aufruhr stört die Stille. Kein Witz vergreift sich an meinem Wahnwitz!!

SYLVETTE. Ich würde lügen und den König gegen Sie erzürnen.

HERR VON ❋. Soll ich an seinem Dank ersticken?! Soll ich die größte Tat seines Jahrhunderts vollführt haben: die Leiche der Mätresse der Majestät aus dem Brand des Opernhauses zu bergen?! Mein Ruhm wird sich ohnegleichen verbreiten. Er wird vor meinen Fenstern gesungen. Er trällert über die Gartenmauer und pfeift sich die Straße hinab. Ich lebe im Liedchen, das das Volk morgen findet. Ist es auch kein Gebet – so singt es sich doch in die Ewigkeit: die wüsteste Dirne und ihr mutiger Retter. Es wird ein Reim, der beide untrennbar verkuppelt. Vielleicht im Überfluß der Huld – wird der König mir erlauben, daß ich sein Liebchen in meinem Garten bestatte. Man wird die Pflege des Grabes mir vertrauen. Ein sichtbares Denkmal wird errichtet. Ein Wallfahrtsort entsteht. Es wogt hier ein und aus. Die Zimmer fassen die sonderbare Schar der Andächtigen nicht: zu letztem Kult der Kurtisane wird dies Haus ein Hort der tobenden Wollust sein. Lichter hier – Kerzengeleucht immer! Schwall von Schein um Schwall von Tänzern. Die Spiegel illuminiert. Von nackten Brüsten Gewimmel in unendlicher Wiederholung. Delphine – glänzend gedunsen in Lüsternheit – Dirnen. Mächtiges Getier in Gier und Begattung!!!!!

SYLVETTE. – – – – – – Ich gehe – –

HERR VON ❋. Zum König??!!

SYLVETTE. Ich gehe.

HERR VON *.*. Gelobt sei dein Entschluß. Kein Stein stoße an deinen Schuh. Du findest den Weg: das leuchtende Feuer zeigt dir das einzige Ziel. Schütze den Ring – – und mich vor den Toten, die leben!!

SYLVETTE *zieht den Mantel eng um sich – durch die Mitteltür ab.*

HERR VON *.* *blickt nach.*

Diener kommt durch die Mitteltür.

DIENER. Der Priester –

HERR VON *.* *auffahrend*. Wer?

DIENER. – kommt mir nach.

HERR VON *.*. Warum?

DIENER *verwirrt*. Die Leute im Garten sind fertig.

HERR VON *.*. Welche Leute?

DIENER. Ausgehoben die Grube.

HERR VON *.*. Welche Grube?

DIENER. Das Grab im Vorgarten, das Sie bestellten.

HERR VON *.*. Lass' zuschütten. Mir ist die Tote entlaufen – ich habe sie nicht aus der Brunst bergen können. Das ist der Spuk dieser Nacht!

DIENER *durch die Mitteltür ab – nach kurzer Pause zurück-kommend.*

HERR VON *.*. Wieder glatt der Rasen über dem Loch, das um seinen Inhalt geprellt ist?

DIENER. Ein Gast, der kommt –

HERR VON *.*. Zu mir??

Opernsänger erscheint in der Mitteltür.
Diener links ab.

HERR VON *.*. Was? Schon ein flinker Chronist? Was trägt sich zu? Was ereignet sich Neues auf dem Opernplatz?

OPERNSÄNGER *atmend*. Sind wir allein?

HERR VON *.*. Keine Reportage von Ihnen!

OPERNSÄNGER. Erkennen Sie mich nicht?

HERR VON *.*. Was fragen Sie! Eine halbe Silbe empfiehlt Sie. Tenor der Oper.

OPERNSÄNGER. Sie müssen mir –

HERR VON *.*. Jedes Kompliment! Warten Sie, ich versäumte

die Oper zuletzt, aber es drang zu mir – Ihr jüngster Triumph über alle Triumphe. War es nicht aus der Mythologie? Einer jener ewigen Stoffe, die den Künstlern immer wieder Vorwand zu Erregungen geben? Alceste!

OPERNSÄNGER. Sagen Sie mir –

HERR VON ⁂. Ein ergreifendes Sujet, es muß seine Wirkung haben. Ist das Libretto geschickt gemacht? Sind alle Motive ausgenutzt? Es dürfte kein Stümper an den Vorwurf geraten. Admet müßte das Zwielicht des haltlos Suchenden haben – die volle Glorie muß auf Alceste verteilt sein. Wenn sie den Tod für Admet stirbt – damit er leben kann! –: das Symbol ist von gewaltiger Größe! Bringt Ihre Alceste das erschöpfend?

OPERNSÄNGER. Nicht von Oper –

HERR VON ⁂. Dulden Sie ein anderes Thema?

OPERNSÄNGER. Der Brand im Opernhaus –

HERR VON ⁂. Da sind Sie schon wieder bei der Oper!

OPERNSÄNGER. – – Ist Ihre Frau bei Ihnen?

HERR VON ⁂. Läßt Ihnen meine kleine Schwindelei keine Ruhe, mit der ich Sie narrte? – *Nach rechts zeigend.* Es war ein Irrtum von einiger Peinlichkeit – und ich wollte den Mißgriff nicht gleich eingestehn. Eine Heldentat um ein beliebiges Dirnchen – unter tausend ein Ding –! Der fremde Unrat wird verscharrt.

OPERNSÄNGER. – – Ein Mensch lief über den Opernplatz – in der Weite stand er einen Augenblick allein – länger nicht – und ging weiter – wie man ruhig geht – –! Mehr eine Vision – –

HERR VON ⁂. Ein Toller, der Gründe hat: es steht ein Preis auf einer Verbrannten!

OPERNSÄNGER. Gelb – ein Chinese –

HERR VON ⁂. Wenn der Lohn hoch ist! *Lachend.* Er wird sich vergeblich bemühen!

OPERNSÄNGER. Ein Chinese – – die Figur zierlich – – fast dürftig – – ich mußte sie kennen – –

HERR VON ⁂. Berichten Sie!

OPERNSÄNGER. – – weil ich sie kannte!!

HERR VON ⁂. Das Finale?

OPERNSÄNGER. Ich kann mich getäuscht haben. Der Qualm beizt auf die Augen – man hat Halluzinationen – – – – – – Ist Ihre Frau hier?

HERR VON ⁂. Sie haben gut gesehen: meine Frau verließ mich – nach dem Opernplatz!

OPERNSÄNGER. In den Brand?!

HERR VON *·*. Zu den Gaffern, die alle heute auf ihre Kosten kommen!

OPERNSÄNGER. Sie ging – ging – – sie verschwand im Brand!!

HERR VON *·*. Sie haben schlecht beobachtet – der Rauchschwaden verbarg Ihnen das Entscheidende: es kam zu einem Diskurs mit dem König. Erkannten Sie nicht ein Schmuckstück, das aus ihrer Hand in seine glitt? Ein Reif – ein Ring? Lachte der König nicht ungeheuer auf? Schallte es nicht über den Opernplatz? Über Krachen von Balken und Dächern? Fiel nicht mein Namen – machte er nicht die Runde? Daß meine Frau den Ring fand – mit jenem Aberwitz des Zufalls, der so fort den Tod von Tausenden zum Gespött verkehrt? Oder schob man mir selbst den Fund zu? Wehrte meine Frau in keuscher Bescheidung das Lob ab und wies es auf mich? Ist man unterwegs hierher? Sind Sie der Vorläufer des Maskenzugs, der einen König eskortiert? Soll ich schon Lichter entzünden und würdigen Empfang vorbereiten?!

OPERNSÄNGER. Nichts ereignete sich mit der Majestät, die jenseits des Platzes betrachtet und amüsiert arme Schelme um den Preis ins Feuer treibt.

HERR VON *·*. So haben Sie das Beste versäumt. Laufen Sie – es verlohnt sich: in dieser Katastrophe ein Lachen! Das befreit – das löst den Schrecken. Lacht – und erläßt mir den Aufputz eurer Gesichter! *Er drängt ihn nach der Mitteltür.*

OPERNSÄNGER *ab.*

HERR VON *·* *klatscht in die Hände.*

Diener kommt links.

HERR VON *·*. Entlohne im Garten – und verschließe fest alle Toren und Türen hier mit Gardinen. Ohne Licht – ohne Laut stemmt sich dies schwarze Haus allem Ansturm entgegen. Beeile dich – und komme mit den Schlüsseln. Ich warte!

DIENER *durch die Mitteltür ab.*

Der alte Herr tritt in die Mitteltür.

HERR VON *·* *starrt ihn an.*

DER ALTE HERR *auf seinem Stock gestützt ins Zimmer kommend – schützt die Augen mit der Hand.* Immer lichter – lichter. Sie lesen zu viel – und erleben zu wenig. *Er läßt sich ächzend im Sessel nieder.*

HERR VON ***. Warum – – kommen Sie?

DER ALTE HERR. Die Hotels sind geschlossen. Man hat heut nacht zu gaffen.

HERR VON ***. Warum besuchen Sie mich?

DER ALTE HERR. Weil ich sicher war, Sie zu Hause zu treffen. Wenn Sie der Ball nicht lockte – würde Sie auch der Brand nicht verführen. Habe ich falsch gerechnet?

HERR VON ***. Ich – bin nicht aus dem Hause gewesen!

DER ALTE HERR. Schmökern Sie nur – in Büchern steht das nicht. Das nicht. *Er lacht in sich hinein.*

HERR VON ***. Ihnen hat das nicht die Stimmung verdorben?

DER ALTE HERR. Wenn das Unglück selbst für Belustigung sorgt?

HERR VON ***. Worin entdeckten Sie die?

DER ALTE HERR *kopfschüttelnd.* Die Majestät bleibt die Majestät des Vergnügens.

HERR VON ***. Gab es doch einen Vorfall mit der Majestät????

DER ALTE HERR. Ein Mandarin bis zuletzt. So stelle ich mir China in seiner Glorie vor. Noch mit dem Tod ein witziges Spielchen!

HERR VON ***. Woran ergötzten Sie sich?

DER ALTE HERR. Das Ringspiel möchte ich es nennen. Es könnte sich so am besten einprägen. Die Anekdote werde ich versuchen in eine pointierte Form zu bringen. *Mit dem Stock gestikulierend.* Die Majestät liebte es, seine Favoritin mit einem Ring, der einen merkwürdig geschnittenen Stein trug, auszuzeichnen. Bei dem durch seinen Schluß berühmt gewordenen Chinesenball im Opernhaus – er endigte mit dem Brand des Opernhauses – kam die Favoritin – die damals Inhaberin dieses Ringes war, um. Da sie lebend nicht geborgen werden konnte, wollte die Majestät wenigstens die Leiche wiederhaben. *Lächelnd.* Zweifellos ein Zeugnis für seine Treue! – Mit einem Preise von erheblicher Höhe – machte er die Aufgabe lohnend. Es entspann sich ein Wettstreit, der nicht der Komik entbehrte. Man konnte die sonderbarsten Betrachtungen über den menschlichen Mut anstellen. Ein Teil der Preisbewerber kehrte schon in der Zone der Hitze um. Andere ließen sich die Haare versengen – und hatten genug. Jedesmal empfing die Feiglinge ein Johlen der Zuschauer. Einige aber drangen in den Brand ein und kamen nicht wieder. Zuletzt hatte dies Beispiel etwas abkühlend gewirkt. Der Andrang mäßigte sich – und schon schien der Spaß versandet. Da kommt ein Kerlchen gelaufen – ein Buckel von argem Ansehen – der stellt sich auf den Platz und lacht: verbrennt mir der Buckel, so fühle ich mich etwas leichter – und marschiert in die Hölle – – und kommt nach wenigen Minuten mit einer Ladung heraus – und der Ring hängt an der Stelle, wo er hängen muß! – Dicht an der Tür hat er sie aufgenommen – wo seine Vorgänger nicht über die Leiche gestolpert sind! – Der Bursche hat Glück gehabt – und einmal muß es ja auch einen Buckel treffen. Der Bengel schläft heut nacht wie ein Gott. Die Chinesinnen reißen sich um den Satyr! – – Muß man nicht lachen?

HERR VON ⁂ *hat sich steil aufgerichtet.*

DER ALTE HERR. Muß man nicht – – *Er stockt beim Anblick des Herrn von ⁂.*

HERR VON ⁂ *in Starrheit nach dem Brand gewendet.*

Der Priester und Laienbrüder mit Kerzen in der Mitteltür. Der Priester sieht in das erleuchtete Zimmer rechts – geht hinein mit den Laienbrüdern.

DER ALTE HERR *stutzt – will fragen – schweigt – zieht die Brauen – nickt.*

Der Priester und die Laienbrüder, die die Leiche tragen und ihre Kerzen entzündet haben, von rechts – zur Mitteltür – in den Garten ab.

DER ALTE HERR *folgt – auf seinen Stock schwer gestützt – ab.*

HERR VON ⁂ *taumelt der Mitteltür zu.*

Der Brand hat äußerste Größe erreicht: eine einzige Glut steht am Himmel. Glocken stürmen mächtig hinein.

HERR VON ⁂ *die Arme hochwerfend – mit einem Schrei.* Alceste!!

1917/18; [1918; 1918; 1919; 1928]

DER GERETTETE ALKIBIADES

Stück in drei Teilen

*Wie ein unermeßlicher Schiffbruch, wenn die Orkane ver-
stummt sind, und die Schiffer entflohn, und der Leichnam der
zerschmetterten Flotte unkenntlich auf der Sandbank liegt,
so lag vor uns Athen, und die verwaisten Säulen standen vor
uns, wie die nackten Stämme eines Waldes, der am Abend
noch grünte und des Nachts drauf im Feuer aufging.*

Hölderlin: HYPERION

PERSONEN

SOKRATES, *ein Hermenmacher*
ALKIBIADES
PHRYNE
XANTIPPE
GASTGEBER
PREISHOCHRICHTER
ERSTER LOBREDNER
ZWEITER LOBREDNER
RINGMEISTER
HEILGEHILFE
ANFÜHRER
VORLÄUFER
FLÖTENSPIELER

GREISE, GASTFREUNDE, KNABEN, FISCHWEIBER, FELDSOLDATEN
STADTSOLDATEN, TRÄGER, DIENSTKNABEN

ERSTER TEIL

Die Ringschule. Unter der breitrotgeäderten marmornen Umfassungsmauer bronzene Bank. Stufen hinab. Blaufliedergebüsch. Mittag in Tiefe oben.
Die Bank überstreckt – das Gesicht nach unten, den Mantel von Buntheit fest um sich – erster Knabe: er weint.
Auf der Mauer kommen – farbigen Mantel bis ans Kinn gezogen, umschlungen – zweiter und dritter Knabe.

DRITTER KNABE. Das log er heraus!

ZWEITER KNABE. Nichts glaubst du?

DRITTER KNABE. Keinen Traum von Alkibiades hat er nachts gehabt!

ZWEITER KNABE. Er war noch glücklich.

DRITTER KNABE. Ich weiß: er kann nicht geträumt haben!

ZWEITER KNABE. Ganz in Erregung erzählt er uns!

DRITTER KNABE. Sein Mantel – ich stand ihm gegenüber – spaltete sich einmal: da sah ich – daß er einen Haarstrudel auf der Brust hat!

ZWEITER KNABE. Häßlich!

DRITTER KNABE. Kann er den Traum von Alkibiades gehabt haben?

ZWEITER KNABE. Er log das heraus.

DRITTER KNABE. Keiner kann von Alkibiades träumen – der nicht schön ist! *Sie gehen die Stufen hinab.*

ZWEITER KNABE *an der Bank.* Wer ist es?

DRITTER KNABE *sich schon entfernend.* Komm.

ERSTER KNABE *hebt das Gesicht nach beiden – richtet sich rasch auf, rückt ans Bankende.* Sucht ihr die Bank? Bleibt da. Ich mache euch Platz. Da ist Platz für euch auch. Sitzt! *Die beiden stehen unschlüssig.* Ich habe genug gelegen. Ihr stört mich nicht auf. Bleibt unten!

DRITTER KNABE. Komm. *Er steigt die Stufen hoch.*

ZWEITER KNABE *zögert.*

ERSTER KNABE. Ich habe geweint. Meine Augen sind rot und

klein. Aber jetzt weine ich nicht mehr. Ich weine doch nicht
wieder. Ich – ich weine – *Er springt auf und faßt beide Arme
des zweiten Knaben. Tränenüberströmt.* Ich weine nicht –
ich weine nicht – ich weine doch nicht!

DRITTER KNABE *oben*. Komm.

ERSTER KNABE. Sage mir doch, warum ich weine!

ZWEITER KNABE. Du –

ERSTER KNABE. Du erzähltest mir, weshalb ich hier liege.
Warum bin ich allein – und alle sind zusammen? Bin ich
nicht mehr schön? Habe ich im Rücken – am Hals hinten,
am Bein rechts und links – unterm Arm – vergiftete mich
eine Fliege irgendwo? Bin ich nicht mehr schön?

DRITTER KNABE. Komm!

ERSTER KNABE. Komm und sitz. Bei mir. Wir sitzen zusammen. Am Flieder. Wir schieben die Mäntel weg. Du bist
schön – ich bin schön!

DRITTER KNABE. Die andern kommen. Komm!

ERSTER KNABE. Uns beiden gehört die Bank. Komm schnell,
dann wollen sie uns nicht stören!

Auf der Mauer kommen vierter und fünfter Knabe – umfaßt.

VIERTER KNABE *hinabsehend*. Wer sind sie?

ZWEITER KNABE *den ersten zurückstoßend*. Bei dir bleibe ich
nicht! *Er geht die Stufen hinauf.*

FÜNFTER KNABE. Wer ist es?

ERSTER KNABE. Gafft her! Schreit die Ringschule zusammen.
Alle vierhundert. Und den Ringmeister! Glotzt nach mir herunter. Ich bin ein Kot. Ich weiß es nicht? Nicht? Ich will es
euch sagen, wenn alle oben sind. Ruft herum. Ich schreie für
euch! *Er stimmt langgezogenes schrilles Schreien an.*

*Oben kommen sechster und siebenter Knabe; bald achter
und neunter Knabe.*

ERSTER KNABE *hört auf mit Schreien*.

SECHSTER KNABE. Er ist häßlich so!

SIEBENTER KNABE. Er ist ganz häßlich so!

DIE KNABEN. Häßlich!

ERSTER KNABE. Weil mein Mund geifert? Weil sich meine
Backen buchten? Weil mein Hals sich bläht?

DIE KNABEN. Häßlich!

ERSTER KNABE. Das ist es nicht. Das ärgert euch nicht. Das gilt gering! – Ich bin schon Kot – weil ich eine Schwester habe!

ZWEITER KNABE. Du – schweig!

ERSTER KNABE. So ekelhaft ist das – weil meine Schwester das Weib des Alkibiades ist!

FÜNFTER und SECHSTER KNABE. Sag es doch nicht!

ERSTER KNABE. So gräßlich ist das – weil meine Schwester den Alkibiades vor die Richter gezerrt hat. Die Richter sind über Alkibiades, weil er zu den Frauen ging. Meine Schwester hat den Alkibiades vor die Richter gebracht!

DIE KNABEN *schweigen.*

ERSTER KNABE. Darum liege ich hier. Darum verkrieche ich mich vor allen. Darum will ich ersticken im Fliederrauch! Ich bin mir selbst zum Ekel, weil ich der Bruder bin! – Schont mich nicht. Ich will sterben. Erstickt mich doch – und sagt dem Alkibiades von meinem Tode – der meinen Wuchs nicht verletze, der heil blieb sterbend. Kommt – und begrabt mich im Flieder! Kommt!

Oben sind neue Knaben gekommen, die nun die ganze Mauer dicht besetzen.

EIN KNABE. Ich will dich nicht anfassen!

ZWEITER KNABE. Du hast unten an meinen Mantel gegriffen – ich trage ihn nicht wieder!

EIN KNABE. Laufe weg aus der Ringschule!

EIN KNABE. Mit dir ringt keiner nochmal!

EIN KNABE. Du bist der Bruder!

ALLE KNABEN. Der Bruder!

ERSTER KNABE *erhitzt.* Ich bin der Bruder! Ich laufe vor euch. Lauft nach. Wir dringen zu den Richtern. Wir drohen alle mit unserm Tode. Vierhundert Knaben kommen wir hin. Alle entschlossen – alle bereit. Ich vor euch – lauft mit: wir retten den Alkibiades! *Er will die Stufen hinauf.*

DRITTER KNABE *stemmt sich ihm auf halber Treppe entgegen.* Bleib unten!

ERSTER KNABE *keuchend.* Lauft mit: wir retten den Alkibiades!

DRITTER KNABE. Ring' nicht mir mir! *Mit überkräftigem Stoß befreit er sich von ihm, der die Stufen hinunterstürzt.* Reizt er uns noch auf? Stachelt er diesen Frevel an? Wir sollen mit ihm laufen – –! Wer läuft so – und kommt an: – und atmet nicht geifernd – die rote Hast fleckt über seiner Haut – – häßlich?! – Und bliebe er hier – und regte sich nicht mit einem Schritt vom Kies des Platzes – –: wer ist schön – – wer ist schön! – –: den Alkibiades zu retten?!

DIE KNABEN *schweigen.*

DRITTER KNABE. Sucht an euch herab – und findet keinen Makel – wachst vierhundert zu einem auf, der schön ist von allen: – – er ist nicht schön: den Alkibiades zu retten!

ZWEITER KNABE. Keiner darf den Alkibiades retten!

DRITTER KNABE. Alkibiades ist schön über allen! Keiner darf sich erheben zu ihm und ihn niederbiegen zu sich mit Hilfe und Rettung. Keiner kann den Alkibiades retten, den nicht die Scham verbrennen muß vor solchem Frevel!

FÜNFTER und SECHSTER KNABE. Keiner darf den Alkibiades retten!

DRITTER KNABE. Alkibiades ist schön über jedem!

ALLE KNABEN. Keiner darf den Alkibiades retten!

DRITTER KNABE. Kommt alle herab – wir verkriechen uns alle, weil wir den Alkibiades beleidigen wollten! *Die Knaben steigen die Stufen herab und füllen den untern Raum.*

ERSTER KNABE. Erstickt mich im Flieder!

DRITTER KNABE. Greift nicht nach ihm: man würde fragen – und wir müßten es sagen, was keiner sagen darf: er wollte den Alkibiades retten!

ERSTER KNABE *bricht sich Bahn und läuft die Stufen hoch.* Ich stürze tot vor Alkibiades!

Der greise Ringmeister kommt oben und hält den ersten Knaben auf.

RINGMEISTER *in Lachen voll Glück.* Läufst du mir entgegen? Bist du der ungeduldigste? Verweint? Weil du der Bruder bist? Sei deiner Schwester nicht gram – Alkibiades hat ihr auch schon verziehen! *Hinuntersprechend.* In den Winkel gescheucht? Verängstigt? Alkibiades lacht hell heraus! Er lachte, als er vor die Richter ging – er lachte, als er sein Weib mit den Richtern sah, er lachte und lachend stellte er sich – *Den ersten Knaben schüttelnd.* – vor deine Schwester und lachte. Die verzog erst den Mund – dann blühten die Wangen – dann schmolz ihr Fleisch – und dann hing sie mit zwei runden Armen an Alkibiades. Der lachte – und sah keine

Richter mehr – und die beiden gingen weg – und die Richter lachten – und die Neugierigen, die zu Mauern standen, lachten – und ein Gelächter schallt über die ganze Stadt hin! – – Ihr hört es nicht? Seid ihr taub? Scheucht es euch nicht auf – zu Alkibiades? Stürmt ihr nicht sein Haus? Bevölkert ihr seinen Hof nicht? Rauft ihr euch nicht um seine Hände? *Er klatscht in die Hände.*

DIE KNABEN *mit einem Schrei.* Alkibiades! *Sie stürmen hinauf – und laufen schon weg.*

RINGMEISTER *sieht ihnen lachend nach. Dann zum ersten Knaben, der still steht.* Weshalb bist du nicht hinterdrein oder voraus? Freut es dich nicht am meisten?

ERSTER KNABE *an ihn stürzend und das Gesicht in seinen Mantel drückend – leise.* Ich wollte ihn retten!

RINGMEISTER *streicht über sein Haar.* Kindskopf – den Alkibiades retten!

ERSTER KNABE *außer sich.* Ich wollte ihn retten!

RINGMEISTER. Nur der Alkibiades kann den Alkibiades retten – sonst bräche der Himmel über Griechenland zusammen!

Kakteenfeld. Hügelig ansteigend. Nacht mit Mond und jagendem Gewölk.
Ein Soldatenhaufen von rechts: Schwerbewaffnete in Lederhosen und Eisenplatten vor Brust und Rücken; niedrige runde Helme.

ANFÜHRER. Halten!
SOLDAT. Weiter!
ANFÜHRER. Aufrücken!

Nachzügler kommen.

SOLDAT. Wir werden immer verfolgt!
ANFÜHRER. Warten! Bis der Mond durchkommt. Wir sind in ein Kakteenfeld geraten!
SOLDAT. Wir müssen durch.
ANDERER SOLDAT. Hinter uns hetzt der Feind!
DRITTER SOLDAT. Besser in die Dornen als in seine Dolche!
VIERTER SOLDAT. Die lassen keinen am Leben!
FÜNFTER SOLDAT. Voran vorn!

ANFÜHRER. Da kommt der Mond. Hoch treten – und auf die Kakteenbüsche achten! Die langen Dorne stoßen durch Schuhe und Haut! Weiter!

Der Zug in Marsch.

EIN SOLDAT *schreit auf – steht still.*
SOLDAT. Mach fort!
DER SOLDAT *röchelt.*
SOLDAT *neben ihm.* Wenn du in Fetzen zerhackt sein willst – deine Sache!
DER SOLDAT *krümmt sich nach seinem Fuß – wimmert.*
ANFÜHRER. Bleibt wer zurück?
SOLDAT. Der hat noch nicht genug von der Schlacht!
ANFÜHRER *kommt zu dem ächzenden Soldaten zurück.* Marschiere vor mir – und wenn du zuckst, schlage ich dir mein Eisen um die Knie!
DER SOLDAT *rührt sich nicht vom Fleck.*
ANFÜHRER. Hund – wir haben ohne dich heute zehnmal zuviel Leute verloren. Wir brauchen euch morgen noch. Läufst du jetzt?
DER SOLDAT *winselt.*
ANFÜHRER. Willst du hier einschlafen? Dich drücken vor morgen? Mensch, wer tot ist, soll schlafen – wer aber noch miaut wie du, der – *Er hebt sein kurzes Schwert.*
DER SOLDAT. Nicht den Schritt –!
ANFÜHRER. Los – die andern laufen mir weg!
DER SOLDAT. Keinen Fuß –!
ANFÜHRER. Zusammengehauen bist du in einer Viertelstunde, wenn du nicht rennst. Der Feind ist hinter uns her!
DER SOLDAT. Lieber einmal zusammengehauen, als –
ANFÜHRER. Plappre nicht. Marsch auf – und mit uns weg! *Er stößt ihn.*
DER SOLDAT *schreit auf.*
ANFÜHRER. Heulst du nun um einen Puff?
DER SOLDAT. Laßt mich –
ANFÜHRER. Ich schaffe dich zurück – und wenn ich dich buckeln soll!
DER SOLDAT *nimmt sein Schwert und schlägt nach ihm.* Los von mir!
ANFÜHRER. Bist du toll?

DER SOLDAT *wütend um sich schlagend.* Lauft was ihr könnt
– ich – –

ANFÜHRER. Dreck du – verreck' im Dreck! *Den andern nach,
ab.*

*Der zurückgebliebene Soldat hockt sich auf den Erdboden
nieder: es ist Sokrates. Sein Wuchs ist kurz, der Rücken rund
und hoch. Mit Stöhnen nestelt er an seinem Schuh.*

SOKRATES. Durch den Schuh – – durch die Haut – – ins
Fleisch gespießt – – ein Loch gerissen und gleich verschlossen
mit diesem Stöpsel von Feuer! – – Marschieren: mit jedem
Tritt sich pfählen – – tausendmal sterben für einmal – – und
wieder aufleben und – *Er will den Schuh abstreifen.* Mit dem
Schuh den Dorn, der in der Schuhsohle mit seiner Wurzel haftet – – *Mit einem Ruck entfernt er den Schuh.* Weg-
geknickt! – – Die Spitze steckt im Fuß! – – Jetzt faßt ihn keine
Fingerzange! *Er betrachtet die Fußsohle.* Wie verwachsen in
die Fläche der Haut – – keine Beule – – bloß Schmerz!! *Er
sinkt ohnmächtig zusammen. Nach einer Weile.* Nein –
nicht auftreten. Das ist schlimmer wie Schlacht. Das schlägt
wie Flammen durch mich – – das ist ein Quirl im Blut, der
wirbelt! – – Erbarmen!! – – Ich rühre mich ja nicht – – ich
raffe mich nicht auf – – und stoße nicht die ganze Erde gegen
diesen Keil in meinem Fleisch!! – – – *Sich umblickend.*
Weiter soll ich mit euch? Wo führt der Weg? Hier durchs
Kakteenfeld? Mit einem Dorn im Fuß? Wollt ihr mich foltern? Seid ihr Henker? Mit euch traben und mich zerfetzen
mit Stachel neben Stachel zum Sieb? Seid ihr die Feinde? –:
die kommen und vernichten mich mit *einem* Stich! – – – –
Hier will ich sitzen –: sie werden mich nicht fangen und weg-
führen – – sie sollen mich totschlagen!!

*Hinten auf dem Hügel taucht ein Krieger auf – in Rüstung
von weißem Email – waffenlos: Alkibiades. Der Mond um-
hellt ihn glanzvoll.*

ALKIBIADES *hält Umschau – erblickt Sokrates – weht zu
ihm.* Grieche – Schwerbewaffneter –: wohin der Rückzug?
SOKRATES *unbestimmte Geste.*
ALKIBIADES. Du weißt den Weg?

SOKRATES *dasselbe.*

ALKIBIADES. Auf – führ mich!

SOKRATES *schüttelt den Kopf.*

ALKIBIADES. Du – kennst du mich nicht? Sieh her!

SOKRATES *verändert seine Haltung nicht.*

ALKIBIADES. Ich bin Alkibiades!

SOKRATES. Stoß mich nicht an!

ALKIBIADES. Ich bin der letzte, der gekämpft hat. Meine Waffen sind zerschlagen. Sie sind hinter mir. Sie jagen mich wie ein Wild!

SOKRATES. Keinen Schritt!

ALKIBIADES. Ich habe mich verirrt. Ich finde die anderen nicht. Bring mich hin!

SOKRATES. Laß mich los!

ALKIBIADES. Mensch, ich nehme dein Schwert – und schlage auf dich, bis du läufst!

SOKRATES. Ich laufe nicht mit dir!

ALKIBIADES. Voran du – und zu den andern!

SOKRATES. Weg du – ich laufe nicht voran!

ALKIBIADES. So treibe ich dich vor mir her wie einen Suchhund! *Er will Sokrates' Schwert fassen.*

SOKRATES *schlägt wütend um sich.* Keinen Schritt mehr – keinen Fuß breit vom Fleck – –! Lauft, was ihr könnt – ich laufe nicht mit euch!!

Auf der Höhe feindliche Soldaten. Sie erkennen Alkibiades und rufen seinen Namen: »Alkibiades!«

ALKIBIADES *zu Sokrates.* Grieche – die Hunde sind nach mir – zurück zu Griechen!

SOKRATES. Ich – laufe – nicht!

Die feindlichen Soldaten rennen heran.

ALKIBIADES *zu Sokrates.* Laufe voran – den Weg zu den Griechen!

EIN FEINDLICHER SOLDAT *zurückrufend.* Hier fangt den Alkibiades! – Alkibiades ist ohne Waffen!

ALKIBIADES. Sie kommen zu vielen – laufe mit mir zu Griechen!

SOKRATES. Ich – laufe – nicht!

EIN FEINDLICHER SOLDAT *zu den andern feindlichen Soldaten, die auftauchen.* Hier fangt den Alkibiades! – Alkibiades ist ohne Waffen!

Sie stürmen heran.

ALKIBIADES *Sokrates stoßend.* Laufe mit mir zu Griechen!
SOKRATES *mit dem Schwert blindlings um sich schlagend.* Von – mir – los!
ALKIBIADES *springt, den Hieben ausweichend, hinter Sokrates.*
EIN FEINDLICHER SOLDAT *ankommend.* Fangt ihr nicht den Alkibiades?
EIN FEINDLICHER SOLDAT. Einer ist vor ihm und verteidigt den Alkibiades!
EIN FEINDLICHER SOLDAT. Er läßt uns nicht an den Alkibiades heran!
EIN FEINDLICHER SOLDAT. Ein Schwerbewaffneter ist es.
EIN FEINDLICHER SOLDAT. Die sind alle tapfer!
EIN FEINDLICHER SOLDAT. Laßt ihn matt werden, dann stechen wir ihn zusammen!
EIN FEINDLICHER SOLDAT. Eher fangen wir den Alkibiades nicht hinter ihm!

Die Schläge des Gefechts zwischen dem blindwütigen Sokrates und den feindlichen Soldaten schallen mächtig.
Auf dem Hügel griechischer Soldaten – im Schrei: »Alkibiades!«

EIN FEINDLICHER SOLDAT. Griechen!
EIN FEINDLICHER SOLDAT. Mehr Griechen!
EIN FEINDLICHER SOLDAT. Griechen in Übermacht!
EIN FEINDLICHER SOLDAT. Fliehen!
EIN FEINDLICHER SOLDAT *zu Sokrates.* Schuft – hättest du nicht um dich gehauen wie ein Stier, wir hätten jetzt den Alkibiades gefangen. Ich speie auf dich! *Die feindlichen Soldaten ab.*

Die griechischen Soldaten mit jubelnden Schreien heran: »Alkibiades!«

EIN SOLDAT. Wir hörten den Schrei, den die Feinde schrien: Alkibiades! – und den Lärm von Kampf, der übers Feld schallte!

Der gerettete Alkibiades 765

EIN SOLDAT. Du bist ohne Waffen?

EIN SOLDAT. Wer kämpft bei dir?

EIN SOLDAT. Wer hieb dich heraus?

ALKIBIADES *sieht nach Sokrates, der ohnmächtig liegt.* Wer ist dieser?

EIN SOLDAT *tritt dicht an ihn heran.* Von den Schwerbewaffneten einer.

EIN SOLDAT. Ich bin Schwerbewaffneter – versprengt zu euch. Laßt mich hin. *Er hebt das Gesicht des Sokrates auf.* Ich kenne ihn. Der letzte in der Reihe. Ein halber Buckel. *Sich aufrichtend.* Sokrates!

Stille.

ALKIBIADES *ruhig.* Legt Sokrates auf den Schild – tragt Sokrates vor mir: – er den Alkibiades gerettet!

Die Soldaten heben ihn auf den Schild. Der Zug setzt sich in Bewegung. Der Abend fließt in Gewölk.

Stadthochhaus. Wandflächenglast und Deckenspiegel goldgrün. Nach schmaler Plattform von rechts und links Rotmarmortreppen. Mächtiges Treppengefüge zur Mittelwand steil.
Oben sitzend der Preishochrichter – auf Tisch vor ihm der Goldkranz – und die beiden Lobredner.
Tuben und Trommeln aus Tiefe rechts.
Von rechts wird auf die Plattform in Goldelfenbeinsessel Alkibiades – weißgerüstet – getragen. Die vier weißnackten Träger stellen nieder – nach rechts wieder hinab.
Tuben und Trommeln still.

PREISHOCHRICHTER. Lobredner des Alkibiades – füllt sich dein Mund mit Stimme, die von Alkibiades sagt, was sagt, wen die neue Tat des Alkibiades gestern und heute sprachlos macht – rede heute zum Lob des Alkibiades!

ERSTER LOBREDNER *oben an den Rand der Treppe vortretend.* Aus Stummheit gestern und Stummheit morgen ist Sturz von Worten und Worten gleich los: ich sehe Alkibiades. Wie bestehe ich vor dem Anblick, der mit weißer Flamme entzündet, die das Rauschen von Ruhm tost und Farbe des Wunders bläht? Nicht Sprache ist hier Kunst – meine Kunst

wird hier Widerstand gegen die Sprache! – Ich sage die neue
Tat des Alkibiades – und in Einem sind Schilderung und Lob!
– Die Schlacht war verloren. Vor Übermacht wich das Heer.
Abend fällt in die Schlachtebene. Verfolgung und Dunkelheit verwirren den Rückzug. Unsere Streitmacht in voller Gefahr der Vernichtung. Ohne Schutz am andern Morgen Land
und Stadt. Land mit Frauen, Greisen und Kindern – Stadt
mit Greisen, Kindern und Frauen frei vor Gier von Siegern,
die gräulich wie Sieger sind. Verderben schwoll unter dem
Schwarzhimmel, wo das Heer über der Ebene zerrann und
der Feind in die Zersprengten stürmte! – Wollte der Rückzug nicht stocken? – trieb er weiter in Flucht, die rast schneller mit jedem Schritt, der flieht? – werden noch alle erschlagen, die aus der Niederlage marschieren? Wo wird Sammlung, die sich stemmt gegen Verfolgung? –: wo ist Alkibiades?! – – Alkibiades: – Fackel in den Boden gestoßen, die
Ziel zeigt! – Alkibiades: – weiß überleuchtend die Nacht! –
Alkibiades ersteht im wüsten Feld!! – – Alkibiades wird Ruf
von Ruf zu Ruf – eilig ist Hinlauf zu Alkibiades – um Alkibiades staut in Ballung sich Fluchtstrom – Umkehr dreht
Schar nach Schar – Stirn steht wieder gegen Feind, der stutzt
– Vorsprung räumt – zagt: – bis in festem Zug Alkibiades
das volle Heer aus der gefährlichen Ebene in gutes Gebiet
wegführt. Griechenland ist vor Untergang bewahrt!! – – Ich
sage, was geschah im Feld unter schwerer Nacht bei wetter-
leuchtendem Mond. Erfindet ein Lob, was über diese neue
Tat des Alkibiades trifft? Will ein neues Lob den langen
Ruhm des Alkibiades häufen, der schon an den Turm der
Decke hier stößt von Malen und Malen seines Lobs? – –
Niemand darf den Alkibiades loben – nur der Alkibiades
lobt den Alkibiades, wie die Taten des Alkibiades nur die
Taten des Alkibiades sind! *Er tritt zurück.*
PREISHOCHRICHTER *winkt nach links.*

Scharfe Trompeten und Becken aus Tiefe links.
Von links wird auf die Plattform Sokrates – in brauner Feld-
rüstung – auf dem Schild getragen. Die vier Träger – Schwer-
bewaffnete – setzen den Schild auf ein niedriges Gestell ab –
nach links wieder hinab.
Trompeten und Becken still.

PREISHOCHRICHTER. Lobredner des Sokrates – nun ist Stille

für dich bei allen, die unter den Treppen im ungeheuren Raum des Hauses drängen!

ZWEITER LOBREDNER *vortretend – lebhaft.* In der Tiefe – Männer und Knaben – seht hoch: – Blitz fährt ab und trifft euch ins Auge, das zwinkert in Blendung vor Weiße des Alkibiades. Dunkel wird Luft – ohne Unterscheidung irrt Blick – – was ist neben Alkibiades? Kann Schatten Gestalt werden und aus Grau, das rinnt, austreten und bei Alkibiades deutlich sein? Wie ist Druck von Wucht mächtig, die setzt einen anderen zu Alkibiades hin? Wie zertrümmert ihn nicht Stoß von Strahl, der von Alkibiades brandet? Was fängt die Flamme auf und wirft sie zurück mit gewaltigem Glanz? Wo ist Tat über Tat, die von Alkibiades hier rühmte – und nimmt sie auf und legt sie sich unter die Sohlen und steht höher darauf als sie Alkibiades schichtet? Was ist Tat, die sich hebt über die Tat des Alkibiades, als er Griechenland vom Abgrund, der aufriß, schob? – Griechenland stürzte nicht – Griechenland dauert: nur von Alkibiades konnte diese Tat geleistet werden. Alkibiades – aufrecht im Feld – verweist Feind von Verfolgung! – – Waffenlos überstürmt er das Feld – nach ihm ist die Meute – wie wehrt er sich? Sein Lauf hemmt schon müde – dicht der johlende Trupp, der fängt – leer vom Heer weites Gefild – – wie rettet der Alkibiades den Alkibiades, der Griechenland rettet? Schießt von einem sprühenden Stern neues Schwert zwischen seine Hand, das haut?! – – Ein buckelndes Kauern hockt irgendwo in der Ebene – stemmt auf vor Alkibiades – schlägt Kreise, die schneiden, wer zudringt – ficht zäh, bis Griechen von hier – Griechen von da anlaufen – sinkt ohnmächtig hin – und läßt den geretteten Alkibiades bei Griechen, um Griechenland zu retten!! – Nur der gerettete Alkibiades konnte Griechenland retten –: seine gelobte Tat entsteht aus Tat, die vor ihr besteht. Nicht mehr bleibt Alkibiades Namen, der wie Wind man kennt nicht woher fährt: ein volleres Brausen schickt ihn aus, das dröhnt: Sokrates!! – – Sokrates hat den Alkibiades gerettet – wie eine Hülse, die schont – umkleidet diese Tat den schimmernden Alkibiades. Was ruft den Ruhm des Sokrates lauter als der Ruhm des Alkibiades, der nun unter jenem nistet?! – – Lob rollt an Alkibiades: – Alkibiades hat Griechenland gerettet! – Von Lob des Alkibiades schwillt Lob zu Sokrates: – Sokrates hat den Alkibiades gerettet!! *Er tritt zurück*

PREISHOCHRICHTER *steht auf – wendet sich gegen Alkibiades.* Von Lob gereizt, wie es der Lobredner goß über Höhe und Tiefe des Hauses, wird Dank laut, der dir gilt – Alkibiades!

ALKIBIADES *aufrecht.*

PREISHOCHRICHTER. Male und Male sind Schnur von Länge, die reiht Preis und Preis, die dich luden auf letzte Stufe der erhöhenden Treppen. Dies ist Mal, wo Lohn sich auf mittlerer Treppe dir zuteilt. Gabe fordert dich heute nicht hoch – Dank ist Ton, der fällt zu dir wie ihn Griechenland sagt, daß sich verdankt dir – Alkibiades!

Tuben und Trommeln laut. Dann Stille.

ALKIBIADES *wieder im Sessel.*

PREISHOCHRICHTER *sich gegen Sokrates wendend.* Ohne Wert bleibt Sprache, die Schuld tilgen will vor dir – Sokrates!

SOKRATES *regt sich nicht auf dem Schild.*

PREISHOCHRICHTER. Laut birst an Lippen – einsilbig stockt Wort und verleugnet der Versuch. Arm müßte Griechenland vor dir stehen und dich von halber Treppe schicken, wie ihm nicht in Besitz, was gleich vergilt. Rede ist stumm – Hände werden tätig, die den einzigen Preis, der Griechenland rühmt, wie es ihn selten über selten vergibt, dir leihen: der Goldkranz! *Er erhebt den Goldkranz.* Von mittlerer Treppe, auf die dich die Vier trugen, steige allein über die letzte Treppe von höchster Steile, die nur überwindet, wem der beste Preis sich billigt. Setze den Fuß auf Stufe und Stufe über Stufe, bis alle Stufen dich bringen zur Krone des Goldkranzes!!

SOKRATES *wölbt in ungeheurem Krampf auf – stellt Bewegung still. Ruhig.* Ich schenke – – den Goldkranz – – an Alkibiades.

ALKIBIADES *biegt vor – klammernd am Sessel – starrend.*

Lange Stille.

PREISHOCHRICHTER *sich sammelnd.* Sokrates hat den Alkibiades gerettet – – Alkibiades hat Griechenland gerettet – –: Sokrates stülpt die Rettung Griechenlands über seine Tat, die den Alkibiades rettete!! – – Sokrates verweist den Goldkranz – – Sokrates will Alkibiades krönen!!

ALKIBIADES *steht endlich aus dem Sessel auf – und beginnt den Widerstand jeder Stufe mit ungeheurer Anstrengung zu brechen. –*

Tuben, Trompeten, Trommeln, Becken tosend.

ZWEITER TEIL

Dachbodenraum – grau getüncht, kahl. Zwei Türen hinten.
Rechts in Schrägwand geringes Fenster. –
Sokrates sitzt vor der Linkswand – ein Bein in der Kniekehle
über einem Schemel stützend – eine Herme bauend, zu der er
den Ton aus einem Bottich schöpft. –
Xantippe kommt aus der Tür rechts hinten – Küchenraum
dahinter – und stellt sich unter das Fenster, das sie mit dem
Gesicht nicht erreicht. – Wieder ab. –
Sokrates formt vorgebeugt.

XANTIPPE *kehrt mit einer Fußbank zurück – stellt sie unter*
das Fenster und tritt hinauf. Nun öffnet sie das Fenster und
steckt den Kopf hinaus. Sokrates tief über den Bottich ge-
neigt.
XANTIPPE *heruntersteigend.* Das sind Dächer – da ist kein
Ende von Dächern und Dächern – – das sind Mauern um
den Verstand!
SOKRATES *stumm.*
XANTIPPE. Das ist Straße – und Straße durch Straßen – das
kreuzt und keilt sich – – das drückt Schwindel in den Kopf!
SOKRATES *ebenso.*
XANTIPPE. Das ist ein Steinkasten – das klappert und knarrt
treppauf treppab – das kreischt und kirrt Wand an Wand – –
das hetzt durchs Fenster sich zu stürzen, um nicht mehr zu
sehen und zu hören!
SOKRATES *ebenso.*
XANTIPPE. Warum sind wir vor der Stadt weggezogen?!
SOKRATES *ebenso.*
XANTIPPE. Sage mir einen Grund, der stichhaltig ist. Einer
müßte tausend Gründe erzählen, wenn er sich rechtfertigen
will! – – Da war ein Haus. Für wen? Für uns! – Da war ein
Gartenstück. Für jedermann? Mit Zaun für uns! – Da war
Luft – Sonne Wind Regen – unser Teil, was unser Teil war!
Das gehörte uns von morgens bis mitternachts mit Baum
Blatt Stiel – und wehe, wer zudrang ungebeten. Ich hätte ihm
über die Staketen geholfen!
SOKRATES. – – Ich brauchte Ruhe.
XANTIPPE. Das war dir nicht verlassen genug – und hier
siedelst du dich in einem Ameisenhaufen an?!
SOKRATES. Der Zulauf stand bevor.

XANTIPPE. Deinetwegen?!

SOKRATES. Ich habe den Alkibiades gerettet.

XANTIPPE. Das sind Krieggeschichten. Es herrscht Frieden. Kein Mensch will mehr von dem verlorenen Feldzug wissen!

SOKRATES. Den Ehrenkranz habe ich zurückgewiesen.

XANTIPPE. Macht das Aufsehen?

SOKRATES. Nicht von heute auf morgen.

XANTIPPE. Und die Folgen?

SOKRATES. Neugierige – Gaffer – Faselhänse.

XANTIPPE. Das erschreckt dich?

SOKRATES. Soll ich arbeiten, wenn sie mir um den Bottich herumstehen – die Ellbogen eindrücken? Ein Künstler kann nur in Einsamkeit schaffen.

XANTIPPE. – –?! – – Du ein – –?! – – Ich spreche das Wort nicht nach! – Ein Hermenmacher bist du, der im Dutzend arbeitet – – Hermen, die man in die Torgänge stellt – –

SOKRATES. Du lästerst das Heiligtum der Stadt.

XANTIPPE. *Die* Hermen stehen auf den öffentlichen Plätzen – die sind mir heilig –: die machst du nicht! Wer hier frevelt, ist der, der seine Marktware mit dem Heiligtum vergleicht!

SOKRATES. Meine Handfertigkeit kann sich entwickeln.

XANTIPPE. In einem Dachboden, den ein Kellerfenster beleuchtet?!

SOKRATES *schweigt.*

XANTIPPE. Du hast den Alkibiades gerettet – du hast den Ehrenpreis verwiesen –: das ist ein Anfang. Dergleichen ist entwicklungsfähig. Du hast es mir verraten: – die Leute sollen kommen und staunen: das ist Sokrates. Da sitzt er und macht Hermen. Hermen von Sokrates – das wird die große Begierde. Was Kunst –! – deine Fäuste formten das. Das genügt – du hast Arbeit mehr als du leisten kannst. Jetzt beginnt das Leben. Mit zehn Fingern greife ich zu!

SOKRATES. Frau!

XANTIPPE. Hier packen wir auf – das sind drei Handgriffe. Ich lache befreit! – Das sind Dächer Straßen Steinkästen – Abschied! – Draußen blüht Luft – grünt Gartenstück – grüßt Nachbarschaft von Zaun über Zaun – Aufbruch!!

SOKRATES. Frau!!

XANTIPPE. Ich schreie das Haus zusammen – – ich mache den Stadtteil lebendig – ich rufe um Hilfe: – – hier ist Sokrates – – der mich morden will!!!!

SOKRATES. – – Ich muß bleiben – wo wir sind, Frau.

XANTIPPE. Soll ich zwischen diesen Wänden ersticken?!

SOKRATES. Mich – – erdrückt der Raum.

XANTIPPE *stutzt – betrachtet ihn.* Mann –!

SOKRATES. Ich bin geflüchtet in diesen Dachboden – – und muß mich verbergen.

XANTIPPE. Was – hast du begangen??

SOKRATES. Ich – – habe den Alkibiades gerettet und den Goldkranz dem Alkibiades geschenkt.

XANTIPPE. Fürchtest du dich – vor deiner Heldentat?

SOKRATES. Sie besteht nicht. Ich habe den Alkibiades nicht retten wollen – und dem Alkibiades den Goldkranz nicht schenken wollen.

XANTIPPE. Du hast den Alkibiades gerettet –

SOKRATES. Ich – ich mit meinem Buckel – der letzte im Glied –: muß man mich nicht über Alkibiades setzen, der weiß schimmert von Leib und Rüstung? Wer bin ich – der noch den Goldkranz an Alkibiades verschenkte – und sich stellte über Lohn und Dank, der ihm gilt? – – Wer bin ich? – – Ein Schwerverletzter, der sich im Kakteenfeld einen Dorn in die Sohle trat und den Rückzug nicht mitgehen konnte! – – der um sich schlug, weil einer ihn zum Wegweiser aufstöbern wollte! – – dem Freund und Feind, wer kam, gleichgültig war – –: nur ums Sitzen bemüht, daß kein Schritt den Stachel im Fuß tiefer eindrückte! – – der die Treppen im Stadthochhaus nicht ersteigen konnte, weil der Dorn im Fleisch brannte – – – – wie er furchtbar brennt, wenn ich den Fuß nicht stütze – über diesen Schemel, der ihn freischweben läßt eine Spanne über dem Boden!!

XANTIPPE *bei ihm.* Du hast den Dorn nicht herausgezogen?

SOKRATES. Die Wurzel brach ab.

XANTIPPE. Ich hole einen Arzt.

SOKRATES. Der zöge ihn ans Licht – und es käme mehr zum Vorschein: – – der ungeheure Schwindel, der Alkibiades für alle Zeiten lächerlich macht!

XANTIPPE. Ein Dorn, den du dir eintratst –

SOKRATES. Auf der platten Straße? Das Kakteenfeld überbreitet die Ebene, wo wir zurückgingen. Das ist berüchtigt – und ein Kakteenstachel sitzt mir in der Sohle. Man kann keine zehn Schritt so gehen – und ich blieb zurück – und rettete den Alkibiades – und verschenkte unter den turmsteilen Treppen den Goldkranz. Der Arzt macht mich schnell gesund – – aber den Alkibiades krank bis auf die Nieren!

XANTIPPE. Was willst du nur tun?

SOKRATES. Den Alkibiades retten!!!!

XANTIPPE. Du leidest!

SOKRATES. Maßlos, Frau!! – – Es spaltet mich aufwärts – – Funken sprühen mir vor den Augen – – setz' ich den Fuß auf!! – – Ich habe Angst vor einem Schritt – – wie vor der Hinrichtung mit Beil und Schlinge – – aber das tötet einmal – – ich sterbe tausendmal – – in jeder Stunde – – und kann nicht sterben!!!!

XANTIPPE *zurücktretend*. An der Tür – jemand!

SOKRATES. Niemand zu mir!

XANTIPPE. Zu dir!

SOKRATES Ich lebe nicht!!

Noch Rütteln an der Tür links hinten – jäh offen: Alkibiades, in grauem Mantel und Mütze, auf der Schwelle. – Sokrates arbeitet hingenommen. – Xantippe sieht Alkibiades fragend an.

ALKIBIADES *die Tür schließend – in Verlegenheit lächelnd*. Das ist eine Reise bis herauf – und in der Dämmerung stößt man an unvorhergesehene Hindernisse. Die Tür war kaum zu finden.

XANTIPPE. Wer – –?

ALKIBIADES. Deine Frau, Sokrates?

SOKRATES *sieht nicht auf*.

XANTIPPE. Wir haben hier keine Bekanntschaft.

ALKIBIADES. Ich bitte dich, Sokrates, schicke auch deine Frau aus dem Zimmer.

SOKRATES *ohne Blick*. Kundschaft, Frau.

XANTIPPE *nimmt die Fußbank mit sich – langsam rechts hinten ab*.

ALKIBIADES. Wird dir das selbstverständlich, daß ich durch die dünstende Vorstadt laufe und in deinen schwindelnden Dachboden heraufsteige?

SOKRATES *dreht das Gesicht nach ihm*.

ALKIBIADES. Kennst du mich nicht?

SOKRATES. Nein.

ALKIBIADES. Ein Grieche – der den Alkibiades nicht unterscheidet – aus jeder Vermummung?! *Er streift unwillkürlich die Mütze ab und öffnet den Mantel: herrliche Nacktheit darunter.*

SOKRATES *nebenhin.* Du bist Alkibiades.

ALKIBIADES. Keiner, der mir näher drang – auf Kampfebene und im Stadthochhaus – wie du – – und du erinnerst dich nicht?!

SOKRATES. Muß ich das – *Er hat unauffällig den Schemel unter seinem Knie weggeschoben und setzt nun vorsichtig den Fuß auf den Boden. Ein Stöhnen unterdrückend.* Da – ist ein Schemel – für dich.

ALKIBIADES *läßt sich nieder – starrt Sokrates an.* – – Warum bliebst du aus dem Rückzug allein zurück – – und konntest mich aus der Verfolgung retten?

SOKRATES *sein arbeiten nicht unterbrechend.* Beschäftigt dich das?

ALKIBIADES. Ich habe nach dir Tag und Nacht suchen lassen!

SOKRATES. Ich bin ein unbekannter Hermenmacher.

ALKIBIADES. Mit Anspruch auf breiteste Öffentlichkeit – – aber du verschenktest schon den Ehrenkranz!

SOKRATES *schweigt.*

ALKIBIADES. Ich danke ihn dir – und das Leben: und du verschwindest in eine Dachsparrenkammer. Licht von einer Luke!

SOKRATES *stumm formend.*

ALKIBIADES *stark.* Man empfängt nicht gern Geschenke aus Händen, die knotig sind. Man verdankt nicht gern Leben und Lob einem Buckel – der es wie Bettel hinwirft, den man aufheben muß – und trägt als Zierde und Krone! – – Ich bin Alkibiades, an dem Griechenland prunkt und sich brüstet – und in Scheu weicht aus seiner Nähe, um nicht mit Atemhauch zu betasten – –!! – –: wer bist du, der aus groben Fäusten fallen läßt, wonach ich mich bücke – und buckle vor dem Buckel, der über mir grinst?!!

SOKRATES *sieht ihn an.* Ich bin – Sokrates.

ALKIBIADES *greift schnell unter seinen Mantel und hat einen Dolch.* Du – –

SOKRATES *rührt sich nicht – lächelt.* Ich – wäre dir dankbar.

ALKIBIADES *verwirrt.* Ich wollte –

SOKRATES. – mir die letzte Befreiung schenken!

ALKIBIADES. Befreiung – –??

SOKRATES. Vom Lob – – vom Leben – – *Ächzend.* – – vom Leiden!!

ALKIBIADES *verbirgt den Dolch. Ruhig – aufmerksam.* Warum gingst du den Rückzug nicht mit allen?

SOKRATES. Wir liefen den Tag lang vorwärts und die Nacht lang rückwärts – und ich war des Spiels mit Armen und Beinen überdrüssig.

AKLIBIADES. Unsere Schlacht ein Spiel mit Armen und Beinen?

SOKRATES. Haben wir nicht mit den Beinen marschiert und mit den Armen gefochten?

ALKIBIADES. Griechenland stand auf dem Spiel!

SOKRATES. Das von Armen und Beinen ausgetragen wurde.

ALKIBIADES. Ein Spiel wo es um alles ging!

SOKRATES. Dann war dies Alles nicht sehr wichtig, wenn es mit so geringem Einsatz von Armen und Beinen ausgetragen wurde.

ALKIBIADES *stumm.*

SOKRATES *wieder arbeitend.* Das fiel mir ein, als ich mich auf der Schlachtebene niederließ – – und es mich nachdenklich machte.

ALKIBIADES. Du gerietest in Gefahr –

SOKRATES. Der Feind hätte mich getötet.

ALKIBIADES. Dein Leben konnte es dich kosten!

SOKRATES. Wenn es mit Armen und Beinen vernichtet werden kann, ist wohl nichts des Aufhebens Wertes daran.

ALKIBIADES. Dein Heldentum –

SOKRATES. Eine kleine Nachdenklichkeit.

ALKIBIADES. Galt dir ebensowenig der Goldkranz im Stadthochhaus?

SOKRATES. Hätte man ihn mir um die Arme und Beine gegürtet, wäre ich einverstanden gewesen. Aber was hatte mein Kopf mit dem Goldkranz zu tun, auf den man ihn drückt?

ALKIBIADES. Es läuft einem kalt über den Leib – hört man dich, Sokrates.

SOKRATES. Sage mir eine Entgegnung, die mich erschüttert. Ich lasse mir helfen, wo ich irre. Ich bin belehrbar und Schüler eines Kindes, wenn es mir vernünftig zuspricht. Aber es muß vernünftig sein, was man im Kopf denken kann – und nicht mit Armen und Beinen beweist. Ich nehme dir den Goldkranz wieder ab, der dich belästigt – nur darf ich mir mit Armen und Beinen nicht verdienen, womit ich mir den Kopf kröne!

ALKIBIADES *bitter.* Griechenland stand auf dem Spiel – –

SOKRATES. Griechenland ist ein Spiel von Armen und Beinen!

ALKIBIADES *das Gesicht zwischen die Hände versteckend*. Es wird dunkel werden in Griechenland – – – –

SOKRATES *sieht ihn lange an – dann arbeitend*. Siehst du, was ich hier tue? – – Ich baue eine Herme. Das ist ein Denkmal für einen Menschen – wie du einer bist, dem man Denkmäler errichten wird. Deine Leistung ist der Sieg mit Armen und Beinen – wird man nun deine siegreichen Arme und Beine bilden und aufstellen? – Man schneidet sie weg – formt einen glatten Sockel und setzt den Kopf darauf. Nur den Kopf. Was liegt an den Armen und Beinen? Die laufen und hauen – doch der Kopf vollbringt das Besondere. Darum blieb ich auf dem Schlachtfeld zurück – und die Wirkung zeigte sich gleich, weil der Kopf gearbeitet hatte –: ich konnte dir das Leben retten – mit deinem Leben dein Griechenland – und dir noch den Goldkranz verschaffen!

Die Tür links hinten wird aufgerissen: die Knaben – in grauen Mänteln und Mützen, Dolche hoch in Händen – dringen ein.

ERSTER KNABE. Das ist Sokrates!

ANDERE KNABEN. Tod dem Sokrates!!

ALLE KNABEN *gegen Sokrates stürmend*. Er hat den Alkibiades gerettet!!!!

Xantippe rechts hinten heraus – Aufschrei.

ALKIBIADES *tritt den Knaben entgegen*. Sokrates hat den Alkibiades gerettet – – Sokrates hat dem Alkibiades den Goldkranz verschenkt – –: nur Sokrates durfte den Alkibiades retten – nur Sokrates durfte dem Alkibiades den Goldkranz verschenken!!

DIE KNABEN *stehen gebannt*.

ALKIBIADES. Was wißt ihr von Sokrates?! – – Ich will es euch sagen, wie ich es sagen kann – nach kurzer Unterweisung, die Sokrates mir gönnte. Ich bin schon heute begierig nach morgen, das mich mehr lehrt – wie ihr begierig werdet, wenn ich euch unterweise. Stört nicht den Sokrates – ich sage euch alles von Sokrates, das ich heute und morgen und jeden Tag von Sokrates erfahren will!!

Die Knaben gehen mit ihm ab.

XANTIPPE. – – – – Bei dir – –?!

SOKRATES. Still, Frau – – rede mich nicht an – – schände dich nicht – –: – – ich – – ich – – ich – – ich – –

XANTIPPE. Die andern – –?!

SOKRATES *die Arme hochwerfend.* Ich – – hatte Mitleid mit ihm!! – – – – ich mußte erfinden – – was nicht erfunden werden darf!! – – – – ich mußte den Himmel zudecken – – und die Erde verwelken – –!! – – es war kein Frevel von mir – – – –: Mitleid!! – – – – Mitleid!! – – – – Mitleid!!

XANTIPPE *beobachtet ihn besorgt – rechts hinten hinein.*

SOKRATES *blickt um – richtet sich auf – überwindet den Krampf des Schmerzes und geht – geht links hinten ab.*

XANTIPPE *kommt mit einer Waschschüssel zurück – – starr vor Sokrates' leerem Sitz – – kraftlos in die Knie brechend – – stöhnend.* Der – – Dorn – – – –

Enger Fischmarkt. Kopfsteinpflaster. Gassen von rechts und links zulaufend.
Ununterbrochen aus der Gasse rechts und zurück Fischweiber zweiräderige Faßkarren vor sich schiebend, deren Inhalt sie in feste kupferne Wannen rings um den Fischmarkt schütten.
Sokrates steht in Fischmarktmitte.

ERSTES FISCHWEIB *vor Sokrates einhaltend.* Soll ich einen Umweg um deinen Buckel machen?

SOKRATES. Mein Buckel ist ein Umweg in meinem Rücken, damit das Blut nicht zu rasch in den Kopf steigt und den Verstand überschwemmt.

ERSTES FISCHWEIB. Was schiert mich dein Buckel?

SOKRATES. Eben noch stießest du dich an ihm.

ERSTES FISCHWEIB *biegt ihm aus.*

ZWEITES FISCHWEIB *hinter Sokrates.* Achtung, Schatz, es setzt platte Zehen!

SOKRATES. Warum sagst du mir das vorher, daß du mich überfahren willst? Ich werde es genug spüren, wenn dein Karren mir über die Füße walzt.

ZWEITES FISCHWEIB. Mensch – beiseite!

SOKRATES. Oder hast du mich auf den Schmerz vorbereiten wollen, dem ich jetzt mit Beherrschung begegne?

ZWEITES FISCHWEIB *im Bogen um ihn.*

DRITTES FISCHWEIB *hinten an einer Wanne – aus ihrem Schöpfkübel nach Sokrates sprengend.* Hat der Knollen Wurzeln im Kopfsteinpflaster geschlagen? Das ist ein schmählich harter Boden – den muß man aufweichen!

Die Fischweiber kreischen.

SOKRATES *klopft sich das Wasser vom Rock.* Du hast zu hoch getroffen – man begießt einen Baum nicht um den Stamm, sondern tränkt die Sohle.

VIERTES FISCHWEIB *hinten an einer Wanne – zum dritten Fischweib.* Wem ist nun mit deinem Spritzer das Fell gewaschen?

DRITTES FISCHWEIB *grell erwidernd.* Schellfischgräten sammle ich für deine Matratze – das macht dich noch einmal beweglich, Stockfisch!

VIERTES FISCHWEIB *lacht auf.* Nimm dir Stichlinge in dein Bett – sonst sticht dich nichts, Steinmuschel!

FÜNFTES FISCHWEIB *mit dem Faßkarren vor Sokrates.* Hier ist Fahrstraße – ausgewichen!

SECHSTES FISCHWEIB *mit dem Faßkarren hinter Sokrates.* Fuhrwerk kommt – weggetreten!

SOKRATES *dreht den Kopf nach links – nach rechts.* Ich darf keinen Fuß rühren.

FÜNFTES FISCHWEIB. Ich werde dich laufen lehren!

SECHSTES FISCHWEIB. Ich will dich springen machen!

SOKRATES. Ich bleibe zwischen euch fest stehen.

FÜNFTES FISCHWEIB. Los – ich schiebe!

SECHSTES FISCHWEIB. An – mit Druck!

SOKRATES. Was wird das Ende sein? Ich weiche – gut –: ihr treibt eure Faßkarren weiter und prellt sie zusammen, daß die Faßwände bersten und der Inhalt sich ausschüttet. Haben eure Männer die Fische erst aus dem Meerwasser gezogen, um von euch auf das Marktsteinpflaster ausgesetzt zu werden? – Ich verhindere euren uneinbringlichen Verlust, wenn ich auf meinem Platz verharre.

SIEBENTES FISCHWEIB *an einer Wanne rechts.* Der läßt euch noch über den Mond karren, um an eure Fischwannen zu gelangen!

FÜNFTES FISCHWEIB *vorn um Sokrates ausbiegend – zum sechsten Fischweib.* Mußt du karren, wo ich komme?

SECHSTES FISCHWEIB *hinten um Sokrates – antwortend.* Hast du den Fischmarkt für deine fingerlangen Heringe gepachtet?

FÜNFTES FISCHWEIB *schrill.* Aus deinem Faßkarren stinkt es – warum schaffst du deine verreckten Flundern nicht im Bastkorb auf den Fischmarkt?

SECHSTES FISCHWEIB. Ist Wasser in deinem Bottich? Das ist Essig – sonst faulte das Luder unterfahrts!

FÜNFTES FISCHWEIB *mit dem Schöpfkübel Wasser nach ihm schleudernd.* Essig – merke, wie er beizt!

SECHSTES FISCHWEIB *Wasser zurückspritzend.* Faulwasser – koste, wie es schmeckt!

ACHTES FISCHWEIB *an einer Wanne.* Macht dem Kerl das Bad – bis er abschwimmt wie ein matter Barsch!

NEUNTES FISCHWEIB *mit dem Faßkarren gegen Sokrates vorrückend.* Gradaus vorwärts an die Wanne!

SOKRATES *mit beiden Händen den Faßkarren aufhaltend – sich überbeugend.* Fährst du Stinte?

NEUNTES FISCHWEIB. Walfische!

SOKRATES. Sagst du Walfische, um meine Unkenntnis der Fischarten mir besonders nachdrücklich deutlich zu machen?

NEUNTES FISCHWEIB. Ich sage: gradaus an die Wanne!

SOKRATES *sich entgegenstemmend.* Würdest du einem Käufer, der an deine Fischwanne tritt und dich um deine Ware befragt, mit derselben Übertreibung antworten, wenn er deine Hechte für Stinte hielte?

NEUNTES FISCHWEIB. Hechte!

SOKRATES. Du würdest den Leichtbelehrbaren stutzig machen und deinen Handel schädigen.

NEUNTES FISCHWEIB *die Schubkarre loslassend und die Hände über dem Kopf zusammenschlagend.* Jetzt erteilt mir ein Nichtsnutz Rat, wie ich mein Geschäft führe!

SOKRATES. Ich bin der Unerfahrene und benutze die Gelegenheit mich zu unterrichten.

NEUNTES FISCHWEIB *grob.* Willst du Fische kaufen?

SOKRATES. Wie kann ich eine Ware kaufen, von der ich nicht weiß, was es ist?

NEUNTES FISCHWEIB. Das wirst du schmecken!

SOKRATES. Zugegeben, daß mir deine Fische munden – und dem Anschein nach kommen sie frisch aus dem Netz auf den Fischmarkt – wie kann ich, wenn sich der Appetit nach ebensolchen Fischen wieder einstellt, sie von neuem erlangen, wenn mir jede nähere Bezeichnung des erstrebten Gegenstandes fehlt?

NEUNTES FISCHWEIB. Komm auf den Fischmarkt und suche in den Wannen! *Wieder zugreifend.* Weiter!

SOKRATES *aufhaltend.* Ich kann verhindert sein selbst aus dem Hause zu gehen. Wie mache ich einem Boten, den ich schicke, klar: was er bringen soll?

NEUNTES FISCHWEIB *wieder absetzend – böse.* Ich werde den Lümmel schon bedienen!

SOKRATES. Sind es nun Stinte oder Hechte oder Walfische?

NEUNTES FISCHWEIB *die Arme schwenkend.* Walfische!!

SOKRATES. Nun weiß ich es, daß es Walfische sind – und werde mir täglich, ohne mich selbst auf den Fischmarkt zu bemühen, Walfische aus deiner Wanne holen lassen. Du siehst, daß sich dein Geschäft hebt, so bald du von deinem Wissen dem Unwissenden mitgeteilt hast.

NEUNTES FISCHWEIB. Stinte – Hechte -- Walfische –! – der Kopf vom Stint – die Flossen vom Hecht – der Schwanz vom Walfisch –! –: der Fischmarkt dreht sich!!

ZEHNTES FISCHWEIB *mit dem Faßkarren hinter dem neunten Fischweib.* Vorrücken – die Durchfahrt nicht sperren!

NEUNTES FISCHWEIB *zeternd.* Hat man das gehört?! Da müssen einem erst Ohren wachsen groß wie Walfischkiemen! Da fährt es hinein und macht sich breit –: einen Walfisch in meinem Faßkarren, den ich vor mir schiebe mit zwei Händen!

ZEHNTES FISCHWEIB *gegen das neunte Fischweib mit dem Faßkarren hinterrücks stoßend.* Wenn du Zeit hast – ich muß noch zweimal zum Fischhafen hinunter!

NEUNTES FISCHWEIB *sich umwendend.* Bist du blind, alte Aalmutter, daß du nicht siehst, wo ich stehe?

ZEHNTES FISCHWEIB. Dann hörte ich dein Gekrächz, heisere Saatkrähe!

NEUNTES FISCHWEIB. Du flötest lieblich – reiße nur den Schlund gehörig auf – da hast du Bezahlung! *Sie schöpft ihr Wasser ins Gesicht.*

ZEHNTES FISCHWEIB *es aus dem Schöpfkübel übergießend.* Verschluck dich nicht!

NEUNTES FISCHWEIB *neuer Guß.* Dreck schmeckt bitter!

ZEHNTES FISCHWEIB *Guß.* Dann muß dir mein Faßwasser süß munden!

ELFTES FISCHWEIB *hinter dem zehnten Fischweib ankarrend.* Bahn frei – spült euch den Grind zuhause!

ZEHNTES FISCHWEIB *nach ihr herum.* Wer hat Grind? – Siehe, du bist um das Maul grau! *Schöpfkübelguß.*

NEUNTES FISCHWEIB *ebenfalls gegen das elfte Fischweib zielend.* Wo ist Grind? – Warte, du bist, wie du redest, ungewaschen! *Schöpfkübelguß.*

ELFTES FISCHWEIB *flink nach beiden sprengend.* Ich schöpfe zweimal – ehe ihr die steifen Gerüste einmal bückt!

ZWÖLFTES FISCHWEIB *gegen das neunte und zehnte Fischweib sprengend.* Hitzt euch – ich kühle eure Hintern!

DREIZEHNTES FISCHWEIB *nach dem zwölften Fischweib sprengend.* Wer hat dich in den Streit gerufen?

ZWÖLFTES FISCHWEIB *zurücksprengend.* Muß ich deinen Lausbart um Erlaubnis bitten?

VIERZEHNTES FISCHWEIB *nach dem dreizehnten Fischweib sprengend.* Mischt sich ein, wer einen Schöpfkübel voll Fischwasser will?!

FÜNFZEHNTES FISCHWEIB *blindlings sprengend.* Da habt ihr eine Schütte aus der Wanne!

SECHSZEHNTES FISCHWEIB *sprengend und kreischend.* Jetzt fliegen Fische mit dem Wasser!!

SIEBZEHNTES FISCHWEIB. Wer sprengt – wird gespritzt!!

ACHTZEHNTES FISCHWEIB. Fische – Wasser!!

Der Kampf ist allgemein geworden: aus Faßkarren und Wannen wird mit Eifer geschöpft und aus den Schöpfkübeln geschleudert.
Im Lärm die Worte: »Fische – Wasser!!«
Aus der Gasse links der Vorläufer – halbnackt, prunkende Hosen. Er winkt in die Gasse abwehrend zurück.

VORLÄUFER. Platz dem Alkibiades!!

Die Fischweiber senken die Schöpfkübel.

VORLÄUFER *gibt ein Zeichen in die Gasse.*

Im Tragsessel – auf Schultern von vier weißnackten Trägern in roten Stiefeln – Alkibiades in grüngelbem Mantelbausch mit blauen Straußfederbünden.
Ein Knabe – schwarze Flötenhölzer im buntprallen Gurt – folgt.

VORLÄUFER *zu den Trägern.* Fischmarkt: gleitet nicht auf nassen Steinen und glatten Fischleibern!

Der Zug treibt eilig weiter.

VORLÄUFER *im Rücken Sokrates' hemmend.* Platz dem Alkibiades!
SOKRATES *rührt sich nicht.*
VORLÄUFER *zieht eine kurze Peitsche aus der Hose.* Platz dem Alkibiades!!
SOKRATES *verharrt.*
VORLÄUFER *schlägt zu.* Platz dem Alkibiades!!
SOKRATES *dreht sich langsam zu ihm.* Du mußt einen Kreis schlagen, wenn du um mich herumwillst.
VORLÄUFER *stutzt – hebt die Peitsche von neuem.*
SOKRATES. Mit der Peitsche, du hast erst den Rücken gezeichnet. Jetzt biete ich dir die Brust noch.
VORLÄUFER *schlägt nicht zu.*
EIN FISCHWEIB. Haue den zusammen – der stiftete das an, wie unsere Fische auf dem Steinpflaster verrecken!
ZWEITES FISCHWEIB. Warum haben wir ihn nicht gewaschen?!
DRITTES FISCHWEIB. Die Faßkarren und Wannen sind leer!
VIERTES FISCHWEIB. Aber die Schöpfkübel heil!! *Es dringt mit geschwungenem Schöpfkübel auf Sokrates ein.*
ALLE FISCHWEIBER *gegen Sokrates stürmend.* Die Schöpfkübel heil!!!
ALKIBIADES *gelangweilt – gradaus sprechend.* Ein Vorfall?
VORLÄUFER. Ein Mensch weicht nicht vor Alkibiades aus!
ALKIBIADES. Wo? *Er stutzt – stemmt sich langsam halbhoch – barsch zum Vorläufer.* Niedersetzen!
VORLÄUFER *zu den Trägern.* Ab – ho – ho!

Die Träger stellen den Tragsessel ab.

ALKIBIADES *tritt heraus – eilt zu Sokrates – umarmt ihn.* Ein Fund auf dem Fischmarkt! – Die Dachkammer leer – die Vorstadt öde –: Sokrates weg – untergetaucht wie ein Fisch im Ozean. Tausend Angeln habe ich ausgeworfen – kein Haken zog den seltenen Schwimmer wieder ans Licht. Alles ist wunderlich um dich, Sokrates – wie du verschwindest und wie ich dich hier entdecke, wo ich dich zuletzt erwartete! – Was schreien die Weiber?

SOKRATES. Ich suchte Belehrung von einer dieser Frauen und sie gerieten in Streit.

ALKIBIADES. Ein Fischweib soll dir mehr sagen, als du selbst weißt? Du hast die Peitsche um solchen Anspruch verdient! *Zu den Fischweibern.* Rauft, bis ihr keucht – und dankt dem Himmel, daß Sokrates den Anlaß verschenkte: er zahlt euch noch das Lehrgeld, das ihr ihm ewig schuldig bleiben müßtet! *Er wirft Goldstücke unter die Fischweiber, die sie gierig sammeln.*

ALKIBIADES *zum Vorläufer.* Vor Sokrates den Tragsessel! – Hebt Sokrates in den Sitz! – Ich gehe neben Sokrates zu Fuß!

Zwei Träger heben Sokrates in den Tragsessel.

VORLÄUFER. Auf – ho – ho!

Die Träger schultern den Tragsessel.

SOKRATES. Wohin willst du?

ALKIBIADES. Ein Gastmahl, Sokrates – das unvergeßlich wird mit deiner Gegenwart!

Der Zug in raschem Schreiten in die Gasse rechts hinein.

NEUNTES FISCHWEIB *steht steif – Geld in einer Hand betrachtend.* Das war Blitz und Donner und Regenschauer –! *Mit der andern Hand einen Fisch aufnehmend.* Ein Stint? – ein Hecht? – ein Walfisch? – *Kopfschüttelnd.* Wer kann das noch wissen!

Strandhaus. Seepavillon: zweidrittel Raum zur Tiefe bleibt offenes Säulenviereck. Nur feste Wände vorne. Türausschnitte rechts und links – einige Stufen hinab. – Der rauhe Verputz ist überall großfarbig gestrichen. – Regellos Gastlager mit bunten Seidenlaken – niedrige Tische dabei für Kristallbecher und übervolle Blumenbecken. – In Säulenmitte hinten fast menschhoher schmaler Gegenstand unter Tuch verhüllt. –
Meer wellt silbern am Fuße blauester Himmelwölbung. –
Gastgeber und Gastfreunde – in losen Seidenkitteln – auf die Gastlager gestreckt; eins noch leer. –
Eunuchische Dienstknaben – um Knöchel Bernsteinringe – geschäftig.

GASTGEBER *den Kristallbecher gegen den ersten Gastfreund schwingend.* Ich möchte zweitausend Jahre alt werden und an jedem Nachmittage dein Werk hören, Dichter! *Er trinkt.*

ERSTER GASTFREUND *der allein ein blaues Band ums Haar trägt.* Du würdest es um eintausendneunhundertneunundneunzig Jahre überleben, Gastgeber!

ZWEITER GASTFREUND. Es ist ewig: denn mir war es nicht neu, als ich es gestern zuerst genoß – und doch ist es neu mit deiner Schöpfung!

DRITTER GASTFREUND. Man wird es über den Trümmern spielen, wenn das Theater schon aus den Fugen fiel!

VIERTER GASTFREUND. Menschen mit Zungen, die wir nicht verstehen, werden es sagen – und mit Gesten, die wir nicht deuten, gestalten!

FÜNFTER GASTFREUND. Er teilt Erschütterung aus, die die Luft nicht stillstellt – der aufgebrochene Wind verrückt es über Zonen und Äonen!

GASTGEBER. Das ist dein Werk, Dichter – und dies Gastmahl seine Feier mit deinen bewundernden Freunden!

ERSTER GASTFREUND *sich beide Hände mit Blumen füllend, begeistert.* Bin ich Dichter? Dauert der Zuruf noch heute, der mich gestern im Theater ansprach? Glättet die Woge des lobenden Sturms sich nicht – brandet sie weiter gegen mich von euch wieder und wieder gestoßen, daß ich gehoben werde in hellen Mittag? – Ich bin Dichter! Ich weiß es. Es sind Gesichte aus mir, die niemands Gesichte sind außer mir. Sterne rollen brennender mir – als Sterne sind Glanz über euch. Grün von Buchs und Milch von Perlmutt tauen scheinender mir – euch glostet kaum Schimmer. Stimmen sind Hauch und gewaltiges Brausen im Hauch – es redet das Schweigen. Kein Geheimnis bleibt tief – und in Tiefe sinkt alles Bekannte. Weisheit zerstiebt – aus Blut birst Gefühl – Blut blüht mit Blumen auf – und schauerrieselt herab mit Blumen! *Er läßt die Blumen über sich fallen.*

FÜNFTER GASTFREUND. Du bist Dichter! *Er wirft Blumen nach ihm.*

DIE GASTFREUNDE *Blumen nach ihm schleudernd.* Du bist Dichter!

ERSTER GASTFREUND *mit Händen in den Regen greifend.* Erstickt mich in Flieder und Veilchen und Krokus – ich lebe!!

GASTGEBER *laut.* Freunde – überstürzt nicht das Fest – noch sind nicht alle versammelt!

ERSTER GASTFREUND *hingerissen*. Alle sind hier, die mich lieben!

GASTGEBER. Du betrügst dich mit so geringem Anspruch!

ERSTER GASTFREUND *halbhoch*. Alkibiades! – Versprach er dir zu kommen? Unverbrüchlich? War Alkibiades gestern im Theater? Klatschte Alkibiades?

GASTGEBER. Er war dein begierigster und dankbarster Zuschauer.

ERSTER GASTFREUND *leise*. Ich will dem Alkibiades mein Werk widmen.

ZWEITER GASTFREUND. So wird ein Wettlauf in die Ewigkeit zwischen deinem Namen und seinem.

DRITTER GASTFREUND. Der eine überholt immer den andern – und das Ziel verschiebt sich in die Unendlichkeit!

ERSTER GASTFREUND. Jetzt ist es unsterblich, wenn Alkibiades es zu sich nimmt!

Draußen rechts Flötenmusik.

GASTGEBER. Sein Flötenspieler –: Alkibiades!

Alle sehen nach der Tür rechts.

GASTGEBER *zu einem Dienstknaben*. Lauf hin und schaff Ordnung unter deinesgleichen, wenn sie langsam bedienen. Du kannst sie schlagen.

Alkibiades schon in der Tür – hinter ihm sein Flötenspieler, die Flöten in den Gurt steckend.

GASTGEBER. Wir hatten das Fest begonnen und unterbrochen, weil du fehltest, Alkibiades. Du siehst, es tobte schon die Blumenschlacht. Unsere Geduld erhielt einen bitteren Geschmack und wir mußten trinken, um ihn zu besänftigen!

ALKIBIADES *läßt sich auf das leere Gastlager nieder, nachdem ihm der Flötenspieler den Mantel abgenommen hatte.*

Zwei Dienstknaben lösen seine Schuhe – reiben die bloßen Füße mit Schwamm und Tuch.
Flötenspieler mit Mantel und Schuhen ab.

ALKIBIADES. Du tadelst meine Verspätung und ich könnte

sie schlecht verteidigen, wenn nicht der Anlaß selbst sie schützte.

GASTGEBER. Gibt es den, wo hier die Siegesfeier des großen Dichters, der in die Unsterblichkeit eintritt, wartet?

ERSTER GASTFREUND. Der Alkibiades hielt den Alkibiades auf – oder die Stadt sank zu einem Steinberg zusammen, um ihn zu hemmen!

VIERTER GASTFREUND. Stürzte die Stadt zu einem Staubwall vor dir?

ALKIBIADES. Ich begegnete dem Sokrates.

Stille.

ALKIBIADES *sehr lebhaft.* Der Platz für dein Strandhaus ist von dir meisterhaft gewählt, Gastgeber, man muß über den Fischmarkt, um herzugelangen. Du hast den Bauplan nicht ohne Sinn angelegt, daß man den Fischmarkt quert! *Zum ersten Gastfreund.* Oder bin ich dir den Dank schuldig, weil ohne deinen Sieg im Theater gestern ich heute nicht den Fischmarkt gekreuzt hätte? So hat deine Tragödie erst heute den vollen Erfolg: sie hat mir den Sokrates in den Weg geführt! – Aber streitet euch um den Ruhm – doch geratet nicht wie Kampfhähne aneinander: Sokrates würde euch verachten! *Er trinkt hastig.*

GASTGEBER *nach einer Pause – gewaltsam.* Jetzt ist Alkibiades gekommen. Dichter, deine Siegesfeier schwillt auf. *Er läutet eine schwache Schelle.* Tänzerinnen!

ERSTER GASTFREUND. Tanz zu Entzückung gelenkig!

DRITTER GASTFREUND. Tänzerinnen von Flöten gereizt!

SECHSTER GASTFREUND *hebt Blumen aus dem Becken.* Tänzerinnen mit Rosen belobt!

ALKIBIADES. Zu früh geläutet, Gastgeber! *Zu Dienstknaben.* Öffnet noch nicht vor Tänzerinnen! – Ich entdeckte den Sokrates mitten im Fischmarkt – und bin hier: ratet ihr, ich verließ den Sokrates, der mir wieder entgleitet?

VIERTER GASTFREUND. Das Rätsel ist hart: du liegst zwischen uns – und bist doch auf dem Fischmarkt?

ALKIBIADES. Die Lösung ist lustig: Sokrates und Alkibiades bleiben zusammen – nur trennt sie noch eine offene Tür!

ZWEITER GASTFREUND. Dich – – begleitet Sokrates?

ALKIBIADES. Du verdienst den Preis – du darfst den Sokrates zuerst mit deinen Veilchen beschütten!

ERSTER GASTFREUND. Du ludest – – den Sokrates ein?

ALKIBIADES. Um dein Fest zu ehren, Dichter. Das dürftig ist ohne Sokrates, der mir den Goldkranz verschenkte, um ihn goldner als Gold zu machen! *Zum Gastgeber.* Lohnt sich jetzt meine Verspätung?

GASTGEBER. Wo – – ist Sokrates?

ALKIBIADES. Er spricht mit den Türdienern.

GASTGEBER *rasch zu Dienstknaben.* Geleitet den Sokrates zu uns!

ALKIBIADES *abwehrend.* Stört ihn nicht! *Zum Gastgeber.* Er steht unbeweglich auf der Schwelle, so lange er will, und weicht keiner Gewalt. Du würdest ihn nicht mit Peitschen vertreiben – wie mein Vorläufer ihn auf dem Fischmarkt vergeblich züchtigte!

VIERTER GASTFREUND. Warum redet er mit den Türdienern noch?

ALKIBIADES. Fischweiber – Türdiener – meine Träger, die ihn in meinem Tragsessel trugen –

ZWEITER GASTGEBER. Wie kamst du, Alkibiades?

ALKIBIADES. Ich schritt neben ihm – oder unter ihm, denn er wogte mir zu Häupten, der mir den Goldkranz verschenkte – und über mich hin befragte er die schwitzenden Träger!

SIEBENTER GASTFREUND. Nach dem Weg?

ALKIBIADES. Nach dem Schritt, der rechs tritt und links tritt – wie er rechts tritt von jedem – und links tritt von jedem – und ohne Gleichtritt der Tragsessel schwankt und umstürzt: bis sie sich verwirrten – und nicht wußten, was rechts ist und links ist – und vor Sokrates ihre Unwissenheit eingestehen mußten, die mich immer im Laufschritt durch die Straßen getragen hatten. Jetzt kauern sie gebrochen neben dem Tragsessel.

Sokrates trat unter die Tür: er steht steif und blickt vor sich zu Boden.
Gastgeber und Gastfreunde bemerken ihn.

ALKIBIADES *wird aufmerksam – dreht sich hin.* Sokrates – drei Stufen hinab vor dir –: welchem Fuß gönnst du den Vorzug zweimal dich herunterzutragen? Ich wette den linken!

SOKRATES *setzt einen Fuß auf die erste Stufe und zieht den andern nach.*

ALKIBIADES. Wieder gerechnet wie keiner. Drei teilt sich mit zwei nicht, so müssen zwei dreimal wandern – und links übermüdet sich nicht vor rechts und erschüttert das Gleichgewicht, das den ganzen Sokrates stützt!

SOKRATES *unten – verharrt wieder reglos.*

GASTGEBER. Die Gastlager sind gezählt nach den geladenen Gästen –

ALKIBIADES *springt auf.* Sokrates, streck dich auf das Laken, das ich dir räume. Ich sitze neben dir – und wenn du wieder entlaufen willst, stürze ich mich über dich mit liebeklammernden Armen! *Er schiebt Kristallbecher und Blumenbecken weg und setzt sich auf den niedrigen Tisch.*

SOKRATES *schrittweise sich dem Lager nähernd – kommt an – legt sich.*

GASTGEBER *sich halb aufrichtend.* Alkibiades, es beschämt uns dich vor uns sitzen zu sehen –

ALKIBIADES. Lüge nicht – mein Platz bei Sokrates macht dich neidisch!

Zwei Dienstknaben wollen Sokrates die Schuhe lösen und die Füße waschen.

SOKRATES *zusammenzuckend – rasch.* Nicht!

GASTGEBER. Es sind ausgeprobte Dienstknaben.

SOKRATES. Ich beschuldige sie nicht eines rohen Griffs – nur war ich mir nicht schlüssig, ob du deine Billigung meiner Anwesenheit mir zuerst an meinen Füßen bezeigen sollst.

GASTGEBER. Deine Gegenwart ehrt diese Siegesfeier.

SOKRATES. So will ich meine Würdigkeit nicht mit meinen Sohlen beweisen. *Er winkt den Dienstknaben ab.* Eine Siegesfeier? Hast du, Alkibiades, wieder einen Feldzug gewonnen?

ALKIBIADES. Hätte ich ihn ohne dich unternommen, der mir den Wert von Kampf und Krieg deutete?

SOKRATES. Hast du es nicht vergessen?

ALKIBIADES. Wie könnte ich sonst leben!

SOKRATES. Was gibt es andere Siege?

ERSTER GASTFREUND. Saßest du gestern nicht im Theater?

ALKIBIADES. Du hättest Sokrates auf den oberen Reihen suchen müssen, die man mühselig erklimmt und wo man steht!

ERSTER GASTFREUND. Trugen die Stimmen der Schauspieler bis in die äußersten Ränge?

SOKRATES. Ich war nicht im Theater.

SIEBENTER GASTFREUND. Kein Bürger versäumte die Vorstellung!

SOKRATES. Wurde es ein Erfolg?

ERSTER GASTFREUND. Die blaue Binde kränzte man mir ins Haar!

SOKRATES. Warum dir, wenn dein Werk von allen begriffen wurde und schon jeder heute sein Schöpfer ist, der du gestern warst? – So veranstaltet dein Freund heute deine Totenfeier – und der einzige, der dein Leben noch bestimmt, da er dein Werk nicht kennt, bin ich. Du wirst dich an mich halten müssen, wenn du mit dem Leben davonkommen willst.

ERSTER GASTFREUND *schwach lächelnd.* Du hast den Alkibiades gerettet – und jetzt willst du auch mich retten.

SOKRATES. Wäre ich nicht verhindert gewesen, den steilen Sitzrang im Theater zu ersteigen – dir müßte heute das Lachen gründlich vergehen. Aber ich war gehemmt – und so kann dein Fest mit einiger Einschränkung geschehen. – Was wird sich ereignen?

ALKIBIADES. Gastgeber – du mußt das Besondere bieten, um die Leiche des Dichters zu kitzeln!

SOKRATES. Ich werde für alles empfänglich sein und mir meiner einzigen Verantwortung bewußt bleiben.

GASTGEBER *stark.* Dichter – es gilt den Dank zu formen, der flutend ausbricht zu dir hin. Wer gestern arm – lebt heute reich – beladen mit funkelnder Pracht, die Freude ist, die von deiner Kunst strömt. Lachen wird Weinen – und Tränen sind Süße von deinem Kunstwerk. Du bist Dichter – wie Rausch und Trauer du umgießest in Weh und Lust! – Stimme vergeht – Umarmung stockt – kein Zeichen der Liebe von Leib zu Leib bleibt bedeutsam. Wie wird Dank sichtbar? Nur ein Gleichnis bewirkt Zeugnis, das über jeden Zweifel ist: – deine Herme wird Heiligtum in meinem Hause – und mein Haus heilig mit deiner Herme! *Er gibt Dienstknaben ein Zeichen, die zu dem verhüllten Gegenstand hinten gehen und das Tuch abstreifen: die Herme des ersten Gastfreundes aus blankgelber Bronze ist aufgerichtet.*

ERSTER GASTFREUND *mit einem Schrei zum Gastgeber.* Heilig und unvergänglich schenkst du mir das Leben!

DIE ANDEREN GASTFREUNDE *schleudern alle Blumen nach der Herme.* Heilig die Herme!!

ALKIBIADES *hält ein – reicht Sokrates Blumen.* Wir teilen den Büschel!

SOKRATES *wehrt ihn ab.*

ALKIBIADES. Hermenweihe, Sokrates – du Hermenmacher!

SOKRATES *wendet sich ab.*

ALKIBIADES *beugt sich zu ihm.* Steht die Herme nicht heilig da?

SOKRATES. Sie – – ist nicht vollendet.

ALKIBIADES *richtet sich auf – zu den andern.* Sokrates ist Hermenmacher – Gastgeber, du beleidigst den Dichter: seine Herme trägt Makel!

Stille.

ALKIBIADES. Eine schlechte Herme, die du in deinem Strandhause aufstellst, Gastgeber. Sokrates zeigt dir die Schande!

ERSTER GASTFREUND. Mein Kopf in Größe und Strenge!

DRITTER GASTFREUND. Wer formte sie?

GASTGEBER. Wer die heiligen Hermen in den öffentlichen Plätzen schafft!

ALKIBIADES. Sokrates entgegnet: – sie mißlang dem gepriesenen Künstler!

SOKRATES. Das habe ich nicht gesagt. Meine Worte waren: sie ist nicht vollendet!

VIERTER GASTFREUND. Ein Guß von seltener Glätte!

ALKIBIADES. So erkennst du doch grobe Fehler, Sokrates!

SOKRATES. Sie ist nicht vollendet – nicht weil sie Fehler hat, die entdecke ich nicht. Ich rühme die Herme, sie sprüht Licht – sie zündet – sie brennt – – nur fehlt ein kleines, das wichtig ist.

ERSTER GASTFREUND. Was vermissest du?

SOKRATES. Die blaue Binde um die metallene Stirn.

ERSTER GASTFREUND. Die gilt dem Lebenden!

SOKRATES. Vergingst du nicht gestern? Entriß der Tausende Beifall dir nicht den Atem – den Herzschlag – das Pulsfieber im weiten Theater? Bist du nicht aus den Ufern getreten – und bliebst eine versandete Quelle zurück – mit dem Weggang der Scharen, die mit sich trugen, was sie dir nahmen? – Du bist allgemein und entäußert seit dieser Stunde – und wo eine gegossene Bronze deine Züge trägt, ist ihr Leben echter als deine pochende Brust mit Blut und Odem – so entbunden bist du dir selbst! – – Begeistere dich – denn nun wird dir der letzte Ruhm bezeugt: – ewig bist du in Unsterblichkeit, die nicht Leben und Tod kennt! – unvergänglich bist du ohne Ankunft und Hingang! – selig bist du ohne Tag und Mitternacht! – – Wenn du also deiner rechten Würde dienen willst – so lasse das blaue Band nicht auf einem Kadaver, der verwest und die feine Seide zerfrißt – sondern rette das schöne Ehrenzeichen in die Dauer, die deine Herme sichert!

ALKIBIADES. Wie schwer trennt er sich von der Binde!

SOKRATES. Mit kleinen Eitelkeiten wird hier nichts errungen – es geht um Tod und Leben!

ERSTER GASTFREUND *knüpft sich die Binde aus dem Haar.*

ALKIBIADES. Die Hände biegen sich ihm zitternd unter der dünnen Last.

SOKRATES. Gewicht hat nur, was dem Anschein nach unwichtig ist.

ERSTER GASTFREUND. Soll – – ich mich selbst bekränzen?

SOKRATES. Wähle, wem du dich unterwirfst.

ERSTER GASTFREUND. Ich – – bitte dich, Sokrates, aufzustehen und hinzugehen und meine Herme zu krönen!

Ein Dienstknabe bringt das blaue Band Sokrates.

SOKRATES *hält es vor sich – blickt auf alle, die unwillkürlich die Gesichter in die Polster eingedrückt haben. Seine Arme beginnen zu wanken – ein Ächzen löst sich – mit ungeheurer Anstrengung findet er die Sprache.* – – – – Ich habe dir den Goldkranz verschenkt, Alkibiades, der über dem blauen Band ist: – – ich würde dich kränken, wenn ich das geringere Zeichen mit gleichen Händen verleihe. Geh du hin – und ziere die Herme im Auftrag des Sokrates!

Tiefste Stille.

ALKIBIADES *beherrscht sich – geht eilig zur Herme und legt die Binde an. Er bleibt dort – sieht in den Raum – lacht scharf.* Schlaft ihr? – Schon trunken? – Wird das die brüllende Siegesfeier – bis die Sterne aus der Nacht fallen und die Morgenröte entzünden? – – Gastgeber – locke dir nicht Gäste ins Haus, die seine Öde entlarven. Es ist schade um die Zeit, die verdirbt! *Zu Sokrates stürmend.* Herrlich bist du, Sokrates – kein Wunder von Festen und Freunden macht dich stutzig. Du bist wert in das schönste Geheimnis einzudringen, – und wenn es dir genügt, bäumt sich mein Stolz

über den Besitz zu den Wolken! – – Brich auf mit mir –
Sokrates, es will Abend werden, wie noch kein Abend geschah!

SOKRATES *stützt sich langsam auf – sitzt noch auf dem Gast-*
lagerrand – erhebt sich – ersteigt jede Stufe mit beiden
Füßen – ab.

ALKIBIADES *wird von Dienstknaben mit Schuhen und Mantel*
bekleidet – ab.

Draußen Flötenspieler des Alkibiades sich entfernend.

ERSTER GASTFREUND *wirft den Kopf zurück – umfaßt sich*
den Hals – heiser. Tänzerinnen!!

GASTGEBER *schüttelt den Kopf. Zu Dienstknaben.* Löst die
Vorhänge. Es weht kalt vom Wasser – und die Helle beizt.

Die Dienstknaben lassen zwischen den Säulen goldschwarze
Teppiche herunter. Der Raum zerfließt in halbe Dunkelheit.

GASTGEBER *mit einem Schrei.* Wein!!

Die Dienstknaben huschen weiß zwischen den Gastlagern.

Badraum. Auf hellem Grün umläuft Tierfries. Inmitten ovales
Gitter aus Elfenbein und Koralle: die tiefer gelegene Bade-
wanne umschließend. Tür links – rotes Holz – dabei Stroh-
sessel. Tür hinten mit schillerndem Glasperlenvorhang. –
Flötenspieler des Alkibiades vernehmlich. –
Phryne streift den Glasperlenvorhang zur Seite – dahinter
halblichter Raum mit breitem Ruhelager. Phryne trägt das
Haar wie eine Säule steil – goldbestaubt. Finger- und Fuß-
nägel sind veilchenbunt. Um den Oberleib kurzer bestickter
Rock – die Beine in dünnseidiger Hose. –
Flötenspieler still.

PHRYNE *zuckt zusammen – tut einige Schritte - sieht groß-*
äugig nach der Tür.

ALKIBIADES *öffnet Tür – noch draußen.* Ankündigung geschieht vor dir – und Einlaß wird dir beglückend!

PHRYNE *schließt die Augen – biegt den Leib und streckt die Arme entgegen.*

ALKIBIADES *kommt – bleibt an der Tür. In Betrachtung.* Siebenmal glänzender als dich mein Wunsch denkt, bin ich fern, wächst du im Anblick.

PHRYNE *schwach.* Geliebter.

ALKIBIADES. Rausch von Freundschaft verweht – und steilere Flamme ist Zunge nach dir, die berührt.

PHRYNE. Komm.

ALKIBIADES. Licht verschüttet sich, das glomm – und Nachtsonne hängt sich in Raum über dein Weiß, das dein Blut scheu verheimlicht.

PHRYNE. Ich – warte.

ALKIBIADES *rauh.* Ich bin – – nicht allein gekommen.

PHRYNE *starrt ihn an.*

ALKIBIADES *den Mund von Lächeln verbissen – stumm.*

PHRYNE. Wer ist das?

ALKIBIADES. Wer ist Alkibiades? Wer ist mit diesen Armen – diesen Beinen Alkibiades? Wer ist mit Atmen und Schlafen Alkibiades? Wer ist mit seiner Begierde vor dir Alkibiades? – Ein Geschenk des Alkibiades an Alkibiades, das er nicht einmal aus eignem Besitz sich verschenkte – sondern aus anderm Schatz empfing, den nun der Alkibiades für den Alkibiades ausbeutet!

PHRYNE. Du bist Alkibiades.

ALKIBIADES. Von hoher Herkunft Alkibiades. Gewürdigt der Gesellschaft eines, der wegleiht ohne Anspruch auf Zins und Entschuldung: das Leben – den Goldkranz – und dich an Alkibiades!

PHRYNE. Ich schenke mich dir.

ALKIBIADES. Es verliert von Wert – denn sein Maß wurde nicht bestimmt von dem, der die Gewichte auflegt. Die Schalen schwanken!

PHRYNE. Ich bin – Phryne.

ALKIBIADES. Eine Hülse ohne Wind, der tönt. Eine Schelle, die noch nicht geläutet ist – ein Namen, der nicht aufgerufen ist in die Unsterblichkeit: – – dich hat Sokrates noch nicht gesucht!

PHRYNE. Ist Sokrates – schön?

ALKIBIADES. Einer Herme vollendete Schönheit: – schlage die Teile unter dem Halse weg – und Sokrates überwältigt dich!

PHRYNE. Gilt dir Sokrates so viel?

ALKIBIADES. Bin ich nicht ein Gelächter ohne seinen Triumph?!

PHRYNE *sieht ihn an.*

ALKIBIADES. Sokrates ist schon Herme mitten im Leben bei Puls und Hauch. Wandelt er noch? Beeilt sich sein Schritt über Treppen im Stadthochhaus – zum Fest im Strandhaus – zum Einlaß bei dir? Auf nassem Fischmarkt steht er steif – keine Peitsche hetzt ihn vom Fleck – er spürt den beizenden Hieb, der ein Pferd aufbäumen ließe, am erstorbenen Leibe nicht: er ist Herme mit Haupt, das lebendig ist über dem Sockel, der starr ist!

PHRYNE. Ich möchte – – ihn sehen.

ALKIBIADES. Stoße die Herme um! – Es stiftet sich von ihr Verwirrung an, die das Leben tot – und den Tod lebendig macht! – Deine schmalen Arme sind mächtig, wie keine Macht mehr verteilt ist. Der Himmel vertraut dir sein Blau an – und alle Küsten ihr Grün: schütze Himmel und Erde gnädig vor Frost und Nacht, die ausbrechen, wenn diese Herme die Schöpfung verhöhnt! – Stoße die Herme um – und auf unserm Lager – nach deinem Lager mit ihm – soll Lust blühen, die wieder keusch ist!! *Er tastet nach der Tür – ab.*

PHRYNE *steht noch – dann läuft sie in den hinteren Raum und streift die Glasperlengardine vor.*

Alkibiades stößt die Tür links auf – führt Sokrates herein.

ALKIBIADES. Mit geringerer Mühe rückt man einen Felsen als dich unter der Last deines rechnenden Hauptes!

SOKRATES. Geleitest du mich in eine Garküche?

ALKIBIADES. Worauf rätst du?

SOKRATES. Gerüche schwelen scharf.

ALKIBIADES. Dunst von Rosenöl und süßer Nebel von Zimmet – du dringst in den Badraum der scheusten Freundin ein. Vor dir kein Geheimnis mehr! *Er geht zum Glasperlenvorhang – schiebt ihn auf.*

Phryne – nun in engen Hüllen von Seidentüchern – liegt auf dem Ruhebett.

ALKIBIADES *stützt sich am Türpfosten – seine Stimme ver-*

sagt – fast taumelnd zu Sokrates zurück. Was sterblich ist – stirbt in Wollust – und aufersteht in Verlangen! *Rasch ab.*

SOKRATES *verändert seine Haltung nicht.*

PHRYNE *lauscht.*

SOKRATES *umblickt. Klagend erhebt er halbhoch die Arme – Schwäche bezwingt ihn: er schleppt sich zum Strohsessel, in den er schwer plumpst.*

PHRYNE *streckt – staunend hörend – den Kopf vor.*

SOKRATES *ballt Fäuste – beherrscht sich – sitzt lässig.*

PHRYNE *mit dünner Stimme.* Freund des Alkibiades – dein Freund liebt dich.

SOKRATES *stumm.*

PHRYNE. Die Liebe deines Freundes ist auch meine Liebe – Freund.

SOKRATES. – –

PHRYNE *richtet sich auf – ordnet noch an ihren Tüchern – tritt in die Tür. Beim Anblick Sokrates' stutzt sie.*

SOKRATES *sieht sie an.* Warum läuft Alkibiades aus der Tür? Sah er dich nicht? Verbirgst du dich vor Alkibiades?

PHRYNE *stockend.* Bist du – –??

SOKRATES. Hattest du einen Streit mit Alkibiades? Es wird ihn gereuen, wenn ich ihm später erzähle, daß dein Gesicht glatt und ohne eine Spur von Ärger war.

PHRYNE. – – der Freund des Alkibiades??

SOKRATES. Seine Heißblütigkeit hat ihm schon manchen Streich gespielt – aber dieser, dünkt mich, zeitigt die bittersten Folgen.

PHRYNE *schnell.* Was wird ihm geschehen?

SOKRATES. Er macht einen Umweg, für den er sich eine Erklärung einredet – und bei seiner Rückkehr entdeckt er sein Versäumnis, das er mit keinem Mittel mehr einbringt.

PHRYNE. Er ließ dich – – bei mir.

SOKRATES. So berechnete er nicht den Verlust, der in einer Stunde beschlossen die Grenzen jeder Dauer durchbricht.

PHRYNE. Liebst du Alkibiades?

SOKRATES. Ich entgehe seinen Verfolgungen nicht und bin mit dieser Schlinge an ihn gekoppelt.

PHRYNE. Du weichst Alkibiades aus?

SOKRATES. Er ließ mich auf dem Fischmarkt auspeitschen, als ich vor ihm nicht beiseite treten wollte – und da er ebenso vor mir nicht den Platz räumte, sind wir unlöslich verbunden.

PHRYNE. Du verachtest den Alkibiades?

SOKRATES. Ich würde mich schänden, wenn ich lästerte, wem ich den Goldkranz verschenkte.

PHRYNE. Du bleibst ohne Liebe – ohne Haß vor Alkibiades?

SOKRATES. Ich versuche nicht mich zu Erregungen zu reizen, die verflüchtigen wie sie kommen: Haß verbrennt mit Stichflamme – Liebe verbrennt mit Stichflamme. Oder Haß und Liebe wären nicht echt. Ich kann mich aber mit dem Augenblick nicht begnügen, wenn ich nach tieferer Zuneigung trachte.

PHRYNE. Erfindest du eine neue Liebe?

SOKRATES. Wärst du keine Frau, die du mit seltenem Ebenmaß bist, flösse mir die Antwort geläufig. Aber sie enthielte eine Beleidigung – zumal in deinem Badraum geäußert – und da mich Alkibiades zur Rechenschaft ziehen würde und mir Tag und Nacht keine Ruhe mit seiner Neugierde nach einer Erklärung mehr ließe, so will ich den Mund von nun an schließen, bis sich Alkibiades wieder einfindet und in eurem Vergnügen mein Weggang ohne Aufsehen gelingt. *Er wendet sich ab.*

PHRYNE *beobachtet ihn – tritt nahe an ihn heran – beugt sich zu ihm.* Ich – bin neugierig.

SOKRATES. – –

PHRYNE. Du liebst – Sokrates – wie andere nicht lieben.

SOKRATES. – –

PHRYNE. Ich weiß – Sokrates – du wirst mich mit deiner Liebe lieben.

SOKRATES. – –

PHRYNE. Du bist verliebt in deine Liebe – wie ich verliebt bin in dich, Sokrates.

SOKRATES. – –

PHRYNE. Du wirst mir dein verliebtes Geheimnis entschleiern, Sokrates – wie ich vor dir ohne Tücher bin.

SOKRATES. – –

PHRYNE. Du wirst von deinem Thron deiner Verliebtheit herabsteigen – – und Stufe nach Stufe mir nachgehen – – in milchige Flut, die verhüllt und vergleitet – – *Sie ist an das Gitterrund zurückgewichen, öffnet eine Tür und steigt langsam in die Badtiefe – – und verschwindet. Immer sagend.* – – Stufe – – nach Stufe – – Stufe – – nach Stufe – – Stufe – – nach Stufe – – –

SOKRATES *reglos.*

PHRYNE *wirft das erste gelbe Seidentuch über das Gitter heraus*. Da – ein gelbes Vögelchen flattert aus – das beschützte den kleinen Turm meines Halses! *Ein blaues Tuch folgt*. Da – ein blaues Vögelchen fliegt fort – das verdeckte die schwachen Berge meiner Brüste! *Grünes Tuch folgt*. Da – ein grünes Vögelchen entdeckt die milden Schäfte meiner Schenkel! *Streifiges Tuch folgt*. Da – ein Kolibri öffnet das Schloß ins perlende Blut!

SOKRATES *richtet sich auf – hart an der Wand streifend erreicht er die Tür hinten – – tritt in den hinteren Raum – – und schließt lautlos den Glasperlenvorhang*.

PHRYNE. Liebling – mit schwacher Wucht schmeichelt die Woge – ich versinke und bin Geburt aus Schaum, der kräuselt! – – – – Elfenbein und Koralle sind Glieder im Gerank nach dir – Liebling! – – – – Beuge dich über das Gitter – ich will dich sehen, Liebling! – – – – Beuge dich nicht über das Gitter – laufe herein, Liebling! – – – – Liebling – ich warte – – – – Liebling – du kommst!! – – – – Liebling!! – – – – du kommst nicht??!! *Ihre Hände tasten herauf*. Ich liebe dich – – Sokrates!!!! – – ich liebe dich – – Sokrates – – – – ich liebe nur dich – – wie ich noch keinen lieben wollte – – du bist mein Geliebter, der endlich zu mir dringt!!!! *Sie hebt den Kopf aus der Tiefe – – starrt*.

Alkibiades stürmt von links herein.

ALKIBIADES *blindwütig*. Sage es mir – wie er umfiel – der Hermenmacher – –: und mit meinen Fäusten würge ich das Tier!!

PHRYNE *sieht ins Leere*.

ALKIBIADES. Schütt' ihn aus dem Bad – ich zerstampfe den gedunsenen Walfisch unter meinen Tritten!!

PHRYNE *stockend vor sich hin*. Er – hat – mich – nicht – verlangt – – – –

ALKIBIADES *weicht vom Gitter*.

PHRYNE *wie vorher*. Er – ist – gegangen – und – liebte – mich – nicht – – –

ALKIBIADES *taumelt – schleudert die Arme*. Die Erde birst – – aus Kratern zischen Schwefelgarben – – die Sonne verbrennt – – Höhe und Tiefe sperren Abgrund – – in den wir fallen – – und mit Fall und Fall uns dichter begraben!! *Er*

torkelt gegen das Gitter vor – nach Phryne greifend. Nieder
mit uns – – in Sturz selig – – und aus Gier in Gier uns ver-
nichtend!!!!

PHRYNE *die Hände gegen ihn spreizend.* Nein!!

ALKIBIADES. Ich breche in deinen Käfig ein – ich zertrümmere
die Gitterstäbe – –!!

PHRYNE *die Gittertür andrückend.* Gib mir deinen Mantel –
– ich will nicht nackt vor dir sein – Alkibiades!!

ALKIBIADES. Höhnt der Abgrund?!

PHRYNE. Ich liebe dich nicht – Alkibiades!! – – ich leide dich
nicht bei mir!! – – du bist gemein – Alkibiades!! – – mich
ekelt vor dir – Alkibiades!!

ALKIBIADES. Stimmt sich Gegröhl der Tiefe an?!

PHRYNE. Ich liebe – – den Sokrates!!!!

ALKIBIADES *prallt zurück – bedeckt mit Handflächen die Augen.* Gräßliches Wachstum – Saat von Skorpion – steiles Wu-
chern in Einöde – –: Hermen in Reihen – – Hermen in Kreisen – – Hermen aus Winkeln – aus Torgängen – aus Straßen
– Plätze überschwemmend – – Bedrängnis von Hermen, die
grinsen – die tot sind und lachen – – Gelächter von Mün-
dern, die leiblos pulsen – – Glotzen von Augen, die gläsern
stieren – – der Tod lebendig – – das Blut stirbt und gefriert
zu ewigem Eis, das nicht stirbt und nicht lebt – – Hermen im
Ansturm – – der Feind in der Stadt – – besetzt Straßen – –
Plätze – Torgänge – – schlaft: – – Alkibiades rettet die schla-
fende Stadt!!!! *Er stürmt hinaus.*

PHRYNE *die Hände vom Gitter lösend – auf das Gesicht
drückend.* Ich – liebe – den Sokrates – – – –

Von links dringen Stadtsoldaten ein.

ANFÜHRER *ans Gitter tretend – sich umwendend.* Bleibt beiseite – die Frau ist nackt und schön. Sucht im Haus nach Alkibiades!

*Stadtsoldaten reißen den Glasperlenvorhang zurück: Sokra-
tes schlafend auf dem Ruhebett. Stadtsoldaten dringen hin
und richten ihn hoch.*

ANFÜHRER. Wer ist das?
SOKRATES *ruhig.* Sucht ihr Sokrates?

ANFÜHRER. Nehmt ihn gefangen.

Stadtsoldaten fesseln Sokrates.

SOKRATES. Womit bin ich schuldig?
ANFÜHRER. Alkibiades hat die heiligen Hermen auf dem öffentlichen Platz vor diesem Haus umgestürzt.
SOKRATES. Bin ich Alkibiades?
ANFÜHRER. Du bist sein Freund.
SOKRATES. Verleitet man seinen Freund zur Übeltat?
ANFÜHRER. Führt ihn in Haft.

Stadtsoldaten mit Sokrates ab.

ANFÜHRER *ohne sich hinzudrehen – zu Phryne.* Weißt du von Alkibiades?
PHRYNE. – – Ich – liebe – den – Sokrates – – – –
ANFÜHRER *zur Tür laufend – schreiend.* Haut Sokrates zusammen, wenn er unterwegs zu euch redet!! *Ab.*

PHRYNE. Ich – – liebe – – dich – – Sokrates – – wie – – ich – – noch – – keinen – – lieben – – wollte – – – –

DRITTER TEIL

*Hochgerichtarena. Niedriger Rotziegelrundbau mit einer
umlaufenden Sitzstufe, die die Greise – schneehäuptige
Großheit in Schwarzmänteln – eng besetzen. –
Sokrates steht inmitten auf eingelassenem weißen Steinqua-
drat. –
Maßloser Blauhimmel aufwölbend.*

DIE GREISE *suchend umblickend – aus Murmeln laut werden.*
Der Ringmeister!!

RINGMEISTER *auf linker Seite aufrecht.* Ruft ihr mich zuerst
auf – und ruft mich: Ringmeister? Höre ich hin und stehe
auf zwischen euch und beleidige den Zuruf mit meinem Ge-
horsam, der euch antwortet? Wo gilt ein Amt ohne Wirken?
Wer nennt sich Lehrer ohne Schüler – wie bewährt sich ein
Führer ohne Gefolgschaft? – Ringmeister bin ich in leerer
Ringschule. Im Lauffeld – im Springplatz – in Wurfbahn
ritzt keine Ferse den Sand – keine Brust ächzt stürmend im
Wettlauf – kein Arm spannt Sehne zu Speerschuß – kein
Schenkel stemmt steil im Ringstreit. Ruhe von Gräberstraße
streicht in die Ringschule! – – Sind alle Knaben entlaufen?
Von dieser Ringschule zu neuem Ringmeister, der frischer
sport und behender anleitet? Ich würde lachen und jeden
loben, der meinen Anspruch auf Eifer und Sturm von Knaben überbietet! – – Kein Knabe ging weg – alle blieben zusammen, um die Ringschule zu einem Hermenhof zu verwandeln. Unbeweglich stehen sie in den Winkeln – Gruppen in Vermischung von älteren und jungen Knaben! – den
Kopf tiefab zur Brust – die Augen halb gedeckt – der Mund
mit langsamer Beredsamkeit gesprächig in unendlicher Rede
und Widerrede. Der Mittag gleitet darüber hin – der Abend
verschattet längst Unterscheidung – starr verharrt die Versammlung! – – Ich klage an: wer die Verwandlung anstifte-
te! – Ich klage an: wer von dem Ringplatz wegführte! – Ich
klage an: wer die Ringschule verleumdete! – Ich klage an:
wer mir den Namen des Ringmeisters zur Beleidigung ver-
höhnte! – *Stockend, dann mächtig.* – – Ich klage den Alkibiades an!!

ERSTER GREIS *hoch.* Mein Sohn ist Knabe der Ringschule. Ich
entließ ihn in die Ringschule, um rasch im Lauf – kühn im
Wettkampf mit Knaben sich zu bilden! – Mein Sohn

schleicht matt aus der Ringschule ins Haus – schlaflos ermüden ihn Nächte mit Fieber von Wachheit, das aushöhlt! –
Ich klage an: wer sich am Tag und Nacht meines Sohnes verging! – –: ich klage den Alkibiades an!!

ZWEITER GREIS *hoch – gegen den ersten Greis.* Mein Sohn ist
mit deinem Sohn Knabe der Ringschule. Mit Malen und
Striemen am Leib vom Druck aus Ringstreit mit deinem
Sohn stellte er abends sich stolz vor mich und tat meine
Finger in die roten Rinnen der Haut und verbiß seinen
Schmerz – jetzt schreitet er in grauem Rock, der verhüllt
vom Hals bis zum Schuh wie mit Scham vorm Wuchs seiner
Glieder! – Ich klage an: wer den Leib meines Sohnes schän-
dete! – –: ich klage den Alkibiades an!!

DRITTER GREIS *hoch – zu den beiden Greisen.* Mit euren Söhnen ist mein Sohn Knabe der Ringschule. Rühmte er nicht
vor mir noch deinen und deinen Sohn, wenn einer gewandter
ihn im Ringspiel überwand? – Es ruht sein Mund – und wo
ein Lob sich ausspricht, heißt es von deinem und deinem
Sohn: er hat mich schweigsamer gemacht und schiebt mich
dem Wissen näher, daß ich nichts weiß! – Ich klage an: wer
meinem und deinem und deinem Sohn den Schrei der Ring-
lust verdarb! – –: ich klage den Alkibiades an!!

DIE GREISE *nach und nach rasch hoch.* Mit euren Söhnen sind
unsere Söhne Knaben der Ringschule. Wir klagen an: wer
die Ringschule verwandelte! – – wir klagen den Alkibiades
an!! *Sie setzen sich.*

SOKRATES *umblickt.* Ihr klagt den Alkibiades an. Es muß ein
Irrtum bestehen, daß ich vor euch stehe. Ihr verwechselt die
Klagen. Erledigt ihr nun zuerst die Sache des Alkibiades
oder die meine?

DIE GREISE *untereinander – wachsend stark.* Der Spruch!

RINGMEISTER *aufrecht.* Was wird mit Griechenland ohne
Knaben, die Männer werden nach euch – die Waffen führen
um Griechenland?! – Was ist Griechenland ohne Wall und
Sturm von Kriegern, die lachend bluten und jauchzend sterben für Griechenland?! – Ist Griechenland ein Eiland –
schwimmend im weiten Meer – mit unzugänglicher Küste
behütet?! – Sind Feinde von gestern liebreiche Freunde heute
und um unsere Schonung bemüht?! – – Haß schielt geil nach
uns, woher der Wind bläst – und kein Gebilde hemmt tür-
mend den Anprall, der lostost, wo wir nicht verwehren! –
Wehrlos liegt Griechenland morgen, wenn nicht Männer sich

bilden, die Griechen bleiben! – Griechen sind Griechenlands
Schutz – nicht Berge und Meer bannen die Gefahr, die bedroht! – Griechen mit Lust am Kampf für Griechenland, das
Griechen gebiert nach euch und nach euren Söhnen und Söhnen, die Griechen sind – wenn eure Söhne Griechenland nicht
verdarben! – – Griechenland wankt vorm Abgrund, den aufriß, wen ihr bezichtigt: – – Alkibiades ist schuldig mit jedem
Verbrechen!!

DIE GREISE *stürmend.* Schuldig ist Alkibiades!!!! *Sie setzen
sich nieder.*

SOKRATES. Ihr seid in merkwürdiger Täuschung befangen.
Ihr unterscheidet den Sokrates nicht vom Alkibiades. Dabei
findet sich nicht die Spur einer Ähnlichkeit zwischen dem
glatten Alkibiades und meiner Wirbelbeugung. Löst mir das
Rätsel.

DIE GREISE *sehen von einem zum andern.*

VIERTER GREIS *fast in Mitte – hoch.* Wir sitzen hier in Versammlung, die Griechenlands letzten Tag berät. Noch ist
blau des Himmels Zelt über uns – Sonne ergossen auf Schnee
unsrer Häupter, die aus Zeit Griechenlands in Vergängnis
Griechenlands ragen. Unsere Kräfte sind klein – doch in unserer Anstrengung schwillen sie neu zu Widerstand und Empörung. Unsere Schultern stützen noch einmal die Last, die
Verantwortung auflegt. Zermürbt von dem Druck wollen
wir niederbrechen – wenn wir Griechenland wieder aufrich-
teten. Die Mühe ist gewaltig – der Lohn macht sie federleicht.
Tod und Leben sind verstrickt im furchtbarsten Ringkampf.
Wir verteidigen mit unerbittlicher Strenge das Leben – und
würgen den Tod mit dem Tode, den wir bestimmen, wer sich
am Leben vergriff. Einer streckte die Hand nach ihm – wer
ist es?!

DIE GREISE *sehen nach Sokrates – langsam und steigend
formt sich der Ruf.* Alkibiades!!!!

VIERTER GREIS. Ihr findet keinen andern – er ruft sich mit jedem Vorwurf, der verurteilt: – – Tod für Alkibiades!

DIE GREISE *in heftiger Bewegung.* Tod für Alkibiades!!!!

Alle lassen sich wieder nieder.

SOKRATES. Euer Versuch, mich über meine Anwesenheit hier
aufzuklären, mißlingt auch bei der Wiederholung. Vielleicht
verbietet euch eure Erregung, mir meine Aufgabe deutlich zu

machen – aber ich glaube sie schon zu entdecken. Ich soll die Verteidigung des Alkibiades, der flüchtig ist wie ich höre, führen. Es ist nicht das erste Mal, daß ich für den Alkibiades eintrete, wenn sein Leben bedroht war.

Tiefe Stille.

SOKRATES. Ihr klagt den Alkibiades an, daß er den Knaben die Ringschule verleidete. Wie kommt es, daß Alkibiades, der selbst ein ausgezeichneter Springer und Fechter ist, von diesen Übungen abrät? Ich würde es begreifen, wenn ein Krüppel die halsbrecherischen Spiele verspottet – doch was hat Alkibiades mit ihm gemein?

FÜNFTER GREIS. Alkibiades kam von dir – in die Ringschule!

SOKRATES. Beschwatzte ich ihn, die Knaben von den sonnigen Ringplätzen zu locken und die Köpfe in den schattigen Winkeln zusammenzustecken?

SECHSTER GREIS. Er redete wieder – was er von dir gehört hatte!

SOKRATES. Haltet ihr den Alkibiades für einen solchen Toren, daß er nachspricht und nicht überlegt? – Diesen Alkibiades, der eure Feldzüge gewann und euern Besitz vergrößerte, auf den ihr stolz seid?

Stille.

SOKRATES. Wollt ihr ihn der gedankenlosen Nachrede schelten, so müßt ihr auch seine Verdienste um Griechenland verdächtigen, denn sie sind von einem Dummkopf geleistet. Ihr könnt also den einen Tadel nicht aussprechen ohne seine andern Taten mit Schimpf zu belegen. Dieser Anwurf würde aber euch besudeln, da ihr von ihnen euern Nutzen zogt. Ihr dürft euch nicht selbst verachten, wenn ihr über den Alkibiades Richter sein wollt.

Stille.

SOKRATES. Ihr werdet nun den Alkibiades vor diesem Vorwurf schützen – ein unzurechnungsfähiger Narr zu sein. – Welche Mittel er gebraucht hat, die Knaben zu überreden, weiß ich nicht, da ich nie die Ringschule betreten habe. Sie werden jedoch nicht plump gewesen sein, sonst hätten sie nicht bei euren Söhnen verfangen, die durch Abkunft und Erziehung bevorzugt sind. – Was den Gegenstand anbetrifft, den Alkibiades behandelte, so wird er solchen Meisters und solcher Schüler nicht unwürdig gewesen sein. – Ihr werdet den Alkibiades nicht wegen der Vorgänge in der Ringschule verurteilen, sondern müßt mit einem echteren Grunde auf seine Ausstoßung aus eurer Gemeinschaft dringen!

DIE GREISE *unter sich – erst murrend – dann kräftig.* Die Hermen!!

SIEBENTER GREIS *auf rechter Seite – hoch.* Wird das Ziel nicht deutlich vor diesem Vergehen des Umsturzes der heiligen Hermen auf den öffentlichen Plätzen? Schießt nicht Verdacht und Verdacht, der glimmte, nach dieser Flamme, die loht von Frevel über jeden Frevel? Was wir zur Verehrung von Vätern und Vätern hinnahmen und in Verehrung hüteten für Söhne und Söhne, die nachkommen, stieß Alkibiades mit harten Schlägen nieder. Mit keiner Scheu hält er vorm Heiligtum ein – mit Wut der Vernichtung stürmt er von Herme zu Herme und zertrümmert, was uns köstlich! – In unser Gesicht treffen die Hiebe, die Alkibiades schlägt – wir sind geschändet, wo wir verehren – –: sind wir noch Griechen, wenn wir nicht züchtigen, wer uns verletzt?!

ACHTER GREIS *hoch.* Meines Vaters Herme gestürzt durch den Alkibiades!!

NEUNTER GREIS *ebenso.* Meines Geschlechtes heilige Herme im Staub durch den Alkibiades!!

ZEHNTER GREIS *ebenso.* Mit eurer Väter Hermen am Boden die Hermen von Vätern und Vätern von uns durch den Alkibiades!!

DIE GREISE *aufrecht.* Sturz der Hermen durch den Alkibiades mit Strafe des Todes für den Alkibiades!! *Sie lassen sich nieder.*

SOKRATES. Mir fällt eine Frage aus dem Kopf auf die Zunge, die schlüpfrig sie nicht festhält: – habt ihr mich im Hause der Freundin des Alkibiades gefangen, um euch eines Fachmanns für die Wiederaufrichtung der Hermen zu versichern? Ich bin Hermenmacher von Beruf.

Stille.

SOKRATES. Ihr antwortet mir nicht – und ich fange an mich über mein Dastehen vor euch zu beunruhigen. Denn ich zweifle jetzt, daß ihr mich zur Verteidigung des Alkibiades berufen habt, weil man nicht mit solchem Auftrag verhaftet. – Ebenso kommen mir Bedenken, ob ich als Handwerker euch nützlich werden soll. – Gebt mir also die Auskunft: klagt ihr den Alkibiades an oder den Sokrates? Oder den Sokrates und den Alkibiades? Oder haltet ihr euch an den Sokrates nur, weil der Alkibiades euch entlaufen ist?

Stille.

SOKRATES. Gut – ich will euer Verstummen für eine Beschuldigung nehmen, die ihr gegen mich erhebt. Denn die Unschuld würdet ihr mir ja freudig laut beteuern. Scheltet nun nicht mehr den Alkibiades, der euch nicht hören kann – sondern tragt mir Punkt nach Punkt eure Beschwerden vor. Ich werde keine Entgegnung auslassen und mich bemühen alles so deutlich zu machen, daß euch die Entscheidung über Gut und Böse sehr leicht wird. – Mit welchem Mißgriff habe ich Griechenland beleidigt?

Stille.

SOKRATES. Vielleicht ziehe ich mit dieser allgemeinen Erkundigung die Grenzen zu weit und es ballt sich kein Kern für eure Beurteilung. Ich will die einzelnen Geschehnisse vortragen und für jedes euren Spruch fordern. – Bin ich damals in den Feldzug mit dem Vorsatz gezogen, mein Leben auf jede Weise in Sicherheit zu bringen und so mit dem Makel des feigen Soldaten mich zu ätzen!

Stille.

SOKRATES. Ihr billigt mir Mut und Treue zu. – Habe ich einen Befehl, gegen den Feind vorzudringen, mißachtet und mich vorzeitig zu Boden geworfen, als wäre ich verwundet?

Stille.

SOKRATES. Ihr sprecht mir Tapferkeit nicht ab. – Als der furchtbare Rückzug angetreten werden mußte – – – bin ich nicht noch darauf bedacht gewesen, wie ihm Einhalt geschähe? Blieb ich nicht zurück, als ich die Gelegenheit für günstig erachtete den Verfolger aufzuhalten – und kämpfte, bis mir die Sinne schwanden und ich von andern Soldaten ohnmächtig vom Kampffeld getragen wurde? Habe ich nicht geleistet – was einem Griechen geziemt? Wo liegt die Untat, die mich vor die Richter führt? Wie entdeckt ihr ein Verbrechen, das so grauenhaft ist, daß es mich hier auf die weiße Steinplatte der schwärzesten Anklage stellt! Womit ist Sokrates schuldig?!

DIE GREISE *sich mit Blicken suchend – Arme schwenkend – allmählich alle auf – in gesammeltem Schrei ausbrechend.* Er hat den Alkibiades gerettet!!!! *Sie stehen steil.*

SOKRATES. Sprecht ihr davon? Ich wollte mich dieser Tat nicht rühmen und erwähnte sie nicht. Doch wo ihr sie zu meinem Freispruch braucht, so werfe ich selbst dies Gewicht in die Schale: – – ich habe den Alkibiades gerettet!

DIE GREISE *mit wehenden Gebärden.* Der Tod für Sokrates!!!!

SOKRATES. Ich habe vollbracht, was einen Riesen von Wuchs und Kraft ermüdet hätte –: ich habe den Alkibiades gerettet – – und verlange: – – daß man mich lebenlang aus öffentlichen Kosten unterhält!

DIE GREISE *holen kleine schwarze Scherben aus ihren Mänteln und schleudern sie auf das weiße Steinquadrat, wo sie klirrend zerschellen.* Tod für Sokrates!!!!

SOKRATES *zu Boden blickend – mit dem Fuß in dem Scherbenhaufen wühlend.* Kein heller Scherben? Nur schwarze Tafeln und mit gefährlichen Zacken gesplittert. Es würde ein Dornenweg in die Freiheit sein – – die andere Verletzung ist milder – und erst heilsam für alle – – – –

DIE GREISE *noch säulenstarr aufrecht – die Arme langend in azurnen Himmel.*

Gefängniszelle – niedrig, schmal; grau. Inmitten hölzerner Schlafbock. Rechts hochgelegene vergitterte Luke. In der Rückwand Tür mit eisernem Gatter geschlossen – dahinter steile steinerne Stiege nach oben. –
Sokrates liegt im Schlaf. –
Das Gatter – an Kette knarrend – wird aufgezogen.

XANTIPPE *tastend die Stufen herunter – an den Schlafbock – rüttelt Sokrates an Brust und Schulter.* Mann!

SOKRATES *reglos wach.* Endlich?

XANTIPPE Was endlich? Das Ende endlich? Das Ende – das keinen Anfang mehr hat – solch ein Ende endlich?!

SOKRATES. Man irrt: es wird ein Anfang ohne Ende.

XANTIPPE. Wer ist man? Was ist hier Irrtum? – Ich schreie: ich bin's – du bist es – wir sind nicht man – – Mann und Weib sind wir – und *ein* Blut und *eine* Luft der Lungen. Was ist da zwischen uns, das erwürgt den einen und läßt den andern laufen verstümmelt?! – – Erschlagt den – – mich scharrt zuerst unter den Sand!!

SOKRATES *sich auf Ellbogen stützend*. Hat man sich für diese Todesart entschieden?

XANTIPPE *starrt ihn an*. Reißt es dich nicht vom Schlafbock auf – und jagt dich an Wände und Wände, die brechen sollen vor deiner Todeswut?!

SOKRATES *lächelnd*. Ich würde vorher hundertmal des Todes sterben, wenn ich mich so verleiten ließe. – Du weißt es.

XANTIPPE *zusammensinkend*. Dein letzter Tag, Mann – dein letzter Morgen – deine letzte Stunde –: sie bringen dich um ohne Gnade und Blinzeln!

SOKRATES. Hat man dir deshalb Nachricht geschickt?

XANTIPPE. Ein Kerl lief zu – und sagte das.

SOKRATES. Ist es nicht gütig von den Richtern? Sie tun es ungern, was sie mir tun – denn wo das Erbarmen keine Stätte hatte, das findet sich bei mir. Ich habe die Hand gegen etwas erhoben, was über alle Maßen herrlich war – aber der Zwang war unabweisbar. Die Greise vergehen bald – und mit den Knaben hält es das Leben, das lang vor ihnen ist. – Schafft man mich heute aus der Zelle?

XANTIPPE *weinend*. Aus Licht – und Luft.

SOKRATES. Dann verlasse ich nicht viel – hier häuft es sich nicht mit Überfluß. – – Wie lebst du?

XANTIPPE. Was ich von deiner Mutter lernte – nützt mir jetzt.

SOKRATES. Hebamme. – Merkwürdig, daß du an dies Geschäft gerietst. Durch deine Hände gleiten Menschen ins Leben, dem ich einen Vorhang schwärzte. Einer arbeitet blindlings gegen den andern – und doch ist alles in Liebe verflochten. – – Willst du erwarten, wenn sie kommen?

XANTIPPE *rasch auf*. Wehe, wer zudringt – wo ich bin! Xantippe schreibt sich mit Krallen in die Geschichte der Kreatur!

SOKRATES. Du erliegst bald dem Angriff, den du gegen dich reizt.

XANTIPPE. Dem ersten noch nicht – dem andern schwerlich – dem zehnten mit Lust –: da hast du dein Totenopfer von neunen, die kalt sind!

SOKRATES. Genügte es – – die Ansprüche haben sich gebläht zu einem Schatten, der über die Erde wölkt! – – Hast du einen arbeitsamen Tag vor dir?

XANTIPPE. Mütter sollen stöhnen, wenn sie kreißen – ich grinse!!

SOKRATES. Willst du Unschuldige leiden lassen?

XANTIPPE. Wer ist unschuldig – wie du ohne Schuld bist und sie dich – – *Ihre Stimme schluchzt.*

SOKRATES. Ich weiß das – aber so oder so wäre es doch in die Welt gekommen – –: einmal müssen sich die andern auflehnen und einen Himmel über den Himmel türmen, aus dem die Sonne sie furchtbar brennt, wie sie es schwächlich nicht ertragen! – Mich schmerzte der Wandel – und es verurteilte mich zur Standhaftigkeit! – Das Neue – Ungeheure schleudert ein Zufall heraus – wie auch, wo du hilfst, der Ursprung zufällig ist –: ein Kind wird – war Vorbedacht am Werke? –: nur Liebe – nur die ist das ungewiß Gewisseste von allen Wundern! – – Versäume keine Pflicht, Weib.

XANTIPPE *wankend.* Abschied – –

SOKRATES. Ein leichter. Ranken hier Kressen um Fenster? Ein dürftiger Schein – du siehst mich schwach. Draußen fließt Helle – vermische mich nicht in die Dämmerung hier – du findest mich sonst niemals wieder, wo ich dir immer begegne, wie ich dir klar gegenwärtig bleibe.

XANTIPPE *schwankt zur Tür – plötzlich schreiend.* Licht –!! *In Hast die Stiege hoch – ab.*

SOKRATES *dreht das Gesicht nach der Luke, in die kleiner Schein von Morgensonne bricht.*

Stürmend über die Stiege drei Knaben – in grauen Mänteln – um Sokrates drängend.

ERSTER KNABE. Sokrates – steh auf –

ZWEITER KNABE. Eil dich –

DRITTER KNABE. Zur Flucht!

SOKRATES *sieht sie an.* Ihr findet mich bereit.

DRITTER KNABE. Keine Zeit bleibt –

ZWEITER KNABE. Der Plan verrät sich –

ERSTER KNABE. Wie du zögerst!

SOKRATES. Ich bin weder neugierig noch geduldig – was noch geschieht wird mir schon gleichgültig, wie es vorbestimmt ist.

ZWEITER KNABE. Du bist frei –

ERSTER KNABE. Mit Freuden –

DRITTER KNABE. Alle Knaben tun das für dich!

ZWEITER KNABE. Knaben sind als gemeine Wachsoldaten oben – im Hof – am Tor –

ERSTER KNABE. Knaben in den Straßen bis aus der Stadt –

DRITTER KNABE. Knaben mit einem Wagen im Feld, der dich wegführt –

ZWEITER KNABE. Knaben im Schiff, das dich überfährt –

ERSTER KNABE. Alle Knaben im Eifer für deine Rettung heiß um Tod und Leben!

SOKRATES. Was verlangt ihr von mir?

ZWEITER KNABE. Geh zwischen uns aus der Zelle – die Stiege hoch – über den Hof – durchs Tor – – in der Straße mußt du laufen mit uns – – laufen zum Ende der Stadt – – laufen mit allen Kräften, wie wir vorlaufen!!

SOKRATES. Welche Straße ist das?

DRITTER KNABE. Über den Fischmarkt!

SOKRATES. Mit dem Kopfsteinpflaster?

ZWEITER KNABE. Die liegt im Frühmorgen leer!

ERSTER KNABE *in der Tür*. Die Wache winkt!

DRITTER KNABE. Spring vom Bett – Sokrates – los mit uns!

SOKRATES *sich von neuem ausstreckend*. Die Reise wäre mir zu beschwerlich. Meint ihr es gut mit mir, so laßt mich ausschlafen, um später unermüdet den großen Schlaf anzutreten, den man übernächtig schlecht besteht.

Vierter Knabe kommt.

VIERTER KNABE. Die Wachen wechseln jetzt – die letzte Frist für uns!

ERSTER KNABE. Hinauf –

ZWEITER KNABE. Im Hof –

DRITTER KNABE. Aus Tor!!

SOKRATES. Mich schläfert – Knaben -- geht in die Ringschule.

Zwei Knaben kommen.

FÜNFTER KNABE. Verloren!!

SECHSTER KNABE *am Schlafbock niederbrechend.* Zu spät!!

Die Knaben stehen stumm.

SOKRATES *hebt den Kopf.* Wer schluchzt? Sind Frauen im
Raum? Läßt man sie zu, wo Männer sich nur zur Beherrschung entschließen? *Er richtet sich halb auf und findet den
Kopf des sechsten Knaben.* Kindskopf – schmeckte die Früh-
suppe salzig, daß dir Tränen aufkommen?

SECHSTER KNABE *nimmt seine Hand und küßt sie inbrünstig.*
Wir wollten dich retten!

SOKRATES. Rafft der Ertrinkende den Retter ans Ufer? Du
ersäufst fast in deinem fließenden Weinen – und ich ruhe auf
fester Küste gebettet. *Zu allen Knaben.* Euer Vorwitz hätte
mich hart ums Leben gebracht.

SECHSTER KNABE. Du stirbst – Sokrates!

DIE KNABEN *in Bewegung dicht um Sokrates.* Warum mußt
du sterben – Sokrates??

SOKRATES. Die Greise befehlen es.

DIE KNABEN. Du wolltest nicht fliehen!!

SOKRATES. Um die Entdeckung zu verhindern.

ERSTER KNABE. Niemand hätte dich verfolgt!

FÜNFTER KNABE. In Sicherheit warst du abends überm Meer!

SOKRATES. Wißt ihr das? Es hätte sich ans Licht bringen können, so lange ich lebte – und im langen Leben einmal ver-
zagte und es vergäße –: den Alkibiades zu retten!

EINIGE KNABEN. Alkibiades lebt bei Freunden!

SOKRATES. In drohender Gefahr, die ich für immer von ihm
abwende!

VIERTER KNABE. Soll dein Tod die Richter milde für Alkibiades machen?

SOKRATES. Es geht nicht um Urteil von heute und morgen –
euer aller Dauer und Bestand wird hier gegründet!

SIEBENTER KNABE. Wir verehren dich – Sokrates – grenzenlos!

DIE KNABEN. Wir lieben dich – Sokrates – über unsere Väter!

SOKRATES. Mit solcher Bürde beladet ihr meinen Rücken?
Sie buckelt sich zu Gebirgen von Last – werfe ich nicht einen
Schatten von Buckel, der schwärzt?

ERSTER KNABE *inbrünstig.* Schön bist du – Sokrates – und du
bist schön – – über Alkibiades!

DIE KNABEN. Du bist schön – Sokrates – über den Alkibiades!!
SOKRATES *lächelnd.* Wollte ihr mich nun retten? Wer darf
den Sokrates retten?
DIE KNABEN. Niemand darf den Sokrates retten!!
SOKRATES. Nur der Sokrates kann den Sokrates retten – –
sonst stürzte der Himmel über Griechenland zusammen!

*Von der Stiege langsam der Heilgehilfe – geschoren, nackt
bis auf schwarzen Schurz – mit hölzerner Flasche und höl-
zernem Becher.*
Hinter ihm drängen Knaben.

SOKRATES. Tretet ehrfürchtig beiseite – der Wirt bemüht sich
um seinen Gast mit Flasche und Becher. *Zum Heilgehilfen.*
Habe ich dich um eine Stunde deines Morgenschlafs bestoh-
len? So will ich mich jetzt beeilen und du wirst den Verlust
noch einbringen.

Die Knaben füllen die ganze Zelle.

FÜNFTER KNABE. Sokrates – du hast eine Frist nach dem Gesetz, bis dir der Becher gereicht und wieder genommen wird!
SOKRATES. Soll dieser Mann zweimal gehen, der mir schon
ein Stück seiner Nachtruhe geopfert hat? *Zum Heilgehilfen.*
Entschuldige dem Knaben seinen Eifer. Bist du gewiß, daß
dein Gift kräftig ist?
HEILGEHILFE. Ich rieb grünen Schierling in der Nacht, wie er
zubereitet werden muß, um wirksam zu sein.
SOKRATES. So bist du nicht ins Bett gekommen? Dann ist
Grund, mich doppelt zu beeilen. Verzeih, Freund, daß ich
dir einen Verdruß bereitet habe. Spute auch du dich!
DIE KNABEN *andrängend.* Sokrates – lebe noch!!
SOKRATES. Stoßt nicht an den Gastgeber! *Zum Heilgehilfen,
der die Flasche geöffnet hat und in den Becher ausgießen
will.* Was tust du? Es verschüttet sich ein Tropfen – oder an
den Wänden der Flasche heftet sich ein Rest, wenn du in den
Becher ausgießest – der mir fehlen könnte. Laß mich aus
der Flasche trinken! *Er nimmt die Flasche und leerte sie in
kurzem Zuge.*

Stille.

SOKRATES *umblickend*. Unbeschreiblich der Geschmack. Eine sanfte Bitterkeit – und schon geschmacklos. Ist das alles?

HEILGEHILFE. Du mußt aufstehen und herumgehen – bis Müdigkeit eintritt.

SOKRATES. Ein kostbarer Rat – – Bist du Arzt?

HEILGEHILFE. Heilgehilfe.

SOKRATES. Ein guter Namen für den Henker. – – Bist du in kleinen Handreichungen erfahren?

HEILGEHILFE. Was verlangst du?

SOKRATES *nach langem Blick nach den Knaben*. Löse mir links den Schuh und suche unter der Sohle – –: ich trat mir irgendwo einen Splitter ein – – der mich hindert, deinem Befehl zu gehorchen. Ich könnte sonst nicht in der Zelle auf und ab schreiten!

HEILGEHILFE *tut es – hält den Dorn*.

SOKRATES. Gefunden?

HEILGEHILFE *betrachtet den Dorn*.

SOKRATES *sich hochsetzend*. Wundert dich was?

HEILGEHILFE. Es ist kein Splitter, wie du sagst – – ein steifer Stachel – – ein Dorn von Kaktee – - die hier nicht wuchert – –

SOKRATES. Ich lasse ihn dir, da ich dich anders nicht bezahlen kann.

HEILGEHILFE. Er muß im Fleisch furchtbar geschmerzt haben.

SOKRATES. Grauenhaft, Heilgehilfe – und es kostet das Leben, um das zu ersticken! – – *Er steigt vom Schlafbock*. Aber das Gift im Leibe vernichtet Mißverständnisse. Ich habe mit letztem Pfennig bezahlt und brauchte das Licht nicht zu scheuen! – *Er beginnt zu gehen*. –

Die Knaben weichen vor ihm an die Wände.

SOKRATES. Gebe ich euch ein Schauspiel? Ist es Tragödie oder spielt sich Lachen hinein? Der Spieler oben weiß es nicht – der Neugierige unten enthüllt es nicht – wie ist die Vermischung vollkommen? – Trauer hat Tränen – Freude vergießt sie – – in *eine* Seligkeit münden die beiden. Wer unterscheidet? – – Ihr nicht – – und ich nicht – –: das Große ist im Kleinen verborgen – – und aus Geringem türmt sich Erhabenes in Gipfel, wo Schnee und Sonne im Bündnis sind! – – *Langsam gehend*. Schnee – – ist Kälte – – auffrierend aus Bein und Brust – – – – Sonne – – Glut – – kreisend – – im

Haupt – – – – Eiszone – – – – Wüstenmittag – – – – kalt – –
warm – – rieselnd – – schaudernd – – wollüstig – – – –
Er erreicht den Schlafbock und legt sich lang. Murmelnd.
Heil – ge – hil – fe . . . : du – – mußt – – für – – mich – –
eurem – – Schutzherrn – – opfern – – – – Wie – – heißt – –
euer – –??
HEILGEHILFE. Ich leistete dir einen kleinen Dienst.
SOKRATES. Wie – – heißt – –??
HEILGEHILFE. Asklepios.
SOKRATES *vergehend.* Ich – – bin – – dem – – Asklepios – –
einen – – Hahn – – schuldig – – – – *Er streckt sich – ist tot.*

DIE KNABEN *in Erschütterung stumm treten an den Schlafbock.*
EIN KNABE *zu Fußende – den Kopf aufgebogen – die Arme
über sich streckend – in Begeisterung.*
DIE KNABEN *aufmerksam – hinweisend - flüsternd.* Platon –
– Platon – – Platon – –
DER KNABE *ausbrechend.* Hörtet ihr: – – so schied Sokrates
vom Leben wie von einer langen Krankheit – – und dankt
dem Tode wie einem Arzte, der ihn von schwerem Leiden
erlöst!!

*Durch die Luke schießt Sonnenstrahl und trifft die Füße des
Sokrates.*

[1917/19]; 1919; [1931]

Satz und Druck:
Poeschel & Schulz-Schomburgk, Eschwege
Buchbinderische Verarbeitung:
Großbuchbinderei Sigloch, Künzelsau
Gesetzt aus der Sabon Antiqua

WITHDRAWN